D1178543

LA MISÈRE DU MONDE

Pierre Bourdieu
et A. Accardo, G. Balazs, S. Beaud, F. Bonvin,
E. Bourdieu, P. Bourgois, S. Broccolichi,
P. Champagne, R. Christin, J.-P. Faguer, S. Garcia,
R. Lenoir, F. Matonti, F. Muel-Dreyfus, F. Œuvrard,
M. Pialoux, L. Pinto, A. Sayad, C. Soulié,
B. Urlacher, L. Wacquant, A.-M. Waser.

LA MISÈRE DU MONDE

Éditions du Seuil

TEXTE INTÉGRAL

ISBN 2-02-033416-X
(ISBN 2-02-019674-3, 1re édition brochée)

Nous remercions :

La Caisse des dépôts, qui a assuré le financement des enquêtes dont les résultats sont présentés ici, avec une attention particulière pour MM. Robert Lion, Paul Pavy et Pierre Saragoussi qui ont soutenu depuis l'origine notre entreprise,

M. Pierre-Jean Gré, qui nous a apporté son soutien vigilant tout au long de ce travail,

MM. et Mmes Pascal Basse, Jean Barin, Jean-Claude Feite, Jacky Galland, André Générat, Gilles L'Hôte, Edmond Maire, Rémy Nouveau, Nicole Pavy, qui nous ont aidés, à différents titres, à mener les enquêtes sur le terrain et à recueillir les informations nécessaires pour les interpréter,

et toutes les personnes qui nous ont manifesté leur confiance en acceptant de s'entretenir avec nous et que le souci de respecter leur anonymat nous interdit de nommer.

Pierre Bourdieu

Au lecteur

Nous livrons ici les témoignages que des hommes et des femmes nous ont confiés à propos de leur existence et de leur difficulté d'exister. Nous les avons organisés et présentés en vue d'obtenir du lecteur qu'il leur accorde un regard aussi *compréhensif* que celui que les exigences de la méthode scientifique nous imposent, et nous permettent de leur accorder. C'est pourquoi nous espérons qu'il voudra bien suivre la démarche proposée. Cela, même si nous comprenons que, voyant dans les différentes « études de cas » des sortes de petites nouvelles, certains puissent préférer les lire au hasard, et choisir d'ignorer les préalables méthodologiques ou les analyses théoriques, pourtant tout à fait indispensables, selon nous, à la juste compréhension des entretiens[1].

Comment, en effet, ne pas éprouver un sentiment d'inquiétude au moment de rendre *publics* des propos *privés*, des confidences recueillies dans un rapport de confiance qui ne peut s'établir que dans la relation

1. Nous avons renvoyé à la fin de l'ouvrage (p. 1389) l'exposé détaillé des présupposés épistémologiques des opérations d'enquête, de transcription et d'analyse des entretiens.

entre deux personnes ? Sans doute tous nos interlocuteurs ont-ils accepté de s'en remettre à nous de l'usage qui serait fait de leurs propos. Mais jamais contrat n'est aussi chargé d'exigences tacites qu'un contrat de confiance. Nous devions donc veiller d'abord à protéger ceux qui s'étaient confiés à nous (notamment en changeant souvent les indications, telles que les noms de lieux ou de personnes, propres à permettre de les identifier) ; mais il nous fallait aussi et surtout essayer de les mettre à l'abri des dangers auxquels nous exposerions leur parole en l'abandonnant, sans protection, aux détournements de sens.

« Ne pas déplorer, ne pas rire, ne pas détester, mais comprendre ». Il ne servirait à rien que le sociologue fasse sien le précepte spinoziste s'il n'était pas capable de donner aussi les moyens de le respecter. Or, comment donner les moyens de comprendre, c'est-à-dire de prendre les gens comme ils sont, sinon en offrant les instruments nécessaires pour les appréhender comme *nécessaires*, pour les nécessiter, en les rapportant méthodiquement aux causes et aux raisons qu'ils ont d'être ce qu'ils sont ? Mais comment expliquer sans « épingler » ? Comment éviter, par exemple, de donner à la transcription de l'entretien, avec son préambule analytique, les allures d'un protocole de cas clinique précédé d'un diagnostic classificatoire ? L'intervention de l'analyste est aussi difficile que nécessaire : elle doit à la fois se déclarer sans la moindre dissimulation, et travailler sans cesse à se faire oublier. Ainsi l'ordre selon lequel sont distribués les cas analysés vise à rapprocher dans le temps de la lecture des personnes dont les points de vue, tout à fait différents, ont des chances de se trouver confrontés, voire affrontés dans l'existence ; il permet aussi de mettre en lumière la représentativité du cas directement analysé, un professeur ou un petit commerçant, en groupant autour de lui des « cas » qui en sont comme des variantes. Dans la transcription de l'entretien elle-même, qui fait subir au discours oral une transformation décisive, le titre et les sous-titres (toujours empruntés aux propos de l'enquêté), et surtout le texte dont nous faisons précéder le dialogue, sont là pour diriger le regard du lecteur vers les traits pertinents que la perception distraite et désarmée laisserait échapper. Ils ont pour fonction de rappeler les conditions sociales et les conditionnements dont l'auteur du discours est le produit, sa trajectoire, sa formation, ses expériences professionnelles, tout ce qui se dissimule et se livre à la fois dans le discours transcrit, mais aussi dans la prononciation et l'intonation, effacées par la transcription, comme tout le langage du corps, gestes, maintien, mimiques, regards, et aussi dans les silences, les sous-entendus et les lapsus.

Mais l'analyste ne peut espérer rendre acceptables ses interventions les plus inévitables qu'au prix du travail d'*écriture* qui est indispensable pour concilier des objectifs doublement contradictoires : livrer tous les éléments nécessaires à l'analyse objective de la position de la personne interrogée et à la compréhension de ses prises de position, sans instaurer avec elle la distance objectivante qui la réduirait à l'état de curiosité entomologique ; adopter un point de vue aussi proche que possible du sien sans pour autant se projeter indûment dans cet *alter ego* qui reste toujours, qu'on le veuille ou non, un objet, pour se faire abusivement le sujet de sa vision du monde. Et il n'aura jamais aussi bien réussi dans son entreprise d'objectivation participante que s'il parvient à donner les apparences de l'évidence et du naturel, voire de la soumission naïve au donné, à des constructions tout entières habitées par sa réflexion critique.

Pierre Bourdieu

L'espace des points de vue

Pour comprendre ce qui se passe dans des lieux qui, comme les « cités » ou les « grands ensembles », et aussi nombre d'établissements scolaires, rapprochent des gens que tout sépare, les obligeant à cohabiter, soit dans l'ignorance ou dans l'incompréhension mutuelle, soit dans le conflit, latent ou déclaré, avec toutes les souffrances qui en résultent, il ne suffit pas de rendre raison de chacun des points de vue saisi à l'état séparé. Il faut aussi les confronter comme ils le sont dans la réalité, non pour les relativiser, en laissant jouer à l'infini le jeu des images croisées, mais, tout au contraire, pour faire apparaître, par le simple effet de la juxtaposition, ce qui résulte de l'affrontement des visions du monde différentes ou antagonistes : c'est-à-dire, en certains cas, le *tragique* qui naît de l'affrontement sans concession ni compromis possible de points de vue incompatibles, parce que également fondés en raison sociale.

Si les entretiens ont été conçus et construits comme des ensembles autosuffisants, susceptibles d'être lus isolément (et dans un ordre quelconque), ils ont été distribués de manière à ce que les gens appartenant à des catégories qui ont des chances d'être rapprochées, voire confrontées, dans l'espace physique (comme les gardiens de HLM et les habitants, adultes ou adolescents, ouvriers, artisans ou commerçants, de ce genre de résidence) se trouvent aussi rapprochés dans la lecture. On espère ainsi produire deux effets : faire apparaître que les lieux dits « difficiles » (comme aujourd'hui la « cité » ou l'école) sont d'abord *difficiles à décrire et à penser* et qu'il faut substituer aux images simplistes, et unilatérales (celles que véhicule la presse notamment), une représentation complexe et multiple, fondée sur l'expression des mêmes réalités dans des discours différents, parfois inconciliables ; et, à la manière de romanciers tels que Faulkner, Joyce ou Virginia Woolf, abandonner le point de vue unique, central, dominant, bref quasi divin, auquel se situe volontiers l'observateur, et aussi son lecteur (aussi longtemps au moins qu'il ne se sent pas concerné), au profit de la pluralité des perspectives correspondant à la pluralité des points de vue coexistants et parfois directement concurrents[1].

Ce perspectivisme n'a rien d'un relativisme subjectiviste, qui conduirait à une forme de cynisme ou de nihilisme. Il est en effet fondé dans la réalité même du monde social et il contribue à expliquer une grande part de ce qui advient dans ce monde, et, en particu-

1. On pourrait aussi invoquer le modèle du *Don Quichotte* qui, notamment en donnant des noms différents, expliqués par des justifications étymologiques diverses, aux mêmes personnages, ou en jouant sur les niveaux de langue, tente de restituer la « multivalence que les mots possèdent pour les différents esprits » et, du même coup, la pluralité des perspectives qui font la complexité et l'ambiguïté de l'existence humaine (cf. L. Spitzer, *Linguistic Perpectivism in the « Don Quijote », Linguistics and Literary History : Essays in Linguistics*, Princeton University Press, Princeton, 1948, p. 41-85).

lier, nombre des souffrances nées de la collision des intérêts, des dispositions et des styles de vie différents que favorise la cohabitation, notamment au lieu de résidence ou au lieu de travail, de gens différant sous tous ces rapports. C'est à l'intérieur de chacun des groupes permanents (voisins de quartier ou d'immeuble, collègues de bureau, etc.), horizon vécu de toutes les expériences, que sont perçues et vécues, avec toutes les erreurs (de cible notamment) résultant de l'effet d'écran, les oppositions, en matière de style de vie surtout, qui séparent des classes, des ethnies ou des générations différentes. Même si l'on rencontre parfois des personnes que leur trajectoire, autant que leur position, incline à une vision déchirée et divisée contre elle-même (je pense à cette marchande d'articles de sport d'une cité « difficile » qui se sent fondée à se défendre avec vigueur contre les agressions des jeunes, tout en portant sur eux un regard compréhensif), la confrontation directe des différences a pour effet de favoriser la lucidité intéressée et partielle de la polémique (c'est le cas, par exemple, lorsque telle immigrée espagnole invoque la différence entre les structures des familles européennes, qui combinent un taux de fécondité faible et, souvent, une forte discipline de vie, et les familles maghrébines, très prolifiques et souvent vouées à l'anomie par la crise de l'autorité paternelle résultant de la condition de l'exilé, mal adapté et parfois placé sous la dépendance de ses propres enfants).

Il n'est pas jusqu'à l'expérience de la position occupée dans le macrocosme social qui ne soit déterminée ou, au moins, altérée par l'effet directement éprouvé des interactions sociales à l'intérieur de ces microcosmes sociaux, bureau, atelier, petite entreprise, voisinage et aussi famille étendue. La pièce de Patrick Süskind, *La contrebasse*, fournit une image particulièrement réussie de l'expérience douloureuse que peuvent avoir du monde social tous ceux qui, comme le contrebassiste au sein de l'orchestre, occupent une position inférieure et obscure à l'intérieur d'un univers prestigieux et privilégié, expérience d'autant plus douloureuse sans doute que cet univers, auquel ils participent juste assez pour éprouver leur abaissement relatif, est situé plus haut dans l'espace global. Cette *misère de position*, relative au point de vue de celui qui l'éprouve en s'enfermant dans les limites du microcosme, est vouée à paraître « toute relative », comme on dit, c'est-à-dire tout à fait irréelle, si, prenant le point de vue du macrocosme, on la compare à la grande misère de condition ; référence quotidiennement utilisée à des fins de condamnation (« tu n'as pas à te plaindre ») ou de consolation (« il y a bien pire, tu sais »). Mais, constituer la grande misère en mesure exclusive de toutes les misères, c'est s'interdire d'*apercevoir* et de comprendre toute une part des souffrances caractéristiques d'un ordre social qui a sans doute fait reculer la grande misère (moins toutefois qu'on ne le dit souvent) mais qui, en se différenciant, a aussi multiplié les espaces sociaux (champs et sous-champs spécialisés), qui ont offert les conditions favorables à un développement sans précédent de toutes les formes de la petite misère. Et l'on n'aurait pas donné une représentation juste d'un monde qui, comme le cosmos social, a la particularité de produire d'innombrables représentations de lui-même, si l'on n'avait pas fait leur place dans l'espace des points de vue à ces catégories particulièrement exposées à la petite misère que sont toutes les professions qui ont pour mission de traiter la grande misère ou d'en parler, avec toutes les distorsions liées à la particularité de leur point de vue.

cité, j'ai

oir le mair

été ghetto

banlieue

la meuf,

Pierre Bourdieu

La rue des Jonquilles

Cet ensemble d'habitations hétéroclites, d'abord désigné par des initiales bureaucratiques, ZUP (Zone à urbaniser en priorité), puis rebaptisé « Val Saint Martin », un de ces euphémismes par lesquels les responsables des « opérations » de « Développement social des quartiers » (DSQ) entendent « changer l'image » des quartiers à rénover, est, comme les populations qui l'habitent, la trace visible que les politiques industrielles successives ont laissée, comme des sédiments, sur les anciennes terres agricoles qui s'étendent au pied du mont Saint Martin et de son église romane. La tour de 14 étages ayant été détruite au début des années 90, il ne reste plus aujourd'hui qu'un alignement de petites maisons jumelées, en « accession à la propriété », occupées par des familles d'ouvriers qualifiés, de chefs d'équipe ou de contremaîtres de l'industrie métallurgique qui, souvent originaires de l'étranger, d'Algérie notamment, sont pour près de la moitié en chômage ou en préretraite, à la suite des différentes « restructurations » de l'industrie sidérurgique.

M. Leblond et M. Amezziane habitent de part et d'autre de la rue des Jonquilles, large avenue sans arbres, bordée de petites maisons dotées d'un minuscule jardin (quatre mètres carrés), enclos d'un petit mur et souvent jonché de papiers, de jouets cassés et d'ustensiles abandonnés : ces habitations comportent, au-dessus d'un garage, situé au rez-de-chaussée, avec la buanderie et la salle de bains, un appartement de trois pièces, auquel on accède par un escalier très raide, en ciment brut, comme on peut le voir chez M. Amezziane, où il a été laissé tel quel, avec seulement quelques serpillières en guise de paillasson.

Sauf à l'heure de la sortie des écoles, où elle se transforme en aire de jeux pour les enfants, la rue des Jonquilles, peut-être parce qu'elle ne comporte rien de ce qui anime d'ordinaire l'espace citadin, boucheries, boulangeries, épiceries, cafés, marchands de journaux ou bureaux de tabac, est presque toujours vide, et elle évoque naturellement le mot de « désert » que les gens de la région emploient souvent pour désigner ce que l'on a fait de leur pays depuis la fermeture des usines et la destruction des bâtiments, qui a laissé un immense vide, et pas seulement dans le paysage.

Les habitants de la rue des Jonquilles sont un peu comme les survivants d'un immense désastre collectif, et ils le savent. Avec les usines, c'est leur raison d'être qui a disparu : ils y entraient tout naturellement, souvent très tôt, dès l'âge de 14 ans, après le certificat d'études, dans la continuité de leurs parents, et ils y destinaient tout naturellement leurs enfants. C'est aussi leur passé, et tout l'univers des relations professionnelles, qu'ils s'efforcent de perpétuer, tant bien que mal, en saisissant toutes les occasions de se retrouver, au café ou au supermarché, pourtant séparé de leur résidence par des voies express, où ils passent des matinées entières à discuter. Mais c'est surtout leur avenir, continuation et justification de leur passé, celui de leurs fils et de leurs filles, aujourd'hui voués à un séjour prolongé dans une école secondaire assez efficiente pour les détourner de l'usine, sans être en mesure de leur offrir autre chose, la plupart du temps, que des titres dévalués, c'est-à-dire, bien souvent, dans cette région en crise, la promesse du chômage.

M. et Mme Leblond ont accepté de nous recevoir sur la recommandation d'un parent éloigné. M. Leblond était de repos ce matin-là. Les filles sont à l'école. Ils ont entendu la voiture : il nous ouvre la porte du rez-de-chaussée avant que nous soyons descendus. Mme Leblond est restée en haut, mais elle apparaît tout de suite, au sommet de l'escalier. Ils se sont habillés avec soin : il a mis une chemise à carreaux, elle, une robe à fleurs et sa coiffure est un peu apprêtée. Comme s'il s'agissait d'une épreuve à laquelle ils ont à faire face tous les deux, ils nous reçoivent en couple : ils donnent ainsi plus à voir d'eux-mêmes, mais chacun d'eux tire sans doute un sentiment de réassurance de la présence de l'autre à ses côtés. Ils sont un peu intimidés, ne sachant pas bien ce qui est attendu d'eux (ils demanderont à la fin : « Mais, qu'est-ce que vous allez faire de tout ça ? ») ; ils se réfugient, comme nous, derrière les formules de politesse d'usage en pareille circonstance. Elle se serre presque contre lui et ne le quitte pas, sauf pour aller à la cuisine, chercher du café (il était déjà prêt ; elle sort des tasses de porcelaine de la desserte). Elle résiste à nos tentatives pour entreprendre deux dialogues séparés. Du regard, il la fait participer à la conversation. Quand elle parle, elle sollicite son approbation ; gravement, il approuve, mais n'intervient pas, comme par respect.

Nous nous asseyons face à face, de part et d'autre de

la grande table qui occupe presque toute la salle à manger. C'est le centre de la vie familiale : les filles y font leurs devoirs, pendant que leur mère coud ou tricote (un tricot traîne sur l'étagère, ainsi que des papiers, les cahiers des filles, des jeans à raccourcir). Ce petit monde chaleureux, mais comme clos sur lui-même et se suffisant parfaitement, avec sa desserte amoureusement briquée, garnie de photos des filles et de bibelots entourant le diplôme du Brevet de la fille aînée, son étagère à livres, couronnée aussi de bibelots et de photos, et comportant trois rangées d'ouvrages de vulgarisation, son sofa couvert de coussins brodés de couleurs vives, face à la télévision, ses plantes grasses, son minuscule chien, entouré de tous les soins, est à l'image de M. et Mme Leblond, de leurs visages avenants, souriants, confiants et pourtant parcourus d'inquiétudes, voire de craintes, lorsque sont évoqués, à mots couverts, certains problèmes de voisinage. Ils sont une des dernières familles d'origine française à vivre dans la rue des Jonquilles. C'est Mme Leblond qui le fera observer, à la fin de la conversation : « Vous savez ici, dans ce coin-là, si on compte, oh ! on est sept Français, sept Français, parce que, même en face, là, rien que les petites maisons, là, … » ; pour ajouter aussitôt : « Oh ben, vous savez, moi, je sors pas beaucoup ».

Ce n'est là qu'un des signes, et sans doute le plus douloureux, du déclin individuel qui a accompagné le déclin collectif des entreprises industrielles de la région. Et M. Leblond, qui a échappé, un peu par miracle, aux grandes vagues de licenciements (encore un mot tabou : les responsables de la « restructuration de la sidérurgie » parlent de « suppressions d'emploi avec un plan social ») et qui a réussi à conserver son emploi d'agent de contrôle (du métal fini), décrit tous les signes accumulés de la dégradation de sa condition professionnelle : le salaire diminué de 30 à 40 % (depuis qu'il ne travaille plus en feux continus, donc même pendant les week-ends) ; les équipes de travail amputées, parfois de moitié, comme la sienne, qui passe de neuf à quatre, bien qu'elles accueillent une fraction de plus en plus importante de travailleurs déqualifiés (des anciens qu'il faut recaser en attendant la retraite) ou superficiellement recyclés, et cela pour une production constante ou même augmentée ; les contraintes et les contrôles accrus pour minimiser les absences, même en cas de maladie (« on ne doit pas tomber malade, il n'y a personne pour nous remplacer » ; « maintenant, faut demander une autorisation pour être malade… » ; « le gars se casse un pied, se casse un bras à l'usine, il y a une voiture de l'usine qui vient le chercher à la maison et qui le ramène tous les jours ») ; les syndicats affaiblis, notamment par la difficulté de mobiliser des travailleurs désenchantés et portés à s'estimer heureux d'avoir un travail (« On nous rabâche trop ça ; on nous rabâche trop, en nous disant, "t'as du travail, estime-toi heureux"… Bon, ben, c'est la réflexion, "Estime-toi heureux, tu as du travail". Moi ça fait sept ans que j'ai pas arrêté pour maladie ; j'ai arrêté au mois de septembre, j'ai fait une entérite, j'ai été pour tout et en tout neuf jours à la maison ; quand j'ai repris le boulot, mon chef de service m'a appelé, l'ingénieur m'a dit que j'avais mis de la mauvaise volonté. Et après seulement il m'a demandé ce que j'avais eu ») ; l'absence d'embauche de jeunes enfin, qui montre que le cycle de la reproduction de l'entreprise, et, avec lui, celui des familles qui lui sont liées, se trouvent interrompus : « — Et il y a des jeunes qui entrent ? — Pour l'instant, non. C'est ce qu'on voudrait, mais… Surtout sur la pyramide des âges, à Longwy, la pyramide, elle est trop vieille, c'est pour ça que les syndicats se battent pour faire partir les gens à 50-55 ans, et en contrepartie faire rentrer des jeunes. »

Cette crise de la reproduction, qui est liée, pour une grande part, aux effets de l'école, est sans doute un des objets majeurs de préoccupation. Qu'elle porte sur la situation à l'usine ou sur la scolarité des deux filles, l'aînée qui veut être infirmière et qui « aime bien les enfants » (« vous lui donnez une marmaille d'enfants à garder, elle vous la garde, elle aime bien ») ou la cadette, qui est en quatrième, « classe de transition », et qui va enfin au collège de bon cœur depuis qu'elle épluche les légumes ou qu'elle fait des gâteaux ou des crêpes pour les enfants de la crèche, la conversation y ramène toujours naturellement. Et parmi les raisons que l'on invoque pour cxpliquer la désaffection des jeunes pour le travail à l'usine (« A l'époque, on était peut-être moins difficiles que les jeunes de maintenant »), on mentionne d'abord l'école et les aspirations trop précises, trop circonscrites, qu'elle inculque : « Les jeunes, on les forme trop à l'école, on leur met trop dans la tête, bon, ben, tu fais l'apprenti pour tel métier, tu auras tel métier ; quand le jeune il sort, il a beau avoir son CAP, si il trouve un boulot qui peut être à peu près pareil, il le prendra pas parce que c'est pas sa branche, et là, je crois que c'est le tort des écoles. » Mais il observe en même temps que beaucoup de parents « prient le bon Dieu que les gosses aillent à l'école le plus longtemps possible », épousant ainsi les souhaits de leurs enfants qui ne veulent pas entendre parler de l'usine et qui pourraient tous dire, avec le fils d'un de ses collègues, dont il parle avec une sorte de fascination (détenteur d'un CAP de cuisine, il prépare un bac technique et voudrait entrer ensuite dans une école de sommelier) : « Tant que je suis à l'école, je ne suis pas au chômage. » « C'est malheureux à dire, ajoute M. Leblond, mais on est comme ça » ; et il ne voit rien que de très naturel dans le fait que sa fille qui veut être infirmière « en a pour (...) sept ans d'école ».

Pourtant, il dit très bien tout ce qui sépare sa génération (il a aujourd'hui un peu plus de 40 ans), pour qui l'école n'a pas joué un très grand rôle, de la suivante : après une dernière année d'école primaire peu active (à la suite d'une brouille avec son père, le maître l'avait abandonné au fond de la classe) et un certificat d'études obtenu un peu à la sauvette (il rappelle en riant qu'il avait fait 52 fautes d'orthographe), il s'oriente tout naturellement, à 14 ans, vers le Centre d'apprentissage de l'usine où travaillait son père, puis, après deux ans, entre dans le même service que celui-ci, mais dans une usine différente, et il découvre insensiblement, notamment à travers les « visites » des ateliers et des chantiers aménagées à cette fin, le véritable univers de l'usine qu'il entrevoyait déjà à travers les récits paternels et où il avait beaucoup de connaissances : « On allait quand même visiter les chantiers sur les usines. Bon, ben, là, on s'aperçoit qu'il y a quand même des endroits où les gars, ils étaient pas... On allait aux hauts fourneaux, on allait à l'aciérie, c'étaient pas des endroits... C'est là où ça choque, c'est là où l'on voit l'agglomération, la cokerie, le gars qui passe huit heures là-dedans, c'est quand même... »

Comme dans le récit que Mme Leblond fera de ses années de travail à l'usine, seuls certaines intonations, certains regards où se lit l'évocation d'une expérience terrible, et incommunicable, et surtout certains silences (les trois phrases citées restent inachevées, comme suspendues devant l'indicible) sont là pour évoquer l'ampleur et la violence du choc que représente le premier contact avec le monde de l'usine, malgré la préparation et la résignation préalables.

La formation se faisait « sur le tas », par un apprentissage pratique que ne venait sanctionner aucun titre : « J'ai aucun diplôme dans les mains, j'ai rien ; de toute façon, un CAP d'agent de contrôle, de métallographe, ça sert à rien du tout. » On lui a bien proposé de préparer un CAP, l'année de son mariage, c'est-à-dire 13 ans après son entrée à l'usine, mais il a été vite arrêté, lui qui en était resté « aux fractions », par l'apprentissage de l'algèbre. Et il ne voit pas, rétrospectivement, ce qu'aurait pu lui apporter une formation purement théorique, même en physique ou en chimie, qu'il n'ait pas acquis en pratique, « à force, à force… » : « Là, on sait très bien, maintenant, que si on a un acier avec tant de carbone et tant de manganèse, on aura telle chose, si on a tant de soufre, on aura une structure différente, voilà. Disons, ça, c'est venu par la pratique. » Et c'est un peu son propre portrait qu'il dessine, sans y penser, donc sans la moindre trace de vanité, lorsqu'il oppose les ouvriers formés à l'ancienne à ceux qui sont passés par l'école : « Ben, ils ont les diplômes, ils ont la technique, mais ils ont pas la pratique, et c'est ce qui manque, à l'heure actuelle, à l'usine ; il manque beaucoup trop de gars qui ont la pratique, les gars qui connaissent leur installation ; comme je dis toujours, dans le temps, on avait un vieux qui était là, bon, ben, il connaissait son installation ; on lui signalait qu'on avait un défaut sur un bout de fil, il venait voir, il le regardait, il repartait, il faisait deux fois l'aller et retour sur le train, il revenait : "ça vient de la cage, là" et puis le gars il se trompait pas. Il se trompait pas, tandis que maintenant on a un défaut, on a un problème, on cherche là, on cherche là, et puis on a trouvé, on ne sait pas où on a trouvé, parce qu'il n'y a personne qui est là pour dire. » Et il peut énoncer d'une phrase, par l'effet de l'autocorrection, l'ambiguïté du privilège que représentait une telle continuité, le parfait ajustement intérieur au poste occupé, qui n'allait pas sans une forme de fierté, impliquant aussi une profonde soumission à la nécessité : « Le problème, il est là : c'est que nous, avec le centre d'apprentissage, on avait quand même le bonheur, ou le malheur, disons, de connaître l'usine. »

C'est sans doute cette profonde intégration à l'ordre industriel, et, en conséquence, à l'ordre social, qui, plus sans doute que les traditions religieuses ou même le style de vie, le sépare de M. Amezziane, ouvrier d'origine algérienne, renvoyé au chômage par les débauchages massifs des années 80, qui habite un peu plus haut, de l'autre côté de la rue (M. Leblond livre en passant quelques indices de son intégration : c'est grâce à une intervention de son chef de service qu'il obtient de la Familiale, société de HLM, le droit d'échanger avec un voisin sur le point de déménager l'appartement qu'il avait obtenu, au moment de son mariage, grâce à l'appui du président de son club de basket-ball ; il est arbitre de basket-ball et l'exercice de cette fonction lui confère une certaine autorité sur les jeunes du coin et même de la région ; il fait partie de l'association des parents d'élèves et, à ce titre, connaît un peu tout le monde ; il participe à la vie syndicale et, bien qu'il n'ait pris depuis aucune position militante, il s'est engagé sans réserve dans les luttes des années 70 contre le démembrement de l'industrie sidérurgique). Il y a entre M. Leblond et M. Amezziane, et leurs familles, et aussi leurs appartements (celui de M. Amezziane donne une impression de froideur et de dénuement avec son canapé en skaï, sans coussins, sa tapisserie bon marché représentant une mosquée, sa table basse en fer forgé), toute la distance qui sépare le prolétaire – même déchu ou en déclin, avec ses revenus réduits, mais réguliers, ses comptes en règle, son avenir malgré tout relativement assuré – de l'ancien ouvrier que la chute dans le chômage, sans protections ni garanties, renvoie à la condition de sous-prolétaire, démuni, désorganisé, hanté par le souci de survivre, tant bien que mal, au jour le jour, entre les loyers impayés et les dettes impayables.

Arrivé en France en 1960, M. Amezziane travaille d'abord dans plusieurs entreprises, six mois dans l'une, 15 jours dans une autre (« le patron était trop dur, c'est moi que j'ai pris mon compte »), un mois et demi dans une troisième, et ainsi de suite, condamné chaque fois aux travaux les plus durs, et mal payés, du bâtiment. En décembre 1962, il est embauché dans une entreprise de Longwy où il reste pendant 22 ans, sauf une interruption de deux ans (quatre mois de vacances en Algérie, après lesquelles il reprend du travail, à Marseille, pendant deux mois, puis à Chambéry, avant d'être réintégré dans son entreprise de Longwy, une filiale d'Usinor, fabriquant des matériaux de construction à partir des résidus de la sidérurgie, qui lui a gardé sa place de cariste, et le fait rappeler par un cousin, qui y travaillait aussi). Licencié en 1984, sans bénéficier de la retraite (il n'a pas atteint les 50 ans), il retrouve un travail en Haute-Savoie, toujours par un cousin, mais, mal payé et exploité (il touche 3 600 francs par mois pour neuf heures de travail par jour), il revient à Longwy, après trois mois ; il suit, en 1989, un stage où il apprend la peinture, le carrelage, et aussi à lire et à écrire (il est toujours illettré et, il le déplore lui-même, parle très mal le français), mais, ensuite, il retombe dans le chômage jusqu'à obtenir, dans le cadre d'un Contrat Emploi Solidarité, un travail à mi-temps, dans un CES, qui lui assure 3 900 francs par mois, auxquels s'ajoutent 700 francs des Assedic, ressources sur lesquelles il doit prélever plus de la moitié pour couvrir les frais fixes, soit 1 400 francs pour le loyer (2 400 francs par mois, moins 1 000 francs d'APL), 500 francs pour les impôts locaux, à quoi s'ajoutent l'électricité, le gaz, l'eau, etc.

Évaluer à 1 500 francs par mois, au maximum, ce dont il peut disposer pour nourrir une famille de six personnes, dont quatre enfants (sa femme l'a rejoint en France en 1981, avec leurs deux enfants, et deux autres sont nés depuis), ce serait compter sans les dettes, très diverses et très importantes, et les procès qui s'ensuivent, pour le gaz, pour la location (il croit, mais un ami, qui assiste à l'entretien, prétend qu'on lui a fait une farce, qu'il doit deux millions anciens à la Familiale), pour la SNCF (« il a fait un procès pour ma femme depuis l'année dernière pour 2 000 francs, elle a perdu le billet de train, ça allait jusqu'à 2 200 francs, maintenant je vais les payer »), pour l'hôpital (« là aussi, ça fait 2 000, jusqu'à 3 000 francs »), etc. Il se trouve ainsi condamné à d'incessantes acrobaties et faute de pouvoir payer d'un coup toutes les dettes (« … Après, les autres, qu'est-ce qu'ils mangent ? Qu'est-ce qu'ils mangent ? »), qu'il évalue à 1 000 000 ou 1 200 000 francs (anciens), il s'efforce de « payer doucement », en donnant 150 francs ici, pour « calmer un peu », 200 francs là. Et pourtant, il lui a fallu batailler, et détailler l'état de ses ressources, pour accéder aux Restaurants du cœur.

Son contrat se termine le 5 juillet. Après il ne sait pas ce qu'il fera : « Oh ! Je sais pas ! Je sais pas qu'est-ce que je vais faire. Il y en a marre. Je vais partir. Si, qu'il y en a marre, je vais partir ! Voilà. C'est la vérité. Parce que pourquoi faire ça ? Je gagne quatre sous, j'ai perdu huit sous, alors… » Mais peut-il vraiment repartir en Algérie, comme il le souhaite, ainsi que sa femme ? En fait, bien qu'il affirme à plusieurs reprises le contraire, bien qu'il répète avec beaucoup d'insistance qu'« il n'a pas peur », qu'il a une maison et du terrain qui peut être cultivé (« ma femme, elle prend la bêche, elle va bêcher le jardin, moi je vais planter derrière »), il sait qu'il est « coincé » de tous côtés : il est trop tard pour trouver un travail là-bas et il perdrait les maigres ressources qu'il reçoit au titre du chômage. Le voisin, Algérien comme lui, qui assiste à l'entretien, résume ainsi la situation : « Nous, on est comme des pieds-noirs, maintenant : on va là-bas, on n'est pas algériens, on reste ici, on n'est pas français ».

Interrogé sur ses voisins (entendez, comme lui, sur les Français) et sur ses relations avec eux, il répond à peu près dans les mêmes termes que Mme Leblond : sans doute parce qu'il ne peut dire, pour des raisons diverses, ni qu'elles sont bonnes ni qu'elles sont mauvaises, il les décrit comme nulles, ou neutres, c'est-à-dire réduites au « bonjour, bonsoir » qui, pour les ouvriers ou les employés que j'interrogeais, dans les années 60, en Algérie, servait à résumer, ou à symboliser, l'inhumanité des relations de travail. Et la susceptibilité extrême qu'il manifeste lorsqu'on évoque ses origines algériennes ou l'éventualité de son retour en Algérie, atteste qu'il est sensible aux agressions de ceux qui reprochent aux Algériens de prendre le travail des Français et qui les invitent à regagner leur pays.

Ce n'est sans doute pas le cas de M. Leblond qui, comme il le dit, et on peut le croire, respecte les Algériens, et attend d'être respecté d'eux en retour. Mais les mines et les mimiques, bouche un peu pincée, yeux levés au ciel, par lesquelles sa femme fait entendre qu'elle ne peut pas dire tout ce qu'il y aurait à dire lorsqu'on évoque les relations de voisinage, et les difficultés de la vie dans le quartier, son empressement à dire qu'elle ne sort jamais et qu'elle réduit ses relations de voisinage au strict minimum, l'accent qu'il met lui-même sur la proportion très élevée des enfants d'immigrés dans la population scolaire (il la situe autour de 80 %, alors qu'en 1988, on comptait « seulement » 224 Algériens et 144 Marocains sur 651 élèves dans les écoles élémentaires, et 260 étrangers sur 463 élèves au CES), sur les difficultés que rencontrent les maîtres dans les établissement scolaires du coin et que sa participation aux conseils des parents d'élèves l'amène à connaître de près, les réserves qu'il formule lorsqu'il parle de ses collègues algériens (« j'en ai eu un qui était bien, il faut reconnaître, pour un Arabe, il était bien ») ou les critiques qu'il élève contre le traitement de faveur qui leur est fait au moment du Ramadan, tout tend à montrer que les traditions et les convictions internationalistes et antiracistes qu'ils ont acquises à travers leur éducation et leurs engagements politiques (Mme Leblond a travaillé, elle aussi, pendant cinq ans à l'usine, jusqu'à la venue de sa première fille) et qui sont renforcées par les condamnations officielles de la discrimination et des préjugés raciaux, sont mises à rude épreuve, au jour le jour, par la confrontation avec les difficultés réelles de la cohabitation (on peut le savoir par d'autres témoignages, recueillis dans des relations plus intimes, où tout peut se dire sans dissimulation ni soupçon, tel celui de cette vieille militante socialiste qui, surtout l'été, et en période de fête, ne peut plus supporter les bruits et les odeurs de l'immeuble auquel elle se sent enchaînée, ou celui de ce couple de vieux militants communistes, qui, pour les mêmes raisons, ont dû déménager, la mort dans l'âme, avec le sentiment de manquer à toutes leurs convictions).

Il serait sans doute tout à fait faux de voir une concession à la bienséance imposée par la situation d'entretien et par la relation avec des porteurs supposés des valeurs officielles dans les efforts manifestes que fait M. Leblond pour mettre en pratique les valeurs de tolérance ou, mieux, et plus simplement, de compréhension (« je me mets à leur place », dit-il à plusieurs reprises). Mais il faut l'entendre aussi lorsqu'il dit combien est « horrible », pour lui, la période du Ramadan : « Oh la, la... ! Ben, c'est horrible parce que, je vais dire que c'est horrible, bon, ben, c'est vrai que eux, ils dorment la journée, ils sont calmes les grands, mais les petits..., les petits, ils sont dans la rue. Les petits, il faut les entendre rouspéter... Et puis eux, ils commencent à vivre à dix heures du soir, alors, comme vous allez vous coucher, ben, ma foi, vous avez droit au bruit. Alors, là... » ; ou lorsqu'il distingue les immigrés (parmi lesquels il isole « l'Algérien, le Marocain », mais pour rappeler aussitôt qu'« on a les mêmes problèmes avec des Portugais ou avec des Italiens » et que beaucoup des difficultés rencontrées dans le quartier sont imputables à une seule famille d'origine française) selon la capacité qu'ils ont de s'adapter à la vie française, et qui se mesure, selon lui, au degré auquel « les enfants doivent marcher comme des Français ».

Et de fait, les effets de la cohabitation les plus difficiles à tolérer, bruit, bagarres, déprédations ou dégradations, sont imputables à ces enfants et ces adolescents qui, condamnés à la privation et à la pauvreté, et surtout, dans le monde de l'école, auquel rien ne les prépare, à l'échec et à l'humiliation (240 sur les 651 élèves des écoles élémentaires, et 274 sur 463 élèves du CES, ont un an de retard ou davantage), échappent, parfois complètement, comme les deux fils aînés de M. Amezziane, au contrôle familial. On pouvait le pressentir, d'un coup d'œil, lorsque l'un d'eux (peut-être celui qui avait frappé, avec un ballon, une des maîtresses d'école, attirant sur son père une amende de 2 000 francs) est apparu, ironique et agressif, à la porte de l'appartement, au moment où sa mère faisait une brève apparition, pour servir le thé, et surtout en entendant le ton, en apparence indifférent ou même un peu indigné, et en fait profondément désespéré, avec lequel cet homme qui tenait tendrement dans ses bras, pendant tout l'entretien, la dernière de ses filles, parlait de ses deux fils : « Ah ! Je m'occupe pas des autres, moi... [*il parle d'eux comme s'il s'agis-*

sait d'étrangers]. Pourquoi je m'occupe ? (...) Ils m'écoutent pas. Ils m'écoutent pas... Alors... » Et le voisin corrige : « Il s'en occupe bien, mais ils veulent pas écouter... » Transférant en quelque sorte son désenchantement sur les plus jeunes, auxquels, pour le moment, il n'a rien à reprocher (« Oh ! maintenant, ça va, jusqu'à quand ils seront 12 ans, 15 ans, et après, je sais pas, parce que ce sera tous les mêmes »), il anticipe le moment où ils échapperont aussi à son contrôle, c'est-à-dire le moment où ils découvriront, comme ses fils aînés, dont il rapporte sans doute les paroles, que, en fin de compte, à la sortie de l'école, qu'ils aient bien travaillé ou non, l'issue est la même (« Jusqu'à la fin tu trouves rien, zéro ! Alors, c'est tous les mêmes, qu'ils travaillent bien, qu'ils travaillent pas bien... »). Et s'il donne raison à M. Leblond lorsque celui-ci impute à la crise de l'autorité domestique dans les familles maghrébines les principales difficultés de la cohabitation, il s'efforce de trouver une explication, sinon une justification à la révolte des enfants d'immigrés, en invoquant les déceptions suscitées par l'école ou, plus précisément, par l'échec à l'école ou par l'échec des détenteurs de titres scolaires sur le marché du travail. Il faut ainsi lui laisser le dernier mot : c'est cette fatalité, celle du sous-emploi que subissent de manière redoublée les victimes privilégiées de l'échec scolaire et de la discrimination, qu'il faudra conjurer si l'on veut que les rues du « Val Saint Martin » méritent un jour les noms de fleurs qui leur furent donnés, un peu imprudemment, par quelque technocrate chargé du « Développement social urbain ».

avec deux familles ouvrières

— entretien de Pierre Bourdieu et Rosine Christin

« On vit ensemble... »

[*La conversation s'engage à propos des deux filles dont les photographies sont exposées sur la desserte.*]

— L'aînée, infirmière,... et la petite...

M. Leblond — Elle sait pas ce qu'elle veut faire.

— A 14 ans...

M. Leblond — On va lui dire : « tu joues à la poupée », ou on va lui dire : « tu veux être docteur », elle va répondre oui. Gros problème, quoi.

— Mais elle a fait toute l'école ici ?

Mme Leblond — Oui, oui, elle a toujours été à ce lycée-là.

M. Leblond — Au CES ici.

— Et elle est en quelle classe ?

M. Leblond — En CPPN, classe de transition, disons que c'est pour les envoyer après sur une quatrième technologique ou sur une quatrième CAP, à voir un peu comment ils peuvent aiguiller les...

— Et elle sait un peu ce qu'elle veut faire ? Pas trop ?

M. Leblond — Bon, là elle va à la crèche, elle épluche des (...), tout ça, ça lui plaît. Là elle fait un peu de gâteaux, un peu de... à l'école, ben ça lui plaît...

Mme Leblond — Oui, elle se débrouille pas mal.

M. Leblond — Ça, ça va ! Enfin disons que cette année, elle va quand même à l'école d'un bon cœur.

— Avant elle aimait pas trop ?

Mme Leblond — Non.

M. Leblond — Ben, avant elle n'arrivait pas tellement à suivre certaines matières, alors elle partait... elle y allait à l'école, mais disons qu'elle y allait... même les professeurs la trouvent quand même mieux cette année que... c'était pas bien. Elle était pas bien dans sa peau, quoi, elle était.

— Elle comprenait pas ou ça lui plaisait pas ?

Mme Leblond — C'est des trucs qu'elle comprenait pas, mais elle osait pas demander au professeur, alors elle restait comme elle

était : elle avait pas compris, elle avait pas compris. Et nous on lui disait : « demande au professeur »...
[...]

— *Et maintenant ça lui plaît, quoi, ce qu'elle fait ?*

Mme Leblond — Ben oui, ça lui plaît, elle épluche les légumes ; aujourd'hui ils vont faire des crêpes pour les petits à la crèche. Ça lui plaît, oui, oui.

— *Elle pourrait aller vers un CAP, un truc comme ça.*

Mme Leblond — Oui, cuisinière un truc comme ça.

M. Leblond — Oui, comment ils appellent ça ? Oh je sais plus...

— *Il y a des emplois, ici, enfin, on sait pas encore...*

M. Leblond — Oh ! Des emplois ! [*rire*], il y en a beaucoup à l'ANPE, mais il n'y en a pas beaucoup en réalité. Les emplois, les emplois, oui, il fut un temps où il y avait des emplois, mais maintenant. Mais avec tout ce qu'on voit, c'est pareil, il y a beaucoup d'entreprises qui se montent mais il y a beaucoup d'entreprises qui se démontent aussi vite qu'elles se sont montées, alors ça fait des emplois ; si, c'est vrai, si on prend sur le bilan qu'ils font en mairie à Longwy, là ils font un bilan au niveau création d'emplois : il y en a eu des créations d'emplois. Mais en réalité, ils n'ont rien créé du tout, ça a changé de nom, oui ça fait une entreprise qui s'installe, oui parce que ça change de nom, mais des petites entreprises il y en a eu beaucoup, beaucoup d'installées, mais il y en a eu beaucoup de fermées. Malheureusement.
[...]

— *Oui, et puis les jeunes comme ils sont allés à l'école, dans beaucoup d'endroits, ils ont plus tellement envie d'aller à l'usine, c'est ça le problème.*

M. Leblond — Le problème, il est là, c'est que nous, avec le centre d'apprentissage, on avait quand même le bonheur, enfin le bonheur ou le malheur, disons, de connaître l'usine, parce que, on allait, on avait accès, on allait faire des visites...

— *C'était une transition, c'est ça...*

M. Leblond — ... on allait voir, bon, ben, les gars qui préparaient un CAP, vu leur branche, allaient travailler et faire des stages dans le service où ils étaient susceptibles d'aller, alors les gens voyaient quand même ce que ça allait être leur travail, tandis que maintenant les jeunes. ils sortent de l'école, on a beau leur dire la même chose...

— *Oui, ils restent jusqu'à 16 ans et puis après...*

M. Leblond — Et après, c'est qu'ils prennent des autres écoles, bon, ben, ils vont dans des autres écoles et quand ils arrivent dans les services… Disons que maintenant les gens qui vont venir, les jeunes qui viendraient, ils seraient peut-être plus qualifiés en technique, en théorie, mais alors en pratique tout reste à apprendre.

— Et, à l'heure actuelle, quels débouchés ont-ils ?

— Et parmi vos collègues, vous devez bien en parler ?

M. Leblond — Ben, ils prient le bon Dieu que les gosses aillent à l'école le plus longtemps possible ; c'est malheureux à dire, mais on est comme ça. Moi, j'ai un collègue, il a son gamin, son garçon, qu'a fait le CAP de cuisine, il prépare un bac technique et puis maintenant il voudrait rentrer, parce que cette année, il va passer son bac professionnel, son bac technique et maintenant il voudrait rentrer dans une école de sommelier, parce qu'il a pas de place…

— Ça n'a rien à voir avec ce qu'il a appris ?

M. Leblond — Non mais il aura beau, mais c'est pour vous dire, de ne pas être chômeur !

— C'est ça n'importe quoi, oui c'est ça…

— Et il a pas envie d'entrer à l'usine ?

M. Leblond — Oh ben non, lui l'usine, il faut pas lui parler de l'usine, de toute façon il a fait une autre branche que l'usine, mais disons qu'il a eu l'occasion d'aller faire des stages à droite ou à gauche, de voir comment c'est, et puis si il trouve une école de sommelier, il va aller faire une école de sommelier, bon, ben, après il ira peut-être faire une école, tant qu'il est à l'école, comme il dit, « tant que je suis à l'école, je suis pas au chômage » ; celui qui rentre dans un hôtel, ou il a les capacités d'avoir son entreprise à lui, son restaurant à lui, mais les moyens financiers il a pas…

— Oui, c'est ça, il faut un capital…

M. Leblond — … il n'a pas de capital et ses parents n'ont pas de capital pour lui acheter quelque chose et il dit, « aller faire le mousse dans un service à droite ou à gauche »…

— Mais comment, ça coûte cher quand même un gosse comme ça, comment il fait… ? Des petits boulots… ?

M. Leblond — Ils font, disons ceux qui sont en hôtel, je vois comme lui, là son fils travaille pratiquement tous les week-ends ; bon, ils se font des bons week-ends, ils travaillent soit dans un hôtel, soit dans un restaurant, soit, bon, ben, comme lui il est quand même capable de faire des repas, bon, ben, il fait des repas…

— *C'est ça, mais là, il s'entretient, mais il y en a qui…*

M. Leblond — Il y en a qui peuvent pas…

— *Je sais pas, quand ils font un CAP de comptabilité par exemple, comme ça…*

M. Leblond — Ceux-là je sais pas comment ils peuvent faire, bon, ben, c'est vrai qu'il y a des trucs colonies, il y a des trucs comme ça, mais il faut faire un BAFA et un BAFA à l'heure actuelle, ça coûte 1 800 francs.

Mme Leblond — 1 800 balles… Nous, on veut le faire pour notre grande, là, ben oui, elle veut…

M. Leblond — Qu'est-ce qu'elle veut faire ?

Mme Leblond — Pendant les vacances, faire une colonie, un truc mais il faut qu'elle fasse le BAFA et c'est pas avant 17 ans, alors…

M. Leblond — Et puis disons qu'elle est bien au contact des enfants…

Mme Leblond — Elle aime bien les enfants, alors bon, vous savez vous lui donnez une marmaille de gosses à garder, elle vous la garde, elle aime bien, alors… Mais c'est pareil, il faut attendre 17 ans, si elle l'a ça va, mais si elle l'a pas, ben, ça sera des sous qui seront…

M. Leblond — Et puis ça, c'est que le premier, après… si elle veut continuer, il y en a deux autres à faire, c'est ça qui est…

— *Elle veut être infirmière, c'est ça ?*

Mme Leblond — Oui, oui. Ça, ça va, elle apprend pas mal, elle se débrouille pas mal.

— *Il y a un concours, je sais plus comment ça se passe… ?*

Mme Leblond — Après ils ont des concours pour entrer, oui. Ben là, elle en a pour je ne sais plus, sept ans d'école, je crois qu'elle aura encore…

M. Leblond — Au moins sept ans. Ah oui, avec la filière qu'elle a pris…

[…]

— *Maintenant vous seriez débauché, vous pourriez tout de suite aller, vous trouveriez un poste ?*

M. Leblond — Non ! A l'heure actuelle, je vais dire non parce que toujours se passe le même cas : on demande des jeunes ayant de l'expérience.

A 50 ans, on lui dit : « tu t'en vas »

— Voilà, c'est ça, comme si c'était possible !

M. Leblond — Partout vous regardez : jeune, expérience. Bon alors moi, je vais dire, je vais arriver, j'ai peut-être l'expérience mais passé 40 ans…

[…]

— Ils veulent tout avoir et rien payer comme on dit…

M. Leblond — Alors des fois on rigole parce que on voit des trucs : 20-25 ans avec cinq ans d'ancienneté, alors des jeunes maintenant avec cinq ans d'ancienneté dans le travail, à 25 ans, je veux bien les trouver mais ça court pas les rues ! Alors le problème c'est qu'une fois qu'on arrive à 40 ans, bon, ben, partout où on veut aller… C'est pas qu'on en veut plus, mais disons que…

— Oui, ou alors il y a tous ceux qui sont partis en préretraite… Il paraît que pour certains c'est très difficile, justement ça, il y en a qui le prennent mal…

M. Leblond — Oui, il y en a qui l'ont mal pris et puis il faut se mettre à leur place, c'est vrai que le gars qui du jour au lendemain… Enfin, ça a été mal pris, comme le départ à 50 ans, il y en a qui se sont trouvés qu'à 50 ans on les a foutus à la porte, c'est vrai que le gars qui était rentré à l'usine à 14 ans, peut-être même plus jeune, parce qu'il y en avait… bon, ben, il arrive à 50 ans, on lui dit : « tu t'en vas, on n'a plus besoin de toi », parce qu'il y en a, on a été obligé de leur dire qu'on n'avait plus besoin d'eux, on était pratiquement obligé de les mettre dehors parce que…

— Même avec une bonne retraite…

M. Leblond — Oui même avec… parce qu'ils sont pas partis les mains vides, les premiers sont pas partis malheureux, ceux qui partent en dernier, ils ont beaucoup moins d'argent, mais ils sont pas malheureux quand même, faut pas…

— Mais alors c'est quoi, c'est le boulot ?

M. Leblond — C'était leur travail, le gars qu'a passé, j'allais dire sa vie dans l'usine, au même service, au même secteur, qui avait son…

— Ses copains…

M. Leblond — Voilà, et puis du jour au lendemain, surtout qu'au départ, on a dit aux gars, « on vous met en retraite à 50 ans, enfin en préretraite, mais on va embaucher des jeunes… ».

— Oui et puis c'est pas vrai…

M. Leblond — Le gars qui a des jeunes à la maison, il part peut-être encore de bon cœur mais au bout d'un an, qu'il voit toujours que le gosse il est à la maison, qu'il est pas embauché, ceux qui s'en vont derrière, ils veulent plus partir ; ici il y a que les Marocains pour arranger le topo, eux ils étaient contents de partir, eux ils ont été au Maroc, ils sont revenus, ils se sont vieillis de cinq ans, six ans et puis ils sont repartis, mais…

— *Les autres, non…*

M. Leblond — Enfin je dis les Marocains, je veux pas les mettre tous pareils, parce qu'il y en a – c'est pareil – qu'il a fallu mettre dehors, mais il y en a beaucoup qui ont profité de l'occasion là, et surtout les dernières années, quand ils savaient que ça allait être fini, il y en a qui sont partis au mois de juin, ils avaient encore quatre ans à faire, ils sont revenus au mois de juillet de vacances, au mois d'août, ça y était : ils avaient 50 ans. Ils avaient les papiers du Maroc comme quoi ils avaient 50 ans. Qu'est-ce qu'on peut faire contre ça… ? Ils sont nés dans la brousse là-bas…

— *Bien sûr l'état civil est un peu…*

M. Leblond — Ils sont nés tel mois, tel… et puis ça y est, il y en avait, il y avait juste le jour et le mois, l'année on savait pas… Ah ben ! tant mieux pour eux ! Tant pis pour ceux qui restent quoi, mais disons que après les gars… C'est vrai, partir, c'est beau partir, mais… Et puis il y en a aussi, partir : ils sont malheureux à la maison, parce qu'il y en a qui arrivent pas à s'occuper, qui arrivent rien…

Mme Leblond — Oui, il y a ça, ils traînent…

M. Leblond — Et puis il y en a qui avaient des activités en dehors et puis qui ont tout arrêté.

— *Ils ont décroché…*

M. Leblond — Tout en étant à l'usine et puis du jour où ils sont arrivés à la maison, disons qu'ils auraient peut-être pu profiter plus de leur association, ils ont coupé les ponts, ils ont arrêté.

— *Oui et puis il paraît que ça a fait des bagarres dans les familles, tout ça, que ça va pas, quoi ?*

Mme Leblond — Dans les couples, oui c'est vrai…

— *Et vous avez toujours habité ici ? C'est bien, c'est agréable ici…*

M. Leblond — Disons, quand on s'est mariés, on a eu un bloc, on était au bout, là-bas dans un bloc et puis, moi, le bloc…

— *Vous étiez en location ?*

M. Leblond — Oui, comme ici. Moi les blocs, j'ai jamais été habitué aux blocs et ça me plaît pas de toute façon, un bloc ça me plaît pas, alors j'ai fait de mes pieds et de mes mains... enfin il y avait que quatre étages, je veux dire, on était bien dans le bloc, on n'était pas... le logement était bien, on était tranquille, mais moi, j'ai fait de mes pieds et de mes mains pour avoir un individuel, enfin ce qu'ils appellent un individuel. Alors après bien des déboires, après bien des trucs, j'ai mis mon président de club de basket, je joue à E., dans le coup, je lui ai dit, « moi, tu me trouves un logement individuel, autrement moi, j'arrête le club de basket », bon, faut chanter un peu des fois... alors finalement, j'ai arrivé à avoir un logement.

— *Et vous avez le garage au-dessous...*

M. Leblond — J'ai le garage au-dessous : garage, cuisine, chambre ; et trois chambres en haut. Trois chambres en haut et la salle de bains.

— *Et c'est en location... Et vous payez combien ? Si c'est pas indiscret...*

M. Leblond — Non, maintenant le loyer il est à 1 900 francs à (...) ; bon j'ai l'APL, ça fait 1 600 francs de ma poche.

— *Vous avez l'APL... Oui, c'est bien... vous êtes bien logés...*

M. Leblond — Oui, mais c'est ça le problème, c'est qu'on arrive à fermer tout. C'est vrai qu'il y a moins de gosses. On est en zone éducative prioritaire. On a au CES ici 80 % d'étrangers, dans les effectifs de l'école.

— *Combien vous dites ?*

M. Leblond — 80 % d'étrangers.

— *Ah bon ? Je savais pas ici...*

— *C'est quoi ? Italiens...*

M. Leblond — Algériens, Marocains, Tunisiens, Portugais, si on a une forte population ici de gens...

— *Mais ils travaillent où ?*

M. Leblond — ... de gens immigrés. Ben, ils sont tous à l'usine. Enfin ils étaient tous à l'usine parce que maintenant, malheureusement, il y en a beaucoup, soit qui sont en retraite, soit qu'il y a beaucoup de jeunes qui sont au chômage, enfin qui sont au chômage... qui se disent chômeurs. Parce que là-dedans aussi, c'est les magouilles et les magouilles, mais enfin on n'est pas là pour...

Mme Leblond — Vous savez, ici, dans ce coin-là, si on compte, oh ! on est sept Français, sept Français parce que même en face... là, rien que les petites maisons, là. (...)

— *Et ça va bien…*

Mme Leblond — Oh ben ! vous savez, moi je sors pas beaucoup.

M. Leblond — C'est calme, ici, disons c'est calme mais c'est vrai que c'est quand même beaucoup mieux qu'à un certain temps…

Mme Leblond — Oui, c'était plus bruyant. Mais moi, je sors pas, à part… je reste chez moi, sinon bonjour-bonsoir, mais c'est tout, pas plus que ça, j'aime pas trop, je suis pas sauvage… mais j'aime pas…

M. Leblond — Non, où c'est un peu difficile, quoique l'année dernière ça a été calme, c'est la période de Ramadan.

— *Ah oui, c'était comment… ?*

M. Leblond — Oh ! la, la, c'est… ben, c'est horrible parce que, je vais dire que c'est horrible, bon, ben, c'est vrai que eux, ils dorment la journée, ils sont calmes les grands, mais les petits… les petits, ils sont dans la rue. Les petits braillent. Il faut les entendre rouspéter. Et puis eux, ils commencent à vivre à dix heures du soir, alors comme, vous, vous voulez allez vous coucher, ben ma foi, vous avez le droit au bruit.

Mme Leblond — Quand il fait beau les gosses sont dehors.

M. Leblond — Les gosses sont dehors, c'est infernal dans les écoles parce que le gosse, il va à l'école la journée, quand il y va, je dis bien quand il y va, mais certaines fois, ils y vont, les gosses c'est pour dormir parce que la nuit… un gosse à 11 heures du soir, minuit, il est encore dehors… ça les gêne pas. Alors il y a le jeune qui est fatigué mais qu'on veut pas mettre au lit parce que les grands mangent, on a le droit à faire la fête…

Mme Leblond — La fenêtre ouverte…

M. Leblond — Hein, le gosse il est dehors. Bon, il y a le gosse qui gueule dans la journée parce qu'il a faim mais on veut pas lui donner à manger, malgré qu'eux ils font pas le Ramadan, mais on veut pas donner à manger, surtout en fin de période de Ramadan, ça se voit. En début moins, parce que, au début, bon c'est vrai que, mais en fin de période, ça doit être dur aussi pour eux de pas… alors je me mets à leur place, faire un casse-croûte à un gosse, parce que c'est qu'un bout de pain, donner un bout de pain à un gosse et puis pas avoir le droit de manger, enfin pas avoir le droit, je vais dire pareil, c'est un droit parce qu'ils le veulent bien…

— *Mais ils le font pas en fait le Ramadan, la plupart ?*

M. Leblond — Ça se perd, ça se perd… il n'y a plus, disons, que les vieux qui le font.

— *Les vieux, c'est ça.*

M. Leblond — Chez les jeunes, ça se perd parce que, bon, ben, le jeûne…

Mme Leblond — Ils vont à l'école, hein…

M. Leblond — Oh ben ! le jeûne, ils font beaucoup de choses… Moi, j'ai connu ça avec un gars qui faisait du basket chez nous, il faisait le Ramadan à la maison et quand il venait jouer un match de basket avec nous, qu'on cassait la croûte, il était avec nous, il vivait… et puis il n'y avait pas de problème… de toute façon… Moi je dis : il faut savoir, ce que j'ai jamais toléré, c'est qu'à l'usine on tolérait que ces mecs-là fassent le Ramadan. Alors ça, moi, ça m'a toujours sorti par les trous de nez, c'est le cas de le dire, parce que moi j'ai droit à 20 minutes pour manger sur mon poste, si je prends une demi-heure, c'est une tolérance, j'ai le droit à 20 minutes. Et eux en période de Ramadan, ils ont le droit à deux fois 20 minutes parce qu'ils avaient le droit de manger en début de poste de nuit à 22 heures et puis ils avaient le droit de remanger en fin de poste avant que le soleil se lève, alors on leur tolère à manger deux fois 20 minutes. Et je dis, moi, le pauvre Français, enfin le pauvre gars français ou italien ou tout ce qu'on veut qui fait pas le Ramadan, lui on s'occupe pas si il a un boulot dur, si c'est fatigant ou truc, t'as le droit à 20 minutes pour manger, tu te tais, tu dis rien. Alors que c'est pas une obligation, moi je dis, c'est pas une obligation, ils font le Ramadan, et je ne comprends même pas que la médecine des usines ait toléré ces trucs-là. Parce que le mec qui mange pas, la nuit, il n'y a pas de problème, mais moi, j'en ai vu le jour même pas boire un verre d'eau et travailler huit heures à la chaleur…

— *C'est dangereux en fait.*

M. Leblond — Moi, je dis de la part de la médecine du travail, ça aurait dû être non.

— *Bien sûr.*

M. Leblond — Parce que le gars peut tenir et le gars, il arrive un moment donné où bon… Le jour où le gars il tombe dans un convertisseur, on va pas le ramasser. Si il tombe par terre, c'est pas grave, mais si il tombe dans le convertisseur, bon, il y avait quand même des gars à l'aciérie, il y avait des gars au laminoir et le gars qui va tomber dans un cylindre, il passe dans le cylindre, comment il ressort ?

— *Et dans votre équipe il y en a des Algériens, non ?*

M. Leblond — Il n'y en a plus. Il n'y en a plus. J'en ai eu un qui était bien, il faut reconnaître : pour un Arabe, il était bien. Quand il était tout seul. Ah oui, on a eu déjà plusieurs histoires dans le réfectoire. Parce que… On vit ensemble… [*rire*]. C'est normal, les gens sont quand même en dehors de leur situation, de leur place, bon, ben, ils se retrouvent. Moi je me mets bien, si je vais travailler à l'étranger, si je retrouve un Français, je serai bien content de parler et de travailler avec un Français.

— *Oui, mais enfin par politesse, quand il y a des Français, ils devraient parler… oui, et ces jeunes, ils sont très souvent chômeurs… ? Ces jeunes Algériens…*

M. Leblond — Disons que il y a deux catégories, il y a… moi je vais dire, le Maghrébin, enfin l'étranger, mais surtout l'Algérien, le Marocain que moi, je traite d'Arabe, bon, ceux-là ils sont là, ils sont contents d'être là et puis, ils vont bien pleurer, on leur donne des aides ils sont tranquilles, et puis il y a celui qui est à côté, qui lui se met bien à la vie française, s'est bien adapté et qui fait que ses enfants doivent marcher comme des Français, le problème il est là. Parce que moi, au sport, j'en ai pas mal des jeunes Arabes, bon, ben, ils sont pas plus mauvais, enfin pas plus mauvaises parce que c'est toutes des filles, elles sont pas plus mauvaises que les autres. Il y a quelques familles…

— *Oui, il y en a partout…*

M. Leblond — Dans les écoles, c'est pareil, dans les écoles c'est des problèmes avec certaines familles, c'est toujours les mêmes de toute façon. On n'a pas à se faire de bile, on a le problème depuis la maternelle, mais il n'y a pas que les étrangers, il n'y a pas que les Marocains, les Algériens, on a les mêmes problèmes avec des Portugais ou avec des Italiens.

— *Mais les Italiens, ça fait longtemps qu'ils sont… non ?*

M. Leblond — Oh oui, ceux qui sont là… en principe les Algériens quand ils sont là, ça fait longtemps aussi, bon, le peu qui se passe c'est qu'à un moment donné, mais il y en a quand même de moins en moins maintenant, mais à un moment donné, beaucoup allaient se marier en Algérie et ramenaient leur femme, là on a eu un contingent de Turcs qui arrivaient aussi à un moment donné, qui étaient pas, qui étaient pas tout roses non plus quand ils sont arrivés et puis maintenant, les Turcs on n'en entend plus parler. Mais seulement, moi ce que je reproche dans des localités, enfin dans des ZUP parce qu'avant ça s'appelait la ZUP, c'est qu'on n'a

rien fait non plus pour ces gens-là, parce qu'on a tout… Moi, je veux dire, on a parqué ces gens-là tous ensemble, on avait une tour ici, bon, la tour, il y avait quatre entrées…
Mme Leblond — Non cinq.
M. Leblond — Cinq entrées, il y avait deux entrées, c'était pas la peine d'aller dedans…

La Familiale, elle a mis que ces gens-là ensemble

— *C'est vrai ?*
M. Leblond — Oh ! c'était pas la peine de rentrer dedans, hein ! C'étaient des coups à se faire trancher la gorge, à se faire tout ce qu'on voulait. Mais pourquoi ? Parce qu'on a mis que ces gens-là ensemble, il y en avait qui élevaient des moutons sur les balcons, des lapins dans la salle de bains, alors systématiquement, bon, ben, La Familiale, ce qu'elle faisait ? Elle logeait tous ces gens-là ensemble, et c'est pas ça qu'on aurait dû faire à La Familiale, comme la commune ; ces gens-là on aurait dû les éparpiller un peu, les habituer un peu à vivre, ils sont plus dans leur brousse, bon moi, je me mets à leur place, le gars, il arrive, il est dans sa brousse, il fait ce qu'il veut, il arrive ici, bon, ben… mais c'est pas logique. Faut arriver à les faire vivre en communauté ces gens-là.
— *Et là, ça existe plus cette tour ?*
Mme Leblond — Non là, ils l'ont abattue.
M. Leblond — Ils l'ont abattue, non parce que il y avait trop de réparations dedans pour La Familiale, elle devenait trop dangereuse de toute façon ; il y a eu beaucoup de gens qui [ont été mis dessus ?] pour être reprise, pour faire des trucs et puis… avec la situation du bassin, bon, ben, il y en a qui ont…
Mme Leblond — Là, à la place de la tour, ils doivent nous faire une nouvelle…
M. Leblond — Un centre social ; ben, ça y est le grillage est mis ; dès que le temps va être meilleur, les travaux vont…
— *Et le quartier, c'est pas dangereux pour les filles ?*
Mme Leblond — Non, non, ça va !
M. Leblond — Oh c'est pas plus dangereux…
Mme Leblond — Non, ça va… Elles y ont toujours été…
— *Non c'est surtout du bruit, des choses comme ça…*
Mme Leblond — Moi les miennes, ça les empêche pas, ça fait combien, ça fait combien… ? Ça fait 14 ans qu'on est ici dans la

rue, moi, j'étais enceinte de C. quand je suis arrivée, eh ben, elles dorment devant et c'est vrai que l'été, il y a toujours des gosses dehors et puis ça braille et ben, ça les empêchait pas de dormir, même qu'il y avait le bruit…

M. Leblond — Oh ben ! si elles sont comme moi, moi ça ne me gêne pas de dormir…

— *Et il n'y a pas de petits larcins, de choses comme ça ?*

Mme Leblond — Non, non, non.

— *Non, c'est le bruit qui vous gêne…*

Mme Leblond — Voilà, c'est ça.

M. Leblond — De toute façon, il n'y en a pas plus qu'ailleurs. Bon, ceux qui sont embêtés, il y en a qui sont embêtés, mais déjà faut voir si c'est vrai, je veux dire, faut voir si c'est vrai…

Mme Leblond — Oui, parce qu'encore faut voir…

— *Qu'est-ce qu'ils racontent ?*

M. Leblond — Oh ben ! il y en a qu'on leur vole du linge, qu'on leur crève les pneus de voiture, c'est ça… Bon, moi je veux bien, mais j'ai jamais vu les gendarmes venir chez eux, donc si ils ont une assurance qui marche et puis un truc qui marche, vol d'autoradio, vol de tout ce qu'on veut…

— *Oui, mais ça, c'est partout.*

Mme Leblond — Il y a des maisons un peu plus bas, là c'est des Français, ils se plaignent toujours qu'on leur a volé ci, qu'on leur a crevé les pneus et puis on voit jamais les gendarmes venir et puis, ça en est qui leur en veulent et puis bon, ben, c'est comme ça.

M. Leblond — Non, mais c'est vrai, il faut reconnaître, ils ont le séchoir à linge devant la porte, ils laissent du linge la nuit, faut dire aussi…

— *C'est tenter le diable !*

Mme Leblond — Voilà, c'est ça, moi, c'est fermé derrière et je laisse pas de linge la nuit dehors.

M. Leblond — Moi, j'ai la voiture qui est dehors, c'est malheureux à dire, mais il n'y a que depuis que sont arrivés des Français deux maisons en dessous, que je ferme la voiture à clef, autrement la voiture, elle n'a jamais été fermée à clef ; elle était dehors toute la journée, elle a jamais été fermée à clef. J'avais des papiers dans la voiture, j'avais tout dans la voiture, on m'a jamais rien pris. Je mets la voiture à la salle des sports, pourtant à la salle des sports, j'en fous dehors toutes les semaines, j'ai jamais rien eu sur la voiture. Il y a peut-être la façon aussi de…

— *Oui, la façon d'être…*

M. Leblond — … de voir comment on y va; ces gens-là faut pas leur faire voir qu'on a peur; si on leur fait voir qu'on a peur, ils se sentent forts. Depuis, le tout petit qui a trois ans, qui va venir, jusqu'au grand, parce que ils vont tous chercher, je vais toucher du bois : depuis que je suis ici, ça fait quand même pas loin de six ans, sept ans que je fais du sport à M.

— *Oui, c'est ça, vous les connaissez au sport et puis ils vous respectent.*

M. Leblond — Moi je les respecte, il n'y a pas de raison qu'eux ne me respectent pas.

— *Oui, c'est ça, c'est ça.*

M. Leblond — Il faut pas… Moi ils sont dans la salle de sports tant qu'ils restent tranquilles, ils sont bien; quand ils font le bordel, comme dirait l'autre, je les fous dehors, et quand je les fous dehors, je leur dis, « ma voiture elle est là ; et allez à ma voiture, je saurais qui c'est », parce qu'il y a trop de gens ici, qui disent, « c'est celui-là, c'est celui-là, c'est celui-là, mais on va pas aux flics, on a peur. » Moi, je sais que le jour où j'en fous un à la porte de la salle des sports et qu'il y a quelque chose sur la voiture, les gendarmes, ils viendront. Et je saurais leur dire qui c'est. Ça sera peut-être pas lui, mais ils iront chez lui. J'irai avec eux, si c'est pas lui, il faudra bien qu'il dise qui c'est. Et malheureusement, les gendarmes ici ne font rien non plus. La gendarmerie et la police c'est… il y a deux ans on a eu des problèmes, c'est vrai, c'est avec les professeurs, il a fallu presque qu'on arrive à résoudre le problème nous-mêmes, d'aller à la gendarmerie et à la police. A la gendarmerie, ça ne les regarde pas parce qu'il y a une police et la police, bon, ma foi…

— *Vous avez résolu ça avec les parents d'élèves, avec l'association ?*

M. Leblond — Entre les professeurs et les parents.

— *Qu'est-ce que c'était comme… ?*

M. Leblond — Ah ben, ça à l'école on a crevé les pneus des professeurs, cassé les pare-brise, mettre du sucre dans l'essence, ah ! ça devenait vraiment… Jusqu'au jour où ça a mal tourné, parce qu'il y a un professeur qui est sorti et puis qui est tombé sur un jeune. Et puis il a fait une chose qu'il aurait jamais dû faire : il lui a foutu un marron dans le nez [*rire*]. Alors les parents comme ils connaissent bien les lois et tout, ils se sont retournés contre le professeur, mais manque de pot, c'était pas dans l'enceinte du CES, alors point de vue Éducation nationale, ça ne regarde personne. Eux, ils se sont retournés comme ça, directement contre l'Éducation nationale pour lui faire supprimer son droit d'exercer… là, ils avaient été mal renseignés.

— Et ici, les professeurs, ils sont du coin… ? Ou les instituteurs, tout ça, vous les connaissez ?

M. Leblond — Du coin, oui, une partie c'est du coin, ça y est, quand il y a un jeune professeur, ou un jeune instituteur qui vient et puis qui arrive ici…

— C'est dur pour lui, au début… ?

M. Leblond — Ils regardent plutôt à deux fois, si ils sont pas du coin, ils pensent plutôt une chose qu'une autre : c'est de repartir.

— Vous les connaissez, c'est les gens, les enfants du pays ?

M. Leblond — Beaucoup c'est des jeunes… enfin ils sont nés dans le coin. Ils sont restés ici. Ou alors de vieux instituteurs qui ont eu leur premier mousse ici, disons qu'ont fait leur carrière ici.

— Et vous connaissez beaucoup de fils de métallos qui sont restés dans le coin comme ça, comme instituteur, comme prof ?

M. Leblond — Il n'y en a pas des masses, non.

— Qui ont bien marché à l'école…

M. Leblond — Disons qu'il y a beaucoup, beaucoup de jeunes ici, d'anciens métallos qui sont partis dans la police, la gendarmerie, les CRS enfin des trucs comme ça, disons qu'ils ont profité – enfin, ils ont profité… – en 68, 69 que les CRS, la police a recruté pas mal de jeunes, donc c'est tout des jeunes – je dirais pas tout des jeunes – mais beaucoup de jeunes qui étaient ici sur la balance et puis qui ont…

— Et puis c'est après une génération qui allait beaucoup à l'école, quoi. Parce que ça a commencé, quoi… vers 70, qu'ils ont…

M. Leblond — Quand il y avait des gars qui sortaient de chez nous avec les karts [*chariots automoteurs de manutention conduits par les caristes*] et puis qui partaient avec les karts, fallait arriver à les motiver, parce qu'autrement, le gars il partait, il défonçait tout ce qu'il y avait devant lui. Moi, j'en ai vus qui venaient avec nous aux manifestations avec les revolvers, les carabines, hein. Bon, c'est quand même pas des choses à faire. On n'en était pas à ce point-là. Les gars, on arrivait à le voir, on leur piquait les armes, on les mettait chez un autre et puis c'était fini. Mais enfin des gars, ils venaient quand même avec un, faut dire qu'en face on avait les services d'ordre qui n'étaient pas tendres non plus.

— Non, ça il faut dire que ça a été un choc incroyable, c'était tellement brutal.

M. Leblond — Ah ! il y a eu des bonnes bagarres, dans le bon sens du terme et puis il y a eu des bonnes bagarres aussi pas dans le bon sens du terme, mais enfin… enfin… c'est fait, c'est fait. Mon seul regret maintenant c'est de ne pas avoir gardé tous les coupons de presse, les trucs comme ça…

— Et les jeunes aujourd'hui, qu'est-ce qu'ils pensent de tout ça ? Ils s'en foutent un peu, non ?

M. Leblond — Les jeunes ils s'en foutent parce que de toute façon, ils ont pas connu, le jeune qui connaît le désert de maintenant… Et c'est pour ça que je dis que c'est un peu dommage d'avoir pas gardé tous les coupons de presse pour montrer, disons, moi je vais dire à mes filles : là, il y avait l'usine, là, il y avait ça, bon, ils se rappellent un peu… quand on allait chez mes parents à E. j'habitais en face l'usine, bon, ben, il y avait quelque chose.

— Ils sont très dépolitisés, ils s'en fichent un peu.

M. Leblond — Oui, et puis maintenant les jeunes vous les avez comme vous voulez, de toute façon, celui de droite, il va venir, il va leur promettre monts et merveilles, bon, ben, les jeunes qui vont pouvoir voter, ils vont voter pour lui et si il y en a un autre qui vient de l'autre côté, ça sera pareil, ça va marcher un peu comme ça et puis après le jeune, il sera déçu et puis qu'est-ce qu'il fera ? C'est ça le problème. C'est qu'on arrive un peu trop maintenant à dire aux jeunes, bon, ben, vous aurez ci – c'est ce que je disais tout à l'heure pour les écoles – la jeune qui fait apprentie coiffeuse, et bien elle sera coiffeuse femmes, coiffeuse femmes, elle pourra faire la coupe homme à côté : non j'ai pas pris mon boulot pour faire coiffeuse hommes, je serai coiffeuse dames, j'irai pas là-bas.

février 1992.

Abdelmalek Sayad

Une famille déplacée

Une commune ouvrière dans la périphérie immédiate de Paris. Contrastant avec le dispositif typique des banlieues, tours, longues barres d'immeubles, un quartier faisait exception : il s'agit d'une zone relativement à l'écart, peuplée de ces vieilles maisons individuelles à deux étages qu'il est convenu d'appeler les « pavillons en meulière ». La municipalité a acquis un certain nombre de ces habitations à mesure qu'elles étaient proposées à la vente et les a affectées, souvent selon la procédure d'urgence et avant même que les travaux de rénovation ou de réhabilitation n'aient été effectués, au logement de quelques familles immigrées. Cette affectation contraire aux règles qui, d'ordinaire, président à l'attribution de logements sociaux (les HLM) aux familles les plus démunies, ne manque pas de faire surgir des conflits de voisinage d'un type nouveau : pour les uns, c'est-à-dire les immigrés, des conflits qui sont de nature à les amener à réfléchir sur les nuisances dont ils seraient, comme on le leur reproche, les auteurs, c'est-à-dire sur la vraie signification, par exemple, du « bruit », des « odeurs », de la forme qu'il est bon de donner aux relations sociales (en fréquence, en intensité, en durée, etc.) pour qu'elles restent compatibles avec les usages en matière de cohabitation ; pour les autres, c'est-à-dire pour la population française du voisinage, des conflits qui ne sont plus, comme à l'ordinaire, inscrits totalement dans l'ordre des relations individuelles et interpersonnelles (ou purement subjectives), mais qui concernent collectivement (la voisine française de la famille immigrée le dit très bien) chacune des personnes en cause ; toutes engagent dans ces conflits tout leur être social, c'est-à-dire l'idée qu'elles se font d'elles-mêmes ou, pour parler le langage qui a cours aujourd'hui, leur identité sociale (qui, ici, est en même temps l'identité nationale et, par conséquent, une identité éminemment collective). Ces conflits sont d'autant plus significatifs qu'ils ne reposent presque sur aucune base objective ; aussi faut-il les comprendre comme les dernières manifestations de la résistance que cette fraction de population, qui a accédé tardivement à la maison individuelle dont elle a sans doute longtemps rêvé, ainsi qu'à tout l'espace (géographique et social) qui lui est associé, espace sur lequel elle a projeté toutes ses aspirations et ses espoirs de promotion sociale, dans lequel elle a investi et s'est investie, est amenée à opposer au processus de déclin, de dévalorisation, de disqualification dans lequel elle craint d'être prise.

La confrontation des deux enquêtes, conçues de manière à livrer les points de vue totalement divergents qui, à partir de positions sociales distinctes, voire antithétiques, peuvent être pris sur la même réalité sociale, suscite trois types de discours. D'abord, du côté de la famille immigrée, le discours du père qui retrace l'histoire résidentielle de la famille durant toute son immigration, discours d'histoire tenu en arabe, le seul qui le concerne totalement et exclusivement, le seul qui soit de son ressort propre ; puis, le discours collectif des enfants, qui porte sur la situation présente et sur l'état du logement actuel ; et ensuite, du côté de l'entourage et de l'environnement immédiat de la famille immigrée, le discours de la voisine française la plus proche, qui est partagé entre, d'une part, la défense des intérêts matériels et symboliques propres (au sens d'exclusifs) à une catégorie particulière de la population, défense et illustration des qualités qui donnent droit au privilège d'un habitat réservé, et d'autre part, l'indignation et la protestation contre le fait d'être obligé de subir une cohabitation perçue comme dégradante, humiliante, avec une population elle-même dégradée, méprisée, dépréciée.

La famille Ben Miloud est originaire de la région de Biskra dans le Sud algérien. Elle est arrivée en France en 1960 ou, plus exactement, Mme Ben Miloud a rejoint son mari en France à cette date-là, tous leurs enfants étant nés en France. M. Ben Miloud, qui est âgé maintenant de 64 ans, est venu pour la première fois en France en 1949, à l'âge de 21 ans. Il est aujourd'hui à la retraite après avoir été longtemps en régime de longue maladie et d'invalidité ; gravement malade, son état nécessite des soins intensifs et de fréquentes hospitalisations. Indépendamment de l'affection grave qui l'atteint, il semble avoir été usé par le travail.

Par un accord tacite entre parents et enfants, fondé sur les intérêts et les compétences des uns et des autres, il évoque plus volontiers le passé que la situation présente dont la relation appartient plus aux enfants (et surtout aux filles), se réservant par contraste le soin de rappeler à tous (et, dans le cas d'espèce, à ses enfants qui se montrent particulièrement attentifs) ce que fut, dans un état antérieur, l'immigration de la famille : « Je suis arrivé [en France] en 1949, dans la force de l'âge (...). Dans les premières années, j'ai fait comme tout le monde, comme on faisait à l'époque : un temps de travail en France, puis on repartait ; on repartait comme si on n'allait plus revenir, mais quelques mois plus tard on était de retour. On revenait comme "à neuf". En définitive, on passait quand même plus de temps en France qu'au pays. Quand je compte maintenant les années, les mois, les jours, plus de la moitié de ma vie – Oh, beaucoup plus ! –, je l'ai passée en France (...). Au début, c'était le travail en usine, pas même à Paris, c'était dans l'Est. Mais depuis 1960, cela fait plus de 30 ans, c'est le travail dans les chantiers du bâtiment. De manière continue, pas même un jour de congé. Car là, il y avait la famille ; la famille était ici en France, les enfants sont arrivés [nés]. Tout cela demandait de l'argent, il fallait travailler beaucoup (...). Une fois la famille en France, ce n'était plus la peine d'aller et venir [sous-entendu, entre la France et l'Algérie], nous étions tous réunis. Il arrivait qu'on aille en vacances en Algérie en famille, mais c'est trop cher. Et maintenant que les enfants ont grandi, de moins en moins ; ils sont grands, ils décident eux-mêmes ce qu'ils veulent. Nous [les parents], nous n'avons plus la santé qu'il nous faut pour les voyages, les déplacements. Alors, on est là et on attend. » La venue de sa femme auprès de lui en France – le couple n'avait pas encore d'enfant – a coïncidé précisément avec le passage dans le secteur d'activité du BTP et l'installation durable dans ce secteur (jusqu'à la réforme pour invalidité et la retraite). C'est grâce à son premier employeur dans le bâtiment que

M. Ben Miloud eut le logement qui lui permit de faire venir sa femme. De ce premier logement, la famille garde un souvenir nostalgique. Il n'est pas difficile de comprendre les raisons de cet émerveillement rétrospectif : il s'agissait d'une maison individuelle située presque dans la campagne, à l'écart du centre urbain ; certes, passablement dégradée, désaffectée depuis assez longtemps, elle semblait convenir à merveille pour une famille d'origine rurale, qui faisait là sa première expérience et son apprentissage de l'urbanisation : c'était une maison spacieuse (sur trois niveaux), totalement indépendante, sans voisinage immédiat, disposant d'un vaste terrain (qui sera, en partie, converti en jardin et exploité en potager), toutes caractéristiques qui pouvaient donner à cette famille d'anciens ruraux l'illusion de pouvoir renouer avec les usages habituels qu'elle faisait de son logement traditionnel. Pouvait-on espérer meilleure transition pour faciliter l'adaptation au style de vie urbain ? De plus, ce logement qui était à l'abandon avait été offert gracieusement par l'entreprise (par « le patron », dit-on). Avantage en nature qui s'ajoutait au salaire, il permettait une économie non négligeable, surtout en cette période particulièrement critique, en raison d'une part de la grande pénurie de logements accessibles aux ouvriers, et donc de la cherté des loyers et, d'autre part, des nombreux besoins en tout genre que rencontrait toute famille immigrée arrivant en France dans un total dénuement, dépourvue des biens, même les plus élémentaires, indispensables pour la vie quotidienne ; toutes choses qui rendaient extrêmement coûteuse l'installation de la famille.

Vouée à la démolition en raison du passage de la future autoroute, la maison désaffectée avait été attribuée, en attendant d'être démolie, à la famille Ben Miloud à titre de logement provisoire pour un simple hébergement. L'échéance finit par arriver et ses occupants « indus » se retrouvèrent à la rue. Et là, à la manière de beaucoup d'autres compagnons d'infortune et en même temps qu'eux, manœuvres le plus souvent des chantiers du BTP, compatriotes ou non, il fallut se rabattre sur ce « logement de la désespérance et du pis-aller » – c'est ainsi qu'on le nomme – qu'est le bidonville, « l'enfer des baraques ». Probablement une des dernières familles à avoir rejoint l'ancien bidonville de Nanterre au moment où il commençait déjà à être effacé de la carte à la faveur des différentes opérations de résorption, la famille Ben Miloud, qui avait déjà quatre enfants en bas âge, put, à ce titre, bénéficier par priorité des attributions de logements réservés à ces cas d'urgence. Elle se retrouva, tout d'abord, à Gennevilliers où elle fit, comme elle le dit, sa première expérience de la cohabitation au même étage avec d'autres familles voisines, expérience que M. Ben Miloud se plaît à rapporter pour ce qu'elle lui a appris sur l'isolement et la misère morale de certaines familles françaises et sur l'irritation qu'elles ressentent au contact des familles maghrébines, nombreuses et souvent visitées par des parents et des amis. Multipliant les démarches, recourant à l'aide de plusieurs assistantes sociales (le bureau d'action sociale de la commune, les services sociaux de l'entreprise), la famille put être relogée dans Paris même, mais elle était trop à l'étroit dans le nouvel appartement qui lui fut attribué. C'est afin de disposer de plus d'espace que la famille reprit ses demandes de relogement, qui la conduiront dans les lieux qu'elle occupe encore aujourd'hui.

avec des habitants d'une commune ouvrière

— entretien de Abdelmalek Sayad

« On n'a plus de voisins, on ne se parle plus »

La fille — Ici, on proteste, on n'est pas content. Il y a de quoi. Mais on ne partira jamais d'ici. Il n'en est pas question. Mes parents sont habitués à ça, ils sont âgés maintenant, ils sont malades. Mon père, qui a besoin de soins intensifs, est souvent hospitalisé ici, pas loin. Ma mère, qui sort presque pas, qui sait pas prendre les transports, il suffit qu'elle appelle un taxi qui vient jusqu'à la porte et il l'emmène à l'hôpital, la même chose pour revenir. Ça lui fait quoi ? Cent francs aller et retour. C'est acceptable. Mais s'ils nous envoient à perpette…, rien que pour ça, on n'accepterait pas.
Le fils — Et puis, y a pas que ça. Il n'est pas question de retourner dans les immeubles. Moi, j'étais gamin, mais je me souviens, pas de Nanterre, du bidonville, mais des bâtiments, des cités, comme on dit aujourd'hui. Autant aller à La Courneuve ou au Val Fourré. Tout le monde connaît ça maintenant ; ça a fait tellement de bruit.
La fille — D'autant plus qu'on peut pas dire qu'on a l'habitude de ça. Au contraire, je voudrais que toujours… je peux dire qu'on n'a jamais logé en appartement dans des immeubles, ces immeubles-là. Alors, c'est pas pour elle, pour ses beaux yeux ou à cause d'elle, qu'on va partir d'ici. Elle ne demande que ça. Ça lui ferait tellement plaisir. Elle veut arriver à ce résultat. Rien que pour ça, on se bagarrera… contre les HLM, contre la mairie, la Préfecture, contre surtout cette boîte qu'aurait été chargée de refaire tout ce pavillon. Qu'est-ce qu'on va devenir pendant ce temps ? Quand ? Comment ? On n'en sait rien. Y a pas que ça qu'on sait pas.

— J'ai pas compris. De qui s'agit-il ?

Le père — C'est notre voisine… juste à côté. Il n'y a que ce mur et quelques centimètres qui nous séparent d'elle.
La fille — [*pressée de s'expliquer là-dessus et interrompant son père*]. Elle est chez elle et nous sommes chez nous. Mais elle ne rate pas une occasion pour nous emmerder [*regard sévère du père*].
Le père — Non, sois correcte. Monsieur n'a pas besoin d'entendre

ça. Dis ce que tu as à dire et dis la vérité. Ce n'est pas la peine de parler grossièrement ou d'utiliser des insultes derrière le dos des gens. D'autant plus que tu ne l'as jamais insultée, je l'espère, et elle ne t'a jamais insultée.

La fille — C'est toi qui dis ça. Si tu savais le genre d'insultes qu'on s'envoie avec des « Madame..., s'il vous plaît » et des « Madame..., je vous prie ». Dans les langues, c'est comme ça; mais dans les yeux, c'est autre chose, c'est du feu et du poison.

— Et pourquoi tout ça ?

La fille — Oui, c'est ce que je voulais vous dire. Un exemple : vous voyez ces escaliers qui montent au premier, Madame trouve qu'on fait trop de bruit quand on les monte ou on les descend. Vous vous rendez compte ? Des escaliers en bois et ça s'entend d'une maison à l'autre ! Il faut être fou pour oser dire des choses pareilles. Même si elle est névrosée, c'est pas ça qui va l'empêcher de dormir, comme elle se plaint. J'ai trois chats... Qu'est-ce que vous voulez, moi je trouve ces bêtes formidables ! Elle s'est plainte partout, aux voisins, dans la rue, à la police, à la mairie, heureusement que personne la prend au sérieux. Elle a fait des lettres et des lettres, elle a essayé de faire signer une pétition pour nous faire expulser sous prétexte de « troubles à l'ordre public et à la tranquillité du quartier ». Voilà où nous en sommes (...). Alors pour les chats, ce qu'elle a trouvé de mieux, complètement loufoque..., c'est de dire que les chats font du bruit. A-t-on vu un chat faire du bruit ? Ça n'aboie pas, un chat. Elle a un chien, mais je ne dirai pas que son chien m'empêche de dormir. Alors, la dernière, c'est que mes chats, en dégringolant cet escalier, font trop de bruit, la dérangent et l'empêchent de dormir (...).

C'était cela qu'ils appelaient du bruit, c'était toutes... les veillées le soir

Le fils — Elle est comme ça, c'est tout. C'est vrai, elle en a contre nous, c'est vrai, elle ne supporte pas notre voisinage, la présence d'Arabes dans ce quartier qu'elle voit comme chic, sélect. Alors, y a qu'à voir quelles bicoques il y a là. Mais chacun a ses moyens, chacun a ses coups. Moi aussi, je la ménage pas. Les flics me l'ont dit. Elle avait déjà fait ça avec ceux qui étaient ici avant nous... quelque temps, peu de temps. Pourtant, c'est pas des Arabes, eux. (...) Je le sais, parce que, moi aussi, j'ai mes entrées à la police. Je leur ai tout dit. Ce sont eux qui m'ont dit qu'elle a écrit plusieurs fois des plaintes contre nous… Maintenant, ils se contentent de les classer. Bien sûr. Moi je joue au foot avec la police, dans leur club. Alors entre nous, entre copains, on se dit des choses. De mon côté, y a pas de raison que je la ménage. Tant pis pour elle. Et puis, c'est seulement pour la contrecarrer, pour se défendre contre elle, c'est tout. Nous, on se plaint pas d'elle.

La fille — C'est pas tout. En réalité, la grande bagarre porte sur le jardin public. Madame s'imagine qu'il est à elle, que c'est sa propriété personnelle. Elle m'a dit ça. Elle a menti. (…). Autant le bruit…, les chats…, je m'en moque ; je laisse courir…, dire tout ce qu'elle veut dire. Autant le square, l'espace public, et pourquoi pas la rue, les trottoirs, tant qu'elle y est ! Là, je suis intraitable. Elle est jalouse, elle supporte pas que, samedi et dimanche, les jours de la semaine où nous avons ses enfants à lui [*elle désigne son frère qui est divorcé, qui a deux enfants dont il a la garde les jours fériés et pendant les vacances, et qu'il confie à ses parents*], je les emmène jouer dans le jardin. Bien sûr, elle ne peut pas se plaindre officiellement contre ça, mais elle a trouvé encore le prétexte des chats. Elle a été dire à la mairie que les chats, mes chats et pas ceux des autres, grattaient dans les bacs de sable et faisaient leurs besoins et que cela allait contaminer les enfants et…, bien sûr, son chien, par-dessus le marché ! J'ai été convoquée au service sanitaire. Je suis allée, avec les carnets de santé de mes chats, vaccinés et tout, avec leurs noms, leurs dates de naissance, leurs plaques, leurs numéros tatoués, etc. Tout en règle ! Voilà où on en est.

Le fils — C'est toujours la même histoire. Quand on peut pas dire que le voisinage avec les Arabes est mauvais, parce qu'ils sont sales, parce qu'ils ont de mauvaises odeurs, parce qu'ils font trop de bruit, qu'il y a toujours trop de monde chez eux, même quand on peut pas dire tout ça, on invente autre chose, on trouve toujours quoi…

La fille — Alors que nous aussi, on peut dire autant d'eux. Au fond je crois, je suis même sûre qu'ils sont plus sales que nous. Passé le maquillage… C'est dorer la face, c'est tout. Je crois que le maquillage ne sert qu'à ça.

Le père — On le dit bien, « toi qui es décoré à l'extérieur, quel est ton état à l'intérieur ! » [*proverbe arabe*]…

Le fils — Ce qu'ils appellent le bruit, tous les copains le disent,

c'est pas vraiment du bruit, des décibels, mais c'est la chanson arabe qu'ils aiment pas, qu'ils comprennent pas, qui les dérange... Peut-être le raï, maintenant qu'il est à la mode, peut changer un peu ça. C'est ça qui fait le bruit. En réalité, s'il faut comparer, toutes les chansons rock sont beaucoup plus bruyantes à l'oreille que les chansons arabes.
La fille — C'est la même chose avec les odeurs aussi. Je l'ai lu dans les journaux quand il y a eu là... cette affaire (...) des odeurs et des merguez. Les journaux l'ont dit, « les Français aiment bien manger le couscous et les merguez. Mais quand c'est pas pour eux, l'odeur de la cuisine arabe est insupportable ! »
Le père — J'ai même une histoire à vous raconter. Les enfants la connaissent déjà. C'était quand nous étions dans les bâtiments en HLM. Nous avions comme voisins à l'étage, dans un petit appartement, deux personnes âgées, un monsieur et sa femme. Leurs enfants, nous ne les avons jamais vus. Nous n'avions connu leur existence que lorsque nos relations avec eux se sont brouillées et que nous avions commencé à savoir qui ils étaient. Là aussi, ces voisins, âgés c'est vrai, que nous avions beaucoup aidés, nous leur faisions quelques courses, nous leur donnions souvent du couscous – c'est cela qui me rappelle cette histoire –, ces voisins se sont plaints que nous faisions trop de bruit. Et, en parlant avec eux, j'ai compris pourquoi le bruit, ce qu'ils appellent le bruit. En réalité, ces deux vieux qui ne voient personne, personne ne vient les voir, pas même leurs enfants – je crois que les deux, une fille et un garçon, ont mal tourné –, ils vivent entre eux, ils surveillent tout, ils écoutent tout. Moi, sincèrement, ils me font pitié ; surtout, à l'époque, j'étais plus jeune, je n'aimerais pas avoir mes parents dans cet état, je ne pensais pas encore à moi et que moi aussi j'allais prendre de l'âge, je les plaignais beaucoup. Et au fond, ils sont malheureux, la vie s'est retirée pour eux, ils vivent dans l'attente de la mort. Tout cela, ils me l'avaient dit plusieurs fois quand il arrive que je les voie sur le palier à l'étage et que j'essaie de bavarder avec eux, de prendre de leurs nouvelles (...). Et, un jour, au cours d'une conversation, je ne voulais pas leur reprocher violemment tout ce qu'ils disaient sur notre compte, si c'était quelqu'un de mon âge à l'époque, j'aurais été à coups de poing sur lui. J'ai amené la conversation sur le bruit. J'ai été surpris de ce qu'ils m'ont dit. Le bruit, c'était, en réalité, les nombreuses visites que nous avions. C'est vrai, c'est comme cela se passe chez nous,

selon nos habitudes : le samedi et le dimanche, c'était un défilé de parents, de cousins, d'amis ; surtout à l'époque, il n'y avait pas encore beaucoup de familles en France, tous ces hommes vivent en célibataires et venir à la maison, ils retrouvaient l'ambiance de la famille. Et, bien sûr, chaque fois qu'ils viennent, c'était des cadeaux : des fruits, des gigots entiers, ce n'était pas des bouquets de fleurs [*rires*], tout ce que nous nous offrons à l'occasion de visites. Et c'était cela qu'ils appelaient du bruit, c'était toutes les allées et venues, les veillées le soir... Qu'il y ait de la jalousie dans cela, c'est sûr ! (...)

La fille — Quand nous sommes rentrés dans les lieux, nous étions très contents ; c'était propre, tout venait d'être refait, croyions-nous : en effet, on avait donné un « coup de propre » partout avant qu'on nous remette les clefs. Il a fallu du temps pour qu'on se rende compte que ce n'était que du « tape-à-l'œil » qui avait été fait. A qui la faute ? On le sait pas. Est-ce la mairie qui a voulu cela ? Les HLM ? Lesquels ? Est-ce qu'ils ont été eux-mêmes trompés, parce qu'ils n'ont pas voulu suivre les travaux, vérifier sur place ? Ou est-ce que c'est fait exprès, tout le monde étant d'accord sur cela ? On continue toujours à s'interroger (...) Alors, nous aussi, nous avions fait de notre mieux. Nous avions continué à améliorer les lieux, à ajouter plus de confort, nous avions changé les fenêtres qui ne semblaient pas convenir ; la tapisserie aux murs, c'est nous qui l'avions posée (...). Depuis, on a redonné un coup de peinture. Mais maintenant, que faire ? Pour quoi faire ?

Le père — Quelle assurance avons-nous pour pouvoir engager des dépenses ? On est tous, autant que nous sommes ici [*le père et ses fils*], un peu du métier ; on peut tout faire nous-mêmes et beaucoup mieux que les artisans, que les entreprises professionnelles. En estimant approximativement, il nous faudrait quelque trois millions de francs (anciens) en marchandises seulement, sans compter notre main-d'œuvre que nous ne comptons pas, pour remettre les choses en l'état.

La fille — On ne sait pas, depuis que nous sommes ici, qui décide de quoi. On ne sait même pas qui sont tous les organismes qui passent. On ne sait même pas à qui on paie le loyer ; c'est ce que vous me demandez ? On paie le loyer, ça c'est sûr, parce que ça sort de notre poche et parce que personne ne vient nous le réclamer, donc il arrive à la bonne place. On nous fait pas cadeau (...). Maintenant, c'est ceux qui doivent faire les travaux qui viennent.

On ne sait pas qui c'est. Ils agissent pour le compte de qui? D'eux-mêmes, des HLM, de la commune, de la préfecture? Ils sont bien gentils, ils viennent souvent voir, mais on n'est pas plus avancés. On ne sait pas de quoi ils s'occupent; ils sont responsables de quoi? Et ils ne nous disent rien. Qu'ils nous disent si c'est dans un an, dans dix ans ou jamais!... C'est tout ce qu'on leur demande. On aimerait savoir où en sont les choses. Ça dépend de qui? De quoi? Pourquoi on attend comme ça?... Ça peut encore durer longtemps! S'ils croient qu'ils vont nous fatiguer pour nous faire déguerpir de là..., si c'est ce qu'ils veulent, ils se trompent. Nous, on ne partira jamais d'ici. On y est, on y reste. Ils n'ont aucune raison de nous mettre à la porte (...)
[*Approbation générale. Tout le monde appuie les dernières paroles de la jeune fille sur les intentions des différents partenaires qui interviennent en matière de logement; tout le monde s'accorde aussi pour partager les soupçons qu'elle formule quant à la sincérité de ces mêmes partenaires. C'est encore la même unanimité lorsqu'il s'agit de proclamer la volonté de la famille de demeurer dans les lieux, quelle que soit l'issue du projet de réhabilitation et qu'il y ait restauration ou non. Là-dessus, un des fils surenchérit sur les propos de sa sœur pour affirmer, sur un ton catégorique, que le projet de restauration n'est qu'une ruse en vue de contraindre les occupants à libérer les lieux.*]
Le fils — Les travaux ne commenceront que le jour où ils auraient la certitude qu'ils pourraient mettre tout le monde à la porte pour avoir à loger que les familles qui leur conviennent. De toute façon, on le sait depuis longtemps, s'ils font quelque chose, ça sera pas pour nous. Ou alors, ils vont monter le loyer si haut, jusqu'à ce qu'on pourra plus rester. Ce sera alors nous qui partirons ou ils vont nous reloger dans les cités minables sous prétexte qu'on a trop d'impayés. C'est une technique très connue, ça. A coup sûr, c'est ça qu'ils veulent, rien d'autre. Il y a longtemps que moi, j'ai compris ça... Je n'arrête pas de le dire ici. Ils se moquent de nous, c'est tout. On n'aura rien, on peut toujours attendre. Ce n'est pas pour nous qu'ils travaillent. *Ils jouent avec nous* [*expression arabe, c'est la seule phrase en arabe prononcée par les jeunes durant tout l'entretien, alors que les parents n'usaient que de l'arabe*].

C'est pas des chats dont on se plaint, c'est de nous

La fille — Trois chats qui sont vraiment des « bêtes d'appartement ». Ils font partie de la famille. C'est d'ailleurs pour cela, il y a conflit, on se plaint d'eux. C'est pas des chats eux-mêmes dont on se plaint..., c'est de nous. C'est les maîtres des chats. Et c'est comme ça que mes chats, mes chats à moi, font du bruit !... Et comment... ? Tenez-vous bien, en dégringolant les escaliers. Je vous l'ai dit... On entend les chats courir !... Voilà ce qu'on a trouvé de mieux... Et à côté de ça, on dit qu'on aime les bêtes. Je sais pas lesquelles ? Toutes, sans doute, mais à condition qu'elles soient pas chez des voisins... arabes ! La même dame a elle aussi un chien. Elle trouve tout à fait normal de lâcher son chien dans le jardin en face ; elle ne le tient même pas par la laisse, mais elle s'estime en droit, elle, d'être chez elle dans le jardin. Le jardin est à elle, me dit-elle. Je ne sais comment et pourquoi il serait à elle... C'est sa manière à elle de me dire : la France est à moi, c'est sa France ; nous, nous ne sommes pas de cette France, elle ne nous appartient pas, on ne lui appartient pas non plus. Elle en est convaincue. Elle m'a dit, une fois, que c'était grâce à elle que nous avions un jardin public en face de la maison, c'était elle qui l'aurait demandé au maire et obtenu, alors qu'il est là depuis un siècle. Elle nous menace de nous faire interdire l'accès au jardin, autrement dit, au domaine public (...).
Le fils — Sans parler de l'eau qui coule..., des robinets..., des WC. Tout ça, ça ferait un bruit du tonnerre..., une nuisance insupportable, comme elle dit. Elle nous a dénoncés avec le prétexte qu'on est trop nombreux à la maison. Que la maison est suroccupée comme elle dit... ou comme on lui a dit de dire. Car, entre nous, je crois pas qu'elle soit si intelligente et si instruite pour écrire ça. Ça veut dire que nous, les enfants, on n'a pas notre place ici... Bien sûr, le logement est au nom de nos parents, nous avons été élevés ici, grandi ici, c'est aussi notre maison. Qu'on vienne pas nous dire qu'on n'a pas le droit d'y habiter...
La fille — ... Qu'on habite là ou qu'on n'habite pas, c'est notre affaire ; ça ne regarde que nous..., ça regarde personne d'autre, surtout pas les voisins. Ils n'ont qu'à s'occuper de ce qui se passe chez eux...
Le fils — En réalité, nous avons tous où loger ; ce n'est pas parce qu'on n'a pas de domicile, qu'on est là. C'est faux. Ça, on peut le

prouver, avec reçus de loyer, à qui voudra et quand il voudra. Y a qu'à voir : ma sœur aînée habite chez elle et, bien sûr, elle passe ici tous les jours, on la voit toujours là, elle vient voir ses parents, c'est normal quoi ! S'assure que tout va bien, il lui arrive de rester coucher ici. On a tous une chambre ou un lit ici. Mais elle a quand même chez elle… On est comme ça, nous : on laisse pas tomber les parents ou simplement les voir une fois tous les 36 du mois (…).

La fille — Mes deux frères ont aussi leur logement : l'un a un studio pas loin d'ici. Lui aussi va et vient entre la maison [des parents] et son studio ; l'autre, en attendant de se remarier, a aussi son appartement. Qu'on vienne pas nous dire que nous logeons tous à la charge des parents (…). Bien sûr, chacun de nous peut toujours être hébergé, chacun de nous a son lit ici, chacun de nous a sa place à la table, mais la maison est aux parents. Ils sont chez eux. Et puis, il manque plus que ça ! Tu es chez toi, on est chez nous et on vient nous commander si on peut recevoir ou non, on se met à compter combien on est à la maison, combien on est à table. C'est pas eux qui nous nourrissent (…). C'est de la pure jalousie. Voilà. C'est tout (…). Ils peuvent venir contrôler… Heureusement, pour l'instant, ce sont seulement des racontars, la jalousie des voisins : vous êtes trop nombreux, c'est pour ça que vous faites du bruit ou encore les HLM ou la société ne sont pas faits pour loger tout ce monde ! C'est de la jalousie pure. Ils voudraient qu'on donne juste un tout petit trou aux parents, de rien du tout, où personne n'aurait de la place.

Le fils — S'il y a quelque chose à comprendre dans tout cela, c'est qu'ils voudraient pas qu'on soit là, tout simplement. Ou si on est là, il faut pas qu'on se voie, qu'on se montre. Pas de chat, pas de chien, pas de rue, pas de jardin, pas d'enfant. Et tout. Nous sommes chez nous quand même ici ; tout juste si on nous dit pas qu'on n'a pas notre place à côté de nos parents… (…). Oui, au fond, c'est ça : c'est pas seulement notre place dans la maison et dans le quartier ou la ville…, mais dans toute cette société. Et pourtant, nous avons tous autant que nous sommes, garçons et filles, la nationalité française. Mais va leur dire ça. En tout cas, c'est une chose que je leur dirai jamais. Des fois que ça leur ferait plaisir.

La fille — C'est pas sûr… Des fois qu'ils diraient encore : même la nationalité française, ils leur ont donnée. La chose la plus précieuse pour eux.

Le fils — Je m'en fous… En tout cas pour moi, ça peut pas être quelque chose pour me défendre. Je vais pas leur dire, « pourquoi vous êtes racistes, moi je suis français ». Donc ça veut dire qu'avec mon père, ils peuvent l'être ?… Je pose la question : s'ils sont racistes avec mon père, autant qu'ils le soient aussi avec moi…, même ma nationalité française… Question d'amour-propre !
Le père — [*en guise de conclusion*]. Tout cela importe peu. Il y a une chose qu'il faut savoir, c'est que nous ne partirons pas d'ici ! [*Long silence de tous, le père ayant parlé pour une fois avec solennité, en attirant l'attention de tous, la mienne en premier lieu*]. Car, à notre âge, on n'a pas où aller… [*Sans doute, l'aveu le plus dur pour un émigré, c'est-à-dire pour quelqu'un qui s'est évertué toute sa vie à croire qu'il a un pays et un « chez soi » où retourner.*]

Il faut qu'ils rendent… ces comptes.
Pas à moi… mais à la France…

[*Bien que le prétexte par lequel il a fallu justifier l'enquête interdît toute interrogation sur les caractéristiques sociales de la personne, on a pu apprendre en passant que cette famille sans enfants s'était installée en 1975, venant de Paris où elle était logée étroitement, dans un studio. Le couple a acquis le pavillon qu'il occupe avec le montant de l'héritage que l'épouse a reçu à la mort de ses parents. Le mari est agent de la RATP et la femme, manifestement plus âgée que lui, n'a jamais travaillé.*]

— Je fais le tour du quartier. Je voudrais m'entretenir avec les uns et les autres, voir un peu tout le monde, tous les habitants de ce quartier où il n'y a que des pavillons : ce qu'ils pensent de leur cadre de vie, comment ils voient l'avenir de ce quartier, quels changements se sont produits dans leur voisinage et dans tout leur environnement depuis leur installation ici, ces changements ont-ils été dans le sens d'une amélioration générale des conditions de logement et des conditions de vie ou, au contraire, dans le sens d'une détérioration ? (…) Je n'ai pas de questions très précises à vous poser, mais seulement bavarder avec vous et avoir votre avis, vos impressions…
Mme Meunier — Ah ça oui ! Autrement dit, ils sont bien obligés aujourd'hui d'avouer ce qu'ils sont en train de faire. Parce qu'ils

ne peuvent plus le cacher. Ils ont compris que ça y est, on est au courant de tout. Ils se réveillent..., parce qu'ils croyaient qu'on était aveugles, qu'on ne comprenait rien à leur micmac.

— *De quoi s'agit-il ? De quel micmac ? Qu'est-ce qu'ils ne peuvent plus cacher ? Qu'est-ce qu'ils sont en train de faire et d'avouer faire en même temps ?*

Mme Meunier — Parce que vous, vous le savez pas ? Vous n'allez pas me faire croire ça ? Alors que c'est ce que tout le monde sait, tout le monde voit ça...

— *Qu'est-ce qu'on voit ?*

Mme Meunier — Bientôt, tout le quartier va changer de population. Les gens partent. Tout est à vendre ici. Si je vous faisais le tour du quartier, je vous montrerais, une maison sur deux est à vendre. Cela fait le bonheur des agences immobilières... Et elles, elles s'en foutent... Pourvu qu'elles fassent leurs affaires. C'est à celui qui leur offre le plus ou le premier qui vient et qui leur offre... Elles s'en foutent, c'est pas elles qui habitent ici... ; elles, elles ne regardent qu'à l'argent qui leur rentre.

— *Pourquoi les propriétaires vendent leurs maisons ici ? Est-ce ici plus qu'ailleurs ou est-ce la même chose partout dans tous les quartiers semblables à celui-ci ?*

Mme Meunier — Je sais pas. Je connais ce quartier, je connais pas les autres. Mais certainement, ça doit être la même chose ailleurs, là où c'est comme ici... On s'est saigné aux quatre veines pour avoir ça, pour avoir son chez-soi ; on a payé cher, on s'est sacrifié, et on n'a pas fini de payer que ça fout déjà le camp.

— *Pourquoi ça fout le camp comme vous dites ?*

Mme Meunier — Si mon mari était là, il vous répondrait mieux que moi. L'ancienne population de ce quartier, c'est-à-dire... de combien de rues ? (...) Alors..., un quartier comme ça, quand on est arrivé ici, y avait que des personnes âgées, les propriétaires étaient tous des retraités, des personnes âgées. Et depuis, ça fait du vide : certains sont partis, d'autres sont dans des maisons de retraite, des hospices. Et c'est pas les enfants qui peuvent continuer à habiter ici. On ne sait pas où ils sont... Alors les maisons sont louées à des étrangers, à des étrangers au quartier, pas toujours à des immigrés. Et même les locataires, ils restent pas longtemps.

— *Et qui achète ?*

Mme Meunier — Toujours des gens étrangers. Et ça vient de partout. Et même ces gens qui arrivent comme nouveaux propriétaires, ils restent pas, ils restent pas longtemps. Très souvent, après trois ans, cinq ans, ils revendent…

— *Pourquoi ?*

Mme Meunier — Parce que ça fait pas ou ça fait plus leur affaire, ils sont déçus par le quartier. Toutes ces maisons individuelles sont généralement petites, pas confortables…, toujours des travaux à faire. C'est notre cas : des choses à changer, dans le chauffage, la plomberie, la toiture, et tout cela coûte très cher. Alors on a acheté et, quelques années plus tard, on revend et on part d'ici. La population change toujours… et pas toujours en mieux.

— *Qu'est-ce que vous appelez pas toujours en mieux ?*

Mme Meunier — C'est tout le quartier qui s'en ressent. Nous qui sommes ici depuis… bientôt 15 ans, on se rend compte de tous ces changements. Je ne veux attaquer personne, je ne veux pas accuser, ce n'est pas du racisme ce que je vais dire. (C'est ça qui est désagréable : dès qu'on se plaint, dès qu'on dit que le quartier a tendance à être mal famé, à être mal habité, on est accusé de racisme). Ce n'est pas par racisme que je dis qu'il y a ici de plus en plus de familles immigrées, des familles arabes. Je ne sais pas ce qu'elles sont, algériennes, marocaines ; des familles maghrébines. Et ça c'est pas fait pour arranger les choses, pour rendre le quartier agréable. Alors c'est tout qui fout le camp en même temps.

— *D'où viennent ces familles immigrées, « arabes » comme vous les dites ? Ici, ce sont des pavillons, ce ne sont pas des HLM, des cités comme ailleurs. Ce n'est pas donné à tout le monde de pouvoir habiter ici, acheter un pavillon.*

Mme Meunier — Oh non ! Ce n'est pas ce que vous croyez. Il y en a de plus en plus, il en arrive presque tous les jours. Regardez, par exemple, presque tous les commerces d'ici, ce sont des Arabes, toute l'alimentation est entre leurs mains. Mais ce n'est pas tout ; ce n'est pas ça qui est le plus grave : le plus grave, c'est que ça a tendance à devenir un HLM, une cité comme on en parle. On voit les choses venir en vitesse, à une grande vitesse, la vitesse grand V ! Ce n'est plus un quartier résidentiel comme ça a été, comme on croyait que c'était quand on a acheté et au prix qu'on a payé. Il y a eu tricherie ! On a été volés et on continue à nous voler. On s'était foutu des dettes sur le dos et on les paie très cher et bêtement. On se rend compte maintenant qu'on a été trompés, on a été roulés dans la farine.

— *Comment ça ? Par exemple, si vous deviez revendre votre villa, vous n'allez pas me dire que vous allez perdre sur son prix ? Ce n'est pas possible.*
Mme Meunier — Jamais... C'est sûr, on laissera des plumes à coup sûr. Ça fout le camp de partout. Ça se dégrade de tous les côtés. Jamais on ne rentrera dans notre argent. Par exemple, si on vendait ici et qu'on voudrait acheter ailleurs, dans un autre endroit, une autre ville qui soit plus sûre, qui ne se dégrade pas comme ici, on ne pourra jamais. Ça ne nous suffira pas. A moins d'aller très loin, au grand diable... et jamais suffisamment près, par exemple pour aller travailler tous les jours à Paris.
— *Je ne comprends pas bien. Qu'est-ce que vous appelez « ça fout le camp de partout », « ça se dégrade » ? Et pourtant, ça ne se voit pas. Ici, c'est propre ; c'est calme ; c'est bien habité.*
Mme Meunier — Non. Ce sont les apparences ; ça trompe. C'est vrai, quelqu'un qui connaît pas le quartier et surtout qui ne le connaissait pas avant, celui-là a raison. Mais nous qui sommes là depuis déjà 15 ans, on voit comment ça se dégrade. Tout se dégrade.
— *D'où vient cette dégradation ? C'est quoi ? Ce sont les services, ce sont les constructions, ce sont les habitants ?*
Mme Meunier — Oui..., c'est ça. C'est tout à fait ça. C'est comme vous dites. A partir du moment où le quartier perd sa population, sa vraie population, tous les anciens propriétaires de ces maisons, le plus souvent, ce sont eux-mêmes qui ont construit ; quand c'est plus ça, le quartier n'est plus entretenu, tout est à l'abandon, les gens ne réparent plus, ça devient moche. Regardez, vous avez vu : est-ce que vous avez vu une fleur, une plante à une fenêtre dans cette rue ? Il n'y a que moi ; il n'y a que chez moi. Y a des moments où je me dis, à quoi ça sert, pourquoi tout ça ? C'est donner de la confiture aux cochons. Mais j'y vais quand même. Tant pis si c'est de la provocation. Et pourquoi pas ? C'est ça qui arrive quand une maison est abandonnée. On est ici depuis 1977, je ne connais plus personne dans ce quartier. Je peux sortir la journée entière, me promener dans les environs ou passer des heures et des heures dans le jardin public qui est là en face de la maison, personne ne me dit bonjour et je ne trouve personne à qui dire bonjour, pourtant c'est pas du monde qui manque. Il n'y a plus personne, il ne reste plus rien de l'ancienne..., des anciens habitants de ce quartier. On ne se parle plus, on n'a plus de voisins, on peut compter sur personne, on se rend plus service. C'est tout ça

aussi qui fout le camp. Il y a plus aucune vie de quartier. Alors après ça, on voit les choses changer, pas dans le bon sens.

— *Par exemple, quoi ?*

Mme Meunier — Par exemple, la poste. Rien que ça, c'est fini la régularité : les facteurs, avant c'était toujours les mêmes, on les connaissait, ils connaissaient tout le monde ; avant, c'était toujours à la même heure, à quelques minutes près, c'était comme si vous aviez l'heure à votre montre, c'était pas la peine de regarder l'heure, maintenant, ça change toujours, on peut plus faire confiance et c'est à n'importe quelle heure, ça peut être neuf heures comme ça peut être une heure de l'après-midi. Et c'est la même chose pour tout : pour le gaz, pour l'électricité, pour l'eau, pour les ordures ménagères ; pour tous les services, c'est la même chose. On sent le je-m'en-foutisme partout et on peut rien dire. On sent que la mairie a abandonné ce quartier, elle s'en désintéresse, elle regarde ailleurs, vers d'autres endroits plus intéressants pour elle.

— *Pourquoi ? Pour quelles raisons ?*

Mme Meunier — C'est à vous à me le dire… Allez leur demander. Vous verrez ce qu'ils vont vous dire… S'ils osent vous dire quelque chose, vous dire la vérité ! J'aimerais bien la savoir, moi aussi. Mais en tout cas, c'est ce que je constate.

— *Vous n'avez pas essayé entre vous de protester, de faire une démarche auprès de la municipalité pour lui demander de meilleurs services ?*

Mme Meunier — Mais pour le faire, il faut qu'on soit quelques-uns, qu'on soit nombreux ; et tous d'accord, du même avis. Or, qu'est-ce que je vous disais : on se connaît pas, on se parle pas. C'est pas à mes voisins que je vais demander de venir avec moi nous plaindre, nous réunir, savoir ce qu'il faut faire, protester, faire une pétition ou seulement une lettre. Et tout est comme ça.

— *Qui sont vos voisins ?*

Mme Meunier — Comment, vous ne les avez pas vus ? Vous les avez vus avant de venir chez moi… Et de toute façon, vous irez les voir puisque vous passez voir tout le monde. Alors autant que je vous dise tout. Comme ça, vous ne les raterez pas. Même si vous pensiez pas aller les voir, après ce que je vais vous dire sur eux, vous allez courir pour les voir… Et aussi pour leur rapporter ce que je vais vous dire. C'est une bonne chose, il faut leur dire ce que je pense d'eux…, si jamais ils ne se doutaient pas. Mais ils le savent. Ils sont bien placés pour le savoir. On se pardonne rien.

Pas tellement avec les parents, les parents sont calmes. On les voit pas beaucoup, on les entend pas. Ce sont les enfants, leurs enfants et surtout leur fille. Je sais pas pour qui elle se prend, celle-là. Elle vous regarde de haut ! Je la rate jamais quand je peux. Peut-être que j'ai tort, mais je l'avoue.

On nous montre bien qu'on compte pour rien

— *Qui sont-ils ?*

Mme Meunier — Mais vous le savez. Si la mairie ou les HLM ou je sais pas qui, vous a envoyé ici, c'est pour eux, c'est pas pour moi. Moi, je compte pas, on s'en fout ; tout le monde s'en fout de moi ; moi, je ne compte pas... On ne compte pour rien ici, maintenant. On nous montre bien qu'on compte pas, qu'on compte pour rien, on est quantité négligeable ici. Il n'y en y a que pour eux.

— *Qui c'est « eux » ? Moi, je m'intéresse à tous les habitants d'ici ; je ne fais aucune différence entre les uns et les autres, ce n'est pas moi qui décide qui est intéressant comme vous dites et qui ne l'est pas. Je suis prêt à vous écouter attentivement et à me souvenir de tout ce que vous m'aurez dit. C'est pour ça que je note tout et que j'enregistre ce que vous me dites, si vous acceptez. Votre point de vue mérite autant de considération que celui de tous vos voisins et de chacun des habitants de ce quartier. Alors qui sont-ils ces voisins ? Qui est-ce « eux » ?*

Mme Meunier — Eux..., c'est une famille arabe. Des Maghrébins. Je sais pas, mais je crois que c'est une famille algérienne.

— *Et alors, qu'est-ce qui ne va pas avec eux ?*

Mme Meunier — Eh bien, rien ne va. Rien ne peut aller. On peut pas s'entendre. On n'a pas les mêmes goûts, les mêmes habitudes. On vit pas la même chose. On voit pas les mêmes choses, de la même manière. Alors, on peut pas être d'accord, on n'est pas d'accord..., sur rien.

— *Ils ont acheté ? Ils sont propriétaires ? Comment sont-ils arrivés ici ?*

Mme Meunier — Je vais vous dire. Depuis tout à l'heure, je vous disais que tout a changé ici. Eh bien, c'est ça que je voulais vous dire : je voulais pas commencer par ça, parce que vous auriez crié au racisme. Vous auriez dit, ou vous vous seriez dit, qu'elle est raciste cette femme ! Mais maintenant vous allez comprendre. C'est mes voisins juste à côté ; y a entre nous, juste un mur mitoyen, un mur qui nous sépare. Nous étions ici avant eux, on était là quand ils sont arrivés, quand la mairie les a placés là... Car c'est la mairie qui les a fait venir.

— *Comment la mairie les a-t-elle fait venir ?*

Mme Meunier — Comment, on vous l'a pas dit à la mairie ? Je croyais qu'ils vous avaient donné tous les noms des familles ici. Le pavillon qu'ils habitent appartient à la municipalité. (...) [*Elle raconte l'histoire de cette maison qui, devenue inoccupée à la suite du décès de ses propriétaires, a été acquise par « la municipalité ou l'office de HLM » et attribuée à une famille*]. Ça commence toujours comme ça : une famille, deux familles, d'abord ; l'une fait venir l'autre et ça n'a plus de fin. Bientôt, ici, ça deviendra comme une cité, comme les Minguettes, la Courneuve ou le Val fourré. On en parle tellement... que tout le monde a envie d'avoir ça chez lui ! Car ça, c'est la mairie qui l'a voulu. Ça deviendra un HLM comme d'autres. On s'est ruiné pour être chez soi..., on se croyait chez nous.

— *Mais par quoi, par quels méfaits se traduit leur présence ici ? Leur voisinage, en quoi vous gêne-t-il ? Ces maisons sont séparées, isolées les unes des autres. Ce n'est pas comme dans un immeuble où les appartements sont contigus et on peut être gêné par le bruit, les allés et venues, les odeurs, etc.*

Mme Meunier — Parlez-moi de ça ! Vous savez comment ils sont. Avec eux, on ne sait jamais combien ils sont. Qui fait partie de la famille, qui ne fait pas partie. Ça va et ça vient et ça n'arrête pas. C'est toujours une marmaille de gosses. Ils sont partout, dans la rue, dans le jardin public ; ça braille, ça pleure. Quand vous avez ça dans la rue, à votre porte, dans le jardin, c'est pas ça, il faut le dire. C'est vraiment dommage. Même les voitures, quand elles passent, c'est dangereux ; c'est dangereux pour tout le monde, pour les gosses eux-mêmes et pour les voitures. Et ça dans un quartier résidentiel, là où c'est calme, où ça doit être calme, quand on est presque arrivé chez soi !... Mais quand on leur dit ça, ça leur plaît pas. Ils ne sont pas contents, ils crient que c'est du racisme, que c'est par racisme qu'on leur dit ça, parce qu'on ne veut pas d'eux. Et même si on veut pas d'eux, ils devraient se demander pourquoi, ils devraient regarder en eux, s'interroger un peu sur eux-mêmes. Peut-être alors, ils comprendraient pourquoi ? (...) Entre nous, ce n'est pas les parents les pires. Les parents, on les voit pas, on les entend pas : le père, je crois, il est malade, il ne sort pas ; la mère, on la voit jamais, même quant son mari est à l'hôpital. Ce sont les jeunes, leurs enfants. Eux peuvent tout se permettre : faire à leur tête et, en plus, t'insulter si tu dis quelque chose ou même si tu ne dis rien ; ils n'ont que ça à la bouche, ils sont grossiers, ils sont haineux, leur regard est méchant, ils te regardent toujours fixement, de travers. On a l'impression qu'ils ont toujours envie de te battre..., ils me foutent la trouille.

— *Revenons à nos problèmes de voisinage. Vous faisiez une différence, dans leurs comportements, entre les parents qui semblent être de pauvres bougres, de braves gens, et leurs enfants...*

Mme Meunier — Ah oui ! Les enfants sont prétentieux..., chatouilleux. (...) Avant même que vous avez dit un mot, ils vous accusent de racisme ; quiconque n'est pas de leur avis, c'est un raciste pour eux. Alors que ce sont eux les racistes.

— *Mais, est-ce que vous avez des exemples ? Est-ce qu'il y a eu entre vous et d'autres personnes, d'autres voisins, des querelles ? Quelles sont les causes les plus fréquentes de ces querelles ? Si vous pouviez me donner des exemples, on comprendrait mieux.*

Mme Meunier — Alors là... Les querelles, si je voulais..., si je voulais des querelles, je crois que c'est à chaque moment. Ça n'arrêterait pas. Ce qui fait qu'il y a pas toujours des querelles violentes, avec du bruit, c'est parce que je fais la sourde oreille, je détourne le regard, je ne veux pas voir... Cela fait qu'on a toujours des querelles rentrées, on évite... Des querelles..., comment les dire ? Des querelles muettes. C'est pas la peine de parler ! Y a qu'à se regarder, ça suffit. Le dernier d'entre eux, le bébé... y en a deux, ce sont leurs petits-enfants..., eh bien, ces deux petits lardons, dès qu'ils me voient, il faut qu'ils fassent la grimace..., ils tirent la langue. Oui, je ne leur ai rien fait, et pourtant c'est comme ça. Autrement dit, c'est dans la famille qu'on leur a appris ça. Et puisque c'est comme ça..., moi, maintenant, de mon côté, je les rate pas. Même s'il faut qu'on dise de moi : elle est folle, c'est une mégère, une femme adulte qui s'en prend à des bébés. Je m'en fous. Je les rate pas, parce que ce sont pas eux en réalité, ce sont leurs parents. Moi, ces gamins, les pauvres, ils m'ont rien fait. Alors rien que ça, c'est déjà un motif pour se chamailler.

— *Mais comment ça se passe ? Vous allez voir les parents pour vous plaindre et là, c'est l'occasion pour vous chamailler... Vous grondez ces gamins et les parents interviennent. Qu'est-ce qui se passe ?*

Mme Meunier — Oh ! Même pas. Moi, j'oserais jamais aller me plaindre, aller frapper à leur porte. Parce que, qu'est-ce que j'entendrais alors ? Ce serait de la provocation de ma part, et ils me la feraient payer cher. Mes problèmes à moi, c'est avec leur fille, une de leurs filles, celle qui vit avec eux et qui travaille à l'hôpital..., je sais pas à quoi. Avec celle-là, on s'entend pas du tout. Donc, c'est de femme à femme ; c'est entre femmes..., comme dit mon mari. (...) C'est tout à fait ça. Moi je suis seule de mon côté. Si j'ai des mots avec cette fille... – car c'est ça, ce sont des mots seulement, il faut rien exagérer, on se crêpe pas le chignon ; on s'envoie comme ça des paroles, c'est tout –, ça n'engage que moi de mon côté. Alors qu'au fond, moi je défends les intérêts de tout le monde et même les intérêts de la municipalité, de la communauté tout entière. C'est des querelles..., de moi et de moi seulement. Même mon mari ne prend pas part dans ces querelles. Je tiens même pas à l'avoir à côté de moi..., je lui dis rien. Tant que c'est entre femmes, comme je dis, faut que ça reste entre femmes. Mais de son côté à elle, je suis sûre qu'elle parle pour tous, qu'elle a toute sa famille contre moi, son père, sa mère, ses frères et sœurs, ses neveux et tous ses autres cousins, tout son monde. Donc pour eux, c'est pas entre nous seulement... J'ai le sentiment de lutter à un contre dix, alors je fonce, je laisse pas passer. Tant pis ! Même si des gamins doivent payer. C'est pas leur faute, mais c'est pas aussi ma faute. Y a pas de trêve. J'y vais.

— *Mais avec les autres, avec les garçons par exemple, avec les hommes, il n'y a pas de querelle.*

Mme Meunier — Je vous l'ai dit. Avec elle, ça suffit. Elle, elle se bagarre pour tous les autres. C'est entendu entre eux. Elle est leur attaquante, leur guerrière. Alors eux, ils peuvent rester en arrière, regarder seulement. Ils font semblant d'être neutres. Ils se reposent sur elle. Vous voyez..., excusez-moi, la situation de merde dans laquelle je suis. C'est moi la méchante ! Eux, ils sont gentils et tout beaux..., et c'est moi la Française qui suis la méchante, la raciste. Voilà le traquenard, on a renversé les rôles.

— *Mais les hommes, les garçons... ?*

Mme Meunier — Je n'ai pas de contact avec eux... Parce que je crois que si jamais j'avais un mot avec eux, ce serait mon mari qui entrerait alors dans la danse. Et là, ça ferait mal, il y aurait du grabuge, ça saignerait. J'ai l'impression que tout le monde sait ça : mon mari, sous des airs qui n'ont l'air de rien, je crois qu'il n'attend que ça... ; eux, de leur côté, ils doivent soupçonner ça, ils doivent comprendre que si jamais ils dépassaient les limites, ça pourrait être très grave pour eux.

— Et les querelles entre femmes, dans ce cas précis, portent sur quoi ?

Mme Meunier — Pour dire les choses comme elles sont, on peut pas dire qu'il y a vraiment quelque chose d'important..., que ça porte sur des choses graves. Ça porte sur tout et sur rien..., sur pas grand-chose. Mais c'est comme ça.

Des bêtises de rien du tout

— La dernière fois qu'il y a eu accrochage, même léger, entre vous, c'était où, c'était comment, c'était à propos de quoi ?

Mme Meunier — C'est toujours la même chose. Sur des bêtises de rien du tout : les chats..., le chien..., les enfants.

— Comment ça ?

Mme Meunier — Oui, les chats. Commençons par les chats. Leur fille, celle-là..., toujours celle-là qui est ici avec ses parents... Je ne sais pas quel âge elle a..., elle a bien une trentaine d'années, mais elle est toujours là comme une gamine qui vit chez ses parents. Alors..., elle a un troupeau de chats... : trois, quatre, cinq. Moi j'ai rien contre. J'aime les bêtes moi aussi ! J'ai mon petit chien, moi aussi. Elle est, paraît-il, une passionnée de chats. Chacun a sa passion..., la passion qu'il peut. Elle, c'est les chats. Moi, ces chats... qui ne sont pas les miens..., me font pitié ! Le matin, dès que la porte s'ouvre, je les vois traverser la rue en courant... pour se précipiter dans le jardin. Vous voyez ça ? A l'heure, où il y a le plus de circulation. Un jour, ils vont se faire ramasser... passer sous une voiture. Moi, ça me fait mal au cœur, je peux pas m'imaginer ça. Pour une femme qui aime les chats, ses chats, et qu'elle se rend pas même compte de cela ! Et, évidemment, quand ils sont dans le jardin, qu'est-ce que vous voulez qu'ils fassent. Ils utilisent les bandes..., les plates-bandes, les bacs à sable des gamins... comme des caisses à chats..., pour faire leurs besoins. Vous voyez ça. C'est pas très propre et, surtout, c'est pas très hygiénique. Mais c'est comme ça. Faut faire avec. Allez le leur dire. J'entends d'ici ce qu'ils vont dire, ce qu'ils vont me crier, « on n'est pas chez toi ; le jardin ne t'appartient pas ; occupe-toi de ton chien, ça te suffit. Nous on n'est pas venus te demander des comptes ! Etc., etc. ! » Mais si seulement, ils savaient… « On n'est pas chez toi ! » Or, ils sont chez moi, ils sont en France, ce n'est pas moi qui suis chez eux. Faut pas renverser les rôles… « On n'est pas venu te demander des comptes… » Alors que c'est bien ça : il faut rendre des comptes, il faut qu'ils rendent… ces comptes. Pas à moi…, mais à la France. Je dis pas que la France, c'est moi. Mais il faut seulement qu'ils se rendent compte, qu'ils mettent ça dans la tête, surtout les jeunes (…). C'est toujours sur des choses comme ça… ; des babioles peut-être, mais ça dit long. (…) Oui, là où ça accroche, là où on se comprend pas, c'est toujours sur les choses de l'extérieur. Bien sûr. Je vais pas m'occuper de ce qui se passe chez eux. Ça me regarde pas. Même le bruit qu'ils font, je m'en fous ! Ça me dérange un peu…, mais c'est pas grave. Ce qui se passe chez eux, je me mêle pas, même si j'entends des choses.

— *Par exemple…*

Mme Meunier — J'ai même entendu dire – mais je ne suis jamais rentrée chez eux, je me mêle pas de ce qui ne me regarde pas – qu'ils ont transformé leur cabinet de toilette en hammam comme ils font chez eux.

— *Comment ça ?*

Mme Meunier — Paraît-il, sur un butagaz, ils font chauffer de l'eau dans un grand chaudron et ils ont ainsi la vapeur et ils prennent des bains de vapeur comme dans leur *hammam*. Mais à la longue, à force de répéter ça, on imagine ce que ça finit par donner…, je ne te dis que ça. Et bientôt bonjour les dégâts…, dans les peintures, dans la plomberie, dans le bois des portes, des fenêtres. Je vois ça d'ici… En tout cas, c'est ce qu'on dit. Et ainsi de suite. (…) On peut pas supporter indéfiniment. Ça, il faut que vous disiez, il faut que ça se sache… (…) Même si dehors, je leur pardonne rien. Pas même les gosses quand ils viennent avec leur tante dans le jardin. Ils salissent tout, ils cassent, ils dérangent tout. C'est défendu de jouer au ballon dans le jardin. C'est ce qu'ils font. Quand ils sont là-bas, j'interdis à mon chien…, je ne sors pas mon chien (…). Il en est capable… Bien sûr, à force de l'énerver et de lui faire peur, il est capable de les mordre et c'est alors moi qui va tout payer : les ennuis, et ils vont me les chercher gros, c'est pour moi. Et comme ça, ce sont eux qui vont finir par commander ici. Pour peu qu'il y a deux ou trois autres familles de ce genre, on n'aura plus le droit de sortir. Tout cela pour eux ! C'est pour ça que je me dis qu'il faut réagir avant qu'il soit trop tard.

1992

Rosine Christin

Chacun chez soi

J'ai connu la mère de Françoise en 1962 : elle était concierge dans le 13e arrondissement de Paris et son mari OS chez Renault. Au fil des années, malgré plusieurs déménagements, nous avons conservé des relations amicales bien que distendues, mais c'est avec sa fille aînée, Françoise, que les relations se sont surtout maintenues.

En 1987, la famille est en plein désarroi ; à plusieurs reprises Françoise me raconte ses démêlés avec le propriétaire du pavillon mitoyen avec le sien et les démarches qu'elle a menées pour mettre fin à une situation jugée intolérable. Son récit, tel que je l'ai alors entendu dans sa banalité, tenait pour moi du fait divers ordinaire. Ce que je savais d'elle et des siens aurait dû me permettre de donner un sens à ce propos. Mais je connaissais trop la famille pour l'observer. L'heureuse issue du conflit (puisque toute la famille vit maintenant « dans une résidence pour cadres de la SNCF ») m'a donné le prétexte à un entretien qui s'inscrivait dans une recherche sur l'habitat : Françoise pourrait me décrire les logements successifs qu'elle avait occupés en insistant sur les raisons et les effets des différents déplacements.

Le 27 mars 1991, au lendemain des « événements de

Sartrouville », provoqués par le meurtre d'un jeune Beur ([Djemel], tué par les vigiles d'Euromarché), Françoise est arrivée chez moi à l'heure convenue. Elle affiche des goûts très classiques et portait, ce jour-là, une gabardine mastic d'allure britannique, une jupe droite, couleur kaki, mi-longue, un chemisier à fleurs dont le col sortait du cardigan noir et des mocassins de vernis noir, de style « Céline » ; des cheveux courts coupés droit, aucune trace de maquillage. Comme à l'accoutumée, elle est sereine, irréprochable, mais son regard inquiet, une voix hésitante, en quête d'approbation, la trahissent. Elle a très vite saisi l'intérêt qu'il y avait, pour expliquer cette « crise », à mettre en relation événements familiaux et chronologie des logements.

Ses parents se sont mariés en 1948 à Achères. Ils ont vécu quelques mois dans un petit appentis de jardin appartenant à la grand-mère. Ensuite… elle ne sait vraiment pas si on peut le dire… « ils ont squatté un château à Achères. Il y avait à cette époque de belles demeures bien en état et inoccupées et avec un autre couple… à l'époque c'était accepté, ce ne serait pas comme maintenant » … « Ils ont commencé comme ça. » Son père travaillait au Fibrociment, près de Poissy.

En 1950, elle a deux ans quand sa mère trouve une loge de concierge, dans un immeuble de la Ville de Paris à la façade de briques rouges, tout près de la raffinerie de sucre qui répand ses fumées nauséabondes dans le 13e arrondissement : une pièce principale, une chambre et une cuisine, « c'était bien, un peu comme un petit appartement ». Après une brève période de chômage, pendant laquelle la mère de Françoise doit aller chercher des bons de lait à la mairie pour la nourrir, son père entre chez Renault et il y restera jusqu'à sa mort. C'était un peu dur parfois, là, pour lui, parce qu'il ne s'est jamais syndiqué, « il était contre tout ça », « il voulait toujours aller travailler » : elle se souvient que, pendant les grèves de 68, les ouvriers syndiqués bénéficiaient d'une prime, à la mairie de leur domicile, mais que son père n'y avait pas droit puisqu'il n'avait pas sa carte. Il ne pouvait pas se permettre de faire grève, il était OS et « n'est jamais monté », il n'avait pas un gros salaire ; ses parents « grattaient sur tout pour y arriver » ; pas de vacances, pas de sorties. En 1957, la mère tombe gravement malade, il leur faut quitter la loge dont les servitudes sont trop lourdes pour une convalescente. C'est en évoquant cette période que Françoise m'a avoué : « Avec ma mère, on se dit parfois, quand on pense d'où on vient et où on est rendus, ça fait peur. »

La famille s'installe alors dans un deux-pièces-cuisine au premier étage du même immeuble, juste au-dessus de la loge ; Patricia, la deuxième fille, naît prématurément « et là, c'est encore plus dur, un loyer à payer, un autre enfant… ». Sa mère fait des ménages dans les immeubles voisins. Pendant trois mois, le bébé est placé en incubateur à l'hôpital, et « quand on [le leur] a rendu il y avait des assistantes sociales qui venaient voir si on était capables de l'élever, dans quelles conditions… » Aux difficultés matérielles s'ajoute l'affront fait à ses qualités de mère et de ménagère, pourtant bien connues et célébrées dans le quartier. De cela aussi, elles parlent parfois, mais pas trop souvent, car il y a des choses qu'on aime mieux oublier. En 1965, de nouveaux immeubles se construisent, face à la raffinerie de sucre Say, sa mère fait une demande de logement : « comme c'était très vétuste chez nous et qu'on était deux enfants… » Ils ne voient pas, ne sentent pas la fumée noire : « Alors là c'était l'apothéose… c'était vraiment bien et il n'y avait eu personne avant nous, Patricia était tellement contente qu'elle voulait coucher dans la baignoire, parce qu'on n'avait jamais eu de salle de bains ; ça a commencé à être la bonne période, on a commencé à y voir plus clair, quoique… les difficultés augmentaient puisqu'on avait un loyer encore plus cher mais on a eu droit à l'allocation logement et ça nous a permis de vivre décemment. »

« Ils respirent un peu. » En 1968, la mère de Françoise hérite d'une part de la maison de son père, à Pornichet, 30 000 francs, qu'elle réinvestit immédiatement en achetant un petit appartement dans cette même ville « pour les vacances », privilège inaccessible. Françoise, après son brevet de comptable, commence à travailler puis, en 1972, épouse Thierry, aide-mécanicien aux chemins de fer, qu'elle connaît depuis longtemps. Le père de Thierry était cheminot : à quatre ans le petit garçon a décidé de « travailler dans les trains, à 14 ans, il est en apprentissage aux chemins de fer, il y reste trois ans, passe un CAP d'électro-mécanicien et gravit peu à peu les échelons, aide-mécanicien, mécanicien, puis, après six ans d'études en cours du soir, chef-traction. Thierry a gardé sa passion d'enfant pour les trains : il ne veut pas trop monter dans la hiérarchie professionnelle car, alors, il serait « dans les bureaux » et non plus « sur la machine », comme il aime. Françoise est un peu agacée de cet intérêt trop exclusif, mais elle se fait une raison, car, en contrepartie, elle mène la famille comme elle l'entend, décide de l'éducation des enfants, gère le budget, Thierry suit toujours. De lui, elle parle peu, comme si leur mariage était dans l'ordre des choses, inévitable et honnête.

En 1976, à l'âge de 52 ans, son père meurt d'un cancer : « ça a été la cassure, la vie s'est arrêtée à ce moment-là et on a fait une deuxième vie… ça a été pire que tout… une catastrophe. » Sa mère n'a eu « droit à rien » pendant deux ans parce qu'elle n'avait que 48 ans, il fallait attendre qu'elle ait 50 ans pour avoir droit à une pension, et puis au bout d'un an, plus de Sécurité sociale. On s'est dit : « C'est une catastrophe, on ne s'en remettra jamais. » Ce décès survient à un moment où Françoise a commencé à construire sa vie à son idée. Elle ne travaille plus (« ce n'est pas intéressant de passer sa journée à remuer des papiers »), élève sa fille Carole, et partage son temps entre son ménage et de longues après-midi de tricot et de conversations désenchantées avec sa mère ; l'avenir de Thierry s'annonce prometteur à la SNCF mais il a encore un très petit salaire, sa sœur Patricia, 19 ans, n'a pas trouvé de travail, et, avec sa mère, désormais sans ressources, elle pense que « tout va s'écrouler ». Elle se sent menacée, avec les siens. Elle décide de prendre le rôle de « chef de famille », entreprend de laborieuses démarches et apprend que sa mère peut bénéficier d'une prime égale à cinq ans du salaire de son mari : « si on n'avait pas réclamé… c'est déjà pas tellement agréable de quémander mais il fallait bien qu'on vive. »

Mais cette prime était peu de chose parce que sa mère n'aurait droit qu'à une demi-retraite, sans Sécurité sociale… Il fallait donc trouver une solution et « la solution ça a été le pavillon ». La prime de décès serait l'apport financier initial, sa mère vivrait avec eux,

Françoise reprendrait son travail pour payer les traites, et Thierry se rapprocherait de son poste à la gare Saint-Lazare.

Ils avaient imaginé une maison moderne, mais de style « Ile-de-France », quelque part du côté de Mantes, dans un beau lotissement. Il y aurait eu des arbres, de la verdure, une très grande cuisine bien claire, une chambre pour chacun et au moins deux salles de bains. Le pavillon qu'ils achètent est « dans de l'ancien », un peu rafistolé, il est situé dans une petite rue banale de Sartrouville, la cuisine est étroite et l'ensemble un peu trop petit pour eux cinq, mais son plus gros défaut est sa mitoyenneté avec la maison voisine. Malgré tout, Françoise est contente, elle vient d'installer les meubles qu'une vieille tante lui a légués, une salle à manger complète de style Henri II qui tient juste dans la pièce et un lit « ancien » dont elle est très fière. « Pour le reste on a fait avec ce qu'on avait et ce qui venait de mes parents, pas grand-chose. »

Pendant deux ans, la vie s'écoule tranquillement ; le soir Thierry prépare ses examens, son salaire augmente ; après la naissance d'un deuxième enfant, Jean-Baptiste, Françoise peut de nouveau quitter son emploi, sans regrets : depuis le jour où, dans son premier poste, elle a découvert les fausses écritures et les détournements de fonds opérés par son chef direct, elle considère la vie professionnelle avec une méfiance dégoûtée. Le monde est plein de filous, il faut tout donner à sa famille, la préserver : c'est une des grandes certitudes que Françoise partage avec sa mère.

Les relations avec les propriétaires du pavillon mitoyen, jusqu'alors convenables – « bonjour, bonsoir, pas plus » – se tendent brusquement le jour où le voisin, un maçon portugais, commence, sans préavis, à surélever sa maison d'un étage. Il décide aussi, afin de faire pénétrer la lumière, d'ouvrir une fenêtre « avec balcon » qui donne sur le toit de la famille Ménager. Les Ménager ne supportent pas cette intrusion dans leur jardin et, assurés de leur bon droit, écrivent à la Direction départementale de l'équipement. Une enquête est menée, le voisin s'estime insulté, c'est l'engrenage des conflits. A ce jeu, Françoise et Thierry ne sont pas les plus forts : la famille portugaise n'a pas peur du bruit et vit au rythme de Radio-Lisbonne et un troisième enfant vient de naître, il faut agrandir la maison ; de gros travaux doivent être entrepris pour cela et vont se poursuivre pendant plusieurs années, à un rythme qui varie au gré des saisons et des occupations professionnelles du chef de famille. Un peu de désordre n'effraie pas ce voisin encombrant : à la réprobation générale, son petit jardin est bientôt transformé en poulailler et en porcherie ; il n'hésite pas à enjamber la fenêtre litigieuse pour jeter des ordures, ou simplement voler les tomates soigneusement plantées par Thierry.

Françoise et son mari sont désemparés, ils savent qu'ils ont la loi pour eux, mais ne parviennent pas à se faire rendre justice. La DDE leur a bien donné raison mais, dans un premier temps, les voisins se sont bornés à condamner la moitié de la fenêtre incriminée, et il faut relancer l'administration ; le maire communiste de S. les reçoit, à plusieurs reprises, très poliment, mais ces visites ne sont suivies d'aucun effet. Ils s'évertuent à mobiliser le voisinage, à faire circuler des pétitions, ou à écrire au procureur de la République, puisque les voies administratives et réglementaires habituelles semblent ne pas suffire. Ils se heurtent à un mur d'aimable indifférence, voire de suspicion de la part d'administrations débordées. Françoise est la plus touchée, elle qui ne dérange pourtant personne. Elle s'efforce d'agir avec dignité, dans le respect de la morale et des usages, et suivant les lois de son pays. Elle éprouve, à nouveau, un sentiment d'insécurité. Elle voit s'approcher les menaces qu'elle pensait avoir définitivement écartées de leur vie, la grossièreté et la promiscuité populaire, et dont l'achat du pavillon, symbole de la bienséance, de la propriété, du « chez-soi », semblait pour un temps les avoir libérés. Il n'y a qu'une seule issue à « ça » (c'est ainsi qu'elle désigne tout au long de l'entretien, ce danger innommable) : la mort, la sienne ou celle de l'autre.

Après la vente de la maison, l'accueil qu'elle reçoit des locataires de la « résidence », tous cadres de la SNCF, va combler ses aspirations et raffermir ses nouvelles espérances : elle trouve là un environnement à la fois chaleureux et respectable. Dans les premiers mois, Thierry et Françoise sont un peu intimidés par ces cadres confirmés et refusent parfois, par discrétion, de participer à certaines fêtes, tout en acceptant l'invitation du lendemain « pour manger les restes ». D'une façon générale, les relations sont conformes au code de bonne conduite que, dans sa naïveté, elle a érigé en règle morale.

Maintenant, en 1991, les choses ont changé, et la SNCF loue à n'importe qui, et pas toujours à des cadres, ce n'est plus pareil. Les anciens locataires ont vieilli, ils n'ont plus le cœur à sortir et les nouveaux, cela ne les intéresse pas. L'ambiance est différente.

Françoise dit d'elle-même qu'elle réfléchit beaucoup,

cela contribue à son isolement ; d'ailleurs ses enfants sont comme elle, ils sont différents des autres enfants et ce n'est peut-être pas bien, ils n'ont pas beaucoup de camarades. Elle « pense toujours à ce qui pourrait arriver à sa famille, aux catastrophes, qu'elle essaie de prévoir » ; mais elle n'a vu venir ni la mort de son père ni toutes les menaces indéterminées, les agressions diffuses, les offenses indignes, tout « ça », comme elle dit. Elle a toujours peur, surtout pour ses enfants, maintenant. Pas très loin de chez elle, juste de l'autre côté de l'avenue, il y a les cités d'Achères, de Chanteloup-les-Vignes et de Sartrouville, peuplées « de Maghrébins, de jeunes, de gens sans travail ». De là viennent les bandes rivales qui, certains jours, ont déferlé sur le centre des agglomérations, à la recherche de violences apparemment sans objet, ou de règlements de comptes obscurs. Le quartier de la rue Nationale, où elle a passé son enfance, était pourtant à dominante algérienne, mais « ça se passait bien » ; elle a même joué avec des petits Algériens mais, maintenant, « ce n'est plus pareil », elle ne comprend plus. Les jeunes « Maghrébins » sont de plus en plus nombreux dans les écoles de la région dont le « niveau est très bas », et elle a dû placer ses enfants dans une institution religieuse assez éloignée ; elle a donc appris à conduire. Elle avoue que, de les « avoir mis dans cette école, cela entraîne aussi » ; elle pense ainsi aux multiples fêtes et cérémonies religieuses et à la fréquentation de camarades « trop gâtés du côté de l'argent de poche » ; mais elle n'a pas le choix et veut donner toutes leurs chances à ses enfants.

Françoise est très attachée à son intérieur ; sa mère dit en plaisantant qu'on ne peut pas l'en arracher, et qu'il faut compter une bonne demi-heure de préparatifs avant chaque départ, même pour une course rapide : vérification de la manette d'arrivée du gaz, de la fermeture de chaque fenêtre et de certains rideaux, multiples tours de clés. « Ce n'est pas de moi qu'elle tient toutes ces manies », ajoute Mme Roger, qui, avant de camper, la nuit, sur le divan du salon bien rangé de sa fille, a toujours vécu dans le désordre bon enfant et la disponibilité de ceux qui n'ont pas grand-chose à cacher : elle pense sans doute, comme moi, à la table de salle à manger, dans son deux-pièces du 13e sur laquelle les cahiers des filles voisinaient avec des formulaires de Sécurité sociale à remplir ou avec les premiers rangs d'un tricot ; personne ne songeait alors à débarrasser la table puisque les repas se prenaient le plus souvent dans la cuisine. Aussi, certains jours, la vieille dame ne comprend-elle pas que l'on puisse s'embarrasser des anxiétés associées à la propriété d'un « chez-soi » enfin conquis.

avec la propriétaire d'un pavillon de banlieue

— entretien avec Rosine Christin

« On a vécu un enfer »

[...]

Françoise — ... Ça a commencé par le bruit mais après il y avait des atteintes personnelles, des menaces de mort, etc., ça a été quand même jusque-là ! Moi... un jour... c'est comme ça que j'ai été complètement déprimée d'ailleurs, un jour, il avait un marteau... je crois bien que j'étais tellement excédée que j'ai tapé dans le mur mitoyen, il est sorti et moi je suis sortie aussi et ça s'est passé qu'entre nous deux parce que Thierry était dans le jardin. Personne ne s'est rendu compte de rien et on s'est trouvés nez à nez comme ça et il m'a dit, « je vais te faire la peau » en me menaçant avec un outil et je crois que depuis ce jour-là, ça a été terrible pour moi parce que... Et après, ça m'a poursuivie si vous voulez, en dehors de la maison. C'était dans la rue... c'était à l'école... ça s'est répercuté sur la personne... sur les personnes. (...)

Ça allait jusque-là

Les enfants allaient à l'école ensemble ; ils avaient trois enfants. Il y en avait une qui était petite qui venait de naître, mais il y avait deux enfants qui étaient plus vieux que Carole. Mais alors, les enfants qui étaient du même genre que les parents, malheureusement, et qui allaient à l'école, ils menaçaient Carole à l'école. Et quand j'allais la conduire à l'école, eux, ils avaient une voiture, je ne sais pas combien de fois, ils ont essayé de m'écraser sur le trottoir. Ça allait jusque-là ! Quand je passais chez (...) et que j'allais jusqu'à la boîte aux lettres, il y avait un café qui faisait le coin de chez moi, un jour, j'avais été mettre une lettre dans la boîte, ils arrivaient, ils tournaient le coin de la rue avec leur voiture, ils m'ont rasée comme ça. Ils m'auraient écrasée comme d'un rien. Même dans la rue, j'étais pas en sécurité parce que j'avais toujours cette appréhension. C'est arrivé à un point de ne plus jamais sortir, mais la plupart du temps Thierry emmenait les enfants à l'école. J'avais été obligée d'aller voir la directrice pour lui expliquer parce qu'ils embêtaient Carole, ils la battaient, ils la menaçaient. Ça allait jusque-là. C'était vraiment invivable. Ça s'arrêtait pas qu'au bruit, ça s'était mobilisé sur le reste. Le bruit, c'était une chose, c'était pas supportable mais il y aurait pas eu des menaces comme ça, peut-être que ça se serait atténué parce que des travaux, il n'en aurait quand même peut-être pas fait toute sa vie, peut-être… j'espère toujours…

— *Est-ce que tu penses que c'est une chose qui arrive souvent en banlieue ?*

Françoise — Moi, j'ai entendu parler du bruit parce que à la suite de ça, j'ai eu des rapports avec d'autres personnes qui, eux, ont été obligés de s'en aller aussi à cause du bruit, mais des menaces comme ça… non. J'en ai jamais entendu parler, c'est la première fois. C'était des gens qui buvaient, qui étaient certainement dérangés. Et en plus, on n'était pas les premiers à qui ça arrivait. Parce que, quand on a fait nos démarches et tout ça, à la suite de ça, on s'est aperçus que tous les gens qui étaient passés dans ce pavillon ou qui étaient même dans les pavillons de l'autre côté, avaient été obligés de partir aussi, à cause de ça, pour des menaces physiques aussi.

— *Est-ce que, dans l'ensemble c'était un voisinage sympathique ?*

Françoise — Oui, justement. C'est-à-dire qu'au départ, quand on est arrivés… la banlieue, je crois que c'est un peu cloisonné, les gens ne sont pas très sociables. On a bien mis au moins… jusqu'à temps que Jean-Baptiste naisse, c'est-à-dire trois ans… pendant trois ans, on a vécu chez nous, on rentrait, on sortait, personne ne nous disait bonjour. Il n'y a qu'une personne, le jour qu'on a déménagé, qui est venue nous voir, qui s'est présentée, juste le jour du déménagement, ils ont été très sympathiques ; ils nous ont dit, « si vous avez besoin de quelque chose… » et puis ça s'est arrêté là, terminé. Après on ne les voyait plus, on ne les rencontrait pas parce qu'ils n'avaient pas les mêmes heures que nous. Et plus personne nous a parlé après. Même ces gens à côté, ils nous parlaient pas. Il a fallu que Jean-Baptiste naisse, pour que les gens commencent à… un peu par curiosité et puis un petit peu … quoi… mais pendant trois ans, on peut dire qu'on a vécu sans jamais connaître les gens. Quand on est partis au bout de six ans, il y avait des gens dans la rue… quand on traversait la rue, qu'on connaissait pas.

Il fallait pas toucher à ces gens-là

Donc, c'était déjà une banlieue où les gens n'étaient pas très très sociables. Mais enfin, quand il nous est arrivé tous ces ennuis, les gens ont été quand même solidaires et nous ont soutenus. Je dois reconnaître qu'on a même été étonnés parce que des gens qui nous parlaient pas, qui nous disaient même pas bonjour, quand il y a eu la police qui est venue, le jour où on a appelé la police parce qu'on en avait assez, il y a des gens qui sont venus le lendemain nous demander ce qui s'était passé, qui ont essayé de comprendre et de nous soutenir moralement. A la suite de ça on a fait des pétitions, tout le monde est allé à la mairie, tout ça… là-dessus, on ne peut pas dire le contraire. Thierry et moi, on a déjà été plusieurs fois voir le maire puisqu'il avait des permanences. On a commencé par aller le voir et à lui expliquer ce qui se passait, tout ça mais… bof ! il y avait toujours des circonstances… il fallait pas toucher à ces gens-là. Et puis à la fin, quand les gens ont vu dans quel état on était parce que plus ça allait, plus on déprimait forcément, toute la famille en était rendue là… à ce moment-là, les gens ont décidé de faire une pétition écrite et d'aller faire signer les gens des alentours du pavillon, tous les pavillons qui entouraient ces gens-là. Les gens ont signé, la plupart ont signé, on a récolté (…) des gens qu'on connaissait pas. On a été taper aux portes et on leur a expliqué ce qui se passait ; et eux, ils étaient aussi ennuyés parce que, comme ils avaient un jardin qui communiquait avec ce pavillon, tout le monde était ennuyé d'une façon ou d'une autre. Les gens ont été assez sympathiques, ils nous ont soutenus. A la suite de ça, on a donc envoyé la pétition au maire, on a été convoqués, on est retournés. On a passé des heures et des heures à discuter dans le vide. Et puis quand on a vu ça, il y a une autre personne qui a dit, « bon, on va écrire au procureur de la République ». Au commissariat, c'est ce qu'on nous avait conseillé. [*Son débit s'accélère, elle articule mal, elle est très émue.*] On a écrit au procureur de la République ; on nous a même dit que si on n'était pas contents (…) c'est comme ça que (…) y est retourné d'ailleurs. On a vécu ça pendant un an. Ça a eu des effets sur la santé. D'ailleurs les enfants… bien sûr, un enfant, ça réagit mieux qu'une grande personne parce que ça ne voit quand même pas le détail, mais comme moi, j'étais vraiment déprimée, automatiquement eux, ils s'en rendaient compte. Ça a joué sur la scolarité de Carole… tout ça. Jean-

Baptiste, à l'époque, était petit, donc il ne s'en est pas rendu compte. Et même encore maintenant il en parle : quand il voit des Portugais, pour lui, c'est des « Portos ». Et on n'en parle jamais, on n'en parle plus maintenant, c'est tiré, c'est fini. Ça nous avait concernés globalement, vraiment perturbés. 16 kilos j'ai perdus. Maman était malade aussi. Mais moi, j'ai été obligée de partir plusieurs fois parce que je pouvais plus rester, c'était plus possible. Le médecin m'avait dit, « il faut partir, vous pouvez pas rester ». Je mangeais plus, je dormais plus, c'était psychologique, il n'y avait rien à faire, j'avais que ce bruit-là dans la tête et puis quand il m'a menacée, depuis ce jour-là, vraiment, j'avais peur. Je vivais avec la peur. En plus c'était des gens qui étaient violents, on savait aussi qu'il avait un passé qui n'était pas très ordinaire.

J'avais qu'une envie, c'était de le tuer

En gros c'est comme ça que ça s'est passé. Ce qui est important aussi c'est que, entre nous, à la maison, du fait qu'on pouvait pas communiquer avec ces gens-là, entre nous, on arrivait plus à se supporter. C'était dramatique parce que du point de vue familial, on se supportait plus les uns les autres. On rejetait la responsabilité entre nous. On n'y pouvait rien, on n'était pas responsables mais on pouvait pas taper sur le voisin. Et une chose aussi qui est importante, c'est que moi, j'ai jamais eu ces idées-là, et puis Thierry non plus parce que c'est pas un tempérament comme ça, à un moment donné, j'avais qu'une envie, c'était de le tuer. Et je trouve que d'en arriver là ! Il y a des gens qui sont bagarreurs mais moi, franchement quand je le voyais, même quand je l'entendais, rien que de l'entendre, j'aurais eu quelque chose dans les mains, franchement je crois que je l'aurais fait. J'étais tellement excédée, je l'aurais tué facilement. J'arrivais quand même encore à me raisonner et à me dire que de toute façon, ça servirait à rien, et que ça m'amènerait des ennuis mais disons que j'ai eu souvent l'idée de le faire et Thierry aussi. Je crois que c'est important parce que d'en arriver à ce point-là, c'est quand même dramatique. On comprend très bien dans les HLM, les gens qui sont excédés par le bruit, qui arrivent à le faire. Moi maintenant, je comprends parce qu'au départ je comprenais pas, je me disais, « c'est pas possible qu'on puisse avoir des idées comme ça », mais maintenant que j'ai vécu ça, je me dis, ben si ! Tellement excédé qu'on ferait n'im-

porte quoi. On le regretterait sûrement après, mais, sur le coup, on serait capable de le faire.
Un jour, j'avais tellement envie de le faire que Thierry a été obligé de m'emmener chez le médecin, je me rappelle c'était à Saint-Denis, on avait été se promener, on revenait, on avait été visiter le TGV… c'est une petite anecdote… c'est pas très intéressant… on avait été visiter le TGV parce que, évidemment, on sortait le plus souvent possible de chez nous pour pas entendre le bruit, on allait même chez les voisins pour pas entendre le bruit. Ce qui fait qu'on avait été se promener, c'est donc ce jour-là qu'il m'a menacée et qu'il a dit qu'il allait me faire la peau. Thierry a été obligé de m'emmener chez le médecin, parce que vraiment, j'étais plus moi-même, je sais pas ce que j'aurais fait… n'importe quoi… je crois même que je me serais supprimée parce que j'étais tellement à saturation et pourtant j'avais passé un bon après-midi, j'étais gaie, tout allait bien, il a suffi qu'il me dise ça… Ce qui est important aussi c'est qu'on a été souvent hébergés par les voisins le samedi et le dimanche. Les gens nous invitaient pour pas qu'on reste chez nous. C'était gentil. Heureusement qu'on a été soutenus parce que ça il faut reconnaître ! Si on n'avait pas été soutenus, je sais pas si on aurait pu rester aussi longtemps. (…)
Ce qu'il faut dire aussi c'est qu'on avait un petit jardin qui était vraiment très petit, on n'y vivait pas, on n'y allait jamais parce qu'on avait beaucoup de vis-à-vis. Ce jardin donnait à l'intérieur d'autres pavillons, il y avait beaucoup de vis-à-vis et donc quand notre voisin d'à côté a rehaussé, ses chambres donnaient sur notre jardin, ce qui n'arrangeait pas les choses parce que, bon, les menaces étant déjà ce qu'elles étaient, on avait tous les détritus qui arrivaient dans notre jardin. Pas question de s'en servir. En plus, ils y élevaient des animaux qui étaient le long même de notre mur, ça suintait régulièrement, les odeurs ! il y avait vraiment tout pour que ce soit agréable. Et ça c'est pareil. On avait fait venir l'hygiène départementale, c'était son mur, il avait le droit de faire ce qu'il voulait. Il élevait des lapins, des cochons, n'importe quoi. Ils avaient même élevé un cochon qu'ils ont tué quand ils ont baptisé la petite. Un cochon en banlieue, c'est quand même pas l'idéal ! A la campagne, ça va ! Alors, nous en plus, notre jardin était entouré que de parpaings. Ce qui fait que le petit carré de jardin, mais autour ce n'était que des parpaings et on se serait crus finalement dans une petite prison parce qu'on avait du parpaing

jusque-là. C'était pas très agréable parce que on avait un bout de pelouse, on avait aménagé un petit bout de potager, si on peut appeler ça comme ça, des tomates et tout ça que le voisin venait nous prendre d'ailleurs la nuit mais en dehors de ça, ce jardin, on n'en a jamais profité, jamais, jamais. Les odeurs de lapins et tout ça, c'était pas… (…) Le pavillon, on l'a mis en vente parce qu'on en avait assez, sur un coup de tête, quoi.
[…]
— *Et ici, comment ça s'appelle ?*
Françoise — C'est une résidence de cadres SNCF. C'est que des gens de la même profession. (…)
— *Vous vous sentez bien ici ?*
Françoise — Oui, parce que je pense, c'est peut-être pas très bien à dire… mais je pense que c'est des gens qui sont intelligents, qui savent voir les choses comme elles sont, qui raisonnent, qui peuvent avoir une conversation. Quand il y a une chose qui ne va pas, on se le dit, on s'explique pourquoi et comment, et puis c'est terminé. Ça n'arrive pas souvent. On est très peu, on n'est que six couples… on est quand même très peu, ce qui fait qu'on arrive quand même à s'entendre, il y en a toujours un ou deux qui fait bande à part, mais c'est pas gênant. Je crois que chacun essaie de bien rester chez soi, mais on s'entraide aussi. S'il y a quelque chose, les gens peuvent compter les uns sur les autres, on garde quand même notre indépendance. On se reçoit de temps en temps. On se fait des repas de temps en temps : cette fois-ci, on a décidé d'aller au Club Méditerranée, à l'extérieur, pour pas que ce soit toujours les femmes qui font les repas. Cette fois-ci, on a décidé de mettre de l'argent en commun, chacun a mis une petite cagnotte tous les mois ; en novembre, on va aller au Club Méditerranée, faire un repas, et puis s'amuser. Ça changera. Comme ça les femmes auront pas de travail à faire. L'année dernière, on avait fait un repas de Noël. On a préparé ça très longtemps à l'avance, on a fait le menu et puis, chaque femme avait quelque chose à faire, l'entrée, le plat principal, le dessert. Chacune avait sa participation, on a fait les courses ensemble. D'abord on a mis l'argent en commun, on a fait les courses ensemble et puis chacun a apporté un petit quelque chose en plus. Moi, par exemple, j'ai fait des truffes, il y en a d'autres qui ont fait des fruits déguisés et tout ça ne faisait pas partie de la communauté, chacun a amené son petit quelque chose. Et puis, comme il y avait des restants, alors le

lendemain, on recommence parce qu'il y a des restes. Et puis il y a eu une soirée déguisement à laquelle on n'a pas assisté parce qu'on était pas là, on était partis en promenade. Alors la soirée déguisement, c'est pareil, ça a duré trois jours parce qu'il y avait tellement à manger. Et comme nous, on avait pas été à la soirée déguisement, ils nous ont invités quand même le lendemain parce que, comme on n'avait pas pu y aller, c'était pas parce qu'on voulait pas, alors on a été invités deux jours de suite. Ils sont venus nous chercher parce qu'on était là.

mars 1991

« Faut pas longer
les immeubles,
quand nous, on
se balade,
ils crachent »

un gardien de HLM

Patrick Champagne

La vision médiatique

Les malaises sociaux n'ont une existence visible que lorsque les médias en parlent, c'est-à-dire lorsqu'ils sont reconnus comme tels par les journalistes. Or, ils ne se réduisent pas aux seuls malaises médiatiquement constitués, ni surtout à l'image qu'en donnent les médias lorsqu'ils les aperçoivent. Sans doute les journalistes n'inventent-ils pas de toutes pièces les problèmes dont ils parlent. Ils peuvent même penser, non sans raison, qu'ils contribuent à les faire connaître et à les faire entrer, comme on dit, dans le « débat public ». Il reste qu'il serait naïf de s'arrêter à ce constat. Les malaises ne sont pas tous également « médiatiques » et ceux qui le sont subissent inévitablement un certain nombre de déformations dès qu'ils sont traités par les médias car, loin de se borner à les enregistrer, le champ journalistique leur fait subir un véritable travail de construction qui dépend très largement des intérêts propres à ce secteur d'activité.

On pourrait presque dire que l'énumération des « malaises » qui surgissent au fil des semaines dans la presse donne surtout la liste de ce qu'on pourrait appeler les « malaises pour journalistes », c'est-à-dire ceux dont la représentation publique a été explicitement fabriquée pour intéresser les journalistes ou alors ceux qui par soi seuls attirent les journalistes parce qu'ils sont « hors du commun » ou dramatiques ou émouvants et par là commercialement rentables, donc conformes à la définition sociale de l'événement digne de faire « la une ». La manière dont les médias choisissent et traitent ces malaises dit au moins autant en définitive sur le milieu journalistique et sa façon de travailler que sur les groupes sociaux concernés [1].

La fabrication de « l'événement »

Il faudrait pouvoir analyser, mais ce n'est pas l'objet ici, la diversité des points de vue journalistiques sur les événements qui renvoie à la diversité des formes de journalisme. Il reste que les journalistes, quel que soit le type de média dans lequel ils travaillent, se lisent, s'écoutent ou se regardent beaucoup entre eux. La « revue de presse » est pour eux une nécessité professionnelle : elle leur indique les sujets à traiter parce que « les autres » en parlent, elle peut leur donner des idées de reportage ou leur permet, au moins, de se situer et de définir des angles originaux pour se distinguer des concurrents. Par ailleurs, toutes les visions journalis-

1. Ces malaises médiatiquement mis en scène peuvent donner parfois une image assez fantaisiste de la réalité, comme le montre, par exemple, telle rétrospective télévisée récente réduisant l'histoire de la jeunesse depuis ces vingt dernières années à une succession d'images d'épinal d'un nouveau genre où l'on voit se succéder des hippies, les concerts de Bob Dylan et la comédie musicale *Hair*, des squatters pop, le hard rock, les concerts de SOS-Racisme, des jeunes de banlieues qui brûlent les voitures, des skins et autres Zoulous, des rappeurs, des taggers et, pour finir sur l'actualité la plus récente, des jeunes qui allument leur briquet lors du concert du chanteur Patrick Bruel.

tiques n'ont pas le même poids à l'intérieur de la profession et surtout à l'extérieur, dans le processus de constitution des représentations sociales. Lorsque l'on relit ou revoit, à froid, tout ce qui a pu être écrit ou montré sur des événements tels que « la guerre du Golfe », « le mouvement lycéen » de novembre 1990 ou « les émeutes de Vaulx-en-Velin » par exemple, on peut certainement trouver ici ou là un article ou un reportage particulièrement pertinents. Mais cette lecture, à la fois exhaustive et *a posteriori*, oublie que ces articles passent souvent inaperçus du plus grand nombre et sont noyés dans un ensemble dont la tonalité est généralement très différente [2]. Or, les médias agissent sur le moment et fabriquent collectivement une représentation sociale, qui, même lorsqu'elle est assez éloignée de la réalité, perdure malgré les démentis ou les rectifications postérieurs parce qu'elle ne fait, bien souvent, que renforcer les interprétations spontanées et mobilise donc d'abord les préjugés et tend, par là, à les redoubler. En outre, il faut prendre en compte le fait que la télévision exerce un effet de domination très fort à l'intérieur même du champ journalistique parce que sa large diffusion – surtout en ce qui concerne les journaux télévisés – lui donne un poids particulièrement fort dans la constitution de la représentation dominante des événements. Par ailleurs, l'information « mise en images » produit un effet de dramatisation qui est propre à susciter très directement des émotions collec-

2. On ne peut voir les articles « pertinents » que lorsque l'on en sait déjà suffisamment sur le problème soulevé. Sur le moment, et sur les sujets que l'on connaît mal ou pas du tout, on ne peut que s'en remettre à ceux qui en disent quelque chose.

tives. Enfin, les images exercent un effet d'évidence très puissant : plus sans doute que le discours, elles semblent désigner une réalité indiscutable bien qu'elles soient également le produit d'un travail plus ou moins explicite de sélection et de construction. Bien que la télévision s'alimente en grande partie à la presse écrite ou aux mêmes sources qu'elle (les dépêches d'agences essentiellement), elle a une logique de travail et des contraintes spécifiques qui pèsent fortement sur la fabrication des événements. Elle agit sur les téléspectateurs ordinaires mais aussi sur les autres médias, les journalistes de la presse écrite ne pouvant plus ignorer aujourd'hui ce qui, la veille, a fait « la une » des journaux télévisés de 20 heures.

Lorsque les journaux télévisés décidèrent, par exemple, de couvrir les premières manifestations de lycéens d'octobre 1990 – il s'agissait à l'origine d'un simple mouvement, cantonné dans quelques collèges de la banlieue nord de Paris et regroupant quelques centaines de lycéens qui protestaient contre le manque de professeurs et les agressions dont certains élèves avaient été victimes –, nombre de spécialistes de l'éducation de la presse écrite parisienne jugèrent irresponsable un tel traitement médiatique par l'effet d'entraînement qu'il risquait d'engendrer (« Ils disjonctent ! », « Ils sont fous d'ouvrir le “20 heures” là-dessus ! », « On avait l'impression d'avoir le peuple lycéen dans la rue alors qu'ils étaient 3 000 à tout casser », etc.)[3].

3. Ces notations doivent beaucoup aux interviews de journalistes réalisées par Dominique Marchetti dans le cadre de l'enquête que j'ai dirigée sur le mouvement lycéen. Un compte rendu plus complet de ce travail sera fait ultérieurement.

Pourtant, c'est sans doute en toute bonne foi que les journalistes de télévision ont décidé de faire, dans « le 20 heures », une séquence sur ces mouvements. Ils avaient là un sujet et des images très télévisuelles (« Les journalistes de télévision, explique un journaliste de la presse écrite parisienne, ne savent jamais comment illustrer les problèmes de l'éducation et nous demandent souvent des idées d'illustration »). Par ailleurs, ils avaient probablement en tête le souvenir des manifestations lycéennes et étudiantes de novembre 1986 qui avaient commencé, elles aussi, vers la même époque de l'année scolaire, par une grève localisée à un seul établissement. La logique du précédent, très présente chez la plupart des journalistes, le souci de ne pas être en retard dans la couverture d'une révolution et la conviction sincère qu'ils assistaient à nouveau aux prémices d'un vaste mouvement de contestation suffisent probablement à expliquer le traitement privilégié qu'ils accordèrent d'emblée à ces protestations localisées. De fait, à mesure que les grèves lycéennes se sont multipliées sous l'effet, en grande partie, de leur médiatisation télévisuelle – « la télévision, c'était un peu le baromètre du mouvement ; puisqu'on en parlait dans les journaux télévisés, il fallait que tout le monde s'y mette » dit par exemple un journaliste parisien qui couvrait le mouvement – la pression des rédactions en chef des quotidiens parisiens sur leurs « rubricards » chargés de l'éducation s'est faite plus forte, les incitant à faire des « papiers de fond » sur ce sujet. Si un certain nombre de journalistes spécialisés sur les problèmes de l'éducation ont alors marqué quelques réticences à écrire sur ces événements, cc n'est pas seulement parce que leur compétence ne les prédispose guère à s'étonner facilement[4], c'est aussi parce que ce mouvement, largement fabriqué par la télévision, était insaisissable : ils n'arrivaient pas à le comprendre, à en identifier les responsables et les objectifs. Pourtant, obligés d'en parler à leur tour, ils ont contribué, bien involontairement, à donner de l'importance à ce qui était médiatiquement devenu, entre temps, un véritable problème de société, celui du « malaise des lycéens » et, plus généralement, « de la jeunesse ». Les jeunes responsables des coordinations lycéennes qui ont surgi opportunément du mouvement et qui étaient conseillés, dans leurs stratégies médiatiques, par des adultes plus expérimentés qu'eux (responsables du parti communiste, de SOS-Racisme, du parti socialiste, etc.), ne pouvaient que se prendre très au sérieux, parlant dans les « AG lycéennes » comme les hommes politiques à la tribune de l'Assemblée nationale lors des retransmissions en direct du mercredi après-midi. Un journaliste d'un grand quotidien parisien qui les a côtoyés lors des événements raconte : « Les responsables de la coordination se sont pris pour des vedettes. On les a trop pris au sérieux. Ils ne s'adressaient qu'aux télévisions. Il y a eu une starisation excessive. Ils se croyaient tout permis. Ils avaient été à l'Élysée, ils avaient pris le petit déjeuner chez Jospin… ». On comprend du même coup que, produits en grande partie par les médias, ces mou-

4. Le rédacteur en chef d'un quotidien parisien m'expliquait que, connaissant bien leur domaine, les spécialistes sont généralement peu portés à voir de l'extraordinaire : occupant modestement les pages intérieures des journaux, ils ont plutôt tendance à tout banaliser et sont difficiles à étonner. Ce sont souvent les rédacteurs en chef, plus sensibles notamment à la situation créée par les journaux télévisés, qui doivent les pousser à prendre position.

vements disparaissent souvent très rapidement lorsque ces derniers cessent d'en parler. Et il ne faudrait donc pas s'interroger seulement, comme on le fait généralement, sur ce qui intéresse la presse mais aussi sur le processus qui conduit progressivement tous les journalistes à se désintéresser des événements qu'ils ont antérieurement contribué à produire. Avec humour, un jeune journaliste, qui connaît bien les rédactions des radios périphériques, raconte : « Il y a toujours, à la conférence de rédaction d'une radio, un rédacteur qui va dire : "Maintenant ça suffit, ça emmerde les gens. Les banlieues, ça commence à nous faire chier, y'en a marre. On passe à autre chose". Et il y a toujours quelque chose dans l'actualité qui va prendre le relais. *Le Monde* va calmer. *Libé* va rechercher des interprétations, analyser, faire du terrain. Ceux qui font du factuel, du sensationnel, vont peut-être repartir, mais ils ne seront pas suivis. »

Un faux objet

Ce que l'on appelle un « événement » n'est jamais, en définitive, que le résultat de la mobilisation – qui peut être spontanée ou provoquée – des médias autour de quelque chose qu'ils s'accordent, pour un certain temps, à considérer comme tel. Lorsque ce sont des populations marginales ou défavorisées qui attirent l'attention journalistique, les effets de la médiatisation sont loin d'être ceux que ces groupes sociaux pourraient en attendre car les journalistes disposent en ce cas d'un pouvoir de constitution particulièrement important, la fabrication de l'événement échappant presque totalement à ces populations.

C'est au début des années 80, à la suite d'incidents survenus dans le quartier des Minguettes – un quartier de Vénissieux, dans la banlieue lyonnaise, à forte concentration de population émigrée – que s'est développé dans la presse un nouveau discours sur les « banlieues à problèmes ». Ces incidents, assez spectaculaires (voitures brûlées, barricades, lancers de projectiles divers et de cocktails Molotov contre les forces de police, etc.) furent largement couverts par l'ensemble de la presse, portant ainsi brutalement l'attention sur une nouvelle catégorie de population, celle des jeunes issus de familles émigrées (« les beurs »), en situation d'échec scolaire, sans qualification et sans travail. On découvrait également l'état délabré de certaines banlieues et la dégradation des bâtiments, saccagés par le vandalisme et laissés à l'abandon par les organismes HLM. Ces incidents, qui avaient éclaté deux mois à peine après l'arrivée des socialistes au pouvoir, furent considérés comme un véritable défi politique lancé au gouvernement de gauche. Diverses mesures furent prises afin de réhabiliter ces bidonvilles d'un nouveau type qui s'étaient progressivement reconstitués dans certaines HLM. Par ailleurs, des structures visant à encadrer les jeunes chômeurs en situation d'échec scolaire étaient mises en place afin de favoriser leur formation professionnelle et leur insertion dans le marché du travail. L'ensemble de ces actions furent coordonnées dans le cadre des DSQ (Développement social des quartiers). En 1990, environ 400 zones faisaient l'objet de ce type d'action.

Mais le problème des banlieues a été de nouveau posé par les médias à propos des incidents qui se sont déroulés en octobre 1990 à Vaulx-en-Velin, une commune également située dans la banlieue lyonnaise et classée DSQ en 1987. A la fin du mois de septembre 1990, une fête avait été donnée au Mas-du-Taureau, un quartier de la commune récemment réhabilité, devant le nouveau centre commercial qui avait été implanté depuis un an en pleine zone d'habitat social. En présence de personnalités politiques de premier plan, on inaugura un mur d'escalade et on célébra la réussite des opérations de réhabilitation. Une semaine plus tard, au cours d'un contrôle de police, une moto est renversée et le passager arrière, un jeune homme de 18 ans d'origine italienne, atteint de poliomyélite, est tué dans la chute. Une centaine de jeunes de la cité s'attroupent alors et invectivent la police qu'ils tiennent pour responsable du drame. Ils soupçonnent celle-ci de chercher à dissimuler ce qu'ils pensent être une « bavure » en simple accident. La situation est tendue : le soir même, des pierres sont lancées et trois voitures sont incendiées (ce qui, dans ce quartier, n'est pas une pratique exceptionnelle). La presse locale qui, en permanence, écoute sur des scanners (récepteurs hautes fréquences) les conversations de la police, diffuse rapidement l'information et donne la version officielle du drame qui passe le soir même sur les médias nationaux. Le lendemain matin, des jeunes de 14 à 20 ans lancent à nouveau des pierres contre le commissariat de Vaulx-en-Velin (pour faire sortir les policiers, retranchés à l'intérieur) puis, vers midi, une voiture volée est jetée contre le supermarché du Mas-du-Taureau qui est incendié ainsi qu'un certain nombre de commerces de la place. Les policiers, les pompiers et les journalistes sont refoulés par les jeunes tandis que de nombreux habitants du quartier et d'ailleurs cherchent, dans une atmosphère bon enfant, à tirer parti de la situation et emportent diverses marchandises qui, de toute façon, auraient été détruites dans l'incendie. L'un des rares journalistes de la presse locale qui était présent sur les lieux raconte qu'il voyait des gamins sortir des commerces, les mains remplies de friandises, de paquets de cigarettes ou de chaussures de sport. Une vieille dame tenait la porte du supermarché pour faciliter la sortie de caddies surchargés qui étaient en hâte poussés vers les coffres des voitures. Bref, s'il y a eu indiscutablement une mise à sac, probablement préméditée [5], du centre commercial, il reste qu'il est pour le moins excessif de parler « d'émeute » comme l'ont fait les journalistes de la presse parisienne et surtout de la télévision.

Les dominés sont les moins aptes à pouvoir contrôler leur représentation d'eux-mêmes. Le spectacle de leur vie quotidienne ne peut être, pour les journalistes, que plat et sans intérêt. Parce qu'ils sont culturellement démunis, ils sont en outre incapables de s'exprimer dans les formes requises par les grands médias. Comme le déclare un responsable politique qui pense exprimer l'opinion des professionnels de la télévision, « dans une émission, il ne faut pas que chacun vienne raconter ses états d'âme ou donner son opinion ; il faut apprendre à s'exprimer clairement ». Quelques jours avant les événements, une agence de presse lyonnaise spécialisée dans l'urbanisme avait spontanément proposé, sans suc-

5. Des habitants de Vaulx-en-Velin nous ont dit avoir entendu, bien avant le drame qui a sans doute servi de prétexte ou de détonateur, des jeunes envisager une telle opération. Dans le même sens, un journaliste présent peu de temps avant la mise à sac du centre commercial nous a dit que des jeunes lui avaient conseillé de rester sur place parce qu'il allait se passer des choses…

cès à l'époque, de faire une enquête sur la situation dans les banlieues (« ça n'est pas intéressant, il ne se passe rien... », leur avait-on alors répondu). La logique de la concurrence pousse les journalistes à travailler « à chaud » et à aller « là où il se passe quelque chose ». Les incidents dramatiques de Vaulx-en-Velin eurent pour effet de susciter en peu de temps une foule de reportages qui, tous, cherchaient à dire et à expliquer ce qui n'allait pas dans cette banlieue. Même si l'observation attentive de la vie ordinaire dans ces banlieues, avec ses problèmes quotidiens, est plus éclairante, la plupart des journalistes tendent à se focaliser sur la violence la plus spectaculaire, et par là, exceptionnelle [6]. Les médias fabriquent ainsi, pour le grand public, qui n'est pas directement concerné, une présentation et une représentation des problèmes qui met l'accent sur l'extraordinaire. Celui-ci tend à ne retenir que les actions violentes, les affrontements avec la police, les actes de vandalisme, un supermarché en feu ou des voitures qui brûlent et à donner pêle-mêle, comme causes de ces désordres, les explications recueillies par la presse, les bavures policières, le désœuvrement des jeunes, la délinquance, « le mal de vivre » de ces banlieues, les conditions de logement, le cadre de vie

6. C'est ainsi qu'une chaîne de télévision demanda par exemple, à une agence vidéo de Lyon, au lendemain même de l'incendie du centre commercial, un reportage sur « les casseurs et les dealers de Vaulx, même masqués ». Les responsables à qui cette enquête avait été confiée, eux aussi d'origine maghrébine (algérienne), ont détourné la demande et pris le parti de tenter de faire comprendre la vie des jeunes dans ces grands ensembles plutôt que de céder à un spectaculaire plus ou moins fabriqué. Leur reportage qui portait sur trois jeunes beurs – ni casseurs ni dealers, mais seulement chômeurs et animateurs – n'a pas encore été diffusé à ce jour.

sinistre, l'absence de structures sportives et de loisirs, la surconcentration de populations étrangères, etc.

Un cercle vicieux

Si cette représentation fait peu de place au discours des dominés, c'est que ces derniers sont particulièrement difficiles à entendre. Ils sont parlés plus qu'ils ne parlent et lorsqu'ils parlent aux dominants, ils tendent à avoir un discours d'emprunt, celui que les dominants tiennent à leur propos. C'est particulièrement vrai lorsqu'ils parlent pour la télévision : on les entend répéter les discours qu'ils ont entendu la veille dans les journaux télévisés ou les émissions spéciales sur le mal des banlieues, parlant parfois d'eux-mêmes à la troisième personne (« les jeunes, ils veulent un local pour se réunir », dit par exemple l'un d'eux dans un reportage). Plus exactement, les journalistes tendent sans le savoir à recueillir leur propre discours sur les banlieues et trouvent toujours, traînant dans les cités, à l'affût des médias, des gens prêts à leur dire, « pour passer à la télévision », ce qu'ils ont envie d'entendre.

L'« enquête » de type journalistique, et cela vaut aussi bien pour le grand journaliste parisien que pour le modeste rubricard de la presse de province, est généralement plus proche de l'enquête policière que de ce qu'on appelle « enquête » dans les sciences sociales. Plus que le sociologue, c'est le journaliste « d'investigation », celui qui, parfois, parvient « à doubler » la police dans une affaire, qui sert de modèle. Par ailleurs, le souci (largement commercial), surtout dans les grands médias nationaux (télévision mais aussi agences de presse), de ne pas prendre parti ou de ne pas choquer des auditoires socialement très hétérogènes conduit à une présentation artificielle et neutralisante de tous les points de vue en présence. L'enquête journalistique s'apparente à l'enquête judiciaire : l'objectivité consiste, comme dans un procès, à donner la parole à toutes les parties concernées, les journalistes cherchant explicitement à avoir en chaque cas, des représentants de la défense et de l'accusation, le « pour » et le « contre », la version officielle d'un incident et celle des témoins. Le travail de terrain proprement dit se limite, par la force des choses, à quelques jours, quand ce n'est pas quelques heures, passés sur place, « pour donner un peu de couleurs » aux reportages, avec généralement un scénario, préalablement construit dans les conférences de rédaction, qu'il s'agit d'illustrer [7].

Les journalistes peuvent parfois susciter eux-mêmes une réalité sur mesure pour les médias. Un journaliste de l'AFP de Lyon rapporte par exemple que, après les journées chaudes de Vaulx-en-Velin, toute la presse surveillait la commune dans l'attente de nouveaux incidents et que cette présence des journalistes sur le terrain était propre à déclencher les incidents attendus [8]. Même lors-

7. Est-il besoin de préciser que ces remarques ne constituent pas une « critique » (au sens banal et journalistique du mot) de la profession de journaliste ? On sait que ce métier n'est pas sans risques physiques et que nombreux sont ceux qui l'ont payé de leur vie. On veut seulement rappeler ici les diverses contraintes qui pèsent sur le travail journalistique et les effets intellectuels qu'elles exercent.

8. On sait que, de plus en plus fréquemment, des journalistes de télévision payent des « reconstitutions » qui ne disent pas leur nom (jeunes mettant le feu à des voitures, taggant des murs, se livrant à des agressions, etc.) en prétextant que ces pratiques existent de toute façon et donc qu'ils ne trichent pas vraiment avec l'information sans voir que l'information la plus pertinente est à rechercher ailleurs.

qu'il ne se passe rien, la machine journalistique a tendance à tourner à vide. C'est ainsi par exemple que tel reporter de télévision, envoyé dans une banlieue pour couvrir des incidents, fut sommé de Paris, par son rédacteur en chef, de faire une intervention en direct de deux minutes dans le journal télévisé de la nuit bien qu'il ne se passât rien, pour rentabiliser les coûteux moyens techniques envoyés sur place. Bien que nombre de journalistes cherchent à aller au-delà de l'événement (« les faits divers sont révélateurs de vrais problèmes, il faudrait creuser mais on n'a pas le temps et puis un événement chasse l'autre » dit par exemple un journaliste de la presse régionale de Lyon), tout les y ramène. Pressés par la concurrence, ils doivent aller là où sont les confrères.

« Si ça cartonne sur une autre chaîne, raconte un journaliste de télévision, le rédac'chef vous dit : "mais qu'est-ce que vous foutez, il faut y aller". » « On s'est focalisé sur Vaulx-en-Velin, rapporte encore un journaliste de l'AFP de Lyon. Dès qu'il se passait quelque chose à Vaulx, on en parlait non pas parce que c'était important mais parce que c'était Vaulx. Mais on ne savait pas qu'il se passait des choses pires dans la banlieue de Marseille. Paris [les rédactions parisiennes] poussait à la roue. La concurrence pousse à la surenchère, à la faute. On a du mal à résister parce qu'on a des clients qui sont demandeurs et qui veulent "du Vaulx-en-Velin". On se demandait parfois s'il fallait faire une dépêche pour deux voitures brûlées. (...). On a fait un grand papier un mois après mais, une fois l'événement passé, ça n'intéresse plus personne, c'est moins lu et la mise au point que l'on peut faire à ce moment-là a moins d'impact ».

Si les incidents de Vaulx-en-Velin donnèrent lieu à

une intense couverture journalistique, c'est aussi parce qu'ils étaient en résonance avec nombre de problèmes de société médiatiquement constitués comme le chômage, les banlieues tristes, les immigrés, l'insécurité, la drogue, les bandes, les jeunes, Le Pen, l'intégrisme, etc. Mais, loin de faire comprendre, cette « couverture médiatique » fut surtout l'occasion de voir resurgir les stéréotypes sur les banlieues et les grands ensembles qui s'étaient constitués depuis une trentaine d'années autour de faits divers antérieurs et qui furent plaqués sur Vaulx-en-Velin, bien que ces schémas fussent manifestement inappropriés pour rendre compte de ce qui s'était passé. Des journalistes dénoncèrent le problème des « cités-dortoirs » alors que le nombre d'entreprises créées dans la commune était en augmentation ; d'autres reprirent le discours sur la maladie des banlieues avec leurs zones sans âme ni cohérence, la grisaille quotidienne et la déshumanisation des villes, alors que cette commune avait précisément entrepris, depuis trois ans, une importante opération de réhabilitation de l'habitat social et avait réinstallé un centre commercial très actif. Loin d'être troublés par ces contradictions, les médias parlaient, au contraire, du « grand naufrage des idées reçues » qui consistaient à croire que l'on pouvait « redonner vie aux grands ensembles à coups de millions, en repeignant les cages d'escalier et en plantant des carrés de chlorophylle ». La plupart se sont faits l'écho de ceux qui remettaient en question l'urbanisme et dénonçaient les architectes qui avaient bâti ces villes du refus, du désespoir et de l'absence de dialogue. Presque tous évoquaient enfin, car il fallait bien rendre compte de ce qui était à l'origine des événements – à savoir le contrôle de police qui tourne mal –, le fossé qui se serait instauré entre les jeunes et la police, le remède à ces problèmes se trouvant dès lors dans le rétablissement du dialogue et de la confiance.

Les différents journaux ont, bien évidemment, développé ces thématiques selon les options idéologiques qui leur sont propres. Par exemple, *Libération* a surtout insisté sur les bavures policières, rappelant la longue liste des victimes des contrôles policiers (une dizaine en dix ans) qui, selon lui, a alimenté la colère des jeunes émeutiers contre la police. Prenant le parti des jeunes révoltés, il évoque le « ras-le-bol des ZUP » qui ont été construites en une génération et posent aujourd'hui le problème de leur intégration, souhaitant que « l'État offre autre chose que des grenades lacrymogènes à ces mômes qui brûlent tout ». Une semaine après « les émeutes », Serge July, le directeur du quotidien, dans un éditorial saturé en analogies sauvages propres à réveiller les fantasmes collectifs, resitue Vaulx-en-Velin dans une histoire journalistique de la planète : « Tout est exemplaire dans cette histoire. (...) On est ramené à la case départ : l'apartheid que souligne au noir un paysage urbain désarticulé. (...) Véritable métropole d'une marge sociale sans identité (...), Vaulx-en-Velin est l'expression désespérée d'une irrémédiable désintégration sociale. Le spectre de la tiers-mondisation plane sur ces banlieues : les émeutes et les pillages de ces derniers jours empruntaient autant à l'intifada palestinienne qu'au soulèvement alimentaire de Caracas. » Dans une vision opposée, mais qui fait couple avec la précédente, *Le Figaro* ne veut, par contre, voir rien d'autre que l'action d'une poignée d'agitateurs professionnels qui, par la violence, chercheraient à faire la révolution (islamique), décrivant complaisamment les scènes de pillage et l'agressivité des jeunes manifestants. Il rappelle que la délinquance quotidienne dans cette zone est importante et juge la révolte largement démesurée, dénonçant le décalage qui existerait, selon lui, entre ce qu'il appelle « le verbiage des initiés » (c'est-à-dire le discours des hommes de gauche et d'un certain nombre de travailleurs sociaux qui parlent du mal de vivre dans les banlieues) et le discours des habitants qui n'ont pas soulevé le problème des conditions de vie dans leur quartier. Les quotidiens régionaux (*Lyon Matin* et *Le Progrès de Lyon*) restent plus près des faits et épinglent au passage certaines approximations des journalistes parisiens, faisant remarquer, par exemple, qu'au-delà des mots convenus tels que « ghettos, villes-dortoirs, immigrés brimés, police sauvage, violence des banlieues, etc. » il y a une réalité plus banale : « Un accident, une émotion, son exploitation par une petite délinquance organisée dans une zone exemplaire pour son effort (réhabilitation, sport, associations, etc.). »

Le décalage entre la représentation de la réalité et la réalité telle que des enquêtes plus patientes peuvent la livrer est encore plus important dans le traitement télévisuel des incidents [9]. L'attention des journalistes est

9. C'est ainsi que le centre commercial en feu sera pris sous tous les angles, donnant l'impression que c'était toute la zone qui flambait . Une émission de FR3, dramatiquement intitulée « Pourquoi tant de haine ? », est consacrée, peu de temps après, aux événements ; dans une émission-spectacle (« Ciel mon mardi ! »), TF1 organise deux jours à peine après « les émeutes » un débat où seront notamment invités des « casseurs » (ou supposés tels) qui, le visage masqué, vont tenir le discours stéréotypé du marginal tel que la télévision, en grande partie, le suscite. Certains habitants de Vaulx-en-Velin nous diront que les images de la télévision avaient semé une forte inquiétude parmi les membres de leur famille qui résidaient ailleurs.

focalisée sur les affrontements plus que sur la situation objective qui les provoque. Ceux-ci deviennent des symptômes d'une crise plus générale de société qui tend à être traitée indépendamment des situations concrètes[10]. Paradoxalement, les journalistes, dans leurs enquêtes locales, portent peu attention aux données locales. C'est pourquoi l'événement médiatique qu'ils fabriquent peut fonctionner comme une sorte de test projectif auprès des différents acteurs sociaux qu'ils interrogent, chacun pouvant y voir la confirmation de ce qu'il pense depuis longtemps.

La stigmatisation

Bien que la plupart des journalistes rejettent et condamnent les pratiques les plus douteuses de la profession et reconnaissent volontiers l'existence inévitable de biais, même dans un traitement de l'information qui se veut honnête, ils pensent que, malgré toutes ces difficultés et toutes ces déformations, rien n'est pire que le silence. Même si, disent-ils, les médias n'ont pas abordé comme il l'aurait fallu le problème des banlieues, même s'ils admettent avoir privilégié certains aspects marginaux ou mineurs parce que spectaculaires, au détriment de la réalité ordinaire et quoti-

10. Dans un tel contexte, tout fait divers tend à être lu, par les journalistes qui découvrent là un fil à tirer ou un bon filon à exploiter, à partir des schèmes du racisme et du mal des banlieues. Un commissaire de police du nord de la France me rapportait, par exemple, qu'une banale affaire de vengeance privée était devenue, dans une presse « qui voit des Vaulx-en-Velin partout », un « crime raciste » exprimant « le mal des banlieues » et cela seulement parce que les protagonistes étaient des Yougoslaves et que les événements s'étaient déroulés dans une zone d'habitat social.

dienne, il reste qu'ils estiment avoir été utiles par le simple fait d'avoir au moins contribué à poser publiquement ces problèmes. Un tel optimisme paraît pour le moins excessif car il ne tient pas compte notamment des effets d'ordre symbolique qui sont particulièrement puissants lorsqu'ils s'exercent sur des populations culturellement démunies. A la mairie de Vaulx-en-Velin, on concède que les événements ont créé une situation d'urgence qui a permis de faire débloquer un peu plus rapidement les crédits destinés aux opérations de réhabilitation et à l'action sociale. Mais c'est sans doute la seule retombée positive (et encore, car il faudrait savoir à qui ces mesures profitent principalement). En revanche, cet avantage matériel momentané se paye très cher sur le plan symbolique. Les habitants de ces quartiers ne s'y sont pas trompés lorsque l'on voit l'accueil de plus en plus négatif que, depuis les événements, certains réservent aux journalistes, et qui exprime la révolte impuissante de ceux qui se sentent trahis. Les journalistes sont, bien sûr, rejetés par les jeunes en situation délinquante qui ne tiennent pas à être reconnus et fichés par la police. Mais ils le sont aussi par la population de ces cités qui voit se fabriquer, au fil des reportages télévisés et des articles de journaux, une image particulièrement négative de la banlieue. Loin d'aider les habitants de ces banlieues, les médias contribuent paradoxalement à leur stigmatisation.

Ces quartiers sont présentés comme insalubres et sinistres, et leurs habitants comme des délinquants. Les jeunes qui cherchent du travail n'osent plus dire qu'ils habitent ces cités désormais universellement mal famées parce qu'elles ont fait « la une » des médias. Un journaliste de télévision rapporte, par exemple, que le quartier des Chamards, près de Dreux, est visité par des équipes de reporters venant du monde entier parce que Dreux est devenu le symbole de la montée du Front national. Cette stigmatisation, qui est sans doute involontaire et résulte du fonctionnement même du champ journalistique, s'étend bien au-delà des événements qui la provoquent et marque ces populations même lorsqu'elles sont hors de leurs quartiers. C'est ainsi que telle dépêche d'agence faisant état d'incidents dans une auberge de jeunesse du Gard dans lesquels étaient impliqués des jeunes de Vaulx-en-Velin en vacances sera reprise par toute la presse. C'est ainsi également que des jeunes du Val-Fourré, en vacances dans le Jura, devront subir, durant leur séjour, diverses agressions et vexations de la part de la population locale qui est devenue méfiante depuis que les médias (surtout la télévision) ont abondamment couvert les incidents de ces quartiers, la situation très tendue qui est ainsi créée étant propre, par soi seule, à déclencher de nouveaux incidents qui viennent, de façon circulaire, confirmer les stéréotypes médiatiques initiaux.

Cette vision journalistique des banlieues est fortement rejetée par une petite partie de la population de ces quartiers, généralement la plus politisée ou la plus militante, et suscite son indignation : « Si vraiment la banlieue où j'habite était comme le disent les journaux, jamais je ne voudrais y habiter », « ma famille ne veut pas venir me voir ici, ils croient que c'est un véritable coupe-gorge et qu'on se fait violer à tous les coins de rue ! », « ces gens qui racontent que des conneries, j'appelle ça des journaleux. Qu'on les laisse dire ce qu'ils veulent, mais, à ce moment-là, qu'on nous mette en face pour dire si on est d'accord ou non. On n'ira pas au niveau de la violence parce que je suis non violent et que je sais parler ». Une association de locataires s'est même constituée pour lutter contre l'image stigmatisante que les médias donnaient de Vaulx-en-Velin et pour faire savoir publiquement que cette ville n'était pas, loin de là, pire que d'autres. Il reste que, la plupart, notamment parce qu'ils sont culturellement démunis, reprennent à leur compte cette vision d'eux-mêmes que produisent ces spectateurs intéressés et un peu voyeurs que sont nécessairement les journalistes (« c'est un ghetto ici », « on n'est pas considérés », etc.).

Nombre d'habitants de Vaulx furent les premiers surpris par les événements, certains ayant eu presque honte de ce qui s'était passé dans leur commune. Des commerçants expliquent qu'ils avaient en général de bons rapports avec les jeunes ; des enseignants, bien qu'ils connaissent de grandes difficultés dans les collèges, trouvent cependant excessif que l'on parle « d'explosion sociale ». Plus prosaïquement, certains habitants signalent que les troubles sont, en réalité, le fait de minorités – une poignée de jeunes pour la plupart connus de la police – et que la mise à sac du centre commercial n'est que l'exploitation d'un incident pénible (le contrôle de police) par des délinquants adultes qui sont en majorité extérieurs à Vaulx. Bien que les journalistes locaux soient tentés de donner de l'importance à ces événements, ils ne sont pas dupes et ont une vision assez proche de celle des habitants : « Quand on se promène à Vaulx, j'appelle pas ça un ghetto. J'ai vu des zones pires. Il faut savoir ce qu'on met derrière les mots. On a un peu diabolisé les banlieues » (journaliste de la presse régionale de Lyon) ;

« les pires, peut-être, ce sont les journalistes cow-boys, ceux qui se prennent pour des stars, qui étaient dans le Golfe, puis après s'occupent des banlieues, puis des lycéens » (journaliste parisien de la presse écrite).

Des remèdes « médiatico-politiques »

Il reste que les médias font désormais partie intégrante de la réalité ou, si l'on préfère, produisent des effets de réalité en créant une vision médiatique de la réalité qui contribue à créer la réalité qu'elle prétend décrire. Notamment, les malheurs et les revendications doivent désormais s'exprimer médiatiquement pour espérer avoir une existence publiquement reconnue et être, d'une manière ou d'une autre, « pris en compte » par le pouvoir politique. La logique des relations qui se sont instaurées entre les acteurs politiques, les journalistes et les spécialistes de « l'opinion publique » est devenue telle que, politiquement, il est très difficile d'agir en dehors des médias, ou, *a fortiori*, contre eux. C'est pourquoi la presse n'a jamais laissé indifférent le pouvoir politique, celui-ci cherchant à contrôler ce que l'on appelle « l'actualité » quand il ne contribue pas, avec l'aide de ses attachés de presse, à la fabriquer lui-même. Les responsables politiques n'aiment pas être surpris, voire dépassés, par les événements et veillent à ne pas se faire imposer par d'autres, dans l'urgence et sous la pression, la définition et le traitement des problèmes sociaux à l'ordre du jour. Bref, ils veulent rester maîtres de leur agenda et redoutent particulièrement ces événements qui surgissent de façon imprévisible (un incident local qui dégénère) et se trouvent placés au premier plan de l'actualité politique parce que la presse écrite et les journaux télévisés s'en sont emparés[11]. On sait, par exemple, que certaines grandes entreprises essayent de gérer l'imprévu en procédant à des simulations afin, le cas échéant, de pouvoir se comporter comme il convient devant les journalistes (c'est ainsi que EDF a envisagé des scénarios d'incidents nucléaires majeurs notamment pour préparer les « bonnes réponses » à faire aux médias). Le pouvoir redoute particulièrement la production (ou coproduction) par les médias de ce type d'événements, parfois entretenus par les journalistes quand ils sont laissés aux seules lois qui régissent le fonctionnement du champ journalistique (emballement médiatique, harcèlement des journalistes, dramatisation, etc.) car, même très momentanément, ils peuvent prendre une dimension politique considérable qui risque de dérouter les responsables. Ce fut précisément le cas lors des événements de Vaulx-en-Velin d'octobre 1990 et aussi des manifestations lycéennes du mois suivant qui, à mesure que les médias en rendaient compte, se multipliaient sans que les responsables politiques sachent vraiment ce que voulaient ces jeunes manifestants qui, d'ailleurs, ne le savaient pas toujours eux-mêmes.

Lorsque de tels événements surviennent, la situation profite-t-elle aux plus démunis sur qui l'attention publique est ainsi brutalement portée ? Le pouvoir n'a-t-il pas été contraint, par exemple, de traiter le problème des banlieues et celui des lycéens ? Rien n'est moins sûr. La lutte principale oppose en fait la presse et le pouvoir

---

11. Que l'on songe par exemple à l'affaire du « voile islamique » qui avait éclaté, peu avant les événements de Vaulx-en-Velin, en septembre 1990.

politique. Tout se passe comme si les journalistes voulaient se prouver à eux-mêmes leur autonomie professionnelle par rapport au pouvoir en cherchant à le mettre en difficulté, les hommes politiques, de leur côté, s'efforçant de contrôler les médias comme ils le peuvent (seulement indirectement aujourd'hui). En d'autres termes, la lutte est principalement localisée sur le terrain médiatique et tend à y rester, le pouvoir inventant, avec l'aide de spécialistes en communication, des stratégies qui visent à mettre un terme à l'agitation médiatique et, par là, à l'agitation tout court. C'est ainsi que pour tenter d'arrêter les manifestations lycéennes de 1990 – dont on craignait qu'elles ne dégénèrent et n'entraînent, comme en 1986, « un drame » –, les spécialistes de la communication du Ministère de l'éducation nationale inventèrent « Madame Plan d'Urgence », une femme à l'aspect rassurant, maternelle et compréhensive, qui était désormais censée trouver rapidement des solutions à tous les problèmes des lycées et collèges et à qui on fit faire la tournée de tous les médias audiovisuels.

La création, quelques semaines après les événements de Vaulx-en-Velin, d'un « Ministre de la ville » répond peut-être au besoin bureaucratique de coordonner localement les actions des divers ministères s'occupant de ces populations en difficulté. Mais tout porte à croire qu'elle a été aussi largement inspirée par le souci de contrôler la presse s'occupant de ces problèmes en lui donnant un interlocuteur officiel chargé de faire des actions pour les médias et de faire exister, au-dessus des prises de position anarchiques et privées, le point de vue public de l'État.

Pour tenter de comprendre, il faudrait interroger les gens ordinaires sur leur vie quotidienne, prendre le temps, par exemple, de reconstituer l'histoire de Vaulx-en-Velin, cette commune qui était encore, au début du siècle, un petit village ne comptant que 1588 habitants en 1921 et qui, avec l'implantation, en 1925, de l'usine de fibres artificielles va connaître un accroissement important de sa population[12]. Il faudrait évoquer les premiers logements sociaux, construits entre 1953 et 1959, qui furent destinés à accueillir des familles nombreuses en difficulté ; la croissance rapide que la ville va connaître dans les années 60, avec, en 1964, la création d'une Zone à urbaniser en priorité (ZUP). Il faudrait surtout mesurer les effets de la construction, entre 1971 et 1983, de plus de 9 000 logements et de l'accroissement brutal de la population qui atteignait, en 1982, près de 45 000 habitants. Il faudrait enfin analyser comment la situation s'est brutalement dégradée dans la ZUP après la multiplication de logements vacants en 1979, notamment dans le secteur du Mas-du-Taureau dont le supermarché dut être fermé en 1985. On verrait que Vaulx-en-Velin partage, avec bien d'autres cités difficiles, certaines propriétés structurales : construction récente, habitat essentiellement collectif, population très jeune, taux élevé de familles nombreuses, présence d'une forte proportion de population d'origine étrangère, mobilité résidentielle forte,

---

12. Les indications sommaires que nous donnons ici sont tirées de *Vaulx-en-Velin : un centre pour demain*, document réalisé par les services de la Communauté urbaine de Lyon en collaboration avec les services municipaux de Vaulx-en-Velin et ceux de l'Agence d'urbanisme de la Courly sous la direction de Pierre Suchet et Jean-Pierre Charbonneau.

taux élevé de chômage perturbant gravement la vie ordinaire, etc.

Les émigrés de première génération qui sont venus en France avant la crise acceptent souvent, avec une relative résignation, le chômage qui les frappe aujourd'hui, en grande partie parce qu'ils se sentent encore étrangers en France (les femmes notamment sont nombreuses à ne pas savoir parler français). Il n'en est pas de même de leurs enfants qui n'ont connu que la France et revendiquent d'être traités comme n'importe quel Français. C'est parce qu'ils se sentent intégrés qu'ils vivent mal leur non-intégration objective. Ils vivent comme une injustice le chômage qui les frappe plus fortement que les autres Français : sous-qualifiés parce que, pour des raisons culturelles, ils sont en situation d'échec scolaire, ils dénoncent les employeurs qui, c'est le moins qu'on puisse dire, sont loin d'être disposés aujourd'hui à embaucher préférentiellement des jeunes d'origine étrangère. Ces jeunes, par leurs réactions, contribuent d'ailleurs involontairement à alimenter le cercle vicieux qui les marginalise. Se sentant exclus, ils sont conduits à adopter des comportements qui les excluent encore davantage, décourageant du même coup les rares bonnes volontés qui se manifestent à leur égard : les locaux qui sont mis à leur disposition sont souvent saccagés, les employeurs qui les embauchent doivent faire face parfois à des problèmes spécifiques (vols, violence, etc.).

La situation de ces banlieues est le résultat de processus dont la logique n'est pas dans les cités elles-mêmes mais dans les mécanismes plus globaux comme, par exemple, la politique du logement ou la crise économique. C'est pourquoi ceux qui ont la charge d'agir localement – les travailleurs sociaux et les enseignants notamment – sont condamnés à dépenser beaucoup d'énergie pour des résultats souvent dérisoires, les mécanismes généraux défaisant sans cesse ce qu'ils essayent de faire. C'est pourquoi aussi la création d'un ministère de la Ville est sans doute une solution plus médiatico-politique que réelle. Il reste que la situation de ces banlieues doit sa forme particulière (forte petite délinquance, actes de vandalisme, drogue, voitures volées, pillage de centre commerciaux, etc.), à la superposition dans un même espace de tous ces mécanismes négatifs. Les apparences donnent toujours raison aux apparences. Un commissaire de police du nord de la France rendait responsable de la délinquance des banlieues l'habitat vertical (les tours) par opposition à l'habitat horizontal (les pavillons). Or, ce n'est pas la « concentration verticale » des habitants qui produit ces problèmes mais la concentration verticale des problèmes et des difficultés. Le fonctionnement du marché immobilier et la logique des filières d'attribution des logements sociaux ont eu pour effet, entre autres, de regrouper spatialement des populations en difficulté qui étaient principalement des familles émigrées, la concentration spatiale de ces populations engendrant des réactions à connotation raciste. A cela s'ajoute la concentration dans ces quartiers, par les autorités préfectorales et les services sociaux, des familles dites « lourdes » (c'est-à-dire délinquantes ou, au moins, fichées par la police). Ces familles, en nombre relativement limité (probablement quelques centaines dans toute cette banlieue populaire de Lyon), qui, sans ressources, vivent en marge de la loi, ont fait des ZUP leur territoire, l'architecture de ces ensembles s'y prêtant d'ailleurs assez bien puisqu'ils ont explicitement été conçus pour être à l'écart des voies de circulation et constituent ici, conséquence non voulue, de véritables isolats coupés du centre ville. Une partie des jeunes de ces familles tirent leurs ressources d'une économie souterraine qui repose principalement sur le vol et, plus récemment, le trafic de drogue.

Enfin, il faut ajouter le fait que le chômage est sans doute devenu aujourd'hui plus difficilement supportable qu'auparavant. Le développement économique et la généralisation des chaînes de distribution depuis une vingtaine d'années ont eu pour effet de mettre à portée de main un nombre considérable de biens de consommation. On sait que le vol dans les grandes surfaces est loin d'être seulement le fait de jeunes chômeurs sans ressources. On comprend qu'il puisse, *a fortiori*, apparaître comme une solution ordinaire pour ces derniers qui considèrent de plus en plus comme normal « de se servir » dans les supermarchés. Le vol est même une sorte de sport qui rythme le temps vide de ces adolescents désoccupés quand il n'est pas une occasion pour se livrer à de véritables performances qui sont souvent un principe interne de hiérarchisation de ces groupes. Le décalage qui tend à s'instaurer chez les jeunes chômeurs entre les envies de consommation et les revenus disponibles n'a sans doute jamais été aussi grand qu'aujourd'hui Par là s'explique peut-être que les centres commerciaux soient, selon la logique du coup double, une des cibles privilégiées des actions violentes des jeunes de ces cités : ils détruisent et saccagent ces lieux, véritables symboles d'une société de consommation qui les exclut, et, en même temps, font de grandes razzias qui ne sont pas sans bénéfices matériels. Par là s'explique aussi le fait que les voitures soient en permanence volées, saccagées ou brûlées : la voiture représente en effet, pour ces jeunes, le bien de consommation par excellence, objet de nombreux investissements (économique, mais aussi affectif, social, en temps consacré, etc.) et instrument indispensable de locomotion et de loisir. Elle symbolise la réussite et l'intégration au marché du travail, la voiture étant généralement leur premier achat lorsqu'ils trouvent un travail stable et parviennent « à se caser » (à se marier).

Les violences spectaculaires qui font « la une » des médias cachent les petites violences ordinaires qui s'exercent en permanence sur tous les habitants de ces quartiers, y compris sur les jeunes délinquants qui sont *aussi* des victimes, la violence qu'ils exercent n'étant qu'une réponse aux violences plus invisibles qu'ils subissent dès leur prime enfance, à l'école, sur le marché du travail, sur le marché sexuel, etc. Mais on comprend aussi que les « pauvres blancs » de ces banlieues, qui se revendiquent « Français de souche » et se considèrent « chez eux », soient particulièrement excédés par les troubles permanents de voisinage qui sont provoqués par ces enfants issus de l'émigration. Comment ces conflits incessants qui, parfois, débouchent sur des drames et viennent alimenter la chronique des faits divers ne susciteraient-ils pas des indignations faciles à exploiter ? •

Pierre Bourdieu

L'ordre des choses

Une cité comme tant d'autres, délabrée, dans la banlieue d'une petite ville du Nord de la France ; dans un bâtiment préfabriqué et durablement provisoire, fenêtres grillagées, portes fracturées tant bien que mal rafistolées (il a été dévalisé et saccagé à plusieurs reprises, et encore tout récemment), un « Club de prévention spécialisée, Rencontres et loisirs », grande salle grise, meubles et tables de formica, un évier dans un coin, un vieux frigidaire, un air de cantine d'école désaffectée, des « travailleurs sociaux » désenchantés et un peu ironiques ; qui, effrayés ou pour effrayer, évoquent « Chicago ».

Un jeune Beur, le matin, présenté comme un « bon cas » : en première, bientôt 20 ans, il attend le résultat de la « commission d'appel » qui doit décider, quelques jours plus tard, s'il passera dans la classe supérieure : « Mon avenir, là, il va se jouer, parce que, franchement, ou bien c'est un passage en terminale D ou bien je me fais virer complètement, et je dois chercher un autre lycée. Un autre lycée dans le public, je sais pas si je trouverai. » (Il a déjà eu à chercher lui-même, plusieurs fois par le passé, un établissement.) Partagé entre le sentiment du miracle (de tous ses copains du quartier, il n'y en a que deux qui sont allés jusqu'en terminale) et de l'échec (il sait, au fond, que sa carrière scolaire est terminée), il vit et dit très lucidement le décalage entre le lycée et « le quartier » (« Avec les copains du quartier, la conversation elle se porte plutôt sur vraiment des problèmes qu'on ressent à l'intérieur du quartier. Tandis que ça, ça s'oublie quand on va au lycée » – on ne saurait mieux dire la coupure entre la vie et l'univers scolaire). Fils d'un émigré lui-même issu d'une famille de petits paysans des environs de Guelma, en Algérie, qui « gagne bien sa vie » comme opérateur-analyseur dans une usine chimique, il a toujours été encouragé dans ses études, mais aussi livré à lui-même. Son père qui « sait un peu lire et écrire », et sa mère, illettrée, parlaient arabe à la maison ; ils ont « fondé tous leurs espoirs » sur lui (son frère aîné, beaucoup plus âgé, est déjà ouvrier mécanicien, un autre frère, d'un an plus âgé que lui, a échoué au BEP). Ils ne cessent de l'encourager à travailler, mais, sans qu'il sache dire pourquoi, il sent qu'« il y a un obstacle », qu'il ne travaille pas assez, sans doute parce qu' « il ne réalise pas que l'école c'est important ». Sa mère « est désolée parce que, elle aussi, elle voudrait bien » qu'il réussisse et elle ne voudrait pas le « voir plus tard dans la galère » : « Elle me dit quand même de travailler, elle me dit que c'est pour moi, et tout, mais je ne sais pas, peut-être parce que ça vient de la part de gens qui comprennent pas, qui comprennent pas vraiment ce que c'est que la vie, peut-être, de là, le courant il passe pas. Malgré que c'est mes parents, quand même c'est mes parents, je devrais peut-être, mais, je sais pas, peut-être que si c'était d'autres gens qui me le diraient, vraiment, qui me le diraient de leur façon que je comprendrais bien, peut-être que ça changerait. »

Et puis, l'après-midi, la rencontre, entourée de mille mystères (« celui-là, ce sera autre chose », « il sort de prison », etc.), avec Ali, jeune Beur d'une vingtaine d'années, qui vient accompagné de François, son copain, habitant, comme lui, un des immeubles les plus mal famés d'une citée mal famée, évidemment appelée La Roseraie. Ils parlent d'un ton bourru, en se jetant sans cesse des regards interrogateurs ou approbateurs, et avec un accent du Nord très prononcé, qui rend certains de leurs propos presque inintelligibles. Pendant que j'essaie de leur expliquer ce que je suis et ce que je fais, et d'écarter les soupçons ou les craintes qu'ils peuvent avoir (« mon travail, c'est d'écouter, et d'essayer de comprendre, et de raconter après ; je ne suis ni juge ni flic », etc.), ils écoutent en regardant ailleurs, comme pour cacher leur gêne (surtout quand je leur demande la permission de les tutoyer – ils ne sont pas habitués à tant d'égards –, au nom du fait que j'ai des fils de leur âge) et aussi, il me semble, leur crainte de ne pas être tout à fait à la hauteur, de ne pas bien comprendre ; ils ne posent pas de question (ils en poseront une ou deux, tout à la fin, quand la confiance se sera établie entre nous). Ils me font comprendre simplement qu'ils attendent mes questions.

Ali est fils d'un ouvrier originaire d'une petite ville marocaine, Oujda, qui est arrivé en France, avec sa famille, à la fin des années 70. Ali avait alors huit ans. Là est le point de départ de ses difficultés scolaires et des conduites de défi qu'il adoptera pour les surmonter : ignorant complètement le français à son entrée, tardive, à l'école et ne parlant que l'arabe dans sa famille, avec un père illettré et une mère qui sait seulement un peu écrire, il a beaucoup de peine à apprendre à lire (il avouera, en fin d'entretien, qu'encore aujourd'hui, « il lit robot »). Tout laisse à penser que son rejet de l'école, et les attitudes frondeuses qui le conduisent et l'enferment progressivement dans un rôle de « dur » ont pour principe le désir d'échapper à l'épreuve humiliante de la lecture à haute voix, devant les autres élèves. En s'excluant de l'exercice, et de l'apprentissage, il s'enfonce dans l'échec, et dans le cercle du refus, qui redouble l'échec, manière paradoxale de faire de nécessité vertu, c'est-à-dire vice scolaire, et bientôt délinquance sociale.

François a été au collège jusqu'en troisième ; il a raté le BEP (parce que, dit-il, il n'allait pas souvent à l'école – un collège éloigné d'une dizaine de kilomètres, où il faut se rendre en bus, « parce que le lycée qui est à côté, c'est pour les bons, pour les meilleurs »). François et Ali sont inséparables et ils parlent avec beaucoup de tristesse du moment où ils devront se séparer, parce que c'est dans l'ordre des choses. Et l'ordre des choses, on peut dire qu'ils connaissent… Ils en parlent, tout au long de l'entretien, sur le même ton de l'évidence, d'une voix qui monte en fin de phrase, sans jamais manifester véritablement rien qui ressemble à de l'indignation ou de la révolte. Pour en donner une juste idée, on aimerait pouvoir faire entendre seulement le passage de l'enregistrement où, après avoir raconté, avec beaucoup de retenue et de dignité (« comme moi, mettons moi ») comment, bien souvent, il est refoulé à la porte des boîtes (« Et même, pour sortir en boîte, ici, dans les environs, ben, comme moi, mettons moi, on rentre pas, les Arabes ils rentrent pas ») tandis qu'on laisserait volontiers passer son copain, Ali conclut, très simplement : « C'est énervant, à force. »

J'ai d'emblée béni le hasard (j'ai ensuite compris que c'était un effet de l'amitié) qui m'a fait rencontrer *ensemble* Ali et François. Comment ceux qui liront leurs propos pourraient-ils ne pas voir qu'ils ont en fait tout en commun, hormis l'origine ethnique, à laquelle, d'ailleurs, ils ne font jamais référence, et à quel point sont absurdes ceux qui introduisent dans le discours politique, et dans le cerveau des citoyens, la dichotomie immigrés/nationaux ? Ali est seulement une sorte de passage à la limite de François : le stigmate ethnique, qui est inscrit, de manière indélébile, dans le teint et les traits du visage, et aussi dans le nom propre, vient redoubler ou, mieux, *radicaliser* le handicap lié au défaut de diplômes et de qualification, lui-même lié au défaut de capital culturel et tout spécialement linguistique. L'« immigré » et l'« indigène » (en d'autres temps, et en d'autres lieux, dans l'« Algérie française » par exemple, les désignations auraient été inversées, avec le même résultat) ont les mêmes problèmes, les mêmes difficultés, la même vision du monde, forgée dans les mêmes expériences, dans les bagarres de l'enfance, dans les déboires et les déceptions de l'école, dans la stigmatisation associée à la résidence dans un quartier « pourri » et à l'appartenance à une famille repérée (ils ont, l'un et l'autre, des « grands » sur qui retombent toujours les soupçons et les accusations), dans le fait que, lorsqu'ils voient un beau blouson ou un beau pantalon, ils ne peuvent demander l'argent à personne et qu'ils doivent se débrouiller, dans les longs moments qu'ils ont passés ensemble à s'« emmerder », parce qu'ils n'ont pas de moyens de transport, pas de bus, pas de mobylette (sauf à « l'acheter magouille » ou à la volcr) ou d'automobile (et, de toute façon, pas de permis de conduire) pour aller à la ville, pas de local où se retrouver, pas de terrain de foot où jouer, et surtout dans la confrontation constante, continue, avec un univers fermé de toutes parts, sans avenir, sans possibles, tant en matière d'école qu'en matière de travail, – ils ne connaissent que des gens sans emploi ou en difficulté, et quand on évoque les parents dont ils pourraient attendre aide ou secours, on ne rencontre que des chômeurs ou des invalides.

Leur solidarité absolue s'affirme à tout moment, dans l'emploi du « nous » et du « on » qui les englobent l'un et l'autre, dans la compréhension parfaite que l'« indigène » a des problèmes particuliers de l'« immigré », et qu'il affirme sans phrases, sans professions de foi antiracistes, à l'entrée des boîtes, en partant avec son copain quand il est refoulé, en expliquant à sa place, parce que ce serait sans doute trop douloureux pour lui, que c'est pareil quand il est avec des filles (« quand c'est avec des filles [qu'ils sont refoulés], elles peuvent parler les filles, dire "ouais c'est mon mec, il est avec moi et tout", mais ça marche pas quand même »), en répondant pour lui à certaines questions, comme pour lui éviter d'être gêné ou mal à l'aise et aussi pour témoigner, en sa faveur, en tiers neutre. C'est ainsi que lorsque Ali évoque ce qui lui a valu ses démêlés avec la police, et la justice, et qu'il appelle ses « conneries » – sorte d'euphémisme qui minimise le délit tout en prenant sur lui le point de vue des autorités officielles –, c'est François qui, en s'identifiant, évoque les circonstances atténuantes : « Ben, c'est quand il *nous* faut des sous. Quand il *nous* faut plein de fric, quand, mettons, *on* voit de beaux blousons ou bien de beaux pantalons, et tout. » Et comme pour marquer que sa différence (« Ça c'était avant… Non, moi, c'est fini, je traîne plus avec eux. Avant je traînais ») n'est imputable à aucun autre facteur particulier, il invoque le fait que, comme il dit, « il est casé » ; et Ali, comme pour tirer la leçon de l'expérience bénéfique de son ami, concluera : « C'est une fille qu'il nous faut — Pourquoi une fille ? — Pour plus faire de conneries. »

Si la solidarité de François à l'égard d'Ali s'affirme de manière aussi évidente et aussi entière, c'est qu'en fait elle va de soi, et pas seulement au titre d'effet de l'amitié telle qu'elle est conçue dans son univers : ils sont, si l'on peut dire, dans la même galère, également stigmatisés, également « repérés » par les habitants de la cité les plus hostiles aux jeunes, par les gardiens, par la police, et surtout par la rumeur, qui leur met automatiquement sur le dos tous les méfaits, les poussant au défi et à une sorte de surenchère du dépit. A cette rumeur anonyme, qui les noircit, je ne veux pas opposer une quelconque forme de démenti ou de réhabilitation, que d'ailleurs ils ne demandent pas. Mais tout simplement la phrase, lancée de la manière la plus naturelle du monde, par l'une de mes deux « terreurs des banlieues », à propos des craintes que ses parents éprouvent à son sujet, quand il sort tard le soir, à cause de tout ce que disent les radios et les télévisions…

L'image qu'ils donnent d'eux-mêmes, dans cet entretien, doit beaucoup, évidemment, sans être fausse pour autant, à la relation sociale tout à fait singulière, extraordinaire, qu'institue la relation d'enquête : se sentant compris et acceptés, ils peuvent confier une de leurs vérités possibles et sans doute celle qui est le mieux dissimulée d'ordinaire sous l'effet de la censure du groupe des pairs (avec ce qu'ils appellent la « frime ») et sous l'effet aussi des contraintes collectives issues de la surenchère de la violence (Ali et François évoquent des processus très semblables à ceux qui s'observent dans les guerres révolutionnaires ou dans certaines révolutions symboliques, et qui permettent à une minorité agissante de faire entrer peu à peu tout un groupe, tenu par la peur, redoublée par l'isolement, et lié par la solidarité qu'impose la répression, dans la spirale de la violence). Il serait donc naïf de s'en tenir à la vérité qu'ils proposent là, en toute sincérité, et sans intention de tromper (ce ne sont pas, comme on ne manquera pas de le rappeler, « de petits anges », mais le fait qu'ils soient venus à deux, sans doute pour éviter de « se faire avoir », garantit aussi la véracité de leur témoignage) ; mais il serait infiniment plus naïf encore de récuser cette vérité possible, sans doute vouée à devenir de plus en plus improbable à mesure que se multiplient les rencontres avec des situations propres à la décourager ou à l'inhiber, notamment les confrontations avec le préjugé raciste ou avec les jugements classificatoires, souvent stigmatisants, des personnels d'encadrement, scolaire, social ou policier, qui, à travers *l'effet de destin* qu'ils exercent, contribuent très puissamment à produire les destinées énoncées et annoncées. Sont-ils bons ? Sont-ils méchants ? La question et la réponse moralisante qu'elle appelle n'ont guère de sens. Sont-ils vraiment ce qu'ils disent d'eux-mêmes dans l'entretien rapporté ici ? La question, en apparence plus légitime, est tout aussi fictive. L'entretien a créé une situation d'exception qui leur a permis de révéler ce qu'ils seraient sans doute plus souvent et plus complètement si le monde était autrement avec eux…

À mesure que j'entendais ces deux jeunes évoquer, avec le plus grand naturel, malgré les réticences, et les silences, liés à la crainte de trop en dire, ou de choquer, ce qui fait leur vie, la vie de la cité, et même leurs « conneries » ou la violence, exercée par quelques-uns, ou par un seul (tel celui qui fait d'un « petit » son esclave), tout cela me devenait aussi naturel, tant était présente, dans leurs paroles, et dans toute leur attitude, la « violence inerte » de l'ordre des choses, celle qui est inscrite dans les mécanismes implacables du marché de l'emploi, du marché scolaire, du racisme (présent aussi dans les « forces de l'ordre » chargées, en principe, de le réprimer), etc. Je n'avais pas à me forcer pour partager le sentiment, inscrit en chaque mot, chaque phrase, et surtout dans le ton de la voix, les expressions du visage ou du corps, de l'*évidence* de cette sorte de poisse collective qui frappe, comme une fatalité, tous ceux qui sont rassemblés dans les lieux de *relégation sociale*, où les misères de chacun sont redoublées par toutes les misères nées de la coexistence et de la cohabitation de tous les misérables et surtout, peut-être, de l'effet de destin qui est inscrit dans l'appartenance à un groupe stigmatisé. Ali observe que c'est lorsqu'il retombe, en troisième, dans une classe d'enfants issus de la cité que son destin scolaire tourne mal ; il dit que les boîtes qui se créent à proximité n'ont pas d'intérêt parce qu'on n'y trouve que les gens de la cité ; et pour expliquer pourquoi il trouve que les filles de la cité sont sans intérêt ni valeur, il lui suffit de dire qu'elles sortent avec lui ou des gens comme lui. Parfaite illustration de la fameuse plaisanterie de Groucho Marx, « Qu'est-ce qu'un club dont je ne suis pas exclu ? », qui, si on neutralise la neutralisation introduite par l'intention comique, exprime bien ce qu'il faut bien appeler, non la haine de soi, mais le *désespoir de soi* •

avec deux jeunes gens du Nord de la France

— entretien de Pierre Bourdieu

« C'est énervant, à force »

— Tu me disais que c'était pas très gai ici, pourquoi ? C'est quoi, c'est le boulot, c'est les loisirs ?
François — Oui, le boulot et les loisirs. On n'a pas de boulot là. Même dans notre quartier, on n'a rien.
Ali — On n'a pas de loisirs.
François — On a le local mais les gens d'à côté, ils gueulent.
Ali — Ils sont pas gentils, c'est vrai.
— Pourquoi ils gueulent, parce qu'ils...
François — Parce qu'on est dans le jardin, et puis le soir, il n'y a rien dans notre cité, on est obligé d'aller dans les entrées quand il fait froid. Et puis quand il y a trop de bordel, ils appellent les flics. Et puis il y a des locaux en plus.
— Oui, qu'on vous laisse pas utiliser ?
François — Oui, ils nous donnent pas les clefs.
— Et pourquoi, ils servent à rien alors...
François — Ils servent à rien, non.
— Et tu dis : « Les gens à côté ils gueulent », c'est qui ?
François — C'est les gens des appartements. Quand dans les entrées on parle trop fort, eh ben ils descendent, ils gueulent et tout.
— Oui, parce que vous avez pas d'endroit pour vous mettre...
Ali — Non, on sait pas où aller.
— Et ce local, c'est quoi ? Tu dis : « Il y a un local » ...
François — C'est une grande pièce. Avant, quand il était ouvert, il y avait une table de ping-pong et on jouait.
— Oui, et pourquoi c'est plus ouvert ? Parce que vous faisiez trop de bordel ou quoi ?
François — Non, parce qu'il a été cambriolé.
Ali — Non, non, c'est pas ça. C'est que aussi il y avait des gars des autres cités qui foutaient la merde et puis (...).
— Et vous pouvez pas vous démerder pour contrôler, c'est difficile...
François — Ça y est maintenant, ça roule bien, on s'entend mieux entre cités.

— Et il n'y a pas de terrain de sport…

François — Si, on a un terrain de handball mais c'est les gens d'à côté qui y vont.

— Oui, c'est ça, il y en a qu'un pour les deux cités, oui. C'est terrible ça. Et il y a des rivalités entre cités, un peu ?

François — Oui, il y en a beaucoup.

— Mais, c'est quoi, des bandes ?

François — Oui, plusieurs bandes.

— Et ces bandes, elles sont liées à quoi ? A l'école, à des trucs comme ça ? C'est des gens qui se connaissent ; ou par le quartier ou…

François — Oh ! il y a plusieurs bandes, (…) ; il y a les gens qui travaillent, les gens qui font du sport et tout. Les gens qui… qui font la fête.

— Et toi, tu es dans celle-là…

François — Non !

— Pourquoi tu rigoles ?

Ali — Il me fait rire.

— Tu me dis pas tout, là…

Ali — On se fait toujours insulter en fait dans notre cité ; comme hier, on a reçu des lacrymogènes par un gars, ouais, par un gars de l'appartement. La Gonflette.

— C'est un type que vous appelez comme ça ? Mais c'est qui, ce mec ?

Ali — C'est un mec qui envoie des lacrymogènes quand il y a du monde dans l'entrée.

— Pourquoi, qu'est-ce que vous faisiez, vous l'emmerdiez, non ?

François — Non, quand on est dans l'entrée, il habite au premier ; quand on est dans l'entrée, on parle ; des fois on parle, on crie.

— Mais c'était dans la journée, la nuit ?

François — Non, seulement le soir.

— Tard ?

François — Tard, vers dix heures, onze heures.

— Ben oui, il faut bien qu'il roupille, non ? De là à mettre des lacrymogènes, c'est beaucoup mais enfin si vous l'emmerdiez toute la nuit, ça se comprend un peu, non ?

Ali — Oui mais il pourrait descendre et dire…

— Oui, effectivement, il pourrait dire gentiment « allez plus loin » …

Ali — … plutôt que les lacrymogènes.

— *C'est ça, il a pas besoin de faire ça. Et d'où est-ce qu'il sort des lacrymogènes ce mec ?*

Ali — De sa fenêtre. Des lacrymogènes dans le bâtiment ; c'est nous qui prenons, c'est les jeunes. Enfin, c'est les grands qui prennent.

François — Oui, parce qu'ils vont voir les gens au-dessus, ils vont voir le gardien et puis ils disent… ça s'est déjà fait, ça. Ils disent « c'est toujours les mêmes » .

— *Et c'est qui le gardien ?*

François — Je connais pas. Il est jamais là, le gardien. Il habite pas là. Je crois qu'il fait plusieurs cités.

— *Et il y a beaucoup de problèmes comme ça ? Et ça retombe toujours sur les mêmes ?*

François — Oui, sur les plus vieux. Sur son grand frère [de Ali] et un autre grand.

— *Mais pourquoi, parce qu'on pense qu'ils sont responsables ?*

François — Oui, parce que ils croivent que c'est eux, les patrons. Ça doit être ça.

— *Mais quand ça tombe sur eux, c'est qui qui gueule, c'est les locataires ? Ils appellent la police ?*

Ali — Soit ils appellent la police, soit le lendemain ils vont voir le concierge et ils leur disent.

— *Et après ils se font engueuler…*

François — Ah ils se font engueuler. Vu que les gens, ils vont voir leurs parents.

— *Et les parents, ils gueulent…*

François — Bof ! ils ont l'habitude maintenant. Le premier jour oui, après ils viennent, ils viennent…

— *Et toi tu as fait quoi comme études ?*

François — Moi, j'ai fait le collège, de sixième à troisième. J'ai été en BEP, j'ai passé le BEP là, l'examen. Et puis…

— *Ça a pas marché ?*

François — Non j'ai raté. Parce que j'allais pas souvent à l'école, c'est pour ça.

— *C'est ça, tu séchais un peu ?*

François — Oui.

Ali — Oui, parce que c'est un peu loin de chez nous le collège. Ça arrange pas parce que si on était au lycée à côté, mais on était à je sais pas combien de bornes …

Le lycée qui est à côté, c'est pour les bons

— *Ah oui, ils vous envoient très loin ?*
François — Moi, je suis à dix kilomètres de chez moi.
— *Et comment tu vas à… ?*
François — En bus.
— *En bus… Et pourquoi ils vous mettent pas à côté ?*
François — Le lycée qui est à côté, c'est pour les bons. Pour les meilleurs.
Ali — Pour ceux qui ont bien bossé.
— *Et à l'école, quand tu étais petit, est-ce que tes parents t'aidaient dans ton travail ?*
Ali — Ah non, ben mon père, il sait pas lire. Ni écrire. Il y a que ma mère qui sait écrire. Elle a du mal. C'étaient mes grands frères…
— *Qui t'aidaient un peu…*
Ali — Et encore quand ils étaient là.
— *Et personne ne te disait « qu'est-ce que tu as à faire pour demain ? »*
Ali — Non, j'allais dans les études, parce que avant, après l'école, il y avait une heure d'étude. Et mon père il m'emmenait toujours.
— *C'est pas mal, ça…*
Ali — Si, c'était bien (…) mais c'était pas tous les jours. Et après, ça a commencé…
— *Quand est-ce que ça a commencé à aller mal ?*
Ali — Vers la sixième. Quand je me suis retrouvé avec tous mes copains.
— *T'étais dans une classe où il y avait tous les gens du quartier ?*
Ali — Oui, oui.
François — Oui, parce que le collège, c'était juste à côté de la cité.
— *Et le niveau était pas terrible dans l'ensemble ? Vous aviez tous des problèmes ?*
Ali — Ouais, tous.
— *(…) Mais en sixième c'est dur, parce qu'il faut commencer plein de choses nouvelles, c'est dur.*
Ali — Oui, mais si on aurait appris et tout, ben, on aurait réussi. Sans problème. Mais on préférait s'amuser. [*A cette époque, Ali sort avec un copain plus âgé – de 19 ans – qui avait quitté l'école ; il comprend trop tard qu'il aurait fallu travailler.*]

— *(...) Et les profs, ils vous disaient pas...*
Ali — Oh ! Ils s'en foutent les profs.
— *Ils s'en foutent ?*
Ali — Mais dans notre cité, il y a personne qui va à l'école.
— *Tu veux dire quoi ?*
Ali — Les plus vieux, quoi.
— *Il n'y en a aucun qui va au lycée ou qui va à la fac, il n'y en a aucun ? Ou dans des grandes écoles ?*
Ali — Non.
— *Aucun, aucun ?*
Ali — Si, il y en a deux, trois. Sinon le reste il travaille, le reste ils sont en cabane et puis...

On faisait des conneries

— *Oui, en cabane, au chômage ou au travail. Vas-y, là tu allais dire quelque chose... Non ? T'as pas pensé à faire du sport, parce que, je sais pas, tu es costaud, je sais pas, c'est une manière de...*
Ali — On en a fait du sport, c'est pas intéressant. On reste pas longtemps avec eux.
— *Pourquoi pas longtemps ? T'avais beaucoup de choses à faire ?*
Ali — On faisait des conneries.
— *Mais quoi par exemple ? Tu peux dire, hein, vraiment : je ne suis pas de la police...*
Ali — Non. On volait et tout.
François — Mais ça, ça dure qu'un temps aussi.
— *Oui, mais c'est à moitié pour jouer.*
Ali — C'était un loisir. Quand on s'emmerdait, ben, on y allait.
— *Mais quel genre ? Des petites conneries ? Ou des grosses conneries ?*
Ali — Pour nous ? On était jeunes encore à cette époque-là.
— *Vous aviez quel âge ?*
Ali — 12 ans.
— *Oui, c'est ça 12, 13 ans...*
Ali — Des bonbons, des gâteaux, du parfum et tout. Mais les plus vieux, ils prenaient de l'alcool ; c'est ça qui a détruit plein de mecs, l'alcool et puis la drogue.
— *Oui, et puis quand il n'y a rien d'autre à foutre, oui, ça se comprend.*

Ali — Oui, et même pour sortir en boîte, ici, dans les environs, ben, comme moi, mettons moi, on rentre pas, les Arabes ils rentrent pas. Alors le soir qu'est-ce qu'on fait quand ils rentrent ? On fait le bordel.

— [*s'adressant à François*] *Même si tu es avec lui ?*

Ali — Lui, il rentre pas, lui, si je rentre pas, il rentre pas.

— *Oui d'accord, mais, lui, on le laisse passer et toi on t'arrête...*

Ali — Plusieurs fois même. Même avec des filles. On m'a dit « essaie avec des filles », ben, devant tout le monde, ils disent « non, t'es pas client, t'es pas habitué ».

— *C'est dégueulasse, ils ont pas le droit.*

François — Oui, et puis, en fin de compte, pour être habitué, il faut y aller au moins une fois.

Ali — Et ils te prennent pas, je sais pas qu'est-ce qu'il y a.

— *Ça révolte, ça...*

Ali — Oui, enfin ça... c'est énervant, à force.

— *Et ça t'est arrivé, là, à tous les deux, vous y allez, toi, on te laisse passer et lui, on l'arrête ?*

François — Oui, beaucoup de fois, on nous a fait ça.

— *Et toi, tu gueules, tu dis « pourquoi ? » et il disent rien...*

Ali — Ben, qu'est-ce que je pourrais dire ?

— *Non, tu peux rien faire.*

François — Si. Quand c'est des filles, elles peuvent parler quand même. Quand c'est des filles, elles peuvent parler, les filles, dire « ouais, c'est mon mec, il est avec moi et tout ». Mais ça marche pas quand même.

— *Même ça, ça ne marche pas ?*

Ali — On a déjà essayé plein de fois.

[...]

François — Oui, il faut être habitué. il pouvait pas être habitué ! C'est à peu près ce qu'on leur disait, « au moins qu'il rentre, comme ça il sera habitué ».

Quand ils ont pas de sous pour en acheter, ben, ils cassent

[...]

Ali — Ben, même les flics, plusieurs fois ils sont venus dans la cité, une fois, tu te rappelles, quand ils nous ont mis la bombe lacrymogène ?

— *Pourquoi ça ?*

Ali — Ben, on était dans l'entrée et un gars, il voulait se suicider ou je sais plus quoi. Et puis eux sont venus après, la police. En descendant il y a un de nous qui a crié « mort aux vaches », ils sont remontés et puis ils nous ont cherchés, ils nous ont cherchés. Et puis nous, on parlait pas. Et puis après ils nous ont dit « bande de lâches » et puis ils sont repartis. Tous ceux qui étaient entrés, ils ont sifflé, ils sont revenus, ils ont mis du lacrymogène, ils sont partis. On s'est sauvés.

François — Oui, et puis ils ont bousculé aussi quelqu'un.

Ali — Jean-Marie ?

François — Oui, Jean-Marie, ils savent qu'on peut pas les frapper, alors ils viennent nous chercher.

— *Et quand vous êtes solidaires, justement entre Beurs et Français, ça les trouble pas les flics, ça ? Je sais pas, si c'est toi qui dis « c'est dégueulasse », non, ils s'en foutent…*

Ali — Oui, ils s'en foutent. Une fois il y a un Arabe dans la cité, il s'est fait frapper par des keufs au milieu de la cité, ben, un Français est venu pour l'aider ; il leur a dit, « ouais c'est pas juste ce que vous faites, vous avez pas le droit », ben, ils l'ont embarqué aussi, ils l'ont pris au commissariat, même lui, ils l'ont frappé et puis ils l'ont relâché le lendemain matin.

— *Et c'était qui, ce mec ?*

Ali — C'était un copain de notre cité, Gilles. Comme là, il va y avoir une ducasse, là, comme tous les ans il va y avoir de la bagarre, c'est nous qui vont prendre encore. On va pas être là le samedi, on va bouger.

François — Samedi et dimanche.

— *Oui, ça retombe toujours sur vous…*

François — Oui, parce que il y a des gars d'autres cités, pas de notre cité à nous, mais des gars d'autres cités, ils viennent avec… [*silence*]

— *Vas-y, vas-y…*

François — Ils viennent là avec des trucs, du… [*silence*]

Ali — Vas-y, dis-le…

François — Ah, ils viennent avec de la drogue. Quand ils ont pas de sous pour en acheter, ben, ils cassent. [*silence*] (…)

Ali — Oh ! on se démerde. On est majeurs, on se démerde. Il n'y a pas longtemps, on est passés au tribunal. Pour une mono.

— *C'est quoi, une mono ?*

Ali — Une monitrice.

— *Pourquoi ça ? Pourquoi ?*

Ali — Une petite dispute. Ben, ils nous ont mis, le juge, parce que je rigolais quand ils nous ont jugés, il m'a mis huit jours de sursis plus 1 200, 1 200 francs, je crois, d'amende. Parce que j'ai rigolé seulement.

— *Parce que t'as rigolé quand elle te lisait la...*

Ali — Oui, vu que moi, il y a des copains qui sont venus avec moi ; moi, je savais pas qu'on n'avait pas le droit d'amener nos copains et eux sont venus et puis ils m'ont fait rire.

— *Pas de boulot, les types de votre âge, dans le coin ?*

Ali — Non. Ou ils font des stages.

— *Oui, des stages bidon...*

Ali — Oui, c'est pas intéressant ; gagner 1200, c'est pas intéressant ; il y en a qui gagnent ça en une heure. (...)

— *En même temps c'est quand même pas non plus une solution. Et il n'y a pas... je ne sais pas... Si par exemple un type trouve un boulot et il se démerde pour faire venir les autres et tout ça...*

Ali — Si. Les grands ils font ça.

François — Mais ils montent à Paris. Comme là, tous les grands de notre cité, ils sont à Rouen, là. Il y a une usine Peugeot, là. Ils travaillent tous là.

— *Mais comment ils ont trouvé ça ? Il y en a un qui a trouvé et puis après il a fait venir les autres, quoi ? C'est ça.*

Ali — Parce que moi, c'est l'armée qui me bloque là, sinon j'y aurais été aussi.

— *Oui, c'est ça parce que tant que tu travailles pas, t'as pas de fric... Et en ce moment les ressources, c'est quoi, c'est tes parents qui te donnent un peu de fric ?*

Ali — Oui, de temps en temps.

[...]

— *Et qu'est-ce que tu faisais comme sport de combat, toi ? Du karaté ou... ?*

François — C'est de tout, de la bagarre de rue, là. C'est du bidon aussi.

— *C'est bidon ? Où est-ce que tu faisais ça ?*

François — Dans la rue du commissariat, là.

— *Ah oui, près du bloc ?*

François — Oui, c'était du bidon.

— *C'était pas sérieux ?*

François — Tout ce qu'on apprenait on le savait déjà ; c'était pas la peine de l'apprendre.

— *Et la boxe, t'as pas pensé ?*

François — Une fois j'y étais, mais c'est trop loin le trajet. J'avais pas de moyen de locomotion.

— *T'as pas une mobylette, tout ça ?*

François — J'ai rien.

— *Combien ça coûte maintenant une mobylette ?*

François — 2 000 balles.

Ali — Au magasin ? 3 000.

François — T'es fou ! Au magasin c'est au moins 4 000, 5 000. Faut acheter magouille. Faut l'acheter aux gars. C'est obligé.

— *« L'acheter magouille », c'est quoi exactement…*

Ali — L'acheter magouille, c'est un truc.

[…]

Ali — Il y avait des histoires avec des inspecteurs dans notre cité. Il y a un inspecteur qui s'est fait frapper dans notre cité.

— *Ah bon, et pourquoi ça ?*

Ali — Parce qu'il lui a pas fait voir sa carte. Il frappait d'autres jeunes, des jeunes de l'autre cité ; et puis un copain à nous est venu le défendre et puis normalement le flic il doit faire voir sa carte, il l'a pas fait voir.

— *Alors il s'est fait esquinter ?*

Ali — Il a sorti le flingue après et puis il s'est sauvé, mon copain, mais il s'est fait attraper après.

— *Mais il a été en…*

François — Une semaine. Là, il est en sortie provisoire, je crois bien. Liberté provisoire.

— *Et toi, le juge elle t'a… t'as pas été gardé, là…*

Ali — C'est ma première histoire en étant majeur. Ça fait pas longtemps que je suis majeur, là, ça fait sept mois je crois.

— *Avant t'en avais eu ?*

Ali — En étant mineur (…)

— *C'est des histoires de vol, des trucs comme ça ?*

Ali — En Belgique. Oui, des petites histoires, des petites conneries.

— *Oui, mais après ça te suit, dès que tu bouges, on te repère.*

Ali — C'est des conneries à pas faire.

— *Oui, mais on fait ça autant parce qu'on s'emmerde…*

François — Ben, c'est quand il nous faut des sous. Quand il nous faut plein de fric, quand, mettons, on voit des beaux blousons ou bien des beaux pantalons et tout. Eh bien, il nous les faut, les sous. Ça, c'était avant, dans le temps.

— *Pourquoi tu rigoles ?*

François — Il rigole.

— *Tu dis pas tout, toi ?*

François — Non, moi, c'est fini, je traîne plus avec eux ; avant je traînais.

Ali — Il est casé. [*Il a une petite amie*]

— *Maintenant t'es casé ? Mais qu'est-ce que tu en penses ?*

François — Non, moi, j'ai vu tous leurs trucs qu'ils faisaient, je suis parti. (…)

Ali — C'est une fille qu'il nous faut.

François — Pourquoi une fille ?

Ali — Pour plus faire trop de conneries. […]

Il y avait l'appareil pour les diapos, mais il manquait les diapos

Ali — Oui, si on n'a pas de moyen de transport, pas de sous, comment est-ce qu'on peut se déplacer ?

— *Y a pas de bus ? Il n'y a rien vers D. ?*

Ali — Si, il y a des bus…

— *Mais pas beaucoup…*

Ali — Sur D. seulement. Mais pour faire les boîtes d'intérim il faut aller partout. Faut aller à Lens, faut aller à Lille, il faut une voiture mais enfin…

— *Et vous n'avez pas de bagnole. Aucun des copains n'en a ?*

Ali — Non. J'ai bien ma sœur, mais ma sœur, elle n'a pas de travail ni rien. Mais là, notre cité, ils passent tous leur permis en ce moment. Après ça va peut-être se rebouger.

— *Oui, c'est ça, oui le samedi, tout ça, vous êtes coincés là…*

François — Oh, on va bouger. On attend le mec qui est parti à l'île de la Réunion, là. Et puis après ça, ben, c'est bon. Lui au moins, il aura le permis, je crois.

— *Oui, parce que, en plus, vous avez pas le permis, pour la plupart… comment vous pourriez apprendre, il n'y a pas d'auto-école, de truc comme ça.*

Ali — Une fois au club ils ont voulu le faire, l'éducateur, il a voulu le faire, ça…

— *C'est une bonne idée, ça ?*

Ali — Oui, mais il fallait les diapos aussi.

— Ah oui, c'est ça.

Ali — Il fallait qu'un gars les demande où il va, là, à l'auto-école. (...) Il y avait le truc, l'appareil pour les diapos, mais il manquait les diapos du code, hein, pour apprendre et tout. Non, mais en voiture, il y en a beaucoup qui savent rouler. Mais c'est le code qui... Et puis il y a des copains, deux fois ils l'ont passé, deux fois ils l'ont loupé.

— A cause du code toujours ?

François — Oui, du code. Et puis il y a un autre gars, là, qui roule sans permis, il va sur Paris, il bosse. Lui, il s'en est bien tiré.

— Et qu'est-ce qu'il fait comme boulot...

François — Il travaille... je sais plus, moi, qu'est-ce qu'il fait.

Ali — Il m'a dit qu'il travaille sur Paris, il se fait un bâton et des poussières.

[...]

— Oui, c'est toi qui me disais ça, qu'au service militaire, il y en a beaucoup qui ont déserté parce que ça marchait pas.

Ali — Oui, parce que c'était, c'était chiant.

— Quand tu dis beaucoup, il n'y en avait pas 36, quoi...

Ali — Non, cinq, six.

— Tant que ça, quand même ? Qui étaient de...

François — Des cités à nous et puis à côté.

— De votre âge, à peu près ?

Ali — Il y en a un qui n'y avait même pas été, qui en avait déjà marre. Il avait pris des cachets avant de partir.

— Qu'est-ce que tu veux dire, des cachets ?

Ali — Des... comment on appelle ça ?

François — Des somnifères.

— Pour se suicider ? Ou quoi ?

Ali — Ouais, tentative de suicide. Mais c'est une feinte.

— Oui, c'est ça, pour essayer d'être réformé ?

Ali — Ouais.

— Et ça marche, ça ?

Ali — Ouais, ça marche, il s'est fait réformer.

François — Oui, il s'est fait réformer aussi chez les fous.

Ali — Oui, mais P4, ça ne vaut pas le coup. Ça ne vaut pas le coup, ça.

— La formule P4, c'est quoi, ça ? On t'envoie...

François — C'est quand on est pas normal, P4, et pour chercher du boulot, ça va pas ça..., dur. Il vaut mieux faire l'armée.

— Alors tu dis que y en a un qui est parti aux paras et puis après il a foutu le camp ?

Ali — Oui, parce qu'ils l'ont incarcéré dans un autre…

— Qu'est-ce qu'il avait fait ?

Ali — Il s'est battu. Il se battait souvent. Et puis ils l'ont mis dans une caserne disciplinaire, je crois. Il en a eu marre, il s'est saqué, il s'est sauvé.

— Et il y en a beaucoup comme ça, j'avais jamais entendu parler de ça. Ils supportent pas la discipline ? Ils s'emmerdent ?

Ali — Ils ont pas l'habitude de recevoir des ordres.

— Oui, c'est ça ; et au boulot c'est pas un peu le même problème ? Il n'y a pas des emplois temporaires, intérimaires, des trucs comme ça, il n'y a pas des petits boulots, il n'y a même pas ça ?

François — Il y a des gars qui travaillent – regarde Jean-Luc – ben, pendant six mois il s'est pas fait payer.

— Au bout de six mois on l'a pas payé ?

François — Oui, et puis il est pas encore pris en contrat.

— Et il continue ?

François — Oui, il continue de temps en temps, mais il touchait seulement 2 030, non 2 300.

— Et pour beaucoup d'heures ?

François — Il a 260 heures en trop, il m'a dit, c'est un SES qu'il fait. Un stage.

— Oui, ça encourage pas beaucoup à chercher du boulot.

François — Non, c'est chiant.

Et puis on aime bien faire les… les casseurs

— Et tu disais tout à l'heure que, dans le sport de combat, t'avais rien appris ; comment t'avais appris, il y a beaucoup de bagarres ?

Ali — Oh ! en étant jeunes, quand on était petits, oui, on se battait souvent entre…

— Oui, à l'école comme ça, contre les mecs des cités voisines.

Ali — Même entre nous des fois. Ouais, tout le monde voulait être patron.

François — Mais après, cinq minutes après, on se reprenait. C'étaient des bagarres bidon.

— Et puis on aime bien faire les…

Ali — … les casseurs.

— *Voilà, c'est ça. Mais vous avez pas l'air bien méchants, quand même, ni l'un ni l'autre, c'est bizarre…*

Ali — Non, on est… (…)

— *Et vous parlez politique entre vous ? Ou pas beaucoup ?*

Ali — Non.

— *Vous vous en foutez un peu, c'est pas que vous vous en foutez mais vous savez pas trop quoi en penser ?*

Ali — Non, de la politique pas trop. [*Photos – interruption.*]

— [*Sort un moment après avoir suggéré à François et à Ali de continuer en son absence à s'interroger mutuellement, tour à tour, devant le magnétophone*] *Alors tu continues à l'interroger ?*

Ali — Non, il m'interroge, il a dit.

— *Ah c'est lui ? Allez, vas-y, on va voir si tu fais bien.*

François — Je pose aussi les mêmes questions qu'il m'a posées ?

— *Non, non, tu lui fais dire ce qu'il a pas voulu dire. (…) Qu'est-ce qu'il t'a donné le juge, là, comme sanction ? 1 200 francs ?*

Ali — Et huit jours avec sursis.

— *Et tu en avais déjà eu avant ?*

Ali — Non, j'étais mineur.

— *Et ça, ça te suit une fois que t'es emmerdé en tant que mineur ?*

Ali — Oui, si jamais je refais une connerie, que je me refais pincer, ben, les jours que… je devrais les faire. (…)

— *Ça t'a attiré des ennuis, qu'est-ce que t'avais eu…*

Ali — C'était pour un vol de mobylette, je crois. Ils avaient pris des photos, des empreintes. Pour un petit truc.

— *Mais c'était à quel âge que t'avais ça ?*

Ali — Ça, je l'ai eu quand j'étais en quatrième, j'avais 16 ans, je crois. 15 ans.

— *Ils t'avaient chopé ?*

Ali — Non, je me suis fait pincer. J'arrivais pas à courir.

— *Et sur le fait, quoi ? Oui… ils t'ont interpellé, ils t'ont emmené et après…*

Ali — Les photos et tout.

— *Mais ils t'ont pas gardé, là ?*

Ali — Ils ont appelé mes parents, j'étais mineur. Ce jour-là je me suis fait démonter. Ils voulaient me garder, mais mon père est venu me chercher.

— *Qu'est-ce qu'ils lui ont dit à ton père ?*

Ali — Ils lui ont raconté l'histoire.

— *Il t'a engueulé ton père ?*

Ali — Oui, il voulait me démonter. C'est normal, hein. Je le comprends.

— *Oui, il devait être emmerdé.*

C'est toujours les mêmes qui prennent

Ali — Oui, et puis c'est mieux, grâce à lui j'ai plus fait de conneries. Je lui pose une question [*à François*], hein.

— *Vas-y. Il a pas répondu encore ?*

Ali — Non, je voulais lui demander si il voulait déménager, si ça lui dirait ou si ça lui dirait pas.

François — Déménager ? Si je déménage, peut-être plus vieux.

Ali — Mais maintenant ?

François — Maintenant...

— *Tu la regretterais la cité, là ?*

François — Non, parce que ça fait 19 ans que j'habite là-bas.

— *Donc tu connais tout le monde ?*

François — Je connais tout le monde, j'ai tous mes copains là-bas. (...) mais peut-être si je déménagerais, ce serait pour partir avec...

— *Pour te marier ?*

François — Oui pour me marier, pour faire ma vie.

— *Et toi, si tu pouvais, tu aimerais déménager ?*

Ali — Déménager, oui, ça me dirait ; mais je vais regretter quand même ; parce que c'est dur de déménager, on n'est pas habitué avec eux et tout et ça dépend où qu'on tombe.

— *Oui, mais enfin beaucoup de vos ennuis viennent de ce que vous êtes dans cette cité. C'est ça le problème.*

Ali — Oui, c'est ça. Ça, il y a des gens, il vaut mieux déménager, des (...).

— *(...) Ce qu'il faudrait, c'est peut-être que ça soit mieux, que... les bâtiments... ils sont quand même assez moches, non ?*

François — Les bâtiments, là, si vous voulez parler des dégradations et tout ça... Chaque fois qu'il y a des trucs de cassés, c'est les jeunes qui prennent.

— *Mais c'est quoi, c'est les ballons qui cassent les vitres, des choses comme ça.*

Ali — Non, c'est les portes d'entrée, les carreaux, les boîtes aux lettres. Les portes d'entrée.

— Mais qu'est-ce qui fait ça, c'est un peu les jeunes ?
Ali — Oui, c'est un peu les jeunes.
François — Oui, mais c'est pas toujours, et c'est toujours les mêmes qui prennent. C'est ceux qui font rien qui prend.
— C'est ça que tu voulais dire tout à l'heure, les types qui sont repérés un peu, ça tombe sur eux, c'est ça que tu veux dire ? Et toi, t'es un peu comme ça, non, t'es repéré... quand t'étais petit, non ?
Ali — Oui, mais maintenant non. Moi, je suis avec des plus vieux que moi, avec son grand frère et encore un grand, mais c'est eux qui prennent c'est... en plus de ça c'est eux qui nous disent de pas le faire...
François — C'est dommage pour eux.
— Pourquoi, on dit que c'est des chefs de bande ou quoi...
Ali — Oui, enfin ils disent que c'est eux qui les entraînent. Ils se mettent ça dans la tête.
— Oui, mais tu disais tout à l'heure qu'il y avait des bagarres comme ça entre cités il y a quand même des bandes.
Ali — Oh oui, il y a plusieurs bandes, c'est des autres qui viennent, qui cassent et puis c'est nous qui prenons.
— Mais pourquoi, parce qu'il y a des bagarres...
Ali — Parce que il y a des cités, ils veulent jouer trop au mac. Ils veulent jouer au plus fort, au plus patron et tout. Sinon, là, ça va mieux, on s'entend mieux. Il y a une boîte là qui ouvre et puis il y a plus d'Arabes qui rentrent et puis il y a que là qu'on peut y aller.
— Alors du coup, ça va mieux...
Ali — Mais enfin, c'est chiant vu qu'on connaît tout le monde. En boîte, ça ne vaut pas le coup, quoi. (...)
— Il faudrait pouvoir aller dans les endroits loin où vous êtes pas connus, que vous voyiez des gens différents.
Ali — Comment aussi ? Avant on faisait ça, on se tapait des galères pour aller loin. Maintenant c'est fini, personne ne donne plus de vélos aux jeunes.
— Pourquoi ça, parce que ça coûte trop cher, parce que...
Ali — Avant on avait tous des vélos. On partait loin, à (...) et tout, maintenant c'est fini.
— Pourquoi, c'est trop crevant ?
François — Parce que c'était l'école, on prenait les trains. Et il y en a beaucoup qui ont déménagé de notre...
— De votre bande, là, de vos copains. [...]

Tout ce qu'ils disent à la télé, ils le croivent

— Oui, c'est ça. Et toi, tu penses pas à... oui, après le service, toi, tu as dit ?

Ali — Oui, moi je suis sûr et certain que c'est sur Paris si... soit sur Paris ou soit dans le Sud. Je comptais le faire avec [François], mais vu qu'il est casé et tout, il vaut mieux pour lui qu'il reste. Sinon on devait le faire, ça, il y a longtemps, bouger dans le Sud.

— Et qu'est-ce que tu vas avoir, alors, toi...

François — Ben, mes diplômes... Un CAP.

— Et peut-être que tu peux trouver un job au même endroit que lui...

François — Oui, mais comme je dis, on ne va pas rester toute notre vie ensemble ; un jour il faudra bien se séparer.

— Ben oui, mais comme vous êtes copains, pourquoi pas essayer...

François — Ben oui, mais si on trouve, on trouve pour tout le monde. Si il y a un gars qui travaille, il se renseigne pour les autres. Et puis (...). C'est mieux.

— C'est pour ça que je te demandais si t'avais pas des cousins, des... c'est comme ça qu'on peut...

Ali — Des fois, c'est les parents, ils font pas confiance, ils pensent qu'on va se perdre ou... C'est comme moi, je devais aller au Maroc cette année, tout seul, eh ben, ma mère elle m'a dit non. Elle m'a pris pour un gosse. En fin de compte pour le Maroc, c'est ça.

— Oui, surtout ayant de la famille, c'est pas...

Ali — Ben, on sortait pas, nous, le soir, avant, on sortait mais pas tard, tard ; donc ils [les parents] avaient peur ; tout ce qu'ils disent à la télé, ils le croivent, eux.

— Oui, c'est ça, ils pensent que la cité c'est dangereux, que... C'est ça ? Oui, il y a aussi un garçon qui m'a dit que son père avait tout le temps peur, quand il reçoit un papier, il sait pas lire, alors dès qu'il reçoit un papier ou n'importe quoi, il a peur. Ça se comprend aussi parce que pour eux, c'est pas rigolo. Quand on sait pas lire et écrire, c'est vrai que c'est difficile.

François — Ben, nous dans notre cité, il y a des gars qui ont du mal à lire et à écrire.

— Ah bon ? Des gens de ton âge...

François — Ouais, et aussi de plus vieux.

Ali — Ouais, il y en a même des plus vieux qui, si, ils savent lire, mais ils ont du mal, quand on lit robot… ou bien on lit…

— *Ah bon ? Beaucoup ?*

Ali — Il y en a beaucoup. Il y en a au moins 80 %.

— *Et tu dis 80 %, c'est pas possible 80 %, tu te rends compte ? huit sur dix !*

Ali — Oui, mais de nous, de notre bande, hein.

— *De ta bande…*

Ali — Nous, on est au moins, 20, 30, on est. Ben, il y en a combien qui savent lire ? Bien, moi je parle à lire bien. Il y en a dix. Les autres ils lisent mal.

— *Quand tu dis une bande, c'est vous qui vous retrouvez, quoi, tout le temps…*

Ali — Quand on fait des matches de foot, quand on est plusieurs. Sinon lire, tout le monde il sait lire, mais, eux, ils lisent mal.

— *Avec de la peine, quoi. Ils trébuchent sur les mots, ils comprennent pas bien ce qu'ils disent, c'est ça ?*

Ali — Oui, et puis ils lisent robot, mot par mot. Ils bloquent sur des mots, il y a des gens.

Même moi, je lis robot, j'arrive à lire, mais robot

— *Ça, j'aurais pas cru, tu vois.*

Ali — Même moi, je lis robot. J'arrive à lire, mais robot.

— *Pourquoi tu lis robot ?*

Ali — Parce que moi, chez moi, quand j'étais aux X, je lisais jamais, à l'école je lisais jamais.

— *On ne vous faisait pas lire à haute voix…*

Ali — Si, mais on refusait.

François — On voulait jouer au je sais pas quoi.

— *C'est quoi, pour épater les copains, pour faire le dur…*

Ali — Non, on aimait pas, quoi. On n'aimait pas lire. Justement lire, c'est simple de lire. Mais avec du mal on lit.

— *Tu es allé jusqu'en troisième, il fallait quand même que tu saches lire…*

Ali — Oui, je sais lire, oui je sais lire…

— *Mais pas facilement, quoi.*

Ali — Oui, dur.

— *Et tu lis le journal, des choses comme ça ? Non jamais ? Il faut, hein.*

Ali — Oui, vaut mieux, quoi. Sinon lire, écrire, compter et puis tout, là, on sait tous faire. Tout le monde sait.

[*Sorte d'interlude pendant lequel François interroge Ali, en l'absence de PB, sur la Roseraie – « c'est sale » –, sur le club – « toujours fermé » –, etc.*]

Ali — Oui, quand je rentre dans mon bloc, il y avait la femme du deuxième, il y a sa sœur qui vient et puis qui nous engueule tout ça.

— *Et elle habite pas là, la sœur…*

Ali — Non, elle habite pas là, elle habite dans la maison.

— *Et qui c'est ces bonnes femmes ? C'est des Françaises du coin ?*

Ali — Ah ! c'est des Françaises qui aiment pas les Maghrébins…

François — C'est deux sœurs, deux racistes de la cité. (…)

— *Mais il y en a d'autres comme elles ?*

Ali — C'est les deux et puis…

François — (…) Non, il n'y en a qu'une.

— *Et les gardiens ? Comment ils sont, eux, ça va… ?*

Ali — Ils sont là l'après-midi, de une heure à une heure et demie.

François — Et puis au matin aussi, mais ils habitent pas là. Normalement ils doivent habiter dans le quartier, les gardiens.

Ali — Oui, mais il y a un homme, il est venu habiter. Il a 28 ans. Lui il est super cool. Grâce à lui on a fait des sorties et tout. Il nous a beaucoup aidés.

— *Et c'est qui ce mec ?*

Ali — Karim. C'est un bonhomme, même lui, il travaille à Paris maintenant, on le voit plus. Sinon le soir, il discutait avec nous, il nous faisait de la morale.

— *Et il fait quoi comme job, celui-là ?*

Ali — Il fait jocker, il roule les voitures.

— *Il est instruit ce type ?*

Ali — Il habitait en Algérie, il a fait cinq ans d'armée en Algérie, il était engagé et puis il a arrêté, quoi. Il est venu ici, il a eu ses diplômes et puis de là il est parti, il travaille ; il fait les boîtes d'intérim et tout.

François — Et puis il nous rend des services aussi. (…)

— *Et ce Karim, comme ça, il était sympa avec vous ?*

Ali — Il faisait tout avec nous, des foots, des… nous rendre service, quoi. Il nous prenait où on voulait, on lui demandait, il nous prenait. (…)

— *Au fond si il y avait quelques mecs sympas, ça irait déjà beaucoup mieux...*

Ali — Il n'y avait que lui qui comprenait les jeunes.

— *Mais quel âge il avait, 28 ans ?*

Ali — 28, 29 ans.

— *Et maintenant il est parti ?*

François — Non, non, il habite toujours à X mais il travaille en déplacement. Il est là tous les samedis et dimanches.

— *Et lui, il peut pas expliquer à ces femmes...*

François — Ils écoutent rien. Ça va maintenant, elles se sont calmées, mais à un certain moment ils comprenaient rien. Il y en avait plusieurs, là, c'est pas de notre bande, c'est une bande de grands. Ils sont à cinq. Là ils sont tous enfermés [*en prison*]. C'est quand ils sortent que vraiment... Il y en a seulement deux qui sont sortis. Il y en a encore trois, quatre.

— *Et pourquoi ils ont été arrêtés ? Des trucs de drogue ?*

François — Oui, et puis vol de voiture. Et puis braquage. Là, ils vont sortir. Et puis quand ils sont en bande, eh ben, ils boivent, ils fument et tout et puis...

— *Ils foutent la merde...*

Ali — Ah le boxon, quoi.

— *Et ils habitent dans la cité...*

Ali — Non. Il doit y en avoir deux qui habitent dans la cité.

— *Ils viennent d'ailleurs, alors.*

Ali — Ah oui, pour pas se faire remarquer. Et puis l'un c'est le patron.

François — Oui, il y en a trois qui sont sortis.

Ali — Oui, il y en a encore un autre qui est sorti.

François — Mais ils comprennent rien. Mais je sais pas, mais si jamais... je souhaite pas, si jamais je rentre le soir, j'arrête tout. Eux, ils comprennent pas. Ils font seulement que des aller-retour [*entre la prison et la maison*].

— *Oui, et puis ils ont des armes, non...*

François — Ils ont des armes, ils ont de la drogue, ils ont tout.

— *Ils font régner un peu la terreur.*

François — Ah question terreur, c'est des... Un. Seulement un, c'est le plus (...). Les autres, non, tu peux les, vous pouvez les... C'est grave.

— *Oui, et quand ils sortent, tout le monde a un peu la trouille.*

François — Oui, on a la trouille ; ou bien il y a plusieurs bagarres de familles, même dans notre cité, tu crois pas (…) ? Des bagarres de familles, c'est dangereux, ça.

— C'est quoi ça, les bagarres de familles ?

Ali — C'est deux familles qui se battent entre eux. Et vraiment tous ensemble.

— Mais pourquoi ça ?

Ali — Pour rien. Pour des histoires de… des conneries.

— C'est pas des histoires de mariages ou de trucs comme ça, non ?

Ali — Non, c'est des conneries de la radio.

— De la radio ?

Ali — Un gars, là, Eric, il avait son poste, l'autre il voulait lui prendre et puis son copain, il est venu le défendre ; ils se sont battus, son frère est descendu, il a appelé son frère.

— Ah, il y avait toute la famille après, c'est ça. C'est des grandes familles ?

Ali — Oui, c'est des grandes familles.

— Ils sont très très nombreux ? Ils sont d'où ? D'Algérie ?

Ali — D'Algérie.

[…]

Quand tu parles aux meufs, tu leur dis « j'habite à La Roseraie »…

Ali — Oui, mais ça va ? C'est calmé quand même, La Roseraie. Il n'y a plus rien. C'est seulement une petite réputation qui est partie. Une sale réputation. Et puis ça fait drôle quand on parle mettons avec des filles qui habitent dans une cité plus propre, plus… Vous leur disez « j'habite à La Roseraie » …

— Aussitôt elles se méfient, quoi.

Ali — Non, elles s'en vont. C'est pour ça, c'est pas bien. On est obligé de baratiner.

— Oui … et pareil pour toi, ça ? (…)

Ali — Quand tu parles aux meufs, tu leur dis « j'habite à La Roseraie »…

François — Maintenant je parle (…), elles nous prennent pour des délinquants. (…)

— Ta copine, elle est de la cité aussi ?

François — Ouais, elle est de la cité.

— *T'habites avec elle ?*
François — Comment habiter ?
— *Je veux dire : tu vis avec elle ? T'es pas marié encore.*
François — Non, non je suis pas marié. Non je suis pas avec elle, non.
— *Tu vas te marier après le service, quoi ?*
François — Non, il faut qu'elle travaille. Et puis moi aussi évidemment.
— *Et toi, t'as une copine ?*
Ali — Ben moi, c'est vite fait, bien fait. Non, moi, c'est vite… [*il rigole*] Non, moi j'aime pas qu'elle… Faut vraiment qu'elle est bien. Parce que les filles qu'on connaît sont pas sérieuses. Vaut mieux connaître des filles qui sont bien, sérieuses, mais c'est dur à trouver.
— *Oui, et celles qui vont avec vous, elles sont pas…*
Ali — Non, elles sont pas sérieuses. Vous lui tournez le dos, ben, ça y est, vous la voyez plus. Elle est déjà avec un autre.
— *Tu disais qu'il n'y en avait qu'une qui sortait avec vous, de la cité…*
Ali — Oui, mais c'est une sœur d'un copain. On la considère comme une copine. Comme un mec, quoi, comme un copain ; elle est sympa, elle.
— *Et les autres filles, c'est des filles que tu connais comment ? Dans les boîtes, les trucs comme ça ?*
Ali — Oui dans les sorties, ou bien à l'école ou bien les grandes sœurs des autres copains.
[*Évocation d'une femme de la cité, française : « Elle nous parle bien et tout. » « Quand il y a des gens qui parlent sur nous, elle vient nous prévenir. » Retour sur l'engrenage de la violence.*]
François — Même les p'tiots de notre cité, ils commencent à faire des conneries…
— *Qui ?*
François — Des petits, là. Dans notre cité. Ils ont 10 ou 9 ans.
Ali — Ils font des conneries, ils vont dans les jardins des autres, ils prennent des cerises…
— *Oui, mais ça, t'en faisais aussi…*
Ali — Oh, on est tous passés par là mais…
François — Ils font tout aussi, les vélos.
— *Ah oui, mais tu penses que c'est pire, que ça s'aggrave ?*
Ali — Ben oui, nous on n'a pas commencé comme ça, on n'a pas

commencé aux vélos. Et maintenant tous les petits de notre cité, ils fument. Les petits entre 13 ans, 14 ans.

— Quoi ? Du haschich ou…

Ali — Non, la cigarette.

— La cigarette, oui.

Ali — Les petits, à 14 ans ils commencent à la cigarette, à 15 ans c'est…

— Mais ils ont le fric pour ça ?

Ali — Ils chinent ou bien ils trouvent.

— Mais tu penses qu'en fait ça s'aggrave, que ça descend…

Ali — Ouais, ouais. Après la cigarette, qu'est-ce que ça va leur faire, ça va faire une habitude. Après ils voudront être bien. Ils vont commencer à toucher. Il y a un gars dans notre cité, quel âge il a ? Il doit avoir 15 ans, ben lui, il fait tout, il prend des cachets, le haschich, l'alcool, il est pas dans notre cité, il est de (…). C'est une autre cité. Il a arrêté l'école et tout. Il est paumé, quoi. Mais moi je suis pas envieux parce qu'il aurait pu faire mieux, parce qu'il est bien bâti, il est plus grand que nous et il a 15 ans. Mais il déconnait. Dommage pour lui.

— Quel gâchis…

Ali — Et lui, il se rend pas compte ce gars-là, qu'il vole pour les autres.

— Pourquoi, il vole ? Il vole quoi…

Ali — Pour son patron.

— Il vole pour sa bande.

François — S'il était pas drogué peut-être que…

Ali — Ben oui, il va comprendre plus tard. Parce que lui, il gagne rien, alors qu'est-ce qu'il fait là ? Il vole, il vole mais il a jamais rien, c'est pour les autres.

— Oui, il a quoi, un chef de bande qui ramasse, quoi ?

Ali — C'est même pas le chef. C'est un gars qui traîne toujours avec. Qui lui prend tout, quoi. Il passe, il dit « va me prendre ça », il y va, il lui prend, il ramène.

— C'est un esclave, quoi ?

Ali — C'est un pigeon. Dommage pour lui, hein.

— Mais ça arrive souvent ça ? Qu'il y ait des types comme ça ?

Ali — Il n'y a qu'eux qui font ça. Il n'y a qu'eux deux.

François — Oui, enfin…

Ali — Non, il n'y a qu'eux deux, parce qu'il l'a bien pris en main, hein.

François — Le jeune de 15 ans, il a peur.

— Ah oui, c'est ça…

François — « Si tu fais pas ça, ben… je te fous tout sur ta gueule. »

— Et comment il a réussi à imposer ; le petit, il peut pas se protéger…

Ali — Il peut rien faire, un petit.

— Il a peur, il a pas des frères, il a rien ? Il est tout seul ?

Ali — Avec sa petite sœur, je crois, et puis sa mère ; son père il est plus là.

— Oh ! là, là ! pauvre gars. Tu le connais, toi ?

Ali — Oh ! on le connaît, ben oui, il traîne avec nous et tout.

— Et qu'est-ce qu'il te dit, lui ?

Ali — Qu'est-ce qu'il peut dire ? Il dit rien. Il y a des jours il se sent gêné, il a honte, mais il peut rien dire, il dit qu'il peut pas parler, etc.

— Il a peur. Et vous pouvez pas l'aider, vous ? C'est emmerdant d'aller se mêler aussi.

Ali — Oh oui, c'est leur histoire. C'est leur problème.

mai 1991

Patrick Champagne

Une famille intégrée

Maria D. habite Villeneuve, une cité construite il y a une vingtaine d'années à la périphérie d'un grand centre urbain. Expulsée, pour cause de rénovation, du centre ville où elle habitait depuis une dizaine d'années, elle a été relogée dans cette ZUP au début des années 70, alors qu'on commençait seulement à en construire les premiers bâtiments. Elle m'a été présentée par le chef de projet de la ZUP, classée DSQ depuis 1987, sans doute parce que cette femme originaire d'Espagne est une « figure locale » qui sait parler et pouvait donc être considérée comme un porte-parole efficace des gens « bien » de la cité. Militante du parti communiste, elle est en effet également une personnalité très active de l'association des locataires qui s'est récemment constituée dans le cadre de la procédure de réhabilitation. Petite, nerveuse, elle ne s'en laisse pas conter et n'a pas, comme on dit, « la langue dans sa poche » : elle parle souvent avec humour, d'un débit rapide, à la limite parfois du compréhensible. Elle s'exprime haut et fort, de manière volubile, avec cet accent très marqué et cette maîtrise approximative, mais sans complexe, de la langue qu'ont souvent les émigrés espagnols lorsqu'ils s'expriment en français.

Elle me reçoit chez elle, habillée sobrement d'un corsage à fleurs, d'un gilet et d'une jupe de couleur sombre. L'appartement, qui est situé dans une partie de la ZUP déjà rénovée, est parfaitement rangé et impeccable : rien ne traîne, pas une trace de poussière. Durant l'entretien qui se déroule dans la salle à manger, autour d'une table, elle chassera machinalement de la main, en parlant, d'invisibles miettes de pain. Tout exprime chez cette femme âgée d'une cinquantaine d'années, soignée mais sans excès, un caractère très volontaire, l'absence de laisser-aller et le rejet de toute frivolité : « Non, voyez, moi, je suis pas une personne qui perd du temps pour passer des après-midi avec des femmes, non, ça. Je préfère rester dans des réunions, dans des trucs comme ça. Mais alors raconter des bêtises que racontent les femmes, des trucs d'ongles, de coiffure, non. Ça non. »

Issue d'une famille paysanne de dix enfants, elle est venue en France au début des années 60, alors qu'elle n'avait que 18 ans, parce qu'il n'y avait pas d'emploi pour elle dans son village alors que « en France, dans les années 59-60, on avait beaucoup de travail ». C'est par l'intermédiaire d'une mission catholique que les employeurs français recrutent cette main-d'œuvre docile et bon marché : « Nous, on était à la campagne et on était jeunes aussi, on n'avait pas trop de … [besoins, d'ambitions] … on ne voyait pas trop de possibilité d'aller ailleurs. (…) Ils nous envoyaient un contrat, ils nous poussaient un peu si vous voulez. Et ils nous proposaient de payer le voyage et nous donnaient un petit peu d'argent. » Elle est embauchée dans une usine de récupération de chiffons. Plusieurs de ses frères et sœurs la rejoignent par la suite et s'installent également dans la région (ils continuent aujourd'hui de se voir très souvent). C'est en France qu'elle fait la connaissance de son mari, qui est aussi d'origine espagnole, et qui a quitté le pays à peu près dans les mêmes conditions qu'elle : après avoir suivi en Espagne, dans une école militaire, une formation de tôlier-soudeur, il est recruté à 23 ans par une usine française travaillant dans le secteur de l'automobile. Il s'est, depuis quelques années, installé à son compte comme carrossier tandis que sa femme, qui s'était arrêtée quelque temps de travailler pour pouvoir élever leurs deux enfants (deux garçons qui, lors de l'entretien, étaient âgés respectivement de 24 et 16 ans), a repris une activité à mi-temps et fait aujourd'hui des ménages chez des particuliers très aisés.

Avec regrets, elle évoque les premières années passées à Villeneuve : mieux logée qu'au centre ville, les immeubles entourés d'espaces verts étaient, pour elle, coquets et agréables. Elle raconte comment, en quelques années, les constructions se sont multipliées, la population a progressivement changé et les « problèmes » sont apparus avec notamment la montée du chômage chez les jeunes. Au début, se souvient Maria, le laitier pouvait encore laisser ses bouteilles sur le palier et les locataires l'argent sous le paillasson. Assez rapidement, les vols ont commencé à se multiplier (les vélos, puis les voitures) et, à cette petite délinquance quotidienne qui s'est progressivement installée, s'est ajoutée la dégradation des bâtiments, provoquant le départ des familles qui le pouvaient. Puis, elle évoque les problèmes de cohabitation qui se sont multipliés entre la population d'origine européenne et une population d'origine arabe de plus en plus nombreuse : « Il y avait des gens qui commençaient à se plaindre… ils ont mis beaucoup d'Arabes… [Il y a eu] beaucoup de monde qui se sont plaints de certains Arabes pour le carême. Maintenant, je pense que ça va mieux à cause de tant de personnes qui se sont plaintes (…) parce qu'on a eu des années où vraiment, le temps du carême, dehors c'était la fête… On dirait qu'on était en Algérie. » Mais, pour elle, la vie ordinaire de la cité est surtout devenue « infernale » avec l'arrivée, au début des années 80, de « familles à problèmes » ayant « très mauvaise réputation » qui furent relogées dans les logements vacants de plus en plus nombreux de la ZUP : « Tout le monde cambriolait. Enfin, je ne sais pas si ils volaient ailleurs mais alors vraiment, tout le monde y passait. Ou dans les vacances, ou la nuit, ou pendant les fêtes, mais tout le monde y passait. »

Tout aurait dû conduire cette famille émigrée qui réussissait sans le savoir son intégration et qui, en outre, était loin d'être menacée par le chômage, à quitter, comme nombre d'autres familles, la cité. Si Maria D. est cependant restée dans la ZUP malgré les difficultés croissantes que cela a progressivement représenté pour elle et sa famille (voiture volée, cave vidée, appartement cambriolé, etc.), ce n'est pas seulement parce qu'elle n'a pas voulu abandonner cette cité à laquelle elle s'était attachée et qu'elle s'était un peu appropriée. C'est aussi parce que, comme bien des familles émigrées, elle a vécu pendant longtemps avec l'illusion du « retour au pays » (Maria et son époux ont gardé par exemple la nationalité espagnole), ne vivant en France que sur le mode d'un provisoire qui s'éternise et empêche les projets de quelque importance : « Nous, au début, on savait pas si on allait rester ici ou partir en Espagne, donc on se décidait pas à acheter. Et ça traînait, ça traînait, ça traînait et jusqu'à ce que les enfants ont été grands et on a pris le garage. Après on avait dit, sitôt que l'on a des sous, on part [de la cité]. »

Mais en restant dans la cité, Maria D. sait qu'elle expose ses enfants à cette sorte de spirale qui attire les jeunes vers la délinquance ou la marginalisation et qu'elle doit donc redoubler d'attention et d'efforts pour qu'ils échappent – dans son cas ce sera de justesse – aux « mauvaises fréquentations », à la rue, à ses facilités et à ses fausses séductions : « Ici, si on a des enfants, faut trop les vigiler, il faut les ôter aussi de l'école [d'ici], les gosses, si vous voulez qu'ils réussissent. Donc les jeunes [ménages], ils voient ces problèmes et puis ils partent. »

Mais si, contrairement à nombre de familles algériennes de la cité, elle parvient cependant à se maintenir et surtout à tenir ses enfants, c'est parce que ses propriétés objectives la distinguent systématiquement de la plupart des émigrés maghrébins. A la différence de la plupart des femmes nées en Afrique du Nord qui quittent leur village pour rejoindre leur mari, elle a décidé d'émigrer, alors qu'elle est encore jeune fille et célibataire, pour trouver du travail. L'émigration féminine d'origine maghrébine reste étroitement soumise à la logique familiale et à la domination masculine alors que celle qui est d'origine européenne obéit plus directement à la logique du marché du travail et de la promotion sociale (lorsqu'elle émigre, Maria D. n'est pas prise en charge par un réseau familial mais par une mission catholique qui lui trouve un emploi et un logement). « Je ne suis pas française mais je suis européenne, c'est exactement pareil » dit-elle. Et de fait, la distance culturelle et sociale qui la sépare du pays d'accueil est bien moindre que celle qui s'observe chez la plupart des femmes algériennes, encore fortement intégrées à leur société d'origine. Nombre d'entre elles, par exemple, n'apprennent pas à parler français dans la mesure où elles sortent peu du foyer. Maria est indignée de voir que seuls les hommes, chez les Algériens, viennent aux réunions : « Ils sont venus carrément, des hommes tout seuls, les femmes à la maison ! »

Par ailleurs, l'émigration européenne est socialement un peu plus sélective que l'émigration maghrébine, les migrants étant souvent dotés de propriétés (de formation notamment) qui rendent plus facile une certaine ascension sociale dans le pays d'accueil. Maria D. et son mari peuvent avoir le sentiment d'avoir réussi à s'en sortir. Ce n'est pas le cas de la plupart des familles maghrébines dont les hommes, lorsqu'ils ne sont pas au chômage, restent toute leur vie ouvriers non qualifiés en usine. Cette situation n'est pas sans effets sur les aspirations professionnelles que peuvent avoir leurs enfants. Le fils aîné de Maria D., qui travaille dans le garage de son père, peut envisager de suivre l'exemple paternel et se préparer à reprendre la petite affaire familiale alors que la plupart des enfants issus de l'émigration maghrébine, non seulement refusent une condition ouvrière assez dure, mais souvent méprisent leurs parents pour avoir accepté sans rien dire ce qu'ils perçoivent être une « exploitation ». Maria D. s'est si bien intégrée qu'elle parle aujourd'hui de son pays d'origine comme le ferait un étranger : « Cette année, explique-t-elle, j'ai payé 11 000 francs pour une maison en Espagne [*pour une location de vacances*], ils ne font pas de cadeau ! Quand on m'a dit le prix, moi, j'ai dit, c'est pas vrai ! Qu'ils sont voleurs les Espagnols ! »

Le nombre d'enfants constitue une autre différence majeure. Bien qu'issue d'une famille très nombreuse, Maria D. a volontairement restreint sa fécondité. Elle n'a eu que deux enfants dont elle a suivi la scolarité, rattrapant de justesse le second qui, entraîné par la bande des copains, tournait mal au collège de Villeneuve où elle l'avait volontairement laissé par conviction politique (pour prouver qu'on pouvait réussir dans la cité) ; ou encore harcelant l'aîné, alors qu'il était au chômage, pour qu'il aille chercher du travail avant de lui proposer, comme solution de rechange, de travailler dans le garage de son père. Ce n'est pas un hasard si ce sont les familles nombreuses de ces cités – particulièrement fréquentes dans les populations d'origine maghrébine – qui posent les problèmes majeurs. En effet, la taille de ces familles rend presque toujours impossible, dans ces zones urbaines, un contrôle étroit et effectif de tous les enfants par les parents – ou par le groupe plus large de la communauté –, comme c'était le cas dans les villages ruraux. Les familles, installées par les services sociaux compte tenu des logements vacants et des ressources, et non pas en fonction des relations familiales ou des communautés d'origine, sont isolées, laissées à elles-mêmes et ne peuvent compter que sur leurs propres forces. Le père en est réduit à corriger sévèrement, sans grand effet, les garçons qui tournent mal, avant que ceux-ci ne quittent le foyer et n'aillent suivre « le mauvais exemple du grand frère ». En outre, ces stratégies de fécondité sont peu ajustées aux exigences de la reproduction ou de la promotion sociale dans les sociétés développées, la formation des jeunes impliquant un investissement (scolaire, matériel et affectif) important et de longue durée qui est pratiquement impossible dans les familles ouvrières ayant un nombre d'enfants élevé.

« Je ne suis pas raciste, mais… » Il faut prendre au sérieux cette dénégation, 100 fois entendue dans les entretiens, par laquelle les habitants de ces cités se défendent de l'accusation qui est portée sur eux, dans les médias notamment, à l'occasion de faits divers tragiques, et que tend à accréditer la montée du vote Front national dans ces zones. Comme beaucoup d'habitants non maghrébins de ces cités, Maria D. porte sur ces populations en difficulté un regard à la fois compréhensif et exaspéré. Maria D. est trop proche de ces émigrés pour ne pas savoir ce qui se passe dans les familles et pour ne pas comprendre les difficultés qui les assaillent. Elle comprend d'autant mieux l'impuissance des parents (« le père les tue presque à les foutre par terre mais c'est pas pour ça qu'ils marchent droit ») qu'elle a failli se trouver dans une situation identique. Elle aurait pu dire, elle aussi, ce que disait, dans un autre entretien, ce gardien de HLM de Villeneuve qui, pourtant, est loin de voter comme Maria D. : « Nous, on a le même problème avec nos enfants. C'est dès qu'ils ont 13-14 ans. Tant qu'ils sont petits, ça va, vous en faites ce que vous voulez, mais dès qu'ils arrivent à 14-15 ans, je sais pas, d'un seul coup, c'est les fréquentations, quoi, à l'école, au collège… ils deviennent plus agressifs. Après 15-16 ans, vous en faites plus rien. Ils ont changé. Ils vous causent, mais on sent qu'ils veulent plus vous… ils s'écartent de vous. Ils se prennent pour des… pour des hommes quoi ! Les parents le disent, "ça y est, ben, il a 14-15 ans, ben ça y est. On peut plus rien en foutre". » Maria D. pourrait aussi évoquer, avec une même compassion qui n'est pas totalement commandée par la situation d'entretien, le cas de ces jeunes qui vont régulièrement en prison et le désespoir qu'ils suscitent chez leurs parents : « Moi, j'en connais, des gamins, mais ça fait déjà trois, quatre fois qu'ils vont en prison, qu'ils volent des voitures. Ils sortent de prison, le vieux les tue à moitié, ben, ça les empêche pas de recommencer. C'est là-dedans, [*Il montre sa tête avec son doigt*]. Vous savez, il n'y a rien à faire de ça. Et pourtant les parents – les pauvres malheureux – ah ! ils me font de la peine, hein ! Pourtant c'est des Algériens, ah ! le pauvre vieux, quand je le vois, c'est vrai, il fait de la peine. C'est ce que je ressens quand je le vois. Il imagine pas ça et la mère non plus, ils méritent pas d'avoir des enfants comme ça, c'est tout. »

Mais Maria D. ne peut pas ne pas être en même temps exaspérée par ces familles. D'une part, parce qu'elle subit les diverses agressions quotidiennes commises par certains jeunes, qui rendent la vie quotidienne difficile. D'autre part, et surtout, parce qu'elle a réussi à s'en sortir au prix d'efforts et de privations et que ces jeunes ne semblent pas vouloir, à leur tour, payer de leur personne. Bien qu'elle sache que les conditions de vie ne sont plus les mêmes (« comment voulez-vous les priver à l'époque où nous sommes ? »), elle ne peut admettre que les jeunes ne passent pas par où elle est passée : « moi, je l'ai dit à mes enfants, nous, on était des travailleurs et on était plus honnêtes que cette jeune génération. Ils sont fainéants, ils sont toujours fatigués, ils ont eu tout, ils n'ont pas de problème… » De fait, le militantisme politique et associatif, chez Maria D., va de pair avec la réussite relative de son projet d'ascension sociale, l'activisme politique n'étant ici qu'une composante d'un activisme social plus général qu'il contribue à renforcer par les relations et les informations qu'il apporte. Il est aussi une manière de réaffirmer des principes moraux, ceux qui précisément rendent possible une lente mais sûre promotion sociale : « Moi, je vois quand on travaille, même que la paye elle soit petite, le travail, il est tout, Monsieur. Le travail, c'est tout, le travail, c'est la liberté. » Loin de la résignation et du fatalisme ou, à l'inverse, des projets totalement irréels qui caractérisent souvent les fractions les plus basses de la classe ouvrière, Maria D. affiche une attitude de revendication raisonnable : il faut chercher, par la lutte, à s'améliorer mais sans vouloir l'impossible. Il faut dépenser ce qu'on a, mais pas plus ; il ne faut vouloir que ce qu'on peut avoir. Bref, il faut se fixer des limites : « On a fait des réunions pour voir ce que voulaient les jeunes, ils demandaient de tout les jeunes. Moi, ça m'a énervée parce que quand j'étais jeune je n'avais rien et j'étais heureuse, et j'étais contente et eux, ils le sont pas… alors, il faut pas tant demander. » Après l'entretien, avant de partir, hors micro, elle m'a raconté que dans le superbe appartement de sa patronne, là où elle fait des ménages, on entendait fréquemment résonner les talons aiguille de la voisine du dessus (« ça faisait clac, clac, clac ») et qu'elle lui avait alors dit : « Vous avez peut-être un grand et bel appartement au centre ville, mais il est bruyant et je suis bien mieux et plus tranquille dans mon petit appartement de Villeneuve ! »•

avec une locataire de HLM

— entretien de Patrick Champagne

« Faut pas dire qu'on est des racistes »

— *Vous avez deux enfants. Est-ce qu'ils ont pu suivre une scolarité normale à Villeneuve ?*

Maria D. — Tous les deux, je les ai ôtés de Villeneuve, le premier à la sixième et le second dès la cinquième. (...) Le grand [*celui qui est âgé de 24 ans*], vous savez, il a fait la troisième et puis après un BEP électronique. Nous, on voulait qu'il continue mais Monsieur, il a pas voulu. Et le second, il a été en sixième pas loin d'où je travaille ; il fait la seconde maintenant. Et pourtant pour le second, comme moi je lutte avec le Parti [*communiste*] et tout, j'ai dit, « je laisse mon gosse à Villeneuve parce qu'il travaille bien et pour montrer aux autres qu'à Villeneuve, il pouvait aussi réussir ». Bon, il travaillait très bien à l'école, et je l'ai mis à la sixième [au collège] Louis Aragon ; je vous dis, il travaillait formidable, ce gosse [à l'école primaire], on l'a même félicité tellement bien qu'il travaillait.

Je te coupe la tête, Frédéric, si jamais on te quitte de l'école !

Maria D. — Il a changé au collège et la première année, oh la, la ! il a passé déjà de justesse. Vous savez, on va là-bas et on change. Il a passé de justesse et j'ai été appelée déjà deux, trois fois qu'il commençait à plus obéir aux profs et tout et tout. J'ai dit, « ah bon ? » je lui ai donné un savon et je croyais que ça allait améliorer ; il a passé la sixième de justesse, mais il a passé. De la sixième, il est passé à la cinquième. Et puis la cinquième, il a plus passé, il a redoublé déjà et je suis allée voir la directrice et puis le personnel et tout et je me suis aperçue qu'il avait manqué 17 journées à l'école dans toute l'année et je n'avais rien su. Et vous savez comment j'ai su qu'il avait manqué ces journées ? Parce que je voulais le faire partir en Angleterre et j'avais fait des démarches dans ce sens. (...) Je suis venue voir l'assistante sociale de l'école et je lui ai expliqué le cas et tout, et moi, je lui ai demandé, comme ça, si on avait des problèmes de drogue, si on avait des histoires et

tout, pour m'intéresser. Elle dit, « non, non, pourquoi ? parce que vous avez des problèmes avec vos fils ? », j'ai dit, « Non, non, non ! », je lui dis comme ça, et puis elle me dit, « comment il s'appelle votre fils ? », je lui dis, « Frédéric D. ». Elle m'a dit, « mais je crois que c'est Frédéric D., qu'il avait perdu 17 journées (...) et on était obligé de prévenir l'Académie ». J'ai dit, « non, c'est pas vrai, non, c'est pas lui, ah non ! vous vous trompez ».
[...]
Effectivement, c'était lui, j'ai dit c'est pas possible. J'ai été voir le directeur et puis la personne du boulot des entrées, moi, j'ai dit, « comment ! Mon fils, il perd des journées de l'école et moi, je suis pas au courant ? ». On m'avait téléphoné une fois, une fois parce que je sais pas ce qu'il avait fait, on m'avait dit, « oh ! mais écoutez madame, sûrement qu'on vous a envoyé des mots », j'ai dit, « non, moi je regrette ». A la dame de la porte, je lui dis, « mais écoutez madame, si vous m'avez envoyé des mots et que je vous répondais pas, pourquoi, est-ce que vous m'avez pas donné un coup de téléphone ? Quand même 17 journées, c'est trop ! » Eh ben, qu'est-ce qu'elle m'a répondu la dame ? « Oh ! écoutez Madame, on a 500 élèves à l'école, si chacun, il faut donner un coup de téléphone, on ne termine plus ». Ah ! j'ai dit, « c'est terminé ». Quand j'ai su qu'il obéit plus aux profs, j'ai dit, on peut plus le laisser. Parce que si je le laisse, c'est déjà des enfants qui commencent à aller mal, qui obéissent plus aux profs. J'ai demandé le dossier. Et pourtant le second, j'[avais] été forte, j'avais dit, « je le quitte pas de vous, je le laisse à vous [je le laisse au collège Louis Aragon de Villeneuve] ». Mais j'ai dit, « écoutez, je continuerai à lutter pour l'école mais mon fils, si je le laisse, c'est terminé, on n'a qu'une vie. »

— *Et vous avez eu une explication avec votre fils après ?*

Maria D. — Mais si, si. Oui, oui, mais surtout comme je m'entends très bien, il m'a raconté tout et quand je lui dis, « qu'est-ce que tu faisais dehors ? », il me dit, « bof, on se promenait » ; des fois, il arrivait à l'entrée de l'école, il avait des copains qui lui disaient, « on va à Leclerc acheter quelque chose ? », alors ils perdaient le temps, ils perdaient la matinée, ils n'y allaient plus, bon. Des fois, c'était l'après-midi. J'ai dit, « qu'est-ce que tu faisais ? », « ben, je me promenais ». J'ai dit, « mais ça va pas ! », et j'ai dit « il n'y avait pas de personnes que parfois ils te voyaient et tout ? », il me dit, « oui, oui j'ai été obligé de me cacher deux, trois fois parce qu'il y avait des personnes que je connaissais parce qu'ils allaient dire, Frédéric qu'est-ce que tu fais dehors ? », il a dit, « deux, trois fois j'ai été obligé de courir pour me cacher sous les garages ». Mais j'ai dit, « c'est pas possible ! » Même lui, il a dit qu'il lui faut partir [du collège] parce qu'il ne pouvait plus dire non aux camarades, qui parfois ont commencé à faire les cons un peu dans la salle et puis, lui aussi, il suivait ! Il était aussi coupable que les autres, faut pas… Mais quand il est arrivé là-bas [*dans un autre collège situé au centre ville*] oh, la, la, il avait la discipline et la première année, j'ai reçu deux, trois mots parce que lui, il était habitué à Villeneuve, alors j'ai dit, « je te coupe la tête Frédéric, si jamais on te quitte de l'école… » Alors non, il a eu au début et puis après, ça va. Ça va, ça va, même l'année passée, j'ai dit, « ouh la, la, Frédéric, je n'ai rien eu, rien ! Rien dans toute l'année. » Et même lui, il a dit, « eh oui, oui, oui, tu vois, on change. » […]

Il était mort le quartier ! Personne ne voulait l'habiter

—*La réhabilitation, ça date de deux, trois ans ?*

Maria D. — Oui, c'est que vraiment, il était mort le quartier ! Personne ne voulait l'habiter. A la réhabilitation, il y avait je ne sais pas combien d'appartements vides, personne ne voulait venir là, tout était dégradé, partout, partout. Partout, tout à l'extérieur était dégradé. Et puis, vous savez, le problème c'est qu'ils ont mis beaucoup d'étrangers. Et beaucoup de Maghrébins. Moi, des fois, ça m'a fait de la peine pour eux parce qu'il y a des gens bien ; moi, j'ai habité dans le quartier, il y a des gens que j'aime bien et tout ; il y a des gens qui veulent travailler et c'est vrai, que par préférence, on les laisse toujours de côté, ça il faut être juste. [Les gens disent] ils sont méchants, ils sont voleurs. Ce sont eux qui ont fait la réputation. Mais de l'autre côté, on leur fait pas non plus de cadeaux. (…) C'est pas la peine d'aller demander du travail, ils le donnent pas. Alors qu'est-ce que vous voulez, on vole et encore on revole et… mais parfois, des garçons qui ont été un peu voleurs, quand on leur trouve un travail vous savez, on devient sérieux, on fait sa vie, on s'occupe si vous voulez. On traîne plus jusqu'à 18, 20 ou 24 ou 25 années, parce qu'il y a beaucoup qui ne travaillent pas et après on s'habitue aussi à pas travailler, on se casse pas non plus la tête. Parce que parfois, quand on leur propose du travail, ils ont rien et encore ils choisissent ! Alors c'était pas comme ça à notre époque à nous, moi, je l'ai dit à mes enfants, nous, on était des travailleurs et on était plus honnêtes que cette jeune génération. Ils sont fainéants, ils sont toujours fatigués, ils ont eu tout, ils n'ont pas de problème et puis…

— Est-ce qu'il n'y a pas, en plus, des problèmes de drogue ici ?

Maria D. — Oh ! la, la… Cette année, c'est calme. Oh ! il y en a beaucoup, beaucoup, mais beaucoup. L'année passée, vous venez à n'importe quel moment de la journée, on avait toujours sept, huit jeunes, qui étaient assis dans les escaliers, c'était le rendez-vous. On venait, on partait, on avait des rendez-vous et tout, le trafic de drogue, mais devant nous ! Et nous, les locataires, parfois quand on descendait, on était dans les escaliers, on disait, « mais laissez-nous au moins descendre », eh bé ! il faut pas leur parler comme ça et on était tout le temps en train d'éclairer la lumière [*d'allumer la minuterie*], et des fois moi, j'ai dit, dehors ! Moi j'ai dit, « je regrette, mais ici, c'est moi qui paye la lumière et moi, je veux pas ! » C'étaient des grands mais moi, j'ai tendance à crier, « moi, j'en ai marre de vous voir ici », et des fois, ils disent, « mais taisez-vous, on est gentils avec vous » – « mais moi, je veux pas vous voir ici, pourquoi vous restez dans l'allée ? Et qu'est-ce que vous faites ici ? » – « on vous fait pas de mal » – « mais je ne veux pas vous voir ici ». Mais une ou deux fois, où ils étaient un peu, je ne sais pas, ou drogués ou saouls, il y en avait un grand, comme je dis, il avait les cheveux tout frisés, ah, je vous jure, il m'a fait peur. Il m'a fait peur, « écoutez, madame, si vous criez, je vous tue ». Oh ! la, la, après j'ai dit, « bon, je vais monter ». Et on l'avait dit dans les réunions au maire. Et je ne sais pas où ils sont passés, mais en tout cas, là, c'est calmé. Mais la drogue, oh la ! mon Dieu !

Moi je trouve qu'on n'est pas mal quand même

— Quand ils ont fait la rénovation, ils ont mis les portes blindées ?

Maria D. — Oui, c'était à ce moment-là.

— Ils avaient déjà forcé votre porte ?

Maria D. — Oui, oui. Quand ils ont volé l'appartement, on a fait un trou à la porte, c'étaient des portes… [peu résistantes], on a fait un trou à la porte et ils sont rentrés. Et puis, c'était les vacances, on n'était pas là. Alors ils ont bien eu le temps. Ils ont emporté la télévision, le magnétoscope, une chaîne qu'avaient les garçons, des cassettes, des bouteilles. Et mon mari avait des pièces de collection et lui, il aimait ces trucs et il avait pas mal d'argent, elles sont toutes parties.

— C'était une collection de quoi ?

Maria D. — De la monnaie française. Mais depuis quatre ans, la ZUP est devenue mieux. Tout l'extérieur est beaucoup plus propre et ils ont tout rénové. (...) Moi je trouve, même si c'était pas un quartier de luxe, mais si les locataires faisaient plus attention, moi je trouve qu'on n'est pas mal quand même, on est aussi bien qu'au [centre ville]. (...) Moi je trouve que, même si ce sont des HLM, on est bien chauffé, on a l'eau chaude et l'ascenseur, on a le vide-ordures, on a un bon service. Ils font des appartements pas mal. Il n'y a que les gens... qu'ils fassent un peu... attention sur eux-mêmes. (...)

— Vous cherchez à acheter une maison, mais c'est simplement pour acheter ou pour quitter Villeneuve ?

Maria D. — Ah non, non, moi vous savez, je veux pas partir de Villeneuve. C'est possible qu'on achète une maison. (...) Je veux pas partir de Villeneuve, je connais beaucoup de monde à Villeneuve, et des gens très bien. Et je ne veux pas partir de Villeneuve. S'il y a des gens qui sont méchants, écoutez il y a partout des méchants, et vous savez les voleurs c'est pas seulement à Villeneuve parce que ma sœur elle habite à T. [*commune proche*] et l'autre jour, on lui a volé la voiture, donc... Elle, elle dit que c'est peut-être les gens de Villeneuve, on sait pas si c'est les gens de Villeneuve. Ailleurs, il y a les mêmes problèmes.

[*Elle explique que le montant des loyers a doublé depuis la réhabilitation : elle paye actuellement pour un F4 avec garage 2 410 francs par mois, charges comprises. Elle explique aussi que lorsque les locataires dépassent un certain seuil de revenus, le montant du loyer est doublé, ce qui contribue à faire partir les familles aisées qui préfèrent quitter Villeneuve et acheter ailleurs.*]

Quand j'étais jeune je n'avais rien et j'étais heureuse

— Vous participez à des associations, à des comités de quartier...

Maria D. — Oui et cette année j'ai laissé un petit peu de côté d'abord parce que je perdais beaucoup d'après-midi, des fois ça m'énervait de voir aussi comment les gens se comportaient. (...) Moi, deux, trois fois, je me suis engueulée avec des Arabes, pas engueulée mais enfin... ils demandaient ci, ils demandaient ça. On a fait des réunions pour voir ce que voulaient les jeunes, ils demandaient de tout les jeunes. Moi, ça m'a énervée parce que quand j'étais jeune, je n'avais rien et j'étais heureuse, et j'étais contente et eux, ils le sont pas... alors, il faut pas tant demander. On demandait une salle, on demandait ci, on demandait ça. Alors moi, je lui ai dit à Monsieur X, « il faut mieux que je reste à la maison parce que je sens que je vais me disputer avec les Arabes et puis... ». On a travaillé avec le centre social, on a fait un repas à thème culturel, on a fait plusieurs choses. Je ne suis pas française mais je suis européenne, c'est exactement pareil. Et je sais pas, les gens, ils sont différents. C'est la religion. Ils demandaient si il n'y avait pas de cochon, si on n'avait pas mis de cochon déjà exprès parce qu'on savait qu'ils allaient venir ! On avait apporté des liqueurs, ça alors pensez-vous, ils ont pas bu des liqueurs. Ah non, non, non, non, c'est interdit ! Monsieur Ahmed, il dit, « ah non, non, non, Dieu le veut pas », je lui dis, « écoute, Dieu il dort », c'était le soir, « Dieu il dort, laissez Dieu tranquille ». (...) Et même, les Algériens, encore il y avait une association de Noirs qui étaient musulmans aussi, ils sont venus avec les femmes. Mais l'association algérienne, ils sont venus carrément des hommes tout seuls, les femmes à la maison ! Alors après, j'ai dit, « moi je fais plus de fêtes avec eux ! » Et on n'en a plus fait, non. Ils sont pas comme nous, vous savez et ça aussi il faut bien... On n'est pas raciste mais parfois quand on voit des choses comme ça, ben, une fois, deux fois, trois fois, on arrive quand même à dire parfois... bon. (...) C'est vrai, moi, je trouve que j'aime tout le monde, mais je dis, si moi, je fais de mon côté, pourquoi vous faites pas, vous ? Essayez quand même ! Laissez la religion, moi, j'étais catholique en Espagne, on était obligé d'aller à la messe, mais je suis venue ici, c'est terminé, moi, je ne mets plus le pied à la messe. Et même si j'y allais, j'irais, mais c'est pas pour ça que j'irais pas faire des fêtes avec des Arabes ou avec des Chinois ou d'autres. Et ça, moi, je le comprends. Eux parfois, ils regardent à la porte et quand ils voient beaucoup d'Européens, ils rentrent pas. Il faut qu'ils soient la majorité, les Arabes. Ça, c'est eux, hein, faut pas dire qu'on est des racistes, les plus racistes ce sont eux. Et avec le parti communiste… parfois, quand il y a des mouvements et des trucs comme ça, j'y vais, mais ils ont aussi la tendance de toujours donner raison, que si on travaille pas, que si on gagne pas assez, qu'on est raciste avec eux, que ceci, que cela. Et quand parfois vous leur dites, écoutez, eux aussi, hein, ils sont racistes, il faut pas… C'est pour ça, cette année, je vous dis, j'ai laissé un petit peu les associations.

[*Elle évoque les locataires des HLM qui souillent les allées et « balancent des poubelles par la fenêtre, des peaux de banane, des pots de yaourt, ou des trucs de lait, des couches d'enfants, parce qu'ils en ont envie. »*
Puis, elle aborde les difficultés que rencontrent « les gens qui voudraient travailler et qui n'ont pas de travail. »]

— *Il y a le problème du chômage pour les jeunes ?*
Maria D. — Voilà. Beaucoup.
— *Et pour vos enfants ?*
Maria D. — Ah non, non. Vous voyez, non, j'ai pas le problème. Beaucoup de problèmes qui sont à Villeneuve, moi, j'ai pas ces problèmes. (…) Vous voyez, pas tout le monde il a les mêmes problèmes. Il y a des familles qui vivent bien à la ZUP, il faut pas croire que tout le monde il habite mal à la ZUP, non ça, c'est pas vrai. Il y a des familles qui travaillent qui sont deux ou trois à la maison, ils ont deux, trois voitures. (…) Il y a beaucoup de choses qui ont amélioré un petit peu l'extérieur, on a réparé un peu, mais les problèmes intérieurs, je pense que les personnes qui les avaient, ça continue, ce sont les mêmes. Ce sont les mêmes, le chômage.
— *Qui sont ces familles qui ont des problèmes ?*
Maria D. — Surtout les familles nombreuses. De quelque nationalité qu'ils soient, les familles nombreuses, toujours ; c'est rare de trouver une famille à partir de cinq ou six, c'est pas pour ça, je ne veux pas dire qu'il n'y en a pas, peut-être qu'il y en a des familles… mais quand il y a plus de cinq ou six enfants, de quelque nationalité qu'ils soient, ils posent des problèmes. (…) Il y a une famille espagnole, les parents sont divorcés, le père qui est toujours saoul, la mère qui fait que se battre avec tout le monde pour les enfants. Là, il y a une famille italienne qu'elle a eu des

problèmes aussi ; pour vous dire, les familles nombreuses, elles posent des problèmes. De quelque nationalité qu'elles soient. Sauf quand il y a des parents sévères et corrects qui... Mais la plupart, c'est les Arabes. C'est les familles les plus nombreuses, c'est rare que dans toutes ces familles, il n'y ait pas un ou deux ou trois, ça dépend de la grandeur de la famille, qui traînent des années, des années sans travailler, qui ne soient pas passés par [la prison], je ne sais pas si il reste une famille, à Villeneuve, moi, dans toutes les familles que je connais, ils en ont tous un ou deux qui sont passés par [la prison]. Ils traînent dans le chômage des années, des années, on leur donne deux ou trois mois, parfois six mois où ils travaillent, ils ont droit à nouveau au chômage et ça traîne et ça traîne et ça traîne. Et il y a des garçons qui ont presque 30 ans, on peut dire qu'ils ont pas commencé à travailler. Ça, je vous jure qu'avec moi, ah non ! Oh ! la, la, un garçon comme ça, chez moi ? (...). Si lui, il était pas capable de chercher du travail, moi, je le chercherais. Et si c'est pas un bon travail, il a qu'à s'appliquer davantage à l'école. C'est ça que je dis aux Arabes.

— *Et qu'est-ce qu'ils vous disent ?*

Maria D. — Je leur en dis beaucoup et puis des fois ils disent, « oh oui, oui ». Mais je dis, « mais pourquoi vous vous appliquez pas davantage à l'école ? Après vous racontez que vous trouvez pas de travail, que le travail que vous trouvez c'est pas du bon travail et tout. Il faut lutter ! Il faut lutter ! Dès l'école » – « oui, oui, mais c'est dur » – « mais le boulot c'est pas dur ? » – « si, si vous avez raison Madame D., oh ! elle est gentille Madame D., elle nous donne de bons conseils ». Mais oh ! moi, je leur ai dit des milliers de fois. Ah si, je leur ai dit, « vous avez vu à la télé, il y a des journalistes arabes, il y a de tout, vous êtes pas discriminés ; si vous travaillez bien à l'école, mais il faut travailler ! » Ils rigolent, ils me connaissent tous. Tous, je les connais tous. Tous les jeunes qui sont là, je les ai vus ou tout petits, ou naître. Je vous dis, 20 ans que je suis là. (...) Moi, je me souviens, on était dix, avant c'était différent, mon père, il travaillait, avant, tout le monde manquait de beaucoup de choses. Mais même si on manquait, on était heureux. Mais maintenant, ils sont pas comme ça. Vous savez, ils sont six, sept enfants, cinq, quatre, ça dépend ; et il y a beaucoup de maisons où le père ne travaille pas, ou il est le seul qui travaille, mais ils ont des petits salaires.

Tant que ta mère sera là, pour toi, il n'y aura pas de chômage

— Il y a des problèmes ici pour trouver du travail ?
Maria D. — Ça, le problème du travail, c'est le principal, parce que, moi, je vois quand on travaille, même que la paye elle soit petite, le travail, il est tout, Monsieur. Le travail c'est tout, le travail c'est la liberté, le travail c'est tout. Mais quand on n'a pas de travail, alors écoutez, alors là, on commence à se débrouiller de tous les côtés. Ah ! le travail, si, si, si. Parce que les jeunes, une fois qu'on leur trouve du travail, ils deviennent sérieux. A part les jeunes qui traînent comme je vous ai dit tout à l'heure, qu'il y a des jeunes qui traînent mais enfin, c'est une minorité quand même. (...) Vous savez, on peut pas régler tout à 100 %. On profite des gens, on profite d'une situation. Il y a des hommes qui profitent du chômage, parce que le mien, avant de travailler avec son père, avant d'aller à l'armée, il a travaillé un an. Pour vous dire, et on lui a fait un contrat dans l'électronique, il mettait des alarmes, des téléphones dans les voitures, des trucs comme ça, bon. On lui avait fait un contrat pour six mois. Alors lui, il savait qu'après six mois, il avait le chômage, il voulait s'arrêter mais je lui ai dit, « écoute, oh mon pauvre ! je suis là encore, moi ! », il a dit qu'il prenait des vacances ; nous, le mois d'août, on est partis en vacances, mais au mois de septembre, j'ai dit, « tu vas chercher du travail », il voulait pas, enfin c'est pas qu'il voulait pas mais il traînait, moi, je le voyais qui traînait, oh ! la, la ! Mon mari, il partait travailler, moi, je me levais, je le laissais jusqu'à neuf heures, à neuf heures j'ouvrais les volets et je tirais les couvertures, il était déjà grand, il avait 18 ans, il avait terminé l'école, il était déjà grand, j'ai dit, « tu vas à l'ANPE, tu vas chercher du travail » – « mais ça va, mais j'y ai été hier » – « mais t'y vas encore aujourd'hui ». Il était déjà grand ! Jusqu'à ce que je l'énerve, il s'habillait, il partait. J'ai dit, « allez, au moins tu restes pas au lit ». Il a traîné le mois de septembre, si vous saviez quel mois de septembre on a passé tous les deux ! On se bagarrait tous les jours. Je le lui avais dit, si tu ne veux pas continuer à l'école, c'est ton problème, on lui payait l'école privée et tout. Monsieur, il avait dit non. Je lui ai dit, « tant que ta mère sera là, pour toi, il n'y aura pas de chômage ». Je vous le jure, si on est en bonne santé, pour moi, on n'a pas de chômage. On a passé un mois, on se bagarrait tous les jours, tous les jours je lui faisais ça ! Tous les jours, jusqu'à ce

qu'il aille dans une agence d'intérim, il a travaillé quelques mois. Et après, comme mon mari avait pris la carrosserie, ça a arrangé les choses. Mais un mois, il est resté, mais un mois tous les jours, Monsieur, tous les jours on se bagarrait. J'ai dit, « je regrette, non, non, non ». Et les jeunes, je sais qu'il n'y a pas de travail pour tout le monde, mais si ils sont avec moi, on travaille. C'est pour vous dire la mentalité qu'il avait, mon fils. C'est ça que je voulais vous expliquer au début. Il y a des jeunes qui ont le droit au chômage, et tant que le chômage les paye, ils se cassent pas la tête. Et quand il ne les paye plus, on prend encore trois mois ou six mois et ça traîne comme ça, vous comprenez ? C'est une minorité mais enfin, il y en a. Il y en a d'autres, quand on leur donne une bonne place, bon, une fois qu'ils commencent à travailler, ils travaillent. (...). Je vous jure avec moi, ils travaillent tous les deux. Il y a le petit, bon pour le moment, il travaille à l'école. Mais... oh non ! Moi, je suis la première à me lever tous les jours à sept heures ou six heures et demie pour travailler et je vais laisser le jeune dormir, ou faire le fainéant ? Alors que mon mari et moi, on travaille comme des chiens ! Ah non ! Mais je sais aussi que tout le monde, c'est pas comme moi.
[...]
Vous voyez, on a tous travaillé, tous, tous. Et les enfants de l'autre génération aussi, on les pousse au travail. Mon frère, il a un garçon marié qui travaille, lui et sa femme, il a deux filles qui étudient toutes les deux, et il a un quatrième, c'est un garçon qui travaille. Pour nous et pour les Espagnols, tout le monde travaille dans des places plus ou moins modestes, mais même si elles sont modestes, ils gagnent leur vie, ça va. Ce ne sont pas des familles ni qui traînent, ni qui emmerdent les autres. Si on gagne 5 000, on gagne 5 000. Au centre, je connais tout le monde, tout le monde s'arrange avec ce qu'ils ont, soit des retraites, le chômage quelquefois mais enfin... La famille qui gagne 5 000, elle vit à la hauteur de 5 000, celle qui gagne 10 000.... Oui, moi je le dis toujours aux enfants, il faut qu'ils aient dans la tête toujours l'esprit, comme on dit, de gagneur, de travailler et de pas laisser aller, ni traîner. Avec le travail, on arrive à tout, mais si on commence à traîner, à traîner à droite et à gauche, il ne faut pas non plus se décourager, ni baisser les bras. Il y a des moments où on se démoralise, mais il faut continuer, il faut continuer quand même... Je pense que quand on a des parents, on est là aussi pour les aider à

ne pas se démoraliser. Je leur dis aussi, si on gagne tant et qu'on ne peut pas se permettre tant, moi je n'ai jamais fait de choses louches dans ma vie. Jamais ! Je ne suis jamais allée dehors dans aucun endroit louche, je ne me suis pas habillée en louche, ni rien. A mesure de ce que j'avais, je m'y tiens et si je vois que j'arrive… Oui, j'ai dit à mes enfants, il ne faut pas avoir des illusions plus que l'on peut. Pour habiter ou pour… J'ai habité là 20 ans, c'était bien, c'est pas la peine d'habiter un beau quartier et payer 4 000 francs de loyer… Je reste là, je suis honnête, je reste là, tant pis. Là, je peux payer, là-bas je pourrais ? Je ne sais pas.

mars 1991

Gabrielle Balazs

Un mauvais placement

Mme Tellier est la présidente du comité de défense des commerçants de sa ville : le magasin d'articles de sport qu'elle venait de « monter » un an plus tôt a été pillé, puis brûlé. Il n'en reste plus qu'une carcasse calcinée.

Seuls une vingtaine de petits commerces de première nécessité étaient installés dans ce quartier de tours et de grands ensembles. L'implantation de commerces dans ces zones d'habitations ouvrières présente des risques manifestes, notamment de vol. Si les grandes surfaces sont obligées d'affronter ces risques malgré de fortes réticences, parce qu'elles y sont contraintes par la réglementation, les petits commerces, qui ne disposent pas des mêmes possibilités de surveillance et d'assurance, préfèrent éviter ces quartiers. Lors des incidents qui entraînèrent le pillage du petit centre commercial, les articles de sport, très convoités et relativement inaccessibles aux enfants et aux adolescents de la cité, furent visés les premiers, avant la brasserie, l'opticien ou le cordonnier.

Le commerce de Mme Tellier apparaît comme particulièrement « déplacé » en ce lieu. Contrairement à nombre de petits commerçants, elle n'a pas hérité de sa boutique ; elle est devenue commerçante, sur le tard, à la cinquantaine, après avoir exercé deux autres métiers sans lien avec le commerce (emplois de bureau). L'échec que constitue pour elle la destruction de son magasin, en partie dû à son inexpérience, est d'autant plus douloureux que cette faillite est aussi celle d'un projet de promotion, patiemment construit.

La création de ce magasin n'était pas cependant le fruit du hasard, même si elle n'a pas été entourée de toutes les garanties dont s'assurent généralement ceux qui possèdent une expérience en ce domaine (notamment l'appréciation de la fiabilité économique du commerce). Mme Tellier était fortement attirée par le sport : elle dit avoir été élevée « sur les terrains ». Son père était entraîneur, sa mère joueuse de basket, son frère professeur d'éducation physique. Mais elle n'a pu faire du sport son métier : à l'époque, les filles et les garçons de son milieu ne recevaient pas les mêmes encouragements à poursuivre leurs études ("Maman me disait, écoute, tu te marieras, c'est ton mari qui te donnera…"). Après avoir suivi une formation professionnelle de mécanographe-comptable, « un métier qui n'existe plus, maintenant que tout y est informatisé », elle a encouragé ses enfants, sa fille comme son fils, à devenir des professionnels du sport (son fils, professeur de gymnastique, fait de la compétition et se dirige vers la « filière entraîneur », et sa fille, qui fait des études pour enseigner l'éducation physique, a déjà été championne de France dans sa discipline). Au moment de se reconvertir, elle pense donc pouvoir utiliser sa connaissance du milieu et son goût du sport dans cette activité commerciale.

Tout d'abord employée dans une petite entreprise de lingerie, elle est licenciée économique lors du dépôt de bilan de l'entreprise, et se voit contrainte de se reconvertir à nouveau. Avant la fermeture définitive, l'entreprise avait été occupée par le personnel durant deux années . Mme Tellier, qui avait joué un rôle important dans le mouvement, avait été en relations étroites avec les municipalités qui soutenaient les salariés de l'entreprise. Sa combativité la conduit « à se retrouver sur une liste » comme candidate aux élections municipales. Au cours de cette période, elle dit « n'avoir pas su doser la vie professionnelle et la vie familiale », avoir eu peu de temps à consacrer à ses enfants qui « faisaient leurs devoirs à l'usine », ni surtout à son mari, instituteur, dont elle se sépare peu après. Mais, élue comme conseillère municipale, elle est chargée de la vie sportive de la commune. En installant un magasin de sports, elle pense pouvoir mettre enfin son expérience et ses dispositions à profit, et « capitaliser » tant d'années de « lutte ».

Devant la destruction de son magasin, elle éprouve un fort sentiment d'injustice. Lorsqu'elle était au conseil municipal, elle avait consacré toute son énergie non seulement aux activités sportives, mais aussi à la défense des habitants de la cité dont elle connaît « la misère cachée », en s'opposant par exemple à des saisies ou en alertant les pouvoirs publics. En dépit de la situation pénible qu'elle doit affronter, elle ne manque pas de rappeler, au cours de l'entretien, que la population de la cité est « très pauvre », que « tant que les jeunes n'auront plus de perspective, (…) ils ne peuvent pas s'engager, se marier, ils ne savent pas si ils auront un métier… », que les TUC ou le RMI « ne payent même pas le loyer… » Mais en même temps, elle reconnaît qu'elle « ne dort plus », tous ses efforts pour s'en sortir étant réduits à néant alors qu'il lui avait fallu « mettre les bouchées doubles ». La contradiction entre ce qui lui arrive et ses convictions politiques lui rend insupportable « la fauche sous son nez (...) les insultes", comme il rend insupportable le fait que les jeunes qui ont pillé et brûlé le magasin soient rapidement relâchés : « On revoit le jeune le lendemain... il est relâché. C'est vrai que ça énerve. Ça use (...) c'était même dangereux, parce qu'ils sont venus me narguer même à la vitrine. Ils auraient pu éventuellement... [*hésitation*] disons, comment dire... se venger dans la mesure où ils avaient été arrêtés à cause de moi. (...) On se sent impuissant ».

Malgré tout, elle ne s'abandonne pas à la haine ou au ressentiment et continue à agir conformément à ses convictions. Ne pouvant pas, par exemple, payer un salarié dans son magasin la première année, elle finit par employer une stagiaire « parce que vraiment on est venu [la] supplier », mais elle est « contre ce genre de méthodes : c'est de la main-d'œuvre à bon marché ». Les diverses appellations données aux stages la font « sourire » parce que « gna gna gna, le nouveau plan, les nouveaux... à la sortie, c'est toujours des emplois bidon ». Elle ne les ressentait jamais autant que dans ses rapports avec la stagiaire qu'elle avait acceptée : « J'osais même rien lui demander... comme je suis contre, mes origines étant que... ça me rendait malade. »

Elle continue à penser que la violence (« quand on concentre tous les cas sociaux sur une même commune, en plus, pour résoudre un problème de crise du logement ! ») est imputable à des causes sociales, ou même politiques, et non à des personnes, moins encore à leur nature. Refusant de rendre les gens responsables de leur malheur, elle cherche, dans une analyse militante de l'école et du marché du travail, les moyens de comprendre, sinon de supporter, ce qui lui arrive.

avec une commerçante

— entretien de Gabrielle Balazs

« Le magasin… il n'y en avait plus »

— Vous n'aviez pas fait de commerce, avant ?

Mme Tellier — Ah pas du tout. Pas du tout. Alors en plus j'ai monté ce commerce seule, alors je ne vous dis pas… et dans un quartier très chaud, les difficultés que j'ai rencontrées. Là il y aurait de quoi dire. Et pourtant il y a eu un an et demi d'exercice puisque j'ai ouvert en mai 89, et en octobre 90, le magasin… il n'y en avait plus. Ils ont tout… Ça fait partie des boutiques qui ont été pillées et puis brûlées. Ils ont commencé par mon magasin.

— … C'est un symbole du sport, c'était quoi ? C'était un symbole des choses désirables…

Mme Tellier — … Oui, ce sont des produits qui sont, dont les jeunes sont très demandeurs, enfin c'est… et c'est vrai que sans arrêt, j'avais des jeunes qui souhaitaient prendre ces articles sans payer ; mais enfin ça c'est vrai que ces articles-là sont très convoités. D'ailleurs dans le quartier on voyait énormément de jeunes habillés en sport. Maintenant la tenue civile, si je puis dire, ça n'existe presque plus ; maintenant c'est le jean ou le survêtement et les tennis. Voilà. C'est la tenue maintenant très recherchée par les… Et puis en plus, c'est vrai que ce sont des articles qui coûtent cher, qui sont pas du tout à leur portée, alors…

— Il y avait un décalage entre ce qui est là offert… et puis leurs possibilités, donc votre magasin est apparu comme une…

Mme Tellier — Oui, ça a été pris comme une provocation, ne pouvant accéder à ces articles, ils… c'est vrai que j'ai eu trois… deux vols avec effraction et… une fois ils sont passés par le toit et une deuxième fois ils sont passés par le mur, la troisième fois ils se sont arrêtés… C'était avant les… Mais j'ai eu cocktails Molotov… chose qu'on n'avait pas vue…

— Mais quand même sur un an ?

Mme Tellier — Oui, sur un an. Un an et demi, cocktails Molotov, qu'on n'avait encore pas vu ça, on avait pas eu ça ici. A cause d'une carte bleue volée, arrêtée, saisie et il y a eu représailles par la suite. C'est une année très, très dure. Alors comme je ne suis pas du tout d'un tempérament à me laisser faire, à baisser les bras, bon ben… je résistais, mais faut dire aussi que j'étais bien entourée, quand même, malgré tout, il y avait une clientèle qui était, il n'y avait pas que des loubards, heureusement, une clientèle qui était très, très sympathique et puis il faut dire aussi que je connaissais, depuis le temps que je suis dans cette ville. Mais c'est peut-être aussi une des conséquences de ça… Des fois j'étais un petit peu en dents de scie malgré tout, quand même, subir tout ça, trop c'est trop.

On aurait dû réagir plus tôt

— *Oui c'est-à-dire que les conditions d'exercice étaient particulièrement difficiles ; mais quand vous avez décidé, vous saviez… la zone vous la connaissiez bien…*

Mme Tellier — Oui, je savais, mais je pensais pas que ça en était quand même à ce stade. Et donc j'avais pas du tout pensé que c'était… aussi dur. Et puis, avant ces émeutes, il y avait eu un fait quand même qui était… qui était nouveau, c'est que il y avait énormément de drogués qui venaient et j'avais alerté le commissariat de police, j'avais alerté aussi les élus, tout le monde était au courant et il faut dire que rien n'avait été fait ; j'avais également alerté que là il allait se passer quelque chose, parce que c'est vrai que ce sont des caisses de résonance les commerces, on apprend beaucoup de choses. Et en plus j'avais quand même des jeunes qui étaient… qui venaient souvent pour discuter, me voir et il m'arrivait quand même… il y avait des liens qui s'étaient un petit peu établis, d'abord parce que je les avais connus, moi, sur les terrains de sport. Alors c'est vrai que c'était quand même plus facile pour dialoguer, pour… Et je savais qu'il y avait des cailloux, enfin des pavés qui montaient dans les immeubles, ils étaient en train de préparer… des barricades (…). C'est vrai qu'on aurait dû quand même, je sais pas, réagir plus tôt quand même. C'était prévisible. Ça, j'ai eu cette discussion avec le Préfet, soi-disant fallait prouver… Si on fait pas quelque chose vis-à-vis de cette jeunesse, je dis que là on va au casse-pipe. Et c'est pas… alors je suis pour la rénovation du quartier, bien entendu… c'est pas parce qu'on aura mis un coup de pinceau… sur les bâtiments, etc., qu'on aura résolu le problème. C'est pas vrai. Les problèmes demeurent. D'ailleurs le quartier commençait à être, c'est vrai, devenait

agréable et tout, et puis regardez ce qui s'est passé. Jamais j'aurais pensé que ça allait prendre cette ampleur.
[...]

— *Tous les commerces ont été touchés, là où...*

Mme Tellier — Ah oui... Mais enfin, bon c'est vrai qu'ils ont été touchés parce qu'il y a eu l'incendie... Mais enfin les commerces surtout visés, c'était donc la brasserie – d'abord ils se sont servis des bouteilles pour faire des cocktails molotov, enfin des bouteilles d'alcool –, mon magasin de sport, bien entendu. Il y a eu l'opticien, là il a eu énormément de vols, aussi avec des lunettes et puis le tabac. Il y a eu les chaussures aussi ; et puis bon un hypermarché qui a été pillé... Mais enfin tous les commerces, avant de brûler, ils ont tous été... pillés, vandalisés. Ah moi je peux dire que j'ai fait du social en quelque sorte, je les ai habillés de la tête au pied gratuitement. Fallait voir ça, ça se vendait après à la criée dans le quartier, ils le savaient, c'est dingue. En plus, la provocation, j'en ai entendu dans le quartier, parce que là j'assure toujours les permanences dans le quartier... il y a un local qui est mis à la disposition des commerçants ; et donc je gravite souvent dans le quartier et les jeunes sont là... pour provoquer...

— *Et donc vous, vous avez pu ré-obtenir un local ?*

Mme Tellier — Un local provisoire, je n'ai pas pu, pour la bonne raison que, bon moi, c'est un petit peu saisonnier, c'est-à-dire que pour commander des articles de sport, il faut s'y prendre six mois à l'avance. La commande légère, vous voyez, maintenant, elle se fait maintenant. Donc c'était pas possible de démarrer comme ça du jour au lendemain.
[...]

[*Elle explique les multiples démarches qu'il a fallu faire auprès des compagnies d'assurance pour obtenir des indemnités, et la série d'expertises et de contre-expertises nécessaires pour établir des responsabilités. Seule une réinstallation dans le même quartier autorise l'indemnisation.*]

Des appels anonymes

[*Le téléphone sonne, Mme Tellier explique qu'elle a fait installer un répondeur pour se protéger des appels anonymes.*]

— *Ça a des incidences, finalement, même dans la vie privée.*

Mme Tellier — Oh ça en avait d'ailleurs à la suite des événements là, parce que bon, bien entendu en étant présidente des commerçants de ce comité de défense, bon, j'ai été amenée à parler à la télé, etc. Et j'avais laissé entendre justement qu'il fallait faire quelque chose avec des jeunes, mais remarquez que je l'ai fait un petit peu volontairement parce que c'est vrai qu'à un moment donné aussi, il faut un petit peu faire preuve de fermeté, il y a eu un petit peu trop de laxisme et ça, si on avait... parce que les événements, ça ne s'est pas arrêté, ça a continué : des voitures volées, la provocation dans le quartier, les gens se sont armés et ça continue encore les problèmes (...). Quand je discute dans mon quartier, c'est très rare quand on ne me parle pas d'un fusil... Ben oui, c'est une tension.

— Et c'est qui ? C'est des jeunes, c'est des habitants ?

Mme Tellier — Oh il y a de tout.

— C'est des commerçants... ?

Mme Tellier — Il y a de toutes les couches ; oui il y a des commerçants, il y a l'habitant du quartier. Et là dernièrement encore il y a eu des coups de feu parce qu'on était en train de voler la voiture de quelqu'un. Mais ça finira mal... Enfin c'est chronique. Et puis des installations municipales qui ont été cambriolées. Alors je sais pas, en plus, bon j'ai l'occasion de discuter avec des îlotiers qui sont maintenant un peu vieux, c'est vrai qu'ils sont... ils savent plus comment faire leur travail ; c'est des mecs qui vont se faire insulter, ils ont des ordres de ne pas intervenir, de ne pas... au nom de ne pas provoquer, on laisse faire ! Alors jusqu'où on va laisser faire, il est là le problème. Mais maintenant on insulte très facilement la police, il n'y a plus de réaction, il n'y a plus...

Ils peuvent pas acquérir toutes ces belles choses qu'on leur montre

Mme Tellier — C'est pour ça que je vous disais que j'étais seule pour ce magasin et dans un quartier difficile, c'est... fallait faire face, les surveiller, bon en plus c'est une clientèle, ces jeunes qui venaient, ils cherchaient la fauche..., plus les paroles, plus les insultes. Agressifs, très très agressifs. Même quand c'était pas l'insulte, c'est vrai que c'est un... un ton qui demandait pas de... Tout leur est dû. C'est ça qui est difficile, pour ces jeunes... ils peuvent pas, ça c'est la société de consommation, ils peuvent pas acquérir toutes ces belles choses qu'on leur montre ; mais même sous mon nez, dernièrement là, avant que ça explose on est venu me voler, et avant ils le faisaient quand même en douce, ils essayaient, bon j'en ai arrêté quelques-uns. On m'avait pris des chaussures qui étaient en exposition, il n'y avait qu'une chaussure, alors je m'en étais pas aperçue, parce que, quelle idée de partir avec une chaussure et pas la paire ! Ils étaient sortis, ils reviennent à nouveau et là ils faisaient donc les boîtes. Ils cherchaient dans les boîtes la deuxième chaussure qui était en expo et qui se trouvait à proximité de l'étalage. Là aussi, il y a eu des mots, « mais enfin vous n'avez pas le droit de regarder », enfin bref, etc. Et puis au moment de partir, il est parti avec la chaussure, j'étais devant la porte, il m'a bousculée et puis quand il est parti j'ai vu l'étalage, j'ai compris pourquoi il cherchait absolument une paire ; à l'étalage, il n'y avait déjà plus la chaussure alors ça a été très… et puis c'est vrai toujours sur le qui-vive, toujours… on se demandait toujours…

— *C'est pas de tout repos ?*

Mme Tellier — Non. Non, non. Et puis alors sans parler des nuits, moi j'en dormais plus. Deux fois quand ils sont rentrés dans le magasin, c'était à deux heures du matin et ça fait un drôle d'effet quand la société de surveillance vous prévient « allez vite dans votre magasin, on est en train de tout casser ».

— *Il y a une société de surveillance commune aux…*

Mme Tellier — Oui, moi j'avais un branchement. J'avais un branchement qui était relié directement avec le commissariat ; donc quand j'arrivais sur les lieux, la police était déjà là ; et les gamins me…

— *Ça c'est un peu inquiétant…*

Mme Tellier — Oui, moi j'avais plus de repos ; sans arrêt je pensais à ce magasin, bon en plus c'est vrai qu'on ne peut pas dire que c'était la panacée ; le chiffre d'affaire était assez bas… alors finalement j'ai passé cette année-là…

— *Plus dure qu'une installation, si vous étiez allée ailleurs ?*

Mme Tellier — Oh oui, certainement.

C'est une misère cachée

Mme Tellier — En 67, nous quand on est arrivés, la ZUP n'était pas construite, c'était que des terrains vagues, des terrains vagues loin de la grande ville… C'était presque des marais, enfin on entendait… moi je me rappelle, quand je rentrais de l'entraînement, j'entendais les grenouilles, c'était vraiment la campagne. Mais c'est encore très maraîcher, enfin il y a encore beaucoup d'agriculteurs, on a encore une zone… il y a 150 hectares de zone maraîchère (…). Il y avait les problèmes, enfin tout ce que peut engendrer une ZUP. Le pouvoir d'achat, le chômage, etc., la crise, ça n'a pas arrangé les choses. La misère vous ne la voyez pas, il faut rentrer dans les HLM, dans les appartements, faut voir comment les gens vivent. En tant qu'élue, moi j'ai eu l'occasion disons…

— *D'aller chez les uns, chez les autres ?*

Mme Tellier — Oui et je m'étais opposée à des saisies, etc., il fallait voir ce qu'il y avait à l'intérieur ; il y avait tout juste une table et un matelas par terre. C'est plus les bidonvilles que l'on connaissait avant, c'est vrai que c'est caché, c'est une misère qui est cachée. Je revois, j'ai eu l'occasion de voir, bon il y avait une table qui avait d'ailleurs un pied cassé, des chaises branlantes et puis un réchaud, quoi. Avec des boîtes de conserve sur la table… Non c'est vrai que ça ne se voit pas, les bidonvilles on le savait mais là il y a des immeubles…

— *Et puis sûrement beaucoup de gens qui vivent, soit avec des tout petits salaires, ça c'est la majorité mais aussi avec le RMI, des choses comme ça.*

Mme Tellier — Vous vous rendez compte les jeunes, on leur proposait le TUC à… le TUC à 1 900 francs par mois, le RMI, maintenant ça doit être 2 000 francs ; qu'est-ce que vous voulez faire avec ça ? Ça paye même pas le loyer. Non, c'est pour ça que c'est vrai qu'il en faut des études et c'est vrai qu'il faut rénover, c'est vrai que… Mais si on s'attaque pas, si on n'attaque pas le mal à la racine, on saupoudre. On réglera rien, on réglera absolument rien. Tant que les gens auront le pouvoir d'achat plus que minable, tant que les jeunes n'auront plus de perspective et ça c'est dramatique… pour les jeunes, vous vous rendez compte ? Ils ne peuvent pas s'engager, se marier, ils ne savent pas si ils auront un métier, non ça… On m'a fait comprendre que c'était utopique, quand je demandais à ce que bon, maintenant les gens puissent… le droit au travail, le droit au logement, etc., bon on veut pas entendre. On continue de fermer les boîtes, là vous avez bien vu, vous prenez la radio, il y a encore je ne sais pas combien de licenciements à Air France ou je ne sais plus où, on continue de fermer des boîtes,

comment voulez-vous que là des familles puissent vivre décemment, enfin forcément quand il y a des problèmes d'argent, tout se détraque, tout se dégrade. Et puis bon l'école, là aussi est-ce que les contenus, les programmes scolaires sont bien adaptés à ce que les jeunes en attendent maintenant, est-ce que... Bon moi là, j'ai ma dernière, elle me dit, « maman tu me pousses aux études, mais bon j'irai pointer à l'ANPE »... Là elle me dit, « je vais essayer d'avoir mon DEUG et puis ensuite, je vais voir », bon elle veut pas passer quatre années en sachant pertinemment qu'elle n'aura pas un débouché... Je me rappelle quand j'étais élue, j'en étais malade... Combien de jeunes j'ai reçus, tout le temps, qui se vendaient à n'importe quel prix, qui étaient prêts à balayer les stades, qui me demandaient un emploi, un emploi municipal, quitte à garder le stade ou balayer le gymnase avec des diplômes, c'est dingue. C'est tout ce qu'on avait à leur proposer à ces jeunes-là ; et encore je ne pouvais même pas les embaucher parce que je vous dis pas les demandes d'embauche...
[...]

[*Elle évoque son expérience municipale, sorte de formation sur le tas – « Il n'y a pas d'école, hein, pour être élue » — et l'inconfort dans lequel sa « vie politique » la place : « Ça me serait difficile de retrouver un emploi, je suis marquée à l'encre rouge ».*]

Je suis vraiment dans le brouillard

— Et est-ce que vous avez l'intention, après l'ouverture, quand les choses seront réglées, d'installer le magasin mais ailleurs ?
Mme Tellier — Non, je resterai pas dans le commerce.
[...]

— Votre avenir vous le voyez en fait... vous le voyez flou ?
Mme Tellier — Oh ! la la, plus que flou. Plus que flou, je suis vraiment dans le brouillard.

— Sauf que vous avez décidé de ne pas reprendre, quand même, même si vous repreniez parce qu'il faut bien pour les indemnités ; en fait vous avez une idée que le commerce c'est pas, c'est pas la solution pour vous ? C'est une expérience moins enrichissante, que celle d'élue par exemple...
Mme Tellier — Ah oui ! Mais c'est toujours pareil, qui me dit que bon, pour l'instant je m'oriente dans ce cadre-là, à savoir le commerce, je n'y reviendrai pas ; mais si je ne trouve pas autre...

Automatiquement je serai cantonnée, j'aurai pas le choix. Je me trouve à un terme un peu où je ne peux plus choisir, quoi... (...) quand on n'a pas non plus de bagages universitaires, il fallait travailler deux fois plus, quoi... J'avais pas de culture...

— *Oui, vous avez dû en fait, si je comprends bien, vous battre un peu sur tous les plans ?*

Mme Tellier — Voilà, totalement.

mars 1991

Gabrielle Balazs

La réhabilitation

M. Hocine est l'un des plus anciens locataires de la cité. L'immeuble qu'il habite, à proximité de commerces qui ont brûlé, a dû être évacué. Il a été repeint depuis. Il est arrivé dans la région dans les années 70. Ouvrier qualifié du chemin de fer tunisien, lui-même fils de cheminot, il a été conducteur une dizaine d'années avant d'émigrer en France et d'accepter un emploi d'OS à la chaîne chez dans une entreprise de production de camions. N'obtenant pas la qualification à laquelle il pouvait prétendre avec un CAP d'ajusteur-monteur et une année de dessin industriel, il quitte cette entreprise et trouve, par l'intermédiaire d'un ami tunisien, un emploi de surveillant de machines dans une entreprise de l'industrie chimique. C'est alors qu'il quitte le foyer pour immigrés dans lequel il résidait et vient s'installer dans la cité.

A l'époque, obtenir un logement dans cette cité lui paraît miraculeux. C'est à ses relations – le président d'honneur du club de football où il s'entraîne – qu'il doit d'obtenir l'appartement qui change sa vie : il va pouvoir se marier et faire venir sa femme, une institutrice tunisienne (avec trois enfants, il obtiendra un logement un peu plus grand).

Au cours des années 80, la cité se dégrade, les locataires récents étant relativement instables, souvent chômeurs ; ce sont des « familles à problèmes » qui, en introduisant la drogue dans le quartier, ont introduit en même temps la violence, la surveillance policière... Mme Hocine garde ses enfants à la maison pour les préserver des violences du quartier, elle souhaiterait déménager dans un lieu « plus calme » mais son mari s'y oppose. Trahir la solidarité serait se trahir soi-même, aussi s'engage-t-il dans la transformation du lieu. M. Hocine entreprend alors une patiente défense des locataires. Il contrôle l'entretien et les charges de la société de HLM (il montre lors de l'interview ses dossiers détaillés, factures abusives d'ampoules, d'eau...) et prête assistance aux locataires dans toutes leurs démarches (au cours de l'entretien, il expliquera à une voisine âgée, désemparée, venue le consulter, comment régler tel problème avec la société de HLM). Surtout il tente de défendre la bonne image de la cité, contre celle du ghetto qui tend à s'imposer. Il nous montrera pendant l'interview le dossier de presse qu'il a constitué depuis les événements. Il en a fait une soigneuse analyse et a conservé précieusement sa correspondance avec une chaîne de télévision, dans laquelle il proteste contre la manière dont on a parlé des habitants de la cité. Il nous donnera à lire la lettre qu'il avait écrite au journaliste, responsable d'une émission de télévision et la réponse de ce dernier. Qu'il s'agisse du règlement d'une simple facture, de la réhabilitation de la cité, du sort de chacun des locataires, des relations avec la mairie communiste – qu'il soutient –, des relations avec les médias, il se fait le porte-parole d'une identité ouvrière menacée. Au-delà de l'entretien de la cité et de sa bonne tenue, il est évident qu'il s'agit aussi pour lui de militer pour un civisme perdu. Son ancienneté dans la cité, sa qualification ouvrière, son attitude désintéressée (la société de HLM a essayé de l'« acheter » en lui proposant de le reloger mieux ailleurs), font de lui un militant irréprochable.

En luttant sur tous les fronts, dans la cité pour réhabiliter l'image du quartier, dans son travail pour défendre sa dignité (il a quitté brutalement son emploi à la suite d'une bagarre avec un collègue qui s'était montré raciste), dans sa vie privée en se sacrifiant pour sa famille où règne l'entente et une éducation stricte (sa femme assistera à une partie de l'entretien, ses enfants viendront un moment au salon, faisant montre d'un respect silencieux et attentif pour leur père qui parle), c'est toujours une image de lui-même qu'il souhaite maintenir ou restaurer.

L'enjeu de cette entreprise volontariste de rééducation des habitants de la cité est de renouer avec l'image d'un groupe ouvrier plus solidaire, comme celui qu'il avait connu à la fin des années 60 dans un grand centre industriel, et, par là, de réhabiliter celle des immigrés en France qui, selon lui, se doivent d'être irréprochables, voire exemplaires.

avec un locataire de HLM

— entretien de Gabrielle Balazs

« Ce n'est pas nous qui avons créé ce ghetto-là »

— Vous êtes arrivés les premiers ici, c'est pour ça, vous vous connaissez mieux…

M. Hocine — Oui, les premiers. Il y avait une bonne ambiance, (…) « tu as un problème, je suis là », vous voyez ?

— Tout le monde se rendait des services aussi ?

M. Hocine — Voilà. Tout le monde se rendait des services. Et puis après, je sais pas ce qui est arrivé, bon ; ça a commencé à partir, les Français, on mettait des Arabes, c'est-à-dire de ma race, de ma race, et attendez, on va revenir sur ça, pour les ghettos, parce que ce n'est pas nous, les ghettos ; c'est pas nous qu'on a créé les ghettos. C'est le gouvernement premièrement, la préfecture, la société qui nous loge, et la mairie, j'ai discuté avec le maire [communiste], ce n'est pas lui, ça ne vient pas de lui, ça vient de la société.

— Les Français ont commencé à partir plus tard ?

M. Hocine — A partir, oui, à partir. Il y a des immigrés, des Arabes qui ont préféré acheter et je ne sais pas, franchement, si j'avais su… parce que écoutez, on peut pas prévoir l'avenir, si je prévois l'avenir, que demain je vais mourir, à quoi ça sert de batailler ou de travailler ou de faire ceci, ou… non. Non, moi j'ai dit« je vais passer encore cinq ans ici, et je vais repartir chez moi ». Autrement j'aurais dû acheter comme les autres.

— Ils ont acheté ? Ceux qui sont partis, c'était pour acheter des pavillons, des appartements…

M. Hocine — Pour acheter des villas. Des villas. Et ça a commencé à partir, à partir, taf ! On remplace par des compatriotes, après, par des Asiatiques, après des Vietnamiens. Ça commence déjà à… à pourrir. Ce n'est plus la même, ce n'est plus la même…

— Il n'y avait plus le même esprit entre vous, la même solidarité ?

M. Hocine — Le même esprit entre nous et chacun est retiré chez soi, c'est-à-dire même quand on entend quelque chose, non je préfère… pas rentrer dans leurs affaires.

[*Arrivée d'une voisine âgée qui vient demander conseil au représentant des locataires.*]

Les anciens locataires sont partis

— *Vous avez dit que le public a changé…*

M. Hocine — Il a changé carrément, les anciens sont partis, il y a des nouveaux. On ne peut pas vite, vite, avoir une amitié avec eux, il faut les connaître et tout (…). Quand ils sont arrivés, on a essayé. Mais il y a des gens qui ne voulaient parler à personne. Et, avant les travaux de réhabilitation, on a constaté qu'il y avait trop de saleté ; qu'ils jettent des sacs de poubelle par le huitième étage, par le septième, par le sixième ; on est intervenu mais on est arrivé en douceur : « s'il vous plaît, écoutez, on habite dans un quartier habitable et propre où vous avez à votre disposition une benne, un machin de poubelle juste dans le palier où vous êtes aussi… là où vous pouvez jeter votre saleté », mais… ils ne veulent pas comprendre ; et c'est arrivé à ce moment-là, les travaux de réhabilitation. Le voisin m'a dit« on va faire un comité » ; j'ai dit oui.

— *Ah d'accord, c'est de là que c'est parti, le comité des locataires…*

M. Hocine — Oui, parce qu'ils nous ont vraiment bien manipulés. Dans des familles qui sont des familles nombreuses, ils payent le surplus de l'eau chaude, l'eau froide dans les 4 000 à 5 000 francs.

— *Les loyers à cette époque-là, c'était combien ? C'était raisonnable ?*

M. Hocine — C'était raisonnable, oui surtout, bon, avec les allocations et tout, avant, avant les travaux de réhabilitation on payait 570 francs de loyer… Et les charges un peu plus, il y a 4 000 et quelque. Ils nous ont totalement bouffés, voulant défendre une fois ce qu'ils nous ont mis sur les charges, sur les trois allées, on a usé 500 ampoules, vous vous rendez compte ? Ils nous ont mis sur le dos 500 ampoules par an. Il y a 94 habitants (…). A ce moment-là j'ai dit« le seul moyen, il faut faire le comité de locataires », je vous assure avant, je voulais pas avoir ces problèmes-là, j'ai dit« faites le comité, je suis avec vous, je vous donnerai la main ». On a invité les locataires, on a invité la CNL [Confédération nationale des locataires], il y en a un bon nombre qui sont venus. Et je m'attendais pas à ça, à ce point, je vous assure… Qu'est-ce qu'ils ont fait ? Je suis sorti, je sais pas, il y a une dame à qui je voulais

ouvrir la porte, qu'est-ce qu'ils ont fait, ils se sont entourés entre eux, bon, taf ! « Monsieur Hocine on va le mettre [au comité] ». Lorsque je suis arrivé, ils m'ont dit« ça y est Monsieur Hocine, on a fait le comité, bon vous êtes… », mais je dis« non, je suis pas d'accord » ; je dis « écoutez-moi, déjà je ne suis pas dans ce domaine et secundo je n'ai pas assez de temps pour faire ce travail ; vous voulez la main, je suis là, je vous donnerai la main, mais je peux pas… je ne veux pas que vous me proposiez ce poste-là, je peux pas, je peux pas rester ! » Ils ont insisté, même la CNL, ils ont insisté, ils m'ont dit que « vous êtes le seul à faire ce travail ».
Mme Hocine — Mais pour les dépenses de la société, c'est normal parce qu'il y a des casses, il y a des trucs brûlés par les enfants… il y a des enfants qui jouent, qui… qui jouent avec des trucs et qui cassent des ampoules et qui (…). Il y a aussi des dépenses. Faut pas dire, quand même..
M. Hocine — Oui, il y a des dépenses, mais ils sont toujours gagnants…
— *Ça a augmenté, les loyers, depuis cette période ?*
M. Hocine — Ils nous ont augmentés avant que l'APL [allocation] entre en vigueur et avant que les travaux soient finis. (…) On a fait une pétition, vu qu'on a créé le comité, tout, comme je vous ai expliqué, on a le comité, il y a le président, le vice-président, la secrétaire, la secrétaire adjointe, le trésorier, ainsi de suite ; on était huit personnes, on se trouve actuellement avec deux personnes. Mais, malgré ça, on fait notre travail.
— *Et les autres qui étaient avec vous se sont découragés…*
M. Hocine — Oui, c'est trop de travail, c'est trop de boulot, écoutez en plus de ça, il y a une mauvaise entente entre les locataires et tout, alors bon, je dis tout de suite, qui veut travailler, travaille, s'il veut pas, écoute…, moi je peux pas…
— *Et la mauvaise entente entre les locataires, c'est venu… ?*
M. Hocine — Depuis que des nouveaux locataires sont arrivés et depuis qu'ils ont eu cette augmentation. Eh ben, à ce moment-là, ils ont fait les travaux de réhabilitation, ils sont venus me voir, là, parce qu'il y a des gens qui méritent que leur appartement soit refait, donc je suis intervenu. Ils ont tout refait. Ils sont venus me voir : « monsieur Hocine, écoutez, on va vous faire quelque chose, on va vous faire les seuils et tout », « Non, moi je ne mérite pas, faites à ceux qui ont besoin, moi je suis bien chez moi, ici », malgré qu'il y a des petits trous et tout ; parce que je suis rentré, c'était

carrément dégueulasse et tout, tapisseries et peintures, c'est moi… qui ai tout fait. Ils voulaient me le faire à moi, j'ai dit« il faut pas le faire à moi, faites le nécessaire comme vous avez fait aux autres ; bon, les portes sont ceci, de beaux vitrages ; vous enlevez la moquette, vous la remplacez par un… par les autres carreaux, faites-le. Pour tout le monde. Ceux qui méritent, faites leur appartement, parce qu'il y a des appartements carrément pourris ; la cloison, elle est carrément tombée. Vous devez faire ça, pas à moi. Moi je suis bien ici ». Et je surveille. Ils ont fait les portes : un accord entre le gouvernement et les sociétés HLM ; ils nous ont mis sur le dos 4 000 francs au lieu de 2 375 francs le coût des portes « sans-souci »…

— C'est quoi ces portes-là ?

M. Hocine — Des portes blindées (…). Je suis intervenu, je me suis engueulé et même j'ai été loin. En fin de compte, ils sont revenus… (…) Après je me suis aperçu qu'il y a entente entre la société et la DDE (Direction départementale de l'équipement). J'ai parlé au maire et à la CNL, j'ai dit« écoutez, c'est plus la peine que je me casse la tête, moi, j'en ai marre », et c'est pour ça que le maire [*communiste*] m'a dit« non, vas-y Hocine, si il y a un problème, je suis derrière toi », c'est lui qui m'a encore encouragé. Et lorsque les autres sont arrivés, les Français commençaient déjà à partir, voyez la dame [*qui est passée*] elle va bientôt partir…

— C'est ça, oui, c'est un exemple, pourtant ça fait longtemps qu'elle est là, enfin depuis 82…

M. Hocine — Si je fais monter une mémé, une vieille qui a, je crois, 87 ans, elle est là depuis la création de la… eh bien, je peux vous certifier, si vous voulez, je l'amène, et elle va vous dire. Pour moi, comme je vous l'ai expliqué, je suis sensible, parce qu'on ne vit qu'une seule fois sur terre, il faut toujours faire (…), ce n'est pas parce que c'est une Française, même si c'était une Arabe, même si c'était une Juive, je fais pareil. Elle était tombée malade, elle a ses filles et ses gamins, personne ne vient la voir. C'est moi, le matin avant de partir au boulot, je monte la voir parce qu'elle me donne les clefs ; je monte la voir, elle était malade, je lui prépare son petit déjeuner, je lui donne dans son lit, je lui donne ses cachets, ses médicaments et je reprends la clef, je ferme, je reprends la clef et je la remets à ma femme qui remonte à huit heures du matin pour voir. Et elle est là, elle peut monter pour vous le dire, Madame, elle est là et jusqu'à présent…

— C'est une dame... qui vit toute seule, depuis le début des HLM, ici !...
M. Hocine — Oui, avant, avant la pauvre, elle vivait... mais elle a perdu son mari ; elle se trouve carrément toute seule. C'est pour ça que je veux dire, parce qu'écoutez, aujourd'hui on est là, demain ça se peut que... on n'est pas là. Mais elle peut vous le dire, il y avait une bonne entente, les anciens, mais les nouveaux, non (...).

Ce n'est plus comme avant

— Et parmi les gens qui partent, vous dites, c'est les Français qui sont partis comme la dame qui est venue tout à l'heure, elle a trouvé un logement ailleurs. Les gens essayent de partir ?
M. Hocine — Oui, ils essayent de partir parce que ce n'est plus comme avant. Je vous dis qu'actuellement, chacun est... replié sur lui, parce que on voit tellement de méchancetés, on voit, c'est-à-dire vous voyez quelqu'un en train de casser ou de souillonner, on n'ose pas intervenir (...). Depuis qu'il y a une famille, là, c'est pas une famille... il y a une, deux, trois familles qui ont sali les 94 locataires. On est intervenu, je suis même allé les voir, moi, je suis rentré chez moi et je leur ai donné une leçon de morale : « on vous a vus, en plus vos parents, on vous a vus naître devant nous, pourquoi vous faites ces choses-là ? Vous voulez les faire ? Je vous prive pas. Faites-les loin, faites-les loin ». A une heure du matin, à deux heures du matin, on entend taf, taf, taf, ça klaxonne partout, mais c'est une rencontre de la drogue, ici.
— Ça gêne tout le monde ?
M. Hocine — Bien sûr, ça gêne tout le monde, bien sûr ça gêne tout le monde ! Écoutez, vous êtes chez vous, là... mais il faut comprendre qu'un jour, un ami qui vient vous voir, lorsqu'il rentre, qu'est-ce qu'ils disent ? Ils disent que ça n'est fréquenté que par des Arabes, qu'est-ce qu'ils disent ? Ils rentrent, ils trouvent – je m'excuse – des foutaises, des... « regarde comment ils sont les Arabes ! ».
— Ça jette le discrédit sur tout le monde ?
M. Hocine — Voilà, oui, parce qu'il ne voit pas (...), il va entraîner tout le monde, il va dire« ils sont tous pareils », vous voyez ? Et on a essayé tout, vous voyez, on a essayé tout... Et à ce moment-là j'ai dit en fin de compte... il faut que je gueule un peu. Je me suis engagé. Je suis allé voir les parents. Je suis allé leur

dire qu'ils sont concernés, j'ai dit« écoutez, faites quelque chose, si vous... vous, les parents, vous n'arrivez pas à réagir, qui va réagir ? » Ce n'est pas normal. Je sais que j'ai trois gamins, lorsqu'on m'amène quelque chose qui est précieux, je dis« d'où est-ce que tu as amené ça ? » Je dis aux parents qui ne disent rien du tout, qui réagissent même pas,« bon, faites quelque chose, vous avez des gamins, il faut les éduquer, faut pas les laisser comme ça, faut les surveiller, faut leur donner une bonne éducation »... Un parent m'a dit« écoutez, mais maintenant, écoutez, vous savez, la nouvelle génération... », j'ai dit« non, ce n'est pas la nouvelle génération » et j'ai dit« moi j'incrimine pas les gamins, jamais j'incrimine les enfants, je vous incrimine, vous. Vous, vous êtes les seuls responsables, parce que si au début vous avez serré vos gamins, au fur et à mesure qu'ils grandissent vous pouvez desserrer, vous pouvez un peu desserrer, hein, si au début vous avez bien serré vos gamins, ils savent comment ils mènent leur vie ». Il y a des parents, bon, qui étaient compréhensifs et d'autres gens qui m'ont dit« écoutez, ça vous regarde pas, c'est... », voyez, déjà regardez le problème... je veux dire à force de... je veux dire, c'est pas nous, les Arabes, qui avons créé ce ghetto-là. Ce n'est pas nous, le ghetto, qui l'avons créé, c'est la société, et je veux pas incriminer la Préfecture parce qu'ils ont tant pour cent d'appartements ici et la mairie, elle a tant pour cent. La société, qu'est-ce qu'elle voulait ? L'essentiel c'est que l'argent rentre. Lorsque j'étais chez moi en Tunisie, avant de loger quelqu'un, on prenait des renseignements sur lui, on peut pas l'emmener comme ça, il faut prendre des renseignements, comme j'ai expliqué maintes fois dans des réunions, j'ai dit « écoutez, lorsque vous allez loger, je suis pas contre, je dis pas que vous logez pas, au contraire je suis dans une situation comme eux, je suis de la classe ouvrière, mais au moins prendre des renseignements, déjà nous avons assez de problèmes » (...). Tous les Français qui partent en majorité, qu'est-ce que vous mettez, vous mettez des Arabes ; et c'est vous qui avez créé ce ghetto-là. Et après vous dites« la cité c'est un ghetto ». Ce n'est pas un ghetto, c'est vous qui l'avez créé de vos propres mains. Faut pas incriminer les Arabes parce que les Arabes, on peut vivre ensemble, on pourra vivre. Mais c'est vous qui l'avez créé ; et chaque incident qui arrive« c'est des Arabes ». Je dis« même un petit machin comme ça sera inscrit sur le journal "un Maghrébin", "un Maghrébin" ! Mais lorsque c'est un Français qui le fait ou un

Européen, non ! » Et pourtant la France, la France c'est un pays… c'est un pays démocratique, on peut parler, parler, c'est-à-dire avec franchise. Et pourtant je vous assure, j'ai failli déjà avoir des problèmes avec un… avec même la presse et tout. Avec ma franchise, ils voulaient pas, ils voulaient pas, c'est-à-dire…

— *Ils voulaient pas entendre ?*

M. Hocine — Voilà, ils voulaient pas entendre. Et malgré ça, on est toujours là, on est en train de défendre les locataires, on est en train de défendre à ceux qui posent, c'est-à-dire à ceux qui disent un problème sur les immigrés, parce que les immigrés, écoutez, les immigrés ce n'est pas les Espagnols, ce n'est pas les Portugais, ce n'est pas les Turcs, ce n'est pas… Les immigrés c'est les Maghrébins, c'est les Tunisiens, les Algériens, les Marocains ! Parce qu'une fois, dernièrement, dans la réunion du conseil des quartiers, il y a un type de l'UDF, l'UDF là, il a dit « oui, les immigrés… », je lui ai dit« monsieur, les immigrés, mais avant de prendre ce mot "immigrés"… actuellement qui sont les immigrés ? Vous visez qui, dites-moi, vous visez qui ? ». (…) On a failli s'accrocher devant le maire et tout. En fin de compte, je lui dis« écoutez, moi je vous dis, la prochaine fois, lorsqu'on est en réunion, mesurez vos paroles, il faut plus employer le nom "immigrés" ». Après, quand on est sorti de table, il est venu« monsieur Hocine, excusez… », j'ai dit« il n'y a pas d'excuses, pour ça il n'y a pas d'excuses. On a discuté sur la table ronde. Maintenant ni vu ni connu, vous me connaissez même pas ». Il y a beaucoup de fois où je me suis vraiment accroché avec eux.

Lorsque j'entends « immigrés », … je peux plus me retenir

— *Oui, beaucoup de fois où vous vous êtes battu avec les…*

M. Hocine — Oui, mais pareillement, écoutez, je vous assure parce que ça me touche ! Algériens, Tunisiens ou Marocains, il n'est qu'un Arabe, il n'est qu'un immigré comme moi ; avant pourquoi vous aviez besoin d'eux, vous les avez amenés de chez eux et maintenant qu'ils vous ont construit votre France, vous avez refait votre France, maintenant vous n'avez plus besoin d'eux ? Il faut être logique. Et je m'excuse, Madame si je vous… c'est pas que je voudrais vous choquer, mais c'est ma franchise, je suis comme ça. Je suis comme ça. J'ose pas, dans des réunions, quelquefois, lorsque j'entends « immigrés », ça y est, je peux plus me retenir. Qu'est-ce que j'ai de plus que vous, ou vous, vous avez de plus que moi ? Madame, nous sommes tous des êtres humains. Il faut s'entraider dans la vie où on est actuellement, qu'il y a une crise de toute façon très dure, tu vois, le riche il peut aider le pauvre, le modeste il peut aider le pauvre et ainsi de suite. [*Il fait des commentaires sur la situation dans le Tiers-Monde et la guerre du Golfe.*]

— Vous disiez quand il y avait la dame pour son logement, vous disiez que la société des logements ici vous avait proposé de partir, vous a donné d'autres logements et que vous n'avez pas voulu partir ?

M. Hocine — J'ai pas voulu partir, j'ai pas voulu partir ; parce que déjà depuis 72 que je suis là, que mes gamins ils sont nés ici et ça va avoir… comme à nouveau l'étranger.

— Oui c'est ça, vous devriez recommencer à zéro ailleurs.

Mme Hocine — Moi, personnellement, je veux déménager.

M. Hocine — Elle, elle voulait déménager, mais moi…

— Vous vouliez aller où ?

Mme Hocine — Quelque chose qui est calme. Voilà, c'est ça que je cherchais. Je cherche quelque chose qui est calme, vraiment…

— Ici vous êtes dérangée ?

Mme Hocine — C'est pas qu'on est dérangé, mais c'est mélangé maintenant, je suis pas raciste mais c'est trop, c'est trop… c'est pas comme avant. Tous les voisins d'avant, ils sont… ils ont déménagé et tout, alors on n'est plus tranquille, comme cette année, on est parti en Tunisie, alors ils ont essayé de grimper aux murs (…).

— Vous n'êtes pas tranquille ?

Mme Hocine — Non et mes gamins ils sortent jamais, ils sont tout le temps à la maison, jamais ils sortent…

M. Hocine — C'est vrai parce que même moi, je veux pas qu'ils fréquentent.

— Mais ils font pas des activités à l'extérieur, dehors ?

M. Hocine — Si, il y a des activités… je sais pas… ils peuvent partir, bon, ils sont partis une fois en vacances de neige un mercredi. Mais quand on laisse partir, automatiquement ils sont obligés de fréquenter leurs amis.

— Oui, c'est ça et vous voulez pas ça ?

M. Hocine — J'essaie, ce n'est pas que je veux pas, j'essaie parce que il faut l'éducation ; la première des choses, il faut l'éducation, il faut bien dire aux gamins« ça et ça, il faut pas faire ça, même s'il vous fait ça, il faut pas... il faut pas lui répondre, il faut faire... ». Alors, on leur fait comprendre aux gamins ; mais à force aussi de laisser, c'est tous les jours pendant ces vacances, à force de les laisser sortir et fréquenter, en fin de compte qu'arrive-t-il ? D'après vous, qu'arrive-t-il ? On est influencé. Et quelquefois je leur dis de descendre un peu. C'est eux qui me disent non. C'est eux qui me disent non parce que, écoutez, rien ne leur manque. Ils ont tout.

Mme Hocine — Dernièrement [*désignant un des fils*] il a voulu l'ordinateur, on l'a acheté.

M. Hocine — Oui, il a tout.

Mme Hocine — [*Sourire*] Ils ont leurs jouets, les petits.

Ma seule réussite, c'est les études de nos enfants

— *Ils sont dans quelle école ?*

Mme Hocine — Il y en a deux qui sont au collège et le plus petit est en sixième, le grand en quatrième. Et le petit, il est en face. Quand il sort, je le surveille du balcon jusqu'à ce qu'il rentre, jusqu'à ce qu'il est dans l'école, je le surveille et quand il rentre (...).

— *Et vous savez ce qu'ils vont faire après le collège, après la troisième ?*

Mme Hocine — Ben, il va continuer, le grand il veut être pilote, je sais pas si il va tenir et le deuxième, encore il a pas d'idée, il suit ses études...

— *Après le collège, il veut aller au lycée ?*

Mme Hocine — Au lycée, oui. Bien sûr.

M. Hocine — Au lycée. Et pourtant nous avons des compatriotes qui sont bien ; nous avons juste en face une famille, là, la fille elle est en seconde...

Mme Hocine — En faculté, en plus ça fait même sa deuxième année...

M. Hocine — Sa deuxième année. J'en ai encore un compatriote à (...), c'est sa troisième année de faculté.

— *Oui, ils font de bonnes études...*

M. Hocine — Oui, de bonnes études, de bonnes études...

Mme Hocine — Oui, ils sont bien ceux-là... Ils sont tranquilles, oui... Il y a six ou sept familles de Tunisiens...

M. Hocine — Nous ne sommes pas nombreux ici ; nous sommes six familles ici, six familles tunisiennes, il y a une bonne entente entre nous, vous voyez. Il y a encore des Algériens, bon, il y a une bonne entente mais il y a toujours une méfiance, vous voyez ?

Mme Hocine — On n'a pas le même caractère. Ce n'est pas du racisme… Ce n'est pas du racisme mais on n'a pas le même… Je sais pas… [*silence*].

M. Hocine — Si mon gamin fait quelque chose et que vous le voyez, je veux que vous veniez me le dire. Mais moi, si je vois quelqu'un… dont le gamin fait une connerie, je vais lui dire et il me dit « non, mon fils est un saint ! »Alors, je veux pas entrer dans ces problèmes, je veux que mes fils soient avec moi, soient…, bon, je sais avec qui ils jouent et je veux bien (…) je dis « écoute, tes fréquentations, je m'en fous, à l'extérieur de la maison je m'en fous ; mais attention, méfie-toi, les copains et les copines, lorsque tu rentres au seuil de la maison, ni copain ni copine, je ne connais personne. Dehors choisis tes copains, tu es assez grand, tu n'as pas beaucoup d'atouts, choisis tes copains et après tu peux trier ».

[…]

Je suis en train de travailler, je me prive, moi, elle se prive, elle. Eux, ils se privent pas. Ils se privent pas. Je lui dis « donnant, donnant, ma seule réussite pour moi, c'est que vous réussissiez dans vos études, c'est tout ; je veux rien de vous ; je veux rien de vous parce que quand vous serez grands, vous allez me… non, non, je veux rien du tout. Non, démerdez-vous lorsque vous serez grands, lorsque vous aurez votre avenir, vous allez fonder un foyer comme moi et ainsi de suite, mais je veux rien de vous, la seule chose… c'est que vous réussissiez dans vos études », je dis, « parce que moi je m'en fous maintenant, avec ma petite retraite, je peux vivre, mais vous – je dis– votre avenir, vous êtes encore jeunes, vous avez la vie devant vous, il faut essayer de… parce que ce n'est plus les années 40, 50, c'est plus pareil, c'est plus pareil ».

[…]

Le problème lorsqu'ils ont fait l'incident ici, c'était pas des jeunes d'ici. C'est des jeunes qui voulaient saboter le maire (…). Après, on a su qu'il y avait le Front national et tout, vous voyez, l'extrême droite et ils voulaient le saboter, le pauvre. Et moi, j'ai surpris trois Européens avec une caméra, mais c'était une caméra juste à l'angle d'ici, le moment où il y a eu la casse et tout, j'en ai surpris trois qui ont influencé des jeunes pour aller brûler le supermarché. J'étais à trois mètres…

Mme Hocine — Des journalistes, qu'est-ce qu'ils veulent ? Ils

veulent des scandales et des trucs, bon, alors que ça fait pas partie de leur travail.
M. Hocine — Alors, c'est un coup monté, c'est un coup monté.
[*Interruption due à la visite d'une voisine et brève discussion sur les vacances des enfants, l'éducation.*]
— *Une fois qu'ils ont été scolarisés, vous n'avez plus pensé à aller travailler en Tunisie ou des choses comme ça ?*
M. Hocine — Non.
— *Maintenant vous pensez être ici.*
M. Hocine — Être ici, parce que, écoutez, je suis âgé actuellement de 50 ans, de refaire ma vie là-bas, c'est… vous voyez… J'ai eu des gamins ; avant j'étais célibataire, je m'en foutais, mais maintenant, vu que j'ai une responsabilité, il faut que j'aille jusqu'au bout. C'est-à-dire faire des sacrifices. Pour qui ? C'est pas pour moi (…) pour eux. Parce que je suis le seul responsable. Parce que ni le gouvernement, il est pas responsable d'eux, c'est moi, le premier, c'est moi, le (…) c'est moi. Alors je suis en train de tout sacrifier pour eux. Et lorsqu'ils seront adultes à ce moment-là, ils feront pareil, mais quelquefois à la table on discute, je dis« écoutez maintenant, vous faites pas ce que je fais actuellement, moi, parce que vous voyez, je suis commandé, moi ; vous voyez, quand je me réveille le matin, quand je rentre le soir, hein, je voudrais pas que vous soyez commandés comme moi ; vous devrez arriver ; faites tout le nécessaire parce que vous avez le temps » ; ils savent au moins que « il vous manque rien du tout parce que moi, ça se peut que ça me manque un peu, mais actuellement, vous, il ne vous manque rien du tout, vous avez tout à votre portée ; essayez de ne pas être commandés par les autres ».
— *Vous n'avez pas envie qu'ils aient le même genre de travail que ce que vous avez eu où vous recevez…*
M. Hocine — … voilà, des ordres.
[*M. Hocine raconte l'incident raciste à l'usine qui l'a conduit à quitter le poste d'ouvrier qu'il occupait depuis dix ans pour travailler en intérim, ce qui lui permet d'éviter le face-à-face permanent avec ses collègues. La société d'intérim propose à M. Hocine un emploi dans une autre ville.*]
— *Vous préfériez rester ?*
M. Hocine — Rester ici. J'ai pris tellement l'habitude ici. Mais, Madame, ceux qui sont racistes disent que la France est pour les Français. Mais nous, c'est quoi ? Avant nous étions quoi, nous ?

On vivait avec les Français, on habitait avec les Français et on a fait l'école avec les Français, nous étions voisins. Et moi, personnellement, j'ai jamais quitté, j'ai jamais renié la France. La France c'est ma deuxième patrie. Vous voyez, je suis reconnaissant envers elle. Un jour je souhaiterais de tout mon cœur, je voudrais bien ça, d'ailleurs, qu'on s'assoie comme ça et puis qu'on discute. Parce que, eux, eux, leur niveau d'instruction, il est plus élevé que le mien, mais je peux les confronter, je peux leur dire ce que je pense ; je peux leur dire. Mais pour arriver, c'est très difficile.
[*M. Hocine dénonce le manque de fidélité des journalistes de télévision vis-à-vis de leurs engagements envers les habitants de la cité : non contents de réaliser leur reportage en excluant les habitants du quartier pourtant d'accord pour y participer, ils ont finalement réduit à sept minutes l'émission dont la durée prévue était de une heure et lui ont assigné, du même coup, une place plus que modeste à la fin d'une autre émission consacrée aux lycéens.*]
[…]

Tout ce qu'ils disent sur les banlieues

M. Hocine — Normalement on pense aux jeunes, ça, c'est normal. Mais, il faut bien penser à une ville entière, à une banlieue entière… Les jeunes, ils ont encore le temps. Mais vu qu'il s'est dérangé, qu'il est venu, c'est lui-même qui nous a proposé… des fois, il y a des personnes qui ont d'autres occupations à faire, alors ils ont renoncé à leurs occupations pour venir le voir. Et en fin de compte, regardez-le… Et je lui dis, je l'ai chopé, je lui ai dit comme vous et moi, je l'ai traité de tout. Je lui ai dit« vous… vous informez les gens, la France, toute la France, presque le monde entier, il vous entend, lui ; et vous osez dire, c'est une cité-dortoir, j'ai dit, c'est quoi cité-dortoir ? Un ghetto cité-dortoir… ».

— *C'est quoi, ça ?*

M. Hocine — C'est quoi ça, exactement, je lui ai dit « c'est quoi, ça ? », mais il m'a dit« monsieur, j'ai entendu par les autres confrères », j'ai dit« mais non, écoutez, je vous ai vu, je vous ai entendu, vous êtes le premier à le dire, j'ai dit « parce qu'au moment des incidents on l'a pas dit encore. C'est vous qui avez prononcé ce mot, un ghetto cité-dortoir ».

— *Et ça donne une mauvaise image de la ville…*

M. Hocine — Une mauvaise image et pourtant, je lui dis « vous

(...) avez vécu ici, vous devriez pas avoir une mauvaise image », il m'a dit« non, Monsieur Hocine, je vous assure que j'ai entendu... », je lui ai dit « écoutez, Monsieur, avec tous mes respects, c'est une information mensongère pour ce que vous dites, vous et vos confrères, la vérité, vous la cachez. Mais je sais que pour remplir une feuille, il faut que vous mettiez un peu plus pour compliquer l'image, pour compliquer l'affaire. Je vous en veux pas, j'en veux à ceux qui vous dirigent, et depuis ce jour-là ». Et pourtant, j'ai de la sympathie pour lui, je vous assure, mais depuis le jour qu'il a dit ça...

— *Mais vous pensez que les émissions de TV ont joué un mauvais rôle ?*

M. Hocine — Ah oui, oui ; écoutez, c'est une information mensongère...

— *Les habitants ne se sont pas reconnus dans les émissions ?*

M. Hocine — Ils se sont pas reconnus, non, dans les émissions. Parce que tout ce qu'ils disent sur les banlieues, tout ce qui s'est passé, c'est vrai, je vous assure, écoutez, je sais pas, ça se peut que je suis mal placé, mais il y a d'autres qui sont placés mieux quc moi ; tout ce qu'ils disent sur les banlieues, c'est faux.

(...) Pendant les événements, il y a eu des jeunes de chez nous, mais la majorité sont venus de l'extérieur. Pour voir ce qui se passe et en plus de ça quand ils ont vu les magasins, paf ! Ils sont rentrés, ils ont tout... Mais si vous aviez vu ce jour-là – j'étais là – si vous aviez vu... mais vous pouvez pas imaginer,...on dirait de la famine, ils se jettent sur tout ; ils se jettent sur tout, ils sont comme...

— *... comme s'ils avaient été privés de tout et...*

M. Hocine — Voilà, le supermarché brûlait, eh bien qu'il brûle, ils sont rentrés avec des caddies pleins et sortis... les machins de tabac, du whisky, des cigarettes, mais vous pouvez pas imaginer, fallait voir. Après le feu s'est répandu et je suis obligé de faire sortir tous les gamins du (...) et de tous les bâtiments...

— *Ils se rendaient pas compte du danger, les gosses, alors ?*

M. Hocine — Mais il y a même des adultes, des familles qui ont entendu par les informations, comme je l'ai expliqué, « alors, voilà ce qui se passe ». Paf ! Ils sont venus tous, les gens avec leurs voitures, ils mettent dans les voitures, et après avec le feu qui s'est répandu partout, j'étais obligé d'évacuer l'allée 7 et l'allée 8 parce qu'à ce moment-là le feu, le vent dans ce sens-là...

J'ai fait évacuer tout le monde. Tous évacués, tous ; tous évacués, toutes les familles, il y en a aucun qui est resté, aucun ! Je suis moi-même monté les voir et à ce moment-là l'ascenseur était en panne, tout en panne. Et en plus de ça, les bombes lacrymogènes ; les CRS étaient de l'autre côté, c'est-à-dire les gens étaient là ; ils lançaient des bombes lacrymogènes. Voyez-vous, c'était un après-midi infernal que nous avons vécu. Même le soir, on entendait péter partout, partout… J'ai pas peur, moi, quand il y a des choses comme ça, moi, moi je fonce… Tout de même… Il n'y a pas de médecin, il n'y a rien du tout mais avec un jet au moins pour disperser les gens avec un jet d'eau, là, lance-jet, mais écoutez, c'est un coup monté, ils voulaient saboter le maire coûte que coûte. Parce qu'il a… il a beaucoup fait. Il a beaucoup fait (…).

— *Et depuis, les événements ça a profité ou pas au Front national ?*

M. Hocine — Ah non, au contraire… parce que, moi, j'ai insisté, j'ai vu le deuxième jour… le bureau de tabac, ils l'ont encore brûlé, eh bien, qui a fait le service d'ordre ? C'est nos jeunes, ici. Nos jeunes, je les ai vus, ils ont tous mis des barrages pour que les voitures n'entrent pas, ils ont facilité la tâche aux pompiers et même à la police, c'est eux qui ont fait un service d'ordre. Ce n'est pas eux. Vous voyez la presse, pourquoi elle a pas écrit, parce que j'ai tout, tout ! [il *montre des papiers*]. J'ai tout ici…

— *Vous avez fait un dossier de presse ?*

M. Hocine — Oui, oui, la vérité ils la mettent pas. Tenez, la vérité ils la mettent pas, elle n'y est pas, regardez.

mars 1991

Lettre ouverte des habitants de la cité à un journaliste de la télévision

Pour la préparation de l'émission consacrée à la cité le 6 novembre. Lors de cette rencontre vous nous avez présenté l'objectif de votre émission, ses règles, et rappelé qu'elle ne se ferait que si toutes les conditions étaient réunies ; dans ce cadre convenu, nous étions prêts à y participer car elle permettait l'expression des habitants du quartier et pouvait participer à l'image de la revalorisation de la ville. Nous vous avons fait part de nos avis, de nos remarques et vous en avez pris note. Une semaine plus tard, certains d'entre nous ont été recontactés en dehors des règles annoncées, organisation chez une famille d'un repas et d'une discussion tenue en votre présence; une telle attitude, de même que votre proposition est tout à fait inacceptable. Nous sommes alors informés que l'émission est annulée. Nous comprenons que certaines conditions aient pu l'exiger et nous ne vous en faisons pas grief. Mais quelle ne fut pas notre surprise d'apprendre qu'une émission consacrée aux mouvements lycéens laisserait une petit place à notre cité, quelle malhonnêteté après la richesse de notre débat, comment pouvez-vous penser que sept minutes en l'absence des habitants et des représentants de la ville suffisent pour parler sérieusement de notre cité? De plus pas un d'entre nous, pas même les jeunes, qui avions fait l'effort de vous rencontrer un samedi soir et de s'exprimer, n'a été recontacté pour cette émission. Et aucun de nos propos n'a été repris, c'est un manque de respect total. De cette expérience, nous gardons le sentiment d'avoir été trompés et nous vous retirons toute notre confiance; pour autant une émission honnête sur notre cité reste à faire. Nous la souhaitons vivement, mais nous la ferons sans vous.

Les représentants du conseil de quartier et le comité des locataires.

Réponse du journaliste

Journaliste, chargé du magazine. Je suis très sensible au courrier que vous m'avez fait parvenir et je tiens à vous remercier de l'intérêt tout particulier que vous avez porté à la préparation de notre émission. Malheureusement, indépendamment de notre volonté, le débat n'a pu avoir lieu. En effet comme vous avez pu l'apprendre dans la presse écrite Monsieur Jack Lang, ministre de la Culture et de la Communication, qui devait rencontrer la population de votre cité s'est désisté le jour même de notre second repérage. L'actualité faisant, nous avons choisi d'orienter le sujet de notre émission sur le problème des lycéens. En accordant une place néanmoins aux événements de votre cité; je tiens également à préciser que trois représentants de votre cité étaient présents sur notre plateau et qu'un reportage a été réalisé sur votre ville et ses habitants. Avec tous mes regrets. (...)•

Patrick Champagne

La dernière différence

Les gardiens d'immeubles sont particulièrement bien placés pour livrer, dans sa forme sans doute la plus aiguë, l'expérience de la plupart des locataires de HLM des cités « à problèmes ». Ils sont, en effet, les premiers à subir les incidents ou les drames qui marquent la vie de ces quartiers (locataires ou commerçants, excédés par les cambriolages à répétition, qui tirent sur des jeunes, « bavures » de la police lors de contrôles, mises à sac de magasins, etc.). Chargés de l'entretien des bâtiments, ils nettoient et réparent sans cesse les dégradations commises, quand ils ne doivent pas, en certains cas, subir agressions physiques ou actions de représailles dirigées contre les voitures ou les appartements. A la différence des autres agents sociaux qui travaillent dans ces quartiers (comme les éducateurs, les enseignants, les policiers, les assistantes sociales, etc.), ils n'ont pas la possibilité de se couper, fût-ce provisoirement, de cette situation souvent éprouvante – l'un des gardiens interrogés parle de « stress » –, puisqu'ils vivent sur leur lieu de travail et peuvent être sollicités, par les habitants, à toute heure du jour et de la nuit. Plus encore que leurs locataires, ils sont fixés à ces zones d'habitation, leur seul espoir, sans cesse déçu, étant de voir aboutir une demande de mutation dans une cité plus tranquille.

Marié, la cinquantaine, usé par le travail, Raymond T., gardien de HLM depuis sept ans, m'a reçu sans façon, vêtu de la salopette bleue qu'il met ordinairement pour travailler, avec sa femme, également vêtue de la blouse grise qu'elle porte habituellement (elle travaille aussi pour l'Office HLM), qui se mêle de temps à autre à l'entretien pour approuver ou pour apporter une précision aux explications de son mari. L'appartement qu'ils occupent, grand mais un peu sombre, est situé au premier étage d'un immeuble d'un grand ensemble d'une zone suburbaine, que nous appellerons Villeneuve, comme on en construisait en série au cours des années 70. Le salon est encombré de meubles simples, table, chaises, bahut dont les étagères, fermées par une vitrine, sont surchargées de bibelots et de poupées qui sont exposées, pour la plupart, dans leur emballage d'origine. Au mur, est accrochée une tête de cerf en plastique. On entend chanter les nombreux oiseaux qui se trouvent dans une grande volière située dans un coin de la cuisine, près de la petite terrasse encombrée de plantes et de fleurs.

Si Raymond T. a su me dire, sans passion, presque avec la froide objectivité de l'informateur, ce qui se passe quotidiennement dans cette cité, c'est qu'il y est un peu comme un étranger. Il est arrivé là, en effet, par les hasards de la vie, ce grand ensemble n'étant pour lui qu'un lieu de travail, sans plus. Le week-end, et durant les vacances, il ne songe qu'à partir à la campagne, la caravane accrochée derrière la voiture, afin, dit-il, de retrouver « la nature » et « le chant des oiseaux », c'est-à-dire quelque chose qui lui rappelle ses racines rurales. Il est, en effet, originaire d'une petite ville située près de Dijon. Sa mère était infirmière et son père, qui « n'avait pas été à l'école comme maintenant », mais avait cependant acquis tout seul « une instruction phénoménale », contremaître de scierie. Raymond a arrêté sa scolarité à 13 ans, « sans aucune instruction », parce que, comme il le dit lui-même, il n'était « pas porté sur l'école » et a commencé très jeune à travailler comme débardeur. (Il a une sœur qui est restée dans la région : mariée à un charpentier, elle ne travaille plus aujourd'hui, mais elle a été, un temps, contremaîtresse dans une société de nettoyage.) La femme de Raymond est originaire de la même région que lui et a quitté l'école également très tôt. Elle est issue d'un milieu très modeste : ses parents étaient bûcherons et elle a deux frères qui sont, l'un, plâtrier-peintre et, l'autrc, ouvrier d'entretien dans un château.

Raymond a 25 ans lorsque, trouvant son travail trop pénible et mal payé, il décide de quitter sa région natale pour une grande métropole régionale. Il y travaille durant neuf ans comme charpentier, mais doit changer de métier après un grave accident (il fait une chute de plusieurs mètres à la suite de l'effondrement d'un échafaudage). Handicapé à 50 %, il cherche alors une place « moins pénible ». Un vendeur à domicile de produits fermiers – qui « connaissait tout le monde » dans le quartier – lui trouve la place de gardien de HLM qu'il occupe actuellement. Il est chargé de l'entretien des bâtiments (réparer les garages, faire des points de soudure, des raccords de peinture, etc.) et sa femme, qui n'avait jamais eu besoin de travailler auparavant, fait le ménage des parties intérieures (escaliers et paliers). Ils sont gratuitement logés par l'Office qui leur verse un salaire de 10 000 francs par mois environ.

Raymond T., dont la vie a été difficile et qui estime avoir eu de la chance en trouvant cette place, porte un regard relativement indulgent et compréhensif sur ces jeunes dont il partage un peu l'infortune. Les deux autres gardiens de Villeneuve, dont on va lire les propos, ont une attitude nettement moins « compréhensive », en grande partie parce qu'ils travaillent dans le quartier même où ils sont nés. On le voit dans leur manière de s'exprimer, moins détachée, qui laisse apparaître une très forte exaspération : ils se sentent chez eux et défendent « leur » cité contre les « étrangers » qui viennent les envahir. L'entretien a eu lieu chez Thierry C. qui n'est gardien, dans cette partie très dégradée de la ZUP, que depuis quelques mois. Toutefois, il habite depuis toujours dans un grand ensemble du même type situé à proximité et connaît donc bien la vie de ce quartier qui est un peu le sien. Contacté par le chef de projet de ce secteur pour répondre à nos questions, il a demandé à Christian T., un autre gardien en poste sur le quartier, depuis un peu plus longtemps que lui, de participer à la discussion. Sylvie, la femme de Thierry, qui est temporairement employée par l'Office HLM pour aider les locataires, en majorité des émigrés d'origine maghrébine et africaine, à remplir les dossiers pour l'opération de réhabilitation en cours, se joindra spontanément à la discussion. La situation de groupe qui s'est ainsi créée a progressivement transformé l'interview en une franche conversation, souvent animée, le point de vue de Sylvie divergeant assez sensiblement de celui de son mari.

Thierry et Christian partagent une même vision des

choses et ont des réactions assez proches. Tous les deux d'origine populaire, ils appartiennent à des familles nombreuses marquées par le malheur ou les épreuves (décès prématuré de la mère pour l'un et grave accident du travail du père pour l'autre). Ils sont, chacun à leur manière, devenus gardiens par nécessité. Mais ils aiment leur cité et cette banlieue qu'ils n'ont jamais quittée et où ils ont grandi. Ils trouvent tous les deux leur travail intéressant, l'un parce qu'il n'est pas trop contraignant et l'autre parce qu'il permet de voir du monde : « C'est un boulot que je trouve plaisant, on discute avec les gens, on est toujours dehors (...) et puis on arrive des coups à se faire de bonnes relations. » L'appartement de fonction qu'ils occupent constitue pour eux un avantage essentiel compte tenu de leurs ressources et ils vivraient « peinards », si, précisément, ces cités n'étaient pas devenues invivables. Bref, ils supportent très mal la dégradation continue de ces zones auxquelles ils sont attachés (aux deux sens) par leur passé et par leur vie présente.

Toutefois, quelques différences mineures, dans leurs propos, les séparent, dont le principe réside largement dans le fait qu'ils ne sont pas issus des mêmes fractions des classes populaires, leurs trajectoires sociales n'étant pas identiques. Petit, le visage rond, les cheveux longs en désordre, un peu enveloppé, Christian, qui a 35 ans lors de l'entretien, a connu la misère. Il condamne bien sûr, mais comprend un peu ces jeunes qui sont aussi déshérités et paumés que lui lorsqu'il avait leur âge. Il est d'ailleurs habillé comme un loubard repenti, blouson de cuir noir, pantalon de survêtement également noir, usé et un peu sale. Il appartient à une famille de cinq enfants dont la vie ne fut guère facile. Sa mère travaillait comme « agent de service » dans une école pour enfants handicapés. Son père, aujourd'hui âgé de 70 ans, était cantonnier, mais, depuis plus de 20 ans, il a cessé de travailler à la suite d'un accident causé par une voiture volée. La vie familiale a été profondément perturbée par ce drame : Christian est placé quelque temps, avec ses frères et sœurs, par l'Assistance publique, dans une famille d'accueil (des agriculteurs de la région), sa mère ne pouvant plus s'occuper d'eux et les huissiers ayant saisi la plus grande partie du mobilier. Il quitte, sans diplôme, l'école à 16 ans et travaille, d'abord comme manutentionnaire pendant deux ans, avant de faire divers boulots dans le bâtiment pendant une dizaine d'années . Il suit alors un stage à l'AFPA et obtient le diplôme de conducteur d'engins. Il trouve une place mais, un an plus tard, il se retrouve au chômage, l'entreprise ayant fermé pour raison économique. Comme il ne peut plus payer son loyer, l'Office de HLM lui propose alors une place de gardien. Encore célibataire, les relations qu'il entretient avec les membres de sa famille sont très mauvaises, chacun étant source d'ennuis plus que de profits pour les autres : il a pris en charge ses parents âgés et impotents, est brouillé avec deux de ses frères et ne conserve que des relations épisodiques avec un autre frère qui est peintre au chômage et une sœur qui tient une « auberge-restaurant » en Ardèche (une « bonne situation », dit-il).

Thierry, qui a 38 ans, se montre beaucoup plus répressif, presque expéditif, et semble peu disposé à s'apitoyer sur ces jeunes qu'il rend principalement responsables de leurs problèmes. Aîné de huit enfants, il est issu de milieu populaire. La famille a toutefois été durement touchée par le décès précoce de la mère. Il n'a pu échapper à la descente sociale que par un certain rigorisme moral qu'il doit à l'éducation paternelle et qui se laisse voir jusque dans sa façon de se présenter. Mince, les cheveux courts et bien coiffés, une petite moustache finement taillée, il est habillé de façon sportive, d'un jean et d'un sweat-shirt impeccables. Il raconte que son père, chauffeur routier, lorsqu'il s'est retrouvé veuf, a essayé tant bien que mal de « caser au mieux toute la smala ». Les trois filles, après avoir passé un CAP de couture, ont à peu près réussi à s'en sortir, en grande partie par leur mariage : l'une tient un restaurant à Béziers, une autre une boutique de vêtements aux Galeries Lafayette et la troisième est manipulatrice dans un laboratoire pharmaceutique. Le cursus des garçons est plus heurté : après avoir été placés, très jeunes, comme apprentis chez des commerçants installés à proximité (boulanger, boucher), ses quatre frères ont quitté, après leur service militaire, ces professions, qui ne leur plaisaient guère, pour devenir chauffeurs de poids lourds comme leur père ou magasiniers. Thierry a quitté l'école très tôt, à 15 ans, pour entrer comme manutentionnaire dans l'entreprise où son père travaillait. Il quitte rapidement ce travail qu'il juge trop fatigant et fait des petits boulots avant de devenir routier à son tour pendant une dizaine d'années. A 35 ans, il abandonne, parce qu'il « en avait marre des horaires », et trouve une place de gardien de stade. Cherchant un logement plus grand, l'Office de HLM lui propose, associée à l'appartement qu'il occupe actuellement, une place de gardien dans ce secteur difficile. Marié il y a maintenant plus de dix ans, il a aujourd'hui deux enfants d'âge scolaire. Sa femme

Sylvie, qu'il a connue dans un bal, appartient à un milieu social un peu plus élevé que lui. Elle a un frère instituteur et un autre qui est, comme son père, entraîneur de rugby. Titulaire d'un CAP de comptabilité, elle a obtenu, en formation permanente, un diplôme d'informatique, mais ne trouve pas de travail dans cette branche. Elle fait actuellement des petits boulots et « prend ce qu'il y a », c'est-à-dire des heures de ménage dans des lycées.

C'est sans doute parce que Thierry n'a réussi à s'en sortir qu'au prix d'une conduite morale très stricte, seul garde-fou pour ne pas chuter socialement, qu'il est porté à réagir avec force contre les comportements des jeunes de la cité et, par un ressentiment compréhensible, à se faire répressif à son tour. Comment pourrait-il excuser ces bandes de gamins, Maghrébins pour la plupart, qui lui imposent leur loi dans « sa » cité ? Pourquoi n'emploierait-on pas une méthode vigoureuse (le quadrillage par les CRS) qu'il a lui-même dû subir lorsqu'il était enfant, lors de troubles similaires, et qui s'est avérée efficace ? Sylvie, qui, en tant que mère, est portée à plus d'indulgence à l'égard des enfants, a en outre reçu une éducation moins stricte que son mari. Bien qu'elle reconnaisse volontiers que ce n'est pas chose facile, elle penche pour le dialogue et la discussion avec ces jeunes, et pense que la persuasion est plus efficace que la répression, à condition de faire l'effort de se mettre à leur place : « Mets-toi quand même à la place de ces jeunes, dit-elle à son mari. Ils savent que, de toute façon, il y aura rien… leur seul recours, c'est la violence, mais pas la violence pour faire du mal. C'est plutôt un cri d'appel pour dire "attention, nous, on est là, on existe" ». Cette attitude doit beaucoup aux caractéristiques sociales de Sylvie (notamment à l'importance relative de son capital culturel), qui sont assez proches de celles des travailleurs sociaux, mais aussi à son passé militant « à gauche » (elle a appartenu autrefois aux « Jeunesses ouvrières chrétiennes » puis, un temps, aux « Jeunesses communistes »). Pourtant, affleure aussi chez elle un certain désarroi. Son militantisme est devenu sans doctrine et sans certitude. La crise économique, qui l'empêche d'accéder à une position professionnelle correspondant à sa formation et à ses aspirations, la pousse, du fait notamment de l'effondrement du communisme comme réalité et comme espérance, vers un rejet total de la politique. Désorientée, elle se retranche, elle aussi, derrière la morale : tous les partis politiques la dégoûtent, car ils veulent « faire la morale aux autres » alors qu'il y a « des magouilles en pagaille ».

Ces gardiens, jusque dans leurs contradictions, sont assez exemplaires. Comme la plupart des habitants de ces cités, ils n'y sont pas par choix mais par nécessité, économique ou administrative : ils ne peuvent ou ne veulent pas aller ailleurs et doivent rester dans ces zones où tout pousse à l'affrontement, à la chute collective et à l'assistanat. Leur trajectoire sociale ne les prédispose guère à comprendre, ou du moins à accepter, la forme violente, parfois dévastatrice, que peut prendre la révolte de ces jeunes. D'origine populaire, ils doivent de ne pas être tombés plus bas à une éducation sévère, voire brutale, à une réduction souvent draconienne de leurs aspirations et de leurs besoins, bref, aux efforts qu'ils ont dû consentir pour se maintenir ou s'en sortir. Ils ne peuvent juger ces jeunes que d'un point de vue essentiellement moral : « Il y a trop de laxisme », « ce qu'il faut, c'est qu'ils mettent au pli ceux qui ne veulent pas marcher droit, c'est tout », etc. Ils pensent que le chômage n'est qu'une mauvaise excuse de l'oisiveté : « Tous les travaux les fatiguent, mais [ils ne sont pas fatigués] pour aller voler… », « il faut bien dire que le mec qui veut travailler, il peut trouver du boulot », etc. Les vols ne sont que la rançon d'une vie de parasites : « Ça travaille pas, ça vit que de… que de rapines, quoi. » Les aspirations à la consommation de ces jeunes leur apparaissent démesurées comparativement à celles qui, dans un passé récent, furent les leurs et à celles qu'ils doivent encore s'imposer aujourd'hui : « Ils savent pas se modérer », « il leur faut tout et puis ils sont pas contents », « eux, c'est "on veut ça, on veut ça, on veut ça" ». Quant au « vandalisme » et à la drogue, ils ne sont que la conséquence directe de la démission des parents : « Les gamins ici, ils font ce qu'ils veulent, les parents les laissent faire. »

Pourtant, ils n'ignorent pas, parce qu'ils les ont également subies, les causes réelles de cette situation : ils savent que le chômage pèse sur ces jeunes d'une manière probablement beaucoup plus aiguë que pour eux et ils reconnaissent volontiers que ces comportements déviants doivent beaucoup à la situation d'anomie créée par l'immigration – notamment le regroupement dans les cités – qui a conduit à un effondrement de l'autorité parentale. Ils savent aussi que la télévision, l'omniprésence de la publicité et, plus encore, l'implantation généralisée des grandes surfaces qui sont installées (par obligation légale), jusqu'au cœur de ces quartiers déshérités, ont modifié les aspirations de ces jeunes. Mais, tout se passe comme s'ils ne voulaient pas vraiment le savoir, craignant peut-être que trop comprendre conduise à excuser des comportements qu'ils jugent moralement inacceptables. C'est ainsi que, évoquant la visite dans sa région de sportifs des pays de l'Est, l'un des gardiens déplorait qu'on les ait emmenés dans les grands magasins de la ville, en raison des envies insatisfaites que cela pouvait provoquer, mais sans voir que les vols, ou même la mise à sac des supermarchés implantés dans leur propre cité, obéissaient, en grande partie, à une logique semblable.

Le rejet, par les « pauvres blancs », de ces jeunes – rejet qu'il est simpliste d'assimiler à du « racisme » – est particulièrement fort, comme on peut le constater dans l'entretien, malgré la réserve dont les enquêtés font preuve. Les gardiens laissent fréquemment en suspens certaines phrases pour ne pas avoir à dire des mots trop marqués, qui risquent de choquer l'interlocuteur : « Ils peuvent pas s'intégrer ici, hein, parce que c'est des… », « il y en a beaucoup c'est… ils vivent au… », « le gouvernement, il est pas assez… », etc. A la différence des membres des classes sociales plus aisées qui peuvent partir lorsque la situation leur devient insupportable, ces « petits blancs » réagissent d'autant plus violemment qu'ils sont condamnés à rester. Ils se sentent comme défiés par ces populations qui, généralement, sont venues après eux et acceptent mal de devoir supporter, sans rien dire, leur attitude agressive, leurs trafics en tout genre. Ils voient partir, avec une rage contenue, « les meilleurs » de leurs locataires (« les vrais Français, bon, ben, eux, sont partis »). En dépit des efforts sincères qu'ils ont tous faits, à un moment donné, pour aider ces jeunes, ils ne peuvent pas vraiment comprendre le sentiment d'injustice qui est au principe de leurs comportements déviants. Comment pourraient-ils imaginer que, paradoxalement, ces jeunes se sentent plus français que les Français de souche ? A la différence des émigrés qui sont venus en France il y a une trentaine d'années et qui, malgré leur vie de misère, sont restés à leur place sans rien revendiquer, ayant toujours conservé de la gratitude et de la reconnaissance à l'égard d'un pays qui les a accueillis, leurs enfants, qui ont toujours vécu en France, voudraient bien être considérés comme des Français (« quand on leur donne quelque chose, ils ont pas de reconnaissance », s'étonne un gardien) et acceptent d'autant plus mal leur marginalisation.

C'est là, sans doute, un des fondements de la séduction très forte – visible jusque dans les dénégations (« je suis pas pour la dictature, mais il faudrait faire un bon exemple ») – qu'exercent aujourd'hui sur les ouvriers et les petits commerçants (qui sont aussi particulièrement exposés à cette petite délinquance), tous les thèmes politiques qui prônent la manière forte et l'expulsion de ces « étrangers » qui ne savent pas rester à leur place et, pire encore, se croient chez eux partout•

avec des gardiens de HLM

— entretien de Patrick Champagne

« Je vais voter Le Pen, ça leur foutra la trouille »

— Vous habitez ici depuis…

Christian — Je suis né à Villeneuve, ici, moi. Je suis né en 56. J'ai toujours vécu à Villeneuve, moi. Bon, bien sûr, je dis pas que je suis jamais sorti de…

— Et ça a été construit quand ?

Christian — Ben, il y a des bâtiments qui ont plus de 20 ans, ici, je crois que ça a commencé en 64. C'était à l'époque où il y avait les pieds-noirs qui arrivaient d'Algérie ; ça a été pour eux, parce que les pieds-noirs, ils étaient tous hébergés sous des toiles de tente quand ils sont arrivés dans la région. Et là, il n'y avait pas d'appartements et ils faisaient les appartements ici, là, les HLM. Moi, je me rappelle qu'on était gamins, puisque les premiers qui ont été montés, c'étaient ceux-là, là, tous ceux-là, là. Et ils les montaient avec des rails de chemin de fer. Vous savez, des plaques. A mesure qu'ils montaient les étages, ils mettaient des rails et ils faisaient glisser des plaques, ça, ça allait vite, hein. Bon, ben, il y a eu à l'époque, ben, moi, je vous dis, il n'y avait que des pieds-noirs et il y avait une bonne entente ici. Et puis après ça a… (…) Parce que les gens bien en ont eu marre et puis, ils sont partis. Qu'est-ce que vous voulez vivre là-dedans ? Les gens sont entassés dans les logements. Là, au-dessus de chez moi, c'est le même appartement que le mien, ils ont trois chambres, ils sont… ils ont neuf gosses, ils sont 11 dedans ; au-dessus, ils sont 12 et les gamins ici, ils font ce qu'ils veulent, ce qu'ils veulent, ce qu'ils veulent. Les parents les laissent faire. Il y a un trafic de scooters, là, là-dessous, dans les caves, ça arrête pas, ça arrête pas. Alors, ça bricole jusqu'à deux heures du matin, ça se met dans les allées, ça fait les vidanges, ça laisse l'huile dans les allées, enfin c'est le vrai caca. Et parfois, ils restent jusqu'à dix heures ou 11 heures du soir dehors. (…) Au début, c'était bien ici. Il n'y avait pas tous ces immeubles, il n'y avait pas tout l'entourage de ça, là, il y avait moins de gosses, il y avait moins de… je sais pas comment dire, moi… il y avait moins de bazar… Et puis, faut dire aussi que la vie, elle évolue, hein. On a dit à une époque, il faut relouer les appartements ici, alors on a mis ce qu'on a voulu. (...) Il y a des familles algériennes, elles sont rentrées en même temps que des familles pieds-noirs, vous voyez ? Mais elles ont jamais quitté leurs logements, elles sont toujours restées là. C'est pas ces familles-là qui emmerdent les autres. Il y a des logements qui appartiennent à la Préfecture, il y a des logements qui appartiennent à la mairie et qui sont... bon, aussi faut dire un truc, tout ce qui appartient à la Préfecture, elle met ce qu'elle veut dedans aussi, alors ça vous fait venir des gens, ceux qui étaient dans une régie avant, ils étaient indésirables, on les a mis dehors et on les refoutait ici.

Thierry —Toutes les familles indésirables, comme il dit, c'est vrai que, qui c'est qui les a... qui les a eues sur le dos ? C'est Villeneuve ! (...) A la régie [*de l'office HLM*], ils se sont aperçus que ça se dégradait et tout, les logements étaient vides, alors ils se sont dit, faut que l'argent rentre aussi dans une régie ; alors on a dit, on va ramener du monde à Villeneuve, ils ont ramené du monde et, maintenant, les gamins, ils ont grandi et c'est tous des emmerdeurs.

—*Ils sont de quel milieu ces gens ? Ils travaillent ?*

Thierry — Pour la plupart, oui, les parents travaillent... Pour la plupart, vous avez le père qui, bon, si ça se trouve, il est arrivé en 53, en 54, il a toujours travaillé ; là, maintenant, il est à la retraite. La femme, elle a jamais travaillé ; bon, les gosses maintenant, ceux qui sont grands, c'est des chômeurs, ils trouvent pas de boulot. Alors qu'est-ce qu'ils font ? On vole des voitures, on fait des casses, on fait ci, on se drogue. Et puis, maintenant, il faut dire un truc aussi, c'est que les jeunes, ils se connaissent tous, dans tous les quartiers, alors, s'ils veulent se rassembler à un endroit, ça, il n'y a pas moyen de les empêcher.

—*Ça s'est dégradé à quelle époque ?*

Christian — Oh ! ben, ça a commencé ici en 81. C'était infernal ici, on dormait plus, c'était un vol de voiture toutes les cinq minutes... Ça tirait à coups de fusil, on enfonçait les garages avec des voitures volées, des rodéos partout, dans les avenues... Quand vous voyez des gamins, qui avaient 13 ans, qui conduisaient des BMW, on les voyait pas dedans, on voyait juste une touffe de cheveux et puis, ils faisaient les imbéciles ; alors à l'époque, ben, les flics, ils en avaient marre, ils venaient plus, tout le monde faisait ce qu'il voulait ici et ça a été la dégradation complète.

Tous les gens plus ou moins bien s'en vont

Thierry — Il y a trop de laxisme à Villeneuve, parce que, moi, j'ai habité trois ans à M. [*commune limitrophe*] quand il y a eu, pareil, la même histoire ; j'y étais à M. ; ben, ils ont fait venir les CRS ; les CRS sont restés pas mal de mois ; ils sont restés six mois, pistolet-mitrailleur, treillis, rangers, le poste de radio dans le dos, nuit et jour, hein, jour et nuit, ça arrêtait pas et ça s'est calmé, hein.. A Villeneuve, ils font ce qu'ils veulent, ce qu'ils veulent… surtout en ce moment où il y a une tension [*la guerre du Golfe*]. Ils parlent même de recommencer, que ça va être pire.
Christian — Il n'y a qu'eux qui font ça. Et moi, je veux pas dire personnellement, je veux pas être raciste avec eux, mais moi, je dis…
Thierry — [*sur un ton ironique*] C'est la « génération beur » !
Christian — Voilà ! Il n'y a pas qu'eux, il y a même des Français, des jeunes Français qui sont avec eux et ils sont contents, et ils sont vraiment contents de… Quand vous êtes appelé à deux heures du matin pour aller dans une allée, que vous vous trouvez avec 40 jeunes dans une allée, qui sont tous bourrés, et puis, vous vous faites insulter, moi, j'y ai été deux fois, maintenant je dis, non, terminé !
— *Ils ont quel âge ?*
Thierry — Ils ont entre 18, 20 ans…
Christian — Il y en a, ils sont même plus vieux que ça… Moi, il y a un truc, moi, c'est mon opinion à moi, moi, je dis, j'arrive pas à comprendre, bon, c'est les parents, pourquoi on laisse des gamins qui ont… la moyenne d'âge, c'est 14, 15 ans… toute la nuit. Alors vous les voyez sortir d'une allée le soir, prendre des scooters, ça descend en ville, ils partent à plusieurs et ils reviennent avec des scooters volés, ça les dérange pas. Et, quand vous appelez les flics – c'est malheureux à dire, mais c'est comme ça –, vous les appelez, les flics de Villeneuve, ils disent, « ben, maintenant, on ne veut plus se déplacer ». Ils veulent pas venir parce qu'ils ont peur. Ils ont peur, c'est tout. (…)
Thierry — Ben, oui, c'est normal, c'est dégradé… C'est la dégradation…
Christian — On a des peintres, on a envoyé un jeune, là, il a repeint tous les halls d'entrée, mais bien, c'était joli, hein. C'était vraiment bien, propre et tout, les boîtes à lettres neuves, tout, des

jolies boîtes, tout ça. Ils ont tout massacré ! Ils ont tout dégradé ! Ils ont tout cassé ! Ils aiment que ce soit cassé, dégradé. On travaille, on change tout, on refait venir des entreprises et le lendemain, ben, vous retrouvez encore une fois tout cassé. On met des gâches électriques, des fermetures électriques pour les portes, on pose ça le lundi matin, le mardi soir, il n'y a plus rien, c'est tout cassé.

Thierry — Moi, je dis qu'il faut trouver une solution pour des gens comme ça. Parce que, c'est bien beau, quand vous entendez parler Monsieur C. [*le maire de Villeneuve*] qui dit, « on va faire des logements sociaux pour familles lourdes ». Et, où il va les faire ces logements sociaux ? Il va reconstruire des tours au milieu d'un champ et puis les mettre là ? Je dis, ça ne vaut pas le coup. Il faut trouver un terrain loin de Villeneuve et puis proposer à ces familles-là, qui sont vraiment les familles indésirables, les mettre dans ces logements-là et les laisser entre eux… C'est malheureux de parler comme ça, mais, moi, je pense que c'est la meilleure des solutions. Parce que c'est vrai, vous avez des familles qui habitent là depuis 18-20 ans, qui sont clientes pour l'Office, eh ! ben, quand vous entendez parler ces gens-là qui disent, « nous, on en a marre, c'est tout dégradé, on nous met des boîtes aux lettres neuves, c'est tout cassé »… Ils arrivent même maintenant avec une porte blindée, ils vous ouvrent la porte blindée, on va vous piquer tout chez vous ; s'il y a des balcons, on va chez le locataire, même si il dort le soir, on lui pique sa télé. Et qu'est-ce qu'on trouve, ben, c'est toujours les mêmes. (…) Qu'est-ce que vous voulez tenir des gens comme ça ! Et puis, il y a l'histoire des voitures… Bon, alors les gens qui habitent à Villeneuve, faut une porte blindée, faut des barreaux aux fenêtres, faut venir avec une vieille voiture… non, mais c'est pas possible, ça !

Christian — Vous venez avec votre voiture, vous montez deux minutes chez vous, vous redescendez, vous avez le carreau cassé, on vous a piqué le poste. C'est plus vivable. C'est ça que je comprends pas, moi, je sais pas… [*imitant avec une petite voix un peu ridicule et féminine*]. « Faut les laisser faire, faut les laisser vivre ces petits gars, faut les laisser faire », mais c'est plus possible ! Après, on se demande pourquoi on retient pas de locataires autres que les Maghrébins dans la ZUP. Pourquoi ? Les gars, ils sont dans l'allée à discuter jusqu'à trois heures du matin, à boire et à fumer, à se faire des joints. Après, ils deviennent complètement tarés

quand ils fument et boivent en même temps. On sort, on commence à leur dire quelque chose, on a droit à toutes les insultes du monde ; et puis, le lendemain matin, quand on veut prendre la voiture pour aller au boulot, on vous a crevé les pneus, on vous a cassé le pare-brise, on vous a tout cassé, hein. (...) Faut rien leur dire. Faut les laisser faire. Alors nous... nous, c'est vrai qu'on a discuté entre nous, les gardiens, on a dit, « maintenant ils peuvent tout casser, nous, on veut plus réparer, ça sert à rien ».
[...]

Il y a trop de laxisme

— *Quels sont les contacts que vous avez avec les jeunes, comment ça se passe ?*
Christian — Avec les jeunes, il n'y a rien. Il n'y a rien, c'est pas la peine. Pour eux, on est des balances, on est des pourris, on est ceci, on est cela, on est tout ce qu'on veut, c'est pas la peine de discuter avec eux. Moi, j'ai des bonnes discussions avec eux mais ce qu'on entend avec les jeunes, ce qu'ils vous disent, c'est, « moi, je veux une salle, on veut une salle, il y aura plus de dégradations, il y aura plus ci, il y aura plus ça ». (...) Quand on fait la réhabilitation, faudrait prendre des jeunes de certains quartiers et les mettre avec des entreprises. Il y a beaucoup de jeunes là-bas, ils disent, « si c'est nous qu'on travaillerait avec des entreprises de peinture ou d'électricité, nous, on ferait le travail avec eux et nous, on interdirait aux autres de revenir dans le quartier », parce que, comme ils me le disent tout le temps, « c'est nous qu'on aurait participé à repeindre la montée d'escalier, à refaire certains travaux et là, on verrait qu'il n'y aurait plus de dégradations ».
Thierry — Non, je suis pas d'accord.
Christian — Mais eux, c'est ce qu'ils disent.
Thierry — Parce que tu viens de le dire, « les autres, on empêchera les autres de rentrer » . Qu'est-ce qu'ils vont faire les autres ? Les autres, tu veux que je te dise ce qu'ils vont faire ? Les autres, hein, moi, je parle comme ça, ils vont venir nous emmerder à la place d'eux, parce qu'ils vont dire, « nous, on fait rien pour nous ». Parce que l'Office veut bien faire quelque chose, mais les autres font rien. Tout le monde doit faire quelque chose. Tout le monde, tout le monde. Il y a le pour et le contre. [*Il raconte alors comment un local, qui avait été donné aux jeunes de la cité, a été*

saccagé et a été fermé]. Quand ils disent, « oui, on ne trouve pas de boulot, on nous donne pas de boulot », qu'est-ce que tu veux qu'on leur donne du boulot, quand on voit qu'ils arrivent pas à tenir un truc comme ça. Ils volent tout, ils ont pas tenu une semaine la salle. Ils ont tout cassé, tout. Ils ont peint sur les carreaux alors que le peintre, il venait de tout refaire. Ça m'a fait de la peine, moi, quand je l'ai vu s'emmerder, là-bas. Il se gelait et tout avec ses pinceaux et tout. Une semaine après, tout massacré, tout cassé ! On va pas leur faire le Palais des Congrès derrière chaque immeuble ! Faut pas exagérer. Moi aussi, j'ai habité 25 ans un HLM au bord de l'autoroute là-bas, ces grands machins-là ; je suis arrivé là-bas, j'avais six ans, je suis resté 16 ans là-bas, dedans, 16 ans. Les plus grosses conneries qu'on faisait des fois, c'était casser un carreau – parce qu'il y avait des grandes baies vitrées comme ça – quand on jouait au foot dans la pelouse ; il y a un ballon qui partait, un ballon malheureux, et bing, un carreau ; et puis, t'inquiète pas, le carreau, on le payait, moi, je m'en rappelle, hein. On payait un grand carreau comme ça, c'était 50 balles. Mais on n'a jamais mis à sac tout l'immeuble parce que on voulait ci ou ça, patati, patata. Faut pas… Il y a trop de laisser-aller à Villeneuve, trop de laxisme, et puis c'est tout. (…) Vous avez des jeunes qui n'iront jamais travailler de leur vie, parce que pourquoi ? Ça aime que la magouille ! Alors, on vole les voitures, on les démonte, c'est plus facile de voler que de travailler, on va faire des hold-up, c'est des mecs, ils vont faire deux mois ou un an de prison, ils ressortent, ils vont se tenir 15 jours tranquilles et ça recommence, on va retrouver des copains. Et on recommence et on casse tout.

Christian — Et, en plus, pour eux… c'est une fierté d'aller en prison, pour eux. (…) C'est les grands qui poussent les petits et quand on voit qu'il y a des gamins qui participent à… eh bien moi, je dis, c'est honteux.

Thierry — Si ça reste comme ça, ça changera jamais, jamais, jamais. Ce sera le foutoir perpétuellement. Il y a des conneries de faites, c'est même plus marqué dans le journal. Quand ils ont mis le holà à M., les gens disaient, « oui, on se croirait en temps de guerre ». C'est vrai mais, moi, j'ai eu droit à… quand ils t'arrêtaient, les CRS, dis donc, à l'époque, j'avais les cheveux frisés, « sale melon » et tout, les mains sur la voiture, ils te fouillaient et tout. Mais ça a payé aussi. (…)

Dès qu'on leur dit quelque chose, on est raciste !

Christian — (…) Moi, je sais pas, il y a peut-être un manque aussi au niveau de l'Office des HLM, faudrait qu'ils trouvent une solution et puis, aussi, au niveau de la mairie, parce que le maire, là aussi, c'est sa commune ; il faudrait qu'il pense à faire vraiment quelque chose. (…) Dès qu'on leur dit quelque chose [*aux jeunes*], on est raciste. Moi, je suis pas d'accord. J'en connais, j'ai des copains qui sont tunisiens, algériens…
Thierry — Moi aussi
Christian — … des bons potes mais, comme je leur ai dit une fois aux jeunes, moi, je leur ai dit, « moi, je suis raciste avec les cons, c'est tout ». Moi, je tolère pas qu'on casse comme ça pour rien. Parce qu'on s'emmerde, on casse ! Ils ont qu'à aller travailler. Ils disent qu'on leur donne pas de boulot mais, dès qu'ils arrivent dans une boîte, ils volent. Un patron, il va pas garder des voleurs, hein ? T'as qu'à voir encore l'histoire qu'il y avait eue dans la zone industrielle : il [*un employeur*] embauche un jeune, il lui fait confiance, ça fait pas une semaine qu'il y était, il [*le jeune*] prend la secrétaire, il lui met deux pains [*coups de poing sur la figure*], il lui pique la caisse. Les flics, ils l'ont chopé… et, en plus, il avait un pistolet à grenaille, il a tiré sur les inspecteurs. Ben, je vous dis pas, moi, ils te l'ont chopé, ils lui ont mis une trempe. Les autres [*les jeunes*] sont tous sortis, « crève, sales flics, sales racistes ».
[…]
Christian — Moi, je connais des gardiens qui travaillent pour une régie, ils ont été menacés.
Thierry — Ben, moi aussi, j'ai été menacé…
Christian — Mais moi, j'ai deux copains gardiens, ils leur ont brûlé l'appartement carrément…
Thierry — Moi aussi, ils m'ont menacé. Il y en a deux qui sont venus me voir, ils m'ont dit, « il faudrait que t'arrêtes de fouiner dans le garage ». Je dis, « je fouine pas, je fais mon boulot, c'est tout, vous n'avez rien à faire dans les garages, je fais mon boulot, on me dit ce que je dois faire ». Alors après, ils sont venus me voir et, puis, ils m'ont dit, « arrête de fouiner parce qu'un jour tu vas prendre un coup de fusil dans les garages ». Voilà ce qu'ils m'ont dit ! Et l'autre qui s'en était pris à mon gosse, il y a deux ans, quand je suis arrivé là-bas ! Il avait neuf ans, un gars de 20 ans. Alors lui, je l'ai chopé, j'ai dit, « c'est la première fois que tu les

touches [*les cheveux de mon fils*] et c'est la dernière fois parce qu'après, dis-toi bien qu'un jour tu seras pas avec tous tes copains derrière toi, tu seras tout seul et, ce jour-là, je te choperai quand tu seras tout seul ». Il arrivait même pas à parler, il bégayait, il regardait ses godasses.

Christian — C'est le soir, là-bas, qu'ils sont nombreux, ils sont, au moins, bien une cinquantaine… et ils sont là toute la nuit, hein. Et, je vous dis, quand il fait beau comme la semaine dernière, ils allaient se coucher, nous, quand on partait au boulot. Et ça faisait des conneries toute la nuit. Toute la nuit et on entendait, « Vive Saddam Hussein et vive Machin » et, après, avec les motos… Vous vous rendez compte tout le foutoir qu'il y avait toute la nuit. Les gens : « On en a marre, on appelle les flics. » A deux heures du matin, le commissariat, je les appelle, je leur dis, « oh ! faudrait les faire arrêter, je dis, ils deviennent fous » alors qu'en plus, on leur a donné une salle. Ils vont dehors et ils se mettent à gueuler jusqu'au matin et, après, c'est plus la peine de dormir, on se lève pour aller au boulot. Alors, vous vous rendez compte, c'est pas une vie ça, des trucs comme ça. C'est pour ça, moi, je dis que…

Je dis à mes locataires, « il faut pas que vous partiez »

Thierry — Et si on leur dit quelque chose, ils se vengent sur les voitures.

Christian — Ou ils crèvent les pneus.

Thierry — Ils arrêtent pas de se venger sur les voitures. Alors les gens, il arrive un moment, ils en ont… [*sifflement*]. Si ils trouvent quelque chose, ils s'en vont et, voilà, ils vous disent : « Ben, Monsieur le gardien, on a cherché un autre logement, on s'en va. »

Christian — C'est pour ça, moi, je dis à mes locataires, je dis, « il faut pas que vous partiez. » Moi, je dis, « il faut que vous restiez, il faut que vous restiez dans votre logement. Parce que, si vous partez, ils sont trop contents, eux. » Et puis, c'est pas ça, moi, je l'ai toujours dit, j'ai dit, « moi, les bons locataires qu'on a, c'est ce qui va arriver tôt ou tard, hein, ils vont tous partir. Ils vont voir que c'est tous des logements vides. Qu'est-ce qu'ils vont refaire ? Ils vont ramener encore des familles comme ça ! Tout le monde s'en va et ce sera vite fait. Il n'y aura plus qu'elles qui resteront ». Y'a des moments, c'est pas le boulot qui nous tue, c'est le stress.

Thierry — Oh ! là, là ! mais on est stressé, là. Moi, j'ai travaillé

comme routier, des 13, 14 heures par jour. J'étais moins fatigué qu'il y a des jours ici...
Christian — Et puis, on est sur les nerfs.
Thierry — ... à se faire menacer : dès que tu fais ton boulot, tu te fais menacer.

C'est la « génération des beurs »

[...]
Thierry — Je peux pas comprendre, moi. Ils n'ont qu'à envoyer les CRS, mais ils sont pas pour les CRS. Eux, quand ils sont là, le gars, il a le fusil de guerre à la main avec le chargeur et ils arrêtent n'importe qui, ils en ont rien à foutre, ils ont pas peur, hein. Ils ont pas peur et puis si eux, ils sentent que ça sent le brûlé, ils sortent tout de suite le gourdin et bing, bang, boum. C'est ce qui leur faut, aux mômes, c'est pas de la taule, c'est une bonne trempe de temps en temps, ça les calmerait beaucoup mieux que de les mettre en taule, parce qu'ils vont en taule un mois ou deux, ils reviennent, ah ! ben, c'est... Ils se prennent tous pour le Parrain là-dedans. (...) C'est la génération des beurs ! Moi, je sais pas ce qu'ils veulent, ces jeunes. Franchement. Je discutais avec eux, je leur disais, « mais pourquoi vous allez pas faire les vendanges, ça paye bien et puis c'est sympa, les vendanges » [*prenant une petite voix ridicule*], « oh ! ben non, on a essayé deux jours, ça faisait trop mal aux reins, alors on est partis ». Il y avait un Marocain, 1 mètre 90, large comme une armoire, il me dit, « ah ! non, deux jours, ça m'a fait mal aux reins ». Qu'est-ce que vous voulez qu'ils aillent bosser, ils vont deux jours aux vendanges, ça les a fatigués, les pauvres petits !
Christian — [*Se moquant à son tour*] Oh ! oui, tous les travaux les fatiguent. Mais pour aller voler...
Thierry — Et puis, il y a eu tellement... je discutais avec un ami de ma belle-mère qui a des vignes dans le Beaujolais, il m'a dit, « on n'en veut plus, c'est fini, on n'en veut plus, il y a trop de vols, trop de vols ». Ils préfèrent prendre des étrangers [*autres que des Maghrébins*] ou des Français, parce qu'il y a beaucoup d'étrangers qui font les vendanges dans le Beaujolais. Alors moi, c'est vrai, je sais pas ce qu'ils veulent. Du boulot, peut-être qu'il y en a qui ont des problèmes. C'est sûr, c'est sûr. Parce qu'après, on met tout le monde dans le même sac.

— Et qu'est-ce qu'il faudrait faire. Vous avez une idée ?

Thierry — Ben, une idée, moi, je sais pas. Déjà que la police, elle mette le holà.
Christian — Moi, je sais pas ce qu'il faut faire.
Thierry — Nous, on fait notre boulot. Que tout le monde fasse son boulot et c'est tout, hein.

— S'il n'y avait pas ces problèmes de jeunes, c'est un boulot qui vous plairait ?

Thierry — Oui !
Christian — Si, c'est vrai, c'est un boulot qui est plaisant.
Thierry — Si, c'est un boulot intéressant, c'est un boulot que je trouve plaisant, parce que, moi, j'ai toujours été habitué à travailler un peu à l'extérieur ou, comme chauffeur, tout seul. Bon, là, on discute avec les gens, on est toujours dehors, enfin toujours à l'extérieur, quoi.
Christian — Oui, c'est ça qui est bien, et puis on arrive des coups à se faire de bonnes relations. Mais c'est pas avec des familles comme eux aussi !
Thierry — Si il n'y a rien de fait, ça va rester comme ça et, Villeneuve, ça sera toujours comme ça. Si vraiment il n'y a rien de fait, ça va être un ghetto.

— Est-ce que vous avez songé à demander à aller ailleurs ou vous avez envie de rester ?

Thierry — Moi, je vous dis honnêtement, je demande pas ailleurs parce que, moi, vu que j'ai toujours vécu là, que je connais pas mal de gens…
Christian — T'as pas à partir non plus ! (…) On s'aperçoit que ces familles-là, en touchant les allocations familiales ou n'importe quoi, ça paye plus son loyer. Alors moi, je dis, les familles, il y avait longtemps qu'on aurait dû les mettre dehors, hein, alors qu'en plus, c'est ces gens-là qui emmerdent les autres.
Thierry — Oui, les mettre dehors, mais personne en veut ! Il n'y a que Villeneuve qui les garde. Justement, là aussi, il y a un problème. Pourquoi toujours Villeneuve ? Pourquoi on les prend pas ailleurs ? On n'a qu'à les mettre un peu tout autour, au lieu de les entasser ici. Ou alors, il faut leur construire des HLM, mais à l'extérieur. C'est ce qu'il a dit, monsieur le maire. Il faut les loger à l'extérieur. C'est malheureux de les mettre tous ensemble, mais il y a que comme ça qu'on arrive à quelque chose.

— La mairie est quoi, politiquement ?

Christian — Ça fait longtemps que c'est communiste à Ville-

neuve. Et moi, personnellement, c'est pour ça que je vous dis, je suis, moi, je veux pas être raciste avec eux, mais vous allez à la mairie, il y a qui ? C'est toutes des familles maghrébines qui travaillent là-bas. Et vous allez demander un emploi, n'importe quoi, c'est… pour vous, il n'y a rien, il n'y a rien.
Thierry — Oui mais, eux, c'est les électeurs du maire…
Christian — C'est tout pour eux. Vous, vous êtes malade, n'importe quoi, vous demandez quelque chose parce que vous avez pas de boulot, vous voulez une prise en charge pour aller chez le dentiste, eh ben, on vous dit, « non », alors vous vous trimballez avec une chique comme ça. Eux, l'autre, il a un petit machin comme ça, on l'envoie tout de suite à l'hôpital. Si tu veux être pris en charge à Villeneuve, tu arrêtes de travailler et tu deviens voleur. Et t'auras tous les droits !
Thierry — C'est ce qu'on dit, il faut qu'on se fasse bronzer, on se met un peu de cirage, on devient comme eux et on aura tout. Non, mais c'est vrai !

C'est un gars, il est pas raciste, mais lui, il est strict

— Est-ce que la politique peut changer quelque chose, à votre avis ?
Thierry — Moi, je dis à Villeneuve, le jour où c'est plus les communistes, des fois ça pourrait changer. Parce que, à une époque, bon, ben, malheureusement pour lui, il a pas pu passer, c'est le médecin. Il est au RPR., lui, mais c'est un gars, il est pas raciste mais, lui, il est strict. Lui, il dit qu'il y en n'a pas que pour eux, il faut qu'il y en ait autant pour les autres. Il y a un centre, ce fameux centre social, il a dit, « si, moi, je passe maire de Villeneuve, moi, le centre social, je le fais fermer ». Ce sera pas fermé, fermé. Il a dit, « ce sera pour les vieux et les personnes qui sont en difficulté ». Il dit pas non plus qu'il n'y en a pas pour eux, mais il dit que, pour le moment, il n'y en a que pour eux. Eux, pour un petit bobo de rien du tout, on les envoie à l'hôpital, ils payent rien. Il faut quand même pas abuser. (…) La politique de Villeneuve, elle est pas bonne ; si ça continue comme ça, il n'y aura que des immigrés à Villeneuve, hein, c'est tout. Et c'est pas une fois qu'il n'y aura plus personne qu'il faudra s'étonner. Parce que pour faire revenir les gens, après, c'est dur.
[…]

— *Vous n'êtes pas un peu plus exposé que les simples locataires ?*
Thierry — Oh ! ben, nous, on est exposé, ça c'est sûr.
— *Il y a des réunions de gardiens faites par l'Office ?*
Thierry — Oh ! ben, on a une réunion, en principe, avec le responsable de la régie. On parle de tous les problèmes.
— *Et qu'est-ce qui revient le plus souvent comme problèmes ?*
Thierry — Oh ! ben, c'est les dégradations, la casse, tout ça, ça se résout pas, c'est toujours le même problème, hein. On dépense des budgets, des budgets pour réparer. Il y a des moments où on se dit que c'est même plus la peine. (...) On répare, derrière nous ils cassent, on repasse, on répare, ils cassent, on repasse, on répare, on fait ça toute l'année.
Christian — Il n'y a rien qui leur résiste. Il y a beau leur mettre des trucs super-modernes...
Thierry — Rien ne fait.
[...]
— *Les solutions proposées par Le Pen, ça doit tenter un certain nombre de gens, non ?*
Thierry — Ben, je sais pas. Moi, j'attends que ça, je veux voir ce qui va se passer. Parce que, ils disent qu'on est raciste, que les Français sont racistes...
Christian — Non, c'est de la connerie... Non, c'est de la connerie ça.
Thierry — Et puis, comme je dis, moi, si un Français, il est raciste, il vient pas vivre à Villeneuve. Quand ils me disent, tu es raciste, je dis, « vous racontez n'importe quoi, si j'étais raciste je serais pas gardien dans la ZUP, j'irais faire autre chose, j'irais ailleurs, je reprends mon métier de chauffeur routier, hein ». C'est eux qui le font monter le racisme. Alors, c'est pour ça que j'attends ce qui va se passer aux prochaines élections, ah ! oui, je veux voir. Et il y en a beaucoup qui attendent parce que j'en ai entendu un paquet de gens dire, « nous, moi, je veux rien savoir ; Le Pen, ça a beau être ce qu'il est, moi, je vote Le Pen », on l'entend, hein, on l'entend. Ils disent, « personne fait rien, le maire fait rien, la police fait rien, personne fait rien, eh ! bien, on va aller voter Le Pen, lui, il va faire quelque chose ».
Christian — Qu'on le laisse un an au pouvoir, juste un an seulement...[*Il évoque la délinquance liée à la drogue.*]
Thierry — Moi, je dis, tant qu'il y aura de la drogue, il y aura du

foutoir. Ah ! la drogue, c'est un sacré fléau, c'est un fléau, hein…
Christian — Et puis, ça leur rapporte de l'argent, moi, je vous dis, ça leur rapporte de l'argent sans rien faire..
[*Les deux gardiens racontent ensuite comment ils ont découvert les caches diverses utilisées par les dealers – parois des ascenseurs, globes des luminaires, etc. — et les menaces de ces derniers s'ils y touchaient ou s'ils prévenaient la police.*]

Ils en ont ras le bol, ils n'ont aucun avenir

[*Entrée de Sylvie, la femme de Thierry, avec sa fille. Je lui explique rapidement l'objet de l'entretien.*]

Sylvie — Moi, j'ai discuté plus d'une heure en bas avec des jeunes, ils en ont ras le bol, ils n'ont aucun avenir, on ne leur propose rien… ils ne voient rien venir, il y a du racisme au niveau des employeurs. Mais, faut dire que les employeurs en ont marre aussi.
Thierry — Ça, il y a bien à dire aussi…
Sylvie — Ben oui, d'accord, mais enfin, bon, si tu veux, ça fait un engrenage…
Christian — C'est ce qu'on disait tout à l'heure, les bons payent pour les mauvais, hein…
Sylvie — Il y en a des biens, il y en a des super-biens.
Thierry — Ouais, mais enfin, il y en a beaucoup de mauvais aussi.
Sylvie — Quand on voit que les gamins fauchent, sous les yeux des parents, et les parents disent rien. Tout petits, ils sont habitués tout petits, je veux dire les gamins de quatre, cinq ans, ils ne conçoivent même pas d'acheter un truc. Donc, c'est une… c'est la mentalité. Ils ne se reconnaissent dans rien. On leur propose des salles, des machins, ils saccagent tout. Il y a un mal, un mal de vivre, mais il n'y a pas qu'à la ZUP qu'on voit ça parce que, moi, j'ai travaillé au lycée Jean Zay, c'est le deuxième lycée de la région, tous les jeunes qui sont dans ce lycée, c'est vraiment l'élite, la crème, eh ! ben, c'est pareil, le même langage qu'à Villeneuve, les mêmes expressions, la même façon de se comporter avec les profs.Moi, j'étais étonnée, hein. Un manque de respect envers les profs… sales… alors c'est pas…
Thierry — Parce que, en fin de compte, ils ont un manque de respect envers tout le monde. Envers leurs professeurs, ils ne respectent personne.

Sylvie — Je ne sais pas comment on va réussir à… c'est comme un cancer, je sais pas comment on va réussir à enlever ça, parce que… On ne peut pas discuter avec eux, ils sont méfiants. L'autre fois, ils m'ont dit, « oui, mais toi, toi t'as un truc à tirer là-dedans », moi je dis, « moi, je discute parce que j'ai envie de discuter », je dis, « moi, j'ai rien à tirer là-dedans ». J'en retirerai peut-être une satisfaction personnelle si je vois qu'il y a quelque chose de positif.
Christian — [*Dubitatif*] On pourrait en tirer quoi ?
Sylvie — Ils croient toujours qu'on veut les arnaquer, qu'on veut les voler, ici…
Thierry — Et c'est eux qui nous arnaquent ! Qu'ils arrêtent de voler et que l'immeuble reste propre…
Sylvie — Mais j'arrête pas de leur dire, en plus, vous êtes la France. On doit se dire c'est les jeunes de demain, c'est eux qui vont faire… ça fait peur, hein… Ils ont dit qu'à Villeneuve, ils avaient mis en place des salles, des machins pour accueillir les jeunes, mais c'est tout façade, c'est tout faux. Les jeunes n'ont aucun accès à ces salles-là.
Thierry — Eux, c'est, « on veut ça, on veut ça, on veut ça », en fin de compte, on leur donne ça, ça les empêche pas d'aller voler.
Sylvie — C'est bien de discuter avec eux, chez certains… Même si t'as l'impression de parler dans le vide, même si… il y a toujours une petite phrase, un petit mot, moi j'ai l'impression que…
Thierry — [*Fortement dubitatif*] Ouais, t'as l'impression. Parce que je vois bien, quand on leur a donné la salle, qu'on leur a amené tous les meubles, les chaises, les tables, tout ça, qu'on leur a donné la peinture. Huit jours après, on a fermé la salle : ils avaient tout cassé.
Sylvie — [*Cherchant à les excuser*] Il devait y avoir un truc…
Thierry — [*Sur un ton véhément*] Oh, il y a toujours un truc quelque part, il y a toujours quelque chose qui va pas. Il y a toujours quelque chose qui va pas.

— *Dans les familles, les parents sont dépassés ?* …

Sylvie — C'est ce qu'ils m'ont dit. Un jeune avait un problème de – je sais pas trop quoi – de relation avec sa belle-mère et tout, je dis, « mais il faut en parler de ça, il y a toujours moyen de s'arranger », « oh ! là, tu crois pas, mon père, moi, je lui parle pas, je parle pas, quand il me parle, c'est pour me taper ».
Christian — Moi, j'en connais un, c'est qu'il tape son père parce qu'il lui donne pas la voiture.

Sylvie — Il me dit, « mais t'as vu dans quel bordel qu'on vit, dans ces taudis, qu'est-ce que tu veux qu'on ait… », alors il me dit, « il y a des cafards partout, c'est sale dedans, c'est sale à l'extérieur et nous, on se sent sales sur nous ». Je veux dire en plus, quand tu rentres chez toi, tu vois où il y a les allées, là, moi, je prendrais le cafard quand j'arrive là. C'est sale, c'est… bon, ben, ça t'incite pas, je veux dire à respecter… Enfin, moi, je respecte parce que, moi, je suis comme ça, mais le jeune qui est un peu à la rue, ça va pas l'inciter à avoir une vie stable. Il voit ses parents, parfois ils vivent à 10, 12, 15 dans une pièce, il n'y a pas d'intimité, ils ont pas un coin à eux, tout petits, hein, ils ont pas…
Thierry — Ben, oh ! faut pas exagérer, hein…
Sylvie — Mais c'est important que l'enfant, petit, il ait un coin pour lui.
Thierry — [*Véhément*] Non, mais regarde, regarde chez nous, on était dix, on habitait dans un F4, on n'est pas traumatisé, on cassait pas tout le quartier !
Sylvie — Tu as eu la chance de bien tourner, de trouver ta voie, et puis avant, c'était pas pareil que maintenant. Si t'avais une place qui te plaisait pas, même des petits boulots, tu pouvais te permettre du jour au lendemain de quitter ton boulot, le lendemain t'en retrouvais, hein. Il n'y a plus de boulot, il n'y a plus rien. Quand t'es arabe, il y a pas de boulot.
Thierry — Mais oui, mais pourquoi ?
Sylvie — Ben, je sais pas…
Thierry — Si ils arrêtaient aussi de se droguer… [*Faisant allusion à ce qui a été dit avant.*] Et les vendanges ? et les vendanges ?
Sylvie — Ils [*les vignerons*] en veulent pas !
Thierry — Ils en veulent pas, oui, j'en ai discuté avec les… ben, pourquoi ils en veulent pas ?
Sylvie — Ben, je sais pas.
Thierry — Si ils arrêtaient de les voler…
Sylvie — Mais mets-toi quand même à la place de ces jeunes. Ils savent que, de toute façon, il y aura rien… leur seul recours, c'est la violence, mais pas la violence pour faire du mal. C'est plutôt un cri d'appel, pour dire, attention, nous on est là, on existe et regardez ce qu'on peut faire en nombre. (…) Moi, je dis, les parents, là, quand même… C'est vrai, on fait des réunions à l'école… parce qu'il y a eu un instit' qui a été agressé par un Maghrébin qui est venu, qui lui a mis une trempe à l'instit' parce

qu'il s'en était pris à son petit frère. Un instit' dispute un enfant, lui met une tape. La mère est venue, elle lui a cassé deux côtes à l'instit'. Avec le bâton et tout. Ils s'y sont mis à toute la famille, donc il y a eu une réunion. Eh ben, dans cette réunion, il y avait qui ? Toujours les mêmes qu'on voit en début d'année ; toujours les mêmes, on était – sur 300 enfants scolarisés –, on était 20 parents et toujours les mêmes. Et en général, c'est les enfants qu'ont pas de problème ! C'est difficile pour les instits. Mais ils aiment leur métier, moi, je les admire, hein. Pour tout l'or du monde, ils ne changeraient pas de quartier (...). Les instits qui travaillent ici, ils sont arrivés à faire des trucs super ; t'as vu tout ce qu'ils ont fait, hein ?
[...]

— La solution, pour vous, c'est quoi ? Il faut soutenir le maire actuel ou faire un choc, par exemple, en soutenant le Front national ?

Sylvie — J'entends parler des gens, parce que, moi, j'aime beaucoup discuter, j'entends beaucoup parler les gens et il y aura un paquet de Front national qui va passer là... il va y avoir une montée énorme, hein. Une montée énorme. Moi, je dis, il faut soutenir le maire, et puis, tout ce qu'il fait, tout ce qu'ils ont fait, tout... ben, c'est super.

Christian — [*Dubitatif*] Ben, bien sûr, que c'est super... Mais moi, je sais pas ce qu'ils veulent faire, exactement, je sais pas où ils veulent en venir.

Sylvie — Aux jeunes, je leur dis, vous pensez qu'à détruire, qu'à casser. Mais pas à construire ! (...) Mais réunissez-vous – je leur dis – mettez-vous tous les jeunes et faites un dossier de ce que vraiment vous voulez et qu'il y en ait même, à la limite, un de vous qui soit vraiment responsable. Ils veulent pas être responsables ; ils ont pas confiance dans leur propre valeur.

Christian — Il n'y a pas longtemps de ça, quand on a fait la réunion. Ils sont allés trouver le maire, ils ont demandé, tu sais, le gymnase. Alors le maire, il a été gentil, il leur a donné la clef. Ça a duré 15 jours tranquille et puis, un soir, il est venu dans le gymnase pour les voir. Ah ! ben alors, c'est qu'ils étaient tous shootés, il y avait des bouteilles d'alcool de partout, ils avaient fait un feu de la Saint-Jean au milieu du gymnase. Alors, le maire a dit, « moi, je reprends la clef, maintenant, c'est fini ».
[...]

Thierry — Il m'a dit, le maire, la salle, on leur a donnée pendant un certain temps, je vous parle pas de l'état dans lequel on l'a retrouvée la salle, c'était un vrai dépotoir. Et après, ils disent, « oui, vous êtes racistes, on veut la salle, on veut pas nous la donner ! » Toujours les mêmes histoires. Tu es au chômage, t'es au chômage, et alors ?
Sylvie — Moi aussi, j'ai été au chômage.
Christian — Mais, il faut bien dire que, si le mec il veut travailler, il peut trouver du boulot.
Sylvie — Non, c'est pas si évident que ça. C'est des jeunes qui n'ont aucune qualification…
Thierry — Regarde ! Comment il s'appelle ? Abdel, il en a trouvé du boulot, il se démène pour faire sa nationalité française. Il bosse. Tu crois qu'il est pas dégoûté ? Il a repeint toutes les allées de la cité et tout, il s'est appliqué : huit jours après, ils ont tout massacré. Eh ben, il va y retourner avec ses seaux là-bas. Et pourtant, ça en est bien un, lui aussi, ça en est bien un, faut pas exagérer…
Sylvie — Oui, il faut de la répression quand même, hein… On est obligé d'avoir de la répression.
Thierry — On a beau me dire, il y a trop de laxisme !

On aura beau déguiser la pauvreté…

Thierry — (…) Faut que le gouvernement…
Sylvie — Mais pourquoi toujours le gouvernement ? Non pas forcément.
Thierry — Ben, c'est ben eux qui lancent un peu le budget pour…
Sylvie — Oui, mais c'est pas une question de sous, hein, c'est une question de mentalité ; c'est la mentalité des gens qu'il faut changer…
Christian – « Mentalité des gens »… ben, oh ! d'abord, une, quand ils font des conneries…
Sylvie — … parce qu'on aura beau tout remettre, tout beau, tout machin, déguiser la pauvreté, les problèmes seront là, même derrière les façades refaites, hein. Ça changera pas les problèmes.
Thierry — [*Excédé*] Ben, il y a qu'à les renvoyer chez eux ! C'est dingue mais…
Sylvie — [*Sur un ton toujours calme*] Non, il faut discuter, discuter, faut aller à l'écoute des gens et tout le temps, il faut pas les

lâcher, hein, c'est comme un bourrage de crâne, mais c'est ça, il faut… parler, parler, parler, parler.

Thierry — Tu sais, quand tu leur parles bien, si ils veulent, eh ben, par-derrière, ils en pensent pas moins, ils se foutent de ta gueule.

Sylvie — Oui, mais ça fait rien ! Au début et puis après ça fait son chemin dans la tête et puis c'est ça, hein. Moi, je dis, il y a aucune solution avec le fric. Ça résoudra rien.

Thierry — Ouais, mais pourquoi que nous, on nous demande aux gardiens, ici, à nous, même les flics qui me disent, « discutez avec eux, discutez avec eux ». Eh ! Oh ! on est gardien d'immeuble…

Sylvie — Ouais, mais t'es père de famille.

Thierry — Qu'est-ce que tu veux qu'on fasse, t'as vu ce qu'ils pensent de nous ?

Sylvie — Mais ça fait rien, ça, ce qu'ils pensent de toi.

Thierry — Moi, je leur dis « bonjour », ils me répondent même pas.

Sylvie — Oui, oui, ils sont malpolis… vous n'êtes pas là pour faire de la répression, n'empêche…

Thierry — Non, mais justement là, les magouilles, moi aussi, j'en n'ai rien à foutre. Bricoler un scooter dans une allée jusqu'à deux heures du matin… eh ben, pour eux, quand tu vas leur dire, « faut pas faire ça », pour eux, c'est de la répression ! T'es raciste, t'es un con, t'es tout ce que tu veux et tu dégages et tu rentres chez toi. Voilà. Alors, qu'est-ce qu'il faut faire là ? C'est qui qui va trouver la solution ?

— *C'est pas facile, faut avoir une patience énorme.*

Sylvie — Comme une psychanalyse, hein, il y a des psychanalyses qui durent des années chez des gens ; tout d'un coup, ça se débloque et tout sort, et voilà !

Thierry — On peut pas discuter avec tout le monde, hein, pendant des années non plus.

Sylvie — Non ! Mais je veux dire, moi, je saisis toujours l'occasion de discuter, tout le temps. Jusqu'au moment où le dialogue s'est installé. Ils ont commencé à me charrier, tu vois comme ils font, bon, alors j'ai discuté, ça a duré plus d'une heure. Eh ben, de temps en temps, il y en a un qui s'énervait, « mais qu'est-ce qu'on discute, là, qu'est-ce qu'on discute ? », l'autre, il le retenait. Donc ils avaient vraiment envie de discuter, ils aiment bien qu'on discute. Même si ça apporte rien comme ça, vraiment… qu'il y ait des gens qui écoutent, qui les écoutent et puis…

Thierry — C'est quand même dur.
Sylvie — De toute façon, des cons, il y en aura toujours, enfin…
Thierry — Oui, mais à Villeneuve, il y a le paquet, hein.
Sylvie — Parce que c'est concentré, donc ça fait beaucoup quand même [*rires*], ça fait tout de suite plus…
Christian — … de cons…
Sylvie — A la limite, il faut s'occuper des tout-petits, il faut s'occuper des valables, des gens qui sont valables, des tout-petits, des jeunes qui sont bien et tout. Bon, ben eux, ils sont cons, ils sont cons, il faut les laisser et puis c'est tout. Bon, ben, ils se feront choper par les flics, on sait ce que ça va faire, hein…
[…]
Thierry — Moi, j'ai un frère qui est raciste, il n'est jamais allé habiter à Villeneuve.
Sylvie — Il est raciste de nature. Comme ça, sans bien trouver pourquoi…
Thierry — Et puis, il est raciste envers tout. On va en camping, déjà les Anglais, les Allemands… Bon, mais alors les Arabes, c'est le summum. Ben, jamais il est allé habiter à Villeneuve.
Sylvie — Non, moi je suis contente dans un sens, parce que mes enfants fréquentent, ben, toutes les races, tous les… Je veux dire, il n'y a pas de… c'est simple.
Thierry — C'est-à-dire qu'on ne les élève pas dans le racisme, comme mon frère élève ses gamins. Là, la petite qui a cinq ans, quatre ans, elle est à la maternelle, il arrête pas de lui dire, « les Arabes, c'est caca ».
Sylvie — Elle va avoir des problèmes, même. Parce que là, c'est la maternelle, mais quand ça sera la grande école !

Je m'y retrouve plus, sur rien… rien, rien, rien

— *Vous participez à des associations ?*
Sylvie — Oh ! il y a longtemps, j'ai milité à la jeunesse ouvrière chrétienne. J'étais même… j'avais même une petite cellule ;et puis après, ça ne rentrait plus dans mes… Non, en fait je ne me retrouve plus dans rien. Même politiquement, même… je suis un peu…
— *Désorientée ?*
Sylvie — Je suis désorientée. Après, j'ai milité un peu à la jeunesse communiste. Ben, c'est pareil ! J'ai fait l'école du parti communiste. Je m'y retrouve plus, sur rien… rien, rien, rien. Il n'y a

aucun Parti qui me convienne. Rien, je ne sais plus. Je me surprends même à me dire, mais je vais voter Le Pen, ça leur foutra la trouille et… Bon, ben, c'est pas moi en plus … je veux dire côté… mais bon, je veux dire, je sais plus où aller, je sais plus… Ils me dégoûtent tous, moi, en plus. Non, mais je trouve que ça ne répond plus du tout à ce qu'on attend d'un Parti politique ;il y a des magouilles en pagaille et ils veulent donner… faire la morale aux autres, [*les hommes politiques n'arrêtent pas*] de faire des magouilles et tout. C'est vrai, ça brasse des milliards et ils en ont rien à foutre du petit militant. Et puis, le Parti communiste, j'ai jamais vu un Parti aussi fermé que ça. Enfin, peut-être, maintenant avec les nouveaux [*les rénovateurs*], là, mais… on n'a aucun mot à dire, « le Parti a dit », voilà, c'est tout. Bon, en réunion, c'est ça et tout le temps, je disais, « c'est pas vrai, on peut en discuter, ça sert à quoi, alors ? On paye notre cotis', et puis c'est tout ce que vous voulez ». Regardez l'immeuble qu'ils ont à Paris, là…, c'est pas possible !

mars 1991

Gabrielle Balazs

Le « couperet »

Assureur, Maurice D. travaille comme un artisan : 60 heures par semaine, dont le samedi, avec sa femme, sans secrétaire, il a le sentiment que la position de notable lui échappe. Il voit partout les indices de son déclin. Depuis 25 ans qu'il exerce sa profession, il travaille toujours plus et gagne moins. Fils d'agriculteur qui a « émigré » de la Mayenne dans le Loiret, huitième d'une famille de 16 enfants, il a cru qu'il était possible de changer véritablement de condition par le mérite, sans autre diplôme que le certificat d'études. A l'image des nombreux dirigeants d'entreprise « sans brevet, sans bac, sans rien », ou du Premier ministre qu'il « admire », ou plus simplement d'un copain qui a commencé en même temps que lui et qui, aujourd'hui, « pilote son propre avion », il croyait que la bonne volonté et le travail étaient les garants absolus de la réussite. Il est d'ailleurs fier de l'histoire de sa famille parce qu'« il n'y a pas de chômeur, et il n'y a pas de smicard, on ne sait pas ce que c'est ». Ce parcours semble pourtant interrompu : à nombre de signes, Maurice D. perçoit que les « sans-diplôme » comme lui « n'ont pas de place sur terre ». Lui-même ne prend presque plus de vacances, mais surtout, le nombre important de jeunes chômeurs de sa petite ville de 7 000 habitants le rend inquiet pour l'avenir de ses trois enfants. En raison de leurs difficultés scolaires, il les a placés dans l'enseignement privé. L'aîné a échoué au baccalauréat et prépare maintenant un brevet professionnel. Il redoute que ses enfants ne puissent même pas parvenir à une position équivalente à la sienne.

N'ayant pas la légitimité scolaire qui lui permettrait d'accéder à une légitimité sociale, il emploie toute son énergie dans une activité municipale, politique et associative où il tente d'inverser les règles (scolaires) du jeu social. Il nous adresse, à nous qu'il perçoit comme des représentants de l'Éducation nationale, un plaidoyer pour les autodidactes et pour les hommes qui se sont faits tout seuls. Sa grogne se dirige pêle-mêle contre l'État, contre les travailleurs immigrés. Tout d'abord, il n'est pas de catégorie sociale qui trouve grâce à ses yeux : les cadres « qui se prennent pour les bons dieux de la terre », les professions libérales « qui se conduisent comme de véritables fonctionnaires », les fonctionnaires « qui ne décollent pas de leurs bureaux », les travailleurs immigrés dont il ne veut pas comme clients. Les hommes politiques sont de « pauvres guignols », les syndicats « bloquent tout », la Sécurité sociale et l'Éducation nationale sont « deux boulets », et les lois sont faites pour « être détournées ».

Membre du RPR, Maurice D. a occupé des fonctions politiques à la mairie, il a été l'adjoint de deux maires successifs, mais il « rêve d'un 1789 ». Populiste, partisan d'une justice directe, il « prend les choses en main » et gère les dossiers de l'aide sociale à la mairie en supprimant les droits sociaux de la population marocaine de la ville. Selon lui, le « social » n'est qu'argent gaspillé, détourné, perdu dans des circuits compliqués et arbitraires. Il refuse de « baisser les bras » et pense résoudre les problèmes en fondant une association de remise au travail des chômeurs, en donnant des « coups de pied au cul » des jeunes « fainéants ». Il lutte contre toutes les forces locales qui lui paraissent s'enliser dans des bla-bla humanitaires et hypocrites, et surtout contre les lois qui l'empêchent de donner sa mesure et de prouver qui il est. Tout le porte à croire que la gestion municipale d'une petite ville, à la différence des banlieues, permet un contrôle politique, que ce contrôle est nécessaire, positif et qu'il doit être généralisé. Son exemple favori est celui d'un Rmiste qui touchait, selon lui, « 2 000 francs d'argent de poche » et qu'il a placé dans un petit atelier après l'avoir inscrit à l'AFPA, se portant garant auprès du petit patron : « s'il est en retard, c'est moi qu'on appelle. Moi, j'irai le sortir du lit le matin. »

L'entretien a lieu dans un restaurant, un dimanche matin, parce que Maurice D. est toujours sur la brèche. De grande stature, carré, il parle comme à une tribune, d'une voix puissante, accompagnant ses mots de gestes fermes, qui rappellent que, lui, il est un lutteur, que lui, il n'hésite pas à rompre avec la lâcheté ambiante. Vêtu d'un costume foncé, strict, en cravate, se tenant un peu raide, il semble prêt pour une déclaration politique. Il a déjà réfléchi à ce qu'il veut dire, n'attend pratiquement pas les questions et scande son discours de « moi je peux dire », « moi je n'ai pas peur de dire », « écoutez, je vais vous dire ». Tout au long de l'entretien, il s'adresse de préférence à son interlocuteur masculin, lui réservant le « sérieux » de son propos, pensant sans doute s'adresser à travers lui aux « hautes sphères » de la politique●

avec un conseiller municipal

— entretien de Gabrielle Balazs et Jean Barin

[…]

Maurice — A cette époque-là, j'étais donc adjoint aux affaires sociales, enfin, je m'étais baptisé adjoint aux affaires sociales. On avait un adjoint aux affaires sociales qui touchait une indemnité et puis c'était tout, ça s'arrêtait à ça. Comme j'étais le vice-président du bureau d'aide sociale, j'ai pris les grandes initiatives et j'ai dit, « allez hop, je vais m'occuper du social en totalité puisque personne ne s'en occupe, tout le monde en parle mais tout le monde en a la trouille ».

Ça n'a pas été commode parce que les politiques de droite font des politiques de gauche, qui sont tous cons, excusez-moi, mais c'est pourtant la réalité. Je dis le social doit se faire à condition de bien connaître les dossiers. On ne peut pas se lancer à faire du social, en veux-tu, en voilà, on fait des réunions, des beaux discours et puis, allez hop, on sème. Non, moi, je ne sème que si je suis sûr de récolter. Et dans le social, on ne récolte pas toujours des bénéfices mais par contre, le social n'est jamais une rentabilité, on le sait très bien, mais il faut que ça existe.

J'ai donc demandé à mon maire de voir tous les dossiers, cas par cas, c'est-à-dire de convoquer tous les individus qui sont au bureau d'aide sociale, et ça représentait 490 dossiers dans cette ville. J'ai passé des mercredis entiers, des dimanches matins mais j'ai dit, « j'irai jusqu'à mon dernier dossier ». Jean-Paul me l'a interdit en disant que c'était lui le patron. Le second maire me l'a interdit jusqu'au jour où j'ai dit, « je voudrais bien rencontrer telle et telle personne, est-ce que vous m'autorisez à les recevoir ? Je ne veux pas aller chez eux parce que je ne sais pas comment je vais être pris ». J'ai préparé une lettre toute gentille qu'il m'a rectifiée. Je m'en foutais, je disais, « maintenant que tu m'as accepté ça, ça y est, tu vas l'avoir dans le dos. Je vais faire ce que je veux maintenant. J'ai toujours la clé dans ma poche, d'abord ». Au bureau de police, là-bas aux HLM, j'ai commencé par convoquer ces familles-là. Il est évident, Henri me l'a dit après, il m'a dit, « tu m'as eu ! » Tous mes dossiers ont été vus un à un et les gens qui ne venaient pas, étaient mis de côté, puis reconvoqués une deuxième fois. Il y en a encore une partie qui n'est pas venue. Reconvocation une troisième fois. Et là c'était clair, c'était le couperet la troisième fois. Croyez-moi bien, il y en a la moitié qui ne venait pas. Et ça a été le couperet ! Quand ils se sont pointés en mairie, moi, j'étais derrière le guichet avec la secrétaire, on s'était donné le mot, les feuilles jaunes, tu ne les distribueras que tel jour, de telle heure à telle heure. Dieu sait que j'ai fait grincer les dents des maires. On a fait comme ça, et derrière le guichet, c'était moi. C'était plus des femmes qu'on insultait, qu'on prenait au colbak, il n'en était plus question ! Et quand les gars me voyaient, eh bien, ils étaient un peu perdus. Ils ne savaient plus s'ils devaient avancer, reculer, et puis les gars, je les connaissais, « tiens toi, Belkacem, arrive là, qu'est-ce que tu veux ? Pourquoi t'es pas venu à ma réunion l'autre jour ? Pourquoi t'es pas venu me rencontrer, pourquoi t'es pas venu discuter de ton dossier ? Alors maintenant rentre dans le bureau d'à côté, allez hop !, bureau des adjoints, ton nom, ton prénom, ton adresse tatatata ». Je les ai usés à la corde, on a fini 92 dossiers sociaux.

— *Les autres ont été éliminés ?*

Maurice — Éliminés. Ils avaient rien à faire dans le bureau d'aide sociale. Est-ce que vous trouvez normal qu'un gars qui fait les marchés tous les jours se permette d'être au bureau d'aide sociale, avoir l'aide médicale gratuite, venir chercher des œufs, du lait et puis tout ce qui s'en suit. Ce n'est pas normal ! C'est pas parce qu'il est étranger, s'il ne se sent pas bien chez nous, il y a des bateaux tous les jours qui retournent là-bas. Je fais pas pire à un étranger qu'à un Français. Je serais chez vous, vous feriez pire à un Français.

[...]

— *Vous avez monté une association ?*

Maurice — Oui, j'ai monté l'association d'aide aux chômeurs par le travail et la solidarité. Aujourd'hui, tout le monde est obligé de se mettre au pied du mur et c'est pas mon bagage intellectuel qui m'a fait sortir tout ça. Ça a été d'être élu adjoint au maire, de m'occuper des affaires sociales, parce que j'ai une sale maladie moi, c'est que quand je m'occupe de quelque chose, j'y vais à fond ou je ne fais rien du tout. L'entre-deux, je ne sais pas ce que c'est. Et c'est le problème que j'ai avec le maire actuel, si j'avais été son adjoint, j'aurais été à m'accrocher à fond avec lui et on n'avait pas d'atomes crochus, et rester adjoint pour ne rien faire,

ça je ne pourrais pas le tolérer. Je ne peux pas admettre que des adjoints soient là pour toucher une indemnité et faire les ronds de cuir et puis les ronds de jambe, alors ça, je n'aime pas ça. (…) Alors le type d'association qu'on a. J'ai vu ça du temps que j'étais au bureau d'aide sociale. Je m'étais rendu compte à recevoir les gens, « je cherche du boulot, je n'en trouve pas, je suis écœuré ». Les gens étaient écœurés d'aller chercher du travail parce qu'on leur avait refusé dans la même usine, cinq, six, dix, vingt fois, non il n'y a pas de boulot. Et puis, ils s'étaient rendus compte qu'ils étaient refusés aujourd'hui et puis demain, il y en avait un autre qui passait, qui lui, était embauché sur le champ. Alors, c'est de la ségrégation ! Parce que je suis Arabe ou l'autre Français, parce que j'ai pas les dents en or ou parce que j'ai les cheveux coupés en brosse, on racontait n'importe quoi ! Alors la solution, je l'avais. C'était que le patron avait besoin sur le coup et le gars de la veille ne l'intéressait pas. J'ai dit, il y a quand même un besoin de gérer le temps de travail de ces gars-là. J'ai essayé de mettre ça sur place pendant deux ans, parce que j'avais quand même rien. J'avais pas de loi pour moi. Monter un type d'association de façon à gérer les petits boulots.
[…]

décembre 1990

Pierre Bourdieu

Effets de lieu

Parler aujourd'hui de « banlieue à problèmes » ou de « ghetto », c'est évoquer, presque automatiquement, non des « réalités », d'ailleurs très largement inconnues de ceux qui en parlent le plus volontiers, mais des fantasmes, nourris d'expériences émotionnelles suscitées par des mots ou des images plus ou moins incontrôlés, comme ceux que véhiculent la presse à sensation et la propagande ou la rumeur politiques. Mais, pour rompre avec les idées reçues, et le discours ordinaire, il ne suffit pas, comme on veut parfois le croire, d'« aller voir » ce qu'il en est. En effet, l'illusion empiriste ne s'impose sans doute jamais autant que dans les cas où, comme celui-là, l'affrontement direct avec la réalité ne va pas sans quelques difficultés, sinon quelques risques, donc quelques mérites. Et pourtant tout porte à penser que l'essentiel de ce qui se vit et se voit *sur le terrain*, c'est-à-dire les évidences les plus frappantes et les expériences les plus dramatiques, trouve son principe tout à fait ailleurs. Rien ne le montre mieux que les ghettos américains, ces lieux à l'abandon, qui se définissent, fondamentalement, par une *absence* – essentiellement celle de l'État, et de tout ce qui s'ensuit, la police, l'école, les institutions de santé, les associations, etc.

Il faut donc, plus que jamais, pratiquer la *pensée para-doxale* qui, dressée à la fois contre le bon sens et les bons sentiments, s'expose à apparaître aux bien-pensants des deux bords soit comme un parti pris, inspiré par le désir d'« épater le bourgeois », soit comme une forme d'indifférence insupportable à l'égard de la misère des plus démunis. On ne peut rompre avec les fausses évidences, et avec les erreurs inscrites dans la pensée substantialiste des *lieux*, qu'à condition de procéder à une analyse rigoureuse des rapports entre les structures de l'espace social et les structures de l'espace physique.

Espace physique et espace social

En tant que corps (et individus biologiques), les êtres humains sont, au même titre que les choses, situés en un lieu (ils ne sont pas dotés de l'ubiquité qui leur permettrait d'être en plusieurs lieux à la fois) et ils occupent une place. Le *lieu* peut être défini absolument comme le point de l'*espace physique* où un agent ou une chose se trouve situé, « a lieu », existe. C'est-à-dire soit comme *localisation*, soit, d'un point de vue relationnel, comme *position*, rang dans un ordre. La *place* occupée peut être définie comme l'étendue, la surface et le volume qu'un individu ou une chose occupe dans l'espace physique, ses dimensions, ou, mieux, son encombrement (comme on dit parfois d'un véhicule ou d'un meuble).

Les agents sociaux qui sont constitués comme tels dans et par la relation avec un *espace social* (ou, mieux, avec des champs) et aussi les choses en tant qu'elles sont appropriées par les agents, donc constituées comme propriétés, sont situés en un lieu de l'espace social que l'on peut caractériser par sa position relative par rapport aux autres lieux (au-dessus, au-dessous, entre, etc.) et par la distance qui le sépare d'eux. Comme l'espace physique est défini par l'extériorité mutuelle des parties, l'espace social est défini par l'exclusion mutuelle (ou la distinction) des positions qui le constituent, c'est-à-dire comme structure de juxtaposition de positions sociales.

La structure de l'espace social se manifeste ainsi, dans les contextes les plus divers, sous la forme d'oppositions spatiales, l'espace habité (ou approprié) fonctionnant comme une sorte de symbolisation spontanée de l'espace social. Il n'y a pas d'espace, dans une société hiérarchisée, qui ne soit pas hiérarchisé et qui n'exprime les hiérarchies et les distances sociales, sous une forme (plus ou moins) déformée et surtout masquée par l'*effet de naturalisation* qu'entraîne l'inscription durable des réalités sociales dans le monde naturel : des différences produites par la logique historique peuvent ainsi sembler surgies de la nature des choses (il suffit de penser à l'idée de « frontière naturelle »). C'est le cas par exemple de toutes les projections spatiales de la différence sociale entre les sexes (à l'église, à l'école, dans les lieux publics et à la maison même).

En fait, l'espace social se retraduit dans l'espace physique, mais toujours de manière plus ou moins *brouillée* : le pouvoir sur l'espace que donne la possession du capital sous ses diverses espèces se manifeste dans l'espace physique approprié sous la forme d'un certain rapport entre la structure spatiale de la distribution des agents et la structure spatiale de la distribution des biens ou des services, privés ou publics. La position d'un agent dans l'espace social s'exprime dans le lieu de l'espace physique où il est situé (celui dont on dit qu'il est « sans feu ni lieu » ou « sans domicile fixe » n'a – quasiment – pas d'existence sociale), et par la position relative que ses localisations temporaires (par exemple les places d'honneur, emplacements réglés par le protocole) et surtout permanentes (adresse privée et adresse professionnelle) occupent par rapport aux localisations des autres agents ; elle s'exprime aussi dans la place qu'il occupe (en droit) dans l'espace à travers ses propriétés (maisons, appartements ou bureaux, terres à cultiver, à exploiter ou à bâtir, etc.) qui sont plus ou moins encombrantes ou, comme on dit parfois, « *space consumming* » (la consommation plus ou moins ostentatoire d'espace étant une des formes par excellence de l'ostentation du pouvoir). Une part de l'*inertie* des structures de l'espace social résulte du fait qu'elles sont inscrites dans l'espace physique et qu'elles ne pourraient être modifiées qu'au prix d'un *travail de transplantation*, d'un déménagement des choses et d'un déracinement ou d'une déportation des personnes, qui supposeraient eux-mêmes des transformations sociales extrêmement difficiles et coûteuses.

L'espace social réifié (c'est-à-dire physiquement réalisé ou objectivé) se présente ainsi comme la distribution dans l'espace physique de différentes espèces de biens et de services et aussi d'agents individuels et de groupes physiquement localisés (en tant que corps liés à un lieu permanent) et dotés de chances d'appropriation de ces biens et de ces services plus ou moins importantes (en fonction de leur capital et aussi de la distance physique à ces biens, qui dépend aussi de leur capital). C'est dans la relation entre la distribution des agents et la distribution des biens dans l'espace que se définit la valeur des différentes régions de l'espace social réifié.

Les différents champs ou, si l'on préfère, les différents espaces sociaux physiquement objectivés, tendent à se superposer, au moins grossièrement : il en résulte des concentrations des biens les plus rares et de leurs propriétaires en certains lieux de l'espace physique (Fifth Avenue, rue du Faubourg Saint-Honoré) qui s'opposent ainsi sous tous rapports aux lieux qui regroupent principalement et parfois exclusivement les plus démunis (banlieues pauvres, ghettos). Ces lieux de forte concentration de propriétés positives ou négatives (stigmates) constituent des pièges pour l'analyste qui, en les acceptant comme tels, se condamne à laisser échapper l'essentiel : comme Madison Avenue, la rue du Faubourg Saint-Honoré rassemble des marchands de tableaux, des antiquaires, des maisons de haute couture, des bottiers, des peintres, des ensembliers, etc., c'est-à-dire tout un éventail de commerces qui ont en commun d'occuper des positions élevées (donc homologues entre elles) dans leurs champs respectifs et qui ne peuvent être compris dans ce qu'ils ont de plus spécifique que si on les met en relation avec des commerces situés dans le même champ, en des positions inférieures, mais en d'autres régions de l'espace physique. Par exemple, les ensembliers de la rue du Faubourg Saint-Honoré s'opposent (et d'abord par leur nom noble, mais aussi par toutes leurs propriétés, nature, qualité et prix des produits offerts, qualité sociale de la clientèle, etc.) à ce que, rue du Faubourg Saint-Antoine, on appelle des ébénistes, comme les *hairdressers* s'opposent aux simples coiffeurs, les bottiers aux cordonniers, etc., oppositions qui s'affirment dans une véritable symbolique de la distinction : référence à l'unicité de la « création » et du « créateur », invocation de l'ancienneté et de la tradition, de la noblesse du fondateur et de son activité, toujours désignée par des doublets nobles, souvent empruntés à l'anglais.

De même, la capitale est, sans jeu de mots, au moins dans le cas de la France, le lieu du capital, c'est-à-dire le lieu de l'espace physique où se trouvent concentrés les pôles positifs de tous les champs et la plupart des agents qui occupent ces positions dominantes : elle ne peut donc être pensée adéquatement que par rapport à la province (et le « provincial ») qui n'est rien d'autre que la privation (toute relative) de la capitale et du capital.

Les grandes oppositions sociales objectivées dans l'espace physique (par exemple capitale/province) tendent à se reproduire dans les esprits et dans le langage sous la forme des oppositions constitutives d'un principe de vision et de division, c'est-à-dire en tant que catégories de perception et d'appréciation ou de structures mentales (parisien/provincial, chic/non chic, etc.). Ainsi, l'opposition entre la « rive gauche » et la rive droite que mettent au jour les cartes et les analyses statistiques des publics (pour les théâtres) ou des caractéristiques des artistes exposés (pour les galeries) est présente dans l'esprit des spectateurs potentiels, mais aussi des auteurs de pièces de théâtre ou des peintres et des critiques sous la forme de l'opposition, qui opère comme une catégorie de perception et d'appréciation, entre l'art de recherche, et l'art « bourgeois » (théâtre de boulevard).

Plus généralement, les sourdes injonctions et les rappels à l'ordre silencieux des structures de l'espace physique approprié sont une des médiations à travers lesquelles les structures sociales se convertissent progressivement en structures mentales et en systèmes de préférences. Plus précisément, l'incorporation insensible des structures de l'ordre social s'accomplit sans doute, pour une part importante, au travers de l'expérience prolongée et indéfiniment répétée des distances spatiales dans lesquelles s'affirment des distances sociales, et aussi, plus concrètement, au travers des *déplacements et des mouvements du corps* que ces structures sociales converties en structures spatiales, et ainsi *naturalisées*, organisent et qualifient socialement comme ascension ou déclin (« monter à Paris »), entrée (inclusion, cooptation, adoption) ou sortie (exclusion, expulsion, excommunication), rapprochement ou éloignement par rapport à un lieu central et valorisé : je pense par exemple au maintien respectueux qu'appellent la grandeur et la hauteur (celles du monument, de l'estrade ou de la tribune) ou encore la frontalité des œuvres sculpturales ou picturales ou, plus subtilement, à toutes les conduites de déférence et de révérence qu'imposent tacitement la simple qualification sociale de l'espace (places d'honneur, haut du pavé, etc.) et toutes les hiérarchisations pratiques des régions de l'espace (partie haute/partie basse, partie noble/partie honteuse, avant-scène/coulisses, façade/arrière-boutique, côté droit/côté gauche, etc.).

Du fait que l'espace social se trouve inscrit à la fois dans les structures spatiales et dans les structures mentales qui sont pour une part le produit de l'incorporation de ces structures, l'espace est un des lieux où le pouvoir s'affirme et s'exerce, et sans doute sous la forme la plus subtile, celle de la violence symbolique comme violence inaperçue : les espaces architecturaux, dont les injonctions muettes s'adressent directement au corps, obtenant de lui, tout aussi sûrement que l'étiquette des sociétés de cour, la révérence, le respect qui naît de l'éloignement ou, mieux, de l'être-loin, à distance respectueuse, sont sans doute les composantes les plus importantes, en raison même de leur invisibilité (pour les analystes eux-mêmes, souvent attachés, comme les historiens après Schramm, aux signes les plus visibles du pouvoir symbolique, sceptres et couronnes), de la symbolique du pouvoir et des effets tout à fait réels du pouvoir symbolique.

Les luttes pour l'appropriation de l'espace

L'espace ou, plus précisément, les lieux et les places de l'espace social réifié, et les profits qu'ils procurent, sont des enjeux de luttes (au sein des différents champs). Les profits d'espace peuvent prendre la forme de *profits de localisation*, eux-mêmes susceptibles d'être analysés en deux classes : les rentes (dites de situation) qui sont associées au fait d'être situé près d'agents et de biens rares et désirables (tels que les équipements éducatifs, culturels ou sanitaires) ; les *profits de position ou de rang* (comme ceux qui sont assurés par une adresse prestigieuse), cas particulier des profits symboliques de distinction qui sont attachés à la possession monopolistique d'une propriété distinctive. (Les distances physiques pouvant être mesurées selon une métrique spatiale ou, mieux, temporelle, dans la mesure où les déplacements prennent un temps plus ou moins long selon les possibilités d'accès à des moyens de transport, publics ou privés, le pouvoir que le capital, sous ses différentes formes, donne sur l'espace est aussi, du même coup, un pouvoir sur le temps). Ils peuvent aussi prendre la forme de *profits d'occupation* (ou d'encombrement), la possession d'un espace physique (vastes parcs, grands appartements, etc.) pouvant être une manière de tenir à distance et d'exclure toute espèce d'intrusion indésirable (ce sont les « riantes perspectives » du manoir anglais qui, comme l'observe Raymond Williams dans *Town and Country*, transforme la campagne et ses paysans en paysage, pour l'agrément du propriétaire, ou les « vues imprenables » des publicités immobilières).

La capacité de dominer l'espace, notamment en s'appropriant (matériellement ou symboliquement) les biens rares (publics ou privés) qui s'y trouvent distribués, dépend du capital possédé. Le capital permet de tenir à distance les personnes et les choses indésirables en même temps que de s'approcher des personnes et des choses désirables (du fait, entre autres choses, de leur richesse en capital), minimisant ainsi la dépense (notamment en temps) nécessaire pour se les approprier : la proximité dans l'espace physique permet à la proximité dans l'espace social de produire tous ses effets en facilitant ou en favorisant l'accumulation de capital social et, plus précisément, en permettant de profiter continûment des rencontres à la fois fortuites et prévisibles qu'assure la fréquentation des lieux bien fréquentés. (La possession de capital assure en outre la quasi-ubiquité que rend possible la maîtrise économique et symbolique des moyens de transport et de communication – et qui est souvent redoublée par l'effet de la délégation, pouvoir d'exister et d'agir à distance par personne interposée).

Inversement, ceux qui sont dépourvus de capital sont tenus à distance, soit physiquement, soit symboliquement, des biens socialement les plus rares et condamnés à côtoyer les personnes ou les biens les plus indésirables et les moins rares. Le défaut de capital intensifie l'expérience de la finitude : il enchaîne à un lieu[1].

Les luttes pour l'appropriation de l'espace peuvent prendre une forme *individuelle* : la *mobilité spatiale*, intra ou intergénérationnelle – les déplacements dans les deux sens entre la capitale et la province par

1. On peut ainsi montrer, en rassemblant, à l'échelle de chacun des départements français, l'ensemble des données statistiques disponibles, à la fois sur les indices de capital économique, culturel ou même social et sur les biens et les services offerts à l'échelle de cette unité administrative, que l'essentiel des différences régionales que l'on impute souvent à l'effet de déterminismes géographiques peuvent être rapportées à des différences de capital qui doivent leur permanence dans l'histoire à l'effet de renforcement circulaire qui s'est continûment exercé au cours de l'histoire (du fait notamment que les aspirations, surtout en matière d'habitat et de culture, dépendent pour une grande part des possibilités objectivement offertes à leur satisfaction). C'est seulement après avoir repéré et mesuré la part des phénomènes observés qui, en apparence liée à l'espace physique, reflète en fait des différences économiques et sociales, qu'on pourrait espérer isoler le résidu irréductible qui devrait être imputé en propre à l'effet de la proximité et de la distance dans l'espace purement physique. C'est le cas par exemple de l'effet d'écran qui résulte du privilège anthropologique conféré au présent directement perçu et, du même coup, à l'espace visible et sensible des objets et des agents coprésents (les voisins directs), et qui fait, par exemple, que des hostilités liées à la proximité dans l'espace physique (des conflits de voisinage par exemple) peuvent occulter des solidarités associées à la position occupée dans l'espace social, national ou international, ou que des représentations imposées par le point de vue associé à la position occupée dans l'espace social local (le village par exemple) peuvent interdire d'appréhender la position occupée dans l'espace social national.

exemple ou les adresses successives à l'intérieur de l'espace hiérarchisé de la capitale – est un bon indicateur des succès ou des échecs obtenus dans ces luttes et, plus largement, de toute la trajectoire sociale (à condition de voir que, de même que des agents différant par l'âge et la trajectoire sociale, des cadres supérieurs jeunes et des cadres moyens âgés par exemple, peuvent coexister provisoirement dans les mêmes postes, de même, ils peuvent se retrouver, tout aussi provisoirement, dans des lieux de résidence voisins).

Le succès dans ces luttes dépend du capital détenu (sous ses différentes espèces). En effet, les chances moyennes d'appropriation des différents biens et services matériels ou culturels associés à un habitat déterminé, se spécifient pour les différents occupants de cet habitat selon les capacités d'appropriation (matérielles – argent, moyens de transport privés – et culturelles) que chacun détient en propre. On peut occuper physiquement un habitat sans l'habiter à proprement parler si l'on ne dispose pas des moyens tacitement exigés, à commencer par un certain habitus.

Si l'habitat contribue à faire l'habitus, l'habitus contribue aussi à faire l'habitat, à travers les usages sociaux, plus ou moins adéquats, qu'il incline à en faire. On est ainsi conduit à mettre en doute la croyance que le rapprochement spatial d'agents très éloignés dans l'espace social peut, par soi, avoir un effet de rapprochement social : en fait, rien n'est plus intolérable que la proximité physique (vécue comme promiscuité) de gens socialement éloignés.

Parmi toutes les propriétés que suppose l'occupation légitime d'un lieu, il en est, et ce ne sont pas les moins déterminantes, qui ne s'acquièrent que par l'occupation prolongée de ce lieu et la fréquentation suivie de ses occupants légitimes : c'est le cas, évidemment, du capital social de *relations* ou de *liaisons* (et tout particulièrement de ces liaisons privilégiées que sont les amitiés d'enfance ou d'adolescence) ou de tous les aspects les plus subtils du capital culturel et linguistique, comme les manières corporelles et la prononciation (les accents), etc. Autant de traits qui confèrent tout son poids au *lieu de naissance* (et, à un moindre degré, au lieu de résidence).

Sous peine de s'y sentir *déplacés*, ceux qui pénètrent dans un espace doivent remplir les conditions qu'il exige tacitement de ses occupants. Ce peut être la possession d'un certain capital culturel, dont l'absence peut interdire l'appropriation réelle des biens dits publics ou l'intention même de se les approprier. On pense évidemment aux musées, mais cela vaut aussi de services que l'on tient spontanément pour plus universellement nécessaires, comme ceux des institutions médicales ou juridiques. On a le Paris de son capital économique, mais aussi de son capital culturel et de son capital social (il ne suffit pas d'entrer à Beaubourg pour s'approprier le musée d'art moderne). En effet, certains espaces, et en particulier les plus fermés, les plus « sélects », exigent non seulement du capital économique et du capital culturel, mais aussi du capital social. Ils procurent du capital social, et du capital symbolique, par l'*effet de club* qui résulte du rassemblement durable (dans des quartiers chics ou des résidences de luxe) de personnes et de choses qui, étant différentes du plus grand nombre, ont en commun de ne pas être communes, c'est-à-dire dans la mesure où ils excluent, en droit (par une forme de *numerus clau-*

sus) ou en fait (l'intrus étant voué à éprouver un sentiment d'exclusion propre à le priver de certains des profits associés à l'appartenance), tous ceux qui ne présentent pas toutes les propriétés désirées ou qui présentent une (au moins) des propriétés indésirables.

Le quartier chic, tel un club fondé sur l'exclusion active des personnes indésirables, consacre symboliquement chacun de ses habitants en lui permettant de participer du capital accumulé par l'ensemble des résidents ; au contraire, le quartier stigmatisé dégrade symboliquement ceux qui l'habitent, et qui, en retour, le dégradent symboliquement, puisque, étant privés de tous les atouts nécessaires pour participer aux différents jeux sociaux, ils n'ont en partage que leur commune excommunication. Le rassemblement en un même lieu d'une population homogène dans la dépossession a aussi pour effet de redoubler la dépossession, notamment en matière de culture et de pratique culturelle : les pressions exercées, à l'échelle de la classe ou de l'établissement scolaire ou à l'échelle de la cité, par les plus démunis ou les plus éloignés des exigences constitutives de l'existence « normale » produisent un effet d'entraînement vers le bas, donc de nivellement et ne laissent d'autre issue que la fuite (le plus souvent interdite par le manque de ressources) vers d'autres lieux.

Les luttes pour l'espace peuvent aussi prendre des formes plus *collectives*, qu'il s'agisse de celles qui se déroulent au niveau national autour des politiques du logement, ou de celles qui se situent au niveau local, à propos de la construction et de l'attribution de logements sociaux ou des choix en matière d'équipements publics. Les plus décisives ont pour enjeu ultime la politique de l'État qui détient un immense pouvoir sur l'espace à travers la capacité qu'il a de faire le marché du sol, du logement et aussi, pour une grande part, du travail et de l'école. Ainsi, c'est dans la confrontation et la concertation entre les grands commis de l'État, eux-mêmes divisés, les membres des groupes financiers, directement intéressés à la vente de crédit immobilier, et les représentants des collectivités locales et des offices publics, que s'est élaborée la politique du logement qui, à travers la fiscalité et les aides à la construction notamment, a opéré une véritable *construction politique de l'espace* : dans la mesure où elle a favorisé la *construction de groupes homogènes à base spatiale*, cette politique est pour une grande part responsable de ce que l'on peut observer directement dans les grands ensembles dégradés ou les cités désertées par l'État●

Loïc J. D. Wacquant

De l'Amérique comme utopie à l'envers

La décennie 80 aura été marquée non seulement par la montée des inégalités urbaines, de la xénophobie et des mouvements de protestation des jeunes des « banlieues » populaires [1], mais aussi par la prolifération d'un discours d'un type nouveau autour du thème de la « ghettoïsation » qui suggère une convergence subite entre les quartiers déshérités des villes françaises et des villes américaines. La thématique du ghetto, nourrie de clichés importés d'Outre-Atlantique (Chicago, le Bronx, Harlem…), s'est imposée comme l'un des lieux communs du débat public sur la ville.

Ce discours largement fantasmatique [2] vaudrait à peine qu'on s'y arrête s'il n'avait des conséquences néfastes. En jouant sur le registre du sensationnalisme, à coup d'images exotiques *made in USA* aussi frappantes que floues, et en invoquant, à tout propos et sans

1. Adil Jazouli, *Les années banlieue*, Paris, Seuil, 1992.

2. Une fois vulgarisé, le concept peut s'appliquer à tout collectif vaguement défini à des fins de dramatisation : ainsi le « ghetto estudiantin », le « ghetto du troisième âge », le « ghetto homosexuel », etc. (Hervé Vieillard-Baron, « Le ghetto : approches conceptuelles et représentations communes », *Annales de la recherche urbaine*, 49, 1991, p. 13-22).

mesure, le spectre du « syndrome américain », les prophètes de malheur ont fait obstacle à une analyse rigoureuse des causes réelles de la décomposition de la classe ouvrière française et du profond désarroi de populations dont les instruments traditionnels de reproduction et de représentation collectives ont été rendus obsolètes par les transformations récentes du marché du travail et du champ politique. Ils ont ensuite alimenté – bien qu'à leur corps défendant – la spirale de la stigmatisation qui fait des grands ensembles populaires autant de lieux maudits, synonymes d'indignité sociale et de relégation civique. Ils ont ainsi aggravé le poids de la domination symbolique que les habitants de ces cités doivent aujourd'hui subir *en sus* de leur exclusion socio-économique [3].

Enfin, et paradoxalement, la thématique du « ghetto » a obscurci les leçons que l'on peut tirer d'un usage raisonné de la comparaison transatlantique, qui ne consiste pas à rechercher des similarités ou des convergences entre banlieue française et ghetto américain, deux constellations sociospatiales profondément disparates dans leur structure, leur trajectoire et leur dynamique [4]. La comparaison historique et sociologique

---

3. Loic J. D. Wacquant, « Urban Outcasts : Stigma and Division in the Black American Ghetto and the French Urban Periphery », *International Journal of Urban and Regional Research*, numéro spécial sur « Les nouvelles pauvretés », 1993, sous presse ; et Christian Bachmann et Luc Basier, *Mise en images d'une banlieue ordinaire*, Paris, Syros, 1989.

4. Pour une analyse plus détaillée, se reporter à Loic J. D. Wacquant, « Pour en finir avec le mythe des "cités-ghettos" : les différences entre la France et les Etats-Unis », *Annales de la recherche urbaine*, 52, 1992, p. 20-30 ; et idem, « Banlieues françaises et ghetto noir américain ; éléments de comparaison sociologique », in Michel Wieviorka (ed.), *Racisme et modernité*, Paris, Editions La Découverte, 1993, p. 265-279.

montre que si ghetto et « banlieue » ont en commun d'être, chacun dans leur ordre national respectif, des zones de relégation sociale situées au plus bas de la hiérarchie urbaine, ils n'en diffèrent pas moins dans leur composition sociale, leur texture institutionnelle, leur fonction dans le système métropolitain, et surtout par les mécanismes et les principes de ségrégation et d'agrégation dont ils sont le produit. En bref et pour simplifier, l'exclusion s'opère prioritairement sur une base raciale plusieurs fois centenaire tolérée ou renforcée par L'État et l'idéologie nationale côté américain, essentiellement à partir de critères de classe en partie atténués par les politiques publiques côté français. De sorte qu'à l'inverse de ces Bantoustans urbains que sont les grands ghettos américains, les « banlieues » dégradées de l'hexagone ne sont pas des ensembles sociaux homogènes, adossés à une division raciale dualiste de la société entérinée par l'État, et dotés d'une autonomie institutionnelle et d'une division du travail avancées soutenant une identité culturelle unitaire.

En revanche, il est très utile de se servir du *dark ghetto* de l'Amérique comme d'une sorte d'épure sociologique qui permet de se faire une idée réaliste des effets que pourrait produire à terme la radicalisation de certains processus de dualisation aujourd'hui en germe dans les quartiers déshérités de l'hexagone. A la manière d'un miroir déformant et grossissant à la fois, le ghetto américain nous offre le spectacle du type de rapports sociaux susceptibles de se développer dès lors que l'État délaisse sa mission première, qui est de soutenir l'infrastructure organisationnelle indispensable au fonctionnement de toute société urbaine complexe. En engageant une politique d'érosion systématique des institutions publiques, il abandonne aux forces du marché et à la logique du chacun-pour-soi [5] des pans entiers de la société, notamment ceux qui, dépourvus de toute ressource, économique, culturelle ou politique, dépendent le plus complètement de lui pour accéder à l'exercice effectif de la citoyenneté.

Depuis son apogée dans les années 50, le ghetto noir américain a connu une dégradation brutale et généralisée. L'exode ininterrompu de ses habitants, la détérioration accélérée du bâti et du cadre de vie marquent cette évolution. Elle se traduit aussi par la montée en flèche du chômage, de la criminalité violente et de tous les symptômes morbides et comportements pathogènes (alcoolisme, toxicomanie, suicide, maladies cardio-vasculaires et mentales, etc.) communément associés à la grande misère et à la démoralisation collective et individuelle. De plus, la gestion de cette population condamnée à une manière d'exil intérieur entraîne des coûts croissants pour des métropoles dont les ressources fiscales vont en s'amenuisant, au fur et à mesure que les familles blanches et les ménages aisés partent se réfugier dans les quartiers résidentiels excentrés.

Le débat récent, tant scientifique que politique, autour de la question a tour à tour privilégié, comme causes majeures de la détérioration continue des enclaves ségréguées de l'*inner city*, le racisme, la « culture de pauvreté » ou la soi-disant dépravation morale du sous-

5. C'est-à-dire aux rapports de force nus les plus favorables aux plus forts. Car si, comme le montrent les travaux les plus avancés de la sociologie économique, le marché est une fiction sociale, c'est aussi une fiction intéressée auxquels tous n'ont pas un égal intérêt et dont les conséquences économiques et sociales sont, elles, bien réelles.

prolétariat noir, les effets pervers supposés des programmes d'aide sociale, enfin la fuite de la classe moyenne noire et la désindustrialisation. Toutefois c'est la *politique urbaine d'abandon concerté* de ces quartiers par l'État américain depuis les années 60 qui rend le mieux compte du caractère cumulatif et auto-entretenu du processus de dislocation sociale incriminé. En sapant les programmes publics indispensables au fonctionnement de ses institutions et en diminuant drastiquement les ressources allouées au soutien de ses résidents [6], la politique de désengagement urbain et social du gouvernement américain a provoqué une *déstructuration systématique* du ghetto qui en a fait un véritable purgatoire urbain.

L'attention accordée par les médias à l'explosion de rage qui a embrasé Los Angeles en mai 1992, à la suite de l'acquittement des policiers blancs incriminés dans l'affaire Rodney King, ne doit pas occulter les *émeutes silencieuses de la vie de tous les jours* qui font du ghetto noir un champ de bataille perpétuelle pour la sécurité et la survie. Moins spectaculaires que les grands embrasements, elles n'en sont pas moins destructrices. Lorsque le sentiment d'insécurité qui imprègne les cités HLM de la banlieue française trouve sa source principale dans la petite délinquance juvénile, le climat de tension qui pèse sur le ghetto américain s'enracine, lui, dans la réalité des meurtres, viols et agressions dont le danger est omniprésent.

---

6. Fred Block, Richard A. Cloward, Barbara Ehrenreich et Frances Fox Piven, *The Means Season : The Attack on the Welfare State*, New York, Pantheon, 1987, et Michael B. Katz, *The Undeserving Poor. From the War on Poverty to the War on Welfare*, New York, Random, 1989.

En 1988, les 32 juges de la cour pénale du Comté de Cook, qui couvre les trois millions d'habitants de la commune de Chicago, ont traité de 56 204 chefs d'accusation, dont 3 647 cas de coups et blessures graves et 8 419 viols, 1 584 vols à main armée et 2 569 incidents de « violences caractérisées avec arme », et 2 009 meurtres et homicides volontaires. La plupart de ces crimes ont été commis dans des quartiers noirs du ghetto – par leurs habitants mais aussi et surtout à leur encontre. Un ex-leader du gang des Black Gangsters Disciples à qui je demandais pourquoi il scrutait toujours avec attention les abords de son bâtiment avant d'y entrer ou d'en sortir explique : « Il te faut toujours être sur tes gardes, Louie, dans ce quartier. Baisse jamais ta garde, tu sais pourquoi ? *C'est la loi de la jungle,* Louie : ou tu mords ou tu te fais mordre (*bite or be bitten*). Moi j'ai fait mon choix y a longtemps : je me ferai pas mordre, pour sûr, par personne. Et toi qu'est-ce que tu choisis ? »

De fait, les agressions et fusillades sont monnaie courante dans les grands ensembles du South Side où pullulent les gangs, au point que les mères de famille apprennent à leurs enfants en bas âge à se jeter au sol pour se protéger des balles perdues et prennent sur leurs maigres revenus de quoi leur payer par mensualités une assurance-décès. Durant les mois d'été, il n'est pas rare d'enregistrer entre cinq et dix meurtres par week-end, souvent à l'occasion de *drive-by shootings* (tirs d'armes à feu à partir d'une voiture en marche). Il est vrai qu'il n'est guère difficile de se procurer un revolver, en vente libre dans la rue au tarif « officiel » de 300 dollars pour une arme « propre » et moitié moins pour un calibre ayant déjà servi. « Ici, c'est comme un territoire oublié », remarque un policier de la brigade d'intervention de Wentworth, au cœur du ghetto sud de la ville. Le district ne dispose en effet en moyenne que d'un agent pour 277 crimes graves commis, soit six fois moins que le district blanc et bourgeois du Near North Side – dont le fameux quartier de la *Gold Coast* qui jouit en outre de la protection rapprochée de polices privées aux effectifs pléthoriques. Les policiers de Wentworth répondent à des appels urgents sans discontinuer du début à la fin de leur service. Ce qui n'empêche pas nombre de demandes d'intervention de rester sans suite parce que tous les personnels disponibles sont déjà en chasse [7].

Cette violence endémique oblige les habitants du ghetto à limiter sévèrement leurs sorties et à planifier leurs déplacements afin de minimiser le temps passé dans la rue et d'éviter autant que possible transports en commun et lieux publics. Non pas que l'on soit en sécurité calfeutré chez soi. Le même policier de Wentworth note : « S'il y a un incendie, ils ne peuvent même pas sortir de leur logement, tellement ils se barricadent de l'intérieur avec des barres et des grilles, et ils ont bien trop peur de sortir dans la rue ». Il n'est pas jusqu'aux établissements scolaires qui ne soient incapables de garantir l'intégrité physique de leurs élèves et de leurs enseignants, en dépit de l'utilisation de détecteurs à métaux et de la pratique de fouille à corps entre les bâtiments. La mort de lycéens abattus ou poignardés par un de leurs camarades dans le périmètre de leur établissement fait périodiquement la une des jour-

7. « 849 Homicides Place 1990 in a Sad Record Book », *Chicago Tribune*, 2 janvier 1991.

naux locaux, sans pour cela susciter d'autres réactions politiques que l'expression contrite d'une compassion toute symbolique. Il n'est pas rare que les familles du ghetto envoient leurs enfants en pension chez des parents des États du Sud ou des villes avoisinantes afin de s'assurer qu'ils termineront leur scolarité vivants.

Chacun doit donc, à tout moment, être prêt à se défendre, soi et les siens, par ses propres moyens. Car outre qu'elle est elle-même crainte pour ses méthodes violentes, la police est notoirement incapable de protéger les plaignants des représailles que les gangs pourraient exercer contre eux ou contre leurs proches. Éventualité d'autant plus probable que, les prisons étant pleines à craquer, nombre de criminels et de délinquants ne sont pas sitôt appréhendés qu'ils doivent être remis en liberté par manque de place. La prison du Comté de Cook, un bâtiment vétuste construit en 1929 pour accueillir 1 200 détenus, en renferme aujourd'hui près de 8 000, dont près d'un millier sont réduits à coucher sur des matelas jetés à même le sol. Durant la seule année 1988, les autorités pénitentiaires ont dû relâcher 25 000 prévenus pour cause de surpopulation. On comprend aisément, dans ces conditions, que les habitants du ghetto hésitent à faire appel aux représentants de la loi. Comme le dit la chanson du groupe de rap Public Enemy : « 911 Is A Joke » (« Police Secours, c'est du bidon »).

La criminalité endémique, responsable de la quasi-disparition de l'espace public au sein du ghetto, est étroitement liée à la désagrégation de l'économie locale. En 1968 déjà, le rapport de la Commission Kerner, chargée par le Président Johnson de diagnostiquer les causes de la vague d'émeutes raciales qui venait de secouer plus d'une centaine de métropoles américaines, soulignait avec inquiétude que « le mouvement de retrait des capitaux privés est déjà considérablement avancé dans la plupart des zones ségréguées de nos grandes villes » [8]. Vingt ans plus tard, ce processus est parachevé : l'assèchement des investissements et des incitations de l'État et la perte de milliers d'emplois manuels due aux restructurations industrielles ont virtuellement vidé le ghetto de toute activité marchande. Témoin le déclin de la 63e rue, dans le quartier de Woodlawn, qui fut l'une des artères commerciales les plus animées du Chicago de l'après-guerre. Aujourd'hui c'est une morne enfilade de bâtiments en ruines, de terrains vagues jonchés d'ordures et de magasins brûlés dont les carcasses pourrissent sur pied à l'ombre de la ligne de train surélevée. En 1950, Woodlawn comptait près de 700 établissements industriels et commerciaux et pas un seul logement ou lot immobilier n'y était vacant ; les affaires étaient si prospères que le quartier avait gagné le surnom flatteur de *Miracle mile*, le « Kilomètre miraculeux ». Aujourd'hui, le miracle, pour la petite centaine de commerces restants, consiste à éviter tant bien que mal la faillite.

A l'inverse de la métropole, dont la composition socioprofessionnelles est allée en se complexifiant avec le passage à l'économie de services, la structure sociale du ghetto de Chicago s'est transformée dans le sens d'une plus grande homogénéité en raison de l'aggrava-

8. *The Kerner Report : The 1968 Report of the National Advisory Commission on Civil Disorders*, New York, Pantheon, 1989, (1re éd. 1968), p. 399.

tion ininterrompue du chômage et du sous-emploi. En 1950, plus de la moitié des adultes résidant au cœur du South Side exerçait un travail salarié et le ghetto affichait un taux d'activité à peine inférieur à celui de la ville dans son ensemble. En 1980, près de trois adultes sur quatre se retrouvaient sans emploi. En trois décennies, le nombre d'ouvriers est tombé de 35 800 à moins de 5 000 et les effectifs des cols blancs (employés de commerce et de bureau, cadres et professions intermédiaires et libérales) ont diminué de moitié, passant de quelque 15 300 à moins de 7 400, alors que, parallèlement, les rangs de la classe moyenne noire étaient multipliés par cinq dans le Grand Chicago. Au cœur de la « Ceinture noire », plus de six résidents sur dix dépendent aujourd'hui de l'aide sociale pour leur survie et quatre sur dix ont grandi au sein d'une famille assistée.

Confrontés à l'effondrement du marché du travail salarié et à l'insuffisance criante de l'aide sociale, les habitants du ghetto n'ont souvent d'autre choix pour subsister que de se tourner vers l'économie informelle de la rue, et notamment vers son secteur le plus dynamique : le commerce de la drogue. Depuis que les trois principaux gangs qui contrôlent les réseaux de distribution au sein de l'*inner city*, Vice Lords, Disciples et El Rukns, se sont lancés dans la revente du *crack* et de ses dérivés, le cours de la cocaïne à Chicago a chuté de 55 000 à 17 000 dollars le kilo. Si bien qu'on peut aujourd'hui se procurer un sachet de poudre pour la modique somme de dix dollars. En touchant une clientèle de masse, le trafic de drogue est devenu une véritable industrie, brassant un volume d'affaires qui se chiffre par centaines de millions de dollars chaque année ; doté d'une division du travail élaborée, il constitue à ce jour la principale source d'embauche accessible aux jeunes du ghetto rejetés par l'école et par l'économie légale. Les risques encourus sont certes élevés mais, outre qu'on peut y travailler jeune (avant même l'âge de dix ans), les qualifications requises sont minimes, les horaires flexibles et les rémunérations fort avantageuses par rapport au secteur salarié anémique.

La croissance vigoureuse de cette forme de « capitalisme de pillage » (Weber) dont le trafic de drogue représente le fer de lance, est l'une des principales causes de la pandémie de violence qui frappe le ghetto. Côté consommation, le vol et la criminalité de rue sont en effet le moyen le plus direct dont disposent les toxicomanes pour se procurer leur dose quotidienne. Côté distribution, le recours périodique à la force physique est un *sine qua non* de ce type d'activité commerciale, un outil de gestion et de régulation des transactions dont aucun négociant ne saurait se passer sous peine de se faire liquider par ses rivaux [9]. En tout état de cause, l'expansion spectaculaire du commerce de la drogue n'est que le symptôme le plus visible d'une sorte de *tiers-mondisation de l'économie du ghetto*. Les indices les plus visibles en sont : la généralisation de l'artisanat illégal et du travail à la journée ; la multiplication des petits « métiers » sous-prolétariens (chiffonnier, camelot itinérant, ramasseur des boîtes de soda, revendeur de journaux à l'unité, gardien de voiture, porteur) ; la résurgence des *sweat-shops*, du travail à domicile ou payé à la tâche, et la floraison d'un éventail de trafics plus ou moins légaux – vente de son sang, prostitution,

9. A. Hamid, « The Political Economy of Crack-Related Violence », *Contemporary Drug Problems*, 17, 1989, p. 31-78.

usure (appelé *loan-sharking*), trafic de coupons alimentaires ou de cartes d'aide médicale, etc.

Le recul de l'économie marchande et la détérioration généralisée des conditions de vie dans le ghetto ont atteint un niveau tel que le secteur public n'est plus en mesure de remplir sa fonction minimale de fourniture de biens collectifs, sécurité, logement, santé, éducation, justice. Pire, n'ayant pratiquement pour clientèle que les couches marginalisées du prolétariat noir, les services publics peuvent être reconvertis en instruments de surveillance et de police d'une population qu'il s'agit désormais de contenir dans les enclaves dégradées qui lui sont assignées. Loin de contribuer à atténuer les inégalités qui pèsent sur eux, ils tendent à accentuer l'isolement et la stigmatisation de leurs usagers, au point d'opérer une véritable *sécession de fait du ghetto* vis-à-vis du reste de la société. D'outil de lutte contre la pauvreté, la force publique se transforme en machine de guerre contre les pauvres.

Ayant perdu le contrôle de cette partie de son territoire, l'État a bien du mal à gérer les institutions dont il a la charge. Ainsi en est-il de l'habitat social : la *Chicago Housing Authority*, qui administre le parc de logements publics de la ville (dont l'écrasante majorité est située au sein du ghetto), est incapable de produire une liste des appartements habitables dont elle dispose. Outre ses 200 000 locataires officiels, la CHA reconnaît abriter malgré elle entre 60 000 et 100 000 occupants illégaux – en dépit de listes d'attentes grosses de 60 000 familles. Certaines cités ont jusqu'à deux fois plus de locataires officieux que de locataires figurant sur les baux. En 1989, le nouveau directeur de la CHA avait conçu un ambitieux programme de « nettoyage » des grands ensembles du South Side pour en extirper squatters et gangs. Mais les « coups de filet » (*sweeps*) planifiés en grand secret furent divulgués – et après avoir reçu maintes menaces de mort, il renonça.

Les services sociaux de la ville ont dû, eux, se retirer du cœur du ghetto en raison de sa dangerosité. Les assistantes sociales affectées à la zone de Wentworth refusent de visiter leurs « clients » à domicile et se contentent de les convoquer dans leurs bureaux du centre-ville une fois tous les six mois. Les chèques d'aide sociale ne sont plus distribués par la poste mais remis directement à leurs destinataires par l'intermédiaire des *Currency exchanges* (officines privées qui tiennent lieu de comptoir financier et administratif au sein du ghetto) afin de limiter les vols par effraction de boîtes aux lettres et le trafic des cartes de *welfare*. En tout état de cause, l'organisation des services sociaux vise moins à porter assistance aux familles dans le besoin qu'à minimiser le nombre des ayants droit afin de réduire des dépenses sociales jugées intolérables par l'électorat blanc majoritaire. A preuve, l'office de l'aide publique de Chicago multiplie les contrôles tatillons, et les procédures bureaucratiques ; il alloue une part de son budget à l'espionnage des assistés dans le but de « pincer » d'éventuels fraudeurs. Numéros verts pour les dénonciations anonymes, appels à la délation dans les journaux, paiement d'informateurs chargés de surveillance rapprochée, visites impromptues au domicile des suspects : tous les moyens sont bons pour dégraisser les effectifs des récipiendaires d'aides. Au point que les habitants du ghetto n'hésitent pas à comparer les services sociaux au KGB.

C'est cependant l'école qui symbolise le mieux la

paupérisation avancée du secteur public au sein de l'*inner city*. Abandonné par les Blancs et par les classes moyenne et supérieure comme on fuit un navire qui coule, le système éducatif de Chicago est devenu une sorte de « réserve scolaire » où les enfants du ghetto sont parqués à défaut d'autre chose. Ses effectifs proviennent essentiellement de familles noires et latino (pour 85 %) qui vivent en deçà du seuil officiel de pauvreté (pour 70 %). Un quart à peine des écoliers parviennent en fin de scolarité secondaire dans les temps (bien qu'il n'y ait aucun examen de passage entre les classes) et l'écrasante majorité est orientée vers des sections professionnelles qui sont autant de voies de garage. Le niveau scolaire est si bas qu'un élève peut achever sa « terminale » au lycée Martin Luther King sans être capable d'écrire une phrase complète ou d'effectuer des fractions élémentaires. Il est vrai que l'académie de Chicago ne dépense par élève que la moitié des sommes dont disposent les écoles publiques des villes satellites de la banlieue aisée ; d'où la pénurie chronique d'enseignants, de salles et de fournitures, dans laquelle se débattent les établissements du ghetto. Aucun des cinq derniers maires de Chicago n'a envoyé ses enfants dans un lycée public. Pas plus que le recteur et une bonne moitié du corps professoral. Comme l'avoue ce conseiller municipal, « il faut avoir perdu la tête pour envoyer ses enfants à l'école publique [10] ! »

A terme, la déréliction des institutions publiques conduit à la *désertification organisationnelle* du ghetto puisqu'elle condamne les institutions indigènes et les

10. Jonathan Kozol, *Savage Inequalities : Children in America's School*, New York, Crown Books, 1991, p. 53.

organismes privés qui dépendent d'elles à une extinction à petit feu. Ainsi ce quartier sinistré du West Side, fort de quelque 61 000 habitants dont la moitié vivent en deçà du seuil fédéral de pauvreté, qu'une de ses habitantes compare à « un trou noir » : « Elle pouvait aisément énumérer ce qui manquait. Il n'y avait pas de banque, seulement des *Currency exchanges* qui prenaient une commission pouvant aller jusqu'à huit dollars pour chaque chèque de l'aide sociale échangé contre espèces. Il n'y avait ni bibliothèque publique, ni cinéma, ni piste de patinage, ni allée de bowling pour distraire les jeunes du quartier. Pour les infirmes, seulement deux cliniques (...), toutes deux au bord de la faillite et qui devaient fermer leurs portes fin 1989. Pourtant le taux de mortalité infantile excédait les taux de nombre de pays du Tiers-Monde tels que le Chili, le Costa Rica, Cuba, et la Turquie. Et il n'y avait pas de centre de désintoxication bien que la toxicomanie fût rampante [11]. »

La défaillance des services publics est si criante dans ce secteur du ghetto qu'après l'avoir visité en 1982, mère Teresa assigna deux sœurs de sa Mission de la Charité à la cité de Henry Horner afin d'y ouvrir un refuge pour femmes et enfants sans abri, une garderie et une soupe populaire. Au total, la politique d'abandon urbain du gouvernement américain a ravalé les institutions publiques du ghetto, socle supposé de l'intégration à la société, au rang d'instruments de ségrégation. Et le peu d'État qui subsiste en son sein joue dans le sens du renforcement des exclusions dont le ghetto est le produit.

---

11. Alex Kotlowitz, *There Are No Children Here*, New York, Doubleday, 1991, p. 12.

La France n'est pas l'Amérique. Les cités des banlieues en déclin ne sont pas des ghettos au sens que revêt cette notion dans le contexte américain. La décomposition des territoires ouvriers de l'hexagone obéit à une logique qui leur est propre, conforme à leur histoire et aux contraintes d'un cadre institutionnel et étatique très différent. La discrimination, la violence, la pauvreté et l'isolement social sont très loin d'y connaître la même intensité et la même étendue que dans l'*inner city* américaine. Il n'en reste pas moins qu'au-delà des différences flagrantes de niveaux et de structure, la *pente* de l'évolution des inégalités urbaines en France durant la dernière décennie tend à créer les conditions propices, à terme, à un rapprochement. Et si, dans leur myopie technocratique et leur fixation fascinée sur la performance financière à court terme, les élites dirigeantes hexagonales, de gauche comme de droite, devaient persister dans la politique néo-libérale d'abaissement du secteur public et de « mercantilisation » rampante des rapports sociaux qui a été la leur depuis le milieu des années 70, on ne doit pas exclure le pire : l'utopie négative, lointaine et effrayante [12], pourrait devenir réalité.

12. On trouvera un portrait saisissant de cette « utopie négative » qu'est devenue la mégapole polarisée de l'Amérique dans le magnifique ouvrage de Mike Davis. *City of Quartz : Excavating the Future in Los Angeles*, Londres, Verso, 1990, photos de Robert Morrow.

Loïc J. D. Wacquant

The Zone

J'ai fait la connaissance de Rickey par l'intermédiaire de son frère, que j'avais rencontré au cours de ma recherche sur le métier de boxeur à Chicago dans une salle d'entraînement située en plein cœur du ghetto noir, en lisière d'une forêt d'immeubles de logements publics particulièrement dégradés. « Il a boxé pro lui aussi, d'ailleurs il fait un come-back, tu devrais l'interviewer », m'avait dit Ned. Effectivement, quelques jours plus tard, Rickey fit son apparition. Après s'être fait expliquer le but de mon enquête, il me donnait son accord pour faire un entretien mais, à chaque fois, il se débinait au dernier moment ou disparaissait des jours durant. J'ai pu finalement l'interviewer en août 1991 après plusieurs rendez-vous infructueux à la salle de boxe, non sans qu'il se soit auparavant assuré de ma « fiabilité ».

J'avais déjà interviewé son frère, qui traîne sa carcasse de rugbyman au *gym* à longueur de semaine et vivote de petits boulots à droite, à gauche ; je connaissais donc dans le détail le profil familial de Rickey. De son ancien *coach*, je savais que ses vagues velléités de remonter sur le ring après une interruption de cinq ans étaient sans espoir, même si tous mettaient un point d'honneur à faire semblant d'y croire. Et d'un autre informateur du quartier, je tenais un certain nombre de données précieuses sur ses activités souterraines, notamment que Rickey était un « *hustler* professionnel », terme proprement intraduisible puisqu'il décrit un espace sémantique – et social – sans équivalent direct en français et qu'on peut, en première approximation, baliser par les notions de combine, débrouille, magouille, arnaque, filoutage, et criminalité à l'esbroufe à but directement monétaire.

Le verbe *to hustle* désigne en effet un champ d'activités qui ont en commun de requérir la mise en œuvre d'un type particulier de capital symbolique, soit la capacité de manipuler les autres, de les tromper, au besoin en alliant la violence à l'astuce et au charme, dans le but de générer un profit pécunier immédiat. Ces activités décrivent un continuum [1] depuis le relativement inoffensif – fabrication et distribution illicites d'alcool (notamment dans les *after-hours clubs*, ces tripots illégaux du ghetto), vente ou revente d'objets dérobés, paris et jeux de chance interdits par la loi (cartes, craps, billard), loterie parallèle du ghetto connue sous le nom de *policy* ou *numbers game* – jusqu'au délictueux – rapinages divers, vol à la roulotte et à l'étalage, cambriolages, désossage de voitures, « récupération » de briques, de tuyauteries ou d'encadrements de fenêtres et de portes dans les bâtiments abandonnés, escroqueries de tous calibres dont la tra-

1. Pour quelques illustrations, voir B. Valentine, *Hustling and Other Hard Work : Life Styles in the Ghetto*, New York, Free Press, 1978 ; E. Anderson, *A Place on the Corner*, Chicago, The University of Chicago Press, 1976, chap. 5 : « The Hoodlums » ; E. Liebow, *Tally's Corner : A Study of Negro Streetcorner Men*, Boston, Little Brown, 1967 ; et, pour un point de vue autobiographique, H. Williamson, *Hustler !* (ed. C. Keiser), New York, Avon Books, 1965.

dition orale tient le registre – ou à des actions carrément criminelles : proxénétisme, chantage à l'incendie (auprès des commerçants d'une zone donnée), rackets, trafic de drogue, agressions (*mugging* et *stick-ups*), et même meurtres sur commande, dont les tarifs sont de notoriété publique dans certains secteurs du ghetto.

Si cette définition paraît imprécise, c'est que le *hustler* est un personnage fuyant et difficile à saisir dans la réalité même parce que, justement, son « métier » consiste en bien des cas à s'immiscer furtivement dans des situations ou à tisser des relations aux apparences trompeuses afin d'en tirer un bénéfice plus ou moins extorqué. De plus, si le *hustler* préfère la voie de la séduction à celle de la contrainte ou de la menace physiques, l'art du *playing it cool* à l'usage de la force brute (qui l'identifierait à cet autre type social du ghetto qu'on appelle le *gorilla*), les circonstances font qu'il doit souvent recourir à la violence, ne fût-ce que pour préserver son honneur et son intégrité physique. Les frontières qui le démarquent des autres « prédateurs sociaux » du ghetto n'ont rien de tranché.

Le monde du *hustling* s'oppose terme à terme à celui du travail salarié, où tout est, au moins en théorie, légal et reconnu (*legit*), régulier et régulé, enregistré et approuvé par la loi, ainsi qu'en attestent le contrat d'embauche et la fiche de paie. L'illicite et l'illégal, le réprimé et le réprouvé (y compris bien souvent par ceux-là mêmes qui en sont : « C'est toi qui payes pour c'que tu fais », philosophe Rickey en évoquant une tentative avortée de vol dans une voiture qui lui vaut de récolter deux balles de revolver dans la cheville) sont connus et tacitement tolérés par tous parce qu'ils sont à la fois *banals et nécessaires* : il faut bien vivre et faire vivre les siens. Et, du fait de la pénurie matérielle collective et de l'insuffisance chronique des rentrées d'argent procurées par le travail ou l'aide sociale, les résidents du ghetto doivent presque tous, à un moment ou à un autre, avoir recours à quelque *hustle*[2].

Rickey a, comme on dit, le physique et l'habit de l'emploi. Très grand, dégingandé, un large thorax vissé sur de longues jambes fines, il est vêtu d'une combinaison vert jungle en simili-daim, bardée de poches et d'une épaulette en cuir beige, tombant sur des chaussures de sport de marque d'une blancheur rutilante, qui accentue son allure féline et décontractée – et cache le rebondi de son ventre : il a plus de 15 kilos à perdre pour retrouver sa forme d'antan. Des lunettes noires à verre réfléchissant dissimulent ses petits yeux surmontés d'un très large front au teint cuivré. Une fine moustache noire et un début de bouc lui donnent un air réfléchi qu'il cultive à loisir ; ses cheveux jais rasés très haut derrière le crâne sont soigneusement rangés sous une casquette de base-ball en toile verte renversée, la visière rejetée sur la nuque. Bien qu'averti de sa réputation de « beau parleur », qualité tenue en haute estime dans le ghetto, où l'on accorde une place de choix à l'habileté rhétorique[3], je suis surpris par sa faconde mais plus encore par la retenue, la pudeur même, avec

2. Cf. *The Autobiography of Malcom X*, Alex Haley (ed.), New York, Ballentine Books, 1964. Voir également D. A. Schultz, *Coming Up Black : Patterns of Ghetto Socialization*, Englewood Cliffs, Prentice Hall, 1969, p. 78-103, et D. Glasgow, *The Black Underclass : Poverty, Unemployment, and Entrapment of Ghetto Youth*, New York, Vintage, 1980, chap. 6.

3. R. D. Abrahams, *Positively Black*, Englewood Cliffs, Prentice Hall, 1970 ; T. Kochman (ed.), *Rappin' and Stylin' Out : Communication in Urban Black America*, Urbana et Chicago, University of Illinois Press,

laquelle il me parle de son quartier, de ses copains d'enfance, de ses espoirs et de ses déboires, de la bataille sans cesse recommencée pour, dit-il « *make it another day* ». Il porte sur l'univers défait et détraqué qui l'enserre un regard presque clinique ; il le décrit sans gloriole, sans effets de manches, sans chercher ni à l'embellir ni à le noircir. Il ne le revendique pas mais il ne le renie pas non plus. Il est là, tout simplement : c'est son monde, il n'en peut mais. Et la conscience qu'il a d'y être *voué* le porte à une lucidité douloureuse qui fait qu'il sait vain de s'apitoyer sur soi.

Né à Chicago, septième et dernier fils d'une famille de 11 enfants, Rickey a toujours habité dans un grand ensemble de logements publics du South Side réputé dans tout le pays pour sa dangerosité (« C'est ce coin que t'en entends toujours parler aux informations »). Sa mère, montée du Tennessee en 1956, au moment où la grande migration qui amène des milliers de Noirs des États du Sud à Chicago touche à sa fin, avec pour seul bagage une éducation primaire, l'élève seule, ballottée entre des emplois de femme de ménage (dans différents bars et cabarets du ghetto, après avoir travaillé quelque temps dans une fabrique d'assiettes en papier) et l'aide sociale qui ne permet guère à la famille que de survivre. De son père, décédé lors de sa petite enfance, il n'a presque aucun souvenir : tout ce qu'il sait, c'est qu'il a toujours trimé à « des tas de bou-

1973 ; E. A. Folb, *Runnin' Down Some Lines : The Language and Culture of Black Teenagers*, Cambridge, Harvard University Press, 1980 ; et W. Labov, *Le parler ordinaire : la langue dans les ghettos noirs des états-Unis*, Paris, Minuit, 1978. La musique rap en témoigne aujourd'hui dans le domaine commercial (le terme « rap » lui-même désigne à l'origine « l'art de la belle conversation » dans le vernaculaire noir américain).

lots dans des usines, un peu partout », sans arriver à rien. Comme bon nombre d'hommes et de femmes de sa génération dans la communauté noire urbaine, il n'a connu aucun de ses grands-parents.

Rickey grandit « à la dure », dans un des secteurs les plus mal famés du ghetto sud de la ville, placé sous la coupe du gang des Disciples, puis des El Rukn, dont le quartier général est situé dans la rue même du *project* (grand ensemble) où il réside (ce bâtiment en briques à l'enseigne d'un « centre religieux islamique » a récemment été détruit par le FBI après un raid militaire d'envergure couronné par la saisie d'importantes quantités de drogue et d'un arsenal impressionnant : des monceaux de munitions et des dizaines d'armes de poing automatiques, de grenades, de fusils-mitrailleurs Uzi et même un lance-roquettes). Bagarres, coups de feu, prostitution, trafic de drogue, rackets, affrontements sans fin et de plus en plus meurtriers entre gangs : « Tout ce que tu veux, tu viens dans le coin et tu l'trouves. » L'aîné de ses frères travaille un temps pour un gang local comme *enforcer*, homme de main chargé de récupérer de force l'argent dû par les « détaillants » du réseau de vente de drogue en retard de paiement. Ce n'est pas pour rien que le quartier est connu au sein du ghetto sous le nom de « *The Zone* », surnom auquel Rickey préfère celui de « *Killing Fields* » (littéralement : « champs de la mort »), qui, dans sa concision effroyable, dit mieux que toutes les statistiques la dangerosité extrême de cette partie de la ville [4].

---

4. Ce n'est pas un cas isolé : la cité de Henri Horner Homes sur le West Side a été baptisée *The Graveyard* (« Le Cimetière ») par ses occupants ; un grand ensemble du quartier de Woodlawn sur le South Side est connu sous le nom non moins évocateur de *Murdertown* (« Meurtreville »).

Rickey a fait toute sa scolarité dans le quartier, finissant ses études secondaires après plusieurs interruptions au lycée public Wendell Phillips, un établissement vétuste (le principal bâtiment date d'avant 1930), encastré entre plusieurs *projects* rivaux qui a des allures de caserne (portes blindées, rares fenêtres grillagées, équipements sportifs à l'abandon) et fréquenté exclusivement par les enfants afro-américains pauvres des environs. Envers l'école, il éprouve à la fois du dépit et du regret. Dépit d'abord de constater que le peu d'éducation qu'il a acquis ne lui est d'aucune utilité : « L'école c'était de la rigolade pour moi, ou plutôt j'étais pas à ma place, quoi… ça m'a servi à rien… ça m'est passé à côté ». Il a bien suivi brièvement quelques cours dans un *junior college* municipal [5], mais sans savoir lui-même trop dans quel but. Regret ensuite parce qu'il sait bien que, sans diplôme, il n'accédera probablement jamais à un emploi stable mais aussi parce que l'école est mêlée au souvenir d'une jeunesse qui lui apparaît rétrospectivement comme presque heureuse en comparaison de son existence actuelle. Il parle de s'inscrire à nouveau au Kennedy King College pour y étudier « la communication », autant par désir confus de se frayer une voie de sortie hors du ghetto que par devoir idéologique rappelé par la situation d'enquête [6].

---

5. Un junior college est un établissement formellement rattaché à l'enseignement supérieur mais qui n'exige pas d'avoir achevé sa scolarité secondaire et qui sert en fait de cours de rattrapage pour adultes du niveau du lycée, voire du premier cycle des collèges. A Chicago, le taux d'échec dans ces établissements dépasse 90 %.

6. La reconnaissance de la toute-puissance de l'éducation, de la nécessité d'y sacrifier, est pratiquement universelle dans le ghetto (un jeune d'un quartier limitrophe a cette formule frappante : « Bientôt pour faire sauter des hamburgers chez McDonald's, il te faudra un diplôme en aéronau-

Célibataire par nécessité plus que par choix, Rickey occupe seul un petit deux-pièces au troisième étage d'une tour voisine de celle où il a grandi. A 29 ans, il n'a jamais eu de travail régulier; il a toujours vécu de « combines » et d'une gamme variée d'activités plus ou moins illégales. Quand je lui demande s'il a un emploi, il se présente d'abord comme « vendeur itinérant » à son compte : « J'ai toujours été un *hustler*, tu vois, je vends, ben, des chaussettes, des ballons, des cigarettes, de l'eau de Cologne, un peu d'tout quoi. » Il reconnaît ensuite qu'il gagne pas mal d'argent au jeu (*gambling*) et me laisse entendre que plusieurs « filles » lui versent de l'argent. Il renâcle à parler trop directement de ses activités et il soutient avec une insistance frisant la dénégation qu'il ne s'adonne à aucun trafic de drogue – j'apprendrai par la suite d'un informateur bien placé qu'il « travaille » de temps à autre à la revente de stupéfiants, Karachi, Angel dust, cocaïne. Au fil de l'entretien, son revenu déclaré ou estimé varie de 600 à 1 800 dollars mensuels (avec une pointe momentanée à 3 000 dollars), sommes qui correspondent aux diverses

---

tique »). Par un paradoxe qui n'est qu'apparent, ce sont les plus démunis culturellement qui vouent aux titres scolaires les plus dévalorisés le culte le plus intense et ils se déclarent (et se croient) invariablement à la veille de reprendre des « études » momentanément « interrompues » pour faire face aux circonstances défavorables de l'heure. Les mères seules vivant de l'assistance publique (qu'on désigne par le label dégradant de *welfare mother*), parfois depuis dix ans ou même plus, sans aucune chance objective de changer de condition à court terme, que j'ai interrogées dans les ensembles HLM du ghetto disent toutes quasi rituellement : « Je vais m'inscrire pour passer mon GED » (*General Equivalency Diploma*, certificat d'équivalence de fin d'études secondaires, sans valeur sur le marché du travail). Quand ? « En septembre prochain, à la rentrée, quand j'aurai trouvé une baby-sitter pour mes enfants. Et après je vais me trouver un bon boulot et partir de ce quartier. »

images qu'il souhaite (se) donner de lui-même. En bout de course il m'avoue, embarrassé, après un long silence : « Rien de quoi se vanter, hein, ça varie, juste assez d'quoi payer les factures, quoi. » Nul n'admet aisément être sans le sou, *hard up*, dans une société où la valeur de chaque individu est indexée par ses revenus, à son étage le plus bas plus que n'importe où ailleurs, où tout se monnaie, s'achète et se vend en liquide.

C'est aussi que ses rentrées d'argent sont irrégulières, provenant de plusieurs sources affectées chacune d'un coefficient d'incertitude propre : il touche par intermittence une aide sociale à laquelle il n'a théoriquement pas droit (*General Assistance*, environ 180 dollars par mois et des coupons d'alimentation) ; il soutire de l'argent à plusieurs « amies » qui vivent elles-mêmes de l'assistance publique, mais qui reçoivent des sommes plus importantes du *welfare office* en qualité de « mère seule avec des enfants dépendants », ou, mieux, qui travaillent au Loop (centre-ville) comme secrétaires ou employées de banque [7] ; enfin il y a les revenus de ses diverses activités de *hustling* dans la rue. Il ne possède

---

7. Cette stratégie économique ne se confond pas avec le proxénétisme (pimping), même si elle peut l'englober. Ce que la langue de la rue appelle *broad money* (*broad* pouvant se traduire par « gonzesse » ou « meuf ») est le plus souvent versé sans contrainte physique en contrepartie de services réels rendus par l'homme, protection, affection, compagnie ou assistance pour maintenir la discipline chez les enfants du ménage. Ce type d'échange matérialise la marginalité économique extrême des hommes noirs du ghetto et leur dépendance financière à l'égard des femmes (Clement Cottingham, Gender Shift in Black Communities, *Dissent*, automne 1989, p. 521-525) dont les sources de revenus sont plus nombreuses et plus accessibles (aide sociale, travail industriel déqualifié ou emplois domestiques, prostitution). Dans sa dimension sexuelle, il s'avère souvent plus proche de la prostitution masculine que du proxénétisme classique.

ni compte en banque, ni biens personnels de valeur, seulement le téléphone (et s'inquiète de mes intentions quand je lui demande son numéro) et une vieille Plymouth Valiant qu'il retape lui-même en cas d'avarie car la mobilité physique est un *sine qua non* de sa profession. Il s'applique à toujours payer son loyer à temps, au besoin en faisant appel à ses *lady-friends*. C'est sa première priorité. C'est pour cela qu'il prend soin de maintenir « à tout prix » ces amours louches qui le lient à plusieurs femmes qui croient chacune qu'elle est « la vraie, la seule », lors même qu'il admet volontiers que « si une nana cherche un mec sur qui elle peut compter, quelqu'un pour élever une famille, c'est pas moi pour sûr [8] ».

D'une longue interview (près de trois heures sur un tempo accéléré) portant sur son enfance, ses pérégrinations journalières dans le ghetto, ses tentatives avortées d'insertion sur le marché du travail, et ses expériences dans le milieu de la boxe professionnelle, j'ai retenu principalement ce qu'il m'a dit de son métier de *hustler* et du climat quotidien de son quartier. Il faut se garder de voir dans Rickey un personnage exotique et marginal relevant d'un « demi-monde » proche de la pègre ou justiciable d'une analyse en termes de « délinquance ». Car le *hustler*, dont il livre une incarnation ramassée et personnalisée, est tout au contraire une figure générique qui tient une position centrale dans l'espace social du ghetto noir américain. Non seulement il est loin d'être statisti-

---

8. Ce type de rapport fait de méfiance et d'exploitation mutuelles entre les sexes est très répandu dans le ghetto, cf. E. Liebow, *Tally's Corner*, *op. cit.*, chap. 5 : « Lovers and Exploiters » ; E. A. Folb, *Runnin' Down Some Lines, op. cit.*, chap. 4 ; et Kenneth B. Clark, *Dark Ghetto : Dilemmas of Social Power*, New York, Harper Torchbooks, 1965, p. 47-54, 67-74.

quement rare, mais surtout, à la manière d'un idéal type vivant, il rassemble de manière exemplaire un répertoire de propriétés et de pratiques haut placées dans la table des valeurs indigènes, puisqu'il fait de la débrouillardise et de la faculté de survie à base de *street smarts*, cette « intelligence de la rue » qui est l'unique bien donné à tous, le fondement d'un style de vie expressif[9] qui seul peut rendre un tant soit peu supportable, en la desserrant partiellement, l'atmosphère tendue et oppressante de la routine de tous les jours dans le ghetto. Rickey n'est pas une anomalie sociale ou le représentant d'une micro-société déviante façon « cour des miracles » ; il est le produit du passage à la limite d'une logique d'exclusion socio-économique et raciale séculaire qui affecte de près ou de loin tous les habitants du ghetto[10].

9. Sur l'importance de la dimension expressive dans le « style de vie » populaire noir, voir L. Rainwater, *Behind Ghetto Walls : Black Family Life in a Federal Slum*, New York, Aldine Publishing Company, 1970, p. 377-384 ; U. Hannerz, The Concept of Soul, in A. Meier et E. Rudwick (éds), *The Making of the Black Ghetto*, New York, Hill and Wang, 1978 ; et H. Finestone, Cats, Kicks, and Color, in H. S. Becker (éd.), *The Other Side : Perspectives on Deviance*, New York, the Free Press, 1964, p. 281-297.

10. Bettylou Valentine *(Hustling and Other Hard Work, op. cit.)* montre comment la grande majorité des habitants du ghetto doivent continuellement combiner travail salarié, assistance publique et *hustling* pour parvenir à survivre dans l'espace social comprimé et tronqué où ils sont relégués, le fait de les combiner relevant lui-même de l'« art social » du *hustling*. D'une enquête détaillée sur les budgets de 50 mères seules vivant avec leurs enfants de l'aide sociale dans le grand Chicago, il ressort que *toutes sans exception* doivent avoir régulièrement recours soit au soutien de parents, amis ou « pères déserteurs », soit au travail non déclaré pour assurer la survie minimale de leur famille (K. Edin, Surviving the Welfare System : How AFDC Recipients Make Ends Meet in Chicago, *Social Problems*, 38 (4), 1991, p. 462-474). Sur ce point, voir également W. Moore, Jr., *The Vertical Ghetto : Everyday Life in an Urban Project*, New York, Random House, 1969, et J. Wojcika Scharf, The Underground Economy

Pour élucider complètement la logique propre à cet univers quasi carcéral qu'est le ghetto noir américain, la nécessité spécifique qui l'habite – et l'organise de l'intérieur quand bien même elle trouve son origine et sa force d'imposition en son dehors [11] –, et dont l'attitude de Rickey, faite d'oscillations rapides entre réalisme désabusé et onirisme fataliste, est la traduction « subjective », il faut contourner le double piège de la lecture misérabiliste, qui s'émeut et compatit au spectacle de la misère, et son contraire, la lecture populiste qui célèbre les vertus et l'inventivité du dominé et présente comme une stratégie héroïque de « résistance » ce qui n'est bien souvent qu'une tactique économe d'autopréservation face à un ordre de domination si total et brutal qu'il n'est à la limite plus perçu comme tel et plus remis en cause. Pour cela, il faut accepter de suspendre temporairement le premier mouvement de sympathie, d'indignation ou d'horreur, et accepter de prendre sur ce monde le point de vue que Rickey lui-même adopte, c'est-à-dire l'« attitude naturelle » (Alfred Schutz) selon laquelle les choses vont d'emblée de soi.

---

of a Poor Neighborhood, in L. Mullings (éd.), *Cities of the United States : Studies in Urban Anthropology*, New York, Columbia University Press, 1987, p. 19-50. Ce n'est pas par hasard si le *hustler* est un caractère omniprésent dans la littérature et l'autobiographie afro-américaines (ainsi dans le classique de Claude Brown, Manchild in the Promised Land, New York, Signet, 1965).

11. Loïc J. D. Wacquant, Redrawing the Urban Color Line : The State of the Ghetto in the 1980 s, in C. J. Calhoun (ed.), *Social Theory and the Politics of Identity*, Oxford, Blackwell, 1993 ; et idem, « Décivilisation et démonisation : la mutation du ghetto noir américain », in C. Fauré et T. Bishop (eds.), *L'Amérique des Français*, Paris, éditions François Bonvin, 1992, p 103-125.

Il faut aussi admettre, à contre-courant de toute la tradition de la recherche américaine sur le sujet, toujours engluée dans les schèmes et les raisonnements moralistes et naturalistes hérités de l'École de Chicago, que le ghetto ne souffre pas de « désorganisation sociale » mais constitue un univers dépendant, finement différencié et hiérarchisé, qui s'organise selon des principes spécifiques producteurs d'une *forme régulière d'entropie sociale*. Le premier de ces principes régulateurs pourrait se condenser par la formule « hobbesienne » de la « guerre de tous contre tous ». Dans ce monde de la pénurie et de l'urgence qui, peu ou prou, échappe par défaut aux règles et aux régulations de la société dominante, où les institutions normales de police (au sens de Foucault) des rapports interpersonnels sont affaiblies ou absentes en raison du double mouvement de repli du marché et de l'État, ni les policiers, ni les travailleurs sociaux, ni les enseignants, ni les hommes d'Églises ou les notables locaux, ni même les résidents plus âgés (les *old heads* qui remplissaient une fonction de sages ou de « juges de paix » informels au sein du ghetto de l'après-guerre et jusque autour des années 60) ne constituent des instances efficaces de recours ou de médiation. « *I'm gonna take care of my business on you* » : le premier réflexe est et ne peut être que de se faire justice soi-même selon la loi du plus fort. Dans cette situation de « guerre de tous contre tous » généralisée et de tous les instants où les solidarités les plus éprouvées sont toujours soupçonnées d'être intéressées – et comment ne le seraient-elles point dans un univers où chacun peut, à tout moment, être confronté au choix forcé entre duper ou être dupe, tuer ou être tué ? – on comprend que le scepticisme soit la loi et que chacun ne soit véritablement prêt à compter que sur soi-même : « J'pilote en solitaire » dit laconiquement Rickey[12].

La prolifération de la drogue exacerbe cette logique de la suspicion et du quant-à-soi en modifiant toutes les données de l'existence quotidienne dans le sens d'une insécurité toujours plus profonde. Rickey compare son arrivée à celle d'une épidémie (« une peste ») qui emporte tout sur son passage, brisant les amitiés, réduisant tous les contacts humains à de purs rapports d'exploitation immédiate et illimitée. Et il a peine à dissimuler le dégoût que lui inspirent ceux qui, pris dans cet engrenage impitoyable, n'hésitent pas à vendre de la drogue à leur propre mère, en quoi il voit le signe que tout, aujourd'hui, se réduit à « ce putain d'billet vert »[13].

De même qu'il ne se plaint guère de sa jeunesse, dont il a surtout retenu qu'il y a toujours plus misérable que soi (« *it's people doin' worser than me* », remarquent souvent les habitants du ghetto, y compris les plus démunis, comme pour se réconforter, en innovant un double comparatif qui en dit long sur la finesse des hiérarchies qui s'élaborent au plus bas de la société),

12. « Là où les revenus sont irréguliers et insuffisants, il devient nécessaire d'exploiter les amis et les parents. L'absence de stabilité (transience) est le garant de l'insécurité maximale » (Abrahams, *Positively Black*, *op. cit.*, p. 128). Ce qu'exprime bien ce dicton du ghetto, variante amère du précepte chrétien « Do unto others as you would have them do unto you » : « Do unto others *before* they do to you » (Folb, *Runnin' Down Some Lines*, *op. cit.*, spéct. chapitre 3 dont c'est le titre).

13. C'est aussi qu'ils enfreignent la règle tacite qui veut qu'on ne doit « jamais se faire plus que le nécessaire pour vivre. N'importe quel *hustler* expérimenté vous dira que vouloir trop gagner est le plus sûr moyen de se retrouver droit en prison » (*The Autobiography of Malcom X*, *op. cit.*, p. 109).

Rickey ne vit pas son rejet du marché du travail comme un trauma. C'est que tenir un emploi stable et bien payé, un *legit job* propre à garantir une vie « pépère » comme il dit, n'a jamais vraiment fait partie du domaine de ses attentes : l'exclusion faisant partie de l'ordre des choses, elle le prive de la conscience même de son exclusion. Mieux, il est prêt à en endosser la responsabilité : il se dit *hyper* (« j'sais que j'suis un nerveux ») et personnellement incapable de se plier à la discipline du travail salarié. Mais comment, d'une part, ne pas faire le lien entre sa « nervosité » et l'environnement de violence permanente et de précarité matérielle sans fin qui est le seul qu'il ait connu depuis l'enfance [14] et, de l'autre, ne pas voir que, s'il ne l'était pas au départ, les emplois de misère auxquels il est condamné ont tout ce qu'il faut pour *faire* de lui un « nerveux » ? D'ailleurs la formule qu'il emploie pour justifier son absence d'expérience professionnelle (« j'peux pas rester huit heures d'affilée au même endroit ») exprime bien cette « coresponsabilité » car l'impossibilité dont il s'agit ici est simultanément subjective et objective. Je suis inemployable parce que je suis *hyper* mais, de toute façon, je ne serais pas resté huit heures derrière mon guichet : le patron de Rickey ne venait-il pas de réduire ses horaires alors que ce dernier ne travaillait déjà qu'à temps partiel à un emploi qu'il avoue avoir aimé ?

---

14. Des travaux récents de psychologie de l'enfant montrent que les jeunes qui vivent dans les grands ensembles du ghetto de Chicago souffrent de désordres et de traumatismes psychiques similaires à ceux qui affligent les anciens combattants (James Garbarino, Kathleen Kostelny et Nancy Dubrow, *No Place to be a Child*, Lexington, Lexington Books, 1991, chap. 6).

Pauvreté et insécurité au cœur du ghetto noir de Chicago

En 1990, la ville de Chicago enregistrait 849 meurtres (soit un taux de 28,3 pour 100 000 habitants, comparable à ceux de New York et Los Angeles, mais loin derrière Washington, la capitale du pays, et Detroit), dont 253 frappant des victimes de moins de 21 ans (et 27 de moins de 10 ans), abattues par balles dans neuf cas sur dix. Plus de la moitié de ces jeunes victimes résidaient dans les six districts de police correspondant aux quartiers de la « ceinture noire » et 186 (soit 73,5 %) étaient d'origine afro-américaine. Le taux d'homicides officiel – de nombreux indices et témoignages conduisent à penser qu'un nombre non négligeable de meurtres ne sont jamais répertoriés – dans le district de Wentworth, une fine bande d'environ 20 kilomètres carrés qui couvre le cœur historique du ghetto nord-sud, a dépassé les 106,1 pour 100 000 habitants en 1990. On y a décompté un total de 96 meurtres, soit 20 de plus que l'année précédente.

Il est difficile de ne pas postuler un rapport direct entre ces taux de criminalité et de mortalité astronomiques, dignes d'une guerre civile larvée – de récents travaux d'épidémiologie ont établi que les jeunes hommes noirs de Harlem, par exemple, ont une probabilité de mourir de mort violente supérieure à celle des soldats envoyés au front au plus fort de la guerre du Vietnam – et la misère écrasante de cette enclave raciale vidée de toute activité économique d'où l'état s'est virtuellement retiré, à l'exception de ses composantes répressives.

Dans ce quartier exclusivement noir de quelque 54 000 habitants (au recensement de 1980, le dernier pour lequel on dispose de chiffres crédibles), dont 37 % ont moins de 18 ans, un peu plus de la moitié des ménages vivent en dessous du « seuil fédéral » officiel de pauvreté (soit 9 885 dollars pour une famille de trois personnes, ou 12 675 dollars pour une famille de quatre, en 1989), contre 37 % dix ans auparavant. Un ménage sur vingt seulement dispose d'un revenu égal ou supérieur à la moyenne nationale, le revenu annuel médian de 6 900 dollars atteignant à peine le tiers de la moyenne municipale. Trois familles sur quatre y sont monoparentales (par suite de désertion du père) ; deux adultes sur trois n'ont pas achevé leurs études secondaires, bien que cela ne requière aucun examen.

Le taux de chômage officiel de 24 % dissimule mal le fait que trois adultes sur quatre sont sans emploi, ce qui explique que 63 % des résidents dépendent de l'Assistance publique et des services sociaux. On sait par ailleurs que 71 % des habitants du ghetto de Chicago (South Side et

West Side confondus) doivent avoir recours à une aide alimentaire pour assurer leur quotidien, soit sous forme de food stamps (bons d'alimentation distribués par le gouvernement et qui se revendent au marché noir à la moitié de leur valeur faciale quand on est à court d'argent), soit auprès des soupes populaires tenues par les quelques églises et associations de quartier restantes ; et que seulement un tiers des ménages disposent d'une automobile pour s'échapper, ne fût-ce que momentanément, de leur voisinage, et à peine 10 % d'un compte bancaire courant.

En dépit de la dépopulation rapide du quartier (ce dernier a perdu 30 000 âmes durant la décennie 70, et plus de 61 000 entre 1950 et 1980), près du quart des résidents de Grand Boulevard occupent encore un appartement surpeuplé. C'est que le parc de logements a été amputé d'un cinquième durant ces mêmes dix années, notamment en raison des incendies fréquents – Chicago détient le record national en matière de mortalité par le feu – qui forcent les habitants à déménager en catastrophe et à se recaser au mieux sur un marché locatif dépourvu d'habitations à loyer modéré. Seules 6 % des habitations sont en propriété et presque la moitié sont considérées comme insalubres ou vétustes.

Grand Boulevard contient une densité inhabituelle de logements sociaux (20 % du parc local contre 3 % en moyenne pour la ville), agglomérés autour du gigantesque complexe du Robert Taylor Homes, un grand ensemble de 28 bâtiments grillagés de 16 étages plantés à la file indienne le long de State Street, qui constitue sans doute à ce jour la plus grande concentration de misère urbaine des États-Unis, et partant du monde occidental. Cela alors qu'il est bordé à l'ouest par un quartier à 95 % blanc, Bridgeport – fief du maire de la ville, Richard D. Daley, qui présida au maintien rigide de l'apartheid résidentiel des Noirs de 1955 à 1976, et dont le fils, Richard J. Daley, Jr., a hérité la charge en 1989 – qui ne compte que 14 logements publics et enregistre un taux d'homicides huit fois inférieur pour une population ne comprenant que 10 % de ménages en dessous du « seuil de pauvreté ».•

Données tirées de Chicago Community Fact Book *(Chicago,* The Chicago Review Press, *1985) ; de L. J. D. Wacquant et W. J. Wilson, The Cost of Racial and Class Exclusion in the Inner City,* Annals of the American Academy of Political and Social Science, *501, janvier 1989, p. 8-25 ; et d'un rapport du Federal Bureau of Investigation cité par le* Chicago Tribune *(2 janvier 1991).*

En tout état de cause, le seul travail qui s'inscrit à l'horizon du possible pour Rickey et ses pairs, c'est un emploi déqualifié dans les services, « derrière un comptoir » ou « au nettoyage », sans perspective de promotion ni la moindre sécurité d'emploi, sans jours de congé ni couverture sociale, à des salaires qui, dans le meilleur des cas, permettent à peine de maintenir la tête au-dessus de l'eau [15]. Comment ces postes sous-payés et dégradants, symbolisés par l'employé de chez McDonald, pourraient-ils faire concurrence à l'économie de la drogue qui a connu un développement foudroyant durant la décennie passée avec l'avènement de produits de « grande consommation » tels que le crack [16] ? A quoi bon choisir la voie *legit* quand les récompenses qui en découlent sont si maigres et presque aussi aléatoires que celles, tangibles et immédiates même si elles sont à haut risque, promises par l'économie de la rue qui, outre un terrain où réaliser les valeurs d'honneur viril qui forment le socle de la culture publique du ghetto, offre, sinon la réalité, du moins l'illusion d'être son propre patron, et donc la possibilité d'échapper à l'humiliation et à la discrimination qui sont le lot quotidien de ceux qui acceptent

---

15. Au moment de son léger relèvement de 3,35 dollars de l'heure à 3,75 dollars en 1989 (après dix ans de stagnation en dépit d'une forte inflation), le salaire minimum américain avait perdu plus du tiers de sa valeur réelle depuis 1968. En 1988, un salarié travaillant toute l'année à plein temps au SMIC gagnait 6 968 dollars, somme de 20 % inférieure au « seuil de pauvreté » fédéral pourtant très bas quand on prend en compte l'inexistence des transferts sociaux (absence de couverture médicale, d'allocations familiales, imposition quasi générale des revenus, etc.).

16. Terry Williams, *Cocaine Kids*, Paris, Flammarion, 1990, et Philippe Bourgois, « Searching for Respect : The New Service Economy and the Crack Alternative in Harlem », communication à la conférence « Pauvreté, immigration et marginalités urbaines dans les sociétés avancées » , Paris, Maison Suger, 10-11 mai 1991. On peut acheter un « rock » de *crack cocaine* pour 10 dollars sur le South Side de Chicago.

les *slave jobs* de la nouvelle économie des services : « Y'a pas beaucoup de *brothers* qui vont faire ça [17] ».

L'économie souterraine du *hustling* n'en est pas moins destructrice pour autant et Rickey sait bien – les funérailles auxquelles il assiste à intervalles rapprochés sont là pour le lui rappeler – qu'à terme elle ne débouche sur rien. La *frustration structurale* générée par cette économie de rapine s'exprime quand il s'emporte contre les dealers de drogue qui gaspillent leurs profits dans des dépenses somptuaires (à l'échelle du ghetto), en une manière de *potlatch* libidinal de femmes, de voitures, de vêtements et de bijoux... et de drogue – le cercle est bouclé. L'argent du *hustling*, à l'image des gens qui s'y adonnent, ne va nulle part ; il est gâché, consommé et consumé dans l'instant. C'est qu'il vaut mieux jouir aujourd'hui quand on n'a aucune assurance d'avoir un lendemain.

Rickey voudrait se retirer de cette économie avant qu'il ne soit trop tard (« Tu t'rends compte de trucs, tu dois apprécier la chance que t'as »), mais comment le pourrait-il ? Le *hustling* n'offre aucune voie de reconversion et le seul capital qu'il détient n'a de valeur que contextuelle et temporaire : l'intelligence de la rue ne vaut que dans la rue, l'art de l'« embobinage » ne paie guère hors du ghetto, et ses capacités physiques et sexuelles ne dureront pas éternellement. Son rêve aurait été de devenir employé des Postes, une administration d'État qui, historiquement, a été l'une des prin-

---

17. Le prédateur des rues sait bien qu'« il n'y a que les « béni-oui-oui » *(squares)* pour continuer de croire qu'ils pourront jamais avoir quoi que ce soit en travaillant comme des Nègres *(slaving)* » (*The Autobiography of Malcom X, op. cit.*, p. 139).

cipales voies d'accès des Noirs américains à la « classe moyenne », c'est-à-dire à un emploi qui élève un cran au-dessus du précaire et donne accès au « panier » des biens qui symbolisent ce statut : famille, maison, garage à deux voitures. Mais, pris en tenaille entre la restructuration de l'économie, qui produit un marché de l'emploi des services hautement polarisé, et l'effondrement de l'école publique au moment où les titres scolaires sont devenus plus nécessaires que jamais, Rickey et ses pairs voient se fermer devant eux toutes les portes de sortie du ghetto, à l'exclusion de l'économie informelle (et illégale) et du sport.

De fait, rares sont les personnes de son entourage immédiat qui ont « réussi » et se sont échappées du quartier. Son frère Ned est bien « allé à l'Université », dans un petit *community college* du Missouri, grâce à une bourse de basket-ball, mais sans rien en retirer ; de retour à Chicago, il vit de petits travaux à la semaine (réfection de plâtres, peinture, nettoyage chez des particuliers) et se prend lui aussi à rêver d'une carrière de boxeur qui fasse de lui un jeune millionnaire. Sur 11 enfants, seule sa sœur Berenice a décroché un emploi fixe, comme aide-soignante à l'hôpital public de Cook County. L'unique personne proche qu'il connaisse qui ait « réussi » est LeRoy Murphy, copain d'enfance d'un *project* voisin, devenu champion du monde de boxe et dont on dit qu'il s'est acheté un appartement dans un quartier limitrophe aisé (en vérité, il le loue tout en continuant à travailler comme shérif et moniteur de sport municipal). Hormis le sport, il ne restera plus à Rickey qu'à trouver une compagne qui accepte de le prendre en charge : ultime marque de faiblesse que de devenir dépendant d'une femme, cet être dépendant par excellence.

L'appréciation teintée d'envie que Rickey porte sur son « pote » qui a suivi la voie *legit* exprime la conscience confuse et le regret, en partie masqué car douloureux, qu'il a d'avoir en quelque sorte « raté le coche » : de même que les dealers de drogue le placent, lui qui fut un temps boxeur professionnel (fût-ce au palier le plus bas de l'échelle pugilistique), au-dessus d'eux, de même il place son ami « réglo » au-dessus de lui. Et il est symptomatique qu'il alterne, quand il parle des gars de sa cité, entre le « nous » et le « eux », comme s'il ne savait s'il était des leurs ou non, ou comme s'il voulait (se) donner l'impression qu'il avait (ou allait) échappé par la boxe à cet univers sinistré que par ailleurs il assume pleinement. Quelque part en lui, il sent confusément l'irréalisme qui entache l'espoir d'une carrière sportive régénérée et celui d'une carrière scolaire miraculeusement ressuscitée, tout aussi improbable l'une que l'autre et, qui plus est, mutuellement incompatibles. En pareilles circonstances d'insécurité sociale permanente, où la vie se résume à l'art de survivre et de faire du mieux qu'on peut avec le peu qu'on a, c'est-à-dire trois fois rien, le présent est si incertain qu'il dévore le futur et interdit de le concevoir autrement que sous la forme du rêve.

Il ne reste plus, pour expliquer un monde irrémédiablement laissé à l'abandon, où la solidarité la plus élémentaire entre jeunes menace de tirer vers le bas celui qui connaît les prémisses de la réussite et de réduire à néant ses velléités de mobilité sociale, et que l'accumulation des malheurs semble inéluctablement conduire à l'empirement, que le recours à la théorie du complot. Rickey ne peut que souscrire à l'idée, prisée dans de larges pans de la communauté afro-américaine (sous le nom de *The Plan*), selon laquelle la désagrégation du ghetto serait le produit d'une politique secrète de l'État américain visant à mettre un frein aux avancées et aux revendications de la communauté noire en les noyant dans la drogue.

Un hustler parmi d'autres

Et c'est comme ça que je me suis retrouvé à Harlem, un hustler *parmi d'autres. Je ne pouvais plus vendre de came; la brigade des stupéfiants me connaissait trop bien. J'étais un véritable* hustler*, sans instruction ni aptitude pour aucune activité honorable. Et j'estimais que j'avais assez de cran et d'astuce pour gagner ma vie aux dépens de ceux qui se laisseraient avoir. J'étais prêt à risquer à peu près n'importe quoi.*

De nos jours, on trouve dans les ghettos de toutes les grandes villes des dizaines de milliers de jeunes en marge du système scolaire qui survivent par toutes sortes de combines (hustling)*, exactement comme moi. Et inévitablement, ils s'enfoncent de plus en plus loin, de plus en plus profondément, dans la voie de l'illégalité et de l'immoralité. Un* hustler *à plein temps ne peut jamais se permettre de prendre le recul nécessaire pour comprendre ce qu'il fait et où il va. Comme dans toute jungle, à chaque instant, le* hustler *a conscience, de manière à la fois pratique et instinctive, que si jamais il relâche son attention, si jamais il ralentit son rythme, tous les autres en chasse avec lui, renards, loups, belettes, vautours, autant qu'ils sont, affamés et sans cesse sur le qui-vive, n'hésiteront pas, eux, à faire de lui leur proie*.

The Autobiography of Malcolm X*, édité par Alex Haley, New York, Ballentine Books, 1964, p. 108-109.*

Et l'on ne manque pas d'être frappé par le fait que les Blancs n'apparaissent nulle part dans le discours de Rickey, si ce n'est sous la forme atténuée de cette machination infernale et somme toute impersonnelle. Dans un état antérieur du régime de domination raciale, l'oppression des Noirs se donnait ouvertement à voir comme le produit d'une action intentionnelle dont la responsabilité était clairement imputable au Blanc[18] – en témoignait la prolixité des expressions vernaculaires désignant ce dernier, *The Man, Charlie, honkies, paddies*, et bien d'autres encore. L'opposition Noir/Blanc, qui constituait alors la matrice génératrice de toutes les perceptions et de tous les griefs, s'est comme dissoute d'elle-même dans cette guérilla sans répit qu'il faut désormais livrer d'abord à ses semblables, « frère contre frère ». Par un retournement cruel de l'histoire, l'*invisible man* dont parlait Ralph Ellison au lendemain de la Seconde Guerre mondiale[19], à l'apogée du ghetto dans sa forme classique, ce n'est aujourd'hui plus le Noir mais le Blanc ou le riche (de descendance indifféremment européenne ou africaine). Tout se passe comme si le ghetto, fonctionnant désormais en circuit fermé et se cannibalisant lui-même, s'était « perfectionné » en un ordre de domination si pur et si opaque que les seules stratégies de sortie et de résistance disponibles sont les tactiques d'autovictimisation qui, en s'agrégeant, aboutissent à ce qui a toutes les allures d'un suicide collectif.

---

18. James Baldwin, Fifth Avenue, Uptown, *in* David R. Goldfield et James B. Lane (eds.), *The Enduring Ghetto*, Philadelphie, J. B. Lippincott Company, 1973, p. 116-124 ; et *The Kerner Report : The 1968 Report of the National Advisory Commission on civil Disorders*, New York, Pantheon, 1989.

19. Ralph Ellison, *Invisible Man*, New York, Random House, 1952.

avec un hustler dans le ghetto noir américain

— entretien de Loïc J. D. Wacquant

« On était pauvres, mais on se serrait les coudes »

— Tu considères que tu viens d'une famille pauvre ?

Rickey — Euh… [*long silence*] ben… on était pauvres mais on se serrait les coudes, quoi, ma mère, elle nous envoyait toujours propres à l'école ; on n'avait p'têt'e que un ou deux pantalons, mais elle les tenait propres, et moi, ben… Alors j'pense pas vraiment qu'on était pauvres comme à crever de faim, non, pas du tout. J'me rappelle pas d'un jour où j'ai eu faim comme ça.

— Donc il y avait toujours tout plein à manger quand tu étais petit ?

Rickey — J'dirais pas tout plein. On avait toujours d'quoi manger, quoi. J'aimais mieux mon enfance que maintenant, tu sais, vraiment, quoi, j'aimais bien tu sais, quoi…

— Pourquoi tu préférais ton enfance ?

Rickey — Non mais, c'est juste que, ben quand j'étais à l'école primaire, c'était tranquille (*mellow*).

— Tu aimais bien l'école, qu'est-ce que tu faisais ?

Rickey — Ben je suis [j'étais] pas vraiment là, pas dans ma tête. Y a des tas de choses qui m'passaient à côté, mais j'le voyais pas vraiment, quoi, p'têt'e que j'le vois maintenant mais j'suis pas, tu vois… à ce moment-là j'pouvais pas le voir, je comprenais pas ce que ça vaut, vraiment, d'faire des études… [*très nostalgique*] C'est pas que ma mère m'poussait pas, hein m'disait pas, mais elle m'a jamais vraiment expliqué en détail (*break it down to me*) comment qu'ça compte vraiment tu vois, quoi, vraiment. Elle m'disait juste, « va à l'école », quoi. J'avais toujours des emmerdes, toujours.

— Quel genre d'emmerdes c'était ?

Rickey — Ben, juste j'étais envoyé, chez le proviseur, je m'battais, tout ça.

— T'as eu une enfance difficile, c'était dur quand t'étais petit ?

Rickey — Ben non, pas vraiment. Y s'est rien passé que j'en ai encore des cauchemars, quoi, que je m'réveille en sueur la nuit en m'disant, « ah, je m'rappelle de ça maintenant ! ». Parce que j'étais toujours à me battre ou à chercher la bagarre, quoi. C'est juste que, c'est mon quartier qu'était comme ça.

— *T'as grandi dans un quartier dur alors ?*

Rickey — Oh ! ouais, c'était dur (*rough*), ça pour sûr, mais tu vois, les gens, ils étaient tellement vrais, quoi. Les gens maintenant y sont pas comme y z'étaient avant là. C'était comme, tu sens que, [*très vite*] avant quand quelqu'un te disait que'que chose, c'était vrai, mais y a tellement de choses qu'ont changé, la drogue, la drogue qu'est arrivée comme une épidémie, *man*, et qu'a tout changé ; maintenant y a plus que les trucs matériels qui comptent. Y a plus vraiment des vrais amis, y a plus que le billet vert (*the green dollar*) qui compte, quoi, y a plus que ça.

— *C'était pas comme ça avant ?*

Rickey — Nan, non, pas vraiment, quoi. J'essayais de m'faire du fric mais j'voulais toujours aussi des vrais potes, tu vois c'que j'veux dire ? J'ai beaucoup de copains, quoi, qu'ont pris un autre chemin, complètement, quoi, et c'est pour ça, tu vois quand je les vois, on se parle et ça va pas plus loin. Comme je t'dis, la plupart du temps, j'pilote en solitaire, tu vois c'que j'veux dire ? J'connais bien quelques nanas, mais y en a pas une de spécial ou quelque chose.

— *Raconte-moi un peu qu'est-ce qui était dur dans ton quartier.*

Rickey — Ben, tu sais, beaucoup de vols, quoi, des mecs que j'connais qui se sont fait descendre, quoi.

— *Où ça, près d'ici ?*

Rickey — Sur la 28e [*rue*] South Cottage Grove, Manpowell Homes [*une cité avoisinante*]. Beaucoup de trucs comme ça, des vols à l'arraché… Faut faire gaffe, quoi, c'est tout. Beaucoup de trucs qui se passent, t'entends tirer toute la nuit, et t'essaies de pas être sur leur chemin, tu vois, des mecs qu'on sait qu'ils sont connus pour ça. Beaucoup de mecs que j'connais, ils ont fait 15 ans de taule, tu vois, pour meurtre, 20 ans… Y a longtemps de tout ça, quoi, des tas d'mecs qu'étaient avec moi au lycée. Y'en a deux qui en ont pris pour perpète. Des tas d'mecs qu'étaient avec moi en classe, même qu'on a grandi ensemble, qu'on a r'trouvés morts.

— *Est-ce que tu te bagarrais beaucoup dans la rue ?*

Rickey — Ouais, j'étais un bagarreur, mais je m'battais juste quand il fallait. J'ai jamais été un *bully* [*brute*] ou un emmerdeur, mais je m'bats quand il faut.

Ils te tuent pour trois fois rien

— *Pendant toutes ces années, est-ce que tu as jamais assisté à un meurtre ?*

Rickey — Oh, putain ouais, des tas de fois ! Tiens d'ailleurs, y a une dizaine de jours à peine, j'ai vu deux meurtres. [*sérieusement, lentement*] Un type qui s'est pris une balle dans la tête, il est mort, ils ont poursuivi l'[*autre*] mec, ils l'ont descendu, comme ça, quoi.

— *Dans la cité là ?*

Rickey — Ouais, près de Ida B. Wells. En plein jour, comme ici là – même que c'était un p'tit peu plus éclairé qu'ça, puisqu'y avait du soleil. C'est comme ça, ça arrive mon vieux ! Tu vas à l'enterrement, et c'est tout. La vie continue. C'est pour ça, tu sais, des fois je traîne dans des coins, comme des coins où on joue [*gambling*] et tout ça, et ces mecs-là, *man*, ils te tuent pour trois fois rien (*at the drop of a dime*), comme ça, ils te descendent et après ils vont s'acheter un pack de bières, tu vois – c'est juste que, c'est leur mentalité qu'est comme ça.

— *Comment ça se fait ça, je veux dire, pourquoi est-ce qu'ils sont devenus comme ça ?*

Rickey — C'est vraiment vrai, c'est comme, les mômes qu'ont eu des mômes avant, les gosses ont grandi plus vite qu'eux maintenant et ils leur ont pas appris, alors c'est tout c'qui savent. [*Rickey reprend ici à son compte l'expression* « babies having babies », *consacrée par les médias, qui désigne stéréotypiquement les adolescentes filles mères du ghetto.*] Tout c'qu'ils veulent, c'est essayer de se sortir d'ici et puis [*tout bas*] « boum, » et voilà un autre *brother* qu'essaie de… c'est aussi simple que ça : raide mort, puis un autre *brother* qui s'fait mousser, qui s' donne des airs (*make himself look big*). C'est comme j'te dis, y a que les tunes qui comptent. Y font n'importe quoi pour une tune, *man*. Même vendre de la came à leur maman [*petit rire étouffé*], j'en ai vu des mecs qui l'faisaient. Vendre de la came à ta maman, mon vieux, tout ça pour ce dollar, ce putain de dollar, tu te rends compte ! C'est grave (*deep*), quoi.

— *Avec toutes ces bagarres, tu t'es jamais fait tirer dessus ou poignarder ?*

Rickey — On m'a tiré dessus, ouais, on m'a tiré dessus. Quand j'étais plus jeune, on m'a tiré dessus, j'me suis pris une balle dans le bras et dans la cheville gauche [*il relève son pantalon pour me* *montrer une vilaine cicatrice qui lui barre la cheville dans toute sa longueur*].

— *Le mec t'a tiré dans la cheville exprès, c'est pour te donner un avertissement ou quoi ?*

Rickey — C'est ça, c'est ça. Tu sais, il était si près de moi, tu t'rends compte, il aurait pu me tirer une balle dans la tête par-derrière ou que'que chose comme ça quoi, mais… j'crois pas qu'il essayait de m'tuer, enfin, tu vois.

— *Comment c'est arrivé ? Raconte un peu.*

Rickey — J'étais à sec (*outa pocket*), j'essayais de forcer sa bagnole, j'étais à… moi c'est comme j'te dis, j'étais jeune, j'connaissais rien, j'étais en train de forcer sa bagnole. Je m'suis fait choper, tu vois, y m'a chopé. C'que j'aurais dû faire, j'aurais pas dû courir, mais du fait que j'le connaissais c'mec, j'avais pas le choix, alors il m'a tiré dans les chevilles. Alors j'ai pigé, j'ai pris ça comme ça venait (*I jus' took that in stride*), parce que j'étais fauché. C'était à moi de casquer (*that was on me*), tu vois ce que j'veux dire : c'est toi qui payes pour c'que tu fais… C'est comme, ça m'est arrivé d'être dans des coins, *man*, comme je m'rappelle d'une fois où j'étais avec un pote (*partner*) à moi on s'est coltiné avec les mecs d'un gang (*gang bangers*), et on n'avait plus qu'un seul flingue. Ou plutôt, on n'avait plus qu'une balle qui restait dans le pétard, c'était vraiment la bagarre, alors on s'est barré dans un HLM, plein de mecs dehors, et nous, on était au 8e étage de ce HLM, et euh, les mecs, y voulaient qu'on sorte de là – t'imagines ! De sortir et on n'avait plus qu'une balle de reste. On a dû enfoncer le mur, pour passer à travers dans l'autre appart et foutre le camp, tu vois.

— *Pourquoi ils vous poursuivaient ?*

Rickey — On se bagarrait, on se battait avec l'un d'eux et lui, il a fait rappliquer tous ses potes.

— *Ils venaient d'une autre cité ?*

Rickey — Ouais, c'est ça. Ils nous avaient quand même, si on s'en est sortis, c'est qu'on a eu du cul, il a fallu enfoncer le mur pour s'en sortir, *man*, tu vois c'est comme j'te dis, j'ai été dans des… j'ai eu des fois où j'ai joué (*gambled*) avec des mecs, tu sais, qu'j'ai connus toute ma vie, *man*, si tu leur carottes leur fric (*beat-tem outa they money*), *man*, ils te sortent leur flingue, hein, tu vois, j'connais tout ça. J'ai été dans des coins durs (*some tough spots*). J'ai été, des mecs… j'ai été attaqué (*stuck up*) avant par un mec qui m'fout son pétard dans la gueule, tu sais, pour me taper mes bijoux, hein.

— *Faisais-tu partie d'un gang à cette époque-là, ou maintenant ?*

[*On a conservé l'américain « gang » car le français « bande » fait référence à un tout autre type d'organisation des groupes de jeunes d'origine populaire.*]

Toujours j'étais un rebelle

Rickey — Naaan, jamais – pas question, j'ai jamais eu l'envie d'être aux ordres de personne (*to be a follow-up under nobody*). Non, j'ai toujours comme j'te dis, j'ai toujours tout fait en solitaire, sans m'accrocher (*hooked up*), tu vois, quand t'es accroché, t'es dans un gang, hein ; ça veut dire qu'y faut que j'sois vraiment super-dur (*extra tough*) dans ce quartier. Parce que c'est pas comme si j'peux aller m'chercher cinquante mecs, tu vois ou cent mecs avec moi, mais en même temps quand un type me fait quelque chose à moi, j'pense pas à tout son gang, j'vois ça individuellement, et la première chose que j'vais faire d'abord c'est de régler mes comptes avec toi – et après seulement j'm'occupe du reste, mais avant tout je règle mes comptes avec toi, tu piges ? J'vois pas ça comme si tu vas aller chercher trente-six mille potes, tu vois c'que j'veux dire ? Tu tues là d'où vient la force (*the source of power*), ou tu te fais tuer.

— *Mais, on n'a pas exercé des pressions sur toi pour que tu fasses partie d'un gang ? Est-ce qu'un gang ne t'a jamais demandé de les rejoindre, surtout vu que tu es boxeur ?*

Rickey — J'm'en vais te dire, la majorité des mecs, ouais, on me l'a demandé, tu vois, c'est jamais comme [*d'une voix dure et autoritaire*], « faut qu'tu sois avec nous ! », on me l'a jamais vraiment demandé comme ça, c'est plutôt [*d'un ton ferme mais avec retenue*], « ce serait bien si t'étais avec nous » parce que c'est vrai, j'étais boxeur, tu vois. J'ai toujours été un rebelle, tu sais,... je m'fais ma musique à moi (*sing alone*). Parce que moi, j'y crois pas, qu'un mec vienne me chercher pour me dire, « viens, on va là ou là, on va faire ci, on va faire ça. » Non, c'est pas mon style. Non, moi, j'm'occupe *de moi*.

— *Tu te balades avec un revolver d'habitude ?*

Rickey — Non, pas là maintenant. Des fois quand je sors et que je mets mes bijoux, je le mets entre les deux sièges [*de la voiture*], quoi, ou sous mon siège, quelque chose comme ça. Sinon, j'ai pas d'flingue, parce que tu sais jamais ce qui peut arriver sur le moment, mais y'a eu des fois que j'aurais bien voulu l'avoir sur moi mon pétard. Comme la fois où je me suis fait coincer, tu vois. J'aurais bien aimé avoir mon pétard sur moi, mais, bof [*pensif*], des fois j'suis dans des coins, tu vois, et y'a des mecs, tout ce qu'y'z'ont en tête c'est de t'arranger (*guys jus' be like havin' humbug on they min'*), tu piges ? J'vais t'dire, c'est comme ça : j'aime mieux m'r'trouver au trou pour avoir descendu un mec, qu'un mec aille au trou parce qu'il m'a descendu, moi, tu piges ? Moi, j'veux faire de mal à personne, j'prends rien à personne, mais tu vois, j'laisserai personne me toucher, ou venir là et de m'prendre quelque chose à moi. C'est comme ça, c'est tout.

— *Quand t'es dans des coins comme ça, tu dois toujours être sur tes gardes, non ?*

Rickey — Ouais, il faut, faut toujours être prêt [à tout]. J'crois surtout l'an passé j'avais un flingue sur moi, l'an passé, l'été 90, je crois que j'ai baladé mon flingue pas mal de fois, parce que je jouais (*gambled*) beaucoup à l'époque. Tu vois, je jouais pas mal, quoi, dans ces coins-là.

Debout à un comptoir huit heures d'affilée

— *Est-ce que t'avais des petits jobs à côté quand t'étais au lycée ?*

Rickey — J'ai eu un job une fois, c'est quand j'avais laissé tomber (*drop out*) l'lycée. J'avais un job dans ce service de santé, ça s'appelle GNC, au centre ville, rue Washington, un centre de nutrition. J'travaillais là-bas. J'ai perdu ce boulot, parce qu'y me payaient pas assez. Le boulot m'plaisait vraiment bien, mais ça payait pas.

— *Tu faisais quoi ?*

Rickey — Ben, j'remplissais les rayons, quoi, faire l'inventaire et tout ça, hein, et, un jour je parle au patron et lui, y'm'dit que j'peux pas faire plus d'heures même qu'il allait *à nouveau* m'supprimer des heures, alors moi, c'que j'ai fait, j'ai fait un casse dans le magasin, tu vois c'que j'veux dire ? J'suis entré [*la nuit*] et j'ai pris tout le cash, enfin, tout le cash qu'y z'avaient de la journée. Après ça, c'était fini quoi.

— *Alors qu'est-ce qui s'est passé ? Ils ont découvert que c'était toi qui avais cambriolé le magasin ?*
Rickey — Non en fait, j'm'en suis tiré pour cette fois-là. C'est passé c'coup-ci, alors, j'ai essayé une autre fois c'est pas vraiment eux qui m'ont pincé [*avec regret*] c'est moi qui me suis [*fait*] pincer, parce que j'aurais dû m'en douter, quoi, quand j'suis arrivé au boulot, y'avait un autre type là avec moi, et il attendait qu'je r'vienne, alors euh…
— *Alors ils t'ont traîné au tribunal ?*
Rickey — Ouais, tout le machin, j'ai décidé de plaider coupable sur ce coup-là. Je crois que j'ai fait 20 jours à la prison du Comté ou que'que chose comme ça.
— *Est-ce que tu as eu des boulots après ça ?*
Rickey — Non, rien.
— *Mais pourquoi t'as pas cherché un boulot régulier après le lycée ?*
Rickey — Ouais, ben, d'abord, tu réalises, je sais qu'y faut voir les choses comme elles sont (*face reality*), tu vois c'que j'veux dire ? Faut voir les choses en face, être honnête avec toi-même. D'abord, moi vu que j'suis comme je suis, j'suis un nerveux (*hyper*). J'peux pas rester huit heures d'affilée au même endroit, j'peux pas, je l'sais, j'peux pas l'faire. C'est pas la peine que j'essaye de m'faire croire (*fool myself*), j'peux pas rester debout derrière un comptoir pendant huit heures d'affilée, ou même rester quelque part à nettoyer que'que chose pendant huit heures, j'sais bien que j'peux pas l'faire. (…) Le fric que j'me suis fait en travaillant comme ça, j'aurais pu me faire le triple dans la rue, tu vois c'que j'veux dire ? C'qui faut, c'est avoir assez d'fric, tu t'en sers pour régler tes affaires, et que t'as pas à faire toujours la même chose tout le temps, quoi. C'est comme j'te disais sur mon copain, qui s'en est sorti avec un boulot honnête (*legit job*). Le fric qu'il se fait en un an, dans la rue tu peux te l'faire en trois mois ou même moins. Lui il se fait ça en un an, toi tu pourrais te faire ça en un mois, mais lui, il en a plus pour son argent (*got more to show for it*) que le mec qui se l'est fait en un mois, tu vois c'que j'veux dire ?
— *Donc, le meilleur boulot que t'aies eu, c'était quand tu jouais ?*
Rickey — C'est ça, c'est ça la combine (*hustle*), ouais, c'est tout.
— *Et tu fais encore ça maintenant ?*

Rickey — Ouais, des fois, ça m'arrive. J'connais des tas d'mecs dans la rue, y sont comme ça, y radinent pour cent balles et puis ils te claquent des briques d'un coup (*penny smart but dollar foolish*), tu vois c'que j'veux dire ? Ça résume bien tout, ça, comme y sont.

— *Mais si maintenant un mec de la cité ici, cherchait un travail au SMIG à Chicago, est-ce qu'il pourrait en trouver un tout de suite ?*

Rickey — Il pourrait p'têt' en trouver un, p'têt' chez Mac Donald, Burger King, Wendy's, des trucs comme ça, quoi.

— *Mais alors pourquoi est-ce que les gens de Ida B. Wells n'essaient pas, ils n'essaient pas d'avoir ces jobs ?*

Rickey — Ben non. Tu gagnes vachement plus dans la rue.

— *Pour toi, qu'est-ce qui serait un bon boulot, un boulot qui te plairait ?*

Rickey — Ben justement, c'est c'que j'disais… [*pause*] Quel genre de boulot j'pourrais trouver qui m'paierait assez, assez pour prendre soin de ma famille, payer les factures et une maison, quoi, avec un garage pour deux voitures ? Tu vois c'que j'veux dire ? Quel genre de boulot j'pourrais trouver avec les études que j'ai fait ? Où c'est que t'as vu qu'y z'en donnent, des boulots comme ça ? (*they givin' them away ?*) Tu comprends, c'que j'veux dire, c'est pas comme si j'avais été à l'université pour être docteur ou avocat, quoi, ou un truc dans ce genre.

— *Dans ce cas-là ça vaudrait le coup…*

Rickey — Ouais, c'est ça, ça vaudrait le coup (*it would make sense*). Quand t'as un boulot comme ça, tu peux t'asseoir pépère et payer tes factures. Sinon, sans ça tu vas tout l'temps être juste-juste-juste (*struggling – struggling – struggling*). Ce que j'veux dire c'est que, c'est pas un *brother* qui va venir te dire : « Écoute, j'arrête, j'laisse tomber ça [*la rue*], j'vais m'chercher un p'tit boulot au SMIG ». C'est dur. Y a pas beaucoup de *brothers* qui vont faire ça.

— *En général, qu'est-ce que tu considères comme un bon boulot pour toi, un boulot qui te plairait ?*

Rickey — J'm'en vais t'dire que'que chose, travailler dans les postes, ou alors euh, conducteur de bus, quelque chose avec des avantages, tu vois. Ça dépend du niveau qu'tu veux. Ces boulots-là, c'est pas grand-chose, tu vois c'que j'veux dire, mais c'est pas rien si t'essayes de t'en dégotter un [*claque les doigts*], hein.

[*Du fait de l'archaïsme de la législation sociale aux États-Unis, la plupart des emplois non qualifiés ne bénéficient ni de couverture médicale et sociale, ni de congés payés ou de congés maladie. Les emplois les plus prisés par les habitants du ghetto sont donc ceux que peuvent offrir les administrations publiques (de l'État fédéral, de l'État local ou de la municipalité) qui, parce qu'elles sont fortement syndiquées, comportent ces « avantages ».*]

— *Tu crois que tu parviendras à décrocher un bon job éventuellement ?*

Rickey — [*marmonne*] Ben, j'sais pas. Là maintenant, pour le moment j'espère que euh, ma carrière de boxeur va m'tirer d'affaire. Comme j'te dis, j'me fais pas d'illusions, j'suis un bon boxeur, j'ai des mecs bien qui travaillent avec moi pour le moment, j'prends mon temps, quoi. Et puis en même temps, j'vais reprendre des études comme ça, si ça marche pas, boum, je m'trouve un boulot.

Des tas d'embobinages

— *Alors t'es vraiment obligé d'avoir des combines* (to hustle) *tout le temps pour joindre les bouts.*

Rickey — Ouais. Avant, la combine, ça me connaissait (*I was a goo' street hustler*), mais j'ai laissé un peu tomber, tu sais, jouer aux dés quoi, dehors toute la nuit, tout ça (*hustlin'*). Puis, ben, une nana par-ci, une nana par-là, tu vois, tu joues, quoi, des trucs comme ça.

— *Dans tes meilleurs jours, t'arrivais à ramasser combien ?*

Rickey — J'dois dire, des fois, *man,* c'était comme ça, une fois, 12 000 dollars ; une fois 3 000, tous ces billets par paquets de mille, *man*, j'sais pas si tu t'rends compte, des tunes par milliers *(all them thousan's).* Mais tu sais…

— *Et ça, c'est par semaine, par mois, ou quoi ?*

Rickey — Ça dépend, des fois, des fois c'est par jour. Tu sais, des fois je gagnais 700 dollars par jour, 1 000 dollars. Rien qu'en jouant. Jamais vendu de came, rien qu'en jouant.

— *On peut se faire autant de fric que ça rien qu'en jouant ?*

Rickey — Oh *man* ! Si tu joues, *man* ! Si t'as un peu d'bol au jeu, *man…*

— *Où est-ce que les gens vont pour jouer, il y a des endroits précis, ou c'est un peu partout ?*

Rickey — Ici c'est partout. Quelquefois t'as qu'à te mettre sur un coin d'rue, comme là tu vois, ou n'importe où. C'est comme, là, maintenant j'pourrais y aller et dire « qu'est-ce que vous foutez tous ? ». Et ça y est, on sort les dés, ça joue, juste comme ça. Ils rappliquent tous et ça démarre.

— *Et ils parient combien, les gens qui viennent jouer ?*

Rickey — Des fois, ben, ça dépend, 200 ou 300, quoi.

— *Vraiment, tant que ça ?*

Rickey — Oh ouais.

— *Mais où est-ce qu'ils vont chercher l'argent ?*

Rickey — Les combines (*hustling*), la came, quoi.

— *Donc après avoir vendu leur came, ils essaient de faire doubler leurs gains en jouant ?*

Rickey — Ouèp.

— *Et pourquoi t'as arrêté ce genre de travail ?*

Rickey — Ben tu sais, des fois quoi tu t'rends compte de trucs (*you wise up*), tu dois apprécier la chance que t'as. Tu sais, y'a des tas de trucs que j'ai faits, des tas…

— *Comme des choses illégales ?*

Rickey — Ouais, ouais. C'est juste que, quand t'es dans la combine (*out there hustlin'*), que t'as pas d'boulot, alors forcément tu vas te mettre à faire des choses illégales pour essayer de payer les factures et tout ça, quoi. Près de chez moi, tu sais, c'est vraiment comme, Ida B. Wells, t'as entendu parler de Ida B. Wells ? C'est une cité et c'est comme, ben, tu trouves toujours quelqu'un pour, ben, te foutre dans des emmerdes (*get in trouble*).

— *Ouais, j'en ai entendu parler. Est-ce que c'est aussi dur que le Robert Taylor Homes ? Parce qu'on entend toujours parler du Robert Taylor Homes et de Stateway Gardens à la télé.*

Rickey — Je pense que c'est pire même. Ida B. Wells, *man*, c'est dur, *man*. Nous on appelle ça « La Zone » (*The Zone*), tu vois, « La Zone », quoi. Moi j'appelle ça « le champ de la Mort » (*The Killing Fields*). Parce que j'ai vu tellement d'mecs, *man* [*claque dès doigts*]. Même maintenant, tu vois. Même que j'dois y aller maintenant, on m'dit qu'un mec s'est fait descendre.

— *Et la plupart des mecs, ils font quoi, là ?*

Rickey — Y vendent de la came, y jouent aux dés (*shoot craps*).

— *On peut vraiment faire du fric en faisant ça ?*

Rickey — Ça ouais ! Des fois, moi, j'ramassais [*compte mentalement*] des fois j'ramassais quelque chose comme 2 ou 3 000 dollars par jour, quoi. Des fois, les bons jours, quand je jouais aux dés, je m'faisais bien 9 000, 10 000 dollars.

— *Qui venaient d'où ?*

Rickey — Des paris, et tout ça, quoi, de jouer, rien que d'jouer tous les jeux. Puis avec les quelques nanas que t'as de réserve [*se défendant*] pas que j'suis un maquereau (*pimp*) ou un truc dans ce genre, quoi… J'ai jamais, jamais vendu d'came, hein, quoi ! même quand j'avais pas une tune, c'est juste que c'est pas un truc pour moi ça. Que j't'explique : j'ai jamais gagné dix balles avec la came. C'est simplement que ça a jamais été mon truc. C'est pas mon truc à moi, j'touche pas à ça. Mais, tu vois, j'essaye toujours de me garder une bonne femme qu'a un boulot ou que'que chose comme ça, j'peux tirer quelque chose d'elle.

— *D'où elles sont ces nanas, elles habitent où, dans les projects ?*

Rickey — De par ici, oui, Ida B. Wells.

— *Comme ça si tu en as plus d'une, tu peux passer de l'une à l'autre ?*

Rickey — C'est ça, c'est ça.

— *T'arrives, à te faire combien comme ça ?*

Rickey — Même si c'est que 100 dollars par-ci, 50 dollars par-là, ou même 200, tu sais, c'est déjà que'que chose – j'essaie de garder ça à tout prix.

— *Et c'est facile, ou ça te demande beaucoup de travail ?*

Rickey — Ben, tu sais, ça demande beaucoup. Moi j'ai quelque chose que beaucoup de mecs y'z'ont pas : j'sais bien parler. Tu sais, le parler de la rue (*street slang*), tu sais, avec ça tu peux faire des tas d'embobinages (*manipulatin' a lot*) quoi. J'suis comme ça, c'est tout. Tu vois, c'est pas que j'en suis fier, mais j'sais parler, quoi, pas mal. Tu parles, et parles, et parles, et j'ai toujours eu que'que chose à dire, tu vois, une fois que t'as plus rien à dire… Ça m'est jamais arrivé de plus savoir quoi dire à quelqu'un.

Les rares mecs qui s'en sont sortis, j'les ai pas vraiment connus

— *Et tes potes* (buddies), *les mecs avec qui t'as grandi et avec qui tu tournais quand t'avais quinze ou seize ans, qu'est-ce qu'ils sont devenus ?*

Rickey — Ben, c'était très, en général ceux qui s'en sont sortis quand j'avais cet âge-là, c'est des femmes, tu sais, des jeunes nanas qui savaient ce qu'elles voulaient (*tha' got theyself together*), tu vois, et elles s'en sont sorties. Euh, mais pour ce qui est des mecs…

— *Qu'est-ce qu'elles ont fait les femmes, pour s'en sortir ?*

Rickey — Elles font des études et elles s'trouvent un bon boulot, tout ça, quoi. Y a quelques nanas qu'ont réussi, quoi. Et les mecs dans le quartier qui ont réussi pour de vrai, qu'ont fait des études, on n'avait rien en commun, tu vois c'que j'veux dire ? Tu sais…

— *Qu'est-ce que tu veux dire par là, ils étaient trop réglo* (squares) *ou quoi ?*

[*Le nom et l'adjectif* square *(qui peut se traduire, suivant le contexte, par réglo, gogo, béni-oui-oui, polard, coincé, conventionnel) est un synonyme de* lame, *qui se dit de quelqu'un qui a peu ou pas de connaissance de la rue ou qui suscite peu ou pas le respect des autres.*]

Rickey — [*perplexe*] Tu peux pas vraiment dire ça, c'est comme, euh, tu peux toujours leur mettre une étiquette, mais euh, eux aussi ils peuvent t'en mettre une. Même chose. C'est comme si tu disais « eh ben, c'est un voyou » (*thug*) ou alors « c'est un coincé », tu sais, c'est pas aussi simple que ça : c'est à qui va s'en sortir maintenant et passer devant les autres (*come out ahead*). C'est ça le truc, tu vois.

— *Et les mecs ? Il y a beaucoup de mecs qui se sont sortis d'ici ?*

Rickey — Non, c'est comme j'te dis, non, les quelques rares mecs qui s'en sont sortis, j'les ai pas vraiment connus. Y a juste un mec, ben, on est des potes maintenant, on avait des styles de vie mais alors totalement différents, mais on était bons copains. Comme là maintenant lui il [*à la manière d'une litanie, récitée avec respect*] il s'est acheté un building, il a sa maison à lui, il va au boulot tous les jours, il a jamais eu d'emmerdes. Jamais fait de taule, jamais été arrêté, jamais joué, tu vois. Et il a réussi honnêtement (*on the legit side*), tu vois, rien qu'en boulonnant, quoi, boulot, boulot, boulot. Il a toujours boulonné, et pendant c'temps-là j'avais mes combines (*hustlin'*), et lui boulonnait, et moi j'arnaquais. Quand on sort ensemble c'est comme ça – on a grandi ensemble – ma manière de parler aux gens, elles est différente de sa manière à lui, tu vois, et… Euh, c'est comme ça, c'est tout. Et puis, tu vois, que y a beaucoup de nanas, elles aiment bien les *slick guys*, tu vois, ceux des fois qui ont des bijoux, tout ça, ça dépend de ce qu'une femme veut. [*L'adjectif* slick *peut prendre un sens positif (habile, adroit, attirant, rutilant, net, ou propret – se dit notamment d'un homme qui sait s'habiller et converser avec élégance selon les canons du ghetto) mais aussi un sens négatif ou péjoratif (trompeur, manipulateur, superficiel, fuyant, trop élégant ou trop charmeur pour être honnête). Rickey joue ici (habilement !) sur l'ambiguïté du terme, qui peut s'entendre simultanément dans les deux registres suivant le point de vue où l'on se place.*] Si une nana cherche un mec sur qui elle peut compter, et euh, quelqu'un pour élever une famille, c'est pas moi pour sûr, tu vois ce que j'veux dire ? Ça serait plutôt lui.

— *Alors les mecs qui s'en sont sortis, qu'est-ce qu'ils sont devenus, qu'est-ce qu'ils font maintenant ?*

Rickey — Y sont toujours là, y'a beaucoup d'mecs avec qui j'ai grandi, c'est des vrais camés dur de dur (*straight dope fiends*), *man.* Tiens, comme ça se trouve y a un chauffeur de taxi qui vient juste de dégommer un copain, on a été à l'école ensemble, du primaire au bahut, il s'est fait descendre la semaine dernière. Même que son enterrement c'était hier, tu vois, à essayer d'attaquer un chauffeur de taxi, le chauffeur l'a descendu.

— *Où ça ?*

Rickey — Pas loin d'ici [*pensif*]. Près de la cité. Des tas d'nanas que je connais, *man*, des filles mignonnes, *man*, accro à la came (*strung out on drugs*), deux-trois mômes, elles savent même pas où qu'y sont leurs mômes, *man*. Elles sont là, elles se cament, quoi. Quand t'y penses, *man*, c'est vraiment crucial. [*Subitement très sombre et pensif*]. Jusqu'à ce que tu commences sérieusement à y réfléchir… Mais tu vois, moi, je m'suis mis un peu d'fric de côté, et j'sais boxer ; alors moi j'me dis : ça vaut pas la peine que j'continue à aller faire des conneries, parce que vraiment, c'est vrai, tu vis une vie qu'est faite de crimes tous les jours, et [*haussant la voix*] combien de temps tu peux tenir le coup sans te faire descendre ou blesser ou te retrouver en taule ? J'connais des tas d'mecs qui sont sur des chaises roulantes, quoi une jambe en moins ou y sont paralysés, quoi, de se faire tirer dessus et tout ça. Y a des trucs, des tas d'mecs, des jeunes mecs, *man*, 13-14 ans, qu'ont arrêté l'école, y sont dans un gang maintenant…

J'ai eu une sacrée veine

— *T'entends souvent dire que le ghetto s'est vachement dégradé ces dix ou vingt dernières années. C'est vraiment devenu pire ?*

Rickey — Oh ouais, oh ouais ! Pour sûr, pour sûr. Les meurtres, *man*, la came – tu vois, la came, c'est comme une vraie épidémie, *man*. C'est arrivé si vite, c'est arrivé si vite. C'est venu si vite, c'est comme du jour au lendemain, comme ça : comme « bang ! » [*claque des doigts*], et ça plane ! On n'a même pas eu l'temps d'la voir arriver, que c'était déjà là.

— *C'est arrivé vers quelle année ?*

Rickey — Je dirais, comme j'me l'rappelle, j'dirais de 1983 à maintenant, c'est là vraiment que la came… Et je dirais que à partir de 1980 la came a fait un vrai boom (*the drug scene really, really hit*) – attention, ça veut pas dire qu'y avait pas de came avant, mais c'était [*très insistant*] rien du tout à côté de c'que c'est maintenant. Et ce que j'crois, *man*, c'est que c'était comme un grand complot (*master plan*), tu vois. Nous, notre peuple – je veux dire, nous, les Noirs – on pouvait rien faire d'autre que briller et continuer de progresser, tu vois c'que j'veux dire, mais quand cette putain d'came est arrivée, *man* ! c'était comme un « boum ! ». Ça nous a ramenés en arrière de 50 ans, tu vois. C'est aussi simple que ça : c'est *brother* contre *brother* maintenant. J'me fous de ton truc pourvu que j'aie mon truc à moi, et puis les mecs qui quand même s'font du fric [*sur un ton surpris*] ils foutent rien avec : tout c'qui font avec c'est d'acheter des bagnoles, *man*, des bagnoles, des nanas, tu vois, c'est tout. Enfin, j'veux dire… t'as qu'à voir, tu vas du coin de la 29e rue et de State, et tu descends jusqu'à la 119e rue, si tu passes dans tous les quartiers, tu trouveras pas dix magasins avec un patron noir dans un quartier noir. Ça c'est que'que chose qui donne à réfléchir, non ?

[*Traditionnellement tenus par des Blancs, les magasins du ghetto sont en train de passer sous contrôle des Asiatiques (Coréens, Chinois, Philippins) et des Moyen-Orientaux d'origine libanaise et syrienne.*]

— *Mais il va où, tout cet argent ? Enfin, il y a bien quelqu'un qui s'en sert pour faire quelque chose.*

Rickey — C'est comme j'te l'ai déjà dit : y'a qu'une chose qui les intéresse, ces mecs les bagnoles, les nanas, j'veux dire, j'connais des mecs qui ont trois-quatre bagnoles. M'enfin, [*un peu irrité*] combien de bagnoles tu peux conduire, hein ?

— Oui, mais il y a quand même des femmes qui doivent avoir beaucoup d'argent, des dealers : qu'est-ce qu'elles en font ?

Rickey — Ben, comme j'te dis, certaines nanas, quoi, elles reçoivent du fric, tu vois. Ils leur donnent du fric, hein. Hé, ils sortent tous les soirs. Rien vraiment… Y pensent pas à l'avenir, tu vois c'que j'veux dire ? Si t'as pas un but, comme je l'dis souvent à mes copains : tu peux quand même pas vendre d'la came toute ta vie comme ça. Y t'faut bien avoir un but dans la vie, quoi – j'connais un mec qui a vu passer un million de dollars dans ses mains. De 1983 à maintenant, ce mec y vendait de la came, il a eu de la chance. Et y a un million de dollars qui lui sont passés entre les mains, à ce type, et aujourd'hui il peut même pas mettre la main sur 3 000 dollars. [*insistant*] Et un million de dollars ou plus qui lui sont passés entre les mains à ce mec !

— Qu'il aurait pu garder ?

Rickey — Qu'il aurait pu garder, de bénéfice pour lui. Là maintenant j'crois pas qu'il pourrait mettre la main sur 5 000 dollars. Et 5 000 dollars, il foutait ça en l'air en une semaine avant. C'est comme si, un jour j'aurais pu être patron d'un Wendy's, et maintenant j'ai même pas assez de fric pour y bouffer, quoi : ça t'donne à réfléchir ça, tu vois [*très pensif*]. C'est pour ça que j'me dis : OK, j'suis pas, ben, j'vais pas rajeunir, hein ? J'peux encore boxer, j'm'en vais tenter le coup, quoi. En septembre, comme j'te dis, je m'suis mis un peu de fric de côté, en septembre, j'reprends mes études. Si ça marche pas à la boxe, ben, j'me trouve une nana, j'essaye de me la marier, de trouver quelqu'un qui s'intéresse à moi, et avoir une famille, *juste vivre*, quoi. Hé ! j'ai tenté ma chance ! J'ai eu une sacrée veine dans la rue, j'ai jamais été blessé et j'ai jamais dû blesser quelqu'un, personne m'a jamais fait de mal…

janvier 1992

Philippe Bourgois

Homeless in El Barrio

J'ai enregistré cette interview de Ramon une nuit à la fin d'août 89. Nous nous trouvions dans la rue – en face de la *botanica*[1] où l'on se procure du crack – où depuis plusieurs années je passais la plupart de mes nuits. Cet endroit est à deux pas de l'immeuble délabré, royaume des rats, où je louais un appartement avec ma femme et mon fils dans le quartier essentiellement portoricain du Harlem hispanique connu sous le nom d'El Barrio. C'était l'époque où l'épidémie du crack battait son plein aux USA, entre 1985 et 1991. Nous étions ce soir-là perchés sur des bancs publics en piteux état, et tout couverts de graffiti, à l'entrée du bureau administratif des tours de logements sociaux de la cité Roosevelt et nous fêtions le 25e anniversaire de Julio, le gérant de nuit de la fameuse *botanica*.

Afin de ne pas attirer l'attention de la police, nous avions emballé dans du papier kraft les canettes géantes de bière de St Ides que nous partagions. Ce qui n'empêchait d'ailleurs pas Julio, ni Willie, son videur de la *crack house*, de fracasser les bouteilles vides sur les escaliers conduisant aux logements Roosevelt.

1. Une *botanica* est une pharmacie herboriste qui vend des objets religieux utilisés par les Afro-Caribéens pour leurs pratiques de *Santeria*.

Allègrement, mes amis plongeaient aussi de temps à autre une clé d'appartement ou un ongle violacé, trop long, dans un petit tas de cocaïne enveloppé dans un billet de un dollar que Julio gardait précieusement avec lui. Puis ils portaient la poudre fine à une narine, penchaient légèrement la tête, pinçaient l'autre narine, un rictus aux lèvres et aspiraient brusquement d'un mouvement précis et délicat, sans en gaspiller.

Cette année-là, la cité Roosevelt, l'un des ensembles de logements (tous propriété de la ville) parmi la douzaine que compte le Harlem hispanique, était arrivée en seconde position parmi tous les HLM de Manhattan pour son taux record de meurtres. Dans ce coin les rangées de bâtiments, comme tous ceux d'El Barrio, respirent la misère : immeubles abandonnés, locaux vides, trottoirs jonchés de détritus. Enfants comme adultes envahissent les rues pendant la journée et la plus grande partie de la nuit durant la canicule des mois d'été.

Ce « bloc » où j'habitais ne faisait pas exception à la règle et je pouvais me fournir en héroïne, crack, poudre de cocaïne, PCP et mescaline dans un périmètre de moins de 200 m [2]. Bien sûr, c'était le crack qui était la drogue de prédilection, car c'était la moins chère et la plus facile à trouver. Il y avait par exemple trois points de vente aux prix les plus compétitifs à moins de 30 mètres de mon immeuble.

Les bancs sur lesquels nous étions entassés cette nuit-là se trouvaient en fait juste à côté de l'un des points de vente de crack récemment installé, c'est-à-

2. *Pitcher* est un terme de base-ball utilisé ici pour désigner la personne qui présente la drogue au client.

dire le porche de l'entrée principale de la cité Roosevelt. Le point de vente appartenait à une bande plutôt inorganisée de revendeurs « ado » et faisait beaucoup de tort à la *botanica* où Julio et Willie travaillaient, juste en face, de l'autre côté de la rue : « l'entreprise » de ces adolescents ambitieux avait cassé le prix de vente de la fiole de crack qui était passée de cinq à deux dollars ; aussi Willie prenait-il un plaisir évident à joncher la cage d'escalier où ils « exerçaient », de tessons de bouteilles de bière. Tout en sachant très bien que la bande rivale sniffait de la came, Willie pouvait se permettre ces libertés sans risque, car son jeune frère de 13 ans était *pitcher* [2] dans leur organisation et il inspirait suffisamment confiance pour qu'on l'ait chargé, lui et quelques autres, de planquer, chacun à tour de rôle par sécurité, la drogue chez eux quelques jours par mois.

Normalement nous aurions dû nous trouver sur le trottoir d'en face, devant la *botanica*, mais son propriétaire avait renvoyé Julio et Willie qui arrivaient trop souvent en retard à leur travail et se montraient des employés peu faciles. Cela déprimait Julio car il n'avait pas un sou de côté. Il avait tout dépensé, jusqu'au moindre *cent* au cours de ces cinq années où il avait bénéficié d'un travail stable en tant que responsable des ventes de cocaïne et d'alcool. Sa petite amie âgée de 18 ans et la sœur aînée de celle-ci, maîtressede Willie, écoutaient, compatissantes. Quelques heures s'écoulèrent encore sans qu'il se passât rien, chacun étant occupé à aspirer de la coke et à s'imbiber d'alcool.· Ramon, qui invitait, interrompit les jérémiades de Julio. Il en avait marre de l'entendre se lamenter sur son propre sort, marre de toute la compassion qu'il suscitait autour de lui – y compris du sérieux avec lequel j'enregistrais ses plaintes, mon mini magnétophone haute précision suspendu à ses lèvres comme si j'essayais désespérément de saisir chacun de ses mots par-delà le vacarme de la rue de cette nuit d'été.

On aurait dit qu'une vie entière de frustration contenue avait fait fermenter l'histoire de Ramon qui la laissa pour ainsi dire exploser. Le désir soudain d'exprimer clairement tout ce qu'il gardait sur le cœur, me surprit. D'ordinaire il était timide et parlait peu, il restait généralement en retrait et vérifiait silencieusement si mon magnétophone tournait. J'avais donc estimé jusque-là – à tort – qu'il faisait partie de ces gens de la rue qui ne voulaient pas s'impliquer directement avec un Blanc. Cependant l'apartheid urbain des USA n'était pas le souci majeur de Ramon lors de son interview. Ce ne fut que lorsque je transcrivis ces pages quelques semaines plus tard que je compris que Ramon n'avait pas interrompu Julio par simple jalousie – parce que Julio monopolisait l'attention – mais plutôt parce qu'il voulait donner un contre-exemple à la version de Julio sur le trafic de drogue. Ramon savait aussi à quel point j'étais proche de Julio et quel rôle essentiel celui-ci allait jouer dans ma recherche. En fait Ramon avait peur que mon étude ne soit peuplée que de gens paresseux et insouciants, incapables de travailler honnêtement – il répétera plusieurs fois, par exemple, qu'à l'inverse de Julio il vend du crack par nécessité, pour nourrir sa famille : « juste pour payer c'que ma mère m'a laissé ».

Une autre raison de cette violence verbale, inhabituelle chez Ramon, réside dans une consommation d'alcool et de cocaïne inhabituelle, destinée à fêter ce qu'il pensait être sa liberté retrouvée. En effet plus tôt dans la journée, Ramon avait été reconnu coupable de la vente de cinq fioles de crack à un policier « appât ». A sa surprise, le juge l'avait cependant autorisé à sortir librement du tribunal. Ramon pensait avoir bénéficié d'une condamnation avec sursis. Il était content aussi parce que son employeur légal lui avait accordé un congé sans solde le temps qu'a duré son procès lors de son arrestation pour trafic de crack.

Il se montrait aussi particulièrement excité et optimiste car sa femme avait pu verser un acompte sur la location d'un appartement subventionné par la ville [3] ; si tout allait bien, elle pourrait quitter le foyer d'accueil du centre ville où elle vivait à présent avec leur fils, depuis leur expulsion, une année auparavant, de l'appartement de la mère de Ramon ; il espérait pouvoir reconstituer la cellule familiale (« Maintenant que ma femme a un appart, ça veut dire qu'on sera plus à la rue. On a besoin de rien d'autre que d'pouvoir y rester et d'aller bosser. Rentrer à la maison et faire des gosses »).

Mais en même temps Ramon était inquiet. Il craignait que l'appartement ne retombe aux mains de l'administration de l'aide sociale ; de plus il n'était pas certain de l'amour de sa femme, et il n'arrivait pas à

3. Le temps pour obtenir un appartement subventionné à New York est estimé à 17 ou 18 ans. A l'époque de cet entretien, il y avait plus de 88 000 familles sur les listes d'attente. Le nombre total d'appartements subventionnés par la municipalité dans toute la ville de New York s'élève seulement à 175 000 et le taux officiel de logements inoccupés est de 0,1 %. Iris a pu se débrouiller pour avoir un appartement, bien que la liste d'attente compte dans les 80 000 familles, parce qu'elle venait avec son enfant d'un foyer d'accueil où elle avait vécu pendant plus de dix mois.

décider s'il n'allait pas se remettre au trafic de drogue. Un de ses rivaux avait pourtant menacé de le descendre s'il osait retourner à son ancien point de vente dans le Bronx sud. Cet ennemi lui avait déjà tiré dessus dans le passé. Ramon prenait cette menace suffisamment au sérieux pour porter un revolver sur lui – caché dans un sac de gym crasseux, en toile –, qu'il avait négligemment déposé sous notre banc afin de ne pas attirer l'attention de la police. Bref Ramon sachant que son salaire officiel de coursier ne lui suffisait pas à entretenir sa famille, ne trouvait aucune autre source de revenus en dehors du trafic de drogue (« j'veux plus survivre, j'veux vivre... j'sais pas, mais y faudrait peut-être que j'recommence à vendre de la drogue. Peut-être que je pourrai dégoter un autre endroit plus sûr. J'en sais rien »). Ses contraintes financières étaient écrasantes et l'assistance de l'État d'aucun effet. Bien au contraire suivant une logique inattendue, l'assistante sociale avait réduit les aides qu'elle versait à la famille de Ramon quand ils se retrouvèrent sans abri, sous prétexte qu'ils n'avaient plus de loyer à payer et qu'ils étaient nourris à la soupe populaire.

Plus subtilement, au plus profond de lui-même, Ramon en voulait à Julio de ne pas comprendre la profondeur de l'amour qui l'attachait à sa femme Iris. Malgré ses dires (« je ressens plus rien, la vie m'en a tellement fait baver que j'en ai plus rien à foutre ») la vie de Ramon comportait toujours une dimension fondamentalement sentimentale : il aimait sa femme, s'occupait avec amour de son fils. Selon la culture de la rue, l'amour inconditionnel qu'exprimera Ramon à plusieurs reprises au cours de l'interview ne correspond pas au comportement qu'on attend d'un homme.

Plus grave, on savait qu'Iris, la femme de Ramon, avait des rapports avec d'autres femmes au foyer d'accueil.

Ramon ne fera qu'une allusion indirecte, dissimulée sous un langage impersonnel, au choc qu'il subit, quand sa femme fut surprise avec une autre femme dans les douches du foyer (« Y a des tas de gouines là-bas. Des tas de putes. Des fois j'en ai pris en train de baiser dans la salle de bains »). Cependant il aime tellement sa femme qu'il tend à expliquer son comportement sexuel par les conditions de vie objectives des sans-abri de New York. Jamais il ne cherchera à minimiser sa propre responsabilité ou sa faute ; en fait les seules infidélités sexuelles dont il parle ouvertement sont les siennes.

A l'inverse, Julio ne peut tolérer aucune entorse à l'ordre patriarcal traditionnel. Il prétend qu'Iris « taillait des pipes sur le pouce pour quelques dollars » depuis qu'elle était devenue une « droguée au crack qui se planque et qui sniffe aussi de la manteca [4] ». Depuis plusieurs mois Julio avait poussé Ramon à cesser de se laisser ridiculiser, à flanquer une correction à sa femme et à la quitter. Julio devint encore plus hostile à Iris quand, quelques semaines après cette interview, Ramon fut mis en prison pour purger une peine de un ou deux ans. Le juge ne lui avait, en fait, pas accordé de sursis ; il avait seulement relâché Ramon avant d'avoir rendu son verdict, parce que les prisons de la municipalité de New York étaient toutes surpeuplées. L'emprisonnement de Ramon nous laissa tous interdits, mais c'est Ramon qui fut le plus traumatisé ainsi qu'Iris et leur petit garçon de deux ans et demi.

4. *Manteca* est un mot d'argot portoricain pour héroïne.

Quand, contre toute attente, Ramon fut libéré quatre mois plus tard, une fois de plus pour des raisons de surpeuplement des prisons, il s'installa dans le nouvel appartement subventionné où sa femme et son fils habitaient maintenant. Il retrouva tout de suite un travail officiel à plein temps – tout du moins un travail apparemment légal – dans une entreprise de démolition contrôlée par un syndicat, et bien payé, selon les critères de la rue, c'est-à-dire dix dollars de l'heure. Ramon commençait à réaliser son rêve, évoqué un an plus tôt dans l'interview : « Moi, j'aime faire du fric, rentrer chez moi, me relaxer et rester à la maison avec ma famille. » En privé, cependant, Julio essaya de me convaincre que la foi de Ramon dans la cellule familiale n'était que la preuve de ses tendances à l'irrationnel et de son tempérament efféminé : « Ramon est d'ce genre de négro, c'est un cœur d'artichaut, il tombe amoureux, c'est une proie facile. J'sais pas c'qui va pas chez lui. »

Malheureusement le travail apparemment légal de Ramon ne dura que six mois avant que la récession de 91 ne balayât le marché de la construction de la ville de New York. Ce ne fut que lors de son licenciement qu'il découvrit qu'il avait été employé au « noir ». Le syndicat n'avait pas enregistré son contrat de travail et lui annonça qu'il ne pouvait pas prétendre à des indemnités de licenciement. Son patron était en fait un soustraitant qui travaillait, dans des opérations d'intimidation, avec les syndicats du bâtiment contrôlés par la Mafia. Il opérait en recrutant des anciens repris de justice noirs ou d'origine hispanique pour simuler de violentes manifestations devant des HLM qui faisaient l'objet de travaux de rénovation employant des travailleurs blancs munis de contrats légaux. Ce qui avait pour effet d'intimider et d'embarrasser les constructeurs, qui lui fournissaient alors d'avantageux contrats de sous-traitance pour la démolition d'immeubles, aux taux syndicaux. Il payait alors ses ouvriers en argent liquide à un taux légèrement supérieur à la moitié du taux officiel de 18 dollars l'heure pratiqué à New York et présentait des documents bidon, pour justifier la dépense. Cela lui permettait d'empocher huit dollars par heure d'ouvrier pendant toute la durée des travaux de démolition. Ramon ni aucun d'entre nous à la *crack house* ne nous étions doutés un instant que le salaire syndical officiel dans la démolition pût être aussi élevé.

Bien sûr, Ramon ne savait rien de ce qui allait lui tomber dessus, lorsque, au cours de la nuit de l'interview, il invitait triomphalement Julio et l'équipe de fidèles de la *crack house* à fêter un anniversaire à la bière et à la cocaïne•

avec un dealer portoricain de Harlem

— entretien de Philippe Bourgois

« J'veux pas survivre, j'veux vivre »

Ramon — Tu n'a jamais vécu c'que j'ai vécu. Tu t'es jamais retrouvé à la rue, tu sais pas c'que c'est de pas avoir un chez-soi. Tu dis toujours que t'as fait des sacrifices. Mais tu t'es pas sacrifié. Moi oui ! Je suis resté comme ça sans toit pendant neuf mois, de neuf à dix mois en tout. [*Puis se tournant vers moi et jetant un coup d'œil discret à mon magnétophone*.] Oui je me suis sacrifié parce que je travaillais comme coursier à Wall Street pour 145 dollars par semaine – ce qu'était pas assez. Ça me permettait juste de nourrir ma famille et d'acheter une paire de baskets à mon fils, mais pour moi rien, rien pour moi et pour ma femme. C'est pour ça que j'ai aussi voulu vendre de la drogue parce que j'voulais aussi pouvoir payer des trucs à mon fils. Il a que deux ans. Il aime s'amuser avec des jouets mais il en a pas parce qu'il habite dans un foyer d'accueil avec ma femme. Alors tu comprends, je voulais faire du fric, m'acheter une bagnole neuve – j'en ai besoin – m'acheter un petit bijou de temps à autre. Et c'est ça que j'veux, tout ce que je voulais. J'veux pas survivre ; j'veux vivre. J'veux gagner ma vie. mais ça… [*il balaye du bras les immeubles de la cité HLM et montre le verre brisé éparpillé partout autour de nous, puis plonge l'ongle de son petit doigt dans le petit tas de cocaïne enfermé dans un billet de un dollar sur les genoux de Julio et aspire doucement avant de prendre une lampée de la grande bouteille de bière que nous partagions*.] Ça, c'est juste survivre – joindre les deux bouts [*il siffle à nouveau rapidement de la bière puis me passe la bouteille*]. J'veux pas de ça. Je… j'veux faire assez de fric, me détendre et pouvoir aller acheter sans hésiter… tu comprends ? — et… être content de savoir que j'peux faire des trucs avec mon pognon. J'veux tirer plus de la vie. J'veux plus me contenter de c'que j'ai. Ça me fait perdre confiance. C'est pour ça que j'ai pensé à la drogue, pour en vendre, tu sais.

[…]

[*Il vient se coller à moi pour me parler doucement mais nettement dans le micro du magnétophone que moi, debout également, je tiens juste à la hauteur de la bouche, pour bien recueillir ses pro-*

pos.] On logeait chez ma mère avec mes frères et sœurs, mais eux, c'est des fêlés aux crack, y veulent rien faire pour s'en sortir. Et puis ma mère s'est tirée tout d'un coup. Fallait qu'elle parte pour vivre sa vie, comme j'ai dû foutre le camp moi aussi, comme mes frères et sœurs. Ma mère m'a laissé l'appart, mais ça tombait juste que j'avais pas assez d'argent à l'époque (...) et ça faisait beaucoup de loyer qui restait à payer, tu vois c'que j'veux dire. Alors c'est comme ça que j'ai commencé à vendre du crack et de la came dans la gare. Juste pour arriver à payer le loyer de l'appart que ma mère m'avait laissé. (...) Tu vois, mec, arriver à gagner ma vie, vivre mieux... tu piges ?

Ta vie est minable là-bas au centre d'accueil

J'vendais du crack tout seul, mais c'était trop dur. Ça marchait pas. Alors j'ai décidé de travailler pour quelqu'un. Mais ça a foiré parce que le jour même où j'commençais à travailler pour ce nouveau type, on m'a coincé pour la première fois. Et j'venais de trouver le boulot de coursier à Wall Street. Je l'ai encore ce boulot-là. Je suis allé en prison mais ils m'ont relâché tout de suite et j'ai repris le boulot. Mais le propriétaire de l'appart a dit, « je vous flanque dehors ». Ma femme a essayé de garder l'appart, mais c'était trop tard. L'hiver arrivait et vlan ! J'ai atterri dans un foyer avec ma famille. J'suis resté dans le foyer cinq mois et pendant cinq mois, j'ai souffert parce qu'un foyer d'accueil, c'est comme la taule. Tu dors avec 20 autres gus que tu connais pas, que t'as jamais vus, tu sais pas ce qu'ils ont : ça se peut qu'ils aient le Sida ou n'importe quoi. Ah... et puis ils prennent même pas de bain. La douche est dégueulasse. Il fallait que ma femme, elle aille nettoyer la douche tous les soirs avant de s'laver. Alors, c'est super stressant, tu sais. Le centre c'est un endroit terrible, vraiment terrible. Des fois j'aurais préféré être en taule. Parce qu'ils te respectent pas plus au foyer. Cet endroit, c'est pas pour des gens bien, pour des gens tranquilles qui bossent. C'est pas un endroit pour des gens comme toi et moi. Le foyer, c'est pour les gens de la rue, ceux qui traînent. Moi j'aime faire du fric, rentrer chez moi, me détendre et rester à la maison avec ma famille. Ce foyer a rien à voir avec ça. Un foyer comme ça, y'aurait à redire. Dans le foyer y a une majorité de femmes. Plus de femmes que d'hommes et ça se flanquerait sur la figure tous les jours. Parce que c'est des vraies gonzesses, y a des tas de gouines là-dedans, des tas de putes, là-bas des salopes et autres. Elles baisent,… baisent dans la salle de bains ou des choses comme ça, tu vois. C'est un coin où t'as toute la sauvagerie là-dedans, tu sais, la jungle quoi ! Ce coin en plus est frustrant, tu sais [*aspirant alors de la cocaïne et secouant la tête*]. Et pis, tu dors et, tout d'un coup, y a des bagarres. Tu t'réveilles au beau milieu de la nuit, parce que dans la pièce à côté, y a un tas de gars en train de se casser la gueule pour je sais pas quoi. Ou bien t'essaies, tu commences à sympathiser avec quelqu'un, à pas mal connaître quelqu'un, juste là, à côté de toi, et pis tout d'un coup y s'en vont et y a quelqu'un d'autre à côté de toi. Et tout d'un coup, y s'en vont aussi – parce qu'on leur a dégoté un appart ou autre. Et toi, t'es là à attendre, et tu commences à te faire du mouron parce qu'y en a un autre qui va prendre le lit à côté de toi. Et tu sais rien de celui-là. Tu sais pas si c'est un assassin, un tueur, ou s'il a le Sida ou autre. Tu sais pas. Alors ça te travaille quand tu vois la personne, ça se pourrait qu'elle se drogue ou qu'elle ait le Sida, hein ? y a forcément des choses comme ça qui s'installent à côté de toi au foyer. Ouais ! C'est ça, exactement. Faut que ce soit un de ces assassins, un de ces violeurs ou des pédés ou des drogués et autres, comme ça là, juste à côté de toi. Forcément, c'est toujours ce genre-là. Alors, c'qui se passe, c'est que ta vie, elle est atroce dans c'genre de foyer parce qu'on t'a mis Untel à côté de toi. C'est ce qui nous fout en l'air ma femme et moi.

J'aurais pu tuer n'importe qui

Tu peux pas avoir des rapports avec ta femme parce qu'y sont tous là à zieuter. [*Montrant dans la poussette le petit Paco qui écoute attentivement.*] Ma femme… elle a des besoins. Et moi, j'suis aussi un mec en manque, tu sais, j'ai pas de fric pour aller à l'hôtel ou autre. Alors quoi faire ? C'est arrivé qu'y fallait que j'fasse quelque chose à ce niveau-là. Alors c'est exactement ce que j'ai fait. J'ai décidé de vendre à nouveau de la drogue. C'était ça… mon but… vendre de la drogue, « j'vais vendre de la drogue, faire n'importe quoi pour que la vie de ma femme et de mon gosse soit meilleure. Même si ça me fait tuer quelqu'un pour ça, je l'ferai. J'irai passer un contrat [tueur à gages]. J'ferai n'importe quoi pour me faire du fric, pour survivre », c'est ça que j'pensais. Mais j'en ai bavé pendant un bon bout de temps. Ces foutus dix mois avec ma femme et mon fils au foyer d'accueil, c'était pas facile, c'était vraiment dur. J'aurais pu descendre n'importe qui, n'importe qui qui vendait beaucoup de drogue se faisait du fric, s'achetait des bagnoles, des bijoux… J'voulais leur éclater la gueule, juste parce que j'avais pas la même chose, parce que c'était de l'égoïsme. Ouais, j'étais un égoïste. Je m'sentais si minable d'être dans ce putain de foyer. Alors je regardais tous ces fils de putes, pleins de bijoux, de voitures et tout, et moi comme un enfant de salaud, fauché, sans une tune, à reluquer tous ces gens qui avaient tous ces trucs que j'voudrais vachement avoir ! J'aurais pu tuer pour ça. (…) Mais au lieu de ça, j'ai recommencé avec la drogue, j'ai recommencé à en vendre. C'était… c'était mon but. Une fois de plus j'me suis remis à vendre de la came, une deuxième fois et depuis j'ai pas arrêté d'en vendre, tu sais.

[…]

Ce qui est arrivé, c'est que j'pouvais plus m'y voir. C'était trop dur pour moi dans ce foyer. On a passé cinq mois à en baver et j'ai commencé à m'engueuler avec ma femme. J'en pouvais plus. J'ai supporté cinq mois et pis j'ai dit que je préférais encore être sur le trottoir que dans ce coin ! On s'est cassé la gueule avec ma femme à l'extérieur du foyer. Sacrée bagarre et je l'ai presque étouffée… et j'suis parti. C'était une saloperie de bagarre. Je m'rendais compte que j'pouvais plus vivre là-bas avec elle parce que j'ai vu que j'aurais pu la tuer. Je l'aime et j'aime mon fils, mais fallait que j'quitte le foyer et j'y suis plus jamais retourné. J'suis resté dans la rue pendant une semaine jusqu'à ce que je m'dise, « j'vais vendre de la came ». Et c'est ça c'que j'ai fait. Quand j'ai eu le remboursement des sous de mes impôts, j'ai placé mon pognon dans de la drogue et j'ai commencé à en vendre. J'ai tout dépensé mes sous à acheter de la came. (…) J'ai tout investi dans d'la drogue, 400 dollars et quelque. Et j'suis resté dehors seul à vendre de la drogue pendant quatre mois et j'ai pu avoir du pognon dans mes poches et quand enfin mon salaire de coursier est arrivé, les choses ont commencé à s'améliorer. Mais ça a pas été facile du tout, c'était une période dure et ça a fini par une bagarre avec ceux du quartier – avec le mec qui veut me tuer maintenant [*il soulève alors le sac de gym avec le canon de sa petite carabine, puis le serre contre sa poitrine avant de boire plusieurs gorgées à la bouteille*]…

Fallait que j'survive

Ramon — [*Faisant face à Julio, une fois de plus, comme pour bien montrer que s'il est dealer c'est pour de tout autres raisons que Julio.*] Mais fallait que j'survive. Je vivais presque… pratiquement dans la rue. J'avais laissé ma femme et mon fils au foyer et je vivais dans un coke spot (point de vente de coke) [se tournant vers moi], un coke spot c'est un endroit où on vend plein de coke, où le consommateur est fourni à l'intérieur d'un appart. J'ai pris des risques en allant habiter là-bas, parce que les flics auraient pu débouler et me flanquer en taule par erreur, pour une faute que j'avais pas faite parce que j'essayais juste de trouver un endroit pour loger, quoi ! Je m'étais arrangé avec le gardien de l'immeuble. J'étais dans un appart où on avait déjà viré les gens qui habitaient dedans avant. Le shérif s'était ramené et avait mis tout le monde dehors – à l'époque ma famille était déjà au foyer. Ainsi cet appart était soi-disant fermé. Mais le gardien a pris le risque, tu sais. Y m'a ouvert et m'a laissé m'installer parce que j'étais un type bien, je voulais seulement un endroit pour dormir, et je lui balançais 40 dollars par semaine et j'ai pu y rester deux mois de rab. D'abord j'ai paumé beaucoup d'argent à cause d'une gonzesse à qui j'avais filé beaucoup de crack à vendre, mais c'était une « accro » et elle se l'est fumé avec des potes. Mais c'était mon pognon qui partait en fumée avec ses copains. J'ai mis sept jours à récupérer mon fric. Elle m'a payé au compte-gouttes. Je lui avais dit, « tu ferais mieux de me rendre mon fric, si tu me le rends pas, il t'arrivera des choses » — elle savait que je lui botterais le cul – alors elle me refilait 10, 15 dollars par jour. A force, elle a fini par me rembourser les 120 dollars qu'elle me devait. (…) Mais voilà que j'me suis retrouvé fauché une fois de plus avec plus du tout de fric. J'avais filé du boulot à mon frère et mon frère m'a roulé et alors j'avais plus un sou à mettre dans la vente. Mais j'avais mes bijoux, mon bracelet. Je l'ai pris et je l'ai mis au clou pour 185 dollars et alors j'ai tout recommencé à zéro.

Malgré tout ça, j'ai pas perdu mon boulot

J'ai commencé à faire du fric mais ça m'a pris un mois et demi et à partir de là tout a bien marché, les affaires ont commencé à prospérer. (…) Depuis que j'ai mis mon bracelet au clou, j'ai plus jamais perdu de fric. En plus j'étais payé pour mon boulot de coursier et quand j'avais ma paye, j'prenais la moitié de la somme et j'la mettais dans la coke. Comme ça, j'retombais sur mes pieds. Et pis malgré tout ça, j'ai pas perdu mon boulot. J'travaillais. Même quand j'vendais de la drogue, et que j'passais des nuits blanches, j'dormais pas de la nuit, j'allais directement de là où je vendais à mon boulot car j'voulais pas perdre mon travail. Alors, quand j'étais payé au travail, ça allait un peu mieux car j'avais déjà fait du fric en plus avec la drogue. Tu vois c'que je veux dire ?... J'pouvais alors faire des choses avec le fric de ma paye. Mais j'pouvais pas me permettre de perdre mon boulot, parce que l'affaire que j'avais montée avec le crack était pas encore bien solide. Alors j'pouvais pas me l'permettre. J'avais encore besoin de mon boulot, c'est pour ça que j'ai continué à travailler et j'vendais la drogue après le boulot. Ça allait comme ci comme ça jusqu'à ce que finalement j'engage ce type qui avait déjà une clientèle. Je gagnais mon fric. Et c'est là que le système m'a fait ça, c'est arrivé ! Je commençais juste à tenir debout et vlan ! Je me suis retrouvé enfoncé [*il aspire de la coke et boit*].

A c'moment-là, j'allais faire une visite à ma femme chaque semaine. J'la voyais pas pendant cinq jours et puis les lundis, vendredis, samedis, dimanches, j'la voyais et aussi mon fils. Ça te rend tendu, tu vois c'que je veux dire ? J'ai vécu avec ma femme durant trois ans et demi et j'l'aime. On est déjà habitués l'un à l'autre et d'être séparés, ça nous est vraiment très dur. Actuellement j'peux pas la voir et c'est vraiment très dur. J'ai envie de faire quelque chose. J'ai même envie de m'amuser avec d'autres femmes – c'que j'ai fait. Et j'voulais pas me défouler sur elle – c'est juste... Je me sentais bizarre. Je m'faisais mal vraiment, je faisais de mal à personne, sauf à moi-même. Elle sait pas c'que j'ai fait. Elle est pas très compréhensive. Elle peut pas comprendre, elle est trop têtue. Je lui dis rien, je l'garde en moi, j'le laisse pas sortir. Parce que j'aime, j'aime énormément ma femme. Je veux qu'on reste ensemble.

J'existe pas pour l'assistance

J'en ai bavé. J'ai travaillé un an comme coursier. J'étais au boulot tous les jours. J'ai pas manqué un seul jour. Demain je suis en congé pour prendre mon fils. Mon fils a deux ans et demi. Juste comme Paco [*il désigne le petit garçon de Carmen qui, attaché dans la poussette, a cessé de se débattre pour écouter attentivement et admirer les lumières clignotantes de mon magnétophone*]. Il va à l'école. J'vais le chercher à l'école demain après-midi. C'est un congé sans solde pour moi car à mon travail y'a pas d'avantages sociaux, y'a que le salaire. Tu comprends, ma femme est inscrite au centre d'assistance sociale, elle a le *Medicaid* [Medicaid *est un système médical instauré dans les années 70 pour venir en aide aux défavorisés et aux nécessiteux*]. On lui donne que pour un enfant seulement… mon fils. Ils ont 144 dollars tous les 15 jours et au centre des bons alimentaires on leur donne 129 dollars par mois. Mais c'est pas assez pour vivre. Tu dois absolument travailler. C'est pour ça qu'on fait comme si on était pas mariés tous les deux. J'existe pas pour l'assistance, autrement, ils lui retireraient la pension et le *Medicaid*. Mais quand on a perdu l'appart de ma mère, pour aller au foyer avec ma femme, j'ai dû me justifier devant le centre d'assistance. J'leur ai dit, « bon, j'vis avec ma femme actuellement, j'ai un boulot et des trucs comme ça ». Alors ils m'ont placé dans un foyer avec elle. Mais à c'moment-là l'aide sociale a commencé à réduire la pension qu'elle lui donnait. L'aide sociale disait, « vous vivez dans un foyer et on vous fournit trois repas par jour dans le centre d'accueil donc ça va venir en déduction de vos bons alimentaires ». Elle disait aussi, « vous ne payez pas de loyer, vous avez un endroit où rester à l'abri. Vous avez la nourriture gratuite ». Alors depuis, au lieu de 144 dollars par quinzaine, elle reçoit 85 dollars de l'aide sociale plus 75 dollars seulement de bons alimentaires, car elle et le gosse sont nourris gratuitement au foyer. Elle en a ras le bol, parce qu'elle peut rien faire avec ce fric. Elle peut pas acheter des fringues. Elle peut seulement acheter de la bouffe. Mais actuellement sa nourriture file vite ; et puis y a pas de bouffe comme on est habitué à la maison [*il aspire de la coke et boit*].

L'appart, c'était le signe que j'devais arrêter de vendre du crack

— *Mais Ramon, tu nous disais tout à l'heure qu'il se pourrait que ta femme finisse par obtenir un appartement, comment ça ?*
Ramon — Le centre d'aide sociale l'a aidée à avoir un appart, parce que c'est une femme dans le besoin. Ouais, une femme dans le besoin. Elle a passé neuf mois avec mon fils de deux ans dans

c'foyer. C'est pour ça qu'elle a obtenu l'appart. L'aide sociale paie que 50 dollars par mois, tu comprends ? C'est déduit directement de ses indemnités. J'vais rien avoir à payer parce qu'y savent plus rien de moi, bien que j'aie ce boulot de coursier à Wall Street. Alors maintenant, mon salaire représente enfin quelque chose. C'est 145 dollars nets par semaine et ils ne vont rien retenir pour les allocations familiales. Peut-être que ça nous rendra la vie plus facile. Ça va être l'occasion d'économiser et d'acheter c'que je veux. Comme ma femme a maintenant l'appart, j'pense que peut-être tout ira mieux. Maintenant tu comprends, j'peux me relaxer, décider de c'que j'veux faire. Ma femme l'a remarqué et elle me connaît, oui j'me sens mieux, j'commence à guérir. Quand ma femme a eu l'appart, j'ai senti ça comme un signe pour arrêter de vendre du crack. Parce que tu sais que j'ai eu c'problème : [*il désigne à ses pieds son sac de gym contenant le revolver*]. J'ai eu cette bagarre avec l'autre vendeur, le type veut me tuer et tout ! Aussi maintenant que ma femme a l'appart, c'est comme un signe pour rester loin de la rue, pour plus y être [*agitant le bras en direction de la* crack house *de l'autre côté de la rue*]. C'est comme si on me disait, « t'as déjà un endroit où tu paies que 50 dollars par mois et t'as besoin de rien d'autre. Maintenant tu t'relaxes, va au boulot, rentre à la maison et occupe-toi de tes gosses ».
[*Julio roule des yeux ronds à la nouvelle de la décision prise par Ramon et, taquin, lui offre de la cocaïne. Ramon aspire de la coke et, plus pensif, reprend son monologue.*] J'sais pas mais peut-être que je devrais m'remettre à la vente. Je'peux peut-être vendre à un autre endroit qu'est plus sûr. J'sais pas. [*Ayant bu les dernières gouttes de notre canette géante de St Ides, Ramon la balance en lui faisant décrire un grand arc de cercle avant qu'elle ne se fracasse bruyamment sur la chaussée à la plus grande joie du petit Paco. Presque de la même façon il enfonce deux billets fripés de un dollar dans la main de Julio, lui faisant signe d'aller chercher une autre canette à l'épicerie du coin.*].Parce que j'espère seulement qu'elle obtiendra vraiment l'appart. On a le bail et tout, mais le propriétaire lui fait encore des emmerdes pour lui laisser l'appart. Elle a déjà versé un acompte. C'était y a deux jours (...), et demain ils viennent vérifier l'appart pour voir si tout va bien, aussi demain j'saurai si j'vais l'avoir ou quoi. Ce sera demain [*serrant le poing avec anxiété*]. Si je l'ai ! Super ! Sinon je vais encore

être obligé d'attendre un mois ou deux pour avoir un autre appart. Le problème c'est que j'peux pas rester longtemps où je vis maintenant, ouais, j'habite chez le cousin de ma femme mais il ne paie plus de loyer et il va être viré. Le plus longtemps que j'peux rester là-bas, c'est deux semaines maxi. Mon cousin sait qu'il va être mis dehors. Il travaille mais il met de l'argent de côté pour s'acheter un appart ailleurs. Avec un meilleur voisinage. Alors il en a rien à cirer d'être foutu dehors. Il faut que l'appart lui revienne à ma femme pour pouvoir déménager mes affaires, m'installer chez elle, être à nouveau avec mon fils. [*Serrant à nouveau le poing, puis replongeant le bout de son doigt dans le petit tas de cocaïne resté sur le banc*.] Le proprio était d'accord et tout.

— *Si ça ne marche pas pour l'appartement, tu peux pas habiter avec quelqu'un d'autre de ta famille ?*

Ramon — Mon frère et ma sœur – ils étaient aussi dans un centre d'accueil – ils vivent maintenant dans un foyer de trois pièces comme celui où est ma femme. Mon autre sœur aînée, elle vit avec son mari maintenant. Son mari vient juste de sortir de taule et actuellement, ils sont logés dans un hôtel. [*La ville de New York héberge les sans-abri dans des hôtels quand les foyers d'urgence sont pleins*.] Mon autre plus jeune sœur est en taule. Mon plus jeune frère aussi. Aussi y a que moi, mon frère aîné et ma sœur aînée à être dehors. Ma mère a déménagé pour le Queens [*Queens est un arrondissement de New York, qui se compose de Manhattan, Bronx, Brooklyn, Staten Island et Queens*]. Elle est chez elle, elle est heureuse. Je lui fais croire que tout va bien pour moi et elle est heureuse comme ça. J'veux pas que ma mère souffre, quand j'vais la voir, j'me sape et j'lui dis, « t'en fais pas pour moi, tout va bien ».

Y a quelque temps j'avais presque assez pour acheter un appart

Julio — [*Interrompant Ramon et lui tendant la nouvelle bouteille de bière*.] Ta famille, c'est pas le pied, mec !

Ramon — [*Faisant sauter le cachet de la bouteille et versant pensivement quelques gouttes sur le trottoir, geste portoricain traditionnel à la mémoire des morts. Puis il ne boit qu'une petite goulée, n'ayant pas pensé que le contenu de la bouteille pouvait être aussi glacé. En crachant, il la tend à Julio sans le regarder*.] Ça va faire trois ans et demi que je suis à la recherche d'un appart.

J'ai pas eu de chance, j'ai rien trouvé. Y a quelque temps j'avais presque assez pour verser un mois de caution. Une autre fois j'ai donné 400 dollars à un type qui prétendait me trouver un appart. Je regardais un immeuble où y avait un panneau « appartements à louer », j'suis entré pour voir et, tu me croirais pas, le type sortait d'là. Il m'dit, « si tu me donnes 400 dollars, je t'aurai cet appart tout de suite ». Il m'a fait visiter toutes les pièces et tout, quoi. J'lui ai répondu, « c'est bien » — c'était Brooklyn. Et tout à coup j'ai eu l'argent là dans les mains [*caressant une liasse imaginaire dans sa paume*...] il me dit, « donne-moi l'argent. Je t'donne un reçu [*griffonnant sur un bout de papier imaginaire*], je t'donne un reçu ». C'était un accro. Je suis allé voir sa mère et je lui ai dit, « je paume mon fric pour personne. Vu ? Il vaudrait mieux que j'retrouve mon fric ou une merde va se produire ici ». Elle a vu que j'rigolais pas. J'ai ajouté, « si quoi que ce soit arrive à mon pognon, y aura quelqu'un pour payer la note et j'me fous de qui paiera. J'espère seulement que ça tombera pas sur vous ». C'est pas croyable mais ce salopard mettait même sa mère en danger ! La vie de sa propre mère ! Alors ? Hein ! [*aspirant de la coke*] J'ai mis deux ou trois jours à récupérer mon fric. Mais c'est pas lui qui me l'a rendu. C'est son frère aîné qui l'a fait. Elle l'avait appelé et lui avait expliqué la situation. Chaque fois que je jette un œil à ça [*brandissant le « reçu » chiffonné*] tu sais, ça m'rappelle comment il s'est tiré avec mes 400 dollars. Si je l'avais eu à portée de la main je l'aurais sans doute tué ou je l'aurais envoyé à l'hosto ! J'ai plus jamais entendu parler de lui [*il boit sec*].

— Tu sais Ramon c'est vraiment un enregistrement formidable que tu m'as fait. Je pense pouvoir m'en servir dans mon livre, mais là je suis crevé. Je n'ai pas sniffé comme vous les gars et je dois conduire mon fils à l'école demain matin. Je vais me tirer.

Ramon — [*Incapable de parler car il a la bouche pleine de bière froide mais il me fait signe de laisser le magnéto en marche, et presque avec le même geste de la main, il plonge dans le petit tas de cocaïne qui se trouve à nouveau sur les genoux de Julio, et aspire délicatement.*] Grandir dans El Barrio m'a beaucoup appris. J'en ai appris !... [*Aspirant à nouveau profondément de la coke et augmentant le rythme et le débit de son discours*] j'ai appris comment échapper au danger. Parce que quand t'es gamin et que tu vois des gens mourir devant toi [*aspirant à nouveau*] avoir la tête éclatée. Visés en pleine figure et quand y sont touchés, y tombent face contre terre [*faisant mine de trébucher en avant le visage sans expression*], juste là à cet endroit [*désignant le caniveau proche du petit Paco qui, dans la poussette, regarde fasciné*]. Tu vois un cadavre, tu vois la cervelle giclant sur le mur [*il désigne les briques de l'HLM derrière nous*]. J'ai déjà vu ça avant [*sniffant*]… J'étais à l'école, j'étais au collège. Juste à l'endroit où se trouve le Club [*« Le Club » est une autre crack house située quelques rues plus bas. Elle appartient au propriétaire de la botanica crack house qui était en face de nous et que dirige Julio*] ; juste là sur le mur. J'ai vu de la cervelle gicler juste là [*et tendant le bras comme s'il admirait un panorama extraordinaire*]… J'ai vu des gens se faire tuer, agresser [*parlant encore plus vite*] agresser là devant moi, des gens qui se tabassaient et qui se poignardaient, des gens poignardés [*ralentissant à nouveau*]. Maintenant ça n'a plus aucun sens pour moi. Je ressens plus rien. Tu peux m'viser avec un fusil et je te dirai qu'une chose, « vas-y ! tue-moi ». J'en ai rien à foutre. On m'a encore jamais tiré dessus mais… c'est comme ça que la vie m'a traité, la vie m'en a tellement fait baver que j'en ai plus rien à foutre ; d'ici, j'ai tout appris… la mentalité et tout, d'ici… du Barrio.

août 1989

Pierre Bourdieu

La démission de l'État

La volonté, tout à fait louable, d'aller voir les choses en personne, et de près, porte parfois à chercher les principes explicatifs des réalités observées là où ils ne sont pas (pas tous en tout cas), c'est-à-dire au lieu même de l'observation : ainsi, il est certain que la vérité de ce qui arrive dans les « banlieues difficiles » ne réside pas en ces lieux ordinairement oubliés qui surgissent de loin en loin au premier plan de l'actualité[1]. L'objet véritable de l'analyse, qu'il faut construire contre les apparences, et contre tous ceux qui se contentent de les ratifier, c'est la construction sociale (ou, plus précisément, politique) de la réalité livrée à l'intuition et des représentations, notamment journalistiques, bureaucratiques et politiques, de cette réalité, qui contribuent à produire des effets bien réels, d'abord dans l'univers politique, où elles structurent la discussion, et jusque dans l'univers scientifique.

1. La division entre les disciplines, ethnologie, sociologie, histoire et économie se retraduit dans des découpages tout à fait inadéquats des objets d'étude, avec par exemple l'opposition entre les monographies circonscrites au local, et incapables, de ce fait, de saisir les mécanismes dont elles enregistrent les effets, et les analyses d'ambition plus systématique, mais portées à choisir plus ou moins arbitrairement dans la complexité des faits, pour construire des modèles « stylisés ».

La noblesse d'État et le libéralisme

S'il est fait beaucoup de place, ici, à l'analyse critique des représentations, ce n'est pas pour le simple plaisir de sacrifier aux jeux de la polémique. Ces constructions collectives font partie de la réalité qu'il s'agit de comprendre et dont elles sont pour une grande part responsables : c'est le cas par exemple de la vision néo-libérale qui a inspiré les mesures politiques édictées dans les années 70 en matière de financement public du logement, et qui ont contribué à créer la division sociale, souvent matérialisée dans l'espace, comme à Saint-Florentin, par une simple rue, entre les propriétaires de petits pavillons et les habitants des grands ensembles collectifs. Mais lorsque les « émeutes de Vaux-en-Velin » ou le « meurtre de Saint-Florentin » font l'ouverture des journaux télévisés et la une des journaux, qui se souvient du Livre blanc des HLM, des commissions Barre ou Nora-Eveno et de tous les débats sur « l'aide à la pierre » et « l'aide à la personne », qui ont agité les milieux dirigeants, 15 ans plus tôt, sous Giscard d'Estaing et son secrétaire d'État au logement, Jacques Barrot ? Les bureaucraties ont la mémoire courte et les noms de tous ceux qui ont participé à l'élaboration collective de certaines des décisions les plus décisives de l'après-guerre sont complètement tombés dans l'oubli[2]. Et de même, peut-on attendre des journalistes, et des philosophes journalistes, qui dissertent doctement, dans les colonnes de

2. On trouvera tous ces noms, et surtout une analyse de la production de la politique du logement, dans le numéro 81-82 de *Actes de la recherche en sciences sociales*, publié en mars 1990, et consacré à « l'économie de la maison ».

leurs éditoriaux, sur le « voile islamique » ou sur les « événements » survenus dans telle ou telle cité de la banlieue parisienne ou lyonnaise, qu'ils s'interrogent vraiment sur la contribution du journalisme à la production de « l'événement » qu'ils croient enregistrer et analyser ?

L'opposition entre le libéralisme et l'étatisme, qui occupe tant les essayistes, ne résiste pas une seconde à l'observation. On constate ainsi par exemple que l'État contribue de manière déterminante à faire le marché immobilier, notamment à travers le contrôle qu'il exerce sur le marché du sol et les formes de l'aide qu'il apporte à l'achat ou à la location de logements ; et qu'il contribue, du même coup, à déterminer la distribution sociale de l'espace ou, si l'on préfère, la distribution des différentes catégories sociales dans l'espace (sur laquelle il agit aussi par l'action qu'il exerce sur le marché du travail et sur le marché scolaire). Et c'est le retrait de l'État et le dépérissement de l'aide publique à la construction, affirmés, au cours des années 70, dans le remplacement de l'aide à la pierre par l'aide à la personne, qui est responsable, pour l'essentiel, de l'apparition des lieux de relégation où, sous l'effet de la crise économique et du chômage, se trouvent concentrées les populations les plus démunies.

Il est donc impossible de comprendre l'état des choses, en matière de logement comme en maint autre domaine, sans prendre en compte la conversion collective à la vision néo-libérale qui, commencée dans les années 70, s'est achevée, au milieu des années 80, avec le ralliement des dirigeants socialistes. Ce changement ne s'est pas limité à ces transformations de l'humeur idéologique que les « philosophes » médiatiques annoncent comme « retour du sujet » ou « mort de la pensée 68 ». Il s'est accompagné d'une démolition de l'idée de service public, à laquelle les nouveaux maîtres à penser ont collaboré par une série de faux en écriture théorique et d'équations truquées, fondées sur la logique de la contamination magique et de l'amalgame dénonciateur à laquelle ont eu si souvent recours, dans le passé, leurs adversaires marxistes : faisant du libéralisme économique la condition nécessaire et suffisante de la liberté politique, on assimile l'interventionnisme de l'État au « totalitarisme » ; identifiant le soviétisme et le socialisme, on pose que la lutte contre des inégalités tenues pour inévitables est inefficace (ce qui n'empêche pas de lui reprocher de décourager les meilleurs) et ne peut en tout cas être menée qu'au détriment de la liberté ; associant l'efficacité et la modernité à l'entreprise privée, l'archaïsme et l'inefficacité au service public, on veut substituer le rapport au client, supposé plus égalitaire et plus efficace, au rapport à l'usager et on identifie la « modernisation » au transfert vers le privé des services publics les plus rentables et à la liquidation ou à la mise au pas des personnels subalternes des services publics, tenus pour responsables de toutes les inefficacités et de toutes les « rigidités ».

Main droite et main gauche de l'État

Il suffit de s'arrêter à ce dernier trait pour voir que tout ce corps de lieux communs, élaborés dans des lieux de rencontre spécialement aménagés afin de favoriser les échanges entre « penseurs » en mal de pouvoir et puissants en mal de pensée (revues, clubs et colloques) et inlassablement ressassés dans les journaux et les hebdomadaires, exprime très directement la vision et les intérêts de la grande noblesse d'État, issue de l'ENA et formée à l'enseignement de Sciences Po [3]. Ce sont ces nouveaux mandarins, friands de primes et toujours prêts au pantouflage, qui, las de prêcher l'esprit de « service public » (pour les autres), comme dans les années 60, ou de célébrer le culte de l'entreprise privée, surtout après 80, prétendent gérer les services publics comme des entreprises privées, tout en se tenant à l'abri des contraintes et des risques, financiers ou personnels, qui sont associés aux institutions dont ils *singent* les (mauvaises) mœurs, en matière de gestion du personnel notamment ; ce sont eux qui s'en prennent, au nom des impératifs de la modernisation, aux personnels d'exécution, ces « nantis » de la fonction publique, protégés contre les risques de la libre entreprise par des statuts rigides et crispés dans la défense corporatiste des acquis sociaux ; ce sont eux qui vantent les mérites de la flexibilité du travail, lorsqu'ils ne prônent pas, au nom de la productivité, la réduction progressive des effectifs.

On comprend que les petits fonctionnaires, et tout spécialement ceux d'entre eux qui sont chargés de remplir les fonctions dites « sociales », c'est-à-dire de compenser, sans disposer de tous les moyens nécessaires, les effets et les carences les plus intolérables de la logique du marché, policiers et magistrats subalternes,

---

3. On pourra vérifier que l'analyse qui avait été faite, bien avant son triomphe, de cette thématique et de ses conditions sociales de production, reste tout à fait valide, malgré l'aggiornamento apparent qui lui a été apporté par les énarques socialistes (cf. P. Bourdieu et L. Boltanski, La production de l'idéologie dominante, *Actes de la recherche en sciences sociales*, 2-3, 1976, p. 1-73).

assistantes sociales, éducateurs et même, de plus en plus, instituteurs et professeurs, aient le sentiment d'être abandonnés, sinon désavoués, dans leur effort pour affronter la misère matérielle et morale qui est la seule conséquence certaine de la *Realpolitik* économiquement légitimée. Ils vivent les contradictions d'un État dont la main droite ne sait plus, ou pire, ne veut plus, ce que fait la main gauche, sous la forme de « doubles contraintes » de plus en plus douloureuses : comment ne pas voir par exemple que l'exaltation du rendement, de la productivité, de la compétitivité ou, plus simplement, du profit, tend à ruiner le fondement même de fonctions qui ne vont pas sans un certain désintéressement professionnel associé, bien souvent, au dévouement militant [4] ?

Plus profondément, c'est la définition même des fonctions de cette « bureaucratie de base » (*street-level bureaucracy*) qui se trouve profondément transformée par la substitution, dans le domaine du logement, mais aussi ailleurs, avec par exemple le Revenu minimum, de l'aide directe à la personne aux anciennes formes d'aide au service, dont on a bien montré qu'elles ont des conséquences tout à fait différentes : en parfaite conformité avec la vision libérale, l'aide directe « réduit la solidarité à une simple allocation financière » et vise seulement à permettre de consommer (ou à inciter à consommer davantage), sans chercher à

---

4. On a observé que les personnes qui entrent dans le service public, et tout particulièrement dans les « street-level bureaucracies », ont souvent un certain dévouement à leur fonction qu'elles tiennent pour susceptible d'être utile socialement (cf. M. Lipsky, Street-level Bureaucracy, *Dilemmas of the Individual in Public Services*, New York, Russell Sage Foundation, 1980, p. XII).

orienter ou à structurer la consommation[5]. On passe ainsi d'une politique d'État visant à agir sur les structures mêmes de la distribution à une politique visant simplement à corriger les effets de la distribution inégale des ressources en capital économique et culturel, c'est-à-dire à une *charité d'État* destinée, comme au bon temps de la philanthropie religieuse, aux « pauvres méritants » (*deserving poors*). Les formes nouvelles que revêt l'action de l'État contribuent ainsi, avec l'affaiblissement du syndicalisme et des instances mobilisatrices, à la transformation du *peuple* (potentiellement) mobilisé en un agrégat hétérogène de *pauvres* atomisés, d'« exclus », comme les appelle le discours officiel, que l'on évoque surtout (sinon exclusivement) lorsqu'ils « posent des problèmes » ou pour rappeler aux « nantis » le privilège que constitue la possession d'un emploi permanent.

L'école des sous-prolétaires

Ce détour par l'État et ses décisions politiques est indispensable pour comprendre ce que l'on observe aujourd'hui « sur le terrain », c'est-à-dire la situation de porte-à-faux dans laquelle se trouvent placés les « travailleurs sociaux » mandatés par l'État (ou les municipalités) pour assurer les plus élémentaires des services publics, en matière d'éducation et de santé notamment, aux populations les plus démunies de cités ou de banlieues de plus en plus désertées par l'État.

5. Cf. C. Gruson et J. Cohen, Tarification des services publics locaux, Paris, *La Documentation française*, 1983, p. 47-48 et P. Chambat, Service public et néo-libéralisme, *Annales ESC*, 3, 1990, p. 615-647.

Ces agents de l'État sont traversés par les contradictions de l'État, qu'ils vivent souvent, au plus profond d'eux-mêmes, comme des drames personnels : contradictions entre les missions, souvent démesurées, qui leurs sont confiées, notamment en matière d'emploi et de logement, et les moyens, presque toujours dérisoires, qui leur sont impartis ; contradictions, sans doute les plus dramatiques, produites, pour une part, par leur action, comme celles qui résultent des espoirs et des désespoirs suscités par l'institution scolaire.

Comment ceux qui ont quotidiennement affaire aux plus démunis économiquement et culturellement pourraient-ils ignorer, ou se masquer, que nombre des problèmes que rencontrent les familles, à travers leurs enfants, et ces enfants eux-mêmes, sont liés, directement ou indirectement à l'action de l'École ? Sans doute ne faut-il pas chercher ailleurs le véritable principe des particularités de ces « jeunes », souvent décrits dans le langage de l'indicible et du jamais vu, qui est l'équivalent dans l'ordre scientifique de la rhétorique journalistique du sensationnel. Ces adolescents ont, dans leurs conduites et surtout dans leur rapport à l'avenir, tous les traits caractéristiques des sous-prolétaires, mais affectés, de manière profonde et durable, par les effets d'un séjour prolongé à l'École.

Sans doute toutes les descriptions s'accordent-elles sur ce qui est au cœur de l'expérience de ces adolescents : le sentiment d'être enchaînés par le manque d'argent et de moyens de transport à un lieu dégradant (« pourri ») et voués à la dégradation (et aux dégradations) qui pèse sur eux comme une malédiction, ou, tout simplement, un *stigmate*, interdisant l'accès au travail, au loisir, aux biens de consommation, etc. ; et, plus profondément, l'expérience inexorablement répétée de l'échec, d'abord à l'école, puis sur le marché du travail, qui interdit ou décourage toute anticipation raisonnable de l'avenir. Mais on ne voit pas que cette expérience temporelle, caractéristique des *sous-prolétaires*, voués par leur défaut de pouvoir sur le présent à la démission devant l'avenir ou à l'inconstance des aspirations, s'enracine dans des conditions d'existence marquées par l'incertitude la plus totale à propos de l'avenir et la discordance intérieure d'aspirations à la fois ouvertes et fermées par l'École.

Ces jeunes gens que le défaut de capital culturel voue à un échec scolaire à peu près certain sont placés, souvent jusqu'à un âge relativement avancé, dans des conditions d'existence propres à élever malgré tout leurs aspirations : en les écartant provisoirement des activités productives et en les coupant du monde du travail, l'École rompt le cycle « naturel » de la reproduction ouvrière fondé sur l'adaptation anticipée aux positions dominées, et les incline au refus du travail manuel, surtout en usine, et de la condition ouvrière ; elle les incline à refuser le seul avenir qui leur soit accessible sans leur garantir en rien l'avenir qu'elle semble promettre et auquel elle leur apprend à renoncer, définitivement, par *l'effet de destin* de ses verdicts. L'efficacité de ces mécanismes s'exerce sans doute tout spécialement sur les adolescents d'origine étrangère, notamment maghrébine, dont les difficultés particulières sur le marché scolaire se doublent des difficultés supplémentaires que leur vaut, sur le marché du travail, leur *capital symbolique négatif*, lié aux signes extérieurs de leur hexis corporelle, fonctionnant comme stigmate, au même titre que le nom propre, l'accent et aussi, désormais, le lieu de résidence.

Ces facteurs structuraux, qui façonnent notamment les dispositions à l'égard du temps et, par là, le rapport au travail, expliquent l'affinité entre ces jeunes aux dispositions instables et les emplois temporaires ; mais on ne peut rendre compte complètement des dispositions et des pratiques de ces adolescents, notamment des plus « déviantes », sans faire intervenir plusieurs autres facteurs. C'est d'abord le dépérissement ou l'affaiblissement des instances de mobilisation, telles que les organisations politiques et syndicales qui, dans les anciennes « banlieues rouges », ne se contentaient pas, comme on le dit souvent, de « canaliser et de réguler la révolte », mais assuraient une sorte d'« enveloppement continu » de toute l'existence (à travers notamment l'organisation des activités sportives, culturelles et sociales), contribuant ainsi à donner un sens à la révolte, mais aussi à toute l'existence.

C'est ensuite la crise des structures familiales qui frappe surtout les familles maghrébines et qui est le principe majeur de la différence entre ces familles – et leurs enfants – et les autres familles d'immigrés : la très forte fécondité de ces familles (d'ailleurs vouée à décliner à mesure que s'élève leur capital économique et culturel) ne s'accorde que très difficilement avec le projet pédagogique (au sens large) tacitement exigé par leur nouvel environnement social ; en outre, le décalage est très profond, tant dans le style de vie que dans les aspirations et toute la vision du monde, entre des parents pas ou peu scolarisés et des enfants qui ont subi à plein les effets d'un séjour prolongé dans le système scolaire. Effets contradictoires et, à tout le moins, paradoxaux : l'École est, pour les jeunes immigrés, l'occasion de découvrir et de vivre leur pleine appartenance de droit à la société française (et aussi, de manière plus ou moins explicite, à la culture démocratique, génératrice d'aspirations universalistes, telles que le refus du racisme) et leur pleine exclusion de fait, affirmée dans les verdicts scolaires. Quant aux parents, qui subissent les contrecoups de tous les chocs et de toutes les souffrances de leurs enfants, ils n'ont guère le pouvoir de leur offrir non seulement des moyens d'existence mais des *raisons de vivre* capables de les arracher à leur sentiment d'être de trop, surnuméraires. Et cela d'autant moins qu'ils sont souvent exclus de l'existence économique et sociale par le chômage et coupés de leur communauté d'origine, et très isolés, paradoxalement, dans cet habitat social rassemblant les ménages en fonction des appartements disponibles et des revenus, et non pas, comme dans les bidonvilles, en fonction des relations de parenté. N'ayant rien à proposer pour le présent, et moins encore pour l'avenir, ils ont peine à contrôler les aspirations à la consommation que suscitent chez leurs enfants les fréquentations de l'école et les sollicitations d'un univers social hanté par les biens de consommation, à la fois inaccessibles et partout présents, dans la rue, avec les voitures de luxe, au supermarché, ou, au cœur même de la vie domestique, à travers la télévision et les prospectus publicitaires qui viennent remplir chaque jour les boîtes aux lettres.

S'il y a un effet propre de la cohabitation, il réside dans le fait que, dans un tel environnement, personne ne peut soutenir personne, en sorte que les chutes sociales ne rencontrent pas les freins ou les filets de protection que peuvent assurer d'autres entourages. Il réside aussi dans cette sorte de surenchère de la violence qui s'engage lorsque les « petites conneries » (école buissonnière, chapardage, vols de voitures, etc.), souvent conçues comme un jeu ou un défi, ou les brusques explosions collectives de violence (celle qui porte par exemple certains jeunes à détruire les locaux ou les équipements qu'ils ont eux-mêmes réclamés), ouvrent progressivement la voie à l'action d'une petite minorité agissante et organisée : le règne de la bande, souvent constituée dès l'école, où elle tend à imposer à ceux qui voudraient s'en sortir l'alignement sur les plus démunis, peut alors s'exercer sur une population atomisée, incapable de se mobiliser collectivement, ne laissant d'autre issue à ceux qui le subissent que la soumission résignée et le repli dans la souffrance et la haine, génératrice des condamnations globales et indifférenciées de l'essentialisme raciste, ou le départ, qui redouble la dégradation et la stigmatisation du lieu ainsi déserté.

Refaire l'histoire

S'il m'a paru nécessaire d'évoquer une des séries causales qui mènent des lieux les plus centraux de l'État jusqu'aux régions les plus déshéritées du monde social, en mettant l'accent, du même coup, sur la dimension proprement politique des processus, sans doute infiniment plus complexes, qui ont conduit à un état de choses en fait jamais pensé ni voulu par personne, ce n'est pas pour sacrifier à la logique de la dénonciation et du procès, mais pour essayer d'ouvrir des possibilités à une action rationnelle visant à défaire ou à refaire ce que l'histoire a fait.

La recherche d'un système explicatif bien fondé n'a

en effet, en ce cas, rien de gratuit : les lieux de relégation, et leurs habitants, sont devenus, par les problèmes qu'ils posent, un des enjeux majeurs de la lutte politique et il est important de faire pièce aux explications dont le caractère hautement fantaisiste apparaîtrait immédiatement si elles ne venaient pas réveiller les fantasmes les plus anciens de la tradition occidentale (je pense par exemple à cette variante mal euphémisée de l'explication raciste que représente l'invocation du caractère exceptionnel de la tradition islamique, instituée en fondement d'une altérité radicale et définitive). Ainsi, tout en se gardant d'y voir une chaîne mécanique de responsabilités, il n'est pas inutile de porter au jour le lien entre une politique néo-libérale visant à arracher la petite bourgeoisie à l'habitat collectif et, par là, au « collectivisme », et à l'attacher à la propriété privée de son pavillon individuel ou de son appartement en copropriété, et, du même coup, à l'ordre établi, et la ségrégation spatiale, favorisée et renforcée par le retrait de l'État ; et aussi le lien, plus évident, entre cette ségrégation, avec ses effets les plus visibles, et la place que tient aujourd'hui, dans le champ politique et ailleurs, l'opposition entre les « nationaux » et les « immigrés » qui est venue supplanter l'opposition, jusque-là de premier plan, entre les dominants et les dominés. Cela, à la faveur du déclin des instances de mobilisation et de leur aptitude à surmonter, tant théoriquement – par la réactivation de la tradition internationaliste – que pratiquement – par la création de nouvelles solidarités –, les difficultés que font surgir, au sein même du monde ouvrier, et même dans des lieux où les « nationaux » sont largement majoritaires (comme les « cités » les plus fameuses, les Quatre

Mille de La Courneuve, les Minguettes ou la cité Balzac de Vitry), les conflits liés à la cohabitation.

Avec l'irruption dans le champ politique d'un parti qui, comme le Front national, a fondé toute sa stratégie sur l'exploitation de la xénophobie et du racisme, tout le débat politique s'est plus ou moins directement organisé autour du problème de l'immigration : dans la lutte politique entre les instances qui s'opposent pour l'imposition du principe de vision et de division légitime, partis et syndicats notamment, la question de la redistribution est devenue tout à fait centrale, et du même coup la question de la définition de ceux qui sont en droit de revendiquer les avantages attachés à l'appartenance nationale. C'est en effet sur la base de la prétention au monopole de l'accès aux avantages économiques et sociaux associés à la citoyenneté que les dominés nationaux peuvent se sentir solidaires avec les dominants nationaux contre les « immigrés ».

On voit comment la démission ou le retrait de l'État a déterminé des effets inattendus, jamais vraiment souhaités en tout cas, et qui sont de nature à menacer, à terme, le bon fonctionnement des institutions démocratiques, si une politique résolue d'un État décidé à prendre réellement les moyens de ses intentions proclamées ne vient pas, de toute urgence, les contrecarrer●

Pierre Bourdieu

Une mission impossible

Pascale R. a proposé spontanément d'apporter son témoignage, à la suite de l'appel que j'avais lancé lors d'un colloque rassemblant des travailleurs sociaux. Au moment de l'entretien, elle est chef de projet à F., ville moyenne du Nord de la France. C'est là, comme elle le dit elle-même, une position ambiguë : contractuelle, elle est payée par la municipalité et révocable par elle, mais le contrat spécifie que, quoique placée « sous l'autorité du maire », elle est « d'abord liée à une structure extérieure » : « c'est assez ambigu : je dois être à la fois sous son autorité et indépendante ; je dois l'interpeller et je dois lui obéir ». Ambiguïté qui se trouve redoublée par le fait que, pour mener à bien son action, elle doit compter avec des interlocuteurs très divers et très dispersés : du côté de l'État, 17 directions départementales (DDE, DDASS, Action culturelle – DRAC –, Jeunesse et sports, Éducation nationale notamment [1]) dont les responsables ne se

1. Liste des sigles : ASSEDIC : Association pour l'emploi dans l'industrie et le commerce ; CAF : Caisse d'allocations familiales ; CSCV : Confédération syndicale du cadre de vie ; DDASS : Direction départementale de l'action sanitaire et sociale ; DDE : Direction départementale de l'équipement ; DSQ : Développement social de quartier ; RMI : Revenu minimum d'insertion.

rencontrent pratiquement jamais, et devant lesquels elle est, la plupart du temps, en position de solliciteuse (alors qu'elle est censée coordonner, voire organiser leur action à l'échelle d'une unité locale) ; du côté de la région, des élus et des techniciens, les décisions budgétaires, qui commandent les moyens mis à sa disposition, étant le fait des élus.

Ayant occupé, auparavant, une position analogue dans une grande ville voisine, T., Pascale R. peut comparer les deux expériences. A T., elle dépendait de l'Office d'HLM (et non de la municipalité), ce qui lui conférait un réel pouvoir : « J'étais HLM, j'étais chef de projet d'une opération de réhabilitation et, à ce titre, j'avais un pouvoir énorme, puisque j'étais le propriétaire des habitations ; j'avais donc le pouvoir et l'obligation de reloger les familles, ensuite de rechercher les financements, de déclencher les travaux et d'attribuer les logements nouveaux ». Comme par ailleurs, c'était un lieu où « un travail de concertation avait été entamé » et où elle pouvait s'appuyer sur des groupes déjà mobilisés, elle a pu remplir une de ses fonctions majeures, « modifier les rapports entre les personnes », entre les habitants d'abord comme on le verra avec l'affaire de la vieille femme aux chats et aussi entre les habitants et les autorités, municipales ou étatiques. Ainsi se sont trouvées réunies les conditions d'une véritable autogestion : « les représentants des habitants ont fini par faire des attributions de logements ». C'est alors que Pascale R. découvre que l'institution qui l'a mandatée « ne peut plus la supporter ». Sa réussite est un échec : elle a trop bien rempli un contrat qui passait sous silence l'essentiel. C'est sous la forme de cette double contrainte *(double-bind)* qu'elle éprouve la contradiction qui est au principe de l'institution qui l'a mandatée et de la fonction qui lui est officiellement impartie : ranimer la vie de quartier, faire participer les résidents à la gestion, tous ces mots d'ordre ne sont que des mots, des fictions automystificatrices par lesquelles la technocratie essaie de se donner un supplément d'âme.

La comparaison des deux expériences le montre bien. A T., où elle disposait d'un pouvoir réel sur un des facteurs du problème qu'elle avait à traiter, le logement, elle a pu mener son action assez loin pour dévoiler l'intention profondément contradictoire de la mission qui lui était assignée. A F., où elle est livrée à ses seules forces, c'est-à-dire aux ressources, purement symboliques, de la conviction et de la persuasion, elle découvre d'emblée qu'elle ne peut rien donner de ce que les gens demandent et qu'elle ne peut offrir que des choses dont ils ne veulent pas (comme les « stages » qui sont de simples palliatifs du chômage). Ce qui pourrait changer réellement la situation qu'on lui demande de changer ne dépend pas d'elle tandis que ce qui dépend d'elle ne peut rien changer vraiment à la situation. « Moi je sais que, sur le quartier, tout ce que les gens attendent, c'est un travail. (…) Et c'est la seule chose qu'on pourra pas leur donner. » Et plus loin : « Le travail social porte ainsi en lui-même une contradiction et c'est au chef de projet DSQ d'imaginer des solutions et de les proposer aux différentes administrations. Et là aussi, il y a contradiction puisque quand on trouve quelque chose, on dit : "il faut que ça rentre dans les cases" et la réponse [de l'administration] est toujours : "financièrement, ça n'entre pas dans ma case" ».

Privée des conditions exceptionnelles dont elle avait bénéficié dans son poste antérieur, Pascale R. se heurte de plein fouet aux deux obstacles majeurs que rencontre toute action sociale : la résignation d'individus démobilisés et démoralisés par une longue série d'échecs et de déceptions et l'inertie d'une administration atomisée et atomisante, enfermée dans les rigidités de ses routines et de ses présupposés (les « cases »), et jamais aussi inopérante que lorsqu'elle pratique la démocratie sur ordre d'une « social-bureaucratie » technocratique. Le travailleur social ne peut donner que ce qu'il a, la confiance, l'espérance minimale qui est nécessaire pour essayer d'en sortir. Il doit lutter sans cesse sur deux fronts : d'un côté, contre ceux qu'il souhaite assister et qui sont souvent trop démoralisés pour prendre en mains leurs propres intérêts et, à plus forte raison, ceux de la collectivité ; de l'autre contre des administrations et des fonctionnaires divisés et enfermés dans des univers séparés – à tel point que, comme on le voit bien dans le cas de la mise en application du RMI, ce ne sont pas les mêmes services et les mêmes fonctionnaires qui sont chargés de payer les bénéficiaires et d'assurer leur insertion. L'antinomie entre la logique du travail social, qui ne va pas sans un certain militantisme prophétique ou un bénévolat inspiré, et celle de la bureaucratie, de ses disciplines et de ses prudences, ne se voit sans doute jamais aussi bien que lorsque, obéissant à « des directives venues d'en haut », les fonctionnaires se convertissent « du jour au lendemain au travail social », à l'occasion notamment du dixième Plan : « D'un travail qui est un travail d'innovation et de conviction, et puis des relations de personnes, on arrive à un travail institutionnel : alors là !… C'est la catastrophe ! »

Paradoxalement, la rigidité des institutions bureaucratiques est telle que, en dépit qu'en aie Max Weber, elles ne peuvent fonctionner, tant bien que mal, que grâce à l'initiative, à l'inventivité, voire au charisme des fonctionnaires les moins emprisonnés dans leur fonction. Si elle était livrée à sa seule logique, celle des divisions administratives qui reproduisent à la base les divisions des autorités centrales en ministères séparés, interdisant du même coup toute action efficace, c'est-à-dire globale, celle des dossiers qu'il faut « transmettre, transmettre », sans fin, celle des catégories bureaucratiques qui définissent le bureaucratiquement pensable (« c'est pas prévu »), celle des commissions où se cumulent les prudences, les censures, les contrôles, la bureaucratie se condamnerait elle-même à la paralysie. Et ce sont sans doute les contradictions issues des divisions bureaucratiques qui ouvrent la marge de manœuvre, d'initiative, de liberté dont peuvent jouer les personnes qui, en rompant avec les routines et les règlements bureaucratiques, défendent la bureaucratie contre elle-même.

avec un chef de projet dans le nord de la France

— entretien de Pierre Bourdieu

« Je connaissais trop de choses »

Pascale R. — A T., j'ai passé six ans, presque sept ans, et quand je suis partie, c'était justement parce que j'étais en train de me déprimer complètement : j'avais petit à petit tissé des liens avec des personnes, parce que il y a eu le temps, et il y avait toute une dynamique, tout un groupe qui était très large, de représentants des habitants, avec des hommes, des femmes, des personnes à la retraite, des jeunes, même des actifs – c'est très difficile pour qu'une personne active puisse consacrer encore du temps en plus à d'autres projets que son travail et sa famille, c'est difficile, mais il y en avait aussi – il y avait des assistantes sociales avec lesquelles, a priori, on est en opposition : j'étais représentant des HLM – les HLM sont ceux qui donnent le logement, les assistantes sociales sont celles qui en demandent et qui représentent des mauvais locataires…
[*Les premières rencontres avec les assistantes sociales ont été difficiles mais se sont vite améliorées pendant le neuvième Plan. Les travailleurs sociaux concernés étaient souvent des volontaires qui prenaient sur leur temps pour participer au projet :* « *Comme ça on avait aussi une sélection de personnes, au départ ; on avait un groupe qui était déjà constitué par une dynamique* ».]

Modifier les rapports entre les personnes

Pascale R. — Au bout donc de quelques années, avec un travail qui reposait sur des personnes bénévoles ou des volontaires militants parmi ceux qui travaillent, on tisse des liens et puis on peut enfin poser les problèmes sur la table. Mais seulement au bout de quelques années : ça ne vient pas du premier coup… Même la première année maintenant à F., je commence à connaître les personnes sur un nouveau terrain, mais je sais bien qu'elles n'ont pas la confiance qu'elles pourront avoir en moi au bout de quatre, cinq ans. Il faut quand même du temps. La façon dont j'ai pu mieux connaître les vrais problèmes, c'est parce que je faisais moi-

même, pour le compte de l'Office HLM, à T., l'opération dont j'avais la charge ; c'était une réhabilitation « lourde » ; on était obligé de faire déménager tout le monde. La première chose que je devais faire, c'était de trouver le relogement de chacune des familles, et du coup cela me donnait un rôle particulièrement important parce que je connaissais en direct les familles (...). Je savais qui habitait dans la famille, je savais dans quel type de logement ils étaient avant, dans quel type de logement ils avaient été relogés, si bien que je connaissais les gens, et après je connaissais les travailleurs sociaux, les assistantes sociales, les représentants des locataires qui me parlaient de ces personnes que la plupart du temps je connaissais moi-même.
[...]
Oui. Eh bien, je vais vous donner un exemple qui est intéressant. A T., on avait finalement réuni autour d'une table, une fois par mois, les représentants des HLM, dont j'étais, les représentants des habitants, qui étaient bénévoles et à qui on faisait confiance parce que tout le monde ne peut pas faire partie d'un groupe où on parle de la vie privée des personnes, donc quelques habitants dont on pouvait être sûr qu'ils n'allaient pas le répéter à tout le monde, des gens à qui on pouvait vraiment faire confiance. Les assistantes sociales qui, elles, ne faisaient pas confiance à tout le monde parce que, elles connaissent les familles, elles sont là pour les soutenir et surtout elles ne sont pas là pour donner leurs faiblesses sinon elles risquent de leur faire perdre toute chance d'obtenir une allocation, un logement HLM, des choses comme ça. Donc on arrive enfin à se réunir, à mettre les cartes sur la table, à parler de telle personne. Alors l'exemple de comportement : c'est une personne qui avait fait l'objet de pétitions parce que elle avait plein de chats, des chats et des chiens qui pissaient, et puis ça empuantait toute l'entrée. (...) Et puis cette femme avait demandé à déménager, peut-être pour se rapprocher d'une amie, ça je ne me souviens plus très bien quel était le motif, enfin c'était pas important ou bien si, mais si, le motif était... [*Rire*]... important : c'est que son logement était devenu insalubre !
[...]
Et ça vient des personnes, c'est leur façon d'habiter le logement. Il y a bien sûr la question des finances. Pour ne pas dépenser de chauffage, on calfeutre et on ne chauffe pas, si bien qu'il n'y a pas de renouvellement d'air : l'humidité s'installe. On n'a pas d'argent, on ne repeint pas, on ne retapisse pas et petit à petit, toute l'enve-

loppe se décolle, le papier peint se décolle, la peinture cloque... Ça va très loin, on voit des plafonds entiers qui s'écroulent parce que le plâtre ou le torchis est imbibé et puis, à un moment, il tombe, il s'écroule. Ça c'est des raisons vraiment financières. Il faut le savoir, il faut en tenir compte. Et puis, il y a aussi un mode de vie. Comment on en est arrivé là ? Quelque fois, c'est sur quelques années, une personne qui a eu un mari qui est décédé et puis qui s'est laissée aller ou c'est l'inverse ou il y a eu une rupture, un divorce, on a perdu du boulot, on a perdu un enfant et puis on laisse tout tomber et à ce moment-là c'est un comportement qui change. Il n'y a pas de raisons financières là, mais on ne gère plus son budget, on laisse tout aller, quoi. Après vous avez aussi les familles. Là, c'est plus difficile parce que ça date depuis les grands-parents, les parents, les enfants sont éduqués comme ça et puis on ne voit pas très bien comment on peut changer les choses.
[...]
Et on a dit [*à la femme aux chats*],« c'est d'accord pour déménager, mais il faudra quand même remettre en état le logement que vous avez aujourd'hui, avant de partir ». C'est difficile à comprendre parce que quand on veut partir c'est parce que le logement est invivable et on lui dit, « vous devez le remettre en état ». (...) Et ça fait partie justement des devoirs du locataire ; c'est que quand il rentre dans un logement, il est en état d'être habité ; quand il le quitte, il doit être en état d'être habité sinon on arrive facilement à 15 000 francs d'ardoise. Par conséquent on refuse la mutation... Alors pour cette personne, on lui a demandé, on lui a fait admettre – c'est l'assistante sociale qui était avec elle qui pouvait transmettre le message parce que si c'était quelqu'un des HLM, c'était le « gendarme » qui avait trouvé un « prétexte » pour lui refuser ce qu'elle demandait ; venant de l'assistante sociale qui est là pour l'aider, c'est autre chose, elle vient pour la soutenir, donc c'était plutôt une conseillère en économie sociale et familiale, d'ailleurs précisément, qui lui a fait comprendre qu'elle devait remettre son logement en état et comme elle ne pouvait pas le faire seule, on a fait venir des jeunes du quartier, qui étaient déjà employés à faire des travaux de peinture. Ils ont peint et tapissé pour elle.
Il y avait toute une chaîne, il y avait sept personnes, les voisins, le gardien, les militants de quartier – donc des voisins mais attentifs au quartier –, l'assistante sociale, les HLM, enfin le secteur des attributions des HLM, tout le monde était de connivence pour que

cette personne change sa façon d'y habiter. Et là, on lui a demandé de se séparer d'une partie de ses animaux. Elle l'a fait. Alors je me souviens de discussions qui étaient pas évidentes parce que moi je ne connaissais pas non plus l'âge des chiens, des chats, il n'y avait que la conseillère en économie sociale et familiale qui pouvait dire « ben, on peut lui demander de se séparer de celui-là mais pas de celui-là », enfin ça va loin, on passe du temps avec des détails importants et c'est la vie des gens. Ça va jusqu'à connaître l'âge du chien. Oui. Et en fin de compte elle s'est séparée de… Elle a gardé un chien. Et puis on l'a fait déménager. Après j'ai quitté. Je ne sais pas comment ça a évolué mais si on continue d'être avec les gens, mais très près, on peut réussir cette insertion parce que sinon cette femme était expulsée… Ça, c'est un exemple… (…) Quand je suis arrivée à la phase opérationnelle, que j'ai été parachutée sur le quartier, là il y avait un travail de concertation qui était entamé depuis quelques années, donc j'avais des interlocuteurs, j'avais des militants, des habitants du quartier militants.

—*Associations familiales ?*

Pascale R. — Vraiment ceux que j'ai connus qui étaient le plus actifs, c'était ceux de la CSCV, mais ça représente peu de monde.

—*Et ces gens, ils jouaient un peu le rôle d'éclaireurs, de vigies qui repèrent…*

Pascale R. — Oui, c'est ça. Ils allaient au-devant des événements, ils allaient interroger le directeur. Quand j'ai été embauchée, je devais commencer le premier de telle date ; le directeur m'a demandé d'être présente un peu avant parce qu'il recevait des habitants qui venaient l'interroger en disant « mais vous allez recevoir quelqu'un, vous allez l'embaucher (avant que je le sois)… qu'est-ce que vous allez lui demander ? ». Et ce soir-là, j'étais donc dans le bureau du directeur et j'avais en face de moi deux, trois personnes qui étaient de simples habitants de la CSCV et la directrice du centre social du quartier. Ils avaient déjà depuis quelques années l'habitude de se voir, de discuter, de travailler ensemble. Donc il y avait déjà un terrain de concertation.

—*Et qu'est-ce qu'ils étaient comme profession ?*

Pascale R. — C'étaient des retraités, parce qu'ils en avaient le temps. Par la suite, j'en ai connus qui travaillaient ; disons que le groupe était suffisamment fort pour intégrer des personnes qui trouvaient un événement assez intéressant pour qu'on vienne en plus après son travail.

— *Vous pensez à quoi par exemple ?*

Pascale R. — Alors le travailleur auquel je pense, c'était quelqu'un qui travaille dans les grandes surfaces, qui avait constaté qu'on jetait tout ce qui était éventré, ce qui avait perdu des étiquettes, impossible de le vendre et on le mettait à la décharge. Donc il a obtenu de sa direction que cette marchandise soit distribuée aux gens qui n'avaient pas de ressources.

— *Et il est passé par vous à ce moment-là ?*

Pascale R. — Il l'avait fait avant que je commence et quand il a vu que sur le quartier, il y avait un réseau de solidarité qui s'installait, il s'y est joint. Et ça fonctionnait si bien que tout s'est déplacé sur le quartier. On avait à peu près tous les représentants, puisque dans le fond j'étais en relation indirecte avec les religieuses ; en relation très directe après avec un aumônier de la JOC qui travaillait sur place avec les jeunes, avec les retraités habitants, le centre social avec sa directrice et travailleurs sociaux, avec les assistantes sociales de toutes les institutions… j'ai la Caisse d'allocations familiales, j'ai la Sécurité sociale, j'ai l'Éducation nationale, j'ai la mairie, il y en a peut-être d'autres que je ne connais pas encore, mais…

— *Et ça se faisait sous forme de réunions régulières ou bien pour une occasion particulière, pour une action particulière ?*

Pascale R. — Le point de départ a été ma rencontre avec les habitants du centre social. Ils ont demandé que je m'organise d'une certaine façon, et c'est moi qui ai accepté ; ils ont demandé que je tienne des permanences sur le quartier, le jour du marché, ils ont trouvé le lieu parce que c'était là où je rencontrerais le plus de monde. Et très vite on a partagé les lieux en trois, chacun avec une convention, même répartition des charges, donc vraiment tout était bien, bien organisé, on savait ce que l'on allait faire et petit à petit donc on savait que tous les lundis matin on allait se rencontrer. (…).

L'institution HLM ne pouvait plus me supporter

— *C'était à peu près à quelle date, tout ça ?*

Pascale R. — Ça commençait en 83 et ça s'est terminé en 88.

— *Et pourquoi terminé ?*

Pascale R. — Pour moi parce que j'arrêtais à T., c'était la fin de l'opération aussi.

— *C'est ça, et la structure s'est perpétuée…*

Pascale R. — Ah non, non, non.

— *Elle a disparu ?*

Pascale R. — Complètement. En fait, moi, je considère que j'ai arrêté ce travail la mort dans l'âme, parce que l'institution HLM ne pouvait plus me supporter.

— *C'est étonnant...*

Pascale R. — Ils ne pouvaient plus supporter ce contre-pouvoir qui s'installait.

— *C'est-à-dire que c'était trop inséré au niveau de l'attribution des logements. Sur quoi étaient les conflits avec l'institution HLM ?*

Pascale R. — Ils n'ont jamais été déclarés.

— *C'était un peu sur tout, quoi...*

Pascale R. — Oui, c'était sur tout : alors, ça devenait une remise en cause de ma personne, je devenais trop indépendante, trop... c'est tout ce qu'on peut dire de quelqu'un qui...

— *Subversive ?...*

Pascale R. — Oui, subversive. Mauvais caractère. Ne se pliant pas à l'autorité. Il y a eu une évolution de la direction de l'Office d'HLM ; parce que au départ j'ai eu un directeur qui a dit« je lui fais confiance, je veux qu'elle s'organise », et je l'ai fait. Il y a eu un changement de municipalité, un changement de direction à l'Office d'HLM. (...). Il fallait que je parte pour des raisons de survie personnelle. J'étais éjectée. Et éjectée alors par l'Office HLM. Je m'interrogeais ; je me disais, est-ce que ce sont les élus ou est-ce que c'est la direction de l'Office d'HLM ? Est-ce que je prends trop de place en tant que technicien sur un terrain politique et que je gêne les élus ou est-ce que c'est le fonctionnement de l'Office qui ne marche pas ? Et finalement je crois bien que c'est le fonctionnement de l'Office, uniquement ; là il y avait une direction qui voulait reprendre les méthodes anciennes et qui balayait le travail que j'avais fait.

— *En particulier l'attribution des logements...*

Pascale R. — Tout, oui. C'est ça, tout le pouvoir. (...) je pense que j'étais quelqu'un qui connaissait trop de choses.

— *Donc après, tout ça a dépéri, c'est-à-dire ces gens qui travaillaient avec vous, que ce soient les assistantes sociales, les retraités, enfin tout ce monde...*

Pascale R. — Non, je pense que ces gens sont toujours là, ils sont toujours actifs, mais il y a moins de monde parce que avec le changement de plan, l'équipe s'est réduite à la représentation des habitants. On avait trois institutions : l'Office HLM, le centre social, les habitants. Les habitants avaient fait quelque chose qui était assez nouveau, ils avaient embauché une secrétaire ; alors que d'habitude on prenait un bénévole non salarié ; là c'était l'inverse, ils avaient fait la démarche « nous voulons un travail très précis, très technique. Nous nous comportons en tant qu'employeur ». (...).

Les représentants des habitants ont fini par faire des attributions de logements

— *Autrement dit, ce que vous aviez fait était quelque chose d'assez subversif. Les associations, tout ça, tout le monde aime beaucoup, pour pouvoir satisfaire le point d'honneur démocratique – « nous avons une association de riverains », « nous avons une association de quartier », etc., – mais ce sont des instances sans pouvoir qu'on consulte quand on veut bien, qu'on écoute quand on veut bien, c'est une sorte de lieu de défoulement sans conséquence, mais vous, vous aviez fait une chose très différente, vous aviez articulé un pouvoir très réel avec ça.*

Pascale R. — Oui, c'est ça.

— *Autrement dit, vous aviez fait une espèce de démocratie de base tout à fait contraire...*

Pascale R. — Aux règles.

— *Donc ça, c'est insupportable parce que vous vous mettez à faire intervenir les gens avec pouvoir réel de décision, d'opposition sur les attributions de logements...*

Pascale R. — Oui, on en est arrivé là...

— *... sur les principaux pouvoirs qui s'exercent à ce niveau-là ; évidemment, ça va plus parce que les élus, enfin les cadres, ne doivent pas aimer ça. Ils perdent tout le pouvoir.*

Pascale R. — Voilà. Tout à fait. Petit à petit, les représentants des habitants qui voulaient bien s'intéresser à leur quartier – c'étaient mes seuls interlocuteurs en qui moi aussi j'ai petit à petit eu confiance ; il y a eu une confiance réciproque qui s'est établie entre les uns et les autres – ont fini par faire des attributions de logements. Une des militantes était devenue salariée de l'Office. Elle faisait de la visite de logements-témoins. Et c'était pour moi une très bonne chose parce qu'elle faisait l'article pour le quartier. Les gens ne venaient pas seulement visiter l'appartement, ils demandaient d'autres choses que, nous, on ne connaît pas bien. Et alors elle répondait, elle pouvait dire pour les écoles « vous avez ci, vous avez ça », ou « je connais untel, pour tel problème je connais telle personne ».

— *Et ces gens mobilisés autour de vous, c'était quel nombre, c'était quoi ?*

Pascale R. — Oh ! peu.

— *50 personnes, 30…*

Pascale R. — Oh même pas. Non c'était fluctuant.

— *C'était quoi, des retraités, des profs, des employés ?*

Pascale R. — C'étaient les gens qui habitaient les appartements ; surtout les retraités parce qu'ils connaissaient bien et ils avaient le temps. J'ai eu très peu de personnes salariées. Parce que, au contraire, quand je voyais arriver les nouveaux locataires, c'étaient des jeunes ménages, eux ils étaient complètement occupés par leur travail, les enfants, les courses, etc., donc eux je ne les ai pas vus. J'ai vu des femmes inactives. Ou bien qui avaient des petits boulots de femmes de ménage. J'ai vu des hommes au chômage, d'une trentaine d'années . Donc c'étaient des gens qui avaient le temps de venir et qui trouvaient là le moyen de trouver des personnes avec qui parler et puis de se faire reconnaître. L'important c'est ça. C'est de participer et d'avoir…

— *Une raison d'être, quoi.*

Pascale R. — Voilà, une raison d'être. Une façon d'exister. (…).

— *Et parmi les 30, là, il y avait quoi, des assistantes sociales ? Des travailleurs sociaux, des animateurs… ?*

Pascale R. — Des éducateurs-animateurs, la secrétaire employée du comité de quartier, la conseillère en économie sociale et familiale du centre social, de la CAF, de la Sécurité sociale, de la ville, quelquefois de l'Éducation nationale. Des travailleurs sociaux plus attentifs à ces problèmes que la moyenne des bureaucrates et assez extérieurs à la logique bureaucratique.

— *Autrement dit, qu'à la fois on envoie aux avant-postes…*

Pascale R. — Et quand il y a un problème, c'est de leur faute.

— *Des avant-gardes rétractables…*

Pascale R. — Oui, ils n'avaient pas mandat.

— *Et si par hasard ils réussissent une structure comme celle que vous avez faite, alors là c'est terriblement embêtant parce que ça change…*

Je n'ai personne à qui parler

Pascale R. — Les attentes des personnes, je pouvais en parler en connaissance de cause parce qu'il n'y a pas de filtre, c'était moi-même qui allais dans leur maison. Ça, c'est tout à fait capital. C'est plus le rôle que j'ai maintenant… je suis en mairie, donc je suis amenée à m'adresser à des intermédiaires pour rencontrer les habitants eux-mêmes, je n'ai pas autorité sur les habitants, c'est le maire qui pourrait le faire et je dois dire que, personnellement, j'aurais pu faire ce qu'ont fait d'autres personnes, c'était aller faire du porte à porte, aller rencontrer directement les personnes. Mais je crois que c'est parce que j'ai déjà une première expérience que je n'ai pas voulu le faire [*à F.*]. Je me suis dit « si je vais rencontrer les personnes, je vais leur apporter un espoir, quelqu'un vient leur demander au moins… on attendra de cette personne qu'elle change un peu votre vie, et en tant que chef de projet je ne suis pas seule capable de leur apporter, ça peut être que l'instituteur, ça peut être le directeur du centre social s'il modifie son… moi, je ne peux que modifier l'attitude de la municipalité et ensuite de tous les intervenants sur un quartier, c'est-à-dire toutes les fameuses administrations avec leurs représentants locaux de terrain, mais moi j'ai un rôle qui est de modifier les rapports entre les personnes, apporter des finances et après je m'en vais, je ne suis plus là. Donc si ces gens ne jouent pas ce rôle, s'ils ne le font pas tout de suite ou s'ils le font pas d'eux-mêmes, moi je les incite à le faire. Si cela ne vient pas d'eux, moi je ne serai jamais qu'un personnel supplémentaire qui va un peu fausser le jeu. (…).

— *Quand quelqu'un dans une structure essaye d'échapper à la structure, comme vous – ou ça peut être un jeune ingénieur de la DDE – pendant un certain temps il fait son petit bruit dans le circuit et puis après, ou bien il part, ou bien on le fout dehors, ou bien il est fatigué…*

Pascale R. — Il s'épuise, oui.

— *… Et il laisse tomber, c'est ça ?*

Pascale R. — Oui, il s'épuise.

— *On a les gens à l'usure ?*

Pascale R. — Oh oui, à l'usure. Tout à fait. A l'usure.

— *Et il n'y a pas du tout de structure de coordination des agents de l'administration : parce que, de même qu'il y a des*

associations de quartier, il pourrait y avoir des associations d'administrateurs (au sens très large) novateurs qui pourraient...
Pascale R. — La chose qui m'a paru la plus grave actuellement, à F. par exemple, c'est que je suis quelqu'un qui peut faire l'analyse des besoins du quartier; je peux les transmettre au maire et leur dire, « on va agir auprès de tel ou tel »; et l'acteur le plus important dans un tel quartier, c'est le promoteur HLM. Et le promoteur HLM n'est pas à la hauteur, ne vient pas, ne rencontre pas, les directions ne sont pas présentes, il ne se passe rien. Je peux tout avoir écrit, compris, transmis, s'ils ont décidé de ne rien faire, c'est-à-dire de se voiler la face, je n'ai personne à qui parler.

Les gens ne se manifestent pas

Pascale R. — Alors qu'est-ce qu'on peut faire ? Alors on peut agir sur le logement, on peut agir sur les loisirs. Tous les domaines peuvent être envisagés pour redonner confiance aux gens. Donc, on doit agir sur tout, mais tout... (...) Ce qui compte, c'est de redonner à chacun cette confiance que l'on peut avoir en soi, que l'on peut perdre dans tous les milieux sociaux, par un accident quelconque, n'importe quoi qui peut se passer dans votre vie. Mais là, c'est la généralité; donc, c'est là-dessus qu'il faut agir en trouvant pour chacun une solution personnelle. Parce que je crois que ce qui se produit dans la tête des gens c'est... on est arrivé au bout... on est au bout... de rien. Il faut trouver un débouché. Et dans la tête des gens, je crois qu'il n'y a pas... On est arrivé à un fatalisme.
[...].
Les gens ne se manifestent pas. D'aucune manière, d'aucune. Et je sais, au bout d'un an, que j'ai fait toutes sortes de tentatives et que c'est pas un manque de communication. On fait des envois de lettres disant... « Votre maire... ». Le maire, peut-être, n'est pas suffisamment présent, parce que, quand on n'a pas les HLM, on fait appel au maire. Ils ont, quand le maire n'est pas présent, une personne qui fait des permanences, ils peuvent aller en mairie. Ils ne viennent pas. Ils ne viennent pas en mairie voir le maire. Il y a d'autres moyens : on va demander au maire de venir chez eux. On démarre le travail de présence sur le terrain en mettant un lieu qui est commun. On a démarré dans les meilleures conditions possibles : les HLM, la mairie prennent un même local, le même lieu, au centre du quartier, aux mêmes heures, pour que les gens aient

envie de venir, qu'ils ne fassent pas plusieurs démarches. Moi, j'ai fait une lettre qui a été distribuée dans chaque boîte aux lettres : il y a eu 1 000 lettres individuelles, déposées par les piétons municipaux dans les boîtes aux lettres. Les gens ont été invités personnellement avec une lettre signée du maire leur disant« tel jour, à telle heure je viendrai à tel endroit près de chez vous et j'espère vous rencontrer ». On a dû avoir moins de dix personnes...
[...]
J'ai plutôt l'impression qu'ils se disent que ça ne sert à rien. Il faut absolument creuser parce que je crois que le plus gros danger c'est quand les gens ne disent rien... Le silence à un moment donné peut faire suite à [*être suivi d'*] une explosion.
[*Ainsi, le fossé se creuse entre les résidents et les travailleurs sociaux, sans parler des administrations, qui se renvoient les responsabilités, ou les ignorent, laissant aux individus, c'est-à-dire à tout le monde et à personne, le souci et le soin des parties communes, sorte de no man's land voué à l'abandon et à la dégradation.*]
Pascale R. — La première ligne de partage se trouve entre le promoteur qui gère les logements et la ville qui gère les espaces extérieurs. Vous avez donc la rue, et l'intérieur. Un conflit qui revient souvent, c'est la question de l'éclairage. Les gens sont obligés de savoir si l'ampoule qui est cassée et qui n'est jamais réparée doit être remplacée par la ville ou par l'Office HLM.

— *C'est-à-dire qu'ils doivent savoir à qui s'adresser pour protester, et qui doit le faire : parce que chacun peut dire...*
Pascale R. — Qui doit le faire !... La réponse c'est : c'est pas moi, c'est l'autre. Parce que, bien souvent, dans les bureaux, la personne qui décroche le téléphone ne le sait pas elle-même. Comme ça relève de la propriété foncière, il faut savoir si on se trouve sur une voie publique ou une voie privée, ben, sauf celui qui est là depuis de nombreuses années, l'employée qui débarque ne le sait pas non plus.

— *On a déjà un problème : qui va déclarer la chose ? Parce que, après tout, les gens peuvent...*
Pascale R. — Oui, « on s'en fout, il y en a un autre qui passera »...

— *... et ensuite quand on cherche à le déclarer, il faut savoir à qui le déclarer.*
Pascale R. — Oui et après ça dépend de la bonne volonté de ceux qui en ont la responsabilité.

— *Et là, pour créer des instances de gestion de ces problèmes communs, ça doit être extrêmement difficile parce que..*

Pascale R. — Oui, ça ne rentre pas du tout dans les habitudes.

— *... et de plus en plus difficile à mesure que le temps passe, que les affaires se dégradent, que les conflits apparaissent. Il n'y a pas du tout d'instance d'arbitrage.*

Pascale R. — Non, non. On a des grands ensembles HLM [*elle pense au cas de T.*] dans lesquels on a des retraités qui ont passé une vie... une vie normale, quoi. Ils ont acquis ce logement, ils l'ont installé, ils ont fait toute leur vie au travail. Certains, avec, en 1977, les réformes de financement, ont accédé à la petite propriété mais certains étaient trop âgés et ils ont dit, « non, ce n'est pas pour nous, notre appartement est très bien, on va le garder ». Donc l'idée d'acheter sa petite maison, je pense qu'elle ne leur est pas venue à l'esprit, et qu'ils étaient très satisfaits de leur logement, de leur quartier, de leur environnement, de leur vie, quoi. Et puis avec la crise économique : basculement ; on arrive avec un autre type de population qui est là parce qu'elle n'a pas le choix. Donc on est à une autre époque, ceux qui viennent dans ces logements, ce n'est pas parce qu'ils ont trouvé un travail, c'est parce qu'ils ne peuvent pas trouver d'autre logement. Ceux qui viennent réclamer, ceux qui viennent se manifester, ce sont les retraités, ce sont les gens qui ont été habitués à se défendre, à dire ce qu'ils avaient à dire, à parler parce qu'ils avaient des droits et donc ils continuent de s'exprimer. Quand il y quelque chose, quand c'est même des petits détails, ils viennent le manifester. Et si personne ne les entend au local qui se trouve au pied de leur immeuble, ils vont téléphoner, ils vont se déplacer, ils vont aller au siège des HLM, ils vont aller en mairie, ils vont se manifester, on va le savoir.

Ça n'existait dans aucune case

[*Et le « travail de terrain » n'a de sens que s'il se double d'un effort permanent pour convaincre, une à une, des administrations enfermées dans leurs routines et peu préparées à soutenir les actions « extra-bureaucratiques » des travailleurs sociaux.*]

Pascale R. — J'ai eu un dossier qui a été accepté et qui a mis en pétard ceux qui pensaient me dire non. Et là, j'ai vu les différents étages de décision... On est un petit peu à la chasse : qui est-ce qui a les sous ? Qu'est-ce qui lui reste dans sa poche ? Est-ce que je vais lui plaire ? Et puis on ne le dira à personne d'autre qu'il lui reste de l'argent et c'est un accord qui se passe comme ça, comme des marchands de tapis.

— *C'était un dossier de quoi ?*

Pascale R. — C'est un dossier où j'ai obtenu de l'argent pour la réhabilitation de commerces existants. Et ça n'existait dans aucune case. On ne pouvait avoir de l'argent pour les commerces que si on créait des commerces : tout le monde imaginait qu'on avait dans tous les sites un grand ensemble où il n'y avait pas de commerce et qu'on s'ennuyait donc sans commerce, il fallait les faire venir. Il se trouve que le quartier que j'avais était un quartier très ancien où les commerces étaient là depuis 50 ans, 40 ans mettons, et ce que je voulais simplement, c'était maintenir le commerce existant, et ça, ça n'était prévu nulle part. Donc, il n'y avait pas de réponse, ça ne rentrait pas dans les cases. J'ai fait plusieurs fois des démarches jusqu'au Ministère du commerce et de l'artisanat lui-même, parce que j'avais pas de représentant local, c'est un tout petit ministère. Il y avait un fonctionnaire qui venait, qui énumérait donc les critères et concluait : réhabilitation, pas question. Alors réhabilitation de logement c'était…

— *Facile.*

Pascale R. — Tout le monde l'avait. Moi je réhabilitais les logements avec des masses financières énormes et puis il me restait, au pied de l'immeuble, des cellules où il ne se passait rien. Et je suis même allée jusqu'à refuser à un architecte de donner le coup de peinture. Il disait, « j'ai un îlot complet, je l'ai réhabilité, ravalé, repeint, il est pimpant neuf et il reste quatre cellules, des verrues ». Il me dit, « tu vas quand même pas me laisser ça ? ». J'ai dit, « si, moi je le fais exprès parce que je veux obtenir les finances des commerces ; il faut qu'on voie que je n'obtiens pas l'argent et je ne vais pas le faire sur l'argent des logements ». Jusque-là les architectes repartaient vraiment déçus parce que leur œuvre était pas achevée et puis j'avais toujours ces verrues qui restaient là. Et je faisais venir les gens en disant, « vous voyez, pas question de peindre, j'ai pas d'argent pour ça ». « Bon, on va étudier votre dossier, c'est vrai que c'est intéressant, votre cas est vraiment très intéressant » et puis on revenait, et je voyais la personne qui avait passé un temps infini dans son bureau qui avait fait des allers et retours, qui avait travaillé dans le train, qui était épuisée, qui avait donné son maximum pour me dire, « non, impossible, c'est pas prévu ».

[*A la suite de toute une série de démarches, Pascale R. réussit à convaincre deux responsables du ministère qui, sur un fonds de crédits résiduels, lui donnent les moyens de réhabiliter les commerces.*]

On a trouvé la solution la plus rapide

[*Le souci, propre aux politiques, d'une mise en application rapide d'une décision bureaucratique conduit à confier l'application du RMI aux caisses d'allocation familiales, seules à disposer d'un réseau national, et à dissocier ainsi en fait le versement de l'allocation de la recherche de l'insertion et du contrôle du contrat.*]

Pascale R. — Pour moi, le RMI, c'est un leurre, l'idée de départ était très, très bonne mais l'application, elle est ratée... elle est ratée. (...). Tout n'était pas prêt sur la façon dont on allait passer ce fameux contrat d'insertion, mais on y penserait plus tard. Donc d'abord, qui allait verser l'argent ? Il y a eu des débats importants pendant quelques mois et puis on a eu recours aux Caisses d'allocations familiales parce qu'elles étaient rodées, elles étaient outillées pour le faire, elles distribuaient toutes les allocations, donc finalement on a trouvé la solution la plus rapide... Alors que certains demandaient... les centres sociaux en particulier, les travailleurs sociaux qui ont affaire directement aux familles, ont demandé, explicitement, ça j'en suis certaine, qu'ils touchent eux-mêmes l'argent pour placer eux-mêmes les contrats d'insertion, qu'ils aient cette faculté d'échange. « Moi je vous donne l'argent, l'allocation, le contrat d'insertion, c'est-à-dire ce que l'on attend de la personne qui va toucher l'allocation, c'est moi qui verrai s'il est appliqué ou pas ».

Je crois que pour des raisons de mise en application rapide, ça ne s'est pas passé de cette façon-là ; parce que je crois que les situations étaient trop diverses dans toute la France ; toutes les CAF étaient à peu près sur le même modèle mais les centres sociaux, c'est beaucoup trop divers et puis sans doute il y avait des secteurs qui n'étaient pas couverts. Ça devait être un travail beaucoup trop vaste que d'être certain que tout le monde pouvait toucher le RMI dans toute la France. Alors la CAF a versé l'allocation et ensuite on cherche qui va traiter le contrat d'insertion et au bout de plus d'un an on en est encore toujours là. Ça dépendra encore une fois des personnes qui sont aptes à le faire, de la volonté de chacun... ça va être encore une fois sous l'impulsion de certaines personnalités : certaines personnes volontaires feront que ce sera vraiment appliqué et ce sera selon la tendance de l'un et de l'autre.

[...]

Je crois que ceux qui ont affaire à ces personnes qui attendent quelque chose de la société arrivent très vite à la réponse : pour la plupart ils attendent un travail ! Et, justement, on n'est pas là pour leur apporter un travail ! Donc c'est le décalage qu'on voit très vite. Ce fameux contrat RMI a fait se révéler des situations qu'on ignorait sur les revenus des personnes. Ça fait qu'on imagine les RMIstes d'abord comme la plupart du temps des... bon, des clochards. On va en arriver là..., on va penser que ce sont des personnes qui ont été des travailleurs, qui ont touché les ASSEDIC, qui sont arrivés en fin de droit et qui maintenant se retrouvent sans ressources. En fait, cela représente bien sûr cette population-là mais aussi beaucoup d'autres qui se sont pas déclarés parce qu'ils n'ont pas été chômeurs, ce sont des jeunes qui n'ont jamais eu de travail, qui ont prolongé leurs études un peu artificiellement, qui ont déjà fondé une famille, qui se débrouillent avec des petits métiers et qui sont toujours en situation de précarité, qui arrivent toujours à garder la tête hors de l'eau, mais vraiment dans des situations où avec la famille derrière, c'est possible...

Et aujourd'hui quand on leur dit « venez, vous pouvez bénéficier du RMI », on a un jeune ménage avec un enfant et pas un rond qui rentre en ce moment dans la maison. Et comment ils font ? Eh bien, la famille peut aider pour des soudures ou bien ils ont des emplois temporaires... ou bien ils ont des bourses d'étudiant. Je disais « ils prolongent un peu les études... ». Oui, mais artificiellement, en fait, ils disent bien que ce n'est pas ça qu'ils veulent. Ils cherchent un petit peu les stages... alors dans ces cas-là, le RMI, en quoi va-t-il consister ? La seule formule que l'on trouve à offrir aux gens, c'est les stages, qui sont... Moi, je ne connais pas bien dans le détail, ce que je sais c'est qu'il y a une espèce de ras-le-bol quand on parle de stage parce que on sait très bien que c'est le palliatif, qu'en fait chacun voudrait un boulot, que finalement chacun va prendre un stage..., il va regarder vers quel stage il s'oriente, celui qui recherche un stage, en fonction de la rémunération. C'est d'abord une rémunération que l'on recherche et puis le contenu du stage arrive après. Alors quand on propose des stages en RMI ou ailleurs puisqu'on n'a rien d'autre que... en dehors du travail, bon... déjà, on ne répond pas vraiment à la demande d'insertion qui est le travail. Ça, c'est ce que me disaient les assistantes sociales qui ont affaire aux personnes et puis...

— *Et le contenu du contrat d'insertion...*

Pascale R. — Il n'y a pas de contenu déterminé. (...). Ce qui se produit maintenant, c'est que les CAF ont distribué, selon les critères de revenus, toutes les allocations. On attend maintenant qu'on réalise ces fameux contrats d'insertion et les assistantes sociales directement liées à ces personnes qui disent « moi, je ne veux pas faire un contrat bidon ». Et puis il y a des pressions qui s'exercent parce que il y a des comparaisons qui sont faites en terme de « score »..., la commission locale d'insertion de F. n'est pas performante parce que il n'y a pas suffisamment de contrats d'insertion par rapport au nombre de RMIstes, celle de E. en a beaucoup plus. On parle en quantité et on n'a pas le temps d'aller voir le détail, personne n'a le temps vraiment de creuser la question, donc on demande de signer les contrats d'insertion, et c'est là que l'assistante sociale m'a dit que je me trompais complètement parce que je lui disais« mais il arrive un moment normalement [où] si la personne ne respecte pas son contrat, tu sais très bien si elle respecte ou pas, tu peux très bien dire à un moment donné, je ne suis pas d'accord pour renouveler le contrat ». Elle me dit « oui, mais ça se passe indirectement, ce n'est pas moi qui... je donne un avis ». Mais je dis « ton avis est important parce qu'il va... c'est un avis, on va le lire, on va quand même... Si il n'y a que ton avis qui est connu, il aura toute son importance... ». « Mais il n'y a pas que moi, il y a après la commission locale qui est présidée par le préfet et en réalité c'est le préfet qui signe... » [*Et l'institutionnalisation du travail social ne lève pas les difficultés inhérentes à la logique bureaucratique, comme le montre l'évocation concrète des conditions dans lesquelles a été élaboré, examiné et évalué le projet proposé par Pascale R.*]

Pascale R. — Ce que je voudrais vous décrire, c'était l'attitude des fonctionnaires, qui sont envoyés...

— *Sur ordre et qui arrivent à la réunion...*

Pascale R. — ... Sur ordre, oui ! Alors là, c'était vraiment fantastique : on institutionnalise sur ordre du gouvernement et tout le monde doit être présent à toutes les réunions et puis prendre sa part ; ça date, début 89.

— *On institutionnalise la coordination de toutes les actions de tous ces gens que vous avez mis sur votre schéma ?*

Pascale R. — C'est ça : le sous-préfet organise la réunion pendant laquelle il va y avoir les représentants de toutes les administrations qui détiennent l'argent et les représentants du quartier, quartier par quartier. Il fallait dans un temps record avoir produit un document qui était le résultat de concertations ; j'ai démarré en fin 89, parce que toute l'année 89 – c'est pour ça que je vous parle de régions, élus et techniciens – a été passée en discussions avec les élus qui n'arrivaient pas à se décider sur la répartition des sites.

— *C'est-à-dire…*

Pascale R. — Quelles étaient les villes qui allaient bénéficier des financements.

— *C'est un enjeu évidemment ; ils étaient tous intéressés pour avoir de l'argent…*

Pascale R. — Oui, ce qui est arrivé, c'est qu'au bout d'un an, il a bien fallu qu'ils prennent une décision…

— *Un an de bagarre ?*

Pascale R. — Pour finalement [opérer] un saupoudrage…

— *Auquel vous étiez associée ou… ?*

Pascale R. — Pas du tout.

— *Pas du tout, ça se passait entre élus ? Et l'administration ?*

Pascale R. — Non plus, je ne pense pas. je pense que ça se passait uniquement entre élus.

— *Au niveau du Conseil régional ? Et on consultait pas les gens comme vous ?*

Pascale R. — Ah non !

— *Et il n'y avait pas les gens pour dire les besoins de…*

Pascale R. — Il y avait des techniciens, les fameux techniciens-région qui faisaient des évaluations avec des chiffres, des statistiques, ils essayaient de pondérer, de trouver des critères…

— *Et ces gens, ils sont fonctionnaires permanents de la région ou bien ils sont au coup par coup ?*

Pascale R. — Il sont contractuels, hein.

— *Contractuels, mais renouvelables ?*

Pascale R. — Oui, c'est ça.

— *Et eux, ils se situaient au niveau technique, au niveau statistique, etc…*

Pascale R. — Oui, avec des critères…

— *… le taux d'immigrés, le taux de ci, le taux de ça et par*

ailleurs les autres discutaient le bout de gras... ? C'est bien ça ?
Pascale R. — [*Rire*] Oui. C'est vraiment deux mondes différents.

— Il y a, au niveau régional, ces élus qui ont des vues politiques, quelques techniciens qui servent à fournir des justifications et il y a à la base de tous ces...
Pascale R. — Et puis à un moment donné ils prennent une décision.

— Et ils ont évidemment partagé ça de la manière la plus dispersée possible, en petits morceaux...
Pascale R. — Exactement.

— Et ça devient absurde.
Pascale R. — Oui, c'est ça.

— Il n'y a pas eu d'action globale significative ?
Pascale R. — Rien du tout.

— Il n'est même pas sûr que les crédits attribués soient utilisés à ça ?
Pascale R. — Oh non... non plus. Les objectifs ne sont pas donnés.

— Et alors, après ces réunions comment ça se passe ?
Pascale R. — Donc il s'est passé un an, en catastrophe, fin 89, on embauche des chefs de projet, depuis 90 on embauche partout des chefs de projet puisqu'enfin on sait où ça se trouve [*les* « *sites* »] ; et le chef de projet est une condition, c'est-à-dire que la municipalité est tenue d'embaucher quelqu'un d'une certaine qualification.

[*Ici venait l'évocation de la position ambiguë du chef de projet.*]

— Et donc alors cette réunion-là ?
Pascale R. — Je tenais à dire que les élus, au niveau de la région, ont passé un an, ont perdu un an pour saupoudrer et que, en catastrophe, les chefs de projet sont embauchés, doivent faire une concertation auprès de tout le monde avec des gens qu'on ne connaît absolument pas. Et puis faire exprimer...

— C'est le fantasme des associations, la fausse consultation, la fausse démocratie...
Pascale R. — Oui. Quand on sait dans quelles conditions ça s'est fait, c'est complètement fou ! Donc, il faut justifier, dans un document, qu'on a consulté tout le monde, qu'on a rencontré tout le monde, que tout le monde s'est expliqué et qu'on a réussi à bâtir un projet – au bout de six mois c'est vraiment fantastique –, un projet global. Alors bon, on fait quelque chose, hein... de pièces et

de morceaux qui a l'air de se tenir. Et on le présente. Moi je connais bien le fonctionnement…

— *Pour cette fameuse réunion ?*

Pascale R. — Oui, pour cette fameuse réunion. Qui va nous donner une réponse sur nos orientations. Est-ce qu'on est d'accord, pas d'accord sur tel ou tel sujet ; vous auriez dû développer, votre quartier réclame plutôt ça, vous aviez demandé ça… (…) Alors moi je connais donc, je disais, le fonctionnement, le mauvais fonctionnement de l'administration. Il fallait que chacun ait son exemplaire pour donner son avis au cours de la réunion. Donc au mois de juin, dernier délai, le 10 juin, vous devez avoir déposé votre dossier en préfecture, en 16 exemplaires.

— *Pour une réunion qui aura lieu… ?*

Pascale R. — Personne ne le savait. Enfin… juillet-août. Parce que il faut dire que chacun dans cet affolement a cravaché, tout le monde a travaillé, les fonctionnaires dans des conditions épouvantables, ils ont fait des heures supplémentaires, chacune des personnes avec qui je me suis finalement coltinée, en fait elles étaient comme moi, tout le monde était pressuré.

— *Et ils étaient aux réunions ces gens-là ?*

Pascale R. — Oui. Oui.

— *Qui avaient vraiment lu le dossier.*

Pascale R. — Non.

— *Ce n'est pas étonnant, ça ?*

Pascale R. — Non parce que la personne qui était en préfecture pour recevoir du jour au lendemain 20 exemplaires de 60 expéditeurs différents, certains n'avaient pas su le faire, elle avait dû tout vérifier. Donc, moi je l'envoie mon petit ballot, un jour, et puis dix jours plus tard je repasse, je vais dans le bureau.

— *Et ils étaient pas partis ?*

Pascale R. — Et c'était toujours pas parti, bien entendu. Je lui ai dit, « c'est bien arrivé ? Vous avez le nombre d'exemplaires qu'il vous faut ? Tout va bien, je ne suis pas en défaut ? », « non, non, ça va bien ». Je dis, « parce que on m'a dit que la réunion pouvait se tenir dans 15 jours ». « Ah bon ? Mais je ne suis pas au courant »…

— *Elle n'avait pas encore fait partir les textes…*

Pascale R. — « Ah bon, ben je vais les envoyer tout de suite. » Donc moi je savais qu'au cours de la réunion, les gens n'avaient pas eu le temps de lire le document.

— *Alors à cette réunion, il y avait toutes ces autorités concernant votre site, quoi ?*

Pascale R. — Voilà.

— *Et qui ont dit quoi ? Des paroles…*

Pascale R. — Oui. Comme je connaissais toujours les différentes tranches, cases, etc., pour que ce soit facile à la lecture, j'avais découpé aussi ma présentation et tout le monde m'a félicitée sur la présentation…

— *Chacun pouvait ne lire que ce qui le concernait…*

Pascale R. — Exactement. Et comme chacun devait se retrouver dans deux chapitres différents, j'ai su lequel avait lu le premier chapitre, et lequel avait lu le deuxième. A leur réponse. C'est là que je vois, moi, comment quelqu'un peut réagir dans une assemblée et comment son comportement peut changer… Quelqu'un est envoyé en service commandé pour donner un avis sur quelque chose qu'il ne connaît pas. Alors il se raccroche au support matériel, alors il consulte vite, « action culturelle, c'est telle page. Bon. Elle a dit ça. Bon. Moi, il faut que j'aie l'air de quelqu'un, j'vais lui dire : c'est pas suffisant ». Un autre tempérament va dire, « non, là, vraiment, vous n'avez rien compris ». Chacun dans son secteur. Et surtout ce qu'on entend c'est : « ça ne correspond pas du tout aux directives que nous avons, nous ne pouvons financer que dans telle orientation. Ce que vous nous présentez ne rentre pas dans nos cases ». Vraiment, j'étais physiquement choquée.

— *C'était en juillet dernier, ça ?*

Pascale R. — C'était en juillet dernier. Ce qui m'a vraiment choquée, c'est surtout l'ambiance que ça avait provoquée : voir ces gens qui avaient été envoyés en service commandé, qui n'étaient pas à la hauteur de ce qu'on leur demandait – on n'avait pas le temps de dialoguer –, et qui étaient obligés de répondre et qui n'ont trouvé comme seule issue que de s'acharner sur le pauvre, qui était seul…

— *C'était vous ?*

Pascale R. — C'était moi. (…)

février 1991

Pierre Bourdieu

La mauvaise foi de l'institution

Bien qu'il occupe une position très éloignée, dans l'espace bureaucratique, de celle de Pascale R., chef de projet dans le Nord de la France, Denis J., juge d'application des peines, vit et dit des expériences très semblables aux siennes, sans doute parce qu'il se trouve affronté à la même contradiction structurale. Chargé d'« appliquer » les peines imposées par les juges du Parquet, c'est-à-dire, dans la plupart des cas, de les réduire ou de les transformer, en accordant « des demi-libertés, des placements extérieurs, des libérations conditionnelles », il est placé à l'intersection de deux systèmes d'exigences et de représentations contradictoires. Toujours soupçonné de défaire ce que le verdict du juge avait fait, donc d'affaiblir l'autorité de la justice, il est en outre regardé de très haut par les magistrats pour qui il représente le « social » : « C'est pas intéressant le social : c'est l'emmerdeur et (…) c'est de la seconde zone (…), c'est pas du judiciaire noble (…). Le judiciaire, c'est la rédaction des actes judiciaires (…), c'est des problèmes juridiques (…). Mais quant à accompagner les gens dans leur vie pour savoir ce qu'ils deviennent et essayer de les aider, ça c'est… ». Et la difficulté de sa position se trouve redoublée par la nécessité où il est, non seulement, de faire accepter, par le Parquet et le tribunal, des mesures d'indulgence, pourtant prévues par la loi, et de rassurer des directeurs d'institutions pénitentiaires toujours prêts à invoquer les « déboires » passés pour justifier leurs prudences, mais aussi de se mettre en position de solliciteur en faisant du « démarchage » auprès de toutes sortes d'organismes, associations, fondations, représentants de différentes collectivités locales.

Quant aux relations horizontales, elles ne sont pas plus faciles que les relations verticales : « Par exemple, depuis que je suis ici, il n'y a jamais eu d'assemblée générale de tous les magistrats du même tribunal. (...) Les groupes de travail internes, ça n'existe pas. Moi, j'aurais, j'ai plusieurs projets en matière (...) de politique alternative à la prison : je sais pas comment en parler aux autres, parce que chaque fois que j'en parle au Président, il dit, "écoutez, un groupe de travail, une assemblée, une réunion... [*je n'en veux pas*]", ça passe pas, quoi ».

Pour expliquer « les heurts, les déceptions et les incompréhensions » auxquels il est continuellement affronté, il évoque lui-même, avec beaucoup de lucidité, les contradictions inscrites dans sa position : « Toute décision prise, finalement, par le juge d'application des peines, ça met en cause le magistrat du Siège qui a pris la décision d'incarcération... Ça met en cause le Parquet, parce que le Parquet n'est pas d'accord au fond, mais il n'ose pas trop le dire, parce que, bon... Ça met en cause le directeur de la Maison d'arrêt, parce que ça l'emmerde d'avoir à gérer des gens qui sont dehors, parce que ça reste sous son autorité. Mais ça met en cause tout le monde ! Tout le monde ! Tout le monde ! *Alors, plus vous êtes actif, plus vous mettez en cause le* [système]... » Et d'évoquer plus précisément l'« angoisse » que les « placements extérieurs » suscitent chez beaucoup de fonctionnaires (selon une logique bien connue aussi de l'hôpital psychiatrique) : « Où est-ce qu'ils sont ? Qu'est-ce qu'ils font ? ». Il montre comment les possibilités offertes par la loi trouvent leur limite dans les conditions réelles de leur réalisation, à commencer par les dispositions des agents chargés de l'application, comme l'attachement à la hiérarchie et cette sorte d'esprit de caste qui interdit la confrontation directe avec les réalités ou, plus encore, avec les autres, surtout lorsqu'ils sont statutairement inférieurs : « Faire en sorte que les gens compétents en la matière se réunissent, (...) c'est la croix et la bannière » ; « le problème, c'est qu'on a une administration, surtout pénitentiaire, qui fonctionne toujours sur un rapport hiérarchique ; et le partenaire, ça ne fonctionne pas comme ça » ; « quand vous avez un directeur de maison d'arrêt qui est incapable au téléphone de parler – je l'ai vécu – à une institution en termes de partenaire et qui donne des ordres, ça va jusque-là ! ».

Il est ainsi conduit à deux constats paradoxaux (que faisait aussi le chef de projet) : premièrement, ce sont les personnes (beaucoup moins indépendantes de leur fonction qu'on ne pourrait le croire : « à partir du moment où il y a un changement de personne, il y a un changement de politique ») qui, par leurs innovations ou même leurs transgressions, arrachent la bureaucratie à l'inertie, voire à la paralysie ; deuxièmement, le dévouement à l'institution, l'effort pour faire passer à l'acte les potentialités positives qu'elle enferme et pour remplir réellement les missions qu'elle se donne, sont loin d'être récompensés par l'institution. « Vous me demandez si l'innovation paie pour le novateur… Oh ! non. Pas du tout ! Oh ! non, au contraire ! Je vais vous prendre l'exemple de mon prédécesseur. Il aurait voulu être, lui, après son expérience à Y., enseignant, pour parler de la fonction de juge d'application des peines. Il n'a pas été nommé. Trop embêtant, trop explosif, trop peu… On l'a mis conseiller à la Cour d'appel de Z., et après W., enfin, je ne sais plus. Mais, là où il était le plus important institutionnellement parlant, on ne l'a pas voulu. »

Et il raconte aussi comment, après une expérience en un sens trop réussie à Z., où, fort du capital de prestige et d'autorité que lui avait légué son prédécesseur, et aussi de son enthousiasme et de son art d'exploiter toutes les possibilités offertes par les textes juridiques, il avait pu accomplir pleinement la mission assignée par l'institution, il s'est trouvé soudain muté à X., son lieu d'activité actuel, c'est-à-dire rétrogradé. Et il évoque, sans exaltation ni amertume, les étapes d'une carrière relativement atypique : d'abord chargé de cours en droit public à la faculté, inscrit au SGEN, syndicat de gauche minoritaire, il devient, le doctorat passé, d'abord avocat, puis magistrat, pour s'orienter enfin, par un choix à la fois éthique et politique, vers le secteur le plus typiquement social du corps judiciaire, où il croit pouvoir exprimer les dispositions généreuses (ce n'est pas lui qui parle) qu'il attribue à l'influence de sa mère, militante catholique (il a fait lui-même ses études secondaires chez les jésuites). Et c'est là qu'il découvre et éprouve, sous la forme de conflits incessants avec sa hiérarchie et de douloureuses tensions personnelles, l'intention contradictoire d'une institution profondément divisée contre elle-même : la main droite – ici le parquet – ne veut pas savoir ce que fait la main gauche, les agents et les organismes chargés de ce que l'on appelle le « social » . Si l'on appelle mauvaise foi, avec Sartre, le mensonge de soi-même à soi-même, on peut parler de mauvaise foi institutionnelle pour nommer la propension constante des institutions d'État à refuser ou à récuser, par une sorte de double jeu et de double conscience collectivement assumés, les mesures ou les actions réellement conformes à la vocation officielle de l'État •

crise»

libéral

syndica

intérin

Pierre Bourdieu, Gabrielle Balazs

Porte-à-faux et double contrainte

Fils d'un intellectuel communiste, Francis T. a, très tôt, pris le parti d'« être avec les dominés ». Depuis sa première expérience professionnelle dans un bidonville des environs de Paris, il n'a jamais cessé d'exercer le métier d'éducateur de rue, payant de sa personne, de jour comme de nuit, notamment depuis qu'il s'occupe des toxicomanes.

Militant maoïste dans les années 1960, il est arrêté lors des manifestations entourant le procès d'un dirigeant gauchiste et il va en prison. Il considère qu'il s'est formé « dans la rue », même si « bien sûr, (il) a lu les livres », et suivi une formation d'éducateur tout en travaillant.

Embauché par la mairie d'une ville de la banlieue parisienne pour lutter contre la toxicomanie, il met en place un « service information-accueil-drogue », mais ne se contente pas d'attendre que les jeunes toxicomanes fassent en quelque sorte la démonstration de leur volonté de rompre avec la drogue, en venant d'eux-mêmes se prêter à de nombreux entretiens avec médecins, éducateurs et psychologues. Il s'attire leur confiance en étant à leurs côtés dans les moments difficiles, et aussi « lorsqu'ils se font le shoot » et que s'expriment leurs espérances ultimes, étonnamment sages et « petites-bourgeoises », auxquelles il accorde la même compréhension qu'à leurs débordements les plus fous... Lorsqu'ils sont en manque, il leur procure des substituts médicamenteux auprès de pharmaciens ; il leur évite l'arrestation, ou même l'emprisonnement, en venant les chercher au commissariat, en leur fabriquant de faux bulletins de salaires, et en leur assurant un soutien constant auprès de juges et d'avocats qu'il « connaît bien ». Proche des drogués par sa disponibilité de tous les instants, il se range résolument de leur côté, transgressant les règles de l'institution et n'hésitant pas à « faire des faux », à « tricher ». Il s'oppose au « discours académique », qui, selon lui, « bloque » le toxicomane, et à la vision bureaucratique du traitement qui, tout entière orientée par la volonté de prévoir, à coup d'entretiens répétés et espacés dans le temps, s'il est déterminé au sevrage, conduit à « imposer des barrages au fait de vouloir s'en sortir ». Sachant d'expérience que le drogué n'attend pas, et que « quand il demande de s'en sortir, c'est tout de suite qu'il faut répondre », il met en place une procédure simple : avec la complicité du chef de service d'un grand hôpital parisien où sa femme est infirmière, il peut, à tout moment, disposer d'une chambre à l'intention d'un drogué prêt au sevrage, qui, le traitement achevé, pourra partir en « famille d'accueil », et commencer à chercher du travail.

Sorte d'avant-garde d'une institution à qui il offre des services irremplaçables mais qui est toujours prête à le désavouer, il apparaît comme un porte-parole des toxicomanes, comme « un mec qui était pas très clair parce qu'il passait sa vie et ses nuits dans les rues, dans les bars ». Il a le sentiment d'être à la fois la bonne et la mauvaise conscience de l'institution. La crise qui éclate lorsqu'il dénonce publiquement un délégué à la jeunesse partisan d'une alliance locale avec Le Pen, et qui lui vaut d'être licencié, ne fait que révéler la position en porte-à-faux qui était la sienne et l'ambiguïté de la mission qui lui était confiée : « Ce qu'ils supportaient mal à la mairie, c'est qu'en fait, j'avais monté des contre-pouvoirs ». « Éducateur de rue », il porte, en un sens, le pouvoir dans la rue, mais il rappelle sans cesse aux puissants le pouvoir de la rue, qu'il contribue à canaliser, en tant qu'antenne avancée de la « street-level bureaucracy », mais qu'on le suspecte aussi de pouvoir mobiliser.

Le malaise associé à ce sentiment d'être toujours en porte-à-faux redouble, à mesure qu'il découvre, avec les années, les limitations qui lui sont imposées, dans sa vie privée, par l'exercice d'un « dur métier » que les jeunes générations d'éducateurs préfèrent éviter en restant « terrés dans leurs maisons de jeunes où il y a des flippers, des baby-foot, etc. », des « lieux de consommation, finalement, où on boit, mais on paye, où on joue, mais on paye ». « Vous allez au CREAI, qui est l'ANPE des éducateurs, les annonces d'éducateurs de rue… elles restent…, il faut un barjot comme moi pour prendre ! » A 44 ans, il en paraît 50. Bien qu'il donne une impression de force physique, que renforce sa voix puissante de fumeur, il paraît usé, fatigué. Il cherche à se reconvertir dans une mission plus tranquille, « l'aide aux devoirs avec les familles ». Sa famille, ses trois enfants surtout, dont le dernier a quatre ans, requièrent une plus grande part de son temps. S'il revendique le droit de « souffler » un peu, un « vieux réflexe » le conduit toujours à aller, la nuit, écouter les toxicomanes dans les « lieux où ils se réunissent » (la veille de l'entretien, il s'était couché à deux heures du matin). Il pense toujours qu'un éducateur se doit d'« être avec » : « C'est seulement à partir du moment où les toxicomanes m'identifient en dehors de l'institution que je représente, où il y a des sentiments qui se créent, où il y a une relation qui se crée en dehors du processus institutionnel, que mon travail peut devenir efficace. » Mais c'est surtout à ce prix seulement qu'il a le sentiment « de pouvoir se regarder dans la glace, de ne pas être un rampant ».

avec un éducateur de rue

— entretien de Pierre Bourdieu et Gabrielle Balazs

« Ça fait très peur les gens qui sont dans la rue »

Francis T. — (...) Quand il [le maire] m'a embauché, je m'occupais d'un foyer de distraction où les jeunes venaient jouer au ping-pong, etc. Alors il y a eu ce phénomène du squat Montparnasse que l'État a toléré pendant très longtemps et où les jeunes allaient s'approvisionner en haschisch. Et comme Olievenstein avait fait des déclarations que les jeunes avaient entendues, comme quoi le haschisch, après tout, c'était pas si grave que ça, c'était pareil qu'un verre d'alcool, ben ils y sont allés gaiement. Ensuite ils sont passés à la seringue, bien sûr. Donc il y a eu tout un réseau de diffusion de drogue dans cette banlieue... et en fait, si on passait par un processus institutionnel, si on voulait les envoyer chez le médecin ou dans des associations qui s'occupaient de ça, il fallait de multiples entretiens avant qu'ils puissent se faire soigner. Et quand un toxicomane a la demande de s'en sortir, c'est tout de suite. Même quand ils sont sous l'emprise de la drogue, c'est toujours [*souligné*] tout, tout de suite... Quand ils demandent de s'en sortir, c'est tout de suite qu'il faut répondre, hein, il faut pas attendre dix ans de savoir si... mentalement il est prêt, etc. C'est la vie du gamin qui est en jeu. Donc j'avais la chance de connaître un professeur dans un grand hôpital qui m'a ouvert une chambre de son service. J'avais de plus la chance d'avoir ma femme infirmière dans le même service, et comme ils venaient tous plus ou moins manger à la maison, ils la connaissaient, donc il y avait aussi un phénomène de sécurité. Et donc c'est en impliquant des médecins de quartier, en impliquant aussi le service social de la ville – qui me recevait moi comme étant non pas un toxicomane, mais comme étant le représentant des toxicomanes et qui m'assimilaient à... et c'est là qu'il y avait des barrages. L'institution me ressentait non pas comme un membre de l'institution mais comme un mec qu'était pas très clair parce qu'il passait sa vie... ses... et ses nuits dans les rues, dans les bars... quoi. Alors que le maire avait très bien pris la mesure. Mais le problème c'était que l'institution municipale dans sa globalité ne me percevait pas comme l'un des siens… J'étais le toxicomane capable de parler. En fait, j'étais le toxicomane capable de parler, avec un certain pouvoir… un petit truc qu'on n'osait pas trop aller contre parce qu'il y avait le maire derrière qui soutenait, et bon… finalement le pouvoir d'en haut qui connaît.

On impose des barrages au fait de vouloir s'en sortir

— *Vous dites les toxicomanes, faut aller vite… Qu'est-ce qu'elle leur proposait l'institution ? Fallait attendre longtemps ?*
[…]
Francis T. — C'est les institutions information-accueil-drogue, etc. Il y a tout un processus de savoir si [*ralentit le débit pour souligner le mot*] vraiment il veut, si vraiment il est décidé… Ce qui fait que en fait on impose des barrages au fait de vouloir s'en sortir. Il y a des fois où c'est pas vrai qu'ils veulent s'en sortir, ils ont besoin de s'échapper pendant une semaine à l'hôpital (même parce qu'ils ont fait un mauvais coup ou un truc comme ça…). C'est pas le problème. Puisqu'ils veulent. Si il y a de la place, ils y vont. Et on reprend par la suite. Il y en a qui ont été en sevrage dix fois ! Et puis la 11e fois ça a marché et puis après il y a eu une recherche de boulot et bon… voilà, c'est… Mais alors les bloquer dans un discours académique auquel ils comprennent pas grand-chose d'ailleurs, où ils vont souvent parce qu'ils sont contraints par la justice d'être suivis, etc. C'est le principe des méthodes directives… [*hésite*] Quand on veut absolument forcer quelqu'un et que quelqu'un a des résistances… bon, il peut se plier pour… parce qu'il n'a pas d'autre solution. Mais en fait à l'intérieur de lui-même… ça ne modifie absolument rien, alors que s'il est demandeur, pour quelque raison que ce soit, à partir de ce moment-là… Bon, il y a le fait aussi que moi j'étais le jour, la nuit, sur la ville dans la ville [*soupir*]. C'était pas rare qu'à trois heures du matin le téléphone sonne, parce qu'Untel est au commissariat, qu'il faut aller le chercher ou qu'il débarque à trois heures du matin parce qu'il était mal et qu'il fallait un Tranxène 50 pour pallier…
[…]
— *Vous étiez salarié de la ville ?*
Francis T. — Oui, salarié de la ville. A ce moment-là, la toxico… le haschisch est apparu, 15 jours, trois semaines après que j'arrive.

Et cette flambée de toxicomanie est apparue à ce moment-là. Ça a été une coïncidence. Et moi j'avais [*hésite*] un recul par rapport aux toxicos. Pour moi, un toxico c'était un mec qui avait pas de volonté, etc., bon qui… Et puis bon [*grand moulinet avec les deux mains, et rire esquissé, hésite*], il a fallu tout rechambouler, et puis je les ai assistés. J'ai assisté les jeunes à tous les procès qu'ils pouvaient avoir. J'étais tout le temps fourré au tribunal de Nanterre, ce qui fait d'ailleurs qu'au bout de deux, trois ans, je voyais le juge avant le procès, on décidait de ce qui allait se passer, et le jugement était fait avant. Il y a eu très peu d'emprisonnements. Bon parce que le… [*hésite*] la justice, par l'intermédiaire de ce juge, au bout de deux, trois ans il avait reconnu une méthode et du fait qu'il reconnaissait la méthode, et moi à travers la méthode…

— *Il soutenait votre action…*

Francis T. — Voilà. Il y avait un dialogue qui s'était établi, et bon, il y avait une sorte de complicité, de sympathie, de convivialité… autour du jeune et bon, ça permettait un relais important. [*Temps de repos*] J'étais finalement peu soutenu par la ville, mais, [*hésite*] j'avais créé avec des structures de pouvoir des liens qui me permettaient d'être reconnu moi, et auprès des jeunes de leur lancer une image de sécurité. Et c'est au travers de cette image de sécurité que toute la confiance s'est élaborée [*accélère le ton*]. C'qui ne veut pas dire qu'il n'y avait pas de conflit, entre eux… Il y a eu, comme ils disent, des bastons entre eux et moi. Quand j'étais pas d'accord, ça explosait et puis ça frappait…

— *Vous deviez avoir la confiance au fond des deux côtés, ce qui doit pas être facile tous les jours.*

Francis T. — Non, mais ça a tout de même duré dix ans ! [*Rire*] [*Silence*]

Si tu passes au tribunal, je serai là

— *Et alors tous ces jeunes-là, ils sont… à la dérive maintenant ?*

Francis T. — Ils sont à la dérive, ils sont…

— *Ils continuent à venir vous voir ?*

Francis T. — Oui, il y en a qui passent, il y en a qui téléphonent, il y en a qui écrivent, il y en a qui sont partis en province, il y en a qui… se sont mariés… Bon, ils sont tous porteurs du Sida aussi, donc, du microbe HIV. Comment dans leur vie… Bon mais ça, on n'y peut rien là, j'y peux rien…, euh… moi ce que j'ai tenté de faire, c'est de socialement leur donner les possibilités de se réhabiliter. Avec tous les conflits. Je pense à Momo, qui est devenu chauffeur-livreur, il a le microbe, mais le microbe se développe pas et pour l'instant il est heureux… Je pense à un autre qui est en province qui est cuisinier, je pense à un autre qui est dans le Sud de la France, qui s'est marié, qui a des enfants… les enfants sont pas HIV… Socialement j'ai eu tout de même beaucoup de réussite […]

Quand je rentre tard le soir, — là je suis rentré à deux heures du matin [*respire*] bon, un vieux réflexe de passer vers les lieux où ils se réunissent… Ben, ça tournait, avec une seringue. Alors ce qui est intéressant, c'est de participer au fait quand ils se font le shoot. Parce que dans leur délire on va connaître les véritables angoisses, les véritables angoisses, les fantasmes, les désirs, bon tout ça ça va s'exprimer, ça va ressortir. Et puis c'est un… pour un éducateur de rue, c'est un lien très fort d'avoir pu partager… les dérives… bon… – en sachant que je ne suis pas d'accord, mais bon – t'en es encore à l'étape où tu te shootes, moi je pose pas d'interdit, par contre le jour où tu veux arrêter, moi je suis… là. Et si tu passes au tribunal je serai là aussi pour essayer de… d'arrondir les angles. Combien de faux témoignages j'ai fait… bon et le juge savait très bien que c'étaient des faux témoignages.

— *Et c'était quoi, pour des petits trucs ?*

Francis T. — Oh oui, c'était pour des petits vols qui permettaient d'acheter deux trois doses… parce que en vendant une dose au prix fort on peut acheter une dose et demie.

— *Et vous dites là, leurs aspirations, leurs désirs, ils disaient quoi par exemple ?*

Francis T. — S'exprimaient aussi les frustrations. Ça j'en ai pas parlé. Et, finalement, à part un, on avait affaire à une population très pauvre, où le désir c'était de construire un chez-soi, par exemple. Ça c'est très important. Et quelque chose qui revenait très fort c'était l'appel à ce que je procure un appartement ou une chambre. Et ça c'était pour tous.

— *Ils habitaient où, chez leurs parents ?*

Francis T. — Chez leurs parents généralement, ou dans les caves quand les parents les viraient.

— *Dans des HLM ?*

Francis T. — Oui, des HLM, des maisons qui aujourd'hui ont été démolies parce qu'on construit des beaux bureaux à la place. Quand j'ai entendu le maire dire, « de toute façon, ces gens-là ils ont qu'à aller habiter 50 kilomètres plus loin »... Pour moi c'est un problème, c'est...

— *Vous dites le chez-soi, et puis qu'est-ce qu'il y avait d'autre ? Une copine ?*

Francis T. — L'aspiration au chez-soi, au travail et à l'enfant (j'ai un peu tendance à entendre enfant-famille-patrie, quoi...) [*Rire*].

— *C'est incroyable ça, c'est pas l'idée qu'on en donne...*

Francis T. — Ceux qui sont partis en province, qu'est-ce qu'ils ont fait ? Ils sont partis dans des familles d'accueil. Ils venaient à l'hôpital, ils faisaient le sevrage, et moi je travaillais avec une association de familles d'accueil. Donc, je les conduisais au train, ils avaient même pas le temps de repasser chez eux, et ils arrivaient dans la famille d'accueil. Et très souvent quand la période était finie avec la famille d'accueil, ils restaient. Parce qu'en fait ils avaient trouvé une famille substitut. Ils restaient, et ils trouvaient un boulot, ils trouvaient une copine, ils trouvaient un appartement, ils passaient le permis, ils voulaient acheter une voiture, ils avaient constitué un monde petit-bourgeois idéal après avoir vécu plus bas que terre.

— *C'étaient des gens qui avaient quitté l'école ?*

Francis T. — Généralement oui. Les plus forts sont allés jusqu'en quatrième de transition.

— *Qu'est-ce qu'ils en disaient de l'école ?*

Francis T. — Ils avaient été rejetés à l'école, ils étaient en classe d'adaptation, ils étaient déjà exclus ! Ils étaient déjà exclus à l'école, donc quand ils sont sortis de l'école, ils avaient une mentalité d'exclus. Et comme ils avaient pas de quoi pouvoir prendre un travail, eh bien ils étaient exclus et ils cherchaient un assistanat, ils cherchaient à se faire assister. Et ça, moi, c'est quelque chose que je, j'ai toujours refusé. J'ai fait avoir de l'argent, j'ai fait avoir de la nourriture, j'ai... sur des choses précises avec des objectifs clairs...

— *Ils devaient attendre énormément de vous ?*

Francis T. — Ah ben, ils demandaient que je leur construise le monde qu'ils ont trouvé, finalement, quand ils sont partis dans les familles d'accueil, et qu'ils se sont établis.

— *Tout ce que vous pouviez au fond c'était les écouter, les protéger...*

Francis T. — Alors ce que j'ai fait, c'est que j'ai monté des trucs aussi. J'ai monté une association où j'ai eu du département des subventions et où j'ai créé des structures de travail : on avait acheté deux camions, il y avait un gars qu'était tôlier, donc on a acheté des outils… Il faisait des voitures, il a toujours les outils, et à présent, il a pratiquement pignon sur rue. On faisait des déménagements de gare, on faisait de la vente, on faisait des peintures d'appartement. Oh, c'était un truc qui marchait ! Après, j'ai créé moi-même une compagnie d'ambulance avec un gars qui sortait de dix ans de détention… Ça me coûte très cher encore aujourd'hui, mais bon, c'est pas grave [*rires*]. On a loué un local, le local était bien sûr en piteux état puisqu'on n'avait pas pris un local peint, etc. Donc il y avait une cave dont on pouvait se servir, j'ai fait travailler les jeunes dont je m'occupais sur ce local en les payant avec les subventions de la préfecture, et je les ai embauchés comme et alors ils m'ont volé des voitures et alors ils m'ont défoncé la guérite de l'hôpital [*rires*]. Le scandale ! Le gars avait pas de permis, c'est le copain qui lui avait prêté l'ambulance, bon… les seringues disparaissaient dans les hôpitaux [*respire*], les produits disparaissaient aussi… euh…

— *Là c'était un peu risqué…* [*rires*].

Francis T. — Moi j'assumais ! Moi j'assumais. Et puis quand je voyais le juge, je lui disais de m'arranger ça parce qu'autrement… si j'ai pas de moyens… Je vais pas les changer du jour au lendemain, hein. C'est pas parce que je donne du travail à un gars que du jour au lendemain il va devenir un agneau, hein ? Donc j'ai besoin d'une étape de transition. Il veut les seringues, il vole les seringues. Ça prouve qu'il en est pas sorti. Ça prouve que quand on va pouvoir l'hospitaliser dans cet hôpital par contre, il sera dans le lieu où il a volé. En plus, il aura comme soignante la femme de l'éducateur, qu'il connaît bien, et on va modifier le profil. Et ça s'est souvent passé comme ça.

— *Sur un temps long ?*

Francis T. — Écoutez, je m'occupe encore des toxicomanes, je crois que je vais bientôt arrêter d'ailleurs, enfin je m'en occupe encore, moi je compte trois ans. Sur trois ans on a pas du tout une certitude, mais enfin, on a une option, quoi. Après le sevrage, après la famille d'accueil, à partir du moment où il y a réinsertion professionnelle, on voit, il faut une suite sur trois ans. C'est ce que j'ai pu faire sur dix ans.

[…]

Ce n'était plus supportable par le pouvoir

— *Vous avez eu pas mal d'alliés dans pas mal de secteurs auprès de commerçants, vous avez monté les ambulances...*
Francis T. — J'ai monté moi-même la 1901 même si j'étais subventionné. C'était pas la mairie la 1901, c'était Francis T., président. C'est la mairie qui m'a fait avoir les subventions. C'est la mairie qui m'a laissé sur mon temps de travail monter les ambulances mais jamais la structure ne s'est impliquée (d'ailleurs aujourd'hui, l'association intermédiaire qui existe sur la ville, c'est les catholiques qui l'ont montée, et c'est pas la mairie). C'est tout de même curieux que ce soit toujours de petits pouvoirs qui apportent à un pouvoir supérieur un plus. Parce que la mairie, elle le récupère, elle. Politiquement, elle le récupère... Le maire..., toutes les structures de pouvoir se basent sur des petits pouvoirs, avec lesquels ces petits pouvoirs ont des rapports de dépendance, pour se faire prévaloir. J'aurais jamais pu monter les ambulances si on m'avait pas laissé le temps de les monter. J'aurais pas pu en plus monter la 1901. On m'a laissé le temps.
— *On vous aidait peut-être à préparer les dossiers pour l'obtention...*
Francis T. — Rien du tout. J'avais mon copain avocat. En fait, ce qu'ils supportaient mal à la mairie, c'est qu'en fait j'avais monté des contre-pouvoirs. Et j'étais un contre-pouvoir. Tant que c'était une structure qui ne dérangeait pas le pouvoir, ça a marché, mais à partir du moment où il y a eu cette rupture avec l'alliance avec Le Pen, où j'ai commencé à sortir un journal, enfin une feuille ronéotypée, que j'ai commencé à envoyer à tous les maires adjoints, etc. à partir de ce moment-là, le contre-pouvoir prenait une dimension telle que ce n'était plus supportable par le pouvoir, donc ça a été la cassure.
— *D'un côté il y a l'État, et son antenne municipale, qui, pour le moins ne vous soutient pas, et de l'autre, il y a tout un ensemble de gens avec qui vous avez des liens, dans le secteur médical, chez les avocats, dans la justice... d'autres encore, les employeurs...*
Francis T. — Des pharmaciens. Les liens avec les pharmaciens pour les persuader qu'Untel je connais bien...
— *Pourquoi, ils donnaient des médicaments ou des seringues ?*
Francis T. — Oui, je rentrais, moi, dans la pharmacie et je disais, donnez-moi une boîte de Tranxène parce que j'en ai besoin,

j'avais un jeune, quelqu'un qui était en manque. Il me le donnait et après j'apportais l'ordonnance.

— *Vous avez chaque fois gagné du temps ?*

Francis T. — Oui [*silence*]. Oui, j'ai [*hésitation*] j'étais contesté en fait par la structure du pouvoir municipal, mais comme cette structure était incapable de se mettre à ma place et de faire ce que je faisais, elle était aussi démunie, ce qui faisait ma force. Et comme j'avais monté en effet, bon, je travaillais avec un avocat, donc il y avait d'autres pouvoirs politiques. J'étais en relation avec deux médecins, je travaillais plutôt avec le premier, mais l'autre médecin était agréé par la justice, bon le juge qui habitait la ville, on se connaissait bien. L'ensemble des travailleurs sociaux qu'il y avait sur la ville, même si on était pas toujours d'accord, on travaillait ensemble. Ce qui fait qu'il y avait une structure opérationnelle qui permettait… Et puis le maire qui laissait faire. [*Silence*] En fait les barrages c'est les pouvoirs en dessous du patron de la ville.

— *Les petits chefs ?*

Francis T. — C'est les petits chefs qui les instituaient. Mais les petits chefs bon, quand il y avait trop de problèmes, je demandais rendez-vous au maire ou je lui écrivais une bafouille pour les faire tomber.

[…]

Je sors la carte professionnelle

— *Vous avez des horaires très lourds ?*

Francis T. — Ben, ça dépend. Si à tel moment je me trouve sur tel lieu, et que il y a par exemple une opération de police, bon, moi je sors la carte professionnelle et je dis bon… Mais s'ils embarquent un gars, ça veut dire que je vais téléphoner au Procureur de la République, au substitut plutôt, que je vais intervenir au commissariat, que il va y avoir des tractations. Ou alors, si il y a un gars qui est très mal, je vais être avec lui, je peux pas le laisser…

— *Vous l'emmenez chez le médecin ?*

Francis T. — Ou il est dans son délire, et dans son délire il a besoin de parler. Il a besoin de délirer avec quelqu'un, en face de quelqu'un, qui va l'écouter, parce que les copains vont pas l'écouter. Donc, ça fait partie du processus de reconnaissance, parce qu'ils savent bien que je n'ai pas la même vie qu'eux. Mais pour qu'ils me reconnaissent comme pouvant les aider, il faut qu'ils m'identifient à quelque chose ou à quelqu'un. Et c'est seulement à partir du moment où ils m'identifient en dehors de l'institution que je représente, où il y a des sentiments qui se créent, où il y a une relation qui se crée en dehors du processus institutionnel, que mon travail peut devenir efficace.

octobre 1992

Gabrielle Balazs

« L'occupationnel »

La mission locale de Villeneuve est située au centre-ville, mais un matin de semaine, le lieu est assez désert et peu repérable dans les grands ensembles. Ici, on reçoit les jeunes, on les écoute. C'est une institution – il y en a au moins 200 en France – mise en place pour s'occuper de jeunes en difficulté afin de leur donner une formation et, si possible, un emploi. En 1990, 530 nouveaux jeunes furent accueillis à Villeneuve et 1 400 dossiers traités. Plus de la moitié n'ont aucun diplôme, près de la moitié des jeunes ont un CAP ou un BEP. Mais ces diplômes n'ont guère de valeur sur le marché du travail. La mission locale qui n'a pas véritablement de fonction de placement ni même de formation, déploie une panoplie de systèmes qui vont du « crédit-formation » à l'assistance morale, pour permettre à ce public d'accéder au marché du travail.

La structure la plus originale est la « régie de quartier ». Cet organisme, qui dépend des sociétés HLM, comprend une quinzaine d'adultes qui sont chargés de s'occuper des bâtiments et des allées ainsi que du remplacement des gardiens. La « régie » emploie, dans le cadre des opérations de réhabilitation des quartiers, une quinzaine de jeunes, payés sur des contrats « emploi-solidarité ». C'est une opération coûteuse en énergie, exemple typique d'invention bureaucratique pour préparer les jeunes à la vie active, en les habituant, par exemple, à respecter un emploi du temps. A la suite des événements survenus à Villeneuve (où un supermarché a été incendié), le préfet a demandé à la mission locale de « faire de l'occupationnel », c'est-à-dire de faire en sorte que les jeunes ne soient plus abandonnés à eux-mêmes dans la cité. Ce « concept » bureaucratique signifie littéralement : faire passer le temps à des jeunes, en même temps qu'il suggère : donner une profession, une position sociale. Les exemples « d'entreprise d'insertion » donnés par le directeur de « régie de quartier », montrent à l'évidence qu'il s'agit d'une fausse occupation.

Ce type d'institution ne pourrait fonctionner sans le directeur, ancien militant du parti communiste, et sans le personnel, qui se considèrent plus comme des militants que comme des fonctionnaires, ne comptant pas leur temps et s'investissant fortement dans leur tâche. Ils fourmillent d'inventions, mais il s'agit surtout de création verbale : le « pôle alternance-emploi », la « qualification sociale », le « contrat emploi-solidarité », « nous menons une réflexion », « on alerte et on relaie les structures ». Le directeur évoque les nombreuses réunions de la période et la véritable « cellule de crise » mise en place par la mairie où la réflexion collective a permis de renforcer les convictions individuelles et a été l'occasion – surtout grâce aux visites d'hommes politiques, de journalistes de la télévision et même de ministres – de reconstruire une réalité sociale où ce type d'institution aurait prise sur la vie économique.

L'adhésion du directeur à son institution est d'autant plus forte qu'il a connu personnellement le problème de la réinsertion professionnelle. C'est ce qui le porte à la fois à être sensible aux gens « en pleine détresse », à inventer des solutions et à partager avec un personnel militant qu'il recrute « sans attacher d'importance au diplôme » la logique de la débrouillardise, du truc (par exemple, la « conduite accompagnée » qui consiste à aider les jeunes à passer le permis de conduire, faire venir un animateur de sports de combat), et surtout à croire, pour se cacher ce que tout le monde sait confusément – les formateurs comme les formés –, que cette formation-occupation ne débouchera sur aucun emploi véritable.

avec le directeur d'une mission locale

— entretien de Gabrielle Balazs

— Quel est le public de la mission locale ?

Directeur — Le travail qu'on fait est un travail de fourmi. On essaie de faire en sorte que les jeunes aient accès à l'emploi, mais dans l'état dans lequel ils nous arrivent, c'est pas possible de les mettre à l'emploi, donc c'est tout un travail de mobilisation sur un projet et de mise en formation. Alors il se trouve que grâce au crédit formation, on a quand même réussi à en mettre pas mal en formation cette année. On arrive à les faire qualifier avec le crédit formation, ils nous reviennent avec un diplôme et on tourne en rond puisqu'il y a à nouveau le problème de l'emploi. Je veux dire tant que l'emploi n'est pas dégagé, ces jeunes…

— Vous dites : « dans l'état dans lequel ils arrivent on peut pas les mettre à l'emploi » ?

Directeur — Ils ne sont pas… Suite aux événements de Villeneuve, le Préfet nous dit, : « mettez en place de l'occupationnel ».

— C'est quoi ça ?

Directeur — Qu'est-ce que c'est que l'occupationnel ? Ça peut être du loisir, occuper les jeunes pour pas qu'ils soient dans la rue, en bas des immeubles et tout ça. « Faut que ça arrête de merder sur les quartiers, mettez en place de l'occupationnel » (…). On est en train de mener une réflexion entre les missions locales, mais dans l'occupationnel, je pense qu'il y a des travaux qui peuvent être occupationnels. Il y a un moment quand même qu'on pense qu'il y a des jeunes qui ne sont pas casables à l'emploi… Les entreprises acceptent des jeunes qui sont en état de travailler mais elles n'acceptent pas d'être le médecin, de soigner les jeunes, de les former. Donc on s'est dit que pour répondre en partie et aux plus en difficulté, qu'il était intéressant de mettre en place des structures qui puissent les occuper, alors style entreprises d'insertion ou régie de quartier (…).

— Comment ça se passe une inscription, qu'est-ce que vous faites, comment ça se passe quand les gens arrivent ici ?

Directeur — Quand un jeune arrive ici, on lui explique quelle est la structure et ce qu'on va pouvoir lui proposer et on le sensibilise, on lui dit que l'emploi c'est difficile. Ce n'est pas une structure

spécialisée pour l'emploi mais on va essayer de faire en sorte qu'il puisse avoir les outils qui l'amènent à l'emploi. Explication sur le crédit formation personnalisé, sur les mesures en alternance et tout ça. Alors on n'a pas la réponse forcément tout de suite ; alors il y a deux sortes de réactions, il y a le jeune qui va… alors il faut dire aussi que le crédit formation nous a… on arrive à répondre plus rapidement. Dans le mois qui suit l'inscription d'un jeune, on a pu le mettre en stage.
[…]

mars 1991

Patrick Champagne

La vision d'État

La « médiatisation » des « malaises sociaux » a pour effet d'engendrer une prolifération de publications et de rapports de toute nature visant à décrire, expliquer et « soigner » ces « malaises » qui sont ainsi portés sur la place publique. Les médias de grande diffusion ne sont jamais, comme certains le prétendent, de simples témoins qui se borneraient à rendre compte de la réalité ou, pour le moins, à poser les problèmes. D'une part parce que le simple fait d'en parler publiquement change le statut de ces malaises : ce qui était vécu comme « problème personnel » ou « local » devient un « problème de société » qui doit être politiquement résolu ; ce qui était de l'ordre de la responsabilité personnelle relève désormais de la responsabilité collective. Bref, ce qui était « malaise » individuel, vécu comme intime ou privé, tend à se métamorphoser en sujet de conversation publique, puis en thème de colloques et de séminaires de réflexion, en pages « débat » des quotidiens nationaux dans lesquelles s'affrontent commentateurs politiques et intellectuels médiatiques, ouvrant par là un véritable marché, économiquement rentable, sur lequel affluent témoignages et enquêtes, spontanés ou de commande. D'autre part, les médias imposent leur propre construction des problèmes sociaux qui repose largement sur une mise en scène des faits les plus spectaculaires et aussi, souvent, les plus superficiels ; par les mots qu'ils imposent (« cités-ghettos », « crime raciste », etc.) et par les agents sociaux qu'ils choisissent de faire parler ou d'interviewer, ils contribuent à faire exister, sur les « malaises » dont ils parlent, un véritable discours public. En même temps qu'on nomme le malaise (« le mal des banlieues » par exemple ou « le malaise des profs »), on dit ce qu'il faut en penser, et ces interprétations s'imposent non seulement à ceux qui ne sont pas concernés, mais aussi aux principaux intéressés qui trouvent là un discours légitime sur un malaise qu'ils pouvaient ressentir plus ou moins confusément mais qui restait inexprimable parce que illégitime.

Ce discours public fait d'autant plus écran qu'il a pour lui la force de l'évidence dans la mesure où il est très proche du discours du sens commun. De plus, parce qu'il tend à mettre en cause le pouvoir politique, il favorise le développement de toute une production qui s'appuie sur des problématiques de type politique, depuis les sondages d'opinion jusqu'à une littérature de type bureaucratique constituée par les rapports demandés par des autorités politiques qui se sentent sommées par la presse (et par ceux qui s'expriment à travers elle) de résoudre rapidement ces problèmes qui font « la une » de l'actualité.

Le cas des banlieues en difficulté, là encore, est exemplaire à cet égard. Dès la fin des années 60, de nombreuses enquêtes de sociologie urbaine et de sociologie de l'immigration fournissaient déjà pratiquement tous les éléments d'analyse nécessaires pour comprendre la situation actuelle de ces quartiers (comme par exemple, pour n'en citer que quelques-uns, les travaux de Henri Coing et de Colette Pétonnet sur l'habitat populaire, ceux de Abdelmalek Sayad sur les immigrés ou ceux de Michel Pialoux sur le rapport au travail intérimaire des jeunes de ces cités et plus récemment le numéro 81-82 de *Actes de la recherche en sciences sociales* consacré à « L'économie de la maison »). Ces travaux, connus des spécialistes, sont passés relativement inaperçus parce qu'ils étaient en dehors de l'actualité la plus immédiate. Lorsque le problème des banlieues et de l'immigration surgit dans et pour les médias au cours des années 80, notamment avec les affrontements dans le quartier des Minguettes, puis surtout au début des années 90, avec les incidents de Vaulx-en-Velin, on assiste à une véritable explosion de publications et de numéros spéciaux de revues sur ces sujets : entre autres raisons parce que la montée électorale de l'extrême droite, notamment dans ces quartiers, en fait un problème politique intéressant les journalistes et aussi, potentiellement, un large public. Toute la littérature qui paraît alors, depuis le simple témoignage jusqu'aux enquêtes sociologiques, se trouve participer à une lutte symbolique, moins intellectuelle que politique, dont l'enjeu est d'imposer « à chaud » une vision et une interprétation.

La sociologie ne peut ignorer cette littérature, non seulement parce qu'elle occupe en quelque sorte le terrain et fait obstacle, par sa nature même, à une analyse plus rigoureuse, mais aussi parce qu'une telle mobilisation ne peut pas ne pas produire des informations intéressantes et des analyses pertinentes. A lire ces nombreuses publications sur « les banlieues », « les jeunes », « l'émigration » et « les jeunes émigrés dans les banlieues » – dont on serait en peine aujourd'hui de faire un relevé exhaustif –, on se convainc que tout, en un sens, a été dit et il ne faut guère attendre de la sociologie qu'elle découvre un fait caché ou inattendu, ou encore un processus social auquel personne n'aurait songé auparavant. Mais la surabondance d'informations et d'analyses hétéroclites engendre la confusion et laisse le champ libre aux explications partielles ou illusoires, chacun pouvant désormais aisément trouver les explications qu'il souhaite entendre : c'est ainsi qu'on peut chercher la cause du « mal des banlieues » dans un urbanisme mal conçu ou dans la crise économique, ou dans un laxisme des forces de l'ordre (ou l'inverse), ou dans une immigration non contrôlée, ou dans la désintégration des familles, ou dans la drogue, ou dans tout cela à la fois. Sur ces sujets, la sociologie a principalement pour tâche – et ce n'est pas le moins difficile –, de faire la part entre ce qui est pertinent et ce qui l'est moins, entre ce qui est important et ce qui est seulement secondaire ou dérivé. Elle doit surtout hiérarchiser et intégrer, dans un système explicatif cohérent, un ensemble de facteurs qui sont loin d'avoir tous le même poids fonctionnel.

On voudrait, pour baliser cette littérature, prendre deux exemples, situés aux deux pôles extrêmes de ces productions de circonstance : d'un côté le simple sondage d'opinion dont les intentions sont purement politiques, et de l'autre le rapport d'expert qui essaie de réunir pour les autorités politiques les informations disponibles en vue d'une synthèse.

Les enquêtes d'opinion par sondage passent, auprès du grand public et des journalistes – et même auprès de certains experts –, pour « scientifiques » parce qu'elles présentent tous les signes extérieurs de la scientificité : échantillons représentatifs d'enquêtés (comme si l'essentiel était là), questionnaires, réponses présentées sous forme de pourcentages ou de graphiques, etc. Elles offrent en outre l'avantage de faire disparaître le sociologue en tant que tel, avec ses questions spécifiques destinées, au travers et au-delà de l'enquête empiriquement menée, à analyser des mécanismes sociaux. Elles sont particulièrement appréciées des journalistes parce qu'elles ne donnent jamais lieu à ces commentaires complexes et impossibles ou difficiles à résumer en quelques lignes et parce qu'elles permettent d'avoir rapidement des informations considérées par ceux-ci comme fiables. Les seules questions posées sont celles que la politique conduit à poser. C'est pourquoi ces questions, produites par et pour la problématique politique ordinaire, paraissent évidentes, au moins pour ceux qui les commandent. Au nom de quoi s'interdirait-on, par exemple, de demander « au peuple » qui, de la famille ou de la société, est responsable de la délinquance juvénile ? N'obtient-on pas, à une telle question que « tout le monde se pose », notamment depuis que le « problème des banlieues » fait « la une » des médias, des données statistiques claires et indiscutables, des chiffres qui « parlent par eux-mêmes » et qui montrent que l'on est en présence d'un nouveau « problème de société (chômage, violence dans les médias, etc.) » ?

Mais les questions posées par les sondeurs sont également devenues évidentes pour le grand public du fait que les instituts de sondages les posent et les reposent sans cesse depuis des années dans les mêmes termes (pour comparer rigoureusement les variations, prétendent-ils), de sorte que plus personne – ou presque – ne s'étonne, pour les avoir déjà entendues cent fois, qu'on les pose alors qu'elles n'ont en fait de sens et de fonction qu'à l'intérieur du petit cercle de gens qui s'intéressent à la politique. La pratique du sondage a produit un nouveau type d'opinion – l'opinion pour sondage d'opinion – qui est le plus souvent très éloignée de la réalité qu'elle est censée mesurer et fait écran aux vraies questions qu'il faudrait poser. Ces enquêtes, coûteuses et sans fin, qui sont toujours faites dans l'urgence et entretiennent l'illusion qu'il peut exister une connaissance scientifique expresse informent en réalité sur les catégories mentales de ceux qui les commandent, les conçoivent et les utilisent. Autrement dit, les questions se révèlent souvent beaucoup plus intéressantes que les réponses obtenues parce qu'elles trahissent très directement les préoccupations des dirigeants et des responsables politiques.

Soit, pour ne prendre qu'un seul exemple, le cas d'un sondage du CSA réalisé, en mars 1991 (c'est-à-dire quelques mois après les événements de Vaulx-en-Velin et la création d'un ministère de la Ville), pour *Le Parisien* et *France Inter* (mais qui aurait pu tout aussi bien être commandé par les services du Premier ministre et effectué par un autre institut de sondage). Les huit questions qui furent posées méritent d'être intégralement reproduites (avec un bref commentaire entre crochets) dans la mesure où elles constituent un bon échantillon des différentes formes que prennent généralement ces questions de sondage et, au-delà, l'interrogation de type politique :

1) *Avez-vous le sentiment que les inégalités entre les gens en France depuis 10 ans... ont eu plutôt tendance à s'accroître ? sont restées stables ? ont eu plutôt tendance à se réduire ? ne se prononcent pas.* [Cette question qui est en fait un sujet classique pour dissertation au concours de l'ENA (surtout après 10 ans de socialisme) est-elle une question d'opinion ou de fait ? Que veut-on faire du « sentiment des gens » sur cette question qui agite surtout les milieux politiques ? Que fera-t-on des réponses hasardeuses des jeunes enquêtés qui peuvent difficilement se prononcer sur l'évolution depuis 10 ans ? En fait, il faut attendre les questions suivantes pour connaître les véritables intentions qui se cachent derrière cette question.]

2) *Les inégalités entre les gens en France aujourd'hui sont selon vous... insupportables ? fortes ? pas très fortes ? pas fortes du tout ? ne se prononcent pas.* [Quel contenu les diverses catégories d'enquêtés peuvent-ils donner aux adjectifs « insupportables », « fortes », etc. ? Cela n'a, en fait, que peu d'importance car il s'agit seulement d'amener les gens sur un terrain qui est purement politique afin de préparer les personnes interviewées aux deux questions suivantes.]

3) *Quels sont, parmi les domaines suivants, ceux sur lesquels il faudrait agir en priorité : le logement ? les revenus et les salaires ? la santé ? l'éducation et la formation ? ne se prononcent pas.* [Le problème des priorités est typiquement une question que se posent les politiques. « Gouverner, c'est choisir », disait déjà Pierre Mendès France. Mais il s'agissait alors, dans son esprit, de choisir en connaissance de cause et du point

de vue de l'intérêt général, même si une mesure se révélait être provisoirement impopulaire dans les sondages. Pour ne pas être impopulaire, on fait désormais établir la liste des priorités en consultant directement les citoyens dont les réponses laissent supposer – comment pourrait-il en être autrement ? — qu'ils érigent égoïstement en priorité les domaines qui les concernent directement et personnellement.]

4) *Vous personnellement, faites-vous tout à fait confiance, plutôt confiance, plutôt pas confiance ou pas confiance du tout au gouvernement de Michel Rocard pour réduire les inégalités entre les Français ?* [Voilà la question que l'on voulait en fait poser depuis le début et qui vient conclure les trois précédentes. Il s'agit d'une « question de confiance » qui est posée, non pas à l'Assemblée nationale où la majorité parlementaire était alors incertaine, mais directement au peuple, aux « gens », qui ont depuis plusieurs années, semble-t-il, plutôt une « bonne opinion » de Rocard.]

5) *A votre avis, avec l'évolution de notre société, la vie est-elle dans les grandes villes aujourd'hui… très difficile ? plutôt difficile ? plutôt agréable ? très agréable ?* [Cette question vague et générale, qui ne permet pas de recueillir des informations précises, est surtout destinée, elle aussi, à préparer les suivantes sur les banlieues qui, elles, renvoient à des événements médiatiques précis et à des décisions politiques largement répercutées dans les médias.]

6) *Et dans les banlieues… ?* [On se rapproche de la question qui brûle les lèvres des commanditaires du sondage depuis le début…]

7) *Parmi les catégories suivantes, quelles sont celles dont la situation mérite que le nouveau ministre de la Ville, responsable des problèmes des grandes villes et des banlieues, s'occupe en priorité ? les personnes âgées ? les commerçants ? les jeunes ? les immigrés ? les femmes seules ? ne se prononcent pas.* [La question est enfin lâchée. On rappelle, dans le simple énoncé, qu'il y a désormais un nouveau ministre de la Ville qui est responsable et qui veut s'occuper en priorité d'un certain nombre de catégories de population. Ces catégories, reprises du sens commun (où classera-t-on, par exemple, une jeune femme seule, d'origine émigrée, qui a un petit commerce ?) sont bien faites pour exclure les vrais problèmes. En réalité, la seule fonction de cette question est de voir, de façon discrète, dans quelles proportions les gens accepteraient que l'on aide en priorité les immigrés qui sont, tout le monde le dit, les premiers concernés par les problèmes des banlieues, et que l'on mélange ici à des catégories politiquement moins compromettantes.]

8) *Comme vous le savez, les communes reçoivent une partie de leurs ressources des entreprises installées sur leur sol : il s'agit de la taxe professionnelle. Le gouvernement prépare un projet de loi selon lequel une partie de cette taxe professionnelle récoltée par les communes les plus favorisées serait distribuée aux communes ayant peu ou pas d'entreprises sur leur territoire. Vous personnellement, seriez-vous plutôt favorable ou plutôt défavorable à ce projet ?* [Cette question typiquement « politologique » commence par « Comme vous le savez », précisément parce que la plupart des enquêtés ne savent pas. Elle se poursuit,

sous la forme d'un bref rappel en une phrase simple et anodine qui, en fait, tient lieu ici d'un véritable cours de droit fiscal (tous les spécialistes savent que la taxe locale a donné lieu à une abondante littérature tant le problème est complexe) pour se terminer par la présentation d'un projet gouvernemental dans des termes tels qu'il paraît difficile d'être contre : 80 % des enquêtés se sont de fait déclarés favorables à ce projet de loi qui propose de prendre un peu d'argent aux communes les plus riches pour le donner aux communes les plus pauvres.]

Le compte rendu même de ce sondage informe sur les fonctions qu'il remplit. Il se présente, d'un point de vue matériel, sous la forme d'un mince document dans lequel est donnée, sans aucun commentaire, une suite de tableaux. En haut de chaque page, en gras et en encadré, est indiqué le libellé de la question et en dessous les réponses. Une première page donne les distributions globales ; dans les pages suivantes, les réponses sont croisées selon les variables « sociologiques » habituelles. Et ainsi de suite pour chaque question. En fait, la présentation des résultats est faite en fonction de préoccupations strictement politiques : la première page donne les distributions dans la logique du vote ou du référendum (« ce que pensent la majorité des Français… »), tandis que les pages suivantes livrent les réponses croisées, une à une et variable par variable, selon des groupes grossièrement construits pour les responsables politiques, et qui sont, en fait, des catégories plus utiles pour l'action que pour l'analyse (le sexe, l'âge, les professions, la sympathie partisane et l'habitat). En d'autres termes, ces tableaux croisés visent moins à expliquer qu'à identifier les groupes qui soutiennent ou non telle opinion fabriquée par les politiques et dont les réponses sont destinées à venir alimenter leurs luttes internes. Ils permettent de définir les groupes qui restent encore à convaincre, vers lesquels il conviendra à l'avenir de « cibler » les campagnes politiques (les jeunes ou les vieux, les hommes ou les femmes, les catégories sociales favorisées ou non, les citadins ou les ruraux). La date précise du sondage, que la loi de 1977, oblige à mentionner, constitue sans doute la précision la plus pertinente : elle rappelle que le seul intérêt de ce type d'enquête est moins de comprendre le problème des banlieues que de savoir quel est le « niveau de l'opinion publique » au jour de l'enquête à l'égard du gouvernement (ce que les sondeurs expriment avec la métaphore de la photographie : il ne s'agit que d'un « instantané de l'opinion publique »). Elle rappelle, en fait, que le sondage intitulé « Les préoccupations sociales des Français » trahit en réalité les « préoccupations politiques de Michel Rocard » qui était, à cette date, Premier ministre.

A l'autre pôle de cette littérature suscitée indirectement par les médias, on peut prendre comme exemple le rapport au ministre d'État, ministre de la Ville et de l'aménagement du territoire intitulé *La relégation*. Chargé par le nouveau ministre de la Ville, en 1991, à la suite des incidents de Vaulx-en-Velin, de faire le point sur la situation des banlieues en difficulté, l'auteur de ce rapport, Jean-Marie Delarue, est membre du Conseil d'État. La qualité du rapport qu'il remettra quelques mois plus tard tient largement aux caractéristiques propres de son auteur : outre un intérêt antérieur pour les problèmes sociaux, fréquent dans la fraction « de gauche » ou « intellectuelle » de la haute administration, il possède en effet une formation sociologique qui lui permettra d'aborder cette question avec un minimum de compétence, dénonçant notamment la présentation biaisée que les médias donnent de ces problèmes. On trouve dans ce document, qui repose sur la lecture de divers travaux sociologiques et sur une écoute effective de tous ceux qui travaillent dans ces quartiers, bien des développements intéressants. Bref ce type de rapport a été réalisé dans des conditions telles qu'il a permis de mobiliser indiscutablement un savoir sur le monde social bien supérieur à celui que contient nombre de rapports bureaucratiques et, *a fortiori* à celui que la plupart des hauts fonctionnaires possèdent sur ces populations défavorisées et sur le travail de ceux qui s'en occupent.

Mais cette analyse a des limites qui tiennent aussi à ses conditions sociales de production. La partie qui est consacrée au constat, c'est-à-dire à la compréhension proprement dite de la situation de ces banlieues en difficulté, est relativement courte (une vingtaine de pages sur un rapport de près de 200 pages), la mission confiée à ces hauts fonctionnaires étant, il ne faut pas l'oublier, essentiellement de nature politique. Mais l'analyse elle-même tend à obéir à une logique plus politique qu'intellectuelle. Ces hauts fonctionnaires se doivent en effet d'entendre démocratiquement tout le monde, « sans sectarisme », selon une logique de la recollection des avis d'experts qui est, presque toujours, peu compatible avec une construction intellectuelle rigoureuse. Les auteurs cités, auxquels sont pris des morceaux d'analyse généralement décontextualisés, appartiennent à des univers théoriques très hétérogènes, pour ne pas dire franchement contradictoires (il suffit de se reporter à la liste des auteurs cités dans ce rapport qui, pour le sociologue, relève parfois d'un inventaire à la Prévert...). La logique qui préside à l'élaboration de ce document conduit à décrire plus qu'à expliquer et à dresser un catalogue des facteurs en cause et non pas à construire un système explicatif.

La réalité sociale est découpée selon des catégories administratives (J.-M. Delarue distingue par exemple trois volets : « l'urbain », « le social », « les jeunes ») qui ne sont pas nécessairement pertinentes d'un point de vue sociologique mais constituent un cadre commode, et compréhensible par les responsables politiques, pour proposer des solutions. Ce qui est principalement attendu de tels rapports, ce sont en effet des idées, des solutions, des idées de solutions, de préférence « médiatisables », c'est-à-dire visibles et à effet immédiat. L'insuffisance des analyses apparaît surtout dans le type de solutions qui sont proposées et qui restent largement à la surface des choses. Ou bien il s'agit de simples solutions de « bon sens » (comme, par exemple, la nécessité de coordonner les actions, jusqu'alors segmentées, des différentes administrations qui interviennent dans ces banlieues), ce qui, de la part d'un haut fonctionnaire et compte tenu de la logique bureaucratique actuelle, est déjà beaucoup mais ne doit rien, ou peu de chose, à l'analyse de la situation ; ou bien il s'agit de solutions qui se veulent plus novatrices, mais outre qu'elles ne reposent pas davantage sur les analyses préalables, elles échappent difficilement aux illusions du volontarisme politique, comme c'est le cas par exemple dans le rapport Delarue, de tout ce qui est mis sous la notion de « citoyenneté » qui est censée résoudre des problèmes dont l'origine est loin d'être purement politique.

Ces rapports ne peuvent pas vraiment rompre avec la problématique préconstruite par les médias puisqu'ils ont principalement pour fonction d'y répondre. Le rapporteur ne voit pas que ce qu'il faudrait en réalité analyser, c'est l'inscription dans l'espace de groupes sociaux ; que ce qu'il faudrait interroger, c'est leur mode de reproduction sociale et les trajectoires des individus qui les composent ; que ce qu'il faudrait pouvoir mesurer, ce sont les effets, sur ces groupes, des politiques publiques concernant le marché immobilier, le système de formation (l'école) et le marché de l'emploi. Il suffit d'entendre vraiment tous ceux qui travaillent dans ces « banlieues », travailleurs sociaux, responsables d'ANPE, directeurs d'agences de travail intérimaire, pour découvrir que les solutions ne se trouvent pas dans les « banlieues » elles-mêmes, tout simplement parce que les causes des problèmes ne sont pas dans les cités, mais ailleurs, souvent au cœur même de l'État•

« Coûts » et « profits » de l'immigration
– *Abdelmalek Sayad*

« Idéalement », l'immigration et l'immigré n'ont de sens et de raison d'être que s'ils « rapportent » plus qu'ils ne « coûtent ». Comment maximiser les « profits » (surtout économiques) et minimiser les « coûts » (surtout sociaux et culturels), ce n'est pas là seulement une question de pure économie dont traitent explicitement les économistes, mais une question virtuellement contenue dans tous les propos sur l'immigration. Cette problématique s'impose d'elle-même au point qu'elle apparaît comme allant

de soi. Parce qu'il s'applique à une population jouissant d'un statut particulier, l'exercice comptable qui la retraduit n'a rien de commun avec tel ou tel exercice analogue portant sur un autre groupe : alors que, quand il s'agit, par exemple, de la petite enfance, des jeunes ou des personnes âgées, la question posée est seulement de prévoir et de dégager les moyens que requiert le traitement qu'on veut réserver à la population concernée, dans le cas de la population immigrée, il s'agit de juger des profits et des coûts de la politique qui consiste à recourir à l'immigration, c'est-à-dire de l'existence ou de la « disparition » de la population immigrée. Au travers d'une question apparemment technique, c'est tout le problème de la légitimité de l'immigration, qui est objectivement posé. Il n'est presque aucun propos tenu sur les immigrés, surtout quand ce propos porte explicitement et sciemment, comme c'est le cas avec la « théorie économique des coûts et profits comparés de l'immigration », sur la fonction de l'immigration, qui ne consiste tantôt à légitimer et tantôt à dénoncer l'illégitimité (foncière) de l'immigration[1].

Parce que « la théorie économique des coûts et profits comparés de l'immigration » n'a suscité, jusqu'ici, que des divergences portant sur l'évaluation des éléments qu'il y a lieu de prendre en compte, l'accord s'étant réalisé d'emblée sur tout ce que cette théorie demande qu'on lui accorde préalablement à toute discussion, à savoir, entre autres choses, le principe du partage entre ce qui est « coût » et ce qui est « profit », le principe de l'établissement d'un solde positif ou négatif de l'immigration, etc., elle a masqué toute une série d'autres questions devenues impensables, comme, par exemple, la question de savoir à qui « coûte » et à qui « rapporte » l'immigration. Mais, plus fondamentalement, qualifier exclusivement de « coût » ou de « profit » chacun des éléments discernables, et arbitrairement dissociés, d'un ensemble qui n'a de réalité (économique et politique) qu'en tant que totalité, revient à imposer le sens qu'on entend donner à chacun de ces éléments et à l'imposer d'autant plus impérativement qu'on ne se doute pas de l'opération d'imposition qu'on accomplit de la sorte. On ne veut comme exemple de ce travail de « technicisation » du politique que l'étude qu'Anicet Le Pors consacre aux flux monétaires dont l'immigration est responsable, ainsi que les diver-

1. La récente « querelle de chiffres » sur l'importance numérique de la population immigrée n'échappe pas à la logique de la reconversion des arguments politiques en arguments techniques qu'on peut plus facilement avouer et proclamer publiquement : plus la population immigrée est nombreuse, plus sont élevés les « coûts » qu'elle entraîne pour la société.

gences qui séparent, par exemple, ses conclusions de celles que Fernand Icart tire de données sensiblement identiques[2].

S'il est des « coûts » qu'il faut imputer à l'immigration, le premier auquel on pense est, bien sûr, le coût monétaire que supporte tout pays qui recourt à l'immigration en raison de transferts de fonds que réalisent, pour une part, les immigrés eux-mêmes sur leurs économies et, pour une autre part, les organismes sociaux (allocations familiales, prestations de la Sécurité sociale, retraites, pensions diverses, etc.). Mais ce « coût » lui-même qu'on peut tenir comme évident et indiscutable ne va pas sans comporter des « profits » d'une autre espèce : « en particulier, on peut se demander quelle est l'incidence des transferts d'économies à l'extérieur (...). Or, il apparaît que 1 MdF de moins transféré à l'extérieur signifie une amélioration de l'équilibre extérieur (...) seulement de 38 000 francs environ. En effet, une diminution ex ante des transferts à l'extérieur augmente la consommation des ménages ; une bonne partie de cette augmentation est satisfaite non par un accroissement de production intérieure mais par un accroissement des importations ou une diminution des exportations. Par ailleurs, une réduction des transferts d'économie vers des pays étrangers limite les acquisitions de devises de ces pays et par suite leurs importations dont celles provenant de France »[3].

A l'inverse, s'il est pour les pays d'immigration un « profit » immédiat, « profit » initial et apparemment net de tout coût en compensation, c'est celui qui consiste à « importer » des hommes adultes et encore jeunes, donc « utiles » et productifs dès le premier jour de leur arrivée ; ce « profit », qui consiste dans l'économie réalisée sur ce que Alfred Sauvy a appelé « le coût d'élevage », s'est considérablement atténué dans le rapport de Fernand Icard pour ne pas dire qu'il a été transformé en « coût » : la « qualité » de ces hommes qui ont été élevés dans des pays pauvres, sous-développés, donc à un « coût » moindre que le « coût moyen français », fait qu'ils reviennent plus « cher » (ou tout au moins plus « cher » qu'on pense) en raison du « coût » dont il faut payer leur adaptation à la société qui les utilise.

On pourrait continuer à énumérer longtemps encore les « contradictions » de ce type, chacun des critères retenus pouvant être classé comme « coût » ou comme « profit » ou, tout au moins, comporter sa part de

---

2. *Fernand Icart, député du Var, auteur du rapport* Le coût des travailleurs étrangers en France, *note de synthèse, Paris, Assemblée nationale, 1976, 123 p.*

3. *A. Le Pors,* Immigration et développement économique et social, *Paris, La Documentation française, études prioritaires interministérielles, 1977.*

« coût » et sa part de « profit ». Et plus on s'éloigne des aspects sur lesquels porte traditionnellement et prioritairement l'économie ou, en d'autres termes, plus on se rapproche des facteurs que néglige la technique économique, parce qu'ils sont rebelles à la « mesure », plus est grande l'indétermination et, par suite, plus sont faciles et fréquentes les manipulations et les inversions de sens qu'on peut opérer ; plus il apparaît que les faits qu'on analyse et qu'on interprète comme données purement économiques sont aussi, et peut-être avant tout, des faits et des réalités politiques, sociaux, culturels. Ainsi, par exemple, du taux de natalité des familles immigrées en général et des familles originaires des pays d'Afrique du Nord plus particulièrement : tantôt on se félicite officiellement du surplus démographique que ces familles apportent à une population qui tend à décroître et à vieillir, tantôt on déplore (tout aussi officiellement) ce même accroissement d'une population qu'on continue à appeler « population immigrée » (bien que les jeunes générations nées en France n'aient émigré de nulle part), parce qu'il est « coûteux », parce qu'il pèse trop lourd sur les mécanismes d'aide aux familles – pour ne pas dire parce qu'il est « encombrant » –, les arguments « économiques », ou la formulation en termes économiques d'arguments d'une autre nature, étant plus facilement ou plus innocemment avouables. Et ce qui est dit de l'ambiguïté du taux de fécondité de la population immigrée, c'est-à-dire, au fond, de l'immigration familiale et du passage de l'immigré ancien, simple travailleur isolé et sans sa famille, au géniteur, vaut aujourd'hui, en raison des difficultés du marché de l'emploi, pour cette autre caractéristique de l'immigré, qui pourtant le constitue et qui le définit, à savoir son statut de travailleur : le « profit » représenté par la force de travail qu'il apporte – et qui a pour contrepartie le salaire qu'on lui verse et qu'il peut transférer –, tend à être redéfini comme un « coût », un « coût » direct lorsque l'immigré est chômeur, perdant de ce fait personnellement la justification qui faisait son existence, un « coût » indirect lorsque l'immigré est occupé comme si l'emploi qu'il occupe constituait une sorte de manque à gagner, de dommage virtuel occasionné à la main-d'œuvre nationale.

Pour être acceptable, il aurait fallu que cette sorte d'« économie de l'immigration » soit une économie totale, c'est-à-dire qu'elle intègre tous les autres « coûts » et tous les autres « profits » laissés pour compte ou totalement ignorés par la théorie strictement économique. Les choses se compliquent d'ailleurs encore quand on sait que, procédant de la même logique et restant justiciable des mêmes interrogations et des mêmes critiques, « la théorie économique des coûts et profits comparés de l'immigration » peut se transposer dans le pays d'émigration et donner lieu à la constitution d'une théorie homologue •

Remi Lenoir

Désordre chez les agents de l'ordre

Ce que l'on appelle « malaise judiciaire » ou encore « crise de la justice » recouvre en fait des réalités très différentes. Ces expressions désignent simultanément un problème social (« l'augmentation de la délinquance »), les difficultés que rencontre un service public (« la misère de la justice ») et les luttes qui opposent une profession, la magistrature, avec les gouvernants (« les affaires »). Cet amalgame n'est pas sans fondement, l'augmentation de « la petite et moyenne délinquance » (vols et trafic de stupéfiants), le mauvais fonctionnement de l'institution judiciaire (« lenteur », « erreurs », etc.) ou la montée du « sentiment d'insécurité » étant incontestables [1]. Par ailleurs, les conflits entre les juges et les hommes politiques sont de notoriété publique, ou mieux, médiatique. Mais parler de malaise judiciaire c'est aussi oublier que les magistrats ne sont pas les seuls acteurs

1. En témoignent l'existence d'un « Salon de la sécurité », le développement d'un « marché de la sécurité » et de « polices privées ». En 1989, la sécurité privée employait en France 73 000 personnes et son chiffre d'affaires était de 7 milliards et demi de francs, soit à peu près le tiers du budget de la police nationale, cf. G. Carrot, *Histoire de la police française*, Paris, Tallandier, 1992, p. 230.

qui contribuent au maintien de l'ordre. Sans doute parle-t-on également de « crise » chez les policiers, les gendarmes ou les surveillants de prison, autant de professions qui concourent à assurer aussi l'ordre public ; mais ne sont évoqués à leur propos que de simples problèmes de rémunérations, de conditions de travail, d'expression syndicale, de formation, etc., bref ce qu'on appelle des « problèmes corporatifs ».

En fait, les termes utilisés pour signaler les difficultés que traverse une catégorie sociale, varient selon le prestige et le statut des professions. A cet égard, la division du travail de maintien de l'ordre social est exemplaire. La répartition des tâches y est institutionnellement définie, comme en témoigne la professionnalisation des différentes fonctions relevant de cette activité (arrestation, jugement, emprisonnement, réinsertion, etc.), les compétences de chaque catégorie d'acteurs sont juridiquement fixées et hiérarchisées. Si l'on s'en tient à l'action pénale, les magistrats y jouent un rôle prédominant ; non seulement ils détiennent le monopole de tout ce qui est proprement du ressort de l'activité judiciaire (opportunité des poursuites, jugement) mais leur autorité s'exerce sur les autres corps : le parquet ou les juges d'instruction dirigent les enquêtes que les policiers ou les gendarmes mènent sur le terrain, le juge d'application des peines a toute autorité pour fixer les conditions d'exécution des condamnations, etc. Cette prééminence des magistrats est inséparablement juridique et sociale. En effet, les juges sont globalement d'une origine sociale plus élevée que les commissaires de police, les directeurs de prison et, plus encore, les officiers de la gendarmerie nationale, et cette supériorité sociale (ressentie par certains comme de l'« arrogance ») s'accompagne d'un ascendant culturel qu'atteste, entre autres, leur meilleure réussite scolaire[2].

Aussi n'est-ce pas un hasard si, s'agissant de la magistrature, on parle de son « déclin social », expression qui renvoie simultanément à la pente descendante qu'elle est supposée suivre dans l'espace social (« petits juges », « un petit métier pour de petites gens »), et à la « déliquescence » de ses pouvoirs (« perte d'indépendance », « misère matérielle », « juges à tout faire »)[3]. Pour les policiers ou les gendarmes, ce qui est désigné est moins la position sociale que leur *image*, le plus souvent défavorable : pour les premiers, les « ripoux » ou les « bavures », pour les seconds, la « balourdise ». Quant aux gardiens de prison, il s'agit surtout de leurs *conditions de travail* : ils sont parfois assimilés – et s'assimilent eux-mêmes – à la population qu'ils surveillent : lorsqu'ils sont en fonction ils se disent être en « détention ».

Si, au moins dans l'ordre des représentations, la crise de la justice est identifiée à celle des magistrats, c'est que comme tous les corps qui dominent un secteur de l'activité sociale, ils peuvent imposer à tous la définition de leur malaise. Et du fait de leur position dominante dans l'ordre social, ils sont en mesure de convertir leurs problèmes, liés pour une part à leur appartenance de classe – leur « indépendance » ou leur « pouvoir » –,

---

2. Cf. R. Lenoir, Les agents du maintien de l'ordre : contribution à la construction sociale de l'espace judiciaire, Les Cahiers de la sécurité intérieure, IHESI, *La Documentation française*, n° 10, août-octobre 1992, p. 149-178.

3. Cf. entre autres, J-C. Soyer, *Justice en perdition*, Paris, Plon, 1982.

en problèmes généraux, « la crise de la loi », en problèmes de société, « la montée de l'insécurité », etc.

L'utilisation de dénominations aussi générales conduit à omettre que les acteurs du maintien de l'ordre sont très divers et que les crises ou les difficultés qu'ils connaissent résultent de facteurs différents. Même pour le seul corps des magistrats, il est clair que cette fonction renvoie à des situations contrastées, dont la perception ordinaire ne retient que les plus extrêmes : « basse » et « haute » magistrature. Le « déclin de la magistrature » concerne-t-il ces deux catégories de magistrats ? Le mode de recrutement du corps s'est modifié depuis les années 50 et s'est ouvert à des catégories qui, jusqu'alors, ne semblaient pas pouvoir y accéder, notamment les enfants issus de familles de la petite fonction publique. Or tout indique que, selon l'origine sociale, la carrière des juges diffère, de sorte que ce qui est perçu comme un déclin social pourrait bien n'être en fait que le signe de la diversification croissante du corps [4].

L'accroissement – très relatif – des différences sociales entre catégories de magistrats, et donc de l'hétérogénéité du corps, tient sans doute pour une part à la régression d'un mode de recrutement où l'appartenance à une famille de juristes jouait un grand rôle [5], régression qui semble avoir moins touché la « haute » que la « basse » magistrature [6]. L'uniformisation de la

4. Pour une analyse plus fine, cf. J.-L. Bodiguel, *La magistrature, un corps sans âme ?*, Paris, PUF, 1991.

5. Sur ce point, cf. J-P. Royer, R. Martinage, P. Lecocq, *Juges et notables au XIXe siècle*, Paris, PUF, 1982.

6. Cf. A. Bancaud, *La haute magistrature judiciaire entre politique et sacerdoce*, Vaucresson, juin 1991.

formation grâce à la création, à la fin des années 50, d'une École nationale de la magistrature (le Centre national d'études judiciaires) qui s'est substituée aux concours locaux à dominante cooptative, n'a pas atténué les effets de l'élévation de l'hétérogénéité sociale du recrutement [7]. Au contraire, compte tenu d'un recrutement relativement massif de magistrats à partir des années 1970, grâce à l'augmentation du nombre de postes mis au concours mais aussi à des procédures de recrutement parallèle (concours interne et intégration sur titre), la différenciation sociale du corps s'est amplifiée. En outre cette augmentation rapide du nombre de magistrats (40 % du corps a été renouvelé en 20 ans) a eu pour effet de réduire fortement les perspectives de promotion, surtout pour les jeunes générations. De sorte que la concurrence au sein du corps s'est fortement accrue, et si l'on ajoute à ces facteurs de tension la dégradation effective des conditions de travail du fait notamment de la multiplication et de la transformation des contentieux (on parle d'« abattage »), tous les ingrédients d'une « crise » sont effectivement réunis. Mais s'agit-il d'une seule crise, et a-t-elle affecté l'ensemble des magistrats et de la même façon ?

Le passage obligé par une école spécialisée a imposé la reconnaissance des critères proprement scolaires (notamment le classement de sortie) permettant aux magistrats de s'évaluer les uns les autres, de sorte que la légitimité des affectations et des avancements est

7. Cf. A. Boigeol, La formation des magistrats : de l'apprenstissage sur le tas à l'école professionnelle, *Actes de la recherche en sciences sociales*, 76-77, mars 1989, p. 49-64.

plus facilement contrôlable et susceptible d'être contestée. Et, de fait, cette légitimité est de plus en plus controversée parce que les frontières entre « basse » et « haute » magistrature sont plus brouillées qu'au XIXe siècle : les « juges de paix », à qui il suffisait « d'avoir du bon sens » et « le sens de l'équité », n'avaient d'autres ambitions que d'être des « notables » dans leur localité dont ils étaient souvent originaires et qu'ils ne cherchaient pas à quitter. Ce n'est plus le cas aujourd'hui où, grâce au développement du système scolaire et du mode de recrutement par concours, le marché des titres et le ressort des carrières se sont étendus à l'ensemble du territoire national. Alors que près des deux tiers des magistrats sont issus de familles de cadres supérieurs ou de membres des professions libérales, ils ne peuvent pas tous faire une carrière correspondant aux aspirations traditionnellement attachées à leurs titres.

C'est dire que chez les magistrats eux-mêmes, il n'y a pas un *malaise* mais plusieurs, dont le fondement varie selon qu'il s'agit de la « haute » ou de la « basse » magistrature. En ce qui concerne la haute magistrature – qui est un véritable « corps dans le corps » – le malaise tient principalement aux relations que celle-ci entretient avec les membres des autres grands corps juridictionnels de l'État. Ces derniers, en effet, ont un atout, devenu décisif depuis le développement de l'activité étatique d'après la guerre, à savoir la participation directe à l'exercice du pouvoir politique – que n'a pas, au même degré, la « haute » magistrature. Ceci donne aux autres corps un avantage déterminant pour le contrôle des instances, de plus en plus nombreuses, qui concourent au maintien de l'ordre social. Ainsi la multiplication des « commissions » souvent présidées par un membre d'une juridiction administrative et qui porte directement sur ce qui relève du ressort judiciaire atteste le déclin relatif des hiérarques de la magistrature. Plus généralement, la position de ces derniers a décliné dans le champ de la classe dominante à cause de la montée d'autres professions, peut-être moins dans le secteur public lui-même (encore que les fonctions à portée financière y prévalent désormais) que dans le secteur privé, notamment dans tout ce qui participe de l'économie et de la communication, univers traditionnellement étrangers à celui des juges.

Quant à la « basse magistrature » (on parle de « juges de base »), son « malaise » tient aussi à l'abaissement de son pouvoir par rapport aux autres agents représentant l'autorité publique (notamment le préfet et son administration). Mais il résulte surtout de facteurs internes qu'il s'agisse de la dégradation de leurs conditions de travail (multiplication et complexité des procédures, contentieux de moins en moins « nobles », etc.) ou encore des effets du pouvoir hiérarchique sur des agents dont la position sociale dépend de plus en plus du seul exercice de leur activité professionnelle.

Mais il est une autre dimension qui, bien qu'évoquée, est presque toujours évacuée, sauf en période de crise aiguë : tout ce qui tient à la redéfinition de la division du travail entre les professions et les luttes incessantes auxquelles ces dernières se livrent pour maintenir et étendre leur ressort, ce qui n'est pas étranger aux malaises qu'elles peuvent ressentir. A cet égard, l'univers des professions judiciaires est aussi exemplaire. La prééminence de la magistrature est en effet remise en cause dans son monopole à dire le droit. D'abord de la part des autres acteurs du milieu judiciaire, notamment la police et dans une moindre mesure la gendarmerie, qui mettent en cause la fonction de direction d'enquête dévolue au Parquet et aux juges d'instruction, ensuite de la part des autres professions juridiques (les avocats, mais aussi les conseils juridiques, etc.) et des multiples instances administratives qui, en dehors de tribunaux administratifs et du Conseil d'État, se sont vu reconnaître des pouvoirs quasi juridictionnels (douanes, impôts, etc.).

Ce phénomène est le plus souvent rapporté au développement de l'activité étatique, à la complexité des contentieux (nécessité de recourir à des « experts ») et à la multiplication des recours en justice, qui dépassent désormais les capacités de traitement des tribunaux judiciaires. Mais ces différents facteurs n'auraient pas autant d'effets si les bases sociales de la suprématie des magistrats n'avaient pas été bouleversées. Si l'on s'en tient à la seule activité pénale, on observe qu'une part croissante des commissaires de police et, dans une moindre mesure, des officiers de la gendarmerie nationale présente des propriétés à la fois sociales, culturelles et scolaires, proches de celles des magistrats. Ces nouvelles générations de forces de police judiciaire sont ainsi mieux armées que les anciennes pour réclamer ce qui constitue un des pouvoirs essentiels de la magistrature, la direction des enquêtes. A cette offensive, surtout policière, la plupart des magistrats opposent des objections de principe qui cachent mal, compte tenu de leur activité effectivement réduite en la matière, le fondement social de leur prérogative. Ces luttes de pouvoir et pour le pouvoir peuvent aller jusqu'à des conflits ouverts où se révèle leur caractère de classe, tant il est vrai que le maintien de l'ordre public est toujours une des composantes du maintien de l'ordre social lui-même.

Mais ces luttes sont de tous les instants et à tous les niveaux entre les différents corps (notamment entre la gendarmerie et la police) mais aussi à l'intérieur de chaque corps (cf. par exemple la « guerre des polices »), ce qui d'ailleurs n'est pas sans renforcer la position prééminente des magistrats. En outre, d'autres clivages sont apparus. Si l'on prend l'exemple des commissaires de police, leur reconnaissance à l'égard de la suprématie judiciaire varie selon la manière d'accéder à cette fonction (avoir déjà exercé ou non une fonction dans la police). Or, le mode de formation des commissaires est un enjeu de luttes à l'intérieur même de ce corps, entre les « anciens », qui défendent l'apprentissage sur le tas, et les « jeunes » qui revendiquent la compétence scolaire, c'est-à-dire leur manière respective d'être parvenus à devenir ce qu'ils sont. Ces différences ne sont pas non plus sans fondements sociaux. Les clivages de classes ne recoupent plus les seules divisions fonctionnelles du travail de maintien de l'ordre, mais traversent désormais les différents corps. De sorte qu'en ce domaine comme dans d'autres, notamment dans l'armée, les luttes entre corps et à l'intérieur de chaque corps, ne peuvent plus être seulement rapportées désormais à des conflits de classes, mais aussi à des luttes à l'intérieur même de chaque classe, et, pour les postes les plus élevés, plus particulièrement, entre les différentes fractions de la classe dominante•

Remi Lenoir

La police des pauvres

Jean a 40 ans. Il est issu d'une famille de pieds-noirs. Son père était coiffeur. Il a vécu jusqu'à l'âge de 12 ans dans un quartier populaire d'une grande ville d'Algérie. Il parle de son départ comme d'un « exode ». En arrivant en France il est non seulement coupé de son entourage et de ses amis, mais, pour des raisons familiales (divorce de ses parents), il est en plus envoyé dans un internat qu'il n'aura de cesse de vouloir fuir. Après le bac, il effectue son service militaire qui accroît sa phobie de l'enfermement. Même si rien ne le prédisposait à entrer dans la police, « ne sachant pas quoi faire », il passe le concours d'inspecteur de la police nationale après avoir vu une affiche dans un commissariat. Une fois entré à l'École, à cette phase d'indétermination sociale – « tout me paraissait étranger » — fait place au contraire une période où se succèdent une série d'engagements à la fois professionnel, syndical et matrimonial.

Du point de vue professionnel, il s'agissait moins de faire une carrière que de suivre la voie qui est comme tracée à l'avance dans la moyenne fonction publique dès lors qu'on se conforme aux attentes de l'institution. Ainsi qu'il le dit lui-même, il était « disponible » et « prêt à jouer le jeu ». Et comme presque tous les inspecteurs de police, il se syndique. C'est surtout l'action syndicale, plus que l'activité proprement policière, qui le conduit à la fois à réfléchir sur le « métier de flic », où il se sent mal à l'aise, et à préparer le concours interne pour devenir commissaire, concours qu'il réussit. Il est maintenant chef de service dans une direction départementale des polices urbaines.

Il cumule l'expérience du policier de base et la réflexion du responsable syndical sur la bonne manière de devenir un policier. Il échappe ainsi, au moins pour une part, à la langue de bois : le discours de son organisation lui offre à la fois un moyen d'expression et une conception du travail policier qui correspondent bien à ce qu'il est devenu, notamment grâce à ce syndicat, très minoritaire aussi bien chez les commissaires que chez les inspecteurs (mais beaucoup moins chez les gardiens de la paix), auquel l'unit une très forte affinité.

D'origine populaire et coupé de ses racines familiales et locales, il défend une conception qu'on pourrait dire « sociale » du travail policier (« police du pauvre et des pauvres »), par opposition à celle qui domine chez les commissaires et les inspecteurs, et qui met en avant au contraire la spécialisation, la technicité et les résultats (« police de pointe »). Derrière cette opposition, c'est en fait deux catégories sociales de policiers qui s'affrontent, les uns réduits aux « saletés », les autres « à des individus d'un certain niveau », c'est-à-dire « la délinquance organisée ». Et son analyse des « motivations » des policiers manifeste bien la position ambiguë qu'il occupe dans cette profession dont il a intériorisé, pour une part, l'échelle des valeurs et accepté « les objectifs » : c'est un chef relégué dans un service peu prestigieux, la « petite et moyenne délinquance », tant il est vrai que la hiérarchie de la police – de la « police active », la seule qui vaille à ses yeux, pas « celle des bureaux » — est calquée sur celle des délinquants et des propriétés sociales qui les caractérisent.

L'analogie qu'il fait avec la médecine de quartier (« Les gens du commissariat ce sont les médecins généralistes de la société »), ses vœux à propos de la formation « à la base » des policiers (« leur faire faire cinq années dans un commissariat difficile »), sa nostalgie pour la fonction de juge de paix, sont autant d'expressions à peine transfigurées de sa souffrance première, celle du déracinement, que l'adhésion aux valeurs défendues par une organisation syndicale non exclusivement corporative lui a permis de supporter.

Si cet entretien apparaît comme une sorte de monologue, c'est sans doute parce que seule peut être transcrite la dimension verbale de l'échange. Il est vrai que je n'ai pas eu à « faire parler » mon interlocuteur ; peut-être parce que sa souffrance parlait d'elle-même, la parole étant l'instrument qui l'exprime et en même temps la nie●

avec un commissaire

— entretien de Remi Lenoir

« Pour les comprendre, il faut avoir souffert soi-même, sinon ils vous dérangent ces gens »

Jean — On est de la police urbaine : le quotidien au niveau de la petite et moyenne délinquance, c'est les membres du quart-monde qui ont trouvé un chèque ou qui l'ont pris dans une roulotte, qui sont allés s'acheter une caisse de Kiravi. C'est triste, mais enfin, c'est ça qu'il faut traiter, et puis, à l'autre bout, on a donc la délinquance organisée où on a des gens qui braquent, qui travaillent sur les stup, etc. Celle-là c'est en principe pour la PJ. Notre patron part du principe qu'il est là pour lutter contre la petite et moyenne délinquance et pas pour faire de bonnes affaires. Il a raison. Il est là pour éviter que la mémé se fasse piquer son sac, qu'on casse la voiture. Mais il faut quand même qu'on arrive à faire nos preuves auprès des magistrats, car au départ ils pensent que si nous sommes taillés pour lutter contre la petite et moyenne délinquance, on n'a pas l'envergure pour traiter des grandes affaires – c'est peut-être vrai des fois. Donc tout le monde – les magistrats, la hiérarchie, etc. – nous confie les affaires intéressantes à contre cœur, mais c'est la seule façon pour nous de garder des gens motivés.
Si on vous donne à chaque fois des saletés, enfin des saletés, des petites affaires, vous démotivez complètement les gens. Si on faisait que du flag [*flagrant délit*], comme à Paris, ça consiste tous les matins à aller dans les cages de garde à vue chercher des membres du quart monde ou des pauvres chômeurs qui ont fait des chèques parce qu'ils n'ont plus rien à bouffer, des trucs comme ça. A force, c'est pas tellement valorisant : il n'y a aucune démarche inquisitoriale intéressante. C'est valorisant de partir de rien et d'arriver à sortir une affaire, et pour que la démarche inquisitoriale soit intéressante, il faut que l'affaire soit complexe ; pour que l'affaire soit complexe il faut qu'on ait affaire à des individus d'un certain niveau. Pour qu'on ait affaire à des individus d'un certain niveau, il faut qu'on touche à la délinquance organisée, etc. Nous, nous ne sommes pas faits pour ça, je le reconnais ; mais si on nous enlevait ce créneau – on tend à le faire

– ça démotiverait largement nos gars. D'ailleurs il y a des tas de raison d'être démotivés ou de n'être pas tellement motivés. Dans la police – vous avez des gens qui sont rentrés par vocation alimentaire, j'en suis un –, vous en avez qui sont rentrés par vocation tout court, il y en a certainement, je n'en connais pas beaucoup – mais, même si vous êtes rentré par vocation alimentaire, vous vous intéressez un petit peu à votre travail. C'est quand même valorisant de sentir qu'on ne travaille pas pour rien. Si vous prenez un mec qui a une compétence géographique nulle, une compétence *rationae materiae* limitée au vol de poules ou aux vols-roulotte et *rationae personae* aux membres du quart monde vous avez une sous-police : même si vous avez des gens intéressés qui arrivent au départ, ils vont tout de suite être démotivés. Je pense qu'il faut pouvoir donner de tout à tout le monde. Moi je suis contre les polices spécialisées.
Je trouve que tous les flics devraient être formés au départ dans les mêmes écoles de police. Il y a un truc anormal, vous avez des commissaires qui ont 22 ans. Ils sortent des Écoles, vous avez des petits génies, des mecs qui ont leur bac à 16 ans, qui ont été exemptés du service militaire, trois ans de fac 20 ans, 21 ans, tac commissaire ! C'est grave ça. Moi je dis que tous les gens chez nous devraient être recrutés à la base. Bon, les licenciés, les diplômés des universités, ça serait peut-être un peu rébarbatif pour eux. On pourrait les recruter au niveau des officiers de police déjà mais pas au niveau de commissaire et leur faire faire cinq années dans un commissariat difficile, Région parisienne, Lyon, etc., leur montrer, faire faire des constatations de cadavres, voir les problèmes d'alcoolisme, etc. Les gens de commissariat, ce sont les gens les plus intéressants : ce sont les médecins généralistes de la police. Parce que ce sont eux qui sont au contact de la délinquance…Pas toujours de la délinquance, mais des problèmes dans les couples, des problèmes de voisinage, de bruit, etc. Ce sont les éboueurs de la société. Tout le monde devrait passer par là et ensuite permettre à certains d'aller dans des services spécialisés et revenir, parce que c'est bien joli de dire, « voilà on est bons, on est des spécialistes, on est des spécialistes en droit financier, et puis on est incapables de faire des constatations de cambriolage ! » C'est facile, je l'ai fait, d'étudier des comptabilités. Mais c'est aussi intéressant d'aller faire du saute-dessus de temps en temps, d'aller trouver les agresseurs de mémés. Ah, oui, physiquement, ça vous demande

de vous impliquer plus, mais après tout, je pense que quand on choisit d'entrer dans la police on choisit d'être impliqué physiquement.

C'est vrai qu'il y en a qui quittent. Ça se passe au niveau des inspecteurs divisionnaires. Ça ne les intéresse plus... Il y a une conjoncture de fait : les carrières sont bouchées, la délinquance qui est de plus en plus dure, c'est pas toujours évident... Il y a la police de pointe et la police du pauvre et des pauvres ! C'est les gens des ZUP. Dans le XVIe arrondissement, à Paris, il n'y a pas tellement de problèmes. C'est un des beaux quartiers, à Saint-Cloud, etc., ça peut être cool de faire la police. Aux Minguettes, avec les fous, l'alcoolisme, le chômage, les mœurs de certains qui ne cadrent pas spécialement avec les mœurs des autres, c'est autre chose. Je ne veux pas faire de discriminations raciales. Chez les Maghrébins par exemple, moi je suis né en Afrique du Nord, les Maghrébins vivent le soir. Bon, les Européens moins. Ils vivent dehors le soir, ils font du bruit, mais ils ne sont pas coupables de faire du bruit, c'est leur culture qui veut ça. Bon, alors, ils cohabitent avec des gens, il y a des problèmes, etc. C'est là où la police est difficile à faire. Lutter contre la grande délinquance, c'est extrêmement facile.

C'est une délinquance qui est légitime à la limite ! Pas légitime, mais on la comprend, hein ? Moi je sais que quand je ramasse une femme, une pauvre fille qui élève toute seule ses gamins, et qui a été faire des chèques dans les grandes surfaces pour acheter uniquement des denrées alimentaires, je vous avoue que je ne me sens pas bien fier. Et je vous avoue que si je disposais de l'opportunité des poursuites, je ne poursuivrais pas. On lui donnerait presque de l'argent... pas toujours... enfin, je prends un cas dans ma partie. Mais il y en a tellement, le petit mec qui a faim, qui va piquer un pain à Monoprix, ou un truc comme ça, qui va piquer une mobylette ou des trucs comme ça, parce qu'il y a tellement de richesses qui sont exposées, ça tente, etc. Les coups et blessures, dus à des agressions de bruits sans arrêt, c'est ça qui est pénible. Ça c'est dur à vivre pour tout le monde. Et les flics qui le vivent, il ne faut pas trop leur faire subir ce pressing sur la tête, il faut leur permettre de voir autre chose de temps en temps.

Les gens essaient toujours de s'arracher de ces postes embêtants pour aller dans les postes plus tranquilles. Vous avez des gens chez nous qui sont des actifs et qui travaillent dans des bureaux !

C'est pas normal ça ! C'est pas normal ! La police active c'est pas pour travailler dans un bureau ou, alors, il faut avoir une exemption médicale valable. Des fois c'est justifié, la dépression nerveuse, etc. On dit que les plus grands taux de suicide sont partagés entre certains instituteurs et les gardiens de la paix de la PP (police parisienne). Les gardiens de la paix de la PP aussi, ce sont des gens déracinés parce qu'ils ne sont pas dans leur pays, etc. Et puis, vous voyez la circulation à Paris, dans les carrefours il y a de quoi devenir fou. Rien que de passer avec la voiture, c'est déjà dingue, mais de faire la circulation là-dedans, c'est incroyable. Plus vous êtes dans un poste exposé, comme ça, plus vous allez être amené à avoir un risque de bavure ; plus la situation est tendue, plus la bavure risque de se produire, de façon endogène et exogène. Endogène parce que vous avez accumulé de la fatigue, du stress, etc. Moi, je pense que c'est un boulot qui est extrêmement stressant. Du stress, vous l'accumulez, donc déjà vos cheveux deviennent blancs. Ensuite exogène parce que vous êtes dans un quartier à risque, avec des fortes concentrations ethniques différentes qui sont amenées là et qui se heurtent aux problèmes de la misère, de l'alcoolisme, du chômage, etc., Bref c'est la spirale infernale. Les inspecteurs qui sont affectés dans les quartiers emmerdants actuellement en partent au bout d'un an. A Y, vous n'avez que des jeunes qui tournent. C'est pourri, le centre-ville, etc. Si un jour vous rentrez dans un service de police que vous ne voyez que des jeunes, vous pouvez vous dire que c'est un poste difficile.

Parce que dans la police, l'expérience c'est tout

Et c'est dommage parce que ces jeunes-là qui vont se trouver devant des situations délicates, n'ont pas d'anciens sur lesquels s'appuyer. C'est sécurisant les anciens. Moi je commence, j'ai 40 ans, je commence à devenir un ancien, c'est triste. Quand je suis arrivé, j'avais plaisir à consulter des gens, on les traitait de vieux cons à l'époque, on avait 20 ans, on ne le pensait pas. Ils avaient 55 ans, ils étaient là, qui nous faisaient part de leur expérience, parce que dans la police l'expérience c'est tout. Moi je crois qu'il faut dans tous les services, il faut qu'il y ait des amalgames de plusieurs tranches d'âge, qu'il y ait des gens qui aient beaucoup d'expérience, des jeunes qui arrivent pour se former. Dans tous les cas, les jeunes, à mon avis, il faut les former impé-

rativement dans les postes difficiles, dans la banlieue parisienne, dans les mégalopoles, il faut les former dans les quartiers difficiles et ensuite leur donner le loisir d'aller ailleurs ; chez les magistrats, c'est un peu pareil, le pénal n'est pas très prisé, c'est vrai. Ces magistrats il faut les faire tourner. Moi, quand je vois un juge d'instruction qui a 25 ans, ça me fout des boutons.
J'ai connu un commissaire de police qui est un universitaire, qui est vraisemblablement un universitaire brillant, dont le père était notaire et la mère était agent immobilier, donc d'une famille aisée, qui a quitté la fac après deux maîtrises, et qui est allé faire son service militaire dans un endroit planqué, parce que son papa connaissait du monde. Il était garde-barrière dans une base, il allait dormir tous les soirs chez son papa et sa maman, il est allé à Saint-Cyr, à l'ENSP, où on lui a dit que les commissaires c'était quand même une certaine élite, etc., ce qui est vrai. Mais il n'a jamais connu la vie, ce mec, il n'a jamais souffert, il a épousé une camarade de fac dont les parents étaient aussi aisés que les siens. Il est arrivé dans un service qui ne faisait pas de police, pour ne pas le citer, la PAF, la police des airs et des frontières, police administrative de luxe, parce que dans les aéroports, c'est quand même une certaine clientèle. Ce mec, il ne connaît rien de la vie, et c'est un cadre supérieur de la police nationale ! Ce mec, il est commissaire divisionnaire maintenant et il ne sait pas ce que c'est que d'avoir souffert dans la vie, que d'avoir fréquenté les bas-fonds, etc.
Pour parler à un voyou, si vous n'êtes jamais sorti des jupes de votre maman, de l'Université, etc., d'un milieu douillet, vous ne parlerez jamais le langage, même sans parler vraiment celui des voyous, disons celui des plus défavorisés. Pour les comprendre, il faut avoir souffert soi-même, sinon ils vous dérangent ces gens, vous ne pouvez pas les comprendre, vous ne pouvez pas... Moi, j'estime qu'un flic doit être indulgent. On doit toujours faire montre d'une neutralité bienveillante. Toujours. Dans tous les cas. Dès que vous abordez un problème, vous devez l'aborder comme il est. Mais de temps en temps il faut être indulgent, vous n'êtes pas toujours là pour enfoncer les gens. On est de temps en temps là pour régler..., faire les juges de paix, comme on disait avant, régler un petit délit et éviter de le porter devant la justice. Moi j'estime que, sans vouloir le faire, mais mettre une paire de claques à un gamin de 15 ans, et un bon coup de pied au cul de

son père, ça vaut toutes les procédures du monde. Qu'il ait volé, parce qu'il a été tenté, un stylo dans un grand magasin, c'est pas la mer à boire, un vélo, une mobylette, c'est quand même pas... une voiture... parce que le gamin avait eu envie ou soit montrer à ses copains ou qu'il avait besoin d'aller au bal ou n'importe quoi. Puis de toute façon moi j'estime qu'on fait pas la police avec des enfants de chœur, il faut faire la police avec des gens qui ont vécu.

juin 1990

Remi Lenoir

Femme et flic

Agnès a 24 ans. Elle est fille unique. Elle vient de sortir de l'École supérieure des inspecteurs de la police nationale. Elle est entrée sur concours après avoir passé un bac G, sans mention. Elle est originaire d'une petite ville du Sud-Ouest. Je l'ai rencontrée il y a trois ans, lorsque je commençais une étude sur la réforme de l'instruction pénale.

S'il est si difficile d'obtenir des policiers des propos un peu affranchis des directives de la hiérarchie ou des consignes des organisations syndicales, c'est moins la conséquence de l'appartenance à un corps, comme avec les gendarmes ou les magistrats, que d'une sorte de *méfiance* quasi instituée à l'égard de tout ce qui est étranger (« au service »). Cette sorte de suspicion, transmuée en vertu professionnelle, – la « vigilance » –, est renforcée, à la différence d'autres professions où la réserve, le secret, l'anonymat, etc., sont aussi des attributs de fonction, par le constant souci de rectifier vis-à-vis de l'« extérieur » une représentation dépréciative du corps. Cette obsession de la « mauvaise image » de la police se manifeste de manières diverses selon les fonctions et les grades : elle va de l'hypercorrection juridique à l'impeccabilité linguistique en passant par la langue de bois bureaucratique pour les supérieurs, et de la gêne paralysante à un bavardage bravache pour les subordonnés.

En outre, les professionnels de l'interrogatoire, toujours sur la défensive, ont à la fois le projet et les moyens de contrôler la situation d'enquête, de tenter d'avoir prise sur la définition des problèmes et d'user de tous les subterfuges ordinaires, secret, topiques conformes, superficielles connivences et fausses confidences, etc.

Le problème se pose moins avec ceux qui ne sont pas encore totalement identifiés à la fonction et à l'institution. C'est notamment le cas des femmes qui, encore aujourd'hui, sont peu nombreuses et sont d'autant plus reléguées dans des tâches perçues comme « féminines » que cet univers masculin érige la « virilité » et tout ce qui lui est associé en qualités professionnelles. D'où, sans doute, cette liberté de ton, ce franc-parler, et même cet humour souvent décapant qu'on observe chez ces femmes qui, tout en ayant intériorisé les « valeurs policières », sont moins contraintes, dès lorsqu'elles acceptent de le faire, à parler de manière convenue.

En ce qui concerne Agnès, si elle peut parler avec une telle franchise et tant de réalisme, c'est aussi parce qu'elle trouve dans cet entretien l'occasion d'exprimer une révolte à la fois irrépressible et confuse. Cette confusion tient au fait que son indignation se manifeste selon trois registres, qui sont, chez elle, inextricablement mêlés : celui de la femme, jeune, en butte à ses parents et au type de vie qu'ils représentent, celui de la femme active et dynamique scandalisée par la routine de la bureaucratie ordinaire, celui de la lutte sociale, ici celle qui met au prise un cadre débutant avec les autres acteurs et les utilisateurs du service public auquel elle s'est identifiée. Si, dans cet entretien, elle parle presque exclusivement de ses conditions de travail et de sa formation, c'est que sa vie personnelle s'efface derrière ses occupations et ses préoccupations professionnelles qui lui ont offert les moyens de « s'en sortir » et de s'arracher à tout ce qui l'« étouffait » : ses parents, le lycée, sa ville natale. Seul le climat de son « bled » trouve encore aujourd'hui grâce à ses yeux.

Son physique, apparemment frêle, ses cheveux châtains, courts et coiffés à la garçonne, son regard vif, comme aux aguets, et, paradoxalement, son allure décontractée qu'accentue cette sorte d'uniforme que portent désormais la plupart des jeunes inspecteurs de police, tennis, jeans, veste de cuir couvrant juste un polo blanc, manifestent immédiatement cette volonté tenace d'être « libre ». Tout ce qui peut réveiller cette sensation d'oppression, que ce soit la « hiérarchie » au sein du commissariat de quartier parisien où elle a été affectée à la sortie de l'École, ou les inspecteurs « blasés » qui « cassent » les jeunes en leur conseillant « de ne pas y aller » car l'interpellé « va nier », lui est « insupportable » – terme qu'elle emploie fréquemment.

Sa perception des « vieux », le vieux commissaire « qui n'est là que pour faire de l'argent », les vieux inspecteurs qui sont « feignants » et « peinards », correspond à celle qu'elle a de ses parents : le père, contrôleur des « fraudes » (à la concurrence et aux prix) et la mère, aide-soignante à l'hôpital, « qui n'en ont plus rien à en foutre de leur boulot, si tant est que ça les a intéressés un jour ». A l'inverse, ce cousin, lui-même inspecteur de police, qui l'a incitée à présenter ce concours en lui montrant l'exemple, incarne tout ce qu'« elle aime dans la vie », et qu'elle croit pouvoir trouver dans son nouveau métier : « l'enquête » (c'est-à-dire l'action et l'aventure), « les résultats » (par opposition aux « paperasses » ou aux « vices de forme ») et cette branche de la police judiciaire qu'est l'« escroquerie » et surtout pas les « mineurs » (« Moi j'ai horreur de ça »), secteur où se trouve la plus grande proportion de femmes inspecteurs, et dont la fonction se rapproche le plus de ce que ses parents souhaitent pour elle. « Mes parents, eux, ils auraient aimé que je sois infirmière, travailler dans une crèche, assistante sociale, un truc comme ça, et, surtout, que je reste à X. »

Ce n'est pas par vocation qu'elle s'est « retrouvée » dans la police, même si, comme elle l'affirme, « la police, moi, j'ai toujours voulu faire ça » ; c'est par une *répulsion* fondamentale pour tout ce qui est « assis », c'est-à-dire tout ce qui rappelle « les vieux » – notamment les siens. Provinciale, déracinée, isolée, elle est aussi révoltée par les multiples formes d'entraves au fonctionnement de l'institution dont le principe se résume, selon elle, dans le fait que « les gens n'assument pas ». Et ceci, qu'il s'agisse de l'effronterie des délinquants (« Il lâche le porte-monnaie, ça y est, c'est pas lui »), de la négligence des victimes qui ne déposent pas plainte ou la retirent (« Ils ont peur des représailles »), de la mansuétude des magistrats (« Ils sont laxistes »), du cynisme des avocats (« Même quand son client plaide coupable, il va chercher la faute ») ou encore de la veulerie de certains de ses collègues (« Ils se laissent aller, ils boivent »), etc. Cette aversion pour l'inefficacité dont elle énonce les principes – l'extrême division du travail policier, le formalisme judiciaire, l'absence de moyens matériels, l'indifférence des justiciables pour le travail policier – s'accompagne d'une réaction d'indignation contre tout ce qui va à l'encontre de la finalité de son administration (« Vous êtes venue pour l'assurance ou pour retrouver votre autoradio ? » ; « Pour l'assurance, évidemment » (…) « Alors, c'est même pas la peine qu'on existe ! »), et plus généralement contre tout ce qui usurpe l'activité policière (« Alors les faux policiers, je ne sais pas comment ils font avec une carte bleu, blanc, rouge, ils rentrent comme ils veulent. Nous, on rentre pas ! »).

On trouve ainsi au fondement de sa révolte, outre le rejet de son milieu d'origine, les principes de son adhésion à un mode de gestion efficace du maintien de l'ordre, ce qu'elle exprime à sa façon, abrupte et directe : « savoir (…) si on a travaillé pour quelque chose ou pour rien ». Il ne s'agit plus seulement de dénoncer ce qui s'apparente immédiatement à l'univers social de son enfance en ce qu'il a d'oppressant et de méprisé (« Je ne supporte pas quelqu'un qui vient déposer une plainte et trois jours après la retirer »), et de petit (« Nous on est un petit commissariat de quartier, on ne fait que de la basse délinquance »), etc. Ce qui « l'horripile », ce sont tous les obstacles qui caractérisent la bureaucratie policière : absence de coordination entre les services (« Le rapport, des fois, on l'attend trois heures » (…) « On perd un temps considérable »), la lassitude désabusée des anciens (« C'est pas la peine. Qu'est-ce vous allez faire ? Laissez tomber » (…) « C'est des blasés »). Or cette vacuité et cette inertie de l'administration policière, parce qu'elle a pour effet de brider cette énergie qui lui a permis de sortir de son milieu, est sans doute au principe de sa lucidité ironique et teintée d'amertume – tant il est vrai que ceux qui parviennent à une « place » improbable, n'y arrivent qu'au prix d'un sens aigu de l'observation du fonctionnement de l'organisme dans lequel ils travaillent et des rapports sociaux dont il est le lieu.

Elle n'a pas de mots assez durs pour dénoncer notamment les commissaires, ses chefs (« Le commissaire c'est pour toucher de l'argent ») ou les commerçants qui ne se pressent pas pour déposer une plainte et qui ne s'intéressent qu'à la valeur des objets volés (« Toujours la valeur, nous, la valeur, on n'en a rien à foutre »). Ce rapport désintéressé et neutre à l'égard de l'argent est la face à peine cachée du mépris qu'elle porte à ceux qui la méprisent, elle et ses semblables (ces cadres moyens de la police que sont les inspecteurs), et qu'elle ne fait que mentionner, avocat, magistrat, hiérarques de la police ou victimes désinvoltes dont elle stigmatise les conduites, affichant de cette manière qu'elle n'est pas des leurs. Et, à l'inverse, elle n'aura de cesse de défendre ces « pauvres délinquants », celui qui est sorti de prison et qui n'a plus de travail et qui, faute d'en trouver, retournera en prison, la « pauvre fille » pour laquelle « on sentait que c'était soit la drogue, soit le trottoir », et le jeune adolescent qui « s'était laissé entraîner par des loubards ».

Ces désillusions rageuses (« Ça lui a foutu les boules de les voir déférés ») sont d'autant plus fortement ressenties qu'elles sont comme la contrepartie, obligée et douloureuse, de l'adhésion totale à l'institution à laquelle elle a le sentiment de devoir son changement de trajectoire sociale. Mais ce désenchantement bien fondé, loin de provoquer une quelconque distance à l'égard de ce qu'elle fait, ne met pas pour autant en cause « l'intérêt » qu'elle porte à son métier (« C'est intéressant » « moi, ce que j'adore c'est les escroqueries...), même s'il est parfois ébranlé par des expériences décevantes (« On fait de la paperasse, on fait de la procédure et, après, c'est classé : pas de poursuites ») Et si elle pense qu'en certains cas « il n'y a pas de solutions », cela ne lui ôte pas pour autant cette *idée fixe* qu'il peut y avoir des « *résultats* ».

A bien des égards, les propos d'Agnès recoupent les séquences du film de Bertrand Tavernier *L. 627*. On y retrouve l'ordinaire du « métier de flic », cette tension entre d'un côté la dimension sportive, le goût du risque et ce qui l'accompagne, la camaraderie entre membres d'une équipe, affrontés aux mêmes dangers et aux mêmes obstacles, et de l'autre la routine et l'inanité de la bureaucratie administrative. Mais les ressorts de ce qui fait la force de ces deux représentations de l'activité policière sont différents. Sans doute parce qu'il lui faut obéir aux conventions du genre, le film est conduit à styliser les situations ou les personnages au point qu'ils côtoient parfois les stéréotypes des films policiers.

Tout au long de cette interaction éphémère et unique, Agnès est passée sans cesse de l'indignation devant tout ce qui mettait en cause son « travail » à l'affirmation de tout ce qu'elle y investissait (notamment sortir de sa condition de femme issue de la petite bourgeoisie provinciale). D'où, peut-être, cette ironie qui marque ses propos, fréquente chez ceux qui prennent au sérieux leurs fonctions tout en les voyant si peu considérées ou si mal assumées. C'est sans doute de la prise de conscience des aspects les plus dérisoires de l'exercice de ses fonctions, celles, il est vrai, auxquelles elle ne semble pas accorder le plus d'importance, c'est-à-dire celles auxquelles elle ne s'*identifie* pas (« tous ces actes qu'on fait et qu'on doit mettre sur le papier »), que vient cette manière sarcastique de présenter, sous forme de dialogues et de saynètes, les problèmes qu'elle rencontre et la souffrance qu'ils engendrent : « tous ceux que je connais, les collègues qui ont un an de plus que moi, ils disent, "l'angoisse, je balise à fond parce que je vais être OPJ" ». Bref, son rêve et son cauchemar.

avec une jeune inspecteur de police

— entretien de Remi Lenoir

« Les jeunes qui arrivent (...), dès la première année on les casse »

Agnès — Dans les commissariats de quartier, [*Les commissariats de quartier dépendent de la police judiciaire : c'est là qu'on trouve les policiers en civil chargés de faire des enquêtes et de recevoir le public pour les dépôts de plainte, les déclarations, etc. Pour les définitions des fonctions et des usages des institutions policières, on s'est reporté au glossaire de l'ouvrage de M. Jeanjean,* Un ethnologue chez les policiers, *Paris, Metaillié, 1990.*], il y a d'abord un problème de temps et de moyens parce que, nous, quand on a une plainte, par exemple un vol à l'étalage, on nous emmène le gars, on prend la plainte et il faut attendre le rapport du gardien de la paix. Il fait un rapport mettant l'individu à notre disposition. Ce rapport, des fois, on l'attend trois heures parce qu'il faut que le gardien de la paix reparte, qu'il aille le taper... Si c'est un vol à l'étalage dans un magasin, le commerçant, lui, ne va pas venir tout de suite, « Il travaille, il n'a pas que ça à faire », etc. Il déposera plainte ultérieurement, mais nous, il nous faut la plainte absolument parce que le bonhomme sera sans doute déféré. Il nous faut donc, aussi, attendre que le commerçant vienne et, quand il vient, il est sept heures moins cinq !

— Et vous le gardez dans les locaux du commissariat ?

Agnès — On le garde. S'il y a toujours pas de plainte, on attend la plainte du commerçant. Ensuite une fois qu'on l'a, le monsieur est déféré. Il doit passer, par exemple, à six heures devant le juge. Il est quatre heures. On appelle un car pour aller au dépôt. A six heures moins cinq, le car n'est pas encore là parce que y a encore un problème, etc. C'est tout le temps comme ça. On perd beaucoup de temps.

— Qu'est-ce qui se passe quand le type est pris sur le vif et qu'il peut passer en procédure de flagrant délit ?

Agnès — En général, il est déféré quand le montant est assez important, quand il s'est révolté ou quand il a blessé quelqu'un. Quand c'est un petit montant, soit il y a une main courante, en ce cas il n'est pas poursuivi mais il est fiché chez nous, soit une convocation à comparaître, c'est-à-dire qu'on téléphone au procureur pour qu'il nous donne un rendez-vous. Mais pour ça, il faut être sûr du domicile, donc il faut faire une vérification de domicile, à droite, à gauche. Ça prend aussi du temps... Le gros problème pour le vol à l'étalage c'est pour les étrangers en situation irrégulière. C'est pas nous qui les traitons, c'est la 8e section des RG [les renseignements généraux]. Mais étant donné que c'est du judiciaire, ça doit passer au commissariat : donc il faut une trace au commissariat ; je pense que c'est pour les statistiques. Donc... avec un rapport de la Sécurité publique. [*La Sécurité publique réunit l'ensemble des polices urbaines, c'est-à-dire essentiellement les policiers en tenue des commissariats.*] Nous on remplit des feuilles avec des cases, « présenté tel jour, à telle heure, devant tel OP [*Officier de police judiciaire. Il s'agit d'un titre qui autorise certaines catégories d'inspecteurs et de commissaires de police à rechercher et constater les infractions (perquisitions, etc.) et à livrer leurs auteurs à la justice (signature de garde à vue, exception des commissions rogatoires, etc.)*], le monsieur n'a pas de papiers, passage à l'identité judiciaire demandé ». Voilà, on met que ça ; après, c'est les RG qui traiteront l'affaire. Alors là, pareil pour avoir un car, c'est la même chose. Les RG prennent les personnes en situation irrégulière jusqu'à 17 h. Si le monsieur a été interpellé avant 17 h, ça part aux RG, si c'est après, c'est nous qui traitons l'affaire. L'autre fois, on a eu le mec interpellé à 3 h 30, ils nous l'ont emmené à 6 h 30. Nous on peut garder le monsieur quatre heures, sans garde à vue, pour un contrôle d'identité, à 6 h 30 il a été emmené aux RG. C'était trop tard...

— *Alors qu'est-ce que vous faites dans ce cas-là ?*

Agnès — Là, on l'a quand même envoyé aux RG et les RG n'en ont pas voulu parce qu'il était sept heures quand ils sont arrivés là-bas. Donc, c'est revenu au commissariat ; mais au commissariat, la nuit, c'est fermé. Alors, on les envoie à la 5e DPJ [*Division de la police judiciaire, ancienne brigade territoriale.*] C'est tout le temps comme ça. Au lieu d'aller directement aux RG ! C'est une perte de temps incroyable.

— *Et c'est dû à quoi ça ?*

Agnès — C'est dû aux statistiques, c'est du judiciaire alors que les RG ne font pas du tout de procédures, c'est pour ça qu'il faut que ça revienne ! Les RG traitent les étrangers parce que c'est soi-disant une source de renseignements ! S'ils peuvent obtenir des renseignements comme ça, là, ça me dépasse, c'est vraiment… absurde. Les autres problèmes, c'est avec les plaignants. Ils viennent : « On m'a volé ma voiture. » On prend les renseignements, on retrouve la voiture, la télévision, et ils ne sont pas contents : « L'assurance va pas rembourser. »

— *Ils se plaignent qu'on retrouve leurs affaires !*

Je ne supporte pas quelqu'un qui vient déposer plainte et trois jours après la retirer

Agnès — Presque : « Ça y est, Madame, on a retrouvé votre voiture. Est-ce que vous pouvez passer tout de suite ? » La nuit on interpelle par exemple un « roulottier » – c'est quelqu'un qui a cassé une voiture et qui a volé un auto-radio – on l'interpelle en flagrant délit. En principe, ça se passe le week-end. Il passe la nuit au poste, en garde à vue. Le lendemain matin, il faut contacter la victime. Alors on contacte la victime : « madame, on a interpellé le voleur qui a cassé votre vitre, il faut venir au commissariat déposer plainte. » Déjà, on leur téléphone, neuf heures du matin, ils viennent à deux heures de l'après-midi parce que c'est dimanche (en semaine, c'est pareil, parce qu'ils travaillent). Ensuite, on leur restitue l'autoradio : « alors, Madame, vous déposez plainte ? » « ah non, je ne dépose pas plainte, j'ai mon autoradio. Moi, ça me suffit, vous comprenez, je ne veux pas avoir d'ennuis avec la justice et tout ça. » C'est pareil pour les vols à la tire, c'est-à-dire le pickpocket. On le prend sur le fait, la dame le voit, elle reprend son portefeuille mais elle veut pas déposer plainte ! C'est dingue parce que quand on retrouve les choses volées, on n'a souvent pas le nom du propriétaire. Ainsi lors d'une perquisition, on retrouve des autoradios. On signale la marque, le modèle et le numéro de série sur l'ordinateur, ça ne ressort pas, « appartient à M. Untel », mais « non déclaré »,« non déclaré », « non déclaré ». Les gens n'assument pas !

— *Pourquoi, ne veulent-ils pas déposer plainte ? Ils ont peur ?*

Agnès — Ils ont peur des représailles, « il va savoir mon nom, mon adresse ». Mais le voleur, il n'en a rien à faire. S'il se fait prendre, il se fait prendre. Pour lui, c'est tout.

— *Et pour vous c'est un problème le fait qu'ils ne portent pas plainte ?*

Agnès — Pas tellement, puisque le procureur est libre de poursuivre dès qu'il a connaissance des faits.

— *Et vous lui téléphonez régulièrement ?*

Agnès — Non, c'est les OPJ qui téléphonent dès qu'il y a quelqu'un en garde à vue, en flagrant délit. Même un mineur, on téléphone au procureur pour savoir si on doit le déférer ou le relâcher… Moi, personnellement, ça m'horripile. Pour les coups et blessures, c'est pareil entre femmes et maris : « je porte plainte, mon mari m'a battu il y a huit jours. » On prend la plainte, parce qu'elle insiste. Je suis sûre que trois jours après, quand on a convoqué le mari, la dame vient retirer sa plainte, parce qu'ils ne veulent pas divorcer : y a les enfants et tout ça… Donc, tout le temps pareil, si vous voulez, on fait de la paperasse, on fait de la procédure et, après, c'est classé : pas de poursuites, même pour les coups et blessures !

— *Et là, le Procureur ne peut pas poursuivre ?*

Agnès — Pour coups et blessures entre mari et femme, je ne pense pas qu'il poursuive ; il peut poursuivre si jamais c'est très très grave, mais en général, c'est rien du tout. Il poursuit, c'est vrai, mais les flagrants délits, les vols à la roulotte, des trucs comme ça, en général, non.

On fait de la paperasse, c'est tout

— *Il le fait systématiquement ?*

Agnès — Oui, oui, déféré et convocation à comparaître ; mais vol à l'étalage, 200 francs, il ne poursuit pas. Je crois que c'est 500 francs. C'est des commerçants qui veulent absolument porter plainte quand même, même si on sait très bien que cela sera classé sans suite. Nous, généralement, on prend une main courante, sauf s'il y a eu rébellion, ou s'il a volé 40 francs et blessé quelqu'un, là on prend la plainte. Mais, là, en général, c'est aussi classé ! Pareil pour les chèques sans provisions, 150 francs, 200 francs, là, c'est classé et nous on a beau prendre la plainte… C'est classé ! Y a trop de trucs…

— *En définitive, en tant que policier, vous avez le même travail, quelle que soit la gravité des faits, que ce soit un vol de sac à main, un chèque de deux millions de francs…*

Agnès — Normalement dans les lois, c'est écrit. Mais en réalité, non. Dans les cambriolages, quand c'est une simple constatation, l'identité judiciaire, ils n'ont pas assez de personnel, ils sont quatre pour tout Paris ou un truc comme ça ; donc pour les cambriolages, on va faire les constatations nous-mêmes. On n'appelle l'identité judiciaire que quand le montant est assez élevé, c'est-à-dire plus de 100 000 francs ; mais on peut aller faire une constatation aussi, s'il y a une belle empreinte sur la vitre, même s'il y a presque rien, on y va...

— Il faut le savoir à l'avance qu'il y a une empreinte...

Agnès — C'est le plaignant qui nous le dit, « y a une empreinte. » On va voir, mais ce qu'il y a, c'est que l'empreinte elle est bonne que sur certaines surfaces et quand elle est bien appuyée. En général, les empreintes, elles sont glissées... Par exemple, il y a un casse de 500 000 francs, on va faire venir l'identité judiciaire à cause du prix. On voit très bien qu'il n'y a aucune trace, que la trace, elle est là, elle est glissée, elle n'est pas utilisable, mais il faut appeler quand même pour se couvrir. Sur un petit cambriolage, il y aura peut-être une belle empreinte : mais l'identité se déplace que pour plus de 100 000 francs ou quand il y a quelque chose d'un peu louche... (...) Voilà. Pour un cambriolage, il faut saisir les pieds-de-biche, etc. Alors il faut mettre les pieds-de-biche sous scellés... Mais au greffe, ils en ont des centaines, des milliers de pieds-de-biche. C'est bien, mais ça sert à rien. En fait ce qu'on fait, c'est de la paperasse, c'est tout !

— Vous remplissez beaucoup de paperasse ?

Agnès — Oui, il y a beaucoup de papiers, y en a de plus en plus. Tout acte qu'on fait, on doit le mettre sur papier, « ce jour, je me suis déplacée, je suis allée chez Untel. Avons reçu des contacts téléphoniques », tout, tout, tout !

— Les papiers c'est nécessaire pour les assurances, non ?

Agnès — Alors ça, l'assurance... Les victimes ne viennent pas à la police pour déclarer le vol mais pour faire un papier à l'assurance, parce qu'elles ont plus confiance en l'assurance qu'en la police.

— L'assurance exige un papier de la police ?

Agnès — Oui, l'assurance exige un papier de la police. Alors les victimes viennent, « qu'est-ce qu'on vous a volé ? » « on m'a volé une télévision » « de quelle marque ? » « Je ne sais pas, mais j'ai les papiers. Alors, d'abord c'est une télévision de 3 000 francs » (toujours la valeur ; nous, la valeur on en a rien à foutre). « Quelle marque ? » « Je ne sais pas, mais j'ai les factures que je dois envoyer à l'assurance. » A l'assurance, ils vont leur dire, quel modèle, quelle série ? Là, ils vont leur dire tout, alors qu'à la police : non. J'ai reçu dernièrement une liste d'un cambriolage dans un magasin. J'ai dit à la dame, « vous faites la liste de tout ce qui a été volé : tant de pulls de telle couleur, de telle marque, oui, oui, oui ». Je reçois la liste, c'est référencé : « 8526, quantité 2, valeur tant ». Alors, avec ça, allez chercher ! Maintenant, moi j'ai la solution : je ne prends la plainte du cambriolage que si j'ai les factures ou toutes les références. Nous travaillons pour les assurances (...)

Les victimes ont plus confiance en l'assurance qu'en la police (...) Alors c'est même pas la peine qu'on existe

— *Parce que les gens ne font pas de déclaration...*

Agnès — Si parfois, mais les gens diront, « on m'a volé un autoradio de marque Philips ». Mais ils ne vont pas mettre le modèle et le numéro de série... Alors, après, c'est la bagarre. On passe un télégramme, « lors perquisition, on a trouvé ceci, prière informer si plainte a été déposée pour vol. » Alors, il faut attendre les gardes à vue qui passent pour voir. Ils n'y pensent pas les gens, c'est dingue, alors qu'ils y pensent pour l'assurance, ça je ne comprends pas. Je leur dis souvent, « vous êtes venu pour l'assurance ou pour retrouver votre autoradio ? ». Alors pour l'assurance, évidemment. Une fois qu'on leur a retrouvé, ils sont pas contents. Alors c'est même pas la peine qu'on existe : « vous savez mon assurance m'a remboursé, j'ai pas le temps, il était trop vieux », etc.

— *Les gens ne croient pas qu'on va retrouver leurs affaires ?*

Agnès — Oui, les gens sont persuadés qu'on ne va pas retrouver, et, nous, on voit aussi qu'on ne retrouvera qu'en flagrant délit de cambriolage. C'est vrai qu'avec l'enquête c'est rare, parce qu'on a aucun élément, et parce que quand vous faites l'enquête de voisinage : « police », on ne vous ouvre pas : « y a pas de cadavre chez moi. » Alors que les faux policiers, je ne sais pas comment ils font avec une carte bleue, blanc, rouge, ils rentrent comme ils veulent. Nous, on rentre pas : « j'ai rien vu, j'étais pas là. » Et même s'ils ont vu : « je ne veux pas venir, je travaille, je n'ai pas que ça à faire. » « je ne veux pas que mon nom apparaisse », etc. Personne n'a rien vu, n'a rien entendu. A l'inverse il y a aussi le cas où le plaignant a des soupçons sur tout le monde. Alors là, on essaie de le raisonner – « si c'est pas vrai, ça se retournera contre vous » –

parce qu'on sait, en général, si les soupçons sont fondés ou si vraiment…

— *Vous le savez ?*

Agnès — Oui, puis on sent la personne qu'on a en face de nous. On voit un peu, quoi…

— *C'est le métier qui donne… ?*

Agnès — Si elle nous dit ça, si c'est fondé, on marque ; sinon si c'est parce que le voisin était là à telle heure, il a fait ci, il a fait ça. Il faut voir. On regarde un peu.

— *Et vos rapports avec les parquets ?*

Agnès — Ça dépend des parquets, y a des parquets qui sont très répressifs, y a des parquets qui sont, on appelle ça « extrême-gauche », tout ça, ils sont laxistes : « les pauvres petits, tout ça, c'est pas leur faute » ; donc ça dépend des parquets.

— *Et vous ça vous énerve le laxisme des magistrats ?*

Agnès — Ouais, parce que pour les vols-tire par exemple, on en prend tellement de plaintes, et puis, les vols-tire, quand vous l'avez en flagrant délit, c'est tellement compliqué de l'attraper ; un vol-pocket sur le fait aussi, parce que dès qu'il lâche le porte-monnaie, ça y est c'est plus lui et quand on en a un et que vous entendez, « convocation à comparaître ou relâché », parce qu'il n'y a pas assez de preuves, alors qu'il est connu, qu'il a un palmarès comme ça. Mais faute de preuves…

— *Faute de preuves ?*

Agnès — Dans ces cas, « c'est la parole du policier contre la parole du bandit ». Le policier dira, « je l'ai vu prendre le… ». Lui, il dira : « Non, non, non, j'avais rien sur moi, il [le portefeuille] était à terre, je l'ai trouvé, je l'ai ramassé », etc. Alors il y en a qui croient le bandit, bon, c'est comme ça, et puis d'autres, non. Alors dans ce cas on défère le monsieur mis en cause mais on ne connaît pas les peines, une fois déféré, on ne sait pas ce qu'il est devenu.

— *Vous ne suivez pas…*

Agnès — On a un numéro de téléphone. Des fois, après une belle affaire, on aimerait savoir combien il a pris. Là, des fois, on téléphone pour savoir et on apprend que celui-là, il a pris trois mois, ou rien du tout, ou une amende qu'il pourra même pas payer.

— *Ça vous intéresse d'avoir le suivi ?*

Agnès — Oui, de savoir ce qu'ils sont devenus, si on a travaillé pour quelque chose ou pour rien. Oui.

— Parce que vous avez l'impression d'avoir travaillé pour rien si le type est…
Agnès — S'il est relâché : vous avez quand même fait des auditions, vous vous êtes couché à neuf heures du soir, etc., et ça donne : « le pauvre petit, c'était la première fois. » Il y a des fois aussi c'est le contraire. Ça m'est arrivé trois fois, ça m'a foutu vraiment les boules, de voir déférer ces gens. On voyait pourtant que, vraiment, c'était un délinquant, mais un *pauvre délinquant*, il l'avait fait, mais vraiment il n'avait pas le choix. Moi déférer pour ça, non !

A désespérer

— Qu'est-ce qu'ils avaient fait ?
Agnès — Y en avait un, c'était un roulottier, il faisait que ça. Il avait déjà été six fois en prison et il en était sorti. Il n'avait pas trouvé de travail, rien du tout. Donc il avait replongé. Alors il m'a dit, « moi je ne veux pas retourner en prison, je ne sais pas ce que je vais faire si j'y retourne. J'ai vécu trois semaines après ma sortie avec ce que j'avais gagné en prison, parce que je travaillais, mais après j'ai pas retrouvé de boulot et il a fallu… ». étant donné qu'il avait déjà été six fois en prison, il a été évidemment déféré, il ne pouvait pas y échapper, c'était la septième fois. Une autre fois c'était un couple, un jeune gars, une mère et puis un gosse de 20 mois. Les parents avaient volé un sac avec carte bleue, chéquier et ils sont allés faire des courses, ils sont allés acheter des bijoux, des stylos Cartier. Le monsieur était bien habillé et la femme, on voyait que c'était la pauvre fille. Ils ont fait ça, ils étaient très gentils, ils reconnaissaient les faits, et, bon, il a été déféré ; elle, étant donné qu'elle avait son gosse, elle n'a pas été déférée. On sentait que c'était la première fois, on sentait que, pour elle, c'était soit la drogue soit le trottoir, si elle continuait à vivre avec ce monsieur. C'était ça : elle était au chômage et tout ça… Lui c'était bizarre, il était bien habillé, de bonne famille. Dans son porte-monnaie, il y avait des photos de son appartement, c'était petit-bourgeois. Je ne sais pas pourquoi il faisait ça. Il avait déjà fait de la prison, ça me faisait un peu penser à Bonnie and Clyde. A désespérer !
Le troisième, c'était un cambriolage qu'on a remonté suite à une enquête. C'était un jeune adolescent, il devait peut-être avoir 17-18 ans. Il s'était laissé entraîner par des loubards, quoi, et lui, vraiment, il n'avait pas la tête d'un délinquant. Pourtant il a fait de

la prison : il a été en détention provisoire. Lui, je suis sûre qu'après il ne revolera jamais, jamais, c'est sûr. Vous en avez d'autres, des délinquants, ils ne font que ça et ils vous narguent parce qu'ils savent qu'on n'a pas de preuves, des trucs comme ça. Ils connaissent la procédure…

— *Oui. Qu'est-ce que vous verriez comme solution…*

Agnès — Les premiers, si on leur donnait du travail, il le ferait, ça serait fini.

— *Et pour les autres ?*

Agnès — Les autres ne travailleront jamais. Ce sont des feignants. Ils préfèrent faire 500 francs en cinq minutes que travailler trois mois. Ça, on le voit tout de suite, les délinquants, les habitués. Ils pourront toujours travailler, ils voleront toujours. On les voit, on les attrape : ils ont déjà un emploi, ils sont serveurs ou quelque chose comme ça, eh bien, ils continuent toujours… Ils ont déjà fait de la prison, ils connaissent tout. Il n'y a pas de solution. Peut-être qu'ils peuvent s'arranger – je parle des délinquants qui ont 18-25 ans, vol de scooter, etc. ; peut-être que, quand ils seront plus vieux, ils pourront s'arranger ; peut-être aussi, c'est pas assez puni. Pour vol de scooter, un vol de vélo, vous avez une amende et « attention la prochaine fois tu iras en prison. » On recommence, mais on va toujours pas en prison parce que là il aura trois mois de sursis, la prison c'est vraiment, c'est au bout de je ne sais combien de fois. Y en a presque jamais…

— *Vous croyez ?*

Agnès — Pour ce genre de délinquance, roulotte, petite délinquance, je pense ça, étant donné que les prisons sont bondées et tout ça. C'est toujours l'amende ou le sursis. Je pense que si vous les prenez dès la première fois, vous leur faites bien peur, ça peut marcher au moins pour certains : « attention, pour un vol à l'étalage, la première fois, bon, attention la prochaine fois, c'est la prison. » Sur certains, ça fait peur, ceux qui ne sont pas habitués, le fils de l'ingénieur qui a fait ça je ne sais pas pourquoi. Mais pour le gars qui est tout le temps avec des loubards dans la zone là-bas, il en a rien à faire. Il faut être répressif. Quand il sort de prison il n'a aucun travail, et plus, parce qu'il a été en prison, il va recommencer. Le travail d'intérêt général, ça ne sert à rien. Moi j'en ai vu, c'est bien joli, mais y a pas de place, par exemple, il y a 1 000 personnes qui veulent faire un travail d'intérêt général (TIG), mais y a pas 1 000 places, et puis pour ce qu'on leur fait faire !…

— Et les rapports avec la justice ?

Agnès — Ça, c'est dans le cadre des CR [*Une commission rogatoire (CR) est une autorisation motivée délivrée par le juge d'instruction pour procéder à un certain nombre d'actes s'inscrivant dans une enquête judiciaire.*] : est-ce qu'on doit aller en perquisition chercher les pistolets ou des trucs comme ça, ou est-ce qu'on doit pas y aller ? Ça, c'est au juge, en principe, de décider. On téléphone au juge qui nous dit « bon, vous continuez l'audition ou vous me l'amenez ». Là il sera inculpé, mais la CR, je ne peux pas tellement vous en parler parce que je ne me rappelle plus ce qu'on a fait en cours et nous on s'en occupe pas du tout. Ce sont les OPJ.

On a toujours peur d'oublier quelque chose

— Et qu'est-ce que vous pensez des décisions de justice ?

Agnès — Un jugement cassé à cause de la procédure pénale parce que, là, on a oublié quelque chose, vice de forme, quelque chose de ce genre : vous tapez un mot à la machine, et puis vous mettez à la marge un autre mot, ou en fin de phrase, vous mettez… alors une procédure cassée pour ça ! On fait des petites bêtises comme ça, parce que vous n'avez pas fait comme il fallait… Moi, je trouve que cela ne devrait pas exister, il devrait y avoir une procédure, mais pas si sévère. L'avocat, quand son client plaide coupable, il va encore chercher la faute, ça, c'est vraiment inacceptable.

— Qu'est-ce que ça fait de devenir OPJ ?

Agnès — Je vous dirai, un an avant, déjà, on commence à avoir peur, c'est l'angoisse. Tous ceux que je connais, les collègues qui ont un an de plus que moi, ils disent, « l'angoisse, je balise à fond parce que je vais être OPJ », parce qu'on a l'impression de ne pas connaître tout, y a tellement de choses à savoir. C'est incroyable, on a peur toujours d'oublier quelque chose, parce qu'il y a tellement de choses à faire en même temps, on a peur d'oublier un truc ou de ne pas savoir quoi faire quand ça va se présenter, y a beaucoup de gens qui ont peur…

— Oui parce que c'est des responsabilités…

Agnès — C'est des énormes responsabilités, énormes, énormes et ça retombe sur vous.

— On vous y prépare comment ?

Agnès — Moi, j'avais jamais fait de droit, mais, c'est intéressant le Code pénal ; j'avais jamais fait de droit du travail, rien du tout… C'est intéressant. On nous apprend tout ça à l'école du point de vue théorique. Par exemple, la police administrative. On oublie ça, si on ne pratique pas. On a des stages pour la police à Paris et la police administrative on l'apprend en restant une semaine au guichet, les objets trouvés, les pertes de carte d'identité, et après ce n'est plus le guichet, c'est les détentions d'armes, les demandes d'adoption… Ça on en fait presque pas : quel papier il faut ? qu'est-ce qu'il faut faire ?, etc. Ça on apprend ça sur le tas, en prenant dans les archives, on regarde « détention d'armes » et puis on copie. Et les contraventions… Le commissariat, c'est la base, si vous voulez être inspecteur, il faut y passer parce que c'est là qu'on apprend tout et après au bout de deux, trois ans, on monte.

— *On peut monter ?*

Agnès — Monter à Paris *intra-muros*, c'est très facile ; après, pour aller en province, c'est autre chose.

— *C'est plus difficile ?*

Agnès — Ah oui, il faut 15 ans.

— *Ah bon ?*

Agnès — C'est simple, lors des concours d'inspecteurs, il y a peut-être 10 % de Parisiens et le reste, de la province ; et ils n'ont pas envie d'aller travailler à Paris, ils préfèrent leur bled que les commissariats à Paris. Ils sont très jeunes les inspecteurs à Paris, 26 ans, quelque chose comme ça. Plus vous descendez dans le Sud, plus ils sont vieux ! Chez moi ils ont 40, 55 ans.

— *Et vous aimeriez bien redescendre chez vous ?*

Agnès — J'aimerais bien, du point de vue climat, etc. ; mais du point de vue entente avec les vieux inspecteurs, ça non. L'ancienneté, ça, je supporte bien, j'aimerais bien, mais les mentalités, non.

— *Pourquoi ?*

Agnès — C'est-à-dire qu'ils sont blasés, eux, ils connaissent, « non c'est pas la peine de faire ça là, ça sera pas poursuivi ». Ils se laissent aller ; ils boivent. Bon, maintenant, les jeunes de moins en moins, c'est en train de disparaître. Encore quelques années, mais ça commence à disparaître. Voilà, ils sont blasés, « c'est même pas la peine d'y aller, il va nier ». Ils ont leur poste, ils sont nommés à leur poste, et ils seront là jusqu'à la retraite, ils sont peinards. Ici on en a un. Ça fait 14 ans qu'il est ici, on ne l'a presque jamais vu aller en perquisition ou quoi que ce soit. Alors les jeunes qui arrivent, ils veulent faire des perquisitions et tout ça et, dès la première année, on les casse, « c'est pas la peine, qu'est-ce que vous allez faire ? laisse tomber ». C'est des blasés.

— *Et la police judiciaire, c'est plus intéressant ?*

Agnès — Là, c'est plus intéressant, le travail est plus intéressant là, c'est comme on les voit à la télé… Pas à la télé, c'est de l'enquête, alors qu'ici, nous, on prend la plainte. Ici on en a un, pour escroquerie de gros chèques, on avait une CR. Mais c'était pas pratique parce qu'il fallait faire une audition à Madrid ou en Allemagne. Donc ça ira pas sur nous, ça ira sur un cabinet spécialisé. C'est pour ça qu'en commissariat, à Paris, les CR sont assez rares, elles sont très précises, uniquement pour entendre quelqu'un qui est sur le quartier. Pour poursuivre l'enquête ou quelque chose comme ça, parce que les CR, c'est en principe quand même des faits qui sont assez graves. C'est pas pour le petit chèque sans provision. Ça va plus haut, c'est soit le DPJ [la Direction de police judiciaire) qui va prendre, soit la BRB (la Brigade de répression du banditisme) soit un cabinet de délégation (là j'ai pas encore vu]. Dès qu'il y a un élément pour une enquête, ça va en haut.

— *Ça passe tout de suite dans un service spécialisé ?*

Agnès — Pour un cambriolage de plus de 100 000 francs, ça passe à l'OPJ, parce que, eux, ils ont plus de temps pour traiter l'affaire et ils ont les moyens. Ça s'explique parce qu'à Paris, il y a plus de délinquance et des faits un peu plus durs : des meurtres, des trucs comme ça. Il y en a plus à Paris que dans un département, je sais pas moi ; le Tarn, il doit y avoir un meurtre tous les combien, je ne sais pas ; ils ont moins l'habitude…

— *A Paris, Lyon, Marseille, c'est là où de toute façon il y a des services spécialisés, il y a même des juges spécialisés…*

Agnès — 7e section, 8e section, 12e section…

— *Et vous ça vous plairait d'aller dans des services comme ça ?*

Agnès — Moi, j'aimerais bien. Moi, ce que j'adore c'est les escroqueries, carte bleue, eurochèques, tout ce qui est falsification, donc c'est le 5e cabinet à Paris, et plus tard… Direction de la PJ [Police judiciaire] à Paris.

Moi, je préfère l'enquête

— *Pourquoi vous vous intéressez à ça ?*

Agnès — Moi je sais pas parce que si vous vous voulez l'enquête… y a plus d'enquête, y a plus de réussite : un cambriolage, si personne n'a rien vu ni rien entendu, vous trouverez jamais les types, sauf parfois, si, en perquisition, une fois de temps en temps. Alors que l'escroquerie des cartes bleues, chez le commerçant qui vous décrit la personne, les gens comparent si c'est pas le propriétaire de la carte bleue ou un autre, et puis, un jour, il suffit d'une carte bleue pour l'essence, le monsieur a relevé la plaque d'immatriculation… y a plus d'enquête.

— *Et plus de résultats ?*

Agnès — Pour les chèque falsifiés ou volés, on les trouve plus, y a plus de résultats, moi j'aime bien l'enquête, mener l'enquête. Il y a d'autres services de police où il y a juste l'interpellation… moi je préfère l'enquête.

— *Il y a des femmes parmi vos collègues qui sont intéressées par la police judiciaire, par d'autres formes de police judiciaire ?*

Agnès — Oui, paraît-il, les femmes maintenant dans les commissariats ; mais il y a peu de femmes : dans une promotion il y a un quart de femmes inspecteurs. On les trouve dans les commissariats et puis elles montent, comme tout le monde. C'est sûr qu'à la BRB ou dans un service où il faut aller interpeller un mec, il faut vraiment être costaud, y a moins de femmes, mais y en a,… c'est sûr qu'il y a des femmes… Sinon, là où on en trouve beaucoup, c'est chez les mineurs ; je crois qu'il y a 50 % de femmes actuellement et 50 % d'hommes. Moi, j'ai horreur de ça. A Paris, les gens ne sont pas étonnés qu'il y ait une femme inspecteur, mais quand je vais en province…

— *Ils y croient pas ?*

Agnès — Parce que ça fait pas beaucoup, ça fait combien, une dizaine d'années je crois, une douzaine, alors si vous voulez les femmes qui sont sorties de l'école en 79, elles sont toujours à Paris. Il y en a très peu qui sont descendues en province, c'est pour ça.

— *Les mineurs, c'est ça. Y a-t-il des sortes de branches réservées aux femmes ?*

Agnès — Oui au début, inspecteurs femmes c'était pour les mettre à la brigade des mineurs ; peu à peu ça s'est ouvert aux autres services, c'est, je vois dans ce commissariat-là, on est jeunes c'est peut être pour ça qu'on est mieux acceptées ; je ne peux pas vous dire dans les autres services… C'est sûr que quand il y a une perquisition, ils n'iront pas prendre une fille.

— *Ça dépend, non ?*

Agnès — Si on sait que le gars est dangereux, ils n'emmèneront pas une fille,

— *Mais on la protégera ?*

Agnès — Oui. On était au commissariat, on entend dans la rue, « au voleur, au voleur » à côté de nous, j'ai doublé tout le monde et j'étais la première derrière le voleur, j'avais deux collègues derrière qui couraient, j'ai interpellé le gars, ils m'ont dit, « on courait vite, mais on essayait de courir plus vite parce qu'on avait peur pour toi ». Moi j'avais même pas pensé s'il [le voleur] avait un couteau ou une bombe lacrymogène, j'étais partie en courant comme ça. « On a eu peur alors on a couru encore plus vite. »

En général, le commissaire fait ça pour toucher de l'argent

— *Quels sont les rapports que vous avez avec les OPJ, ils sont à part ?*

Agnès — Dans le commissariat, non. Si vous voulez, il y a une hiérarchie ; il y a le commissaire, les inspecteurs et les enquêteurs. Et il y a les OPJ. Ici c'est « Monsieur le commissaire » et c'est vous ; alors que les OPJ, c'est autre chose. C'est la vraie police, celle que j'aime en tous les cas.

— *Et le commissaire qu'est-ce qu'il fait ?*

Agnès — Il signe.

— *Il n'a pas l'air de faire grand-chose…*

Agnès — La gestion du commissariat… En général les commissaires, c'est pas un reproche, ils sont là pour faire de l'argent, pour faire leurs saisies, leurs expulsions, leurs mises en bière, etc.

— *La mise en bière ?*

Agnès — La mise en bière c'est-à-dire que dès qu'on enterre quelqu'un, quand on ferme le cercueil, il faut qu'il y ait quelqu'un du commissariat qui assiste pour voir si c'est la même personne qui est dans le cercueil et qui est morte. Normalement, c'est le commissaire qui doit le faire mais il envoie un délégué, mais c'est lui qui va toucher ; je crois que c'est 72 francs par cercueil. Il y a différents types de commissaires : il y a des commissaires qui font ça parce qu'ils sont passionnés par ça et des commissaires pour les sous. Là, ils vont choisir le quartier où il y a un hôpital, où il y a un cimetière, voilà. Alors y a des commissariats qui sont très cotés pour le cimetière ou l'hôpital. Dans les bons trucs, les bons arrondissements, ils font un million par mois, plus leur salaire.

L'expulsion, la saisie, la mise en bière. La mise en bière par exemple, si vous êtes fonctionnaire, c'est dix francs et il y a même pas six mois il y a une note qui est parue comme quoi on ne toucherait plus dix francs parce que sur la facture il y avait marqué dix francs et ça offusquait les familles. Alors on ne nous donnera plus dix francs, mais on donne toujours 75 francs au commissaire qui, lui, n'y va jamais. Et même si un jour il y a une erreur ou quelque chose comme ça, ça tombera pas sur lui, ça tombera sur nous parce qu'il y a notre nom ! En général le commissaire fait ça pour toucher de l'argent ?

— *Oui ?*

Agnès — C'est vrai, ils font peu d'enquêtes eux-mêmes. Un commissaire de quartier, si vous voulez, c'est pas intéressant comme… Moi je pense qu'il y a les nuls, ceux qui font ça pour toucher de l'argent et les autres. Moi je vous parle de ceux qui sont installés.

— *Oui et les commissaires de services spécialisés ?*

Agnès — Eux, ce sont les vrais commissaires. Ceux des commissariats de quartier, quand vous avez un commissaire qui boit ou un peu tout, on va le mettre, on va lui trouver une place. Sa place, c'est là.

novembre 1989

Remi Lenoir

Un reproche vivant

André S., âgé de 35 ans, est magistrat. Marié à une consœur, il a des enfants en bas âge. Tous deux sont originaires de grandes villes de province et exercent leur fonction dans l'une d'entre elles. Ils y resteront sans doute, pour des raisons tant domestiques (présence de la famille d'un des conjoints) que professionnelles : leurs chances de promotion dans la hiérarchie judiciaire, qui impliquent le plus souvent une grande mobilité géographique, sont faibles. Sortis de l'École nationale de la magistrature dans un rang « moyen », ils ont commencé leur « carrière » dans des petits tribunaux de province, loin de Paris, ce qui est peu propice aux promotions fulgurantes. Plus, chacun dans un style différent, mais avec la même intransigeance, ils sont rétifs à tous les « arrangements », qui facilitent sinon le (bon) « fonctionnement de la justice », du moins les (bonnes) relations sans lesquelles dans tout corps fermé sur lui-même – et celui de la magistrature en est un – il n'est point d'avancement rapide.

L'entretien s'est tenu un samedi au domicile d'André S. Pendant qu'il se déroulait, sa femme s'occupait du ménage et d'un des enfants trop jeune pour aller à la crèche. Son effacement n'a rien de fortuit. Si elle s'est tout autant impliquée dans sa vie professionnelle que son mari, ce dernier a, selon son expression, « plus de choses à dire ». Et de fait, s'ils se répartissent en général à peu près équitablement les tâches domestiques, dès qu'il s'agit de parler de la « justice », même à bâtons rompus, comme pendant le déjeuner qui a suivi l'entretien, c'est toujours son mari qui prend la parole, comme s'il était investi d'une sorte de légitimité que ne semblent lui contester ni sa femme, ni, d'ailleurs, ses collègues.

André S. ne correspond guère aux représentations que les médias diffusent des magistrats en rupture de ban : « potentats autocrates », « justiciers irresponsables », « petites gens frileux et étriqués », etc. Ces caricatures rappellent à quel point l'activité des juges est l'objet d'appréciations publiques qui sont surtout le fait d'acteurs avec lesquels ils sont structurellement en conflit (à propos du secret de l'instruction avec les journalistes, de l'indépendance de la justice avec l'homme politique, du respect des droits de la défense avec l'avocat) et par rapport auxquelles les juges évoquent et évaluent leur situation : « On parle beaucoup de nous, mais on ne peut pas en parler comme on voudrait et quand on le fait, on nous prend pour des rigolos. » La magistrature est un corps hiérarchisé où la prise de parole publique est en effet très contrôlée et ceux qui la prennent, s'ils n'ont pas une position élevée dans la hiérarchie, se disqualifient auprès de leurs pairs.

Entre André S. et moi s'est interposée cette définition sociale du « malaise de la Justice », et, s'il m'a parlé avec tant de franchise et de conviction, c'est, entre autres, parce qu'il pensait qu'il fallait rectifier cette image. Il trouvait en moi quelques indices qui lui permettaient d'avoir confiance : je n'interviewais pas uniquement la « hiérarchie », ni seulement des magistrats, j'étais universitaire et sociologue, je me situais donc hors du jeu judiciaire ; et je pouvais témoigner publiquement du malaise, tel qu'il le ressentait, par mes écrits et dans mes cours, etc. Autant dire qu'en me constituant comme confident, André S. attendait en retour que je restitue, en la déformant le moins possible, « sa » vision du fonctionnement du monde judiciaire : celle d'un juge de « base » brimé, voire brisé, avec comme seul espoir celui d'écrire lui-même un ouvrage sur la Justice et ce qu'il appelle, à la suite de tant d'autres, le « dysfonctionnement du monde judiciaire », afin de devenir journaliste spécialisé en ce domaine. Ce projet n'est-il que l'inversion imaginaire de ses échecs momentanés dans le système judiciaire ? Il est clair en tout cas que les conditions d'expression d'un malaise étaient réunies : rencontre entre un être marginalisé et fragilisé jusque dans sa vie intime (la torture « mentale » passe presque toujours, dans ces univers très bureaucratiques et hiérarchisés, par un désarroi domestique latent et angoissant : déplacements qui s'accompagnent de déménagements et d'aménagements dans l'urgence, isolement, perte de confiance en soi et en l'autre, etc.) et un sociologue, acteur social au statut relativement indéterminé, dont la fonction est de « comprendre » les autres, éventuellement de les aider, et dont les propriétés sont proches de celles qu'il souhaiterait trouver chez les magistrats.

La problématique instituée, notamment dans les médias – « indépendance de la Justice », « relations avec les officiers de police judiciaire », « rapports avec la hiérarchie », « perte de statut », « besoin de justice », etc. — a aussi beaucoup contribué à créer les conditions de cette sorte d'analyse de soi parce qu'elle correspond, mais dans un autre registre, à celle d'André S. Ce magistrat, dont toute la vie, façonnée par l'institution judiciaire, s'est définie contre elle, trouve dans la représentation publique du « malaise judiciaire » les moyens et les instruments qui lui permettent d'exprimer ce mal-être qu'il n'aurait peut être jamais pu ressentir et surtout énoncer si son destin individuel n'avait pas à voir avec celui de l'institution elle-même, tel qu'il est constitué publiquement. C'est notamment c'est parce que les valeurs proclamées de l'institution judiciaire – « droiture », « honnêteté », « intégrité », « indépendance », « service public », « intérêt général », etc. – sont celles par lesquelles il se définit lui-même, que la restauration de son identité passe chez lui par celle de l'institution elle-même qui l'a tant déçu, tant déchiré, que c'est elle-même, en quelque sorte, qui l'a poussé à la quitter. C'est le malaise que traverse l'institution qu'il vit au plus profond de lui-même, du fait de l'harmonie préétablie entre une institution méritant d'être contestée au nom de ses propres principes et un de ses membres les plus contestés par elle, et ce d'autant plus qu'il agit conformément à ce qui devrait être le principe de fonctionnement de cet univers et qu'il explicite très bien lorsqu'il expose sa propre manière de juger : « Appliquer la loi avec doigté, avec sensibilité aux gens, en même temps avec fermeté dans certains cas, arriver à trouver ce qui est nécessaire et à montrer qu'on est là pour appliquer la loi, pas pour venger. »

André S., comme ses pairs, et plus particulièrement ceux de sa génération, ont été affectés par le déclin collectif de leur profession, au moins par rapport aux autres activités juridiques ou administratives, et plus généralement à celles qui ressortissent de la haute fonction publique (notamment celles auxquelles donne accès l'École nationale d'administration) et par la montée des hautes professions commerciales. Mais à ce déclin communément ressenti, topique obligé de tout discours actuel sur la justice, s'ajoute, en ce qui le concerne, la désillusion. Celle-ci est d'autant plus grande qu'il attendait beaucoup de son « métier ». Tout le prédisposait en effet à cet investissement dont il ne retire pas les profits escomptés. Son entrée dans la magistrature résulte en effet de ces stratégies qu'ont menées les classes moyennes dans les années 60 et qui visaient à convertir une part de leur capital économique en capital scolaire. Son père était un commerçant prospère et partageait les idéaux du catholicisme social. Il a poussé son fils à faire des études supérieures et a aussi favorisé, chez André S., cette sorte de disponibilité à l'égard des autres, et que n'a cessé de renforcer sa pratique religieuse (il est catholique pratiquant). Selon l'âge, elle a pris la forme du scoutisme puis du militantisme politique ou syndical et elle s'est accomplie (comme c'est souvent le cas, notamment pour les provinciaux) dans une carrière au sein de la fonction publique. Comme pour la plupart des jeunes magistrats, si ses parents ne sont pas eux-mêmes magistrats, des membres de sa famille ont exercé une profession juridique (un grand-père maternel et un oncle, respectivement avoué et avocat), ce qui n'a pas été sans influencer son orientation professionnelle, comme il le rappelle lui-même.

Son père incarne à la fois ce qu'il fuit (les « patrons », « l'argent », la « hiérarchie », la « droite », etc.) et ce qui lui a permis de fuir. Après des luttes avec son père, qui ont été aussi des luttes avec lui-même, la reconnaissance du bien-fondé de la vocation du fils « à défendre un petit peu l'intérêt général et en particulier l'intérêt de ceux qui étaient dans la panade » l'a libéré et lui a donné cette énergie qui permet de se dépasser, c'est-à-dire de passer outre à la culpabilité qu'engendre souvent l'ascension sociale, ou tout du moins, la rupture avec le milieu familial. « Enfin il (le père) le reconnaissait lui-même ; à chaque fois il me disait, "Ben c'est quand même mieux 'd'être magistrat' que d'être commerçant". »

Les entreprises de reconversion ne vont pas sans risque dans la mesure où elles ne s'accompagnent pas toujours de l'acquisition des dispositions et des manières tacitement exigées par l'univers social auquel la réussite à un concours permet d'accéder : faute de la familiarité – et de l'aisance et de la souplesse qu'elle engendre –, ces nouveaux venus prennent au sérieux, « à la lettre », les représentations que ces univers donnent d'eux-mêmes. André S. importe dans le monde judiciaire les valeurs mêmes dont les juges ont fait leur idéologie professionnelle proclamée mais qui ne sont pas pour autant celles qui commandent leurs pratiques, notamment celles qui ont un rapport direct avec la conduite de leur « carrière », principe de toutes les préoccupations et de toutes les évaluations dans les corps les plus fermés. Son itinéraire est celui d'un désenchantement dû à la distance entre les principes du fonctionnement réel du milieu judiciaire et ceux qu'André S. croyait y trouver : « honnêteté », « indépendance », « service du justiciable », et « respect d'autrui ». Et s'il ne s'est pas soumis à l'ordre judiciaire, c'est autant en raison de sa force morale qu'en raison de la force que la morale a encore dans cet univers, même si elle y est constamment transgressée, au nom des impératifs de la « carrière » : « La gestion de la carrière, chez les juges, c'est quelque chose qui prend du temps dans la tête des gens. »

S'il présente sa carrière comme une sorte de chemin de croix, c'est peut être moins parce que ses comportements et sa manière d'être ont été « mal notés » – encore qu'il en soit très affecté – qu'au nom d'un idéal moral inaccessible : « la passion de la justice ». Tout le prédisposait à adhérer à la règle explicite du jeu judiciaire, et surtout à refuser de prendre en compte les « règles non écrites » qui dénaturent la fonction de magistrat telle qu'il se la représentait avant d'entrer à l'ENM : « l'honnêteté ne paie pas ». Ce qui est le plus remarquable dans les propos d'André S., c'est sans doute l'identification totale entre sa manière de concevoir la justice, qu'il ne cesse de vouloir imposer, et la représentation de ce qu'il est. De sorte que s'il a « mal à la Justice », si certains magistrats sont « lamentables », « nuls », « étriqués », etc., c'est parce que tout lui fait mal dans cet univers, « les juges nuls qui lui font froid dans le dos », « le président qui fait pleurer la bonne femme parce qu'elle avait commis un vol au moment de la séparation d'avec son concubin » : « je suis mal à l'aise de supporter, enfin d'être associé à la dureté de quelqu'un, c'est vrai que parfois on a honte ». Ce sentiment de malaise est renforcé par la logique du fonctionnement du corps des magistrats : l'impuissance de ces derniers, leur « médiocrité », leur « fainéantise », leur « couardise », par rapport à leur propre hiérarchie ou à celles des autres acteurs du champ judiciaire (policiers, gendarmes ou avocats), voire du champ politique (chancellerie, notables locaux). Et le moins qu'on puisse dire c'est qu'il en a souffert, comme l'atteste son récit. Mais il en a souffert parce qu'à force de « vouloir faire son travail, tranquille », « de le faire bien », c'est-à-dire « honnêtement », tout s'est retourné contre lui : la « hiérarchie » – la sienne mais aussi celle des autres parties prenantes au jeu judiciaire –, les permanents du syndicat prêts à composer avec la chancellerie et jusqu'à lui-même, enfin, qui, menacé d'être viré, a « intégré, un peu, les valeurs du système ».

Mais c'est peut être dans l'exaltation de ces « juges super », de ces « avocats qui font bien leur métier », et même de ces condamnés reconnaissants, bref de tous ces « gens dignes » que se manifeste avec le plus d'acuité ce qui est au fondement de la souffrance d'André S. Ayant tout investi dans ce qui est constitué comme une cause (« noble ») à défendre (ce qu'il fait dans son travail, au syndicat, et plus généralement dans cette sorte de bénévolat à l'égard de toute personne en détresse), il s'est interdit toute porte de sortie (notamment l'avocature), ce qui l'amène, après avoir été lui-même mis en cause, à tout « remettre en cause », « le système » comme « lui-même ».

« Qui doit juger du travail du juge ? » C'est à cette question qu'il tente de répondre tout au long de l'interview, analysant du même coup ce qui, dans le mode d'avancement des magistrats, va à l'encontre de sa représentation de la Justice. Il livre ainsi, en égrenant les humiliations qu'il a subies, les comportements qui l'ont scandalisé (la « fausse mesure »), quelques-uns des aspects du fonctionnement du monde judiciaire dont les « décisions », les « jugements », sont pour l'essentiel la résultante. Surtout cette évocation pathétique des moyens qui, selon lui, seraient seuls capables de redonner à cette institution sa crédibilité (« sa légitimité à juger »), à savoir le « travail que le juge accomplit effectivement », l'« envergure », et la « classe » avec lesquelles il le fait, ainsi que l'évaluation qui en serait faite par tous les acteurs (collègues, avocats, officiers de police judiciaire et les condamnés eux-mêmes avec lesquels il est en relation), rappelle comme en écho, par tout ce qu'elle rejette, la loi réelle de fonctionnement du champ et ce qu'elle suppose.

Derrière l'indépendance du juge, il voit la soumission à la hiérarchie, derrière le pouvoir de la justice, la dépendance à l'égard des policiers, voire des hommes politiques, derrière la sérénité, la haine, derrière la fermeté, la lâcheté, etc. « C'est qu'en faisant des choses normales en soi, on s'aperçoit que ça devient scandaleux ». D'autant plus déçu qu'il ne peut renoncer à croire en la nécessité de l'institution judiciaire (sinon c'est la « vengeance ») il ne voit pas d'autre issue, prisonnier de ses illusions et de ses rêves, que la rédaction d'un ouvrage où il écrirait « ces choses à critiquer et qui ne sont pas dites ». Ce serait le seul moyen pour lui de rester encore dans cet univers qu'il ne peut quitter, sauf à perdre ce qui fait, selon lui, sa valeur et qu'il cherche par tous les moyens à faire reconnaître : « son honnêteté », plus, son « humanité », c'est-à-dire tout ce qu'il y « a de bien à ses yeux » et qu'il ne pourrait faire apprécier dans les autres univers professionnels où ce qui compte c'est « l'argent ». L'identification à cette institution qui l'a « martyrisé », en faisant de lui un « écorché vif », est au principe de ses projets de réforme. Plus il en est rejeté et plus il s'y raccroche, fût-ce sur le mode symbolique : sa réhabilitation sociale passe par celle de cette instance. Il n'est pas jusqu'au contenu même des réformes qu'il propose qui ne porte la marque du système de valeurs qu'il incarne. De ce qui est au fondement de son rejet, il fait un projet, qui ne peut être que le sien et qui doit être reconnu comme tel, car c'est le seul moyen, à ses yeux, de se réconcilier pleinement avec un univers qui est toute sa vie, toute sa passion.

avec un magistrat

— entretien de Remi Lenoir

**« C'est ça qui est terrible,
c'est que faire des choses qui sont normales en soi,
on s'aperçoit que ça devient scandaleux »**

— Qu'est-ce qui te plaît dans la fonction de magistrat ?

André — Oui, ce qui me plaisait dans la fonction de magistrat, c'était la notion d'indépendance, d'avoir un métier..., la fonction publique c'était rendre un service public et ne pas avoir de patron, ne pas avoir... Oui, ne pas avoir de patron, avoir simplement à remplir la fonction qu'on tient de la loi, à respecter la loi et à servir l'intérêt général. Et ce qui me plaisait aussi, donc par rapport à ça, c'était la notion de justice et en même temps la notion de contacts humains, à savoir appliquer la loi avec doigté, avec sensibilité aux gens, en même temps avec fermeté dans certains cas, arriver à trouver ce qui est nécessaire et à montrer qu'on est là pour appliquer la loi, pas pour se venger. Enfin tout ce qu'il y a de bien dans l'institution judiciaire au niveau des principes ; parce que dans son principe l'institution judiciaire reste absolument indispensable. Je trouve que c'est un progrès de la civilisation. Tout ça, ça me paraissait bien.

— Ça t'est venu comment cette idée-là ?

André — En lisant un peu les journaux et puis j'ai lu quand même un bouquin...

— A quel âge à peu près ?

André — J'ai lu ça quand je devais être en première année de fac, un truc comme ça, j'ai dû le lire, c'est mon grand-père qui me l'a fait lire, un bouquin d'un juge d'instruction à la retraite. Alors j'ai voulu le retrouver par la suite, je ne l'ai pas retrouvé. C'est un juge d'instruction qui raconte son métier et ça m'avait assez plu quand j'avais 18 ans... En même temps à l'époque dans la presse, il y avait les débats du Syndicat de la magistrature ; on en parlait ; j'ai vu aussi des débats à la fac sur différents problèmes, c'était bien qu'il y ait des gens comme ça qui réfléchissent sur leur façon d'essayer de travailler, d'essayer de faire évoluer leur métier. Le métier me semblait intéressant, quoi. Donc le métier était intéressant parce qu'il y avait des contacts avec les gens, il y avait des implications directes, des rencontres, en plus ça touchait tous les domaines de la vie et en même temps il y avait cette notion de bien, de mal… Le juge a une responsabilité importante, il doit en toute indépendance essayer de voir ce qui est juste. Moi j'ai une conception assez idéaliste des choses et je crois, d'une manière générale, assez à la vérité donc je me fais peut-être moins de souci que d'autres qui se disent, « ah mais la vérité… à chacun sa vérité… ça ne veut rien dire la vérité », etc. Moi je suis assez pragmatique, j'essaie d'avoir du « bon sens » entre guillemets et je pense qu'il y a des choses qui sont fausses ; donc, ça me… je crois à la force de la vérité, aussi. Enfin quand les gens disent vrai, on le sent… Tout ça, ça me plaisait bien. Je savais qu'évidemment il y avait des problèmes de carrière, qu'il y avait des limites à cette indépendance, mais je me disais, « si on ne veut pas faire carrière au moins on peut rester tranquillement dans son coin, ça sera bien, quoi. »

— *Avec les mêmes valeurs tu aurais pu peut-être devenir… avocat…*

André — Avocat, ce qui me gênait à l'époque c'était…

— *Ou médecin même…*

André — … Oui, l'aspect profession libérale. Médecin, je ne me sentais pas attiré par la médecine, j'ai pas l'esprit scientifique. Avocat, deux choses me gênent, dire des choses que je ne pensais pas, parce que c'est vrai quand même que des fois les avocats sont amenés à défendre des thèses qu'ils ne partagent pas complètement, même si c'est noble… et même si certains disent toujours ce qu'ils pensent à toute occasion ; et puis il y avait aussi le fait, la logique des avocats : c'est toujours de gagner de l'argent de plus en plus, ce qui ne me plaît pas ; c'est ce rapport à l'argent qui me semblait compliqué, alors que je trouvais que c'était bien d'avoir un salaire, on était là pour assumer un service public, ça me paraissait bien. Dans l'image que j'avais des avocats, c'est effectivement le risque d'être emporté par l'argent, pour gérer son cabinet, d'être débordé par son travail et ne pas voir l'essentiel. Ah, oui… la notion de service public me paraissait importante. (…) Quand j'ai passé le concours vers la fin des années 70, c'était pas la vogue de Tapie et de gagner…

— *Oui. C'est ça qui a un peu changé… ?*

André — Oui absolument. A l'époque, au contraire, on ne voulait pas travailler pour les patrons ; la notion de service public c'était important ; la notion de profit, ça ne m'intéressait pas, au contraire ça pouvait me choquer, je ne voulais pas avoir à prendre l'argent sur les autres ; alors que rendre un service public, moi je trouve que c'est bien, avoir un salaire pour servir l'intérêt général.

— *Est-ce que tu as milité dans ta jeunesse ?...*

André — Ah oui.

— *... Les scouts, je sais pas...*

André — Moi je suis très militant, je suis catholique pratiquant, je veux dire, j'ai toujours été militant ; à l'époque du concours, j'étais au parti socialiste ; à la fac j'ai fait partie d'un mouvement d'étudiants dont j'étais un des principaux animateurs. A l'armée aussi, etc.

— *Et tu as été scout ?*

André — J'étais scout, ouais, mais pas très longtemps, ça m'a pas spécialement marqué.

— *Oui mais en fait t'as été toujours quelqu'un qui travaillait pour les groupes...*

André — Voilà. (...) Par exemple mon père, il le reconnaissait lui-même, à chaque fois il me disait, « ben c'est quand même mieux que d'être commerçant ». Il disait, dans son esprit, il disait, « moi j'ai travaillé pour moi, même en faisant mon travail honnêtement, il y a une dimension qu'on n'a pas ». Donc il l'admettait. Disons que j'ai toujours été passionné par les questions politiques d'une manière générale, j'ai toujours essayé de défendre un petit peu l'intérêt en général et en particulier l'intérêt de ceux qui étaient dans la panade.

— *Oui tes parents favorisaient cette...*

André — Tout à fait, oui. Même mon père, même mon père en tant que commerçant. Il était de droite, mais c'était un type qui disait qu'il ne payait pas assez d'impôts, qu'il n'y avait pas assez... qu'on ne donnait pas assez d'argent pour les pauvres, il était un peu... une droite sociale, un peu plus que...

— *Catholique social ?...*

André — Voilà altruiste et pour l'équité, enfin pour une certaine justice sociale, voilà donc... c'est sûr que ça m'a marqué.

La passion de la justice

André — A l'École j'étais un peu déçu, enfin d'une certaine façon, par... c'est idiot, c'est la première impression mais par les têtes de mes collègues ; tu vois un peu, c'était des bons élèves, des bons étudiants mais en même temps qui manquaient un peu de personnalité, dans le sens où moi j'estime que pour être un bon juge, il faut avoir un peu de liberté, un peu de détachement, un petit peu d'indépendance et de courage, un peu de force ; c'étaient des gens plus… de bons élèves qui avaient bien appris leurs leçons, qui étaient capables de réciter par cœur tel article mais à qui il manquait justement, à mon avis, ce supplément d'âme qui est nécessaire pour être un bon juge, quoi. A qui il manquait peut-être la passion de la justice, pour certains en tout cas, et puis un peu de personnalité, et puis un peu d'intérêt pour la volonté générale et puis la volonté d'expliquer leurs décisions… il leur manquait un peu de sens public, dans le sens général parce qu'ils manquaient…

— *Ils n'avaient pas la vocation, ils étaient là comme ils auraient pu faire autre chose ?*

André — Oui, ils étaient un peu gargarisés par le titre sans voir les charges de la fonction, ni ce qu'on représentait, ni ce qu'on devait faire, ni ce que ça impliquait comme disponibilité ou comme remise en question ou comme qualités profondes humaines et… ah oui, j'étais un peu déçu d'une manière générale, mais ceci dit j'ai rencontré des mecs très bien. Mais la première impression, globalement ça a été, et puis j'en avais vus qui présentaient le concours, qui l'ont raté, qui étaient beaucoup plus sympathiques. Là c'étaient un peu, oui un peu des « polars » entre guillemets ; certains étaient bons juridiquement, mais à mon avis, c'était pas suffisant. (…) Enfin la mentalité. A l'École de la magistrature c'était différent parce qu'on n'était pas encore en fonction : et puis c'est un lieu où on brasse les idées, on peut se poser un certain nombre de questions. Mais quand on arrive dans le corps, on voit qu'il y a beaucoup de gens qui ne se posent plus de questions depuis longtemps, qui travaillent de manière routinière, qui se foutent de leur travail, mais je me disais « au moins je ferai mon travail tranquille », et du moment que je le ferai bien, ce serait déjà ça, quoi !

— *Oui, oui, t'as toujours pensé que toi tu pouvais le faire…*

André — Sans me salir, quoi, sans…

— *Oui, c'est ça. Tu pouvais t'autonomiser par rapport aux autres ?*

André — Oui puisque je voulais faire une fonction de juge unique, je voulais être juge d'instruction, donc je me suis dit que moi…

— *Ça tu le savais dès le départ ?*

André — Oh ! pratiquement tout de suite, j'ai su que... d'abord c'était le pénal qui m'intéressait le plus, il y avait des rapports humains, et puis l'instruction c'était un métier où on avait des responsabilités, des contacts avec les gens, un certain pouvoir malgré tout et puis une façon d'appréhender les choses, d'interroger les gens, enfin je trouvais que c'était intéressant. Et puis l'aspect intellectuel de comprendre les gens, l'aspect curiosité aussi...

— *C'est le côté le moins « polar » entre guillemets du Code pénal, hein ?*

André — Oui, le moins technique, le moins...

— *Apparemment du moins...*

André — Oui, mais même d'une manière générale, c'est celui qui exige le moins de connaissances juridiques, à première vue, pour le gros des affaires en tout cas. Mais c'est aussi le côté le plus humain, c'est là où on rencontre le plus de gens. C'est ça qui me plaisait. Et donc je pensais que je pourrais le faire, donc en toute indépendance et à ma façon, sans être gêné par... et je pensais pouvoir le faire honnêtement et donc ce qui m'a déçu c'est qu'en exerçant toujours mes fonctions honnêtement – enfin ça, c'est ensuite, quand je suis entré en fonction – à plusieurs reprises on a tenté de me virer, alors que j'ai vu des gens malhonnêtes intellectuellement, ou complètement désinvoltes par rapport à leur travail, qui eux ont eu des promotions, ou ont fait des trucs qui n'étaient pas corrects, qui ont étouffé des affaires ou qui au contraire ont condamné des gens alors qu'il y avait des doutes, et qui ont fait carrière, etc. Moi je ne demandais pas à faire carrière, je demandais à ce qu'on me laisse faire mon métier tranquillement. A plusieurs reprises on a fait pression pour que je parte de l'instruction, on voulait me virer... J'ai trouvé que toute la hiérarchie était minable quoi, moi dans mon cas la hiérarchie a été minable ; il n'y a pas eu un type qui a dit « non, on va voir ce qu'il en est vraiment » ; et des types qui ont menti sur moi, qui ont dit des saloperies ont été promus et rapidement. Ils ont eu même les promotions les plus rapides qu'on puisse avoir, alors qu'ils étaient intellectuellement mauvais et moralement lamentables... Lamentables. Tout ça, ça m'a un peu révolté effectivement.

— *Oui...*

André — Ce qu'il faut dire, c'est qu'autant à l'ENM, j'ai pas travaillé au maximum, j'ai profité un peu de la vie, autant en fonction

j'ai toujours fait mon métier, j'ai toujours été très travailleur, enfin honnêtement travailleur, j'ai pas couru après le travail, mais tout ce qu'il y avait à faire dans l'intérêt du justiciable, j'ai jamais voulu oublier quelque chose et je faisais mon travail à fond et, à certaines époques, je travaillais 12 heures par jour, je travaillais le samedi, je travaillais le dimanche, parce qu'il y avait un magistrat absent, je ne voulais pas que les justiciables en prison payent ; et quand on se défonce comme ça, pour l'intérêt du service public et que la seule chose que voit la hiérarchie est que vous n'êtes pas conforme aux idées de votre procureur ou de la police, etc., c'est scandaleux ! Enfin quand on donne de son temps, qu'on se bouffe la santé un peu pour faire bien son métier et que la seule chose que voit la hiérarchie, c'est que vous… qu'on fait des vagues, qu'on fait des remous, que les décisions qu'on prend ne sont pas satisfaisantes, c'est vraiment choquant. Et d'autant que j'avais été honnête, enfin vraiment, oui, ça m'a révolté.
[…]
Pour l'instant, parce que je suis déçu, je critique un peu tout le monde, c'est peut-être facile… Tout le monde critique tout le monde, mais c'est vrai que je me sens… je trouve que ça ne fonctionne pas bien… honnêtement je me sentais fait pour être juge ; je pense que je pouvais être un juge en tout cas honnête et faire mon métier correctement et je crois avoir une certaine passion, je veux dire quand c'est une affaire qui m'intéresse, qui est délicate, je cherche, je creuse, j'analyse, et puis je me bats, si je crois que c'est juste pour arriver… En délibéré, je me bats pour obtenir une relaxe, donc j'obtiens une relaxe, alors que les autres veulent une condamnation, ou à l'inverse quand j'obtiens une condamnation alors que les autres étaient prêts à relaxer alors que ça tient à mon avis, je suis content, quoi, j'ai l'impression d'avoir bien fait mon boulot. Donc je pense que je pourrais être un juge correct. J'ai pas d'animosité, j'ai pas de sadisme, je pense avoir une certaine humanité, j'aime bien que les gens, tout en respectant la justice, ils n'aient pas l'impression d'avoir affaire à quelqu'un d'inhumain qui veuille les faire souffrir. Mais bon, si je ne peux pas faire ce métier de façon très efficace, ben j'aimerais faire en sorte de faire progresser les mentalités dans un sens le plus positif possible. Effectivement, avocat je ne l'exclus pas, parce que c'est vrai que l'avocat participe à la justice. Quand un avocat sauve une affaire, sauve la tête de son client, enfin c'est émouvant, quand il fait

changer d'avis un tribunal, ben, c'est bien. J'exclus pas du tout d'être avocat, mais il y a des problème matériels, techniques, donc je verrai si je le ferai... Mais oui, pour l'instant je peux pas faire changer le système, je ne peux pas ; je suis pas député, je suis pas président de la République, donc le système il est tel qu'il est, il faut au moins faire évoluer les idées, quoi. Défendre cette conception de la justice que j'ai. Défendre l'esprit, oui... enfin oui, avoir des gens qui aient l'esprit libre, qui aient un peu de classe et qui soient capables de se remettre en cause, qui acceptent d'être virés au bout de dix ans, s'ils ne sont pas bons. Des gens comme certains hommes politiques qui sont habitués à la critique (ils sont habitués à être soumis, mais aussi à se défendre) ils sont dans le débat. Les juges ne sont pas dans le débat. Ils sont dans leur petit coin, ils font leur machin entre eux, ils se cachent, ils se disent « on va pas s'emmerder, on condamne quand même » ; ils sont pas capables d'expliquer leur décision. C'est pas simplement en termes de communication, c'est en termes de courage, c'est en termes, oui, de présence et d'humanité, enfin de légitimité. Ils ont la légitimité, ils la remettent pas en cause. Alors que il faut se sentir au service du justiciable.

— *Pourtant il y a des organisations syndicales...*

André — Un magistrat n'est pas seul face à la hiérarchie, enfin pas complètement seul quand il a des problèmes et on a tous ce qui est revendication de moyens, etc., par exemple la grève : un petit plus au niveau du budget ; je suis d'accord, je fais la grève comme tout le monde. Je trouve que c'est bien, que ça va dans le bon sens, mais ce que je reproche, c'est que ça permet d'occulter qu'il y a beaucoup de magistrats qui ne foutent rien et là-dessus personne ne veut se battre. Parce que, par corporatisme, il y a beaucoup de gens fainéants dans les syndicats, et quand on demande à faire des heures supplémentaires, personne ne veut y aller, on proteste en disant, « c'est scandaleux », alors qu'ils foutent rien. Ils travailleraient, ça serait normal. Et donc, ça c'est le problème du syndicalisme, mais enfin c'est vrai que ça a apporté certaines choses, mais en même temps il y a, il y a peut-être parfois une certaine lassitude : le Syndicat de la magistrature est en crise, il faudrait peut-être remettre en cause certaines choses et puis il y a eu un beau discours et dans la pratique ça n'a pas beaucoup changé aussi. Il y a ce décalage entre le discours et ce qu'on fait ; il y a des congrès où on vote l'abolition de la prison et puis le lundi tout le monde rentre chez soi, et puis le lundi on continue à foutre en prison à tour de bras ; ça, ça m'a toujours choqué. Et il est préférable à ce moment-là de réfléchir sur sa propre pratique en intégrant la cohérence dans son action, en disant la prison on la pratique, on continue à mettre des gens en prison et on continuera à le faire ; arriver à essayer de limiter, à avoir des recours, pour voir dans quels cas on l'admet, l'aménager, voir des problèmes d'exécution des peines, etc. Mais je trouve que c'est un faux discours, enfin une fausse intellectualité qui dispense d'une véritable réflexion. Avoir des idées novatrices, ça te dispense de réfléchir sur ce que tu fais actuellement. Moi actuellement je milite pas beaucoup, je fais des choses, je fais un minimum pour me battre sur certains principes ; ce que je reproche aux syndicats, c'est que quand il y a des questions de fond sur l'indépendance, ils disent, « ah mais il faut d'abord attendre que la personne victime d'un acte qui remette en cause l'indépendance se batte ; qu'elle demande secours… ». Je trouve que c'est pas comme ça, l'indépendance elle doit pas être défendue pour M. Dupont qui est emmerdé, elle doit être défendue pour un principe. Il ne s'agit pas de défendre M. Pierre, Paul ou Jacques, c'est de défendre un principe qui doit être respecté de façon absolue, et qui ne l'est pas. Qui ne l'est pas du tout…

Une des choses les plus importantes c'est de savoir par qui on est reconnu

André — Autre limite importante, que je pensais quand même pas aussi importante, c'est la dépendance vis-à-vis de la police, c'est-à-dire qu'on est complètement dépendant vis-à-vis de la police. C'est-à-dire que pour se faire respecter, un juge a besoin d'avoir des alliés dans la police. Enfin c'est lui qui est presque demandeur, ce qui n'est pas normal, alors que, bon, les policiers devraient obéir aux juges. Alors il faut arriver à maintenir cette fiction, que c'est nous qui commandons alors qu'en fait, c'est eux qui nous commandent, pratiquement, quoi ; et qu'on a plus besoin d'eux qu'eux ont besoin de nous.

— *Oui…*

André — Ils gèrent leur temps comme ils veulent et puis, nous, quand on veut vraiment demander un truc urgent et qu'on demande : « Monsieur, s'il vous plaît, vraiment… vous seriez gentil », et puis à l'inverse, si on fait des choses qui ne leur plaisent pas, si on tombe sur des magistrats couillons en plus, on se fait balader, on se fait reprocher... Moi je me suis carrément fait reprocher d'avoir vérifié ce qu'avaient fait les gendarmes ; un inculpé me dit, « les gendarmes ont fait un montage, c'est un complot, ils ont inventé une preuve ». Moi je croyais pas *a priori* l'inculpé, mais j'ai vérifié ; ce que je trouvais bien, enfin sain du point de vue de la justice, ben ça m'a été reproché ; il y a une lettre d'un commandant de gendarmerie qui a écrit à mon procureur, probablement sollicité par mon procureur, pour dire, « oui c'est un scandale, M. a mis en cause la parole des... ». C'est pas du tout ça. Enfin c'était pas ça l'esprit. J'estimais que ça donnait une garantie supplémentaire, si le juge était allé lui-même voir...

— *Ça fait partie de ses obligations...*

André — Ben oui, c'était savoir ce qu'il en était vraiment. Puisque c'était contesté, il suffisait d'aller voir. Ça je trouve ça profondément révoltant. Ou le fait simplement qu'après avoir été dans un commissariat de police sans prévenir pour entendre les policiers sur quelque chose de précis, ce qui m'a permis de savoir la vérité, tout a été fait pour d'abord éliminer mes actes parce que ça permettait de montrer que le procureur était malhonnête ; et puis on a trouvé ça scandaleux. Parce que, bon, quand on va au commissariat de police, on doit prévenir à l'avance de façon à ce que tout le monde se mette d'accord sur sa version ! Ça je trouve ça aberrant !

Et c'est ça qui est terrible, c'est que faire des choses qui sont normales en soi, on s'aperçoit que ça devient scandaleux, c'est-à-dire qu'il y a la règle de droit et les grands principes : le juge est libre, il recherche la vérité, etc. Et puis on s'aperçoit que sur certains sujets, par exemple les bavures policières, enfin dans certains cas, pour certaines affaires sensibles, il y a des actes qu'on ne doit pas faire. Il y a des règles non écrites. Ça n'arrive pas tous les jours, mais ça arrive de temps en temps et c'est suffisant : il suffit d'une affaire pour discréditer la justice, quoi. Enfin c'est ce que je pense. Et puis j'ai vu ensuite des affaires étouffées, des tas de trucs qui, et ça continue. Tout ça, ça m'a amené à m'interroger sur la réalité de mon indépendance d'une part et puis sur le sens de mes fonctions. Moi, j'estimais que j'étais compétent pour ce métier ; j'avais en quelque sorte une certaine vocation, au fur et à mesure j'avais vraiment envie de faire ce métier. J'essayais de le faire honnête-

ment, avec courage, en résistant à tout le monde, en résistant à la fois aux policiers, aux inculpés, aux avocats, au parquet. Je me suis bien battu avec le parquet, la preuve c'est que j'en ai pris plein la gueule et j'estimais que pour se faire respecter, pour avoir une certaine crédibilité, le juge devait être capable de dire ce qu'il pensait à tout le monde. Et en essayant d'être le plus courtois possible, j'essayais de faire mon boulot correctement (...).
Tu parlais d'une blessure tout à l'heure. Moi j'ai été vraiment blessé de voir qu'en faisant mon métier correctement, avec amour parce que j'aimais vraiment mon métier, j'ai pas été reconnu et alors là une des choses qui me paraît le plus important c'est de savoir par qui on est reconnu ; ceux avec qui on travaille. Globalement, chacun sait. J'ai été estimé, respecté même par les policiers avec qui je travaillais même si parfois, avec certains, j'ai été exigeant ; j'ai été respecté par les avocats, par le personnel de la maison d'arrêt et par, surtout par les gens que je foutais au trou. Et ça, alors ça, c'est la seule chose dans les satisfactions que j'ai eues dans ce métier, c'est que j'ai toujours été très apprécié en prison. C'est-à-dire que j'étais quelqu'un de parole, j'étais pas quelqu'un de haineux, j'étais quelqu'un qui cherchait à savoir la vérité, enfin c'est comme ça que je me présente, mais je crois vraiment que j'étais perçu comme tel et au travers des lettres et, au travers de ce qui était dit en maison d'arrêt, on sait. Et je crois que globalement on est aussi bien jugé, que nous on juge ; la maison d'arrêt juge bien et je pense que ça, ça me faisait plaisir et ce qui m'a choqué, c'est qu'on n'a jamais pris en compte ça, enfin la réalité de mon travail ; c'est-à-dire que je faisais mon métier en essayant de faire sentir aux gens que j'étais pas là pour les faire souffrir, alors j'essayais d'appliquer les principes de la justice au sens noble... où elle devrait être, c'est-à-dire que la justice est là pour les juger, pour les sanctionner mais pas pour les faire souffrir. On a une mission qui dépasse la vengeance et qui est de rechercher qu'ils comprennent la sanction et qu'ils arrêtent, quoi. Ce qui m'a vraiment choqué c'est que personne n'a essayé de voir si mon travail était bien fait.

— *Dans ton univers professionnel ?*

André — Voilà !

— *...qui fonctionne selon d'autres règles ?*

André — D'autres critères. Et qu'au contraire, j'étais mis finalement au ban de la magistrature, j'étais considéré vraiment comme la brebis galeuse. Il y a des gens qui ont avancé, qui sont nuls, des gens de ma promotion. J'ai eu le sentiment, oui, que ma valeur n'était pas reconnue. Et j'ai le sentiment, alors c'est ça qui est le plus profond, c'est que j'ai eu le sentiment que s'il y avait un autre critère de notation entre guillemets, enfin je ne suis pas pour la notation, mais enfin, si on appréciait les juges différemment, en fonction donc de leur travail réel, de ceux avec qui ils travaillent et des justiciables, eh bien j'ai l'impression que j'aurais été reconnu. A l'inverse, il y a des gens qui foutent rien et qui sont jamais embêtés, qui font une carrière normale. Si au contraire, on demandait aux justiciables s'ils sont contents de ces gens qui ne rendent pas leur jugement, qui bâclent leur travail, qui regardent pas les dossiers, je pense que tout le monde, tous les praticiens qui pratiquent, diraient non. C'est pas possible, donc il y a un décalage entre la réalité du travail et la notation ; c'est évident. Alors la notation je m'en fichais, mais je ne pensais pas que la notation ça pouvait aller jusqu'à vous priver de certaines fonctions ou vous éviter d'avoir des mutations comme on veut et éventuellement vous amener jusqu'à des pressions disciplinaires. Et puis après il faut se justifier, etc. Il y a aussi les histoires de conformisme. Moi j'estimais que l'important c'était pas de savoir si on était bien vu, etc., c'était de savoir la qualité du travail qu'on faisait, si c'était juridiquement exact, si c'était humainement adapté, si c'était… Bon, ça, ça n'a absolument pas cours ; par contre le fait de pas avoir mis de cravate, par exemple, moi j'ai cette carence, c'était une révolution ; il y a eu des réunions avant que j'arrive dans le premier poste où j'ai été nommé, où le procureur a réuni tout le parquet pour dire, « attention, il y a un juge fou qui arrive, il vient sans cravate », etc. Enfin comme si c'était vraiment… A l'inverse le procureur, lui, il piquait dans les scellés, il faisait des faux sans arrêt, il demandait aux flics de faire des faux, et ça, si la hiérarchie avait été à l'écoute, on ne pouvait pas ne pas savoir que c'était vrai, ça ; il n'a jamais été embêté. Oui, globalement, le fait que l'honnêteté ne payait pas… enfin que ce qui compte c'est qu'il n'y ait pas de vagues, c'est qu'on ne parle pas trop de vous, qu'il n'y ait pas d'histoire.

Profondément, je crois que la justice ne doit pas être quelque chose de terne, ça doit être quelque chose qui a du relief. Ça doit pas être forcément violent ; dans certains cas, il faut que la justice soit ferme, mais il faut pas que ça soit… il faut qu'il y ait des éclats, pour rendre la justice, il faut parfois qu'il y ait des éclats ; il ne faut pas systématiquement fermer… il ne faut pas systématiquement prendre des décisions très très « mesurées ». Il y a une fausse « mesure » qu'on exige entre guillemets et qui n'est pas conforme à la réalité, c'est-à-dire que si on met un patron en prison, on dira, « non, c'est un manque de mesure, c'est pas normal », si on inculpe un policier dans une affaire de bavure, « non ça va pas », enfin on vous fait comprendre, et puis à l'inverse, si on a des états d'âme pour le commun des mortels qui a fait des petites infractions, on vous reprochera un excès de sensibilité, de la sensiblerie, enfin, etc.

Que le juge montre sa légitimité par le travail qu'il accomplit

— *Quand tu dis « on », c'est le milieu général, c'est… ?*

André — Oui, c'est la hiérarchie, le président, le procureur ; alors en plus il y a une chose, tiens, c'est qu'en fait on est noté par le procureur et si le procureur et le président s'entendent bien c'est la catastrophe, parce que c'est le président qui fait la pré-notation, qui la transmet à la cour d'appel, mais le président, quand on est un juge d'instruction, il va d'abord voir le procureur ; si le procureur ne peut pas s'entendre avec le juge d'instruction, le juge d'instruction sera mal noté ; et, à ce moment-là, finalement, on reproche, enfin on peut être amené à reprocher à un juge, son indépendance vis-à-vis d'une des parties ; parce que le procureur, dans l'esprit, c'est quand même une partie, pas plus que la défense. Et je trouve que c'est toute la crédibilité de la justice que de savoir si on est vraiment indépendant, et bon, d'une manière générale on l'est pas. C'est vrai que l'instruction se fait à charge ou à décharge ; mais les juges d'instruction sont plus proches du procureur que des prévenus, ce qui n'est pas toujours inconcevable. Cet *a priori* en faveur du parquet me gêne néanmoins.

— *Oui, alors ça, ça a été un peu le principe de ce que ce milieu ne fonctionnait pas comme tu pensais…*

André — Voilà et puis que la loi n'avait pas de sens. C'est-à-dire qu'il y a des fois des lois qu'il ne faut pas appliquer. Je te donne un exemple. Une fois j'ai été cité comme témoin par la défense – justement dans l'histoire où le procureur avait fait toutes ses magouilles. Un témoin, quand il est cité, il doit comparaître et là on m'a fait le reproche… j'ai comparu et j'ai allumé le procureur, enfin j'ai fait le maximum pour allumer, pour dire qu'il n'avait pas été serein dans cette affaire, qu'il avait été partial, etc. On m'a coupé la parole parce que c'est des choses qu'il ne faut pas dire. Pourtant si on veut dire la vérité, il faut dire des choses qui sont désagréables. Tu vois, ça encore, par rapport à la fausse mesure... Pour moi la vraie mesure c'est de dire, « non monsieur le procureur, par rapport à cette affaire vous avez été partial, vous avez été haineux, vous avez été aigri, vous avez fait une enquête parallèle, vous avez fait des choses que vous n'aviez pas à faire », c'est ça pour moi la vérité, il faut le dire même si ça déplaît. Et donc là on m'a reproché d'avoir témoigné alors que théoriquement, juridiquement on peut même être sanctionné et avoir une amende si un témoin ne vient pas. Mais dans un cas il faut le faire, dans un cas il ne faut pas le faire.

— *Oui...*

André — Il y a une chose aussi qui m'énerve, il y a un côté, alors là c'est peut-être lié, ça revient peut-être un peu à une des critiques qu'on fait à la fonction publique, mais il y a un côté étriqué ; les gens, les gens qui ne travaillent pas ; je veux dire qui cherchent à en faire le moins possible, chacun se refile le boulot ; enfin, moi, je vois un nombre de collègues fainéants absolument effarant en ce moment. Vraiment il y a 50 % des magistrats de X qui cherchent à en faire le moins possible. C'est énervant, ça fait une mentalité petite, mesquine ; enfin on oublie l'intérêt du justiciable ; et puis il y a même des fainéants qui disent, « oh, nous on n'a pas de récompense à la clef, alors on s'en fiche, on en fait le moins possible » ; il y en a qui disent, « oh, Napoléon avait prévu les décorations et les hochets pour faire avancer les gens, nous on n'a pas de décoration, alors... ».

— *A la limite, ils justifient leur...*

André — Leur fainéantise.

— *... leur fainéantise, enfin ils la revendiquent quoi...*

André — Oui, ils la revendiquent presque. Ils disent, « oh, nous, on ne va pas se fatiguer, on n'a pas de chance d'avancer plus » ; et c'est vrai que c'est pas stimulant. Moi je pense que, d'une certaine façon, on n'est pas assez en situation de risque. Il faudrait qu'on soit amené à se battre, enfin à justifier notre valeur et puis que la légitimité, au lieu d'être donnée, soit quelque chose qui se gagne ; je crois que, qui c'est, ça changerait la mentalité : que le juge montre sa légitimité par le travail qu'il accomplit, par la qualité juridique des décisions qu'il prend, au civil ou au pénal…

— Cette sorte d'acquisition de légitimité, qui c'est qui peut la…

André — Ça, c'est compliqué, mais je pense que globalement si tu veux, c'est un peu le décalage dont je te parlais tout à l'heure, entre une notation qui sera faite sur le fait que, parce que t'as pas fait de vague, que tu t'es bien entendu avec ton président ou avec tes collègues et que t'as pas eu de problème avec le parquet et puis le fait, bon, d'être vraiment reconnu par les gens qui te voient travailler, c'est-à-dire les avocats, les greffiers, et quand tu es juge d'instruction, les policiers, les gendarmes, les détenus. C'est ce décalage entre, finalement une notation qui ne veut rien dire par des gens qu'on voit jamais, et puis le « on dit » mais au sens général ; on sait qu'Untel est quelqu'un qui fout rien ; on sait qu'Untel est un magistrat scrupuleux. Et ce « on sait », bon, même s'il est un peu subjectif, il est… il doit y avoir une manière de le traduire, en tout cas qu'il soit plus adapté, quoi. Et qu'on tienne plus compte de la réalité de ce qui… du travail de chacun. C'est choquant de voir que finalement on peut travailler très très bien et avoir une carrière désastreuse ; tout en étant reconnu comme étant assez bon par les gens avec qui on travaille ; et puis au contraire travailler très mal et avoir une carrière excellente. Parce qu'il y a aussi des questions de relations, de copinage, enfin il y a des tas de questions… d'appuis politiques peut-être…

[…]

En plus il y a des affaires dont on est saisi et celles dont on n'est pas saisi, toute la fraude fiscale dont on n'est même pas saisi systématiquement et puis les affaires qu'on étouffe, sans parler des affaires politiques ; alors là aussi d'une manière générale, et je ne suis pas le seul à le dire, on commence à en avoir ras le bol, tous les magistrats, enfin la grande majorité des magistrats, de voir que les affaires sont étouffées…

— De voir qu'une partie des affaires…

André — Et ça les gens le savent, les détenus le savent, je dirais que maintenant plus de la moitié des détenus même… qui sont dans les maisons d'arrêt françaises savent que la justice est inéquitable, qu'on étouffe les affaires des hommes politiques, des notables, etc., et c'est pas crédible, quoi. On perd toute crédibilité. Quand j'entends le garde des Sceaux qui dit, « oui, il n'y a pas de mission sacrée, le juge n'a pas de mission sacrée », moi je crois que pour être compris, il faut quand même affirmer des valeurs, et

si on n'essaie pas de se rapprocher de ces valeurs, on n'est pas crédible.
[...]

— *Oui...*

André — Si on veut redonner du crédit à la justice, il faudra lui redonner du pouvoir sur les gens avec qui elle travaille, notamment sur la police. Et ça c'est un grand reproche que je fais aux rapports qui prônent le changement, c'est qu'ils remettent pas en cause la tutelle politique sur le Parquet, enfin pas vraiment du tout, et puis ils ne remettent pas en cause le fait que la justice n'a aucun pouvoir sur la police ; or l'essentiel de l'enquête, c'est la police qui le fait ; le juge c'est exceptionnel, il ne peut pas tout faire de toute façon ; il devrait peut-être en faire plus, mais il peut pas tout faire. (...) Mais la justice, ça doit dépasser le stade de la police, donc la police...

— *Pourquoi ça doit dépasser... ?*

André — Parce que c'est pas simplement... oui, la police peut être très très bien, mais même l'esprit policier, enfin souvent, c'est insuffisant. C'est, « vous avez fait ça », bon on cherche simplement à savoir le mobile, le contexte. La justice c'est autre chose ; je trouve qu'il faut avoir une certaine sensibilité pour comprendre, là il va falloir qu'on pèse, il va falloir voir comment vit l'inculpé, comment... et ça je trouve que les policiers sont assez réducteurs par rapport à ça. Mais c'est vrai qu'on a besoin de la police... Pour moi la notion de juge... il faut avoir la liberté d'esprit, il faut pouvoir s'exprimer comme on veut, il faut avoir l'indépendance, il faut pouvoir s'affirmer, être ferme, être clair, ne pas être obligé de se restreindre dans ses opinions.

— *Par rapport à qui ?*

André — Globalement par rapport aux policiers... C'est un État dans l'État, les policiers, c'est très très important, disons dans leurs systèmes syndicaux, etc. Ils sont beaucoup plus nombreux que nous, ils ont un budget énorme, le ministère de l'Intérieur est le plus important et puis, ils décident, c'est eux qui font le boulot et puis nous on est en fin de course et on essaie de faire le service après-vente... Je crois qu'il faut qu'on soit des gens qui soient..., oui, qui soient libres, que les juges soient un peu indépendants, qui soient un peu courageux, qui aient un peu de classe, un peu de vivacité, qui soient capables d'expliquer leur décision, qui aient un peu d'« autorité », entre guillemets, et qui soient pas à raser les murs, qui soient capables de s'affirmer sans être non plus brutaux, irrespectueux des gens, fonctionnant avec des *a priori* et des préjugements ; oui, que les juges aient une certaine envergure, qu'ils soient capables de défendre leur point de vue sur la place publique et qu'ils soient capables dans leurs actes de montrer qu'ils sont légitimes à juger.

[...]

— Aujourd'hui, compte tenu de l'expérience que tu as de ce métier, tu recommanderais à quelqu'un de le faire ?

André — Honnêtement ? Oui. C'est pas un métier inintéressant ; le métier est bien ; mais il faut le faire sans trop d'illusions ; et il faut se battre, il faut vraiment se battre pour arriver à le faire correctement.

— Et dans ton milieu, il y en a qui se battent ?

André — Oui. Oui, oh oui, il y a aussi des juges super...

— Oui.

André — Des juges que j'admire et il y a des magistrats qui jouent tout à fait le jeu, des gens dignes, des avocats qui font bien leur métier et parfois je suis ému quand il y a un avocat qui dit, « écoutez mon client est détenu depuis deux ans, mais l'instruction, le juge d'instruction a été d'une grande sensibilité, a cherché à comprendre sa personnalité et puis les contacts humains ont été très agréables » et ils sont reconnus par les clients qui sont des délinquants, qui ont fait un certain nombre de conneries ; bon, à qui sont reprochés des faits graves mais ils sont, ils ont le respect de leur juge ; je suis fier de ces juges. Il y a des juges qui ont – tout en étant sévères et exigeants – ont cherché la vérité, ont cherché à comprendre ce qu'ils avaient fait et qui ont un contact avec ces gens qui devront s'intégrer ; il y a les Maghrébins, dans la société française, je trouve qu'on a un rôle d'intégration. On a un rôle de rappel de la loi, on remplace un peu leur père pour certains et quand on fait dignement notre travail, oui c'est chouette. Il y a des moments, quand on rend des décisions, et que des gens dans la salle applaudissent, pas au sens primaire du terme mais parce que vraiment ils trouvent que la justice a été bien rendue et puis les gens sont contents, sans qu'on ait fait preuve de démagogie, mais en prenant une décision un peu risquée ; oui, parce qu'il faut, il faut aussi, en tout cas pour les décisions très bonnes, il faut parfois prendre des risques dans un sens, pas prendre des risques sur la culpabilité mais prendre des trucs qui paraissent curieux, qui sont audacieux parce que pour arriver à bien adapter la sanction, il faut parfois, il faut sortir des sentiers battus, il faut faire d'autres choses, qu'on attendait pas ou qui sont pas du tout conformes à ce qui était demandé par le parquet, qui surprennent ; je crois que pour prendre une bonne décision, il faut parfois surprendre. Et quand on prend, exceptionnellement, des décisions comme ça qui surprennent et que les gens sont contents, globalement que c'est bien jugé, oui, je suis content. Je suis fier, oui.

— Tu as des exemples ?

André — Oh oui, oui.

— Tu peux m'en donner un ?

André — Il y a l'exemple de cette femme très impliquée dans une affaire de gros trafic de stupéfiants, des kilos d'héroïne… Cette femme avait une sclérose en plaques avec incontinence urinaire et anale. Ça faisait deux ans qu'elle était en prison et elle avait toujours reconnu les faits, elle était assez digne, quoi. Le procès a duré 15 jours et l'avocat nous a dit, « le médecin a déclaré son état compatible avec sa détention ». Mais quelqu'un qui est dans cet état (elle avait des couches, tu vois, elle s'absentait sans arrêt, etc.), donc on pouvait penser que c'était contraire à la dignité, etc. Et il nous a fait changer d'avis, alors qu'on partait pour huit ans fermes. Et on lui a mis six ans avec sursis. On l'a remise en liberté le soir même. Je trouve qu'on a pris nos responsabilités. (…) Ça montrait qu'on était capable de changer d'avis. De se remettre en cause, de tenir compte aussi des questions humaines. Là j'étais fier de la justice, ce jour-là. Je suis sorti, j'étais content. Je me disais, « à Y. on fait un métier bien ».

— Et tu es aussi content aussi de condamner quand quelqu'un devrait l'être à tes yeux ?

André — Oui exactement. Par exemple dans une affaire de droit du travail, en délibéré, tout le monde disait, « c'est de l'arnaque » ; moi je me suis battu parce que c'était pas conforme à la réalité, au droit du travail ; un type qui employait des gens, du travail temporaire, enfin c'était complètement illégal. L'argument présenté par l'avocat de la défense n'était pas mauvais en apparence, mais si on creusait un peu c'était complètement faux et puis c'était la porte ouverte à tous les abus ; j'ai trouvé l'argument qui a permis de convaincre les deux autres juges, j'étais content, je me suis dit, j'ai pas servi à rien. J'avais vu le dossier avant et puis c'est moi qui ai motivé, donc je crois que c'était juste et cohérent ; c'était défendre l'intérêt des travailleurs, sans *a priori* contre le patron, mais c'était la loi. J'étais content là aussi, d'avoir fait louper le coup, on s'est pas fait avoir par un argument spécieux (...).

— *C'est une exception...*

André — Ah non ! Il y a des gens, heureusement. Il y a des exceptions, mais le système a tendance à te...

— *Oui le système a tendance à accroître...*

André — Voilà, regarde, moi j'ai ouvert un peu ma gueule, je veux dire j'en ai pris plein la gueule, on m'a dessaisi de toute mes fonctions de juge unique, j'ai failli être viré, alors même moi j'ai intégré un peu les valeurs du système. C'est-à-dire quand j'ai à dire au président que ce qu'il fait est scandaleux, je dis maintenant, je le dis poliment, « bon voilà, on peut s'interroger sur », alors que... quoi... un juge devrait être capable de dire non, que c'est inadmissible, c'est contraire à tel principe, c'est contraire à la loi, c'est contraire... On n'est pas là pour être comme dans une entreprise, pour le coup, je crois qu'on n'a pas à avoir la logique du privé, du cadre qui doit obéir à son cadre supérieur ; on doit être des gens, des personnages un peu publics, comme des élus, oui, comme un maire qui est là pour défendre l'intérêt général mais qui doit être capable de dire « vous, votre intérêt il est ce qu'il est, mais l'intérêt de la commune c'est pas celui-là », et, en même temps de faire en sorte que les intérêts de minorités ne soient pas lésés...

1991

Michel Pialoux, Stéphane Beaud

Permanents et temporaires

Septembre 1989 : la grève à l'usine Peugeot de Sochaux est lancée depuis quelques jours. Premiers défilés en carrosserie. Quelques centaines de grévistes, des OS, auxquels se sont joints quelques poignées de professionnels, défilent dans les immenses ateliers de carrosserie autour des chaînes de montage (sur lesquelles vient de sortir la nouvelle 605, dont le lancement date du début du mois). Une sorte de rituel tend à s'installer. Chaque jour, les choses se passent à peu près de la même façon. Après les AG tenues en bas de la passerelle de finition, les ouvriers défilent, lancent à tue-tête cris, sifflets, mots d'ordre et slogans. Ils occupent toute la largeur des allées à l'extérieur des chaînes et avancent, une dizaine de front, délégués en tête.

L'usine de carrosserie est l'enjeu d'une bataille portant sur le nombre de grévistes et sur les effets de la grève. La direction affirme que le fonctionnement des chaînes n'est guère affecté, que la plupart des voitures sortent normalement, pour tenter d'enrayer le mouvement et empêcher qu'il gagne les non-grévistes et les autres ouvriers du groupe Peugeot, pour prouver aussi aux opérateurs financiers que la situation est maîtrisée. Les grévistes ont invité les journalistes à pénétrer dans les ateliers et à constater, de visu, que l'activité de production est largement paralysée par la grève. De fait, bon nombre d'opérations ne sont pas faites, ou mal faites : toutes les voitures devront par la suite être reprises.

Le sens de ces défilés est multiple : à la fois bloquer la production, maintenir le moral de ceux qui sont déjà dans la grève et pousser d'autres ouvriers à y entrer. Les grévistes marchent lentement. A certains moments ils forment comme un bloc compact, homogène. A d'autres moments le cortège s'étire, s'égaille. En tête viennent souvent les militants aguerris, les délégués, parfois munis de porte-voix. Les autres suivent dans le désordre. Ils conversent entre eux, le bonheur se lit sur leurs visages. Tous semblent heureux de se retrouver là si nombreux, on reparle de la grève de 81. Il y a beaucoup de bruit mais aucune dégradation. Quelquefois certains pour faire plus de bruit tapent en mesure sur des armoires métalliques.

Tout au long des chaînes, « un cordon » de cadres, de techniciens, d'employés, d'agents de maîtrise – souvent âgés, veste et cravate – a été déployé (certains jeunes ingénieurs semblent perdus, mais on a évité de placer au contact des grévistes les jeunes, les BTS, nouveaux et nombreux spécialistes de l'informatique). Ils sont là, devant les chaînes, pour éviter la détérioration de l'« outil de production » ; parmi eux, un huissier. A deux mètres les uns des autres, ils regardent « passer » le cortège, évitent de croiser le regard des grévistes. Certains regardent leurs pieds, d'autres tournent la tête ostensiblement à droite ou à gauche. Le moment est difficile. Souvent des grévistes, en marche, apostrophent tel ou tel ; quelquefois un dialogue s'engage. On comprend assez vite que ces cadres (ces « suivettes », terme par lequel ils sont souvent désignés dans l'usine et qui est un mot du vocabulaire des années 70) ont reçu comme consigne de ne pas répondre aux quolibets ou aux « provocations ».

Climat chargé de tension. Une altercation peut toujours éclater et s'envenimer, dont personne ne sait comment elle se terminera. Quand on s'approche de la chaîne quatre – celle qui continue à travailler et dont la direction entend montrer qu'elle tourne la tension monte : les rangs se resserrent, les injures se font plus violentes, les porte-voix sont placés à quelques dizaines de centimètres du visage des personnes du cordon. A plusieurs reprises, il y aura des bousculades, des deux côtés on s'efforcera de faire baisser le ton.

En fait, autour de cette chaîne, la situation est étrange. Parmi les ouvriers qui travaillent, certains, souvent âgés, accomplissent leur tâche sans broncher, relevant la tête de temps en temps pour répondre aux insultes ou aux quolibets, s'assumant comme non-grévistes ; d'autres sont manifestement mal à l'aise. Il semble bien d'ailleurs que certains, gênés, quittent la chaîne au moment de l'arrivée du cortège, avec l'accord des chefs. On comprend qu'ils reviendront lorsque le cortège sera passé. Mais d'autres restent là, un peu en retrait, souriants, qui semblent vivre le plus souvent la situation sans passion. Ce sont les « jeunes », les intérimaires. Ils sont un peu comme hors du conflit. Parfois, ils posent leurs outils un instant, font un petit signe de connivence, adressent un clin d'œil aux grévistes, puis recommencent à travailler. En passant devant eux, les grévistes évitent de crier des insultes mais font plutôt des petits signes de la main, leur adressant des mots amicaux. On ne les connaît pas personnellement, personne ne les interpelle par leur nom ou leur prénom. Ils sont pris en bloc, là, globalement (ils sont les « intérims »). Et tout le monde semble trouver cela naturel. Certains de ces intérims ont placé à côté d'eux une pancarte en carton, ou plus exactement un morceau de carton sur lequel ils ont griffonné le mot « intérim », mais leur jeunesse souvent suffirait à les faire reconnaître comme intérimaires. Ce mot constitue une sorte de bouclier protecteur. Il est clair que l'on ne peut pas attendre d'eux ce que l'on demanderait aux autres (l'anecdote circulera vite dans les ateliers selon laquelle « certains fayots », pour échapper aux insultes, se font passer pour des intérimaires). Au fond, parmi ceux qui, pendant la grève, travaillent – et sur les chaînes, au point le plus névralgique, là où le succès ou l'échec de la grève se joue il y a deux groupes : ceux qui sont traités par la grande masse des ouvriers grévistes comme des fayots, des « jaunes » et ceux à qui l'on accorde d'emblée un statut d'exception – les intérimaires.

Scènes surprenantes surtout si l'on songe à ce que furent les affrontements lors de la grève de 81, ou au cours des décennies précédentes [1]. La grève est un moment de vérité, on est dans un camp ou dans un

1. Il faut rappeler qu'à Sochaux, peut-être plus qu'ailleurs, et notamment compte tenu de l'histoire propre de l'usine (deux morts durant la grève de 68 et politique de répression des militants dans les années 70), faire grève est un acte rare, important et grave. La grève est un moment où il « faut choisir son camp », où chaque partie compte ses forces, où les attitudes des uns et des autres sont jugées par la hiérarchie et par le groupe des militants. Ceux qui ont fait grève sont « fichés » par la maîtrise qui a ensuite toute latitude pour « sanctionner » les grévistes et « récompenser » les non-grévistes (par la distribution arbitraire des primes au choix, par le freinage ou l'accélération de la progressions salariale des ouvriers

autre. Dire de quelqu'un qu'il est un « gréviste » dans le cours habituel de la conversation (hors de tout contexte de grève), est une manière de faire comprendre qu'il est inséré dans la culture politique du groupe (même si par ailleurs il n'est ni militant ni syndiqué), qu'il appartient au groupe des ouvriers qui ne sont pas du côté du patron. Une réprobation très forte s'exerce, même deux ou trois ans après, vis-à-vis de ceux qui n'ont à aucun moment fait grève.

Pour cette grève, les responsables locaux des syndicats ont pris soin de donner des mots d'ordre précis et des consignes strictes pour éviter que les intérimaires ne soient pris comme cible des grévistes. Ils sont bien placés pour savoir que la « base » n'est pas disposée à accepter facilement que l'« on » concède en quelque sorte le « droit » aux intérimaires de travailler lors d'une grande grève. Dans ces conditions, pourquoi tous les ouvriers, même les plus intransigeants sur le respect des « valeurs » ouvrières et militantes (pour lesquels il ne saurait y avoir d'excuse valable pour les « non-grévistes »), sont-ils persuadés que l'exception qui est faite en faveur des intérimaires est légitime ?

Si l'on interroge les anciens, la réponse vient comme l'expression d'une évidence : « ce n'est pas leur faute », « ils ne peuvent pas se payer le luxe de faire

---

jouant sur le barême des points de classification). Ceux qui n'ont pas fait grève sont étiquetés par groupe des militants, des réputations se font et se défont à l'occasion de la grève. Même ceux qui ont fait grève un ou deux jours sont déjà classés autrement, ils ont marqué une forme de solidarité, on peut les comprendre, mais ceux qui ont refusé délibérément sont marqués ostensiblement. Lors de la période qui suit la grève, les comptes se réglent (des deux côtés), les « jaunes » sont mis à l'écart, mis à l'index par le groupe de travail.

grève, eux », « s'ils faisaient grève un seul jour, la boîte d'intérim et l'entreprise s'entendraient pour les mettre immédiatement à la porte ». L'enjeu est si grave – une embauche « en fixe »qu'on ne peut pas leur demander un tel sacrifice. Non grévistes, les intérimaires ne sont pourtant pas perçus comme des « briseurs de grève », on leur accorde bien volontiers des « circonstances atténuantes ». On sait bien qu'il ne leur reste que l'usine comme possibilité de s'en sortir puisqu'ils ont presque tous échoué dans leurs études et que la sanction de l'échec scolaire est aujourd'hui incommensurablement plus lourde de conséquences que « de leur temps ». Les grévistes, dont l'âge s'étale de 35 à 55 ans, semblent projeter sur la situation des intérimaires les inquiétudes qu'ils ont pour leurs propres enfants, notamment le fait d'être confronté à la nouvelle exigence du diplôme (des « bagages » à acquérir) pour accéder à un emploi. En ce sens, les intérimaires leur apparaissent, à ce moment précis et « euphorique » de la grève, moins comme des concurrents au travail – ce qu'ils sont pourtant objectivement que comme des jeunes qui partagent les mêmes expériences que leurs enfants. Ce qui, vu de l'intérieur de l'usine, pourrait être interprété comme une simple opposition entre ouvriers installés (« ouvriers à statut ») et jeunes précaires, prend une tout autre signification dès lors que l'on intègre l'espace social local dans la perspective : on aperçoit alors une proximité sociale là où le point de vue « usinier » ne donnait à voir qu'une distance statutaire entre deux générations ouvrières.

A cette sorte de compassion pour l'impuissance, s'ajoute l'espoir – le pari d'une identité d'intérêts. Tout se passe comme si les grévistes les plus politisés créditaient d'avance les intérimaires d'une posture critique, d'une attitude de résistance par rapport aux chefs (croyance elle-même encouragée par quelques petits signes des intérimaires eux-mêmes). Ils leur prêtent la combativité qu'ils avaient lorsqu'eux-mêmes étaient jeunes ouvriers à l'usine et se satisfont du moindre petit signe de connivence, comme s'il suffisait que ceux-ci soient libérés du joug qui pèse sur eux pour qu'ils adoptent presque automatiquement les mêmes « réflexes » et attitudes de défense qu'eux-mêmes avaient pu avoir dans leur jeunesse. Sans bien mesurer que l'écart qui les sépare est moins une différence d'âge au sens biologique qu'une différence de génération, que l'ordre de succession des générations ouvrières a été interrompu par dix ans de non-embauche et que ces intérimaires, « formés » par des années de « galère » et de petits boulots, arrivent déjà largement « soumis » à l'usine.

Il y aurait, sur fond de malentendus, un accord tacite, entre grévistes et intérimaires, et on pourrait interpréter la scène de la pancarte « intérim » affichée au moment du passage du cortège des grévistes comme une sorte de « donnant-donnant ». Les intérimaires donneraient leur estime pour le « courage » des grévistes et demanderaient par avance en retour l'indulgence des grévistes, en échange de quoi les grévistes donneraient l'« absolution » aux intérimaires pour leur non-participation à la grève et demanderaient un engagement moral à se placer plus tard, une fois embauchés, du côté des grévistes. Les grévistes auraient spontanément tendance à interpréter ce geste comme un simple signe d'impuissance sociale tandis que les plus politisés d'entre eux aimeraient y voir une offre future de collaboration au combat ouvrier, un signe d'affiliation potentielle au groupe des grévistes, une sorte de reconnaissance du bien-fondé de la lutte menée par eux, et même d'adhésion à la culture politique qui la sous-tend. La pancarte peut alors être interprétée comme la promesse d'une (future) intégration au groupe et de la réunification de celui-ci (en termes de classes d'âge). Il suffirait de laisser le temps faire son œuvre pour que l'ordre de succession des générations ouvrières reprenne son cours naturel.

Un an après, juillet 90, la récession frappe l'industrie automobile française et n'épargne pas l'usine de Sochaux, les prévisions économiques s'assombrissent et la tendance au retournement du cycle est aggravée par les événements du Golfe. On apprend juste avant les vacances que les contrats des intérimaires ne seront pas renouvelés à la rentrée de septembre ; les effectifs ouvriers de l'usine sont dorénavant ajustés immédiatement aux prévisions à court terme de la production. A cette période, dans les nouveaux ateliers de carrosserie (HC1) [2], la tension est très vive, les objectifs de production ne sont atteints qu'au prix d'entorses plus ou moins graves aux règles de la gestion à flux tendus et surtout au prix d'une mobilisation intense du personnel ouvrier, contraint de s'adapter à cette nouvelle façon de produire (les flux tendus et l'informatisation) [3], soumis

2. HC1 (Habillage-Caisses 1) est la nouvelle usine de carrosserie, construite à deux kilomètres de l'ancienne. Elle a commencé à fonctionner en 1989 : la production y est plus informatisée, les ouvriers portent une combinaison vert fluo, doivent signer une « charte » et, lors du démarrage, n'avaient pas le droit de fumer dans les ateliers.

3. L'informatisation de la production permet de produire en série des modèles très variés d'automobiles, ce qui oblige les OS à tenir compte du type de pièce à monter pour chaque voiture (ils n'ont plus la même pièce à monter x fois sur le même modèle) et à déchiffrer rapidement les indications de montage qui figurent sur une feuille collée sur le châssis.

à une élévation des rythmes de chaîne et auquel on demande d'être totalement disponible. La technique de production est loin d'être totalement maîtrisée dans cet atelier ultra-moderne, les concepteurs de ce grand projet industriel (l'usine de l'an 2000) semblent avoir vu trop grand ou trop « technologique » : les pannes se multiplient, l'objectif du « zéro défaut » est difficile à obtenir sur les chaînes de montage, de plus en plus de voitures partent « en retouches », c'est-à-dire sont « déraillées » de la chaîne pour être reprises par des ouvriers qui travaillent dans des secteurs autonomes où on procède aux rectifications nécessaires.

Les nerfs sont à fleur de peau. Si les ateliers de la nouvelle carrosserie sont neufs, beaux, spacieux et lumineux, il y règne au mois de juillet une chaleur étouffante, presque insupportable (aucun système de climatisation ou de refroidissement n'a été prévu). Lors des journées de canicule, le service des pompiers de l'usine vient refroidir les ateliers, à coup de puissants jets d'eau sur le toit, les ouvriers disant que c'est surtout pour éviter une panne du système informatique de production. Les témoignages recueillis auprès des ouvriers évoquent une dégradation de l'ambiance dans ces ateliers et une multiplication des incidents entre ouvriers dans lesquels des jeunes sont souvent impliqués.

Juillet 92 : il n'y a plus d'intérimaires sur le site de Sochaux, les derniers étant partis à la fin du mois de décembre 90. Les agences d'intérim qui dans la période antérieure avaient fleuri dans toutes les petites villes proches de l'usine ferment les unes après les autres. Les offres d'intérim en mécanique ont disparu, la Mission locale de l'emploi ne désemplit pas : les jeunes qui ne trouvent plus de travail dans l'intérim viennent y demander un « stage » (les conseillers constatent, vaguement désabusés, que cela leur permet surtout de toucher les 2 400 francs du CFI). Au total, quelques centaines d'intérimaires auront été embauchés sur le site.

Les intérimaires ont été recrutés en masse au cours de la période d'expansion de l'entreprise de l'usine (1987-1990). Leur nombre a connu une croissance régulière et forte : ils étaient plus de 1 500 lors de la grève de 89 et atteindront un maximum de 3 500 en juillet 90. Ils sont concentrés dans certains ateliers de montage ou en peinture (au moment de la grève, 70 % dans le secteur des laques). Le recours aux intérimaires a été si massif que beaucoup d'ouvriers ont été persuadés qu'un grand nombre d'entre eux allaient être embauchés. Dans l'usine, ils étaient affectés dès le premier jour sur des postes de chaîne ; un ouvrier du secteur leur montrait le travail et ils apprenaient, parfois en une journée, à tenir leur poste. Certains, surtout ceux de la région, ne restaient qu'un jour, d'autres s'accrochaient plus longtemps dans l'espoir d'obtenir une « embauche » (un contrat à durée indéterminée). Employés surtout dans les secteurs de montage de l'usine de carrosserie comme la finition, ils occupaient souvent les postes qui avaient la réputation d'être les plus « durs », exigeant à la fois endurance physique et rapidité d'exécution, postes que les « anciens » avaient de plus en plus de mal à tenir dans cette période de forte montée des cadences. Pour les anciens, les intérimaires étaient ces jeunes, anonymes, qui « débarquaient un beau matin » dans l'atelier et que « le chef » conduisait directement sur leur poste de travail. Ils n'étaient pas présentés et restaient souvent si peu de temps que les ouvriers du secteur ne les connaissaient pas ; s'ils restaient, il y avait peu d'échanges avec les vieux ouvriers de leur secteur, comme si chacun entendait rester sur ses gardes, dans une sorte de méfiance mutuelle.

Les intérimaires, passé le temps de l'adaptation, éprouvaient beaucoup moins de difficultés à suivre les cadences de travail que les OS en chaîne depuis 20 ans. Ils avaient souvent du mal à comprendre l'espèce de récrimination permanente des « anciens », le fait qu'ils rouspètent, ou maugréent dans leur coin. La coexistence dans le travail entre « vieux » et « jeunes » ouvriers n'a pas été sans heurts, la tension a été souvent vive entre eux et les altercations nombreuses, sur fond de durcissement des cadences de travail (les descriptions abondent sur le refus des intérimaires de se plier aux logiques multiformes du freinage ouvrier). Les conflits ont pu avoir aussi pour objet le non-respect par les nouveaux venus des règles informelles ou des pratiques de sociabilité traditionnelle des ateliers d'OS (notamment la consommation d'alcool dans les ateliers), autant de coutumes qui allaient de soi pour les OS entrés à l'usine dans les années 60-70, et que beaucoup d'intérimaires (surtout lorsqu'ils sont étrangers à la région) découvrent, effarés et parfois indignés.

Pour beaucoup d'OS (ou d'« anciens », comme le mot a commencé à s'imposer alors dans les ateliers), les intérimaires ont symbolisé leur déclassement, la disqualification de leur savoir-faire. Ils étaient en quelque sorte la démonstration vivante que les vieux pouvaient être remplacés au pied levé par des gens sans formation, dont le seul avantage était d'être jeune et « frais » physiquement. La présence à leurs côtés de cette force de travail jeune et disponible rendait leur vieillissement encore plus sensible, par l'espèce de comparaison spontanée que personne ne pouvait manquer de faire, ouvertement ou par-derrière.

Les ouvriers se divisent désormais en deux sous-groupes, celui des « vieux » — constitué par la très grande majorité des ouvriers qui sont entrés à l'usine dans les années 60-70 (le recrutement ouvrier de l'usine s'était arrêté en 79) et celui des « jeunes » qui sont, dans leur quasi-totalité, d'anciens intérimaires sélectionnés entre 88 et 89 et embauchés en fixe à l'usine. Au nombre de plusieurs centaines, ils ont conscience d'être les derniers représentants de la grande vague des intérims qui a aujourd'hui complètement reflué. On continue d'ailleurs en 92 de les appeler les « intérims ». A côté d'eux, on ne saurait oublier que la « jeune » génération est représentée par d'importants contingents – dont le poids va croissant de jeunes techniciens qu'on désigne souvent par le terme de « BTS » qui, eux, ont été recrutés dans la deuxième moitié des années 80, et qui ont en commun de ne pas se penser comme des « ouvriers », mais comme un groupe à part. La différence entre ces deux groupes réside moins dans l'âge, au sens biologique, que dans leur mode d'entrée dans l'usine. Un certain nombre de « vieux » ne sont d'ailleurs pas très âgés. Entrés à la fin des années 70, ils pourraient, par certaines modalités de leur existence, de leur mode de vie, être considérés comme jeunes, et inversement, nombre de jeunes intérimaires ne sont pas aussi « jeunes » qu'on pourrait le penser, certains dépassant la trentaine.

Ce qui, en fait, les distingue, c'est le mode de génération, la « génération d'usine » – les OS qui sont entrés à l'usine avant la crise s'opposant à la « génération des précaires » qui sont toujours à la recherche d'un emploi stable, opposition qui est elle-même redoublée par toute une série d'oppositions homologues (politisée/« dépolitisée », syndiquée/ antisyndicat...). On peut dire, en schématisant, que les jeunes OS d'hier appartiennent à une génération scolaire où beaucoup commençaient à travailler à 16 ans, la sortie sans diplôme étant encore relativement fréquente alors que les jeunes précaires d'aujourd'hui se pensent et se vivent comme des « ratés » ou des « exclus » du système scolaire qui n'ont pas pu échapper au LEP (et au CAP). Cette modification du rapport entre système économique et système d'enseignement et le renforcement du pouvoir de sanction du système scolaire qu'induit la « crise » économique va pénaliser lourdement les individus les moins dotés scolairement.

La modernisation (technique, sociale et spatiale) de l'usine de Sochaux a donc produit des « vieux relatifs », qui sont non seulement usés par leur travail mais aussi vieux de ce qu'ils ont « perdu », manières de faire et d'être qui rendaient acceptable la condition d'OS et qui étaient constitutives de leur conscience de classe. Ils sont également vieux, du fait de l'impossibilité dans laquelle la plupart se trouvent, quel que soit leur âge, de se reconvertir mentalement aux nouveaux dispositifs de travail mis en place dans l'entreprise. Les OS qui ont vécu 15 ans en chaîne, même s'ils ont 32-35 ans, sont dans une certaine mesure trop vieux « dans leur tête », vieux des schèmes qu'ils ont intériorisés et dont ils ont aujourd'hui beaucoup de mal à se dégager, pour ne pas se sentir exclus de la « modernité ». Tout se passe comme s'ils devaient lutter contre eux-mêmes, contre les « réflexes » qu'il ont progressivement acquis. Tous ceux qui ont été socialisés dans la « culture d'opposition » qui était celle des grands ateliers d'OS des années 70 [4] se sont également trouvés politiquement « vieillis » par la dévalorisation des espoirs et des idéaux, par la démonétisation des croyances qui les soutenaient dans leur résistance à l'ordre de l'usine, par cette histoire commune qui se défait, bref, par la déconstruction du groupe ouvrier. Ce qui s'effondre, c'est la manière dont ces ouvriers avaient bâti, dans la vie d'atelier, leur réputation et donc la partie positive de leur image de soi.

Les jeunes intérimaires, ont éprouvé beaucoup de difficultés pour trouver un travail à la sortie de l'école ; ils sont passés par des stages, des « petits contrats » en intérim, avec, entre temps, des périodes courtes de chômage. Ils sont toujours en attente d'un emploi stable et d'un logement à eux. Comme leur entrée dans la vie active (et dans la vie d'adulte) a été sans cesse différée, ils voient dans la « grande usine » qu'est Sochaux une occasion presque unique de décrocher un emploi stable. Pour cela, beaucoup d'entre eux sont venus de loin (de régions où le chômage de longue durée touche de nombreux jeunes comme le Nord et la Bretagne par exemple). Ils voient dans les OS qui travaillent à côté d'eux à l'usine non pas un groupe uni et solidaire, un groupe « fort », mais un groupe désuni, des gens fatigués, usés, démoralisés, vieillis prématurément, « rouspéteurs », qui se « conduisent mal » au travail (attitude qui peut aller jusqu'au sabotage), alors qu'ils sont, eux,

4. Cf. Les « chroniques Peugeot », *Actes de la recherche en sciences sociales*, C. Corouge et M. Pialoux, 1984-85.

impatients de faire leurs preuves, de démontrer ce qu'ils valent et cherchent à accumuler des « bons points » pour être embauchés après leur contrat d'intérim. Ils essayent de « tenir » au mieux leur poste de travail et entretiennent de bonnes relations avec les chefs qui les « protègent » de leurs employeurs (les agences d'intérim). Ils ne se sentent donc pas tenus de respecter les traditions qui existent de longue date dans les ateliers et ils peuvent s'affranchir de la règle ou de la coutume (comme celle de l'alcool). Les « anciens » ne leur prêtent aucune attention particulière, sauf quelques militants qui, disent-ils, viennent essayer de leur vendre une carte (eux se sentent agressés par ce « démarchage » qui leur paraît presque indécent). Ces jeunes intérimaires (étrangers à la région et à la « mentalité Peugeot ») ont travaillé trop peu de temps chez Peugeot pour comprendre la nature des relations complexes qui se nouent dans ces ateliers ; ils ignorent tout de l'histoire qui a façonné les différences d'attitude, les clivages, les hostilités et les haines, les plaies et les cicatrices et même les différences entre les syndicats et leurs stratégies. Ce qui était au cœur de la vie des militants, ce qui constituait un principe fort d'identité, passe à leurs yeux inaperçu. Si bien que tous les ouvriers du secteur sont perçus « en bloc » comme appartenant à une même génération, celle des gens qui ont pu avoir la chance de « faire toute leur vie à l'usine ».

La coexistence des « vieux » OS et des « jeunes » intérimaires sur les lieux mêmes de travail a constitué une sorte de révélateur des malentendus – structuraux réciproques. D'un côté, les « vieux » voyaient les intérimaires comme des « jeunes », en projetant la vision de leur propre jeunesse (« insouciante » et « révoltée ») sur des « jeunes » avant tout angoissés par la perspective de ne jamais parvenir à s'insérer sur le marché du travail, et hantés par le spectre de l'« exclusion ». Les vieux formés dans la culture militante ont alors « senti » qu'ils ne pouvaient rien leur transmettre de leur savoir ou de leur expérience « politique » et découvert que le fil des générations ouvrières à l'usine était rompu. Au cours de ces années de crise et de non-embauche ouvrière, une espèce de croyance, de « rumeur », selon laquelle l'usine n'embaucherait plus en fixe à moins de bac+2 s'est répandue dans la région. La conscience particulièrement vive du caractère indispensable que revêt aujourd'hui la possession de diplômes « supérieurs » (quasiment mesuré en termes de durée d'études au-delà du bac) a eu pour effet objectif, et en quelque sorte rétrospectivement, de faire passer les OS qui sont entrés à l'usine sans diplôme, « avec rien » pour des gens qui ont « eu de la chance ». On peut dire qu'avec le durcissement de la compétition scolaire et la disqualification des formations professionnelles courtes (CAP, BEP), les jeunes peu ou non qualifiés (et notamment ceux qui se sont déjà heurtés aux verdicts sans appel du marché du travail local ou national) ont eu tendance à construire, à rebours, la génération des OS de l'usine (qui est pour beaucoup celle de leurs parents) comme une génération insouciante sinon « heureuse », dans la seule mesure où elle a autrefois décroché facilement un emploi. Cette construction *a posteriori* de la génération des pères isole en fait un moment de leur trajectoire professionnelle qui est celui de leur insertion sur le marché du travail et fait abstraction du système de contraintes historiques dans lequel étaient aussi placés les gens de cette génération (par exemple, les fils de paysans ont fui le travail de la terre pour accéder aux biens et loisirs de la « société de consommation »).

Les intérimaires, et plus particulièrement ceux qui, originaires de la région de Sochaux, ne souhaitaient pas être embauchés chez Peugeot, ont donné l'impression aux « vieux » OS – par leurs attitudes (beaucoup travaillent avec un walkman vissé sur la tête, en T-shirt, sans bleu, parlent peu et manifestent parfois un refus ostensible de communiquer avec les collègues de travail) ou par leur façon de dénigrer le travail et la vie d'usine, de ne pas respecter les codes sociaux établis de longue date dans les ateliers (qu'ils n'ont pas appris non plus dans les mêmes conditions) – qu'ils se conduisaient comme des « ouvriers de passage ». Le rapport au travail de ces jeunes qui se savaient être là de passage fait de détachement et d'une certaine forme de « je-m'en-foutisme », était en complète opposition avec l'image de l'ouvrier telle qu'elle a été construite par le mouvement ouvrier français, celle que les militants dans une certaine mesure incarnaient – l'image du producteur, du créateur de « valeur », pénétré de la noblesse du travail ouvrier, des valeurs de solidarité et de dévouement à la classe, tout ce qui faisait que l'on pouvait lutter pour et au nom de cette « abstraction » qu'était la « classe ouvrière ». Ce que les militants syndicaux ou les « vieux ouvriers » percevaient de ces « ouvriers de passage » – l'espèce de « frivolité » de la conduite de certains paraissait presque attentatoire à ce que l'appartenance à la classe ouvrière exigeait comme « tenue » et à la « dignité » ouvrière telle qu'elle avait été longuement et patiemment construite par la lutte syndicale et politique, contre les représentations dominantes et « méprisantes » des classes laborieuses. Leur irruption dans les ateliers a fait brutalement prendre conscience aux OS qu'une distance culturelle irréversible s'était creusée entre les générations ouvrières. Cette mise en question de l'identité ouvrière a été d'autant plus douloureuse qu'elle provenait de « l'intérieur » même de la condition ouvrière, et même, dans certains cas, qu'elle était le fait de leurs propres enfants. Le « jeune précaire » pour beaucoup de vieux OS, c'est celui qui ne peut pas être pensé comme véritablement « ouvrier » – au sens où ce mot engage fondamentalement l'idée de luttes, d'histoire, de combat et d'espérance politique et collective-, celui qui ne fera jamais un militant.

L'expérience et le destin professionnels de ces jeunes précaires ont en quelque sorte démontré à beaucoup d'ouvriers de l'usine que, dorénavant, il était largement illusoire de croire que leurs enfants pourraient entrer sans « bagages » à l'usine et qu'il était devenu aussi aléatoire de parier sur une insertion professionnelle stable par la voie traditionnelle de l'enseignement professionnel (un niveau CAP ou BEP). Il fallait au contraire « investir » dans les études longues : le minimum leur paraissait alors de décrocher le BTS pour se mettre à l'abri du chômage (ce qui conduit nombre d'enfants d'ouvriers de la région à préférer une scolarité indéterminée en lycée général à des études en LEP, vécues comme une forme de relégation sociale).

La plupart des militants découvrent qu'ils ne sont guère mieux armés que les autres ouvriers face aux exigences scolaires. D'où leur peur, tout comme les autres ouvriers, face à l'avenir scolaire et professionnel de leurs enfants, aggravée encore par une forme de haine contre l'usine qui a trahi tous leurs espoirs. Les vieux ouvriers découvrent qu'ils ne pourront à peu près rien transmettre à leurs enfants de ce pour quoi ils ont longtemps lutté, que c'est là une expérience proprement incommunicable, que l'École ignore et parfois même piétine (on sait l'attention portée par beaucoup de militants à l'enseignement de l'histoire et à la place que celle-ci fait à l' histoire politique du groupe ouvrier). La manière dont certains ouvriers parlent de leurs enfants est significative du rapport inquiet, tendu, et peu assuré, que beaucoup d'OS entretiennent avec l'École : un mélange de peur (la peur que la « réussite » scolaire des enfants toujours incertaine et réversible, ne s'arrête brutalement), d'extrême tension (la nécessité de ne jamais relâcher son effort en écartant notamment les mauvaises fréquentations), et d'espoir. D'autant plus que beaucoup d'OS, ne peuvent guère « aider scolairement » leurs enfants, si ce n'est, en quelque sorte, par la haine de l'usine qu'ils essaient de leur transmettre. L'univers scolaire apparaît comme un monde où les solidarités collectives ne jouent pas, où la constitution d'un « rapport de forces favorable », pour reprendre une expression militante, ne suffit pas.

Les militants qui, à l'usine, ont été confrontés à des situations de type scolaire, d'intimidation symbolique (les négociations avec la direction du personnel, les discussions avec des représentants de l'État, les réunions de Comité d'entreprise, etc.) ont « mesuré » l'importance qu'il y a à bien maîtriser le langage, l'arme que constituent les différentes formes de l'aisance culturelle, et inversement ont pu mesurer le prix qu'ils ont parfois payé – en humiliations, intimidations, impuissance, ou rage rentrée, notamment dans les circonstances « officielles »pour leur « inculture » (relative), et l'effort qu'ils ont dû faire pour se remettre « dans le bain », par exemple face aux lectures liées à la vie syndicale (le droit du travail, les textes de loi, la compréhension des mécanismes économiques de base et des statistiques, etc.). Aujourd'hui, ils savent bien que le « coup de gueule » contre le chef d'équipe, les stratégies de « retournement symbolique » ne « marchent » plus comme avant.

Les vieux ouvriers ne peuvent plus rien transmettre politiquement à leurs enfants qui ne soit pas négatif – hostilité vis-à-vis de Peugeot, haine des chefs, « mépris » pour les collègues fayots ou « néo-fayots », déception vis-à-vis des pays de l'Est et du communisme réel, etc. On sent chez ceux-ci la volonté, à travers leurs enfants, de rompre les amarres avec un monde (l'univers de l'usine et le monde ouvrier) qui les a profondément déçus et blessés, de se fabriquer (comme par procuration) un autre destin ou d'autres horizons en se plaisant à voir dans leurs « gosses » ce qu'ils auraient pu devenir (un bon sportif, un bon employé), tout sauf cet ouvrier usé et déçu, qui finit peut-être par se détester lui-même d'être devenu ce qu'il est devenu… comme si la violence qu'ils portent en eux – violence destructrice qui les conduit à s'isoler des autres trouvait un relatif et provisoire apaisement dans l'évocation de leurs enfants et de leur avenir •

Michel Pialoux

Le vieil ouvrier et la nouvelle usine

Quand nous arrivons, Christian C. et moi[1], à D., un village de Haute-Saône, situé à environ 50 kilomètres de Sochaux, vers 15 heures, par un après-midi de juillet 1990, Gérard – qui travaille « du matin » à l'usine – nous attend dans le jardin qui entoure son pavillon : en short, torse nu, il retourne à la bêche un carré de terrain. Gérard est OS à l'usine de Sochaux depuis 1965. Il approche la cinquantaine et travaille dans l'atelier de finition depuis près de 15 ans : bien qu'il ait occupé de très nombreux postes, il a toujours été « en chaîne », « en ligne ». Lorsqu'il se redresse pour nous accueillir, il me frappe par sa stature, la vigueur et l'espèce d'énergie tranquille qui émane de lui ; souvent les ouvriers de l'usine me paraissent âgés, usés, ils semblent avoir, comme on dit, cinq ou dix ans de plus que leur âge ; lui me paraît, mieux que beaucoup d'autres, avoir résisté à l'usure de l'usine.

Nous échangeons les propos rituels autour de l'« agrément » du travail de jardin, de la fatigue du tra-

1. Christian Corouge est un OS de l'usine Peugeot Sochaux avec qui j'ai travaillé durant les années 80 et avec qui j'ai publié plusieurs « Chroniques Peugeot » dans *Actes de la recherche en sciences sociales*, de 1984 à 1986.

vail à l'usine. Gérard va tous les jours à Sochaux, dans un des cars de l'usine. Le voyage dure près d'une heure. Il ne prend sa voiture (une 405) que très exceptionnellement. (Toute la région depuis des décennies est sillonnée par un réseau de cars qui, dès trois ou quatre heures du matin, se lancent sur les routes. Aujourd'hui, les ouvriers sont moins nombreux, mais la direction a maintenu les anciens circuits de car). A pas lents, en bavardant, nous faisons le tour du pavillon (cinq pièces, une grande cave...), et nous plaisantons sur l'ordonnance du jardin : il y a beaucoup de fleurs, de plantes d'ornement un peu à l'écart, quelques carrés de légumes. Gérard nous explique comment et pourquoi il a fait construire le pavillon en 1973, peu de temps après son mariage : l'emploi chez Peugeot donnait une sécurité, les taux d'emprunt n'étaient pas élevés, et puis le terrain ne valait pas cher – « presque rien » – grâce à l'« astuce » du maire de la commune, un « communiste », un « vieux malin », qui a toujours su y faire et qui a su au bon moment acquérir des réserves foncières pour sa commune. Il ajoute – il parle lentement, d'une voix un peu sourde, sans éclats, où passe souvent un peu d'ironie, comme s'il voulait mettre une certaine distance entre lui et nos questions... – qu'il n'a jamais eu beaucoup de goût pour le travail de la terre, qu'il s'y remet occasionnellement en été (un coup de main donné « à droite ou à gauche », à un voisin ou un parent). Son père n'habite pas loin, mais il ne travaille plus sur ses terres qu'il a louées à un voisin. (Il indique d'un geste la direction de la vieille maison. Et au fil de l'entretien, il pointera le doigt vers les multiples maisons où habitent ses beaux-frères, ses cousins, les parents de sa femme...) J'insiste un peu : travailler « à côté » comme le 2 × 8 pourrait le permettre ? Non, vraiment, il n'a jamais été « tenté par ça ». D'ailleurs « ça ne se fait plus ». Les ouvriers qui essayaient de « tenir » à l'usine et de travailler sur leur ferme ont dû y renoncer les uns après les autres (« j'ai eu un copain qui faisait le travail à côté, explique-t-il, mais y a eu une période où ç'a été l'un ou l'autre, ou l'usine ou la ferme »). Aujourd'hui, les gens sont « trop fatigués ». Quant à lui, la seule occupation à laquelle ici, au village, il se livre régulièrement, ce sont les coupes de bois, dans les forêts toutes proches, coupes réglées par la tradition, qui se font à plusieurs, « entre copains » et qui lui permettent de chauffer tout l'hiver son pavillon (« les hivers sont rigoureux, sans les coupes, question finances, on n'y arriverait pas »). Et il ajoute : « Je coupe mon bois, je bricole, je fais mon jardin, mais je le fais pour moi, uniquement ce qui me plaît… » Sa passion, c'est la chasse. Lorsque nous nous quitterons, trois heures plus tard, vers 19 heures, Gérard se lancera dans une description haute en couleur de ses chasses : parties de chasse avec ses voisins et ses beaux-frères, battues au sanglier qui mobilisent tous les hommes du village… Pour le moment il évoque plutôt (mais discrètement, sans trop insister) la fatigue qui vient, la difficulté à récupérer physiquement après les journées de travail : « Il y a une paire d'années je rentrais, je bricolais, je pêchais, j'allais dans les bois. Il n'y avait pas de problèmes. Mais maintenant quand je rentre, ça me dit absolument rien de faire quelque chose… »

Gérard est un vieux copain de Christian. Ils se connaissent depuis plus de 20 ans et sont liés par beaucoup de souvenirs communs. A son arrivée à l'usine,

Christian a travaillé dans la même équipe que Gérard, en carrosserie. Surtout, il a fait ses premières armes militantes auprès de lui en 1969 quand l'usine était pleine de gens jeunes et combatifs. « Ça, ça crée des liens. » Ils se sont souvent rencontrés par la suite : dans les ateliers à l'heure des « pauses », dans les cafés proches de l'usine ou dans les réunions syndicales. Mais Christian n'est jamais venu dans le village de Gérard : c'est un « copain d'usine », ce n'est pas un copain « de quartier » ou de « village ». Et la différence est d'importance. Christian m'a souvent parlé de lui, dans les années 83-84, dès que nous avons commencé à travailler ensemble… A ses yeux il est l'« ouvrier paysan » type, complètement pris dans les réseaux de la vie locale, qui a des loisirs de paysan, qui chasse, qui pêche… Il incarne un mode de vie qui le fascine, et qui s'oppose complètement à celui des ensembles HLM (des « blocs ») où les ouvriers venus d'autres régions ou d'autres pays, immigrés de l'intérieur ou de l'extérieur, sont condamnés à vivre. En même temps, ce qui, à ses yeux, singularise Gérard, c'est que celui-ci est un « rouge » ; fils et petit-fils de paysan, il est pourtant inscrit dans une tradition politique, celle d'une région « rouge » : celle de la mine de Ronchamp et des villages ouvriers qui l'entourent, celle des petits paysans qui ont une longue tradition anticléricale et républicaine derrière eux, zone très fortement marquée, aussi, par les souvenirs de la Résistance, où les municipalités socialistes et communistes sont nombreuses et actives.

Et Gérard a effectivement la réputation d'un « rouge » dans l'usine comme hors de celle-ci. Il a longtemps milité au PC et y a exercé des responsabilités à un niveau relativement élevé ; il se considère encore comme un « vrai » communiste, bien qu'il ait cessé de prendre sa carte à la fin des années 70. Il n'a jamais cessé d'être syndiqué à la CGT, il fait partie de ce noyau de vieux militants et délégués autour desquels se cristallise la résistance à l'ordre de l'usine. Il est pleinement inséré dans le réseau militant, c'est là qu'il a ses vrais copains. Cependant, il n'a jamais été délégué. Son nom figure souvent sur la liste des candidats CGT aux élections de DP ou du Comité d'hygiène et sécurité (CHSCT), mais toujours en situation d'inéligibilité.

Le tour du pavillon achevé, Gérard enfile une chemise, et nous nous installons dans la cuisine : moderne, bien équipée, elle est meublée d'un buffet et de chaises « rustiques » (les anciens meubles, dont on parlera, sont restés dans la maison des parents). Gérard nous propose du café et des petits gâteaux. A plusieurs reprises, il se lèvera, ira chercher des documents ; sa feuille de paie, la lettre qu'il a reçue au moment de son arrivée en stage à Morvillars (stage de trois semaines destiné aux ouvriers venant travailler dans la nouvelle usine d'habillage-caisse), des tracts syndicaux qu'il a conservés… Sa femme (qui est employée dans un service de la municipalité) surviendra en fin d'après-midi. Nous n'échangerons avec elle que quelques mots ; elle ne se mêlera pas vraiment à la conversation parce que c'est de l'usine que nous parlons ; on sent ici encore à quel point la coupure est grande entre le monde du village et celui de l'usine.

Gérard sait que je connais Christian depuis plusieurs années ; nous nous sommes d'ailleurs déjà rencontrés il y a deux ou trois ans à l'extérieur de l'usine un jour de débrayage, alors que les grévistes étaient sortis des ateliers et s'étaient retrouvés dans les cafés proches de l'usine.

C'est Christian qui a proposé et préparé l'entretien. Sans avoir une idée bien arrêtée des thèmes sur lesquels nous voulons l'interroger, Gérard pense que nous solliciterons avant tout son « témoignage » sur l'atelier de finition, les changements qui s'y opèrent, la pénibilité des postes de travail, les flux tendus, le « juste à temps », etc. Il sait également que nous souhaitons parler du « stage » qu'il a commencé à suivre à Morvillars et dont il a été renvoyé au bout de quatre jours. Il n'a certainement pas pensé que l'entretien prendrait le ton de la « confidence », que, par exemple, nous parlerions d'emblée et sans autre forme de procès de son rapport à « la politique », sujet sur lequel il est clair qu'il préfère, dans un premier temps au moins, rester sur son « quant-à-soi ». En même temps, cependant, il connaît bien « son » Christian, et pressent qu'il n'échappera pas à une discussion sur des thèmes « politiques » – dans laquelle il n'a certainement pas l'intention d'aller trop loin.

Effectivement, nous n'oserons pas poser certaines questions trop « personnelles » ; d'autres ne seront abordées que lorsque, magnétophone coupé, nous bavarderons debout, longtemps, dans la cuisine, ou lorsque, ayant franchi le seuil, nous continuerons à converser plus d'un quart d'heure dans l'allée du jardin… L'accord implicite initial ne prévoyait pas que Gérard se raconterait, qu'il parlerait de lui-même. Il en viendra vite pourtant à évoquer son père, militant communiste actif, ancien résistant, longtemps conseiller municipal du village (« j'ai été élevé dans le milieu résistant, expliquera-t-il, mon père, mon grand-père ont fait de la résistance… ma grand-mère faisait le pain pour les résistants »). Son père avait une ferme qui, il y a 30 ans, apparaissait comme une exploitation « moyenne » mais que ni lui ni son frère (qui deviendra technicien en usine) n'ont jamais envisagé de reprendre (« quand il a vu que personne ne voulait reprendre, il n'a pas investi, il n'a pas agrandi… les terres ont été louées »). Ses parents ont « poussé » Gérard à « faire des études », espérant qu'il irait au lycée. Mais il a abandonné en troisième (« ça marchait pas trop bien… je voyais les copains qui déjà bossaient, et moi… »).

Au sortir de l'école, il est embauché dans une usine de textile qui n'est située qu'à deux kilomètres de la maison de ses parents mais dans laquelle les salaires sont très bas. (« J'avais mes chances d'y devenir contremaître » dira-t-il.) Il décide de quitter l'usine et de se faire embaucher à Sochaux. C'est l'époque où le salaire d'un ouvrier non qualifié de Peugeot est largement supérieur (de 30 ou 40 %) à celui d'un ouvrier professionnel ou même d'un agent de maîtrise de la plupart des usines de la région. Être ouvrier Peugeot apparaît alors comme un sort enviable. La conciliation entre un style de militantisme politique « dur » et une certaine forme d'ascension professionnelle apparaît aussi parfaitement possible.

A plusieurs reprises nous abordons avec lui la question de ses enfants et de leur avenir scolaire et professionnel. Thème brûlant et douloureux que toutes les questions sur son avenir à lui, sur l'avenir de l'usine font resurgir presque immanquablement. La peur que ses enfants (l'aîné est en première à 17 ans et le deuxième en seconde à 16 ans) échouent au lycée et se retrouvent comme lui, à l'usine, dans le travail manuel, affleure sans cesse. Son rapport à l'avenir se construit aussi à travers celui de ses enfants. « Ils marchent pas trop mal », dit-il avec un sourire, mais il n'ose pas trop s'avancer sur un terrain qu'il ne maîtrise pas, craignant que l'avenir ne lui réserve ici de mauvaises surprises. Le plus frappant est peut-être ici la manière dont il explique pourquoi il a tout fait pour leur éviter une entrée dans l'enseignement professionnel qui lui apparaît comme un enseignement dévalorisé n'ayant plus guère d'autre débouché que l'usine – comme s'il reportait sur l'ensemble du monde industriel l'aversion qu'il avait, lui, à l'égard de l'usine Peugeot.

Et en même temps – et c'est là aussi que s'exprime l'ambiguïté de son rapport à l'usine qui, objet de haine, est aussi, en un sens, un objet d'amour auquel se rattachent certains des souvenirs les plus chers et des émotions les plus fortes de sa vie – il répétera à plusieurs reprises que son souhait le plus vif est que ses enfants viennent travailler à l'usine, comme « scolaires » pendant les vacances d'été. A ses yeux il s'agit là d'une sorte d'apprentissage négatif – leur faire toucher du doigt ce qu'est le monde de l'usine, leur montrer pourquoi celui-ci doit être fui –, mais il passe en même temps dans ses mots le désir de faire comprendre à ses enfants ce qu'a été le travail d'OS, pourquoi il a usé leur père mais comment, aussi, il y a développé des attitudes de combat, qui ont, à ses yeux, cohérence et grandeur – et dont il pressent qu'elles ne seront plus comprises par grand'monde. « Je voudrais bien, dit-il, qu'ils entrent à l'usine, même pour un mois, mais eux, ils ne veulent pas ; pourtant quand ils se seront levés pendant un mois à trois heures du matin, ils auront moins la tête à écouter leur musique… »

Une fois assis autour de la table de cuisine, et comme pour dissiper la gêne qui subsiste, Gérard, se plaçant d'emblée sous le signe du passé et de la confrontation entre deux époques, lancera en direction de Christian : « celui-là, oui, c'est moi qui l'ai dressé ». Et Christian répond en écho – c'est à cet instant que j'ouvre le magnétophone : « c'est vrai qu'on en a passé de bons moments ensemble, et tous ceux qui ont travaillé avec nous à cette époque s'en souviennent comme étant les meilleurs moments de leur vie… »

Dès les premiers échanges, il me paraît frappant que les trois thèmes majeurs se trouvent déjà immédiatement lancés – celui de l'aggravation de la pénibilité du travail sur les chaînes, celui de la dégradation de l'« ambiance » dans les ateliers et celui de la difficulté de plus en plus grande à effectuer un travail syndical – qui vont sans cesse revenir jusqu'à la fin de l'entretien.

A entendre Gérard et Christian multiplier les allusions au groupe des « copains », évoquer d'un même mouvement l'« ambiance » autour des postes de travail, les formes et les modalités du « travail » syndical (qui étaient profondément imbriquées dans les pratiques de travail) et le lien qu'elles avaient avec une certaine posture politique, il me semble comprendre d'un seul coup comment et pourquoi avait pu s'opérer pendant longtemps la transmission d'une certaine culture politique profondément enracinée dans un complexe de relations de travail (qui étaient aussi des relations sociales entre des gens « constitués » par une histoire commune) et comment et pourquoi les conditions de cette politisation ont progressivement disparu – ou sont en train de disparaître.

Ce qui frappe en effet dans cet entretien, c'est

d'abord un certain ton, un mélange de violence contenue pour parler du présent, et d'humour un peu grinçant pour parler du passé. C'est aussi la permanence du thème de la dégradation des relations de travail et le lien étroit que ce thème entretient avec celui de la perte des relations de confiance dans le groupe de travail, perte qui est ressentie comme une blessure. C'est d'abord sans doute aux modalités de refus de l'usine qu'il faut porter attention : un refus violent, définitif, sans appel, sur lequel il est hors de question de revenir. Un refus qui est, lui aussi, comme la marque d'une blessure.

Ce dont Gérard ne cesse de parler en fait, et qu'il évoque tantôt sur le mode du constat, tantôt sur celui de la dénonciation, c'est de la déstructuration de l'ancien système de relations sociales qui avait prévalu longtemps dans l'atelier (jusque dans les années 85/86) et qui donnait une sorte de force au « groupe » ouvrier, groupe dans lequel les délégués et les militants tenaient une place éminente. Ce qui est au fond placé d'emblée au cœur de son propos, c'est la question des collectifs de travail, de leurs modalités d'existence, des formes de sociabilité qui y prévalaient, de la manière dont s'y déployait un certain travail politique (qui n'était presque jamais pensé comme tel), de la manière dont s'y articulaient, s'y liaient, s'y soutenaient résistance individuelle et résistance collective, résistance « morale » et résistance « politique »…

On sent chez Gérard comme une sorte de blessure, une déception très profonde liée au présent, mais qui procède aussi de toute une histoire. Déception dans laquelle est pris le regard qu'il jette sur son passé, comme celui qu'il porte sur son propre avenir ou sur celui de ses enfants. Déception qui s'enracine également dans le pressentiment que les nouvelles générations ouvrières – les intérimaires – ne viendront pas rejoindre sauf miracle les anciennes et que la plupart des formes anciennes du combat ouvrier ne pourront pas être reprises parce qu'elles ne seront plus ajustées aux nouvelles situations. Se retournant vers le passé, il revient sans cesse sur la manière dont, depuis dix ans, les conditions de travail dans l'atelier se sont transformées et aggravées, dont la pression s'est faite plus forte sur les ouvriers, dont la défiance et le mouchardage se sont installés parmi eux, dont la cohésion des anciens groupes de travail s'est trouvée brisée notamment par le système des primes, dont la hiérarchie en réorganisant les collectifs de travail, en tentant même d'en créer de toutes pièces de nouveaux, en est venue à impulser la dynamique de la vie sociale dans la direction la plus favorable à ses intérêts. Il semble qu'il y ait là comme un effet de cercle. La mémoire ne peut être abolie. Le constat de ce que sont devenus les espoirs, notamment politiques, d'autrefois, de la manière dont les anciennes relations de confiance se sont déstabilisées, informe et structure la perception qu'il a des relations sociales dans les ateliers d'aujourd'hui et assombrit sa vision de l'avenir. Le constat de cet échec rejaillit aussi, en quelque sorte, sur le passé, encourageant à une forme de dérision ou d'humour noir dont la pointe paraît souvent dirigée contre soi-même.

Si la violence semble d'abord dirigée contre « les autres » – le groupe des vieux copains, ceux de sa génération –, on ne peut s'empêcher de penser qu'elle a aussi un aspect autodestructeur, qu'elle peut toujours en quelque sorte être retournée contre soi-même. Car après tout, c'est le groupe ancien, son propre groupe, celui dont il a été membre, qui n'a pas été à la hauteur de l'espoir qu'il avait placé en lui.

Le récit qu'il fait d'un « accrochage » entre ouvriers survenu dans son atelier – un de ces infimes incidents dont est tissée la vie de l'usine : quelques ouvriers, par jeu, se sont jeté au visage une poignée de boulons, et l'un d'eux a été légèrement blessé – témoigne bien de la violence du malaise qu'il éprouve face aux nouvelles conditions de travail. Lui-même verrait surtout dans ce récit l'occasion de fustiger la lâcheté des vieux qui, pour ne pas « avoir d'histoires » et par solidarité de génération, ont adopté le point de vue du chef et se sont faits les complices d'une injustice, minuscule, certes, mais que lui, formé dans la tradition militante, ne se résigne pas à laisser passer… L'anecdote apparaît en fait éminemment significative dans la mesure où elle éclaire le mouvement par lequel Gérard marque fortement ses distances avec les ouvriers de sa génération, ses copains, les vieux qui, à ses yeux, se comportent en alliés objectifs de la direction – « j'ai décidé, dit-il, que je ne leur parlerai plus » – pour se solidariser (mais verbalement, pour un instant et dans le malentendu…) avec les jeunes, ou plutôt « un » jeune qui, à un certain moment, lui apparaît comme le seul qui mette réellement en cause, par ses pratiques, l'ordre que la direction tente d'imposer dans l'usine – un ordre qu'il ne peut pas, ne serait-ce que par fidélité à lui-même, ne pas continuer à refuser avec la plus entière des déterminations.

Pourtant, la description qu'il fera, quelques minutes plus tard, de l'attitude au travail des intérimaires, nombreux dans son atelier, montre bien qu'il a perdu à peu près toute illusion quant à la possibilité que le combat de ceux-ci rejoigne un jour celui des « vieux » ouvriers. Ces intérimaires, il les sent trop loin de lui, pris dans des logiques trop différentes de celles des ouvriers de l'usine.

Ce qui reste alors, ce qui vient presque « naturellement » au premier plan, c'est l'expression d'une haine violente contre l'usine, ses hommes, ses chefs, une hostilité qui se nourrit bien sûr de toutes les humiliations subies aujourd'hui, du sentiment global d'un échec dans la vie professionnelle, de la peur d'une sorte de paupérisation qui le menace lui et les siens, mais qui s'alimente à bien autre chose, à une déception plus profonde et plus ancienne : à la perte d'un espoir d'un autre type, un espoir collectif auquel il n'a jamais complètement accepté de renoncer et dont il ne finit pas de faire le deuil.

avec un OS communiste

— *entretien de Michel Pialoux*

« On peut plus avoir confiance en personne »

Gérard — (...) Y'a plus de temps mort, c'est temps plein de la rentrée jusqu'à la sortie, t'as plus de périodes de récupération, tu peux plus te faire de gain [*allusion à la manière dont on « gagne » quelques secondes grâce aux « combines de travail »*], tu peux plus discuter (...). [*silence*] Je dirais que ça a commencé en 77-78, quand on a vu le cabinet américain SMI débarquer... c'est eux qui ont commencé le boulot de débroussaillage, c'est eux qui ont commencé à poser des jalons et, après, les équipes de chronométrage sont arrivées.

Christian — Avant, ton préparateur établissait ta gamme de travail dans un bureau avec des temps prévisionnels et puis ensuite une équipe de chronométreurs venait chronométrer le titulaire de poste, parce que, là aussi, il y a eu des grandes bagarres, parce qu'à chaque fois ils essayaient de te coincer, de mettre un remplaçant, un dépanneur pour le chronométrer à ta place parce qu'ils savaient que tu allais magouiller les temps... et les titulaires de poste se faisaient chronométrer aussi, mais c'est vrai que ça posait trop de problèmes parce que personne n'aime les chronométreurs, c'est physique ! Et ils ont supprimé le chronométrage, maintenant dans les bureaux des méthodes, ils font faire l'opération à un technicien et ils le chronomètrent directement dans le bureau des méthodes, mais ce n'est plus pris dans les mêmes conditions : tuyau d'air des visseuses, problème d'environnement du poste, tout ça passe à l'as (...).

— *Et au niveau tours de main, combines qui permettaient de gagner un peu de temps... ?*

Gérard — Ça c'est à nous de nous démerder ! (...) Oui et puis maintenant on a je ne sais pas combien de sortes de bagnoles... 23 versions en 405 ! Et à peu près 30 en 605.

— *Et je suppose que les gens du bureau des méthodes, ils appellent ça alourdissement de la charge mentale...*

Gérard — Oui et puis en ce moment on fait toutes les voitures pour l'exportation, alors il y a davantage de pièces à monter, elles sont mieux faites que les nôtres, et en principe ils doivent respecter un cadencement mais le cadencement n'existe pas. En principe, ça doit être une US [*voiture destinée à l'exportation aux USA*] toutes les quatre voitures, mais s'ils n'ont pas de caisses, ils vont mettre deux, trois US l'une derrière l'autre. Comme sur les US il y a beaucoup plus de boulot, les gars automatiquement ils coulent... ils arrivent en bas du poste, quelqu'un vient pour les remonter [*l'ouvrier s'il ne travaille pas assez vite se retrouve sur l'espace de travail de l'ouvrier qui le suit ; le chef peut envoyer le moniteur à son secours et lui permettre de retrouver sa place normale dans la chaîne*], quand il y a du personnel, c'est toujours pareil parce que c'est la guerre au niveau des effectifs. L'effectif maintenant c'est zéro : 25 postes, 25 bonhommes, terminé ! Les polyvalents, les dépanneurs, ça n'existe plus, ils ont toujours leur classification mais ils sont en poste ainsi que les moniteurs (...).

— Je trouve intéressant de comprendre comment on gagne de la productivité...

Gérard — A HC1 dans la nouvelle usine, c'est vrai que c'est beau quand on arrive en visiteur, c'est propre... mais question conditions de travail et puis ambiance, c'est pire encore que où on est. Et en définitive, qu'est-ce qu'il y a vraiment... il y a les pare-brise, les planches de bord qui sont mis de manière robotisée (...).

Christian — Maintenant tu as des mecs qui sont sur des petites chaînes... ils font toute la préparation de la face avant, tu as un robot qui l'empoigne et qui la colle sur la bagnole. Toi, tu... tu vois l'élément complet de la bagnole arriver mais il faut bien savoir qu'en amont, il y a je ne sais pas combien d'intérims qui sont en train de gratter, à la NASA [*un secteur de l'ancienne finition ainsi dénommé par antiphrase*] ou ailleurs, qui se font chier avec des boulons de 7 que tu as du mal à empoigner et qui vissent toute la journée.

— Il y a un nouveau découpage du travail...

Gérard — Ils gagnent beaucoup en productivité parce que ce qui les emmerdait c'était la charge des postes, les déplacements, etc., et là, ils gagnent des temps considérables avec ça, maintenant le gars a tout sous la main.

— Donc ça ne change vraiment rien de fondamental, ça fait gagner du temps mais l'ensemble du montage continue à se faire manuellement...

Gérard — Il n'y a rien de... à HC1, d'ailleurs ça marche tellement bien qu'ils sont toujours en panne ! Mercredi on était au local [syndical], Hamid est venu… ils ont décalé le casse-croûte. Ils leur ont annoncé qu'il y avait encore une panne… la semaine d'avant 150 voitures, et mercredi 100 bagnoles qu'ils ont perdues, ça dégringole dur, c'est des pannes directes.

— *C'est leur gros problème les pannes dans ces ateliers-là ?*

Gérard — Oui, ils ne sont pas arrivés à résoudre le problème des pannes, des… C'est l'aggravation des conditions de travail là-bas, je n'y bosse pas mais d'après ce qu'on entend dire. (…)

Ils ne nous parlent que du Japon

— *Christian m'a dit que vous aviez failli aller à HC1 et que ça n'a pas marché. Comment ça s'est passé ?*

Gérard — Disons que j'ai été convoqué, comme beaucoup, pour aller au fameux stage à Morvillars trois semaines. Déjà le premier jour on parle uniquement des Japonais, l'automobile… ils ne nous parlent que du Japon… (…) Comment il faut travailler en groupe… parce que ce ne sont plus les chefs qui décident, le chef n'a plus rien à voir, c'est le groupe. Pour un jour d'ancienneté, de congé ou de vacances, c'est le groupe qui décide si on peut prendre son jour ou pas, c'est comme ça que c'est présenté, c'est le groupe qui décide. Le chef est dans le bureau, il ne s'occupe plus de rien : il y a un moniteur qui fait l'intermédiaire entre le groupe et le chef.

— *Et ils ressassent pendant trois jours cette nouvelle idée du travail en groupe ?*

Gérard — Oui, et bien sûr disponibilité et tout ! Moi, ça a accroché sur la disponibilité, j'ai dit qu'il n'était pas question que je vienne les samedis, [*avec violence*] je n'en ai jamais fait et je n'en ferai jamais. Et c'était dans la période où on récupérait la fameuse heure et demie, après les inondations, j'ai dit à G. [*responsable de la formation*],« en ce moment l'heure et demie je ne la fais pas tous les soirs, à 21 h 30 je me mets en grève ! », alors il m'a dit, « si c'est comme ça, je n'ai pas besoin de toi dans mon atelier, tu retournes d'où tu viens ». Ç'a été rapide, c'était le quatrième jour (…).

— *En fait, si tu ne déclares pas ouvertement dans la réunion que tu n'es pas d'accord sur ce procédé, ils te foutent la paix.*

Gérard — Oui, oui ! Le quatrième jour c'est leur fameuse disponibilité… ils te demandent, « les samedis tu es disponible ? », si tu dis, « oui, de temps en temps », ça suffit ; mais moi j'ai dit, « non », ça a été un… parce que je savais comme ça tournait et, ce jour-là, depuis 13 heures, c'est moi qui parlais de disponibilité, G. me disait, « arrête, arrête, on va y venir ! », là, ça a été net, il m'a dit, « allez, dehors ! ».

Chacun prend sa feuille de paie et la regarde dans son petit coin

— *(…) Et dans votre coin, vous avez aussi des intérimaires ? Les rapports avec eux, comment ça se passe ? Parce qu'en même temps ils peuvent avoir des salaires de 2 000 francs supérieurs au vôtre ?*

Gérard — Les deux qui sont à côté de moi sont allés toucher leur paie cette semaine, il y en a un qui fait 9 300 francs et l'autre plus de 10 000 francs. Mais enfin je n'ai pas vu la feuille de paie… ils ont fait ça, mais je ne sais pas ce que Peugeot leur a donné ! Mais il y en a un autre qui travaille près de nous, ils ont voulu l'embaucher et lui n'a pas voulu ; il est là en attendant de faire l'armée et il ne restera pas là, et il n'a pas voulu être embauché parce qu'il gagne plus en étant intérimaire. Mais je ne sais pas combien c'est tous les mois.

— *C'est pas un peu dur quand on a 20 ou 25 ans d'ancienneté de voir un type qui démarre sur le même boulot… c'est un peu le monde renversé par rapport à il y a 25 ans où il y avait une espèce de respect de l'ancienneté…*

Gérard — Encore maintenant on a l'ancienneté qui est un peu prise en compte… mais ce qui fait maintenant, sans parler des intérimaires, ce qui fait les vrais écarts de salaire c'est les primes au choix, parce que je suis sûr qu'il y en a, ça leur fait 1 000 balles de plus par mois… Ça fait facilement une quinzaine d'années que les primes au choix existent et il y en a qui en ont deux ou trois par an.

— *Ça ne s'est pas encore plus développé ces dernière années ?*

Gérard — Maintenant le gros problème… les gens ont une prime au choix, ils n'en parlent plus, il est difficile de savoir. Même les feuilles de paie ils ne les montrent plus, chacun prend sa feuille de paie, il la regarde dans son petit coin… Avant il n'y avait pas le problème des primes au choix, alors on comparait nos paies déjà pour voir s'il y avait une erreur… On nous a donné le treizième mois aujourd'hui. Moi, je déchire l'enveloppe, je lis et je la pose sur la table, « voilà ce que j'ai eu », mais les autres, ils vont la mettre dans le sac, il y en a qui ne l'ouvrent même pas à l'usine, « combien tu as fait de paie ? », « je ne sais pas », ils ne savent pas, ils ne décachettent l'enveloppe qu'à la maison.

— *Et avant qui est-ce qui distribuait les paies ? Le chef d'équipe ?*

Gérard — Oui et même encore maintenant, mais elles sont sous enveloppe, cachetées. Ce qui a fait beaucoup pour la mauvaise ambiance qu'il y a maintenant, c'est ce problème d'augmentations individuelles, pour 25 francs à l'époque, les gens étaient capables de faire n'importe quoi, moucharder...

— *C'est quand même dans ce contexte d'abaissement relatif du salaire dont on parlait tout à l'heure tout au long des années 80...*

Gérard — D'ailleurs dans la feuille qu'ils viennent de nous donner sur les négociations salariales, c'est marqué « Augmentation moyenne des primes au choix, 1,90 % », moyenne ! moyenne, c'est plus que l'augmentation générale des salaires. Et dans les 1,90 % de moyenne combien sont concernés ? Alors ce n'est pas 1,90 % pour tout le monde. Et le groupe c'est toujours pareil, s'il y a un toquard dans le groupe... parce qu'il n'y a plus de primes de chaîne dans la nouvelle usine, c'est une prime à la semaine : 75 francs de la semaine, à condition qu'il y ait la production, la qualité... Mais s'il y en a un qui fait le con, c'est la prime du groupe qui s'en va. C'est terrible ! J'ai vu un copain qui habite ici, il travaille de l'autre tournée... c'est pareil que moi, il n'en a rien à foutre, mais un jour il avait un gant dans une main, il n'en avait pas dans l'autre, ils lui ont fait sauter la prime [*il raconte plusieurs histoires de primes qui ont sauté*]. Et j'ai appris la semaine dernière que l'histoire des primes, si tu prends un jour de congé-décès, mariage ou naissance, la prime saute : il n'y a que les jours d'ancienneté... mais si dans ma semaine j'ai un jour de congé-décès, je n'ai pas la prime, la prime individuelle !

— *Mais les formes les plus graves ça va être au niveau du groupe, quand le groupe va faire pression pour... parce que c'est dans la logique des choses... (...)*

Gérard — Les premiers jours à Morvillars, ils nous ont montré un calendrier avec l'absentéisme d'un gars, il avait beaucoup d'absences, mais c'est ce qu'ils montrent en premier : l'absentéisme (...) [*Discussion autour de l'absentéisme dans les différents ateliers*]. L'absentéisme a continué dans certains ateliers, il faut voir les postes durs en carrosserie !

— *Oui mais maintenant avec le vieillissement des gens et la fatigue, il y a sans doute un absentéisme un peu différent de celui d'avant, qui est lié vraiment à des maladies incompressibles…*
Gérard — C'est toujours pareil, les gens n'osent encore pas, il y en a qui travailleront jusqu'au bout parce qu'il y a toujours ce problème de primes au choix, parce qu'au-dessus de 7 % d'absences dans l'année tu n'as pas de prime au choix. Moi, j'ai mon expérience, je suis resté… on en discutait encore avec le Michel [*délégué du personnel dans son atelier*], parce que c'est pareil, le Michel, c'est le gars qui, lui non plus, ne manque jamais… je suis resté deux ans sans manquer un jour, sans un jour de maladie… Je n'ai pas eu de bon de sortie, pas de retard, rien… mais je n'ai jamais eu de prime pour autant ! Ça veut dire quand même qu'il y a autre chose qui joue pour les primes au choix. Je n'ai jamais d'avertissement pour le travail, rien… parce que moi, j'estime question boulot… je ne veux pas qu'ils me coincent là-dessus. [*Avec violence*] Question boulot et absence, ils ne me coinceront pas ! Ils me coinceront sur mes idées, sur pas mal de trucs… j'enverrai peut-être chier mon chef un jour, mais sur le reste, ils ne pourront jamais me coincer. D'ailleurs une fois, [*s'adressant à Christian*] c'était du temps de L., tu te souviens ? Je ne sais plus ce qu'il y avait eu, je crois que j'avais demandé un jour et il me l'avait refusé… Et ce gars-là, il se mettait en maladie pour aller refaire une maison de campagne… il était souvent en maladie dans l'année et il avait des primes au choix et il avait tout ce qu'il voulait ! Il m'avait dit, « oui, mais toi tu ne viens jamais travailler le samedi ! »
— *Ça, c'est le critère qui a été longtemps…*
Gérard — Mais ils ne veulent pas en entendre parler parce que la dernière fois que j'ai eu un entretien individuel avec mon chef, entretien pour nous donner nos « notes », il m'a dit, « le travail du samedi, ça n'a rien à voir… il n'y a que les grèves ! »
— *Ça bien sûr c'est le signe objectif, le rapport à la maison Peugeot se définit à travers ça…*
Gérard — Rien que de faire par exemple un petit débrayage de deux heures dans l'année, c'est terminé ! Bon les grèves de 89 n'en parlons pas ! Soi-disant que ceux qui ont fait grève sont déjà deux ans sans prime au choix.
— *C'est le tarif ? Ç'a été dit par le chef d'équipe ?*
Gérard — Implicitement. Et après les grèves il y a encore eu autre

chose, c'est que les non-grévistes ont eu des primes : il y en a qui ont eu 150 francs et il y en a qui ont eu moins, et qui n'avaient pas fait grève ! Alors certains sont venus trouver les délégués CGT, il faut déjà être gonflé, « pourquoi que lui a eu plus que moi ? ». Là où il y avait de la différence c'est que y'en avait un qui avait reçu plus que l'autre… il y en a un qui était resté sur la chaîne quand on défilait dans les ateliers et l'autre qui était resté caché dans les chiottes ! Alors ceux qui allaient se cacher ont eu moins de prime que ceux qui restaient sur les chaînes ! C'est vrai ! [*tout le monde rit*]. Ceux qui n'ont pas fait grève ils les ont quand même classés en deux catégories : celui qui faisait le cador sur le bord de la chaîne pour narguer et celui qui était un peu couillon, qui n'osait pas et qui allait se planquer dans les WC…

Voilà l'ambiance

Gérard — Avant-hier il y avait un problème chez nous… le chef a traité un gars de con, un jeune. C'est Michel [*le délégué*] qui a défendu le dossier parce que le gars avait été mouchardé… Il y a un gars, le Birou, qui a pris un boulon dans un œil, il est allé à l'infirmerie en disant qu'il avait eu quelque chose dans l'œil, mais c'est tout. Le lendemain, le chef a eu un problème avec un jeune, le jeune était au vérin, on était haut, le tuyau en bout de course, le vérin se casse la gueule et il le prend sur une jambe, il dit au chef, « t'es pas un peu fou, tu n'as pas à pousser les voitures ! Il faut quand même pas me prendre pour un con ! » – « Je ne t'y prends pas, je t'y laisse et si tu n'es pas content, on réglera ça demain ». Et le lendemain, il y en a un qui a dit au chef, « le Birou, c'est un boulon qu'il a pris dans l'œil et c'est le Christophe [*le jeune*] qui le lui a lancé ». Alors le chef a fait un rapport. Mais moi aussi, j'ai fait ma petite enquête dans le secteur parce qu'on n'est pas beaucoup, on est une dizaine à travailler là, en fait, ils avaient tous lancé une poignée de boulons au Birou pour chahuter… Et celui qui avait mouchardé avait lancé une poignée de boulons aussi. Alors j'ai dit au Michel, « telle chose se passe… celui-ci, celui-là, ils ont tous lancé une poignée de boulons. Alors maintenant il faut expertiser le boulon que le Birou a pris dans l'œil et regarder les empreintes. Tu vas monter là-haut et tu leur diras ça ». Et puis le jeune est allé trouver le contremaître, il lui a expliqué comment ça s'était passé, le contremaître a dit, « bon, on verra ! ». Ça s'est réglé comme ça. Mais autrement, c'était un licenciement, c'est très très grave ! Et le Birou s'est fait engueuler, parce qu'il n'avait pas dit au chef ce qu'il avait eu, comment ça c'était passé…

— Et Birou, c'est un ouvrier… ?

Gérard — Oui, c'est un ouvrier qui travaille comme nous. Ils étaient trois ou quatre, ils lui ont lancé des boulons en chahutant… il était derrière un chariot, il préparait des vitres, et en lui lançant des boulons, il y en a un qui a fait un ricochet au moment où il se retournait et qui lui a tapé dans l'œil. Mais c'est celui qui avait commencé à lancer, qui a mouchardé ! Voilà l'ambiance !

— Vous parliez de mauvaise ambiance… Mais ce jeune, c'est qui ? Un intérim ?

Gérard — C'est un jeune, un ancien intérim mais qui a été embauché, il a 25, 27 ans ; mais les autres… y a le Nicolas qui a 52 ans, le Charles qui a 47 ans, c'est pas des gosses (…). [*Avec violence*] Depuis aujourd'hui, j'ai décrété que je leur parlais plus à ces gars…

Christian — Pourtant tu t'entends bien, toi, avec tes quatre gars…

Gérard — Oui, mais les autres [*avec violence*] c'est fini, terminé ! Ils me verront plus jamais à leur table, ils peuvent amener une bouteille la semaine prochaine pour les vacances… Le chef peut amener un coup… parce que l'année dernière il a déjà fait ça… moi, à l'heure du dépannage, je me casse et puis… L'année dernière il m'avait gardé un verre, je l'avais mis à la poubelle, mais cette année s'il me le donne, je le mets à la poubelle devant lui ! Non, mais ça va pas ! Tu te rends compte, on est neuf à bosser ensemble et se faire des vacheries comme ça, risquer de faire foutre à la porte un gars qui a 25 ans, il faut pas déconner ! Ils se rendent compte de quoi ? Et ce n'est pas net encore, est-ce que c'est bien le boulon du gars ? Mais ce qu'il y a eu, c'est qu'il a envoyé chier le chef et les autres sont arrivés au secours du chef… Moi, je sais que je ne peux plus m'y voir, je peux plus me voir là-dedans. J'y vais parce que…

— J'ai l'impression qu'il y a beaucoup de gens qui… éprouvent quelque chose comme ça…

Gérard — … Et ce n'est pas… il y a le travail, mais le travail c'est une chose, mais c'est surtout l'ambiance… A la première occasion, quand il y a une baisse de production, un poste de supprimé, on profite d'en enlever un pour…

— Je trouve terrible de dire qu'on n'a plus de copain… Farid nous a dit ça aussi…

Gérard — Avant on était 15, il y avait au moins 13, 14 copains ; il y avait toujours une brebis galeuse mais…

— *Les non-copains étaient minoritaires !*

Gérard — … et on pouvait avoir confiance tandis que maintenant…

Christian — Tu te rappelles du vieil Alsacien, le balayeur qui vendait ses clopes ? Il nous faisait chier à vendre ses cigarettes mais ça n'empêche pas que quand il partait pisser, ou n'importe quoi, c'est nous qui lui vendions ses clopes. Ça se passait toujours comme ça, alors que maintenant ça n'existe plus. C'est l'individualisation poussée à outrance, chacun pour soi. On arrivait à bosser en chaîne justement parce qu'on avait des copains. Maintenant les mecs qui sont restés en chaîne, qui sont de plus en plus isolés, quand tu arrives à ne plus parler à cinq, comment tu fais ? Tu prends ça sur toi, d'accord tu es dur mais ça ne dure qu'un temps, c'est toi qui y laisses des plumes dans l'histoire, ce n'est pas les quatre cons…

Ils montent dans le bus avec la blouse de moniteur

— *Les copains sont partis progressivement ?*

Gérard — Non, ils cassent les groupes. S'il y a un poste à supprimer selon les variations de production, de cadencement… s'il y a deux bons copains qui ont une personnalité, qui ont une empreinte sur les autres, à la première occasion ils en enlèvent un et l'autre se retrouve tout seul. Et pour en revenir au problème des fameuses primes au choix, on n'a plus confiance. Des fois on fait confiance à un gars, et puis après on apprend qu'il a dit des trucs au chef. Moi, ça m'est arrivé il n'y a pas longtemps… je m'en fous moi, je n'ai plus rien à espérer là-dedans mais… on ne peut plus avoir confiance en personne parce que pour ces fameuses primes ou pour passer de 180 à 190 points [*niveau inférieur de la classification par points qui détermine le niveau de salaire*] il y a des gars qui sont capables de n'importe quoi ! Moucharder, n'importe quelle vacherie ! Et les chefs recherchent ça.

— *Il y a les problèmes de salaires, d'argent, mais tout ce que tu viens de dire, c'est vraiment des trucs terribles. Et le choix des moniteurs, tout ça… on prend un gars, on lui donne 300 francs de plus…*

Gérard — Il y en a beaucoup, il suffit qu'ils aient une blouse de moniteur… Ce n'est pas l'histoire des 300 francs… mais ils ont un autre rôle… la femme va suspendre la blouse devant la maison pour que tout le monde la voie ; il y en a même qui repartent à la maison… ils montent dans le bus avec la blouse de moniteur…

Christian — On le voit bien avec les « lézards verts » de la nouvelle usine, ils reviennent en « lézard » chez eux. Aussitôt qu'ils ont le costume… en travaillant en horaire normal comme moi tu le vois bien, tu les vois sortir avec leur bagnole en « lézard »…

Gérard — Ça, ça vient de l'image de marque à l'extérieur de l'usine… si tu salis ton blouson ou ton pantalon, il ne faut pas avoir peur de le changer, et même deux fois par jour, à cause des visiteurs ! Il faut que les visiteurs sortent de là en ayant une bonne impression (…). C'est ça la nouvelle usine. On leur inculque ça dans la tête ! Moi, un chef d'équipe m'a dit un jour, « je rêve Peugeot, je pense Peugeot. La nuit je rêve Peugeot ». Il est technicien, je l'ai encore vu ce matin, il a un petit lion après le col de la blouse, sur sa veste, il a aussi un petit lion.

— Il s'habille carrément Peugeot…

Gérard — Il y a eu des anoraks aussi, tu te rappelles ? Des anoraks Peugeot, jaune et bleu, pour aller faire du ski, ils mettaient leur anorak avec le lion [*rires*]. Ça, l'image de marque à l'extérieur de l'usine, à Morvillars c'est terrible ! Ils nous ont montré une cassette : c'est le gars qui va pour acheter une voiture Peugeot, sa femme se trouve au salon de coiffure avec une ouvrière Peugeot ; elles sont sous le casque et l'ouvrière Peugeot dit, « moi, les voitures Peugeot je n'en ai rien à foutre, quand je ferme une porte, je donne un coup de pied dedans… » ; quand l'autre rentre à la maison elle dit, « tu sais les voitures Peugeot elles sont faites… j'ai entendu ci, j'ai entendu ça… », le bonhomme se gratte la tête… et puis il va voir le concessionnaire. Le concessionnaire les fait patienter, il ne s'occupe pas d'eux si bien que le gars va voir chez Renault…

— Après la cassette, on vous fait une espèce de leçon de morale, voilà ce qu'il ne faut pas faire, voilà ce qu'il faut faire ?

Gérard — Voilà. Par exemple si on est à trois, quatre dans un café, on ne doit pas dire, « on en a plein le cul ! On ferme les portières à coup de pied ! », il faut toujours dire le bon travail qu'on fait, prôner la qualité même à l'extérieur. On devrait presque tous, ils ne nous le disent pas mais… avoir tous une tenue correcte quand on sort de l'usine.

— Ils font attention à ce qu'il n'y ait pas d'écrit, pas de trace.

C'est comme l'histoire des « dix commandements » [allusion à la « charte » à laquelle on demande aux stagiaires de Morvillars d'adhérer] *toute la presse les a reproduits et c'est ça qui a soulevé un peu d'indignation contre Peugeot.*

Gérard — Ah moi, je n'ai pas eu le bonheur de connaître ça ! Je suis parti trop tôt ! J'aurais bien voulu finir le stage, ne serait-ce que pour passer trois semaines tranquille, nourri et tout... ce n'est pas ça, mais... C'est sûr qu'au syndicat, le Paul, le Louis, tous m'ont dit... tu aurais dû rester. Mais moi, j'ai voulu être franc envers eux, qu'il n'y ait pas après de sous-entendu. Ils me gardaient, ils me gardaient ! C'était à eux de... Quand je suis rentré le lendemain matin, le chef m'a tiré une gueule comme ça ! Je suppose que déjà il m'avait envoyé là-bas pour se débarrasser de moi ; il s'était dit, « celui-là on va le liquider, il nous fera déjà plus chier ! » Quand je suis arrivé le vendredi matin, je le guettais, je me suis dit, « quand il va te voir... » parce qu'il n'était pas au courant... Là, il a reçu comme un coup de fusil quand il m'a vu arriver, il était tout blanc... je lui ai dit, « je reviens ». C'est tout. Il ne m'a pas demandé pourquoi, ils ne m'ont jamais demandé pourquoi j'étais revenu. La semaine après je l'ai chopé, je lui ai dit, « mais l'histoire des samedis de volontariat... quel est le sens du mot volontariat ? », il est resté un peu bête, « volontariat... tu sais bien on demande et puis les volontaires... » « Oui, mais là-bas à HC1 volontariat ça a un autre sens que ce qui est écrit dans le dictionnaire ? » « Je ne sais pas. Pourquoi ? » je lui ai dit, « parce que moi, on m'a foutu dehors de Morvillars parce que j'ai dit que je ne viendrai jamais en volontariat »... j'aurais seulement dit, « peut-être » ou « je verrai »..., mais pour eux rien que de dire ça, c'est déjà quelque chose parce qu'ils savent qu'il y en a beaucoup... Ils nous disent, « si un samedi vous ne venez pas, il faut voir avec votre doubleur pour qu'il vienne vous remplacer », ce n'est plus le chef qui demande, c'est toi qui t'en occupes...

— *C'est sûr que c'est un autre modèle de relations sociales... ce qu'on sait des usines japonaises...* [discussion sur le Japon, l'Italie, l'Angleterre].

Gérard — Oui, mais ça fait peur aux gens quand même ! Moi demain, si mon patron, au lieu d'être Calvet, s'il a les yeux bridés, je n'en ai rien à foutre. Si c'est un Japonais qui rachète Peugeot... L'essentiel pour nous c'est de travailler dans de bonne conditions, c'est d'avoir un salaire convenable. Moi je n'en ai rien à foutre que demain Calvet soit remplacé par un Japonais parce que les Japonais ont failli racheter Peugeot…

Les intérims ? Ils n'ont rien à foutre de l'usine

— *Et les jeunes, les intérimaires… ? Le travail, ils le trouvent dur quand même ?*

Gérard — Oui, mais ils n'en ont rien à foutre ! On a débrayé d'ailleurs… je n'ai débrayé qu'une fois cette année… il y a 15 jours au moment de la grève des intérimaires. Ils n'étaient pas beaucoup, 15, 20, et quand j'ai vu que ça ne les intéressait pas… je leur ai dit, « il faut arrêter ! » ; ils étaient quatre, cinq intérimaires et ils refaisaient voter la grève pour le lendemain, à quatre ou cinq !

— *Donc parmi les intérimaires qui étaient là, c'est une petite minorité qui s'est engagée dans la grève ?*

Gérard — Sur les 3 000 intérimaires qui sont chez Peugeot, ils étaient 25 (…). Les premiers qui sont venus, sont venus de mécanique, ils sont venus à quatre ou cinq. Le lendemain on a lancé un mot d'ordre de grève, j'y suis allé, c'est normal, on a fait le tour de la carrosserie, de la mécanique, on en a récupéré une quinzaine c'est tout. Ils ont refait voter pour le lendemain encore… et le lendemain au réfectoire ils étaient à peu près six, j'ai dit, « moi je reprends le travail ! On ne va quand même pas faire les Charlots à 15 », quatre intérimaires, deux délégués, deux ou trois militants, on ne va quand même pas… Et ce soir-là, ils ont encore refait voter pour le lendemain. Il faut être sérieux quand même ! En discutant avec eux, ils n'en ont rien à foutre, « nous, on est là en attendant, le jour où ils nous foutent dehors, on n'en a rien à foutre ! » ; ils n'en ont rien à foutre mais ils n'ont pas débrayé quand même. Et après, ils ont fichu dehors des intérimaires qui n'avaient pas débrayé, et celui de mécanique qui menait est encore à l'usine…

— *Peugeot a pris des sanctions contre les meneurs ?*

Gérard — Non… Il y en a un cette semaine, lundi ou mardi, il vient à cinq heures et son chef lui dit, « tu repars ». Le gars arrivait à cinq heures pour bosser, ils ne l'avaient pas prévenu la veille ni rien. « Tu repars. » Il est reparti comme un grand, il n'en avait rien à foutre ; il est allé trouver le contremaître dans le bureau et il lui a dit, « de toute façon, je ne voulais pas passer ma vie dans ton bordel ! ». Il a raison, mais ce que je lui reproche c'est qu'il aurait pu aussi venir quand il y a eu un mouvement de grève.

— *Il n'avait pas participé ?*

Christian — Non à rien du tout !

— *Quand on l'invitait à participer, il disait que ça ne l'intéressait pas ?*

Gérard — Non, ça ne les intéresse pas, ils n'en ont rien à foutre. C'est un passage pour eux.

— *Ce sont des gens extérieurs à la région ou… ?*

Christian — Lui, il est du coin, il vient bosser en vélo…

— *Il n'y a aucune forme de politisation chez eux ?*

Gérard — Il y en a quelques-uns… ceux qu'on a vus de mécanique… mais non, ils n'en ont rien à foutre, rien ! Pour eux, c'est au jour le jour… Ils en ont balancé un il n'y a pas longtemps, ce matin je le vois revenir… il est revenu ce matin en intérim chez Peugeot pour visiter la carrosserie alors qu'avant il bossait juste en face de nous. Je lui ai demandé ce qu'il faisait là, il m'a dit, « j'ai changé de boîte »… quand il venait bosser de la semaine du matin, il arrivait souvent en retard… un matin il est arrivé à dix heures, il s'était endormi.

— *Ils l'ont balancé après ça ? Ils lui ont interrompu sa mission ? Et il s'est réembauché dans une autre boîte ?*

Gérard — Oui, c'est ça… Je ne sais pas où il était, à la CIE, à RMO ou BIS… il est allé dans une autre boîte et il revient à l'usine… (…) Ce qu'il y a de dégueulasse aussi c'est qu'ils sont en train de balancer tous ceux qui arrivent à 18 mois. Et en même temps il y a un arrivage d'intérims, ce matin ils étaient une trentaine, hier aussi. Parce que au-dessus de 18 mois, ils sont obligés de les embaucher maintenant, s'ils les gardent…

— *Les rapports sont bons avec les intérims… ?*

Gérard — Oui, c'est bon mais il y en a qui sont un peu farfelus, ils travaillent avec le walkman sur les oreilles toute la journée ; ils sont jeunes !

— *Le walkman est accepté dans le boulot ?*

Gérard — Oui. C'est incroyable le nombre de jeunes qui bossent avec ça toute la journée.

— *La plupart ont ça ?*

Gérard — Tu as 60 % des intérims qui ont ça sur les oreilles. J'ai l'impression qu'ils ne veulent pas s'intégrer non plus. (…) Ils ont eu des problèmes avec ça parce que les gars restaient deux ou trois jours et puis hop ! quand ils repartaient le week-end, ils ne revenaient plus, il faut les comprendre. Mais la plupart n'en ont rien à foutre quand ils voient comment ça se passe : ils sont là, ils finissent leur contrat et après ils iront ailleurs. Mais ce n'est pas pour autant qu'ils vont se battre, aujourd'hui, c'est aujourd'hui, demain c'est un autre jour.

— *Mais ils peuvent quand même discuter avec vous… ?*

Gérard — Oui, ils discutent mais on sent qu'ils n'en ont rien à foutre.

— *L'avenir de la boîte ne les intéresse pas ?*

Gérard — Non, ni leur avenir à eux. Ils ont des fois en dessous de 20 ans, ils ne pensent à rien, à aujourd'hui, c'est tout…

— *Par rapport aux syndicats c'est la même chose ?*

Gérard — Oui, de toute façon le syndicat, la politique, aller voter, ça ne les concerne pas.

— *Mais la grève de 89 les a touchés quand même ?*

Gérard — Oui, ceux qui étaient là pendant les grèves… Et je pense si ça se passait maintenant, ils changeraient peut-être…

— *Tu crois qu'ils seraient plus nombreux à entrer dans le mouvement ?*

Gérard — Oui, ayant vu ce qui s'est passé et puis les conditions de travail, tout ça… Parce qu'ils leur ont fait des promesses aussi, des promesses d'embauche, des promesses de promotion… « Travaillez tous les samedis, on vous embauchera… » ils s'aperçoivent aussi qu'ils vont arriver à 18 mois et qu'on va les foutre dehors. Il y en a un qui travaille avec moi, il est allé passer les tests huit jours après son arrivée, le chef lui a dit, « tu seras embauché… » maintenant ce n'est déjà plus avant les vacances, c'est peut-être en septembre… et « peut-être », attention ! C'est un boulanger-pâtissier, alors il cherche du boulot et pour en trouver…

juin 1990

Stéphane Beaud

Le rêve de l'intérimaire

Fin juillet 91, Montbéliard, écrasée de soleil, est devenue étrangement silencieuse après le départ en vacances des ouvriers de l'usine Peugeot : au mois d'août, c'est une tradition bien établie à Sochaux, personne ne reste dans la région, sauf « les vieux » ou « les paumés ». Ces dernières années pourtant, nombre d'ouvriers tendent à raccourcir leurs vacances, partant seulement deux ou trois semaines, tandis que la plupart des jeunes restent dans les cités proches de l'usine, rêvant dans les cafés où ils se rencontrent à un hypothétique départ pour « la Côte (d'Azur) ».

Le foyer de jeunes travailleurs situé à Audincourt – une de ces nombreuses villes (15 000 habitants environ) qui ont surgi autour de l'usine de Sochaux – se compose de sept grands bâtiments de six étages correctement entretenus. Pendant longtemps, il n'a accueilli que les ouvriers immigrés de l'usine, mais, depuis 1988, plusieurs de ces blocs accueillent également de jeunes ouvriers intérimaires. J'ai rendez-vous avec Alain, un intérimaire originaire du nord de la France, qui vit dans ce foyer depuis plus d'un an et qui, l'année précédente, a travaillé durant trois mois à Sochaux. Je l'avais rencontré quelques mois plus tôt, à la Mission locale, institution mise en place par l'État pour aider les jeunes des zones en difficulté, et j'avais eu l'occasion de discuter avec lui à plusieurs reprises. Depuis septembre, après l'interruption de son contrat avec Peugeot, il « galère » dans la région de Sochaux-Montbéliard à la recherche d'un improbable travail. Il n'a eu, en six mois, que deux contrats très brefs. Au début du mois, il a trouvé un contrat d'emploi-solidarité comme ouvrier d'entretien auprès d'une municipalité. Sa femme (ils se sont mariés deux ans plus tôt dans le Nord), qui a longtemps « galéré », elle aussi, dans la région du Nord, a fini par venir le rejoindre et vit clandestinement dans le foyer. Leur vie conjugale est très difficile.

Alain qui, depuis sa fenêtre au quatrième étage, guettait mon arrivée, m'interpelle, manifestement ravi, craignant sans doute que je ne lui fasse faux bond. De l'extérieur, le foyer paraît désert : seuls quelques immigrés, Marocains ou Turcs, assis sur les pelouses grillées, bavardent tandis que des jeunes s'affairent autour d'une voiture qu'ils ont en partie démontée. A l'intérieur des bâtiments, il y a par contre de l'animation car nombre de jeunes ne partent pas en vacances et se préparent à passer le mois d'août au foyer. La chambre d'Alain, qui est petite, semble comme envahie par les objets : une grande télé (noir et blanc) installée sur une chaise en face du lit, un magnétophone à cassettes sur la table, un petit réfrigérateur à côté du lavabo. Les murs sont couverts d'affiches de films et de groupes de hard-rock ainsi que de dessins de BD réalisés par Alain. C'est lui qui m'avait proposé de m'entretenir avec quelques-uns de ses camarades, également anciens intérimaires de Peugeot résidant dans le même foyer que lui. C'est ainsi qu'il me présente ses voisins d'étage : Patrick, Jacques puis Lucien, absent au moment de mon arrivée, occupé à réparer sa boîte aux lettres. Patrick, un Breton de 25 ans qui avait travaillé cinq ans chez Citroën à Rennes puis avait été licencié lors de la vague de licenciements économiques de 1988, était venu ensuite s'embaucher comme intérimaire à Sochaux mais, au bout de trois mois, son contrat n'avait pas été renouvelé et depuis décembre 1990, il n'avait pas retrouvé de travail stable. Jacques, un Somalien de 28 ans, est ouvrier qualifié dans le bâtiment ; tout le monde le désigne par un surnom – Gandhi – qui rappelle son allure d'intellectuel, avec son front dégarni et ses petites lunettes métalliques rondes. Au chômage depuis plus de trois mois, il espère trouver du travail sur les chantiers.

Mais Alain m'avait surtout parlé de Lucien, parce que c'est une « figure », un « ancien » du foyer qui n'a pas peur d'aller protester et ne craint pas de prendre la parole en public ou face aux « autorités » – le directeur du foyer ou les responsables des agences d'intérim – bref, une sorte de porte-parole. Lucien, qui a 25 ans, est originaire d'un bourg de la Bretagne intérieure, où son père est agent municipal. Après avoir passé un CAP de menuisier et après avoir fait des boulots mal payés dans des scieries, il s'embauche en 1988 comme OS chez Citroën à Rennes. Il est licencié pour raison économique huit mois plus tard. Sans attendre la fin de sa période d'indemnités-chômage, il vient travailler avec un ami breton chez Peugeot à Sochaux sur un contrat d'intérim prévu pour six mois. Il travaille à la chaîne durant trois mois seulement. Par la suite, il travaille comme manœuvre dans le bâtiment sur des contrats d'intérim de quelques semaines. De taille moyenne, presque frêle, Lucien porte un pantalon de tergal, une chemisette bleue et des sandales (il est le seul du groupe à ne pas porter jeans et tennis). A la différence d'Alain, qui, les cheveux courts, s'habille en jeans serrés, ceinturon imitation croco, un foulard noué autour du cou, il ne semble guère attacher d'importance à son apparence. Il ne s'assoit pas et finira l'entretien accroupi contre le mur. Il a apporté avec lui une grande bouteille de soda orange ; il en boira régulièrement au goulot et fera tourner la bouteille au cours de la discussion.

Tout au long de la discussion, Lucien se montre nerveux, changeant souvent de position, comme s'il ne parvenait pas à se libérer d'une sorte de « tension ». Il parle d'une voix forte avec un débit un peu haché, ponctuant souvent la fin de ses phrases par de petits rires. Au début de l'entretien, lorsqu'il évoque son expérience de l'intérim chez Peugeot, il s'exprime d'un ton calme, presque grave, en détachant ses mots, en posant bien sa voix, et en s'efforçant d'être précis dans la description de son travail. Mais on sent bien qu'il se contient, qu'il cherche à se maîtriser et craint de se laisser emporter. Au fur et à mesure qu'il raconte (et se raconte) et aborde les aspects les plus difficiles de son existence – le manque d'argent, la recherche d'un logement, les dettes, la défiance entre les jeunes, l'absence de soutien – il lui arrive de se laisser gagner par de brusques accès de colère.

Ces trois jeunes se trouvent tous dans une situation extrêmement difficile. Depuis juillet 90, date où leur contrat qui les liait à Peugeot n'a pas été renouvelé, ils n'ont eu que des contrats de quelques semaines dans diverses entreprises, acceptant tous les travaux qu'on leur proposait. Depuis la guerre du Golfe, les grandes comme les petites entreprises ont presque complètement cessé d'embaucher des intérimaires. Inscrits à l'ANPE, ils n'ont pas trouvé de travail depuis deux ou trois mois et ont perdu tout espoir de trouver un emploi dans la région au mois d'août, attendant sans illusion la rentrée de septembre. Ils savent qu'en ayant raté 18 mois plus tôt leur embauche chez Peugeot, ils ont perdu une chance unique de décrocher un emploi stable. S'ils se sont « accrochés » à la région de Montbéliard, c'est parce que, au fond ils ont le sentiment vague qu'ils ne trouveront pas mieux ailleurs et espèrent, sans trop y croire, une reprise.

Lorsque Lucien est arrivé, Alain a reformulé le thème général de l'entretien avec ses mots à lui : « ce qui l'intéresse, lui, c'est comment t'as fait pour tomber, quoi ? » Dans un premier temps, Lucien a essayé d'imposer de lui-même une image moins négative que celle du « jeune précaire » – instable, peu qualifié, peu sérieux dans le travail – comme pour se démarquer des ouvriers non qualifiés ou des chômeurs volontaires. Lucien parle avec fierté de son travail d'OS en « finition » chez Peugeot, prenant même un certain plaisir à évoquer ce qu'il faisait à l'usine, à décrire dans le détail son poste sur la chaîne, la séquence des tâches, les gestes au travail, ou à donner des anecdotes significatives de l'ambiance d'atelier. Il se décrit comme un « bon ouvrier » (discipliné, débrouillard, inventif), et met l'accent sur son aptitude à tenir le poste et sa résistance physique, sa rapidité à apprendre les trucs du métier et à s'adapter au travail. A Sochaux, il a découvert l'univers de la grande entreprise. Là, on prenait en compte ses capacités et il avait alors entrevu la possibilité d'échapper à cette main-d'œuvre interchangeable, taillable et corvéable à merci, de ne plus être l' « intérimaire » qui fait le « sale boulot », que l'on déplace à volonté, et qui subit sans rien dire. Là il était considéré et respecté dans son travail, aussi peu qualifié fût-il.

L'épisode de l'altercation qui l'oppose à un « vieil » ouvrier le sommant de se plier à un rite d'initiation est particulièrement révélateur de la coupure profonde qui tend à séparer les générations. Le thème de l'alcool qui vient presque immédiatement dans les propos de ces jeunes lorsqu'ils parlent des « vieux » marque une véritable rupture : dénoncer l'alcoolisme des vieux, c'est aussi une manière de se revaloriser. En un sens, le discours de Lucien sur les vieux OS est aussi un discours moral qu'il tient sur lui-même, comme s'il cherchait à se réassurer, la représentation qu'il se fait de lui-même étant largement la reprise inversée du discours que les patrons tiennent sur les vieux OS : jeune, sobre, dur à la tâche, disponible, non revendicatif, dévoué.

C'est que Peugeot le protège, non pas du chômage qu'il a appris à intégrer dans son horizon social et mental comme une espèce de mal inévitable, mais de l'arbitraire, celui auquel sont soumis les intérimaires dans les « petites boîtes ». Peugeot, par sa taille, lui procure une capacité supplémentaire de négociation face à l'agence d'intérim qui reste, à ses yeux, l'ennemi, parce que l'instrument de l'« exploitation ». Les transformations récentes du marché du travail, et plus précisément la prolifération de ces petites entreprises, plus ou moins sous-traitantes de la grande, qui sont prêtes à employer les jeunes dans n'importe quelles conditions, contribuent à produire une sorte de vision « enchantée » de la grande entreprise. C'est pourquoi Lucien, comme les autres « précaires », a tendance à prendre au sérieux les propositions faites par l'entreprise (responsabiliser, prendre des initiatives, faire des suggestions, jouer le jeu de la qualité, etc.). Il condamne l'agence d'intérim qui « arnaque » et comprend le vrai capitaliste soucieux de la rentabilité de son entreprise. Il est amené à refuser la vision du monde social défendue par les militants CFDT et CGT, suspectés d'exprimer le point de vue des groupes établis. La manière dont les syndicats opposent « le patron » et « les ouvriers » lui semble trop manichéenne, les années de « galère » lui ayant appris à composer avec les patrons. La manière dont tous parlent des syndicats trahit bien la distance qui s'est creusée entre les deux générations.

S'il tend à se démarquer des vieux OS, Lucien ne peut pourtant pas oublier la barrière qui le sépare des « embauchés », qui ont son âge et qui furent ses anciens compagnons d'intérim. Il lui faut affronter la vérité de sa déqualification objective sur le marché du travail qui lui semble être dans l'ordre des choses. Il la décrit sans protester comme une sorte d'adaptation à une situation sur laquelle il n'a aucune prise, comme une succession de petites abdications qu'il ne peut pas s'avouer entièrement, de petits échecs qui l'obligent à une terrible humilité. Il raconte sans emphase les différents aspects dramatiques de son existence comme une série d'événements extérieurs. Même s'il a été progressivement amené à en « rabattre » dans le domaine de ses aspirations professionnelles, tout se passe comme s'il devait, pour défendre sa dignité, garder un peu l'illusion qu'il peut se réapproprier son histoire.

Lucien et les autres jeunes en situation précaire semblent pris dans la condition d'intérimaire et sont comme hantés par elle. Ils n'ont d'autre perspective politique que celle d'un réformisme timide, qui est éloigné de toute idée de subversion et semblent préoccupés avant tout par la perspective de rendre vivable leur situation, voulant supprimer les aspects les plus insupportables de la vie au jour le jour à laquelle ils sont condamnés. Privés d'un langage collectif et unifiant de type politique, ils sont en quelque sorte condamnés à dire leur situation dans un registre euphémisé et psychologisant : faute de pouvoir se faire entendre « politiquement », l'opposition violente au monde des « vieux » (les « vieux croûtons » de la politique) est la forme que prend leur révolte contre un ordre social qui ne leur accorde pas de place. Partout – au travail, pour l'attribution des logements, dans la politique, etc – les « vieux » leur paraissent occuper le terrain et leur barrer la route. C'est sur ce fond d'humiliations et de défense de leur dignité, qu'ils sont conduits à dire, à demi-mots, ou plutôt à mots couverts, que même les immigrés sont mieux traités qu'eux (« les immigrés, à eux, on ne leur dira rien »). Et s'ils restent réservés sur ce point, c'est parce que, face à l'enquêteur, ils redoutent de voir ces propos les disqualifier●

avec des intérimaires

— entretien de Stéphane Beaud

« Quand on est intérimaire, on n'a aucune protection »

Lucien — (...) Chez Peugeot, j'étais bien, j'étais à un bon poste... disons qu'on était avec une bande... [*se reprenant*] avec des gens entre 30 et 40 ans et j'étais bien avec eux. On s'entendait bien à part un qui était vraiment la tête de con. Mais autrement c'était bien ! Chez Peugeot, j'ai pas eu à me plaindre hein ! Moi j'ai été bien traité, même mieux traité que chez Citroën... franchement !...

— Et le rythme de travail, la « vitesse de chaîne » ?

Lucien — La vitesse de chaîne ? bon, au départ quand on est arrivé c'était correct et puis plus ça allait, plus la vitesse de chaîne diminuait mais ils rajoutaient du boulot.

— Tu faisais deux voitures successivement ?

Lucien — Oui... j'avais une 405, une 205, une 405, une 205 et de temps en temps j'avais les 205 diesel. Disons que si on attend que la voiture arrive à notre niveau pour commencer à la faire, ça ira jamais. Mais, moi, je la commençais toujours le plus loin possible de façon à ce que quand j'arrive à mon poste j'ai juste des bricoles à mettre... je prenais toujours de l'avance... parce qu'entre chaque voiture, j'avais toujours une « passerelle » à mettre. J'aurai pas eu les passerelles à mettre, ça serait allé tout seul.

— Les ouvriers qu'on a rencontrés, qui ont 40 ans ou plus, nous disent tous que c'est de plus en plus dur la chaîne.

Lucien — Ouais c'est dur pour ceux qui y sont depuis des années. Eux ils sont obligés d'y rester parce qu'ils n'ont plus le choix... Mais moi je dis tout le temps que si j'avais pu y rester six mois ou huit mois là-dedans, chez Peugeot, j'y serais resté !... mais j'ai fait que trois mois, j'ai pas eu de pot !

— Tu aurais voulu avoir un contrat fixe ?

Lucien — Ouais j'aurais bien voulu. J'étais prêt de toute façon, je l'avais dit à mon chef. Je lui avais bien dit, « si vous connaissez quelqu'un qui cherche un mec supplémentaire pour travailler sur la chaîne, moi je suis preneur ». Pour moi, il y avait aucun problème... je lui ai dit plusieurs fois que s'ils me proposaient pour faire un contrat de huit mois ou un contrat indéterminé, moi je le prenais, il le savait de toute façon. Autrement, j'ai pas eu à me plaindre. La mentalité, rien que la mentalité chez Peugeot, elle était meilleure que chez Citroën… largement !… largement !… j'ai fait une sacrée comparaison entre la mentalité Peugeot et Citroën. C'est complètement différent. [*Lucien évoque son travail à la chaîne chez Citoën qui était plus « bordélique »*.]

T'oublieras pas la bouteille

Alain — [*à voix basse, comme en aparté*] Ceux-là [*les intérimaires embauchés*], pour les avoir, pour qu'ils discutent ?… [*il se racle la gorge ironiquement*]… il faut leur ramener une bonne bouteille [*rires*].
Lucien — Ils commencent à bien parler quand ils sont à moitié chauds [*rires*].
Alain — L'alcool, il y a pas qu'au foyer, il y a qu'à voir à l'usine.
Lucien — Au poste où j'étais, le mec qui travaillait à côté de moi, il avait 45 berges… la première fois qu'il a été surpris par son chef à son poste, il était saoul !… [*avec violence*]. Il s'est même endormi à son poste… Il était ivre mort !… Il a eu un avertissement… Bon, le deuxième coup, quand ça s'est reproduit, ils ont dit que si ça se reproduisait une troisième fois… définitif viré !… Il travaillerait plus dans aucune usine, ça lui a bien été précisé. Et puis il avait pour habitude, quand un jeune intérimaire arrivait, de l'agresser dès le départ pour que le mec lui paie une bouteille. D'ailleurs c'est ce qui s'est passé avec moi sauf que, moi, je lui ai dit, « si t'es pas content, on va dehors et puis on s'explique ! » Je le lui ai bien dit, « c'est pas parce que t'as 45 berges et moi j'en ai 25 que je te laisserai me monter sur les pattes ! » Et même sur le poste, j'ai failli me battre avec lui, hein !… il m'agressait tout le temps. C'était bien simple : le matin, j'étais à peine arrivé, j'étais en train de discuter avec les autres ouvriers pour leur demander s'ils avaient passé une bonne soirée ou des trucs comme ça, et lui il arrivait déjà, il me sautait dessus : « ouais, tu oublieras pas la bouteille », ceci, cela, hein ! Moi, deux fois ça passe, mais la troisième fois je l'envoie chier !… ça a quand même failli castagner… la troisième fois, je lui ai dit, « bon, on va sur la piste où passent les véhicules et puis on va régler nos comptes », et juste à ce moment-là, il y a l'autre chef qui s'est ramené, « Qu'est ce que

vous foutez là ? », « Ben, on va se taper dessus, ça changera un peu » [*sur un ton de plaisanterie*]... le chef il était fou, il savait plus où donner de la tête. [*Il précise ensuite la fonction des « moniteurs », ouvriers sortis du rang qui ont un rôle d'animation du groupe de travail.*]
[...]

— *Comment tu les vois, justement, ces ouvriers de l'usine, ceux qui sont quand même depuis longtemps ?*

Lucien — Ils sont... je dirai simplement, comme on dit maintenant, qu'ils sont assez cool... oui c'est ça assez cool. Disons que si on a un petit problème tu peux compter sur eux... c'est pas comme à Citroën. A Citroën, si t'as pas le chef d'équipe pour te remplacer quand t'as envie d'aller aux toilettes, tu sais que tu pisses dans ton froc... comme ça t'es tranquille tandis que, chez Peugeot, dès que tu fais appeler le chef, ça y est ! Au bout de cinq minutes, il est là ! même pas ! Il arrive tout de suite, il y pas de problèmes ! Chez Citroën, deux, trois fois, j'ai eu des problèmes comme ça, deux, trois fois je me suis mis à gueuler parce que j'avais envie d'aller aux toilettes et je pouvais pas y aller parce que le chef d'équipe était parti à Petaouchnoque. La première fois, j'ai rien dit, la deuxième fois j'ai gueulé, et puis la troisième fois j'ai laissé mon poste, je suis parti aux toilettes [*rires*], il y avait cinq, six voitures qui étaient passées, alors il manquait une glace, il manquait un joint. (...)

— *Au cours de tes trois mois chez Peugeot, ça se passait bien dans ton travail ?*

Lucien — Ben, disons que j'ai jamais eu de problèmes, j'ai jamais eu de mauvaises notes ou des trucs comme ça. Les notes, on les avait par rapport à des points, on avait dix points en moins à chaque fois qu'il y avait une erreur... Par exemple, il y avait ce qu'ils appelaient « Sécurité » : si par exemple j'oubliais de mettre un fil, ça me faisait prendre directement 50 points... 50 points en moins d'un coup ! Ou si un mec oubliait de faire le circuit de frein, alors là c'était plus dangereux, donc là il prenait 100 points d'un coup et à la fin c'était le chef d'équipe qui se faisait incendier, qui prenait un gros savon. Et après, les trois quarts du temps, c'étaient les ouvriers qui reprenaient... [*silence*] Autrement, moi, j'ai jamais eu un problème. Si ! Il y a qu'une fois où j'ai oublié de mettre ce fameux fil électrique au démarreur, mais autrement j'ai jamais eu de problèmes.
[...]

Comme j'ai toujours dit, celui qui veut il peut

— Dans ton boulot sur la chaîne, il n'y avait pas des possibilités d'avoir de petites combines, de gagner du temps...

Lucien — Si, moi c'est ce que je faisais, moi, je gagnais le maximum de temps... je commençais ma voiture le plus en avant possible pour que quand elle arrive à mon niveau, que je sois tranquille. (...)

— C'est vrai que travailler à la chaîne, tout le monde croit savoir ce que c'est, alors qu'il y a un tas de gestes à apprendre, des coups de main à prendre, tout le monde ne peut pas y arriver en 15 jours.

Lucien — Non ! ce qu'il faut, c'est pas se dire comme ça : « j'y arriverai pas ». Il faut se dire le contraire, il faut seulement avoir le coup d'œil. Au départ, il faut bien observer... si tu observes bien ce que la personne fait quand elle te montre, si tu te remets ça en mémoire aussitôt, après ça marche tout seul. (...)

— En finition, il y avait beaucoup d'intérimaires près de toi ?

Lucien — Sur ma ligne à moi, j'étais le seul. J'étais le seul intérimaire. Sur ce poste-là, il y avait eu au moins une dizaine d'intérimaires dans le mois passé, il y en avait pas un qui avait été capable de tenir cette place... pourtant, il y avait vraiment rien de dur !... rien !...

— Tu avais peut-être l'acquis de ton travail chez Citroën ?

Lucien — Non, non... c'est pas ça... comme j'ai toujours dit, celui qui veut, il peut... moi, je voulais rester à ce poste et j'y suis resté... si les autres étaient décidés à pas rester, ils s'arrangeaient soi-disant pour dire que ça n'allait pas, qu'ils avaient des problèmes de santé, ceci-cela, bon ben...

— Mais les 15 premiers jours de ton travail, tu as dû t'accrocher, non ?

Lucien — Dès le premier jour !... dès le premier jour !...

— Tu as quand même dû prendre sur toi...

Lucien — Ouais bien sûr... mais je me suis amusé à comparer le boulot que j'avais fait chez Citroën et ce que je faisais chez Peugeot. Eh bien c'était beaucoup plus facile chez Peugeot... Parce que chez Citroën, il fallait que je surveille constamment mon matériel pour mon approvisionnement, que je le demande quand mon chariot était encore plein pour que, quand il était vide, l'autre arrive juste à ce moment-là, parce que, sans ça, quand je deman-

dais mon approvisionnement quand il me restait une cinquantaine de joints dedans, mon autre chariot arrivait pas à temps. Alors que chez Peugeot l'approvisionnement, il est juste en bordure de chaîne pour qu'on soit pas obligé à faire trois, quatre pas, qu'on ait ça juste à côté de nous... (...) je suis sûr que le mec qui a repris mon poste, il lui a fallu plus de deux semaines à apprendre... ça j'en suis sûr... parce qu'il y a même des mecs qui m'ont bien dit, « tu es le seul à avoir appris ton poste en l'espace de deux semaines ». Il y a un mec, il lui a fallu un mois pour bien se mettre dans le bain au poste où j'étais. Alors vous imaginez !... alors le mec, j'imagine comment il devait courir au cul des machines, ça devait courir... sûr ! (...)
[*Il évoque longuement l'organisation du travail en flux tendus*.]

— *Tu travaillais debout ?*

Lucien — Debout !... [*avec un accent de fierté*] Moi, toujours debout !...

— *Tu n'étais pas accroupi ?*

Lucien — Si !... moi j'étais dans tous les sens... toujours... disons que la voiture était au ras de sol et moi j'étais debout... et donc pour mettre les coussinets de levier de vitesse, il fallait que je me plie dans tous les sens... c'est là le problème...

— *Et là physiquement ça devait quand même être difficile ?*

Lucien — Non... [*à voix basse*], pour moi, c'était pas difficile... disons que moi j'ai toujours su me mettre bien vis-à-vis de tous les postes qu'on me proposait. J'arrivais toujours à me débrouiller... pour n'importe quoi... même pour l'employeur où j'ai fait mon CAP, c'était pareil, quand ses ouvriers arrivaient pas à passer dans un petit coin pour aller mettre une vis ou n'importe quoi, il me demandait, il y avait pas de problème...

C'est automatique, on se retrouve en chaîne

— *Tu avais déjà une qualification ?*

Lucien — Moi j'avais une qualification mais disons je me suis retrouvé à la chaîne parce que j'avais pas la bonne qualification... j'ai eu des copains qui ont un CAP de mécanique, ils se sont retrouvés en mécanique... eux quand la voiture démarrait pas correctement, leur boulot c'était de regarder ce qu'elle avait quand elle démarrait pas...

— *Tu as quelle formation ?*

Alain — Moi, j'ai un CAP de menuisier… ébéniste-charpente… disons tout ce qui concerne le bâtiment… disons que moi je me suis retrouvé à la chaîne sans… [*en riant*] Comme tout le monde hein d'ailleurs !

— *Et après ton CAP de menuisier tu as cherché du boulot dans ton secteur ?*

Lucien — Dans mon secteur ouais… j'ai fait un menuisier, j'ai travaillé un mois chez lui, et après il partait en vacances… alors j'ai eu des belles promesses en me disant comme ça qu'il me reprenait… et moi j'y ai cru, sûr !… et puis finalement à la fin de ces vacances j'ai été le voir pour lui dire comme ça, « ça recommence quand ? ». Il me dit, « bon ben c'est pas la peine de revenir, il y aura pas assez de boulot ». Ensuite j'ai continué à tourner un petit peu chez moi, j'ai travaillé six mois dans une scierie pas loin de chez moi, c'était juste dans le bourg à cinq kilomètres de chez moi… donc j'ai travaillé six mois en scierie, il y déjà plus de quatre ans. J'avais trouvé ça par l'intermédiaire de quelqu'un… et puis en ce temps-là la paie ça n'allait pas parce que je faisais un peu plus que le SMIC, j'avais pas ma paie régulière. C'était pas payé régulièrement, un coup j'avais 500 francs, un autre coup 600… bon, disons que j'étais chez mes parents mais je payais quand même la bouffe chez mes parents, c'était tout à fait normal, mais je pouvais quand même pas m'en sortir comme ça, j'ai dit, « il va falloir faire quelque chose ». Bon ben, j'ai quand même tenu six mois et au bout de six mois je suis parti… après avoir fait ça, j'ai travaillé dans un centre de repos, en tant que menuisier-entretien. Là j'ai travaillé là six mois, ça marchait bien mais là aussi c'était un TUC, donc le salaire ne suivait pas parce que j'avais quand même un loyer à payer, j'avais 2 000 et quelques francs de loyer à payer et j'avais un salaire de 2 000 francs, ça pouvait pas aller ! [*rires un peu forcés*]… Alors j'ai cherché autre chose, j'ai commencé à faire un CAP en taille de pierre… encore la veine !… je suis tombé sur un employeur qui payait pas non plus… de toute façon j'ai toujours eu du pot pour ça… je suis encore tombé sur un putain d'employeur qui payait pas… qui payait pas régulièrement… là c'était vraiment la joie… et après bon je me suis inscrit pour Citroën, j'ai eu une réponse et puis voilà !…

— *Avec ton CAP de menuisier, tu t'es retrouvé directement sur la chaîne ?*

Lucien — Ouais ! sur la chaîne. Ah ouais !…

Alain — De toute façon CAP ou niveau CAP, c'est la chaîne…

Lucien — Oui c'est la chaîne. Ou à moins d'avoir un CAP de mécanicien. Une personne qui a un CAP de mécanicien, il va plutôt côté monteur, « montage-moteur », par exemple mettre la culasse ou des conneries comme ça ou, en finition, « contrôle-mécanique » quand la voiture veut pas démarrer ou des trucs comme ça, là ça va encore... mais un mec comme nous qui est du bâtiment, qui a un CAP de menuisier ou de je sais pas trop quoi, nous c'est automatique, on se retrouve à la chaîne. (...)

Un intérimaire, il a le droit à rien

Alain — La seule chose qu'est bien dans les usines, c'est le premier jour quand on visite et qu'on a le repas... après c'est tout le boxon ! [*Rire général, puis la conversation revient sur l'intérim.*] Quand on arrive d'une autre région et qu'on arrive ici, c'est toujours le problème du logement... parce qu'un intérimaire il a le droit à rien... pas de prêt, il a droit à rien du tout. Au lieu de l'aider, ça l'enfonce de plus en plus...
Lucien — Ouais parce que ce qui se passe, quand un intérimaire travaille dans n'importe quelle boîte, la boîte d'intérim elle gagne déjà le double ou le triple de ce qu'un intérimaire rapporte. Quelqu'un gagne 4 000 francs, la boîte d'intérim gagne le triple, alors vous voyez déjà ce que ça donne !...
Alain — Et puis quand on va leur demander quelque chose, ils vous envoient chier. Ils ont fait du profit sur nous et puis c'est tout !
Lucien — Alors c'est pour ça qu'à Montbéliard, la secrétaire de la boîte d'intérim où je travaillais, elle en a pris plein la tête... parce que c'était une soi-disant secrétaire et quand j'ai fini mon contrat hein ! Elle a trouvé le moyen d'envoyer tout ça chez mes parents en Bretagne... tous mes papiers, les fiches de paie et tout... quand on dit qu'on est une boîte d'intérimaires, moi je veux bien ! Moi je fais n'importe quoi en intérim, ça me dérange pas ! du moment que ça paie ! mais quand on dit comme ça qu'on est une boîte d'intérim et qu'on a une secrétaire comme ils en avaient une, c'est vraiment pas la peine !...
Alain — BIS c'est pas mieux !
Lucien — C'est pas mieux ! ça fait trois semaines que j'ai donné mon papier, mon papier jaune pour l'ASSEDIC, je l'ai toujours pas reçu...

Alain — À BIS, tu l'auras pas ! de toute façon, tu l'auras pas ! justement un truc que je veux vous dire, à propos du papier ASSEDIC chez BIS, moi j'ai fait combien ? J'ai travaillé pour eux 96 jours, j'ai demandé mon papier ASSEDIC, trois fois de suite ils m'ont marqué seulement 8 h 50. J'ai réclamé, j'ai réclamé et j'ai jamais rien reçu ! Et ça fait que je me suis fait avoir de combien ? entre 70 et 80 heures ! et pas de nouvelles ! Le dossier a été clôturé entre deux, ça fait que j'ai perdu quasiment 80 heures pour le chômage. J'ai perdu trois mois de chômage (…)
Lucien — Tu fais comme moi, tu passes derrière les bureaux !
Alain — Mais oui ! je suis passé derrière les bureaux, j'ai même tout renversé, tout le bureau à BIS !…
Lucien — Ah ouais !
Alain — Et puis ça a pas changé grand-chose. [*silence*]… j'ai foutu le bureau en l'air, devant tout le monde. J'ai été les voir la première fois et puis j'ai dit déjà que je voulais du boulot. La première fois, ils m'ont dit, « mais il faut revenir », il y avait pas de boulot soi-disant, « il faut revenir ici », « il faut revenir tel jour, tel jour ». Une fois ça passait, deux fois, la troisième fois j'en ai eu ras le bol, je leur ai dit, « ah bon ! si c'est comme ça »… j'ai pris le bureau, je l'ai tout retourné. Je leur ai dit, « maintenant, si j'ai pas de boulot d'ici une semaine, là je viens tout casser ! ». Alors la secrétaire, elle balisait, l'autre il était pas là, le responsable. Je suis rentré ici, il était cinq heures, à six heures j'avais un mot dans ma boîte aux lettres comme quoi je devais me présenter le lendemain matin, j'avais un boulot… Ah ! je me suis dit, s'il faut faire comme ça dans toutes les boîtes, il faudra le faire ! C'est tout ! Et à BIS depuis ce temps-là j'ai plus de problèmes.
Lucien — De toute façon, quand on est intérimaire, on n'a aucune protection, on n'est pas protégé, il peut nous arriver n'importe quoi… (…)

— Tu as l'impression qu'à Peugeot la direction vous protégeait contre les boîtes d'intérim ?

Lucien — Oui, on avait quand même la protection de Peugeot, ça c'était bien. Alors que chez Citroën, s'il y avait un problème, que je demandais un coup de main à un chef d'équipe pour des papiers, ils en avaient rien à foutre ! Ils te disaient oui et par-derrière ils t'envoyaient chier…
[…]

— Quand est-ce que tu as su qu'ils ne te renouvelaient pas ton contrat ?
Lucien — Ils m'ont prévenu une semaine à l'avance, ça me laissait tout juste le temps de me retourner quand même, le temps de faire le dossier de l'ANPE, d'ASSEDIC, c'était juste…
Alain — C'est ça le gros défaut des boîtes d'intérim, ils devraient prévenir au début du dernier contrat, au début du mois comme quoi à la fin du contrat là, boum ! Vous êtes dehors. Comme ça, les personnes auraient le temps de se retourner, de se mettre à l'ASSEDIC et tout ça, et puis voilà. Tandis que là, le dernier jour ou une semaine avant, ça rime à quoi !…
— Tu devais être déçu, non ?
Lucien — Ben disons que ça me faisait chier quand même, parce que j'avais quand même fait 800 kilomètres pour travailler et que surtout la boîte d'intérim d'ici nous avait dit que c'était un contrat de six à sept mois, un contrat longue durée, moi je me dis pas de problèmes ! Et puis finalement, arrivé ici, ça marchait bien et trois mois après licencié !. Alors là, ça a failli être la crise ! [*il rit nerveusement*]… Bon, de toute façon, on était en licenciement économique, j'avais pas intérêt à remonter en Bretagne, ça servait à rien, autant essayer de rester par là. Mais apparemment ça marche pas mieux ici hein !… ça devient même catastrophique ici, c'est même plus la peine actuellement de chercher du boulot, on recommencera à rechercher qu'à partir du mois de septembre parce que ici c'est complètement bloqué…
— Après Peugeot, tu n'as jamais retrouvé du travail ?
Lucien — Disons que j'ai retrouvé des petits contrats mais vraiment des contrats en dépannage, une semaine par-ci, une semaine par-là, ceci, cela. Disons que ça paie, mais à la fin on commence à en avoir ras le bol parce qu'au début ça va et puis à la fin, on arrive plus à payer les loyers du foyer, c'est quand même 924 francs par mois. (…)

Intérimaire Peugeot ! 4 000 balles

— Dans une usine où il n'y a pas eu d'embauche de jeunes pendant près de dix ans, on a l'impression qu'un écart s'est creusé entre les jeunes et ceux qui sont là depuis 20 ans. Est ce que tu as senti qu'on te traitait différemment ?
Lucien — Non, moi j'ai été traité comme si j'étais un ouvrier…

vraiment comme si j'étais embauché. Il y a pas eu de différence… disons aussi que quand on est bien vu par des boîtes d'intérim et par Peugeot, on a quand même un avantage parce qu'on est beaucoup plus sûr de se faire embaucher… je te dirai franchement : il y avait un mec qui avait le même CAP que moi, tu vois, ça faisait deux ans qu'il était embauché et il gagnait beaucoup plus que moi. Il gagnait pratiquement 6 000 francs. Moi, j'étais intérimaire. [*sur un ton un peu provocant*] Vous voulez savoir combien je gagnais ? moi je gagnais 4 000 balles !… intérimaire chez Peugeot !… 4 000 balles ! chez Citroën, je gagnais plus que ça.

Alain — Moi je faisais 6 000 francs par mois.

Lucien — Mais l'autre qui était embauché depuis deux ans, il se faisait pratiquement 6 000 balles… il avait le même CAP que moi… simplement parce qu'il était embauché.

— 4 000 balles, mais sans les primes ?

Lucien — Ah ! les primes !… [*rire grinçant*]… Moi sur mon poste, j'en avais pas, ça dépend des postes et ça dépend des secteurs. Où ils en ont le plus, c'est en tôlerie, là, il y a pas mal de primes en tôlerie.

— Tu n'avais pas la prime de doublage ?

Lucien — Non, moi j'étais en primes normales.

— Tu veux dire en horaire normal ?

Lucien — Non, je faisais comme tout le monde : une semaine de matin, une semaine de l'après-midi, mais y avait pas de primes de doublage. Pas chez nous… Si, il y avait des intérimaires qui en avaient, mais ça dépendait des postes, moi ici j'en ai pas eu…

— Mais la première fois quand tu as touché ton salaire de 4 000 balles, qu'est ce que tu as fait ?

Lucien — J'ai gueulé ! Je me rappelle, on était du matin, on commençait à 5 heures le matin, on avait fini à 13 h 18, le temps d'arriver ici il était 14 heures. J'arrive, je prends mon courrier et quand j'ai vu ma paie et tout… Bon ben j'ai bien regardé, je me suis dit, « il y a quelque chose qui va pas là ». J'ai pris ma douche, je me suis changé, j'ai becté et j'ai filé directement à la boite d'intérim et là j'ai commencé à faire un bordel pas possible ! J'ai dit, mais vous vous foutez de la gueule du monde ou quoi ! Vous nous téléphonez en Bretagne pour nous dire comme ça que vous avez du boulot pour Peugeot, que ça va être entre 6 000 et 7 000 francs… ouais, ils nous avaient prévenus : « ça va être entre 6 000 et 7 000 francs et puis c'est des contrats longue durée, et ça peut même finir sur embauche si vous faites l'affaire ». Bon ben tant qu'à faire, on s'est dit, « on peut tenter ». et puis finalement quoi ? Première paie : 4 000 francs ! Alors là, il y a de quoi vous coller au plafond ! Largement ! [*avec colère*] Alors là j'ai commencé à faire mon remue-ménage et j'ai vu que ça commençait à remuer, j'étais pas le seul en plus ! Il y en avait d'autres, c'était pareil, c'était exactement pareil ! On s'était fait arnaquer pas possible ! Arnaquer !... J'avais des copains qui travaillaient à des postes à 3 ou 400 mètres plus loin que moi, ils gagnaient 5 000 balles et ils faisaient vraiment un boulot encore plus cool que moi, en plus ! Il y a de quoi se dégoûter de la vie. (...) Je leur ai même dit, « mais vous avez été élevé où, vous ? hein ?... vous sortez pas de votre cambrousse où quoi ! ». Là j'ai gueulé mais le problème c'est qu'il y a que moi qui ai gueulé, les autres ils fermaient leurs gueules... Alors que quand c'est comme ça il faudrait que tout le monde gueule parce que autrement ça sert à rien. Quand j'ai vu ça, j'ai gueulé une fois et puis après, bon, « vous vous démerdez tout seul hein !... ».

— *Et là tu as réussi à avoir plus ?*

Lucien — [*en soupirant*] Pff !... j'ai eu 300 francs de plus...

— *Et pour ceux qui ont déjà travaillé chez Peugeot, il y a une possibilité de retourner travailler là-bas ?*

Alain — Non, c'est plus possible... « classé zéro »... « classé zéro » : ça veut dire que ceux qui ont travaillé chez Peugeot et qui ont été mis dehors sont classés « zéro définitifs » c'est plus la peine, ils peuvent plus y retourner...

Lucien — Alors moi ce qui s'est passé, une fois que j'ai eu fini mon contrat ici, j'ai fait une demande pour Peugeot-Mulhouse, j'ai jamais été accepté !...

Alain — Ah non ! Parce que les dossiers sont transmis !

Lucien — Et ce que je trouve lamentable, c'est que j'ai un copain qui travaille actuellement à Mulhouse, et qui, lui, a travaillé aussi avant chez Peugeot-Sochaux.

[...]

Se syndiquer ?... Dans une usine, ça vaut pas le coup !

— *Quand vous êtes venus ici, on vous a dit qu'il y aurait des possibilités d'embauche et ça n'a pas été le cas. Mais je pensais que dans l'usine il y aurait eu des syndicats pour vous défendre...*

[*Tous répondent en même temps*.]
Alain — [*avec violence*] Mais qu'est-ce qu'ils font les syndicats !
Lucien — Mais le syndicat s'occupe pas de nous, pas du tout, hein ! Pas du tout ! C'est pas possible !

— Tu as eu affaire à des syndicalistes ?

Lucien — Moi j'ai vu des mecs du syndicat qui sont venus me voir…

— Quel syndicat ?

Lucien — Ben les mecs du syndicat ! Ils m'ont demandé comme ça si j'étais embauché, je leur ai dit que j'étais simplement en intérim, un intérimaire quoi… Et quand ils ont su comme ça que j'étais intérimaire, ils ont fait demi-tour, ils sont allés voir quelqu'un d'autre.
Alain — Il faut accepter ! il faut accepter d'être syndiqué pour avoir un minimum de chances d'être pris

— Vous n'avez pas déjà été syndiqué…

Lucien — Moi, on m'avait demandé chez Peugeot. tt !… tt !… j'ai refusé hein…
Alain — Dans une usine ça vaut pas le coup !…

— Mais qui te l'a demandé ?

Lucien — [*avec de l'ironie dans la voix*] Ben, un du syndicat bien sûr !

— Oui, mais il y a plusieurs syndicats, c'est ce que je veux dire…

Lucien — Oh ! y a plusieurs syndicats là-dedans, moi je sais pas c'était lequel. Le mec m'a demandé si je voulais être syndiqué, je lui ai dit : « je veux pas de vos salades-là !… » [*avec beaucoup de violence*]… Je lui dis « quand on commence à se syndiquer chez vous, après ça n'en termine plus ! Faut faire ceci, faut faire cela… ».

— Tu veux dire quoi par leurs « salades » ?

Lucien — Moi, ce que j'appelle leurs salades, c'est que c'est toujours la même chose, c'est toujours du baratin, ceci, cela. Au départ, ça va bien et puis, à la fin, on commence à s'en lasser. Parce qu'une fois que t'es syndiqué chez eux, après c'est terminé ! T'es obligé d'y rester toute ta vie… Parce que là, ils te cassent ta carrière hein ! Ça, il y a pas de problèmes, ça, ils n'hésitent pas, hein !… que tu sois chez Peugeot, Renault, n'importe qui, les grosses boîtes… toutes !… toutes ! C'est pareil.

— Donc tu parles plutôt des syndicats comme la CGT ou la CFDT…

Lucien — Ouais… De toute façon, je m'en fous, c'est simple…
Alain — De toute façon il y a pas que Peugeot… moi j'ai travaillé deux mois dans une petite boîte, je pouvais être syndiqué, j'ai travaillé aussi dans une autre, je pouvais être syndiqué aussi… et j'ai pas voulu…
Lucien — Non il vaut mieux éviter en général.
Alain — De toute façon, un syndicat dans une usine… moi j'ai bien vu le Comité d'entreprise de Peugeot là, à part donner les places de cinéma et les bons de réduction, ils sont bons qu'à ça.

— Les ouvriers de 40-45 ans qui viennent souvent de régions rurales, quand ils avaient votre âge, vers 20-25 ans, ils se syndiquaient assez rapidement après leur embauche à l'usine, pour certains c'était presque naturel.

Alain — Ah ben moi, ils me l'ont proposé, ils m'ont dit comme ça, pendant cet accident, je me souviens, c'était la CGT je crois bien, il m'a sorti comme ça, « tu veux être embauché, tu te mets avec nous et puis on essaiera de t'arranger le coup ». Alors j'ai dit, « s'il faut être syndiqué pour essayer de trouver une place, alors évidemment "négatif" ». En plus, les syndicats ils sont mal vus… comment dire… ceux qui sont syndiqués sont mal vus par les boîtes d'intérim, et par Peugeot même.

— Et pour les ouvriers dont je parlais tout à l'heure, entrer dans le syndicat c'était aussi une façon de se défendre, de se protéger contre le patron.

Alain — Oui mais avant on pouvait dire « merde » à un patron, on retrouvait facilement du boulot ailleurs. Aujourd'hui on dit « merde » à un patron, ça y est, c'est fini ! On est « classé zéro » comme à Peugeot et puis c'est tout !…
Lucien — Ouais catalogué !…
Alain — Voilà ! Parce que moi je sais bien que mon père me disait combien de boîtes il avait faites quand il était jeune… quand il en avait ras le bol, il quittait la boîte, il prenait ce qui lui était dû, et il allait chercher à côté… il faisait même deux boulots à la fois, à la mine et ailleurs… là maintenant, pour prendre un exemple, je fais un CES [*contrat emploi-solidarité*], je fais un mi-temps, le CES interdit de bosser l'autre moitié. Même qu'en étant marié ou des trucs comme ça, bon, ça c'est pas possible ! Moi je trouve que des trucs comme ça c'est encore pire… si ça continue, ils vont faire bosser deux heures par jour, on va toucher le même truc, les 1 800 balles par mois et puis on va rester glander dans son lit pen-

dant tout le reste de la journée... Le travail au noir est interdit et on peut bosser que quatre heures, moi je veux bien, mais faire du travail au noir c'est bien mais si on se fait tauper après, on perd tout ! voilà ! Et ça, ça va plus... Les patrons veulent pas embaucher parce qu'ils ont peur et puis ça leur coûte la peau des fesses en cotisations, les boîtes d'intérim, elles ont leurs têtes !... ou alors il faut vraiment avoir des tire-au-cul pour pouvoir rentrer et puis, eh ben le reste c'est pareil, que ça soit des stages, que ça soit n'importe quoi !...

On n'a aucune chance de s'en sortir maintenant

— Et toi, Lucien, la formation, faire des stages, ça t'intéresse ?

Lucien — Moi j'ai fait un stage de formation mais en Bretagne. C'était en taille de pierre [*rires*]... et je me suis fait bien baiser la gueule, en beauté. Moi j'ai sauté dans le plat à pleins pieds, le type me dit [*il imite sa voix rassurante*], « vous avez pas à vous en faire, vous verrez, ça se passera très bien ». Au bout de deux ans, vous pouvez passer un CAP en candidat libre si ça vous intéresse ». Bon, j'ai dit : « pourquoi pas ». J'ai testé, mais 6 mois après, j'avais toujours 2 000 balles. Alors 2 000 francs avec un loyer de 2 000 francs ça peut pas coller hein ! Alors moi j'ai abandonné, c'est tout hein ! Normalement c'était comme un CAP, on devait avoir trois semaines chez le patron et une semaine à l'école. Mais les six mois que j'ai faits dans cette boîte, j'ai jamais été à l'école, jamais une seule fois. Quand j'ai vu ça, j'ai commencé à gueuler et tout ! Bon, au bout de six mois, j'ai abandonné, ça pouvait pas coller. Disons que, de mon côté, je tenais mon contrat, tout ce qui était marqué sur le contrat, je l'ai lu. J'étais toujours à l'heure, je faisais même des heures supplémentaires, et normalement j'avais pas le droit. En plus, je me faisais arnaquer. Au départ, ça marche mais à la fin quand t'en as marre, t'arrêtes et c'est ce que j'ai fait, j'ai arrêté, c'était plus simple... [*silence*] Disons que, maintenant à 25 ans quand même, se retrouver encore au chômage, moi ça commence sérieusement à m'écœurer hein !... ça m'énerve sérieusement !... [*sur un ton excédé*]

Alain — Quand on pense qu'au niveau de l'État il y en a qui s'en foutent plein les poches...

Lucien — L'État ?... ouais !... On a aucune chance de s'en sortir maintenant, on pourra pas s'en sortir, hein !...

Alain — Ah ! ils font des créations d'emplois, moi je suis d'accord… comme la Cresson là, je suis d'accord, mais combien ça va leur rapporter dans leurs poches ?… c'est ça ! Parce que c'est bien de faire travailler des jeunes à mi-temps ou même à 8 heures par jour à 1 200 balles ou 2 000 balles pour un mois, mais seulement ça va rien ramener parce que même en tant que stagiaire, on n'a pas le droit aux appartements. Et les mecs qui n'ont pas d'appartements, qu'est-ce qu'ils vont faire ? Même s'ils trouvent un appartement, qu'ils perdent leur boulot et qu'ils font un stage comme ça, une fois qu'ils ont 1 800 balles de loyer ou 1 200 balles, minimum 1 200 balles, qu'est-ce qu'ils vont faire avec 800 balles ? Parce qu'après il y a encore l'électricité, tout ce qu'il faut hein ! Ils font quoi ?… ils sont toujours dans des secours catholiques ou des trucs comme ça pour essayer de se faire aider… ah non ! moi je dis non ! Et c'est vrai que les jeunes, ils en parlent pas parce que ça sert à rien. Quand on voit que l'État, il bouge pas…
Lucien — Et quand les jeunes qui ont été embauchés avec moins de charges sont licenciés, l'État récupère ce qu'il a perdu pendant deux ans, ça, faut pas l'oublier ! Parce que l'État le récupère ce fric… l'État c'est sûr, il est bien, parce qu'il fait des belles promesses aux boîtes, « Pendant deux ans, vous n'avez pas de charges si vous embauchez quelqu'un. » Alors le mec il va commencer par embaucher et la troisième année il commence par avoir les charges qui lui tombent dessus et hop ! Il vide les mecs (…)

Ils sont tous aussi pourris les uns que les autres

— *Politiquement, qu'est-ce qu'il faudrait faire ?*
Lucien — Politiquement ? Déjà je l'ai toujours dit, c'est avoir un gouvernement jeune… un jeune gouvernement… pas des vieux machins comme ça !… [*avec l'accent du mépris*] à 50 berges, qu'est-ce que ça fout encore au gouvernement !…
Alain — Des vieux croûtons [*rires, sur un ton de surenchère provocatrice*].
Lucien — Ouais c'est des vieux croûtons… c'est des vieux croûtons… à 50 ans qu'est-ce que ça fout encore là-dedans ! Franchement !… ça, la seule chose qu'ils savent faire, c'est gueuler ! Quand ils sont au gouvernement ils savent gueuler… Des promesses !… c'est tout !… piquer notre fric, ça ils savent le faire…

Alain — Aller bouffer au restaurant aux frais de la princesse…
Lucien — Ils se promènent avec le fric, ils se paient des voyages avec notre blé, moi je trouve ça lamentable ! Je trouve ça lamentable… inadmissible !…

— *Aux prochaines élections, t'as pas envie de voter pour certains plutôt que d'autres ?*

Alain — Pour qui ? ils sont tous pareils !…
Lucien — Pour nous ! Ils sont tous aussi pourris les uns que les autres, aussi pourris !…
Alain — Des belles promesses ! Des belles promesses ! Et puis ça amène jamais à rien…

— *J'ai l'impression à vous entendre que c'est plus l'État qui est responsable que les employeurs.*

Alain — Ah ben oui parce que l'État ne fait plus rien. l'État faisait des choses avant, faisait quelque chose avant…
Lucien — Ouais… avant, l'État ! ouais ! Maintenant l'État nous fait des belles promesses, on est comme des crétins, on y croit, et puis finalement on a jamais rien, jamais rien. Là l'État a encore décidé d'enlever certains contrats, ce qui est plus ou moins du style RMI, ce qu'on appelle des contrats indéterminés, c'est-à-dire des contrats de deux, trois semaines, chez certains employeurs… tous ces petits contrats, ils vont les éliminer parce que ça rapporte pas dans les poches de l'État… [*long silence*].

— *Il y a ce chômage qui dure, alors que vous avez souvent quand même des expériences professionnelles et des qualifications…*

Alain — Oui [*silence*]… Et puis au fur et à mesure de pas faire le boulot qu'on a fait en CAP ou quelque chose comme ça, c'est encore plus dur… on perd tout !… parce que moi je sais bien que quand je me suis retrouvé dans une petite boîte, en ayant à faire un truc d'isolation thermique et même en connaissant un petit peu le chauffage et la plomberie, eh bien bonjour pour me remettre sur le travail hein !…
Lucien — Moi c'était pareil.
Alain — Il m'a fallu quasiment un mois sur les deux mois de contrat que j'ai fait pour pouvoir m'y remettre. Heureusement que je suis tombé avec un type qui est dans le même étage au foyer. J'étais avec lui dans son équipe, c'est lui qui m'a fait rentrer… Eh ben heureusement quoi, parce que je sais pas comment j'aurais réussi à m'en tirer… j'avais tout perdu, hein ! Depuis 82, j'avais

plus pratiqué, puisque j'ai fait mon CAP de mi-79 jusqu'à 82. Donc de 82 jusqu'en 91, pas grand-chose... Et ici, quand je suis arrivé à Peugeot, c'était normalement pour travailler comme dessinateur industriel pour travailler sur les plans des bagnoles de Peugeot... Mais arrivé là, je me suis retrouvé à la chaîne et j'ai appris bien après que c'était parce que j'avais pas une qualification assez haute pour eux...

— *En même temps ce qui me frappe dans la façon dont vous parlez du travail de chaîne, c'est la différence avec les ouvriers de l'Usine qui ont 35-45 ans, eux ils disent qu'ils sont fatigués, « crevés », ils me disent par exemple qu'ils ont besoin de davantage de repos le week-end...*

Alain — Pourquoi ! Pourquoi ! [*avec beaucoup de violence*]. Parce qu'ils auraient gardé les intérimaires, ça aurait été beaucoup mieux. Mais Monsieur le Calvet là, il préfère se balader en avion tout ça, au lieu de s'occuper de sa propre usine... voilà ce qui se passe !... Ils virent les intérimaires. Virer les intérimaires, moi je suis d'accord, mais en tout cas ils étaient bien heureux de les avoir quand il y a eu le problème des inondations au mois de mars 90. Là, ils tournaient à plein rendement avec les intérimaires... les intérimaires, ils en avaient plein leur gueule et les ouvriers, derrière... [*il sifflote et fait le geste de se tourner les pouces*]. Les ouvriers, ils se prélassaient... maintenant ils se retrouvent simplement avec leurs postes et avec leurs simples ouvriers qu'ils avaient... il y a plus d'intérimaires derrière eux. Et maintenant, les ouvriers se plaignent...

Lucien — Ben ouais, ça, c'est automatique...

Alain — Et au mois de septembre là, qu'est-ce qui va se passer ? Ils vont rembaucher, ils vont en reprendre quelques-uns jusqu'au mois de février-mars, et puis au mois de février-mars quand ils auront bien remonté leurs trucs, [*en frappant dans ses mains*] « allez les intérimaires, dehors ! ». Et ça va recommencer... tous les ans c'est comme ça, c'est pas compliqué. (...)

À 25 ans, je devrais être déjà depuis longtemps embauché...

Lucien — Moi j'estime qu'à 25 ans quand même ! à l'âge que j'ai, 25 ans. ! je devrais être déjà depuis longtemps embauché quand même... je devrais être embauché... je devrais plus être à traîner comme ça au chômage... vraiment, c'est pas une vie !... parce que je me suis fait une idée de toute façon [*silence*] si je remonte en Bretagne, je pourrais y rester, ça durerait encore huit mois comme ça, au chômage comme ça à chercher du boulot et finalement je me retrouverais dans la même situation que je suis ici, donc franchement ça m'intéresse pas… c'est pour ça que j'aime mieux rester ici… on verra bien… mais disons que de toute façon on n'est pas aidé, en aucun sens. l'État nous fait des promesses, les boîtes d'intérim nous tirent dans les pattes, je vois pas comment on peut s'en sortir hein !… je vois pas… [*silence*] en plus, on a des impôts… alors ça c'est vraiment trop !… alors on fait des promesses… à nous, on nous fait des promesses.

Alain — C'est comme moi, si je remonte dans le Nord, je peux pas loger chez mes parents, je peux rien faire, j'ai pas d'appartement, j'ai rien du tout…

Lucien — Moi il faut que je refasse une demande d'appartement, alors c'est plus la peine… de toute façon…

[…]

Alain — Parce que là, lui [Lucien] normalement, il est prêt à être viré [*sur le ton de la confidence*], il est prêt à être mis dehors à cause du gérant.

Lucien — Je vais te dire franchement, il y a quelqu'un qui m'a enfoncé, ça j'en suis sûr !… j'en suis sûr !… soi-disant que c'est un problème parce que j'ai pas réglé mes loyers mais il y a pas que ça, j'en suis sûr…

— *Mais ton loyer, maintenant, tu l'as régularisé ?*

Lucien — Ben non… je peux pas ! je peux toujours pas, c'est BIS qui me fout dans la merde. De toute façon, que je paie ou que je paie pas, c'est exactement pareil, je serai viré, ça changera rien de toute façon. Il me l'a bien dit, il avait le sourire. (…)

Alain — C'est pas encourageant hein !… Ah ! par exemple, sans être raciste… par exemple, les immigrés qu'il y a derrière, ils peuvent avoir dix mois de loyer en arrière, eux ils seront pas virés !

Lucien — Ça, on leur dira jamais rien, on leur dira jamais rien.

Alain — Pourquoi ? à cause du bazar diplomatique, ils ont peur de se mouiller ou de prendre une balle dans la tête…

Lucien — Alors ce qu'ils font, ils peuvent pas s'en prendre à eux, alors ils s'en reportent à nous !…

Alain — Au moindre truc, c'est comme ça. (…)

Lucien — Moi déjà je me mets en quatre pour essayer d'avoir du blé et il y a l'espèce de clampin de BIS là-bas qui me fout dans la merde, ça fait trois semaines que je lui ai donné mon papier à remplir pour toucher mon chômage et il me l'a toujours pas renvoyé !...

— *Et c'est combien ton chômage ?*

Lucien — Ben je sais pas !... je peux même pas dire... je peux pas dire au hasard... avec tous les contrats que j'ai faits à droite et à gauche, je peux pas le calculer...

— *Mais à peu près ?*

Lucien — Si ça se trouve, je vais toucher 3 000 balles, 3 000 balles c'est déjà pas mal mais je pourrai pas tout régulariser. Je serai obligé de régulariser en deux fois parce que l'ASSEDIC ça fait 2 000 et quelques balles, si je donne 3 000 balles, ça y est, j'ai plus rien à becqueter, donc je vais payer ça en deux fois...

[...]

Il vaut mieux que les Arabes restent dans leur coin

— *Et autrement dans le foyer, il y a des blocs de jeunes, des blocs par nationalités ?*

Lucien — Là, c'est le seul bâtiment où vous trouverez des Français... vraiment Français... les autres c'est rien que des Arabes... du moins, des immigrés... il y a un peu de tout...

— *Et vous avez des rapports avec eux ?*

Alain — Il y en a pas... quasiment pas !...

Lucien — Si, moi j'en ai... de temps en temps il y a des Arabes qui viennent me voir pour que j'aille leur réparer leur machine à laver...

Alain — Mais enfin il y en a pas beaucoup hein !

— *Mais il y a pas des rapports d'hostilité ?*

Alain — Non, non, ça se fait pas... Ils restent dans leur coin. Dans des foyers comme ça, il vaut mieux que, eux, ils restent dans leur coin et puis que nous, on reste dans le nôtre...

Lucien — Moi je crois que c'est aussi bien !... [*en haussant le ton*] c'est aussi bien !... c'est chacun pour soi... c'est tout !... moi je pense que c'est aussi bien... c'est très bien comme ça.

Alain — De toute façon, la vie elle est comme ça maintenant, chacun pour soi !...

Lucien — Ouais, c'est le système D, c'est pour ça que je veux me casser de la France.

— *Tu veux aller où ?*

Lucien — Je me tire de la France… Texas !… eh ouais !… [*rires*]… ça a toujours été mon rêve… toujours !… moi qui adore les chevaux, là-bas je serais servi parce que là-bas ils ont besoin d'être protégés…

— *Et là tu y penses sérieusement ?*

Lucien — Ah ouais ouais !… j'y pense… largement !… ça fait pas mal de temps que ça me trotte dans la tête… C'est joli là-bas.

Alain — Ouais ça serait le rêve de tout le monde, je crois, de partir de la France…

juillet 1991

Rosine Christin

Travail de nuit

Danielle G. a 32 ans, c'est la fille de Juliette et Milou C., petits paysans qui sont mes plus proches voisins en Aveyron. Je l'ai connue quand elle avait dix ans et je l'ai vue plusieurs fois par an jusqu'à son départ pour Paris, moins régulièrement depuis.

Danielle est « sortie du travers ». « Le travers », par opposition au plateau sur lequel se trouve le centre de la commune de Saint-Hippolyte, désigne les terres qui surplombent les gorges de la Truyère et plus précisément, à cet endroit, le lac de barrage. Les paysans du « travers » étaient relativement aisés jusqu'à la dernière guerre, ils vivaient de la production des fruits et du commerce d'arbres fruitiers délicats, cerisiers, pruniers, du ramassage des châtaignes et des noix : ils avaient un peu de vigne, élevaient quelques vaches, la coopérative ramassait leur production de lait et de temps en temps ils vendaient un veau. Aujourd'hui, seuls quelques vieux couples ou quelques veufs peuplent encore les hameaux du « travers » dont les « chemins de chars », encore empruntés il y a quelques années comme raccourcis pour aller d'un hameau à un autre, se sont « fermés ». Les petites vignes sont à l'abandon, les ronces envahissent les terres, les enfants sont à Paris.

Danielle, la plus jeune des enfants du « travers », a été la dernière à rester : son frère Maurice, de dix ans plus âgé, est gendarme à Paris ; sa sœur Yvette a épousé un garçon du pays avant de s'installer à Paris, elle aussi, comme gérante de café avec son mari. Danielle n'était pas pressée de partir ; après ses études de secrétariat à Rodez elle est restée deux ans à la maison, se louant de temps en temps dans une ferme, aidant ses parents, fréquentant tous les bals de la région : elle avoue en avoir « bien profité » et dit que ces deux années-là ont été particulièrement heureuses ; elle est partie à regret. Danielle est sociable, gaie, coquette, elle se coiffe « à la lionne » et aime s'acheter des vêtements sur les marchés, le dimanche, quand elle le peut.

J'ai pris rendez-vous avec elle par téléphone, elle ne s'est pas montrée trop surprise de mon appel parce que nous nous étions croisées en Aveyron quelques semaines plus tôt et avions convenu de nous voir un jour à Paris. Elle était en congé de maladie à la suite d'une opération et elle a semblé très heureuse à l'idée de passer quelques heures avec moi ; bien sûr, je devais venir aux Ulis voir son appartement, elle me recevrait, me ferait à manger, elle me montrerait ses albums de photos et surtout celui de son mariage que je n'avais pas vu, nous pourrions aussi appeler ses parents, enfin je ne devais pas me gêner : elle m'invitait.

Je lui ai dit aussi que j'aimerais l'interroger – pour une enquête que je faisais dans le cadre de mon travail – sur les difficultés de la vie à Paris, particulièrement pour quelqu'un qui vient de la campagne comme elle. Accepterait-elle de me raconter son passage du hameau de l'Aveyron où elle était née, au centre de tri postal du 15e arrondissement, « les chagrins » qu'elle avait éprouvés dans les débuts et dont sa mère me parlait à chaque vacances. Elle m'a immédiatement répondu que oui, cela avait été difficile mais « pas trop quand même, car c'est moins dur pour quelqu'un de la campagne qui va à la ville que le contraire, car alors on a le confort ; quelqu'un de la ville qui irait à la campagne, comme en Aveyron, ne pourrait pas le supporter ».

Il n'y a pas de moyen de transport commode pour se rendre aux Ulis qui est une commune d'habitation modeste, en pleine expansion, entourée de zones résidentielles. Danielle est venue m'attendre à la station de RER : nous nous étions fixé rendez-vous sur le quai, j'ai patienté plus d'une demi-heure avant de la voir arriver très confuse, elle m'avait attendue sur un autre quai, où elle descend elle-même le matin lorsqu'elle revient de son travail. Nous avons ensuite pris un car, devant la gare, qui a traversé rapidement des banlieues élégantes, puis un tronçon d'autoroute. Avant d'arriver aux Ulis, on aperçoit de loin quelques tours d'habitations qui se profilent de façon bizarre sur un arrière-plan de grues et de chantiers (j'ai pu voir, plus tard, que certaines d'entre elles étaient en cours de réhabilitation) et Danielle m'a raconté que ses amis, en plaisantant, disaient qu'« elle habitait Chicago ».

Pendant tout le trajet en car, Danielle m'a parlé de son mari, Serge, qui a cinq ans de moins qu'elle, ce qui semble la préoccuper beaucoup, sans qu'elle l'avoue. Fils d'un garagiste de Versailles, il n'a pas voulu poursuivre ses études après son bac, parce qu'il était passionné par les échecs et qu'il voulait s'y consacrer complètement : c'est un joueur classé qui participe à des tournois ; il a récemment gagné une coupe qui figure en bonne place dans la salle de séjour de leur appartement. On voit qu'elle l'admire, elle dit de lui qu'il est un intellectuel ; il lui explique beaucoup de choses qu'elle ne comprenait pas avant de le rencontrer mais en revanche elle doit reconnaître qu'il n'est pas très fort pour le côté pratique de leur vie commune sur laquelle elle exerce une autorité presque maternelle.

Ainsi pendant notre déjeuner Serge a téléphoné pour lui demander ce qu'elle pensait du prix de 150 francs pour une chambre d'hôtel à Lyon où il devait se rendre le week-end suivant pour assister à la coupe du monde des échecs et Danielle a dû le rassurer longuement puis, ayant raccroché, elle s'est tournée vers moi, très flattée : « Le pauvre, il est si gentil, il faut toujours qu'il me demande mon avis, il peut bien dépenser ce qu'il veut, il gagne plus que moi » (Danielle gagne 6 200 par mois, Serge 6 700).

A l'aller comme au retour, j'ai remarqué qu'elle était connue des chauffeurs de cars qui lui parlaient avec la camaraderie familière de ceux qui, sans être des collègues, se rencontrent régulièrement dans le cadre de leur vie professionnelle, en dehors des horaires normaux, alors que les autres sont encore chez eux. Elle semble tenir à cette connivence.

Il faut marcher une dizaine de minutes et longer quelques tours dont certaines semblent très délabrées et d'autres « en réhabilitation » pour arriver au petit immeuble de quatre étages où habite Danielle ; il est situé un peu à l'écart, dans une allée où poussent quelques arbustes. L'appartement, un F3, est au premier étage : une salle de séjour et deux chambres dont une chambre d'amis (Serge aurait aimé en faire une salle de musculation mais Danielle a préféré la chambre d'amis qui pourrait servir aux parents de passage et aux copains). Dans la salle de séjour il y a beaucoup de bibelots et de photos, en particulier de la famille de Danielle et de son mariage, et une table basse, tout en verre dont Danielle a composé le décor intérieur, fait de plantes grasses et morceaux de roches choisis avec soin. La cuisine est très bien équipée de robots, mixer, four à micro-ondes (cadeaux de la mère de Serge qui s'intéresse beaucoup à la cuisine).

Lorsque nous sommes arrivées, la table était déjà mise et une bouteille de cidre, que nous avons eu beaucoup de mal à ouvrir, achetée en mon honneur, figurait en bonne place ; tout au long du repas, elle s'est montrée inquiète de savoir si les plats me plaisaient, elle me répétait de ne pas me gêner, disparaissait sans cesse dans la cuisine pour améliorer la garniture du rôti en y ajoutant un sachet de sauce instantanée ou pour m'apporter un condiment qui pourrait me plaire. « Mangez, mangez », me disait-elle, « prenez du pain, resservez-vous », plus soucieuse de bien jouer son rôle de maîtresse de maison que de répondre à mes questions qui lui semblaient visiblement incongrues. Le clou du déjeuner était un gâteau qu'elle avait fait elle-même suivant une recette des « weight watchers » auxquels elle s'était inscrite sur les conseils d'une collègue, à son arrivée à Paris, se trouvant trop grosse.

Danielle parle très fort surtout lorsqu'elle s'adresse à des gens qui ne sont pas des familiers et qui l'intimident, comme si elle avait peur de ne pas se faire comprendre ; ce qui l'amène aussi à expliquer plusieurs fois la même chose, voire à parler petit-nègre comme si elle s'adressait à un étranger un peu obtus. Elle a un très fort accent du Sud-Ouest. Quand elle était petite, elle parlait « le français » à l'école et le patois avec ses parents : l'habitude de parler le patois dans la famille, sauf aux veillées, s'est perdue lorsqu'elle-même, la dernière des enfants, est partie à Rodez pour faire ses études de secrétariat, après son BEPC. Mais elle choisit soigneusement ses mots de sorte qu'ils paraissent parfois précieux : l'emploi de l'adjectif indéfini « quelque » au singulier, la précision de certains mots comme « accéder » pour entrer ou l'invention d'autres mots comme « attentionner », donnent à son discours une allure impersonnelle. De la même façon, elle s'est montrée très soucieuse d'exactitude dans la description des gestes qu'elle doit accomplir dans son travail ou de la hiérarchie des employés des postes, s'efforçant de me donner à la fois les abréviations et leur développement et les fonctions auxquelles elles correspondent dans la pratique. Mais la représentation du monde qui l'entoure au centre de tri postal est restée très bureaucratique, comme si Danielle récitait une leçon apprise à ses débuts ou comme si ses chefs étaient inaccessibles ou plutôt comme s'ils ne l'intéressaient pas.

Pendant tout l'entretien elle s'est plainte des conditions matérielles du service de nuit mais elle évoque avec effroi son expérience de jour. Malgré les exhortations de sa famille et de son mari elle continue à travailler de nuit et semble trouver dans la camaraderie des équipes de nuit un palliatif à son exil•

avec une employée d'un centre de tri postal

— entretien de Rosine Christin

« Je ne vois jamais le soleil »

— *D'habitude tu travailles de nuit ?*

Danielle — Oui de nuit.

— *Ça fait de quelle heure à quelle heure ?*

Danielle — De neuf heures du soir à cinq heures du matin, c'est un rythme à prendre. Je m'en vais d'ici vers sept heures, je téléphone à mes parents…

— *Tu appelles tes parents tous les jours ?*

Danielle — Presque tous les jours, pas très longtemps mais c'est régulier, ils ont cette habitude-là ; on finit vers cinq heures – cinq heures et demie, je prends le premier métro, pour une femme c'est pas évident… faut aimer, c'est spécial. Au début j'étais factrice, je fais ça depuis 82… mai 82.

[*Elle explique ensuite pourquoi elle a choisi de passer de factrice au service de nuit.*]

Danielle — Parce qu'on a pas mal d'avantages, on a pas mal de congés et puis on bénéficie des remplacements des collègues : si on se fait remplacer, plus certains congés on a une période de congés plus grande, c'est-à-dire on peut travailler deux semaines en speedant et puis après partir deux semaines en congé.

— *Qu'est-ce que ça veut dire travailler en speedant ?*

Danielle — On remplace un collègue. On travaille deux nuits sur trois, la troisième nuit au lieu qu'elle soit de repos on va remplacer un collègue, ce qui fait que cette personne-là vous remplacera lorsqu'on le désire ; alors des fois on pose deux jours de congé parce que des fois on travaille le dimanche, le dimanche soir et on bénéficie de trois heures de RC, c'est des repos compensateurs ; du fait qu'on travaille de neuf heures à minuit le dimanche, on est récompensé, ce qui fait qu'on bénéficie sur trois dimanches d'un jour : lorsqu'on désire prendre ce jour-là, que l'administration nous doit, en plus on se fait remplacer par un collègue, plus notre journée de repos normal… et puis on a beaucoup de temps de libre. Avant de connaître Serge j'avais un peu la nostalgie du pays, je m'étais dit, c'est pour descendre dans l'Aveyron plus souvent ; descendre dans l'Aveyron pour un week-end, c'est pas possible.

— *Et c'est à ce moment-là que tu as connu Serge ?*

Danielle — Non c'est plus tard : j'ai connu Serge en faisant des heures supplémentaires en 84. Bon, j'avais le rythme de nuit, l'ambiance était pas déplaisante, je me disais, pourquoi pas y rester. Serge était pas très satisfait que je travaille de nuit mais je me suis dit, j'ai accepté pas mal de trucs, il va accepter aussi et ça a été un enchaînement. L'ambiance..., à part la station debout, et c'est vrai que l'être humain il est fait pour dormir la nuit et travailler le jour... bon il y a un déséquilibre de l'organisme mais... l'ambiance... tout ça... on s'y plaît, quoi...

Station fixe, debout, debout...

— *Comment ça se passe ?*

Danielle — Quand vous rentrez, c'est des casiers en acier, des casiers, voyez, comme des petites cases... alors vous avez une table qui s'appelle « table d'ouverture », c'est là où les camions déchargent, il y a des manutentionnaires ou des « préposés manuts » — oui c'est bien des manutentionnaires – qui déchargent les camions, des gros sacs postaux, ils les amènent sur des tablettes, c'est des chariots roulants, ils nous les amènent à la table d'ouverture, alors il y en a un qui ouvre le sac et les autres, autour de la table, séparent les lettres grand format et les petites lettres, après ils mettent ça dans des caissettes, les grands formats, ils mettent ça dans des corbeilles, vous savez des corbeilles métalliques et c'est trié par petites cases.
La première fois que j'ai accédé dans les pièces, j'ai dit, mais c'est quoi, c'est grand, c'est une usine... non, c'est impressionnant, c'est vaste... et après, les petites lettres dans des clayettes en plastique, c'est trié dans des petits casiers ; et puis vous avez divers services... pour réceptionner les lettres recommandées... les valeurs déclarées, ça c'est dans un sac avec une étiquette rouge, ça s'appelle des « rouges » ou des chargements et ça, c'est trié par un grade supérieur : AXSG, agent au service général, ils trient ça en cabine et c'est inscrit, toutes ces lettres, sur un petit carnet et lorsque vous allez à la distribution, vous devez faire signer le destinataire.

On reste station fixe, debout, debout. Devant le mécanisme, pendant quatre heures, alors vous triez l'arrondissement du 15ᵉ, on s'occupe que de ça, faut connaître, voyez, comme la rue de Vaugirard elle est… un facteur peut pas distribuer du premier numéro qui est dans le 6ᵉ jusqu'à la Porte de Versailles : c'est une rue qui est coupée par divers quartiers, alors mettons le 5 et le 12… le 14, le 20 et il faut savoir. On doit savoir que telle rue doit aller à tel numéro de case.

— C'est déjà un peu trié ce qui arrive sur la table d'ouverture, il n'y a pas tout Paris ?

Danielle — C'est trié pour le 15ᵉ mais il y a aussi des erreurs, style des lettres qui doivent être desservies par des facteurs du 17ᵉ, elles arrivent dans le 15ᵉ, ce sont des « fausses directions », ou alors des lettres où l'expéditeur a mal noté, par exemple il a mis boulevard Raspail, Paris 15ᵉ.

— Tu as combien de cases, toi, à remplir devant toi ?

Danielle — 66 cases, plus trois « zones », plus le « billet », le « cedex », le « fausse direction » non.. je dirai 75 cases et mes collègues la même chose ; mais, par contre, il y a un autre service, c'est-à-dire le service « arrivée et départ » qu'ils appellent, nous c'est le service « arrivée », le service départ c'est dans une annexe, rue François-Bonvin, et là c'est mécanisable : il y a des PIM, des HM (…), un Toshiba, ce sont des machines, des ordinateurs, alors on code, on pime, voyez, l'agent, lui, il indexe 75014, il y a un rejet et après, ça se retrouve aux HM (…) dans des… ça passe dans des cases… j'arrive pas à bien m'exprimer… et après il y a un plastique qui se referme sous vide. Ça, c'est le service départ.

— Et tu es debout tout le temps ?

Danielle — Oui, maintenant ils se sont rendu compte, parce qu'il y a des gens qui ont un certain âge, il y a X temps qu'ils sont à la nuit, ils ont des problèmes de jambes, ils contactent des phlébologues, tout ça… et ils se sont rendu compte de l'utilité d'un tabouret, un tabouret adaptable aux casiers, mais c'est pas tellement possible parce que ce sont des vieux casiers ; ils pourraient mettre des nouveaux casiers mais il y a trop de cases, il y aurait trop d'envergure, mais c'est un projet, d'adapter les sièges appropriés aux casiers, alors des fois on met deux tabourets, vous savez deux tabourets de bar l'un sur l'autre et on s'assoit, on est relativement fatigué.

— *Vous vous arrêtez au milieu ?*
Danielle — Il y a une petite pause qui est de une heure moins le quart à deux heures pour prendre un petit repas ou alors se reposer.
— *Et les collègues. Vous êtes combien ?*
Danielle — Une trentaine.
— *Tu les connais tous ?*
Danielle — Oui, disons qu'il y a des mutations, mais je les connais depuis longtemps… il y a une ambiance, on finit par sympathiser… j'ai même un collègue qui… c'est un grand philatéliste, il adore la bande dessinée, il a pas mal de passions.

Il peut devenir receveur… puis premier ministre, tout ça… !

— *Et, il y a des chefs avec vous ?*
Danielle — Oui, parce que vous avez plusieurs grades, bon, le plus petit grade c'est auxiliaire, ce n'est même pas un grade, après c'est factrice, facteur quoi… après agent ou AXDA… après vous avez CDTX, c'est le chef, contrôleur à l'acheminement, contrôleur des facteurs mais c'est un chef ; alors il y a le CT, contrôleur au service général, comme il est Serge, mais ça c'est « bureau » ; vous avez contrôleur divisionnaire CTDIV et au delà… tout ça c'est sous le grade d'inspecteur.
— *Et tous sont là avec vous ?*
Danielle — Oui, oui. Il y en a.
— *Mais ils ne font pas le même travail ?*
Danielle — Non, non, ils commandent, ils écrivent… ils ont chacun leur tâche bien déterminée, mais par contre le CTDIV il est en dessous de l'inspecteur et au-dessus du CDTX et après vous avez l'inspecteur, et après c'est tout… parce que inspecteur central, il travaille de jour ; le receveur… là, c'est déjà le grade… après il peut devenir receveur… [*elle ne trouve pas le mot*] puis premier ministre, tout ça !
— *Comment sont les chefs avec vous ?*
Danielle — Ça va, ils sont assez corrects, disons que j'essaie de faire mon travail ; il y a des inconvénients et des avantages comme dans tout métier.

Je me lève, la nuit tombe

— *Surtout dans ta vie de couple...*
Danielle — Oui, parce que on se voit... on se voit... disons que si Serge travaillait de nuit, ça conviendrait, mais en travaillant de jour et moi de nuit on se voit moins souvent, on est appelés à moins se voir. J'ai connu Serge lorsque j'étais déjà de nuit ; il m'a toujours connue de service de nuit.
— *Tu passes une nuit sur trois chez toi.*
Danielle — Oui, mais j'émerge ; on ne vit pas, quand même comme quelqu'un qui... Là, vous voyez, j'ai pas repris mon rythme [*elle est en congé de maladie depuis trois semaines à la suite d'une opération*]. Je ne dors pas la nuit encore.
— *Et en vacances ?*
Danielle — C'est pareil ; mes heures de sommeil, c'est de sept heures du matin à trois heures de l'après-midi. Disons que des fois en plein hiver je ne vois jamais le soleil, je me lève... pas dans l'obscurité... c'est pas le cas mais je me lève, la nuit tombe et je vais bosser, je reviens... toujours la nuit, il y a des cycles comme ça.
— *Tu ne dois pas voir ton mari.*
Danielle — Si, si parce que, lui il travaille près, il a des bons horaires, j'arrive à le voir. Et puis il travaille en brigades, une matinée ou une après-midi, ce matin il était libre, cet après-midi il travaille. Il a des horaires : six heures du matin – midi et demie et 12 h – 18 h 30 ; là où c'est le plus critique, c'est lorsqu'il ne travaille pas le matin et qu'il travaille l'après-midi : moi j'arrive, je suis fatiguée, et lui il se lève, j'ai du mal à causer, lui il devra partir à midi, je me lèverai, je lui préparerai à manger, j'ai pas mes esprits et il s'en va au moment où j'émergerai. Ce n'est pas une obligation [de lui faire à manger] mais il est tellement sympa, un homme c'est un homme, je me dis, bon... il va pas savoir... si, il va savoir quoi manger mais... toujours vouloir attentionner. [*Elle évoque les difficultés qu'entraînerait la venue d'un enfant.*] Quoiqu'il y a des femmes mariées, qui ont des enfants, pour éviter de payer des nourrices ou des crèches, il y a l'un ou l'autre qui travaille de nuit, c'est fréquent chez nous ; pour élever leur gamin, pour ne pas payer de nourrice il y en a un qui fait nourrice la nuit, l'autre le jour et celui qui travaille de nuit il se paie le jour. Moi je me suis adaptée, j'étais famille-famille. Mes parents, c'était tout

pour moi, j'adorais mes parents et moi j'aimais la campagne, la verdure, ça m'a beaucoup manqué et à Paris, j'étais étouffée, tandis que là [*aux Ulis*], disons que c'est quand même 30 kilomètres aux abords de Paris, c'est pas très loin… c'est pas vraiment la campagne mais c'est intermédiaire.
Je suis restée en Aveyron jusque l'âge de 20 ans, j'ai poursuivi mes études à Rodez, c'est une petite ville, je faisais du secrétariat, un genre de BEP-CAP employée de bureau-secrétaire, mais c'est vrai que c'était une petite ville ; par rapport à la grande ville, Rodez, c'est une bourgade. Moi, la ferme m'aurait bien plu mais… là, chez mes parents, c'est trop pénible, on ne peut pas se moderniser, il aurait fallu… bon, construire quelque maison… du confort… il aurait fallu… encore pas ça… mais une trop petite exploitation ! parce que c'est trop abrupt et puis autrefois ils vivaient bien parce qu'ils faisaient maraîchers mais maintenant avec les fruits d'Espagne, le Marché commun ça a tout… et puis une femme… bon, ça m'aurait plu… mais quoi faire ! Mes parents m'ont dit, « ce n'est pas qu'on ne veuille pas te garder mais faut que tu aies de l'ambition, passe des concours » ; et puis à cette époque ils recevaient un journal et j'ai vu : on désire tant de personnes, s'adresser à tel organisme, j'ai écrit, j'ai envoyé mes coordonnées, tout ça…

— *Tu ne savais pas que c'était pour les postes ?*

Danielle — Si, c'était bien noté. Le journal, c'était *Centre-Presse* ou le *Midi-Libre*, je sais plus. Je me suis fait inscrire et j'ai été à Rodez et là, j'ai été reçue je ne me rappelle plus sous quel numéro. On m'a prévenue que j'étais admise et que je pouvais passer une visite médicale et « vous serez affectée comme factrice à Paris » mais on ne me disait pas l'arrondissement ; ils m'avaient demandé quelle région je préférais, Rouen, le Nord, l'Ile-de-France ou l'Est ; alors j'avais marqué l'Ile-de-France : je tombais en région parisienne et j'ai su l'arrondissement seulement trois mois avant d'être affectée à la poste, « vous êtes affectée dans 15 jours dans le 15e arrondissement », je suis partie comme ça.

L'accès à Paris

Danielle — Au départ je suis restée deux jours chez ma tante de Saint-Denis [*C'est l'épouse du frère de la mère de Danielle, propriétaire d'un café restaurant à Saint-Denis, puis à Roissy et installé dans la région parisienne depuis plus de 30 ans, qui a gardé* *une maison près de celle des parents dans laquelle il descend quelques semaines l'été et à la Toussaint et qu'il aménage de façon très confortable dans le but d'y prendre sa retraite*]. C'est Monsieur Reyrolle [*un voisin lié à la famille*] qui m'a conduit à la gare de Rodez, j'étais chagrinée comme tout, j'avais que 20 ans, je me disais, faut gagner ta vie, alors un peu de chagrin… mais c'était après : mes frères et sœurs ils avaient leur vie, je me suis retrouvée toute seule dans un studio à affronter les problèmes de la vie, rentrer dans la vie active, tout un tas de choses comme ça, j'étais un peu perdue. Mais quand même, j'ai assez sympathisé avec des collègues, je sortais, les week-ends je ne restais jamais seule, des fois si… mais j'avais … pas des amis mais… des petites connaissances… on faisait certaines sorties.

— *Je croyais me souvenir que tu étais dans un foyer ?*

Danielle — Au départ j'étais dans un foyer d'accueil PTT, boulevard Pasteur, c'est un foyer qui vous accueille au moins trois mois, après vous vous débrouillez : c'est l'accès à Paris. Après j'ai été dans un foyer où on nous gardait un peu plus longtemps, nous n'étions que quatre là, puis après, bien sûr il y a toujours des arrivages, alors il faut laisser la place aux nouveaux. Chacun, lorsqu'il est bien adapté à la vie de Paris, il doit chercher un truc ; j'avais cherché n'importe… un petit appart, j'avais trouvé un studio… je m'ennuyais… c'était lugubre là-dedans, rue Firmin-Didot dans le 15e près de la Porte de Versailles, un cafard… puis après j'ai été rue Blomet, puis j'ai déménagé rue Saint-Lambert…

— *Pourquoi déménageais-tu tout le temps ?*

Danielle — Parce qu'au premier, je m'ennuyais, il n'y avait pas assez d'ouvertures, pas assez d'air, c'était au troisième, l'accès était avec l'ascenseur mais c'était triste, je n'arrivais pas à m'adapter. Après j'ai été dans une chambre de bonne, alors il n'y avait aucun confort. Puis après je me suis dit, c'est bien beau d'aller faire sa toilette chez Yvette [*sa sœur, gérante d'un café*], c'est ennuyeux, trouve-toi un truc, mais avant… pour récupérer ma caution du premier studio, j'ai dû payer pendant X temps deux loyers : la chambre de bonne et l'autre loyer. J'ai habité la chambre de bonne, j'y ai vécu un an et après par connaissance un collègue m'a dit, « Dany, je t'ai trouvé un studio à un prix quand même correct, si tu veux aller le visiter », j'ai dit OK. Là, il y avait le confort, il y avait une cuisine, un coin-salon qui faisait chambre en même temps, puis un coin-débarras, et un coin-salle d'eau ; là j'y suis restée X temps, après j'ai connu Serge, on a été rue Desnouettes dans un F2 et puis nous sommes venus ici.

Un genre de tranquillisant

— Est-ce que tu te souviens de tes premières impressions des premières semaines quand tu es arrivée du pays ?

Danielle — Je me rappelle pas très, mais on est plus jeune, on n'a pas la vision, maintenant je recommencerais, ce serait plus dur, mais à l'époque… un peu insouciante… on se dit, je vais faire des connaissances, je vais me marier, connaître le prince charmant, un peu fofolle sur les bords ; alors quand on arrive… mais déjà j'avais vécu à Rodez, donc j'avais connu quelque ville. Paris, je le voyais… oui, Paris très beau mais pour quelqu'un de province qui vient le visiter ; à l'époque, je serais venue en touriste, je serais restée chez des amis, deux mois, trois mois visiter tous les monuments, tous les musées, tous les loisirs qu'il y a à Paris, en profiter, j'aurais apprécié mais là, je voyais Paris… je vais vous dire… parce que lorsque vous arrivez, plus maintenant peut-être, mais à l'époque, on a toujours l'espoir d'avoir une mutation, vous êtes là en attente, c'est une attente, on vous dit, « vous êtes stagiaire ». Le temps d'être titularisé demande un an, alors vous dites, « bon, pendant un an, je vais faire un an de sacrifice et après je regagne ma province natale ». Ce qui fait que ce n'est pas une bonne solution, parce qu'on n'est que de passage, alors on n'apprécie pas, il tarde que l'année soit passée pour regagner sa terre natale, sa région… tout ça. Ils conduisent en erreur au départ, pour vous amadouer, un genre de tranquillisant. C'est un peu de chantage. Alors on ne veut pas s'adapter parce qu'on se dit, il va falloir s'habituer à la province, peut-être qu'on ne va pas être muté là où on le désire, dans le bourg de tes parents ou ça va demander du temps Tout ça fait réfléchir et puis on plane, on plane beaucoup. J'ai pas la même vue optique en 76 que ces jours-ci.

— Ta mère me parlait toujours de ton sac à cette époque.

Danielle — Oui, c'était une sacoche avec des lanières. Maintenant elles ont bien des caddies quand c'est à proximité, elles ont des dépôts, c'est des bus PTT qui vous ramènent sur la tournée ; c'est-à-dire vous mettez la moitié de la tournée dans un sac et c'est quelqu'un, un préposé conducteur, c'est un préposé qui conduit un véhicule, qui vous amène ça à un numéro, à la moitié de votre tournée. Par exemple, je fais la rue des Bergères, je vais commencer et remplir ma sacoche jusqu'à ce niveau-là, puis à ce niveau ma sacoche va se retrouver vide, alors là, je vais récupérer du courrier dans un sac que la personne m'aura remis. C'est moi qui aura fait le tri de ma tournée mais c'est vrai que c'était… et puis trois fois par jour ! On travaillait tous les matins, il fallait être à six heures au boulot, et lorsque vous arriviez en retard, vous aviez des demandes d'explication, des PV qu'ils appellent, à force, mauvaise notation, ça engendre pas mal de choses. On travaillait tous les matins et une après-midi sur deux ; la journée la plus horrible c'était quand il y avait matin et après-midi, on faisait trois tournées dont une tournée de finance, de mandats, de recommandés, de valeurs déclarées, des choses comme ça, des choses importantes.

— *C'est presque plus dur que la nuit.*

Danielle — Oui, Serge, lui, il aurait aimé que… mais là où c'était pas mal, c'est, vous savez, le facteur, il présente le calendrier aux particuliers et là c'était une petite récompense qui n'était pas néfaste en fin d'année, pas un treizième mois mais… vous commandiez le calendrier trois francs ou quatre francs et vous le présentiez au client, au particulier, le particulier, il acceptait ou il acceptait pas, il donnait une petite étrenne 50 ou 100 francs, cela dépend du budget de la personne, et ça c'est pour vous. Ça fait une petite cagnotte en fin d'année au lieu que vous ayez le treizième mois, c'était un genre de treizième mois. C'est appréciable lorsqu'on est au service de jour.

— *Mais est-ce que ça rapportait beaucoup ?*

Danielle — Oh non ! et puis il faut aimer, il faut faire la mendicité, c'est spécial, faut pas avoir honte de se balader à droite, à gauche, c'est pas évident.

novembre 1990

Au cours de notre premier entretien, Danielle avait accepté de demander l'autorisation de me laisser venir, une nuit, pendant son service, au centre de tri de la rue d'Alleray où elle travaille ; elle s'était pourtant un peu étonnée de ma curiosité en me disant qu'il n'y avait

« rien à voir de plus » que ce qu'elle m'avait décrit mais que le centre qui traitait les chèques postaux était informatisé et m'intéresserait beaucoup plus. De toute façon T. M., contrôleur à l'acheminement, son chef direct, était actuellement en vacances et il fallait attendre son retour, celui qui effectuait le même service, en alternance, étant un « obsédé du boulot » : elle me donnait ainsi gentiment à entendre qu'une telle visite était tout à fait inhabituelle et qu'elle devait être négociée.

Environ deux semaines plus tard, elle m'a téléphoné un soir, juste avant de prendre son service, sans doute du poste téléphonique de T. M.. D'emblée, avant même d'évoquer l'objet de son appel, elle m'a parlé longuement et sans raison apparente de la prochaine venue à Paris d'un voisin aveyronnais, une vague relation pour elle comme pour moi, mais « un des meilleurs amis de [son] chef » (elle l'a toujours désigné ainsi en s'adressant à moi mais, comme les autres « trieurs », elle l'appelle habituellement par son prénom). Évoquer en passant le statut de « chef » de T. M. lui permettait à la fois d'affirmer ses relations avec un supérieur à qui elle pouvait demander une faveur et d'exprimer sa fierté d'appartenir, même à un poste subalterne, à une institution qui compte une hiérarchie complexe de chefs, du plus petit et du plus familier (qui a même des liens avec le village d'où elle vient) jusqu'au plus puissant et au plus inaccessible (« jusqu'au premier ministre »). En parlant de ses chefs et un peu au nom de ses chefs elle s'abritait aussi derrière l'opacité de l'institution.

J'avais déjà remarqué, lors du premier entretien, qu'elle était gênée de me raconter sa vie à Paris et qu'elle déviait toujours la conversation pour revenir à nos souvenirs aveyronnais, aux nouvelles récentes de ses parents ou d'autres habitants du hameau. Elle introduisait ainsi le « pays » dans son univers parisien, faisant pénétrer un peu de la petite commune aveyronnaise dans la poste de la rue d'Alleray. Citer le nom de ce voisin et m'informer de son amitié avec T. M. contribuait à faire du centre de tri postal du 15e arrondissement un lieu qui me serait plus familier et atténuait l'incongruité de mon intérêt pour son travail…

Nous avons convenu de nous retrouver devant le 19 de la rue d'Alleray, siège du bureau de poste, un soir à 21 heures ; je lui ai dit que je viendrais avec un ami. La rue d'Alleray, située dans le quartier Vaugirard, est déserte le soir ; les petits commerces, même les cafés, sont fermés depuis longtemps et comme elle ne mène à aucun lieu d'animation nocturne, les voitures qui y passent sont très rares. Seuls nous ont dépassés les gros camions postaux jaunes brinquebalant avec fracas sur la chaussée déformée par les travaux. La grande bâtisse carrée aux fenêtres grillagées nous est apparue par contraste violemment éclairée sur ses trois étages. Danielle attendait, elle avait déjà « signé », donc « pas de problème », je la sentais pourtant nerveuse, à la fois volubile et intimidée. Nous avons contourné le bâtiment vers l'arrière jusqu'à la cour de déchargement des camions postaux qui livrent toute la nuit le courrier destiné au 15e.

Au rez-de-chaussée c'est « la politique » qui est triée, c'est-à-dire, en semaine, les quotidiens auxquels s'ajoutent, certains jours, les magazines et d'une façon générale la presse périodique…

Danielle travaille au premier étage, c'est là que s'effectue le tri des lettres ; pour y parvenir il faut emprunter un escalier carrelé jaune et gris tel que l'on en trouve dans de nombreuses administrations ; sur le palier à mi-étage un panneau syndical sur lequel sont punaisées des feuilles ronéotées et des affichettes.

Ce soir Danielle porte un jean étroit, un vaste pull-over blanc avec des grands motifs noirs, des chaussures à petits talons noirs. Ses longs cheveux à la coupe très dégradée à l'arrière, sont coiffés « à la lionne » autour du visage et portent les traces d'un traitement destiné à éclaircir quelques mèches. Elle occupe un poste au début de la travée, avec, à sa droite, une collègue originaire de Villefranche-de-Rouergue avec laquelle elle « parle du pays », à sa gauche une jeune préposée de la Vienne qui « connaît Segondy » pour avoir été invitée au mariage en 1985 : proximité patiemment conquise à l'occasion de départs ou d'absences de collègues moins aimés et de bienveillantes autorisations… 21 personnes travaillent aujourd'hui (leur nombre peut aller jusqu'à 31 selon les absences, les vacances ou les remplacements), aux trois quarts des femmes : tous sont jeunes, de 20 à 35 ans ; il y a bien un vieux de « 40 ans » dans l'équipe mais il n'est pas là ce soir. Certains portent une blouse en nylon bleu fournie par l'administration dont le port n'est pas obligatoire mais beaucoup de femmes sont en jean et chemisier ou pull. A celles-là, comme à Danielle, le travail donne l'occasion de tester une nouvelle coiffure, un nouveau pull-over.

La salle de tri est très grande, 40 mètres de long sur 25 de large et sept ou huit mètres de hauteur sous plafond, elle est divisée en trois travées par deux rangs de colonnes. Dans cet environnement Danielle paraît soudain très loin, perdue dans cette « usine » intemporelle, petite silhouette dans la chaîne des « trieurs », debout pour toute la nuit, puisque ni siège ni barre d'appui ne sont prévus. Tout est peint en gris foncé jusqu'à un mètre 50 du sol, en gris plus clair au-dessus. Le carrelage aussi est gris, l'éclairage blafard diffusé par des tubes de néon encastrés dans des appliques rectangulaires à verre très épais paraît d'autant plus parcimonieux que seule la travée centrale (celle dans laquelle se fait le travail de nuit) est éclairée, les deux autres restant dans l'obscurité. Les travées de droite et de gauche servent à répartir les lettres de chaque quartier dans les sacoches des facteurs, chaque trieur traitant les lettres qui, le lendemain, seront distribuées par deux facteurs, la travée de gauche abritant également « la cabine » dans laquelle se fait le tri des « valeurs », et des lettres recommandées. Quelques affiches sur les murs, une planche anatomique de la colonne vertébrale, une autre illustrant, dessin à l'appui, la bonne façon de pousser un chariot mais toutes deux placées si haut qu'elles sont illisibles. Dans un renfoncement à droite de l'entrée, des portemanteaux chargés d'anoraks et de vestes. Face à la travée centrale le « bureau » que rien ne sépare du reste de la salle : deux tables, un téléphone et trois fauteuils en skaï, à accoudoirs métalliques, le tout très usagé avec pour seuls éléments de décoration un calendrier des postes jaune et blanc, une affiche représentant un voilier sur fond de mer bleue ; ce sont les seuls sièges que contient cette grande salle, privilège du chef dont T. M. n'a pas usé pendant notre visite. Il y a quelques années un responsable avait bien commencé à mettre au point un projet de tabouret pivotant pour les trieurs. Mais ce projet n'a pas abouti avant son départ et personne ne l'a repris depuis : « Il aurait fallu, dit T. M., remuer beaucoup de choses, convaincre l'administration, mais personne ne s'en occupe. Seule une grève… » ajoute t-il en baissant la voix.

A notre arrivée, les « trieurs » avaient déjà pris position à leurs postes de travail, de part et d'autre de la travée, debout devant les 66 casiers métalliques verticaux qu'ils ont à traiter (suivant un rythme de 1 500 lettres à l'heure) et dont chacun correspond au courrier d'une rue ou, plus souvent, à une petite portion de rue. L'ensemble de ces casiers est surmonté de panneaux de carton, portant les noms des rues du quartier, et si haut placés qu'on ne peut pas les déchiffrer. Tout a l'air d'abandon, un peu poussiéreux, d'une usine désaffectée.

A droite du « bureau », face aux ascenseurs, les quatre personnes qui travaillent à la « table d'ouverture » ont déjà commencé à ouvrir les premiers sacs postaux ; elles aussi sont debout. La table sur laquelle près de 30 000 lettres seront traitées cette nuit ne fait pas plus de deux mètres de long sur 60 centimètres de large. Le courrier destiné exclusivement au 15e arrondissement (car précédemment trié de jour dans d'autres bureaux de postes) est réparti par « quartier », dans des « caissettes » pour les petites lettres ou dans de gros chariots métalliques pour les grosses enveloppes. Chaque « trieur » vient prendre les caissettes correspondant à son secteur. T. M. ne s'attarde pas à nous parler, il a l'habitude d'aider à commencer l'ouverture et ne veut pas que notre visite soit l'occasion d'une exception. C'est près de cette table que l'on trouve accrochées, sur un vieux casier, les cartes postales colorées, souvenirs de vacances et surtout, punaisé sur un des piliers, le « calendrier voyageurs » de la SNCF qui indique les jours où l'on peut voyager à bon marché. Dans cette salle immense, c'est le seul lieu dont les employés ont pris possession. Une sono très enrouée diffuse de la musique, probablement un air de rock impossible à reconnaître avec le bruit des chariots pleins de gros sacs poussiéreux qui s'entrechoquent et que les manutentionnaires sortent des ascenseurs d'une violente poussée.

A plusieurs reprises Danielle est venue nous voir pour s'excuser de « ne pas pouvoir nous parler » ; le volume des lettres qu'elle avait à traiter n'était pourtant pas encore très abondant et visiblement T. M. n'aurait pas protesté. Aussi gênée de nous laisser seuls que de nous parler, brusquement effrayée de cette intrusion qu'elle n'avait fait que pressentir, elle adoptait un moyen terme en nous assurant avec conviction qu'elle ne pouvait vraiment pas nous parler, puis retournait en rougissant auprès de sa collègue.

Michel B., petit homme brun à moustaches, la soixantaine, est contrôleur divisionnaire et le supérieur hiérarchique de T. M. ; il a accompli toute sa vie professionnelle dans les postes, au service de nuit. Il nous a observés quelque temps sans toutefois oser engager la conversation, allant et venant dans la travée, l'œil à tout, agité et silencieux. Ne pouvant plus nous éviter, il s'est enhardi « ah ! la presse ». Si nous le désirions, il voulait bien prendre un peu de temps pour nous faire visiter les lieux, prétexte à nous éloigner de la chaîne de triage pour évoquer quelques souvenirs.

Il se souvient encore de son arrivée à Paris : il avait alors 18 ans quand il a débarqué un jour à la gare d'Austerlitz, parti de Saint-Jean-de-Luz, sa ville natale, la valise à la main, il lui a fallu trouver le chemin du Ministère des postes et, plus difficile encore, chercher une chambre. On dit que c'est un peu plus facile pour les jeunes qui arrivent maintenant avec les foyers d'accueil mais il n'en est pas vraiment sûr. Les choses n'ont pas beaucoup changé : les jeunes filles qui travaillent au service de nuit, ajoute-t-il, toutes provinciales ou venues des départements d'Outre-Mer, ne connaissent souvent de Paris que la gare (celle qui dessert leur région), le bureau de poste et leur chambre. Elles arrivent de Bretagne ou du Sud-Ouest, pour la première fois loin de leurs parents, elles ont peur et vivent dans l'attente des quelques jours de vacances qu'elles ont accumulés pour repartir. Les « trieurs » travaillent deux nuits sur trois de 21 heures à cinq heures du matin (les chefs une nuit sur trois de 21 à neuf heures) et jamais le samedi mais, par le jeu des « remplacements », ils peuvent additionner un nombre de jours suffisant pour passer quelques jours dans leur « province natale ». Ces avantages expliquent que tous soient volontaires pour le travail de nuit car il n'implique pas, d'emblée, un départ sans retour.

En arrivant à Paris, ces jeunes campagnardes (une majorité de femmes travaillent au tri postal) ne savent pas qu'elles ne partiront jamais et pendant des années, comme Danielle, elles vont faire le rêve d'un poste de préposé dans leur village. Elles découvriront peu à peu que c'est un leurre puisqu'il faudrait attendre dix ans dans le même grade, c'est-à-dire sans avancement ni promotion, pour espérer se rapprocher de son pays (surtout si l'on vient de l'ouest de la France ou de la Martinique : « les Martiniquaises ne repartent jamais »).

Il y a maintenant 12 ans que Danielle est à Paris, sept ans qu'elle a épousé Serge. La mère de Serge, « une femme très autoritaire qui voit la poussière », vient parfois passer la journée chez eux et le dimanche, ils vont souvent déjeuner chez Yvette, la sœur de Danielle, qui tient un café à Paris. Le samedi soir qui est toujours libre, ils sortent avec des copains. Danielle, de son côté, suit de très près les activités des amicales parisiennes des petites communes aveyronnaises. Ainsi, elle vient tout récemment de passer tout un week-end « toute seule, sans son mari » à la « fête de Pailherols » dont les deux banquets et les bals lui ont donné l'occasion de « renouer avec sa jeunesse ».

Quelque temps après cette visite rue d'Alleray, Danielle m'a avoué, au téléphone, que « ça n'allait pas très fort » entre elle et Serge et que depuis quelque temps, « elle voyait tout en noir » •

« Station fixe,
debout, debout... »

employée au tri postal

« Madame,
ne fredonnez plus »

une secrétaire

Rosine Christin

La possession

Corinne a 50 ans. Depuis deux ans, elle est employée dans un syndicat professionnel après avoir été pendant plus de 15 ans secrétaire bilingue dans une petite entreprise industrielle d'où elle a été licenciée, pour raisons économiques, à la liquidation de l'affaire. Son salaire est maintenant moins élevé et elle a dû renoncer à un statut de cadre qui avait été, pendant de nombreuses années, un enjeu dans ses conflits avec le patron et le symbole d'une dignité sans cesse bafouée.

De ses parents, des immigrés italiens, elle parle peu ; son père était « livreur dans la maçonnerie » et elle ne se souvient plus bien du métier de sa mère : « institutrice dans une famille », avance-t-elle très vite. « Ils n'avaient rien » quand elle était enfant et, plus tard, après son mariage, elle a « voulu des choses », gagner de l'argent, « monter », « se battre ». « C'est dur, mais ça vous tient en laisse, on avance. »

A 20 ans, après son baccalauréat et une année de licence en droit, Corinne épouse un pilote de chasse, aujourd'hui décédé. Pendant plus de dix ans, elle le suit dans ses nombreuses affectations et élève leurs deux enfants. Mais lorsqu'il renonce à la vie militaire pour occuper un poste civil sédentaire, avec un salaire et des avantages matériels moins importants, elle cherche du travail. Elle a 31 ans ; elle trouve un emploi de bureau près de chez elle, suit des cours d'anglais à l'école Berlitz et une formation de dactylo. Un diplôme de sténo-dactylo et un examen de la Chambre de commerce franco-britannique lui permettent d'accéder au poste de secrétaire de direction dans une petite entreprise à une époque où la recherche d'un emploi n'est pas encore trop difficile. Dix ans plus tard, l'affaire est rachetée par Roger G., ancien comptable dans une imprimerie algéroise, une sorte de « Tapie ou de Maxwell en petit » qui rachète tous les deux ans, pour le franc symbolique, des sociétés en liquidation, « afin de faire de l'argent frais ».

La société holding compte une quarantaine d'employés et fonctionne sur le mode autoritaire et paternaliste fréquent dans les petites entreprises. Roger G. répète volontiers : « chez nous, on est une famille et vous devez vivre avec la famille. » Peu de temps après son entrée dans l'entreprise, il lui fait des avances qu'elle repousse. C'est le début de « cinq ans d'enfer » : mêlant le tragique et le dérisoire, elle raconte les menaces de licenciement (« je voudrais te foutre dehors »), les humiliations publiques (« elle est bien trop payée ! »), son exclusion du groupe des cadres, sa relégation avec « ceux des ateliers », toutes les petites brimades subies à chaque occasion et surtout la pression quotidienne, la peur d'être prise en défaut. Si elle « faisait une blague, il ne la louperait pas, c'était une gueguerre (…) qui a duré longtemps ».

Elle « vivait dans un monde à part » (…) : « dans ces petites entreprises, le patron c'est quelque chose ! », « il fallait obéir ». Tous étaient maltraités mais aucun ne protestait, personne ne partait car Roger G. « payait bien ». Il était à la fois la mesure et l'exemple de toute réussite, craint pour sa dureté mais admiré pour un savoir-faire affirmé être connu. De ses collègues, elle ne pouvait attendre ni aide ni réconfort : ils avaient peur. Il lui semblait même que certaines femmes prenaient un certain plaisir à ses difficultés (« mais qu'est-ce qu'elle croit celle-là »). Un statut de cadre un peu ambigu la protégeait d'un licenciement, trop onéreux pour l'entreprise mais la contraignait par ailleurs, pour justifier sa condition et son salaire, à un effort quotidien et à une attitude professionnelle irréprochable. Pour Corinne, comme pour Roger G., partis tous deux sans véritable formation, tout se paie, il faut « se battre » pour réussir. Parler de « harcèlement sexuel » comme les « petites secrétaires », serait une échappatoire trop facile, une manière de renier ses compétences et sa dignité. Elle ne se plaint pas, ne cherche pas vengeance ; elle réclame un peu de justice pour sa bonne volonté à jouer, elle aussi, le jeu de la réussite.

« Je n'ai pas beaucoup de passion en dehors », dit-elle pour expliquer son acharnement au travail et justifier le peu d'attention qu'elle accordait à sa vie privée. Et, en dépit de toutes les blessures petites ou grandes, ou peut-être à cause d'elles, la vie au bureau lui apportait les émotions ou les événements les plus vivement ressentis, la peur, l'humiliation mais aussi le goût de l'action et du succès et cette dépendance ambivalente à l'égard de Roger G. qui la plongeait chaque soir dans un agenda surchargé ; auprès de tout cela le rôle qui était le sien dans la vie « du dehors », trop prévisible, lui semblait fade, même « un peu tristounet ».

Elle avait très vite reconnu chez Roger G. cette

même attirance pour l'action, qui était à la mesure d'une virilité expansive et un sens de l'honneur toujours en alerte. Comme il achetait, les unes après les autres, des entreprises en faillite, il s'emparait des hommes et des femmes, puis leur imposait sa volonté et sa puissance d'homme et de patron. Toutes les femmes « devaient y passer », de la manière la plus ordinaire, mais chacune suivant son rang, depuis la femme de ménage « couchée sur la moquette », la secrétaire « et son petit cadeau » et Corinne, avec laquelle il s'était essayé maladroitement aux convenances d'une relation sentimentale : « est-ce que tu m'aimes ? ». Corinne n'était pas dupe et savait que, par delà l'objet apparent, l'amour n'intéressait pas Roger G. et qu'il cherchait à satisfaire un désir de possession plus total mais impossible à combler.

Et, de fait, les hommes eux-mêmes n'étaient pas épargnés. La volonté de soumettre s'exprimait dans les brimades ou les humiliations publiques injurieuses qui accompagnaient le chantage sous-jacent à l'emploi, au salaire, au treizième mois. Mais Roger G. savait aussi récompenser ; « maître à bord », il se plaisait à distinguer les uns, à isoler les autres au gré de manœuvres stratégiques complexes et transitoires, et, sous prétexte de créer l'« émulation », à susciter suspicion et jalousies, exerçant ainsi sur la vie de chacun une emprise qu'il aurait voulue exclusive. Doué d'une énergie rare, Roger G. disposait de tous les atouts pour créer un monde clos, tout entier ordonné autour de sa personne, tentative désespérée pour satisfaire un appétit de conquêtes insatiable.

avec une secrétaire

— entretien de Rosine Christin

« Personne ne peut toucher à ce genre d'individu »

[...]

Corinne — J'étais sa secrétaire. C'était un monsieur extrêmement exigeant qui me faisait énormément travailler et extrêmement dur. Il avait une maîtresse en titre. Donc, pendant deux ans, j'ai été tranquille... (...) Donc là ça a été à peu près... Et ensuite il a lâché cette femme et il a posé les yeux sur moi, alors là, ça a été l'horreur. J'ai été affectée dans une autre filiale, pendant encore deux ans...

— Par hasard ? Ou de son fait ?

Corinne — Non, par hasard parce que je connaissais l'anglais et que l'on faisait beaucoup d'exportations, donc j'ai été tranquille. Et puis après, je suis revenue au siège... et là, ça a été très dur, c'était si vous voulez... j'ai subi les assauts de cet homme, moi je ne voulais pas coucher avec lui parce que j'en avais pas envie, alors ça s'est traduit par des... d'abord une masse de travail énorme, dépassant de beaucoup les capacités journalières de travail, voyez-vous.

— Quel type de travail ?

Corinne — Par exemple, j'avais à m'occuper à faire toute la facturation, à envoyer les factures, à faire les relevés, à noter les rentrées d'argent, à répondre au téléphone...

— Où il aurait pu employer quelqu'un d'autre ou le donner à quelqu'un...

Corinne — Le donner à quelqu'un d'autre mais... alors comme je voyais que ça n'allait pas, j'avais vu mon supérieur hiérarchique de l'époque et je lui avais dit, je lui avais dit, « si Roger G. veut me licencier, qu'il me licencie, moi je ne peux pas continuer comme ça ». Et on m'a répondu, « non, on veut bien que tu t'en ailles mais sans être licenciée ».

[...]

Non, c'était une angoisse de tous les jours. Moi, il arrivait dans mon bureau, j'étais encombrée par les dossiers, il me disait, « Corinne donne-moi tel dossier », il fallait tout de suite que j'ai l'esprit à lui donner le dossier en quelques secondes. Je vivais dans une angoisse épouvantable. J'ai vécu, je peux dire, pendant cinq ans… angoissée. J'avais un *Quo Vadis*, un agenda, qui ne me quittait jamais. A la maison, je m'en servais. Quelquefois mon mari venait, « qu'est-ce que tu fais avec cet agenda, il est bourré de noir », parce que j'avais cet agenda le soir, avant de m'endormir, je récapitulais tout ce que j'avais fait, tout ce que j'avais à faire le lendemain, si vous voulez pour m'imprégner. J'ai vécu cinq ans… ! Alors ici, effectivement je travaille – sûr que c'est pas facile – je l'avoue mais ça me semble… vous voyez…

— Mais alors vous disiez qu'il avait jeté les yeux sur vous, mais il continuait à vous embêter physiquement ou…

Corinne — Plus là. Parce que entre temps, il trouvait quelqu'un. Parce que… il couchait avec tout le monde, hein. Ça c'était une règle. Il n'y a pas une fille, il n'y a pas une petite secrétaire qui n'y soit entrée, dans cette société sans avoir passé par le lit de Roger G. Ça c'était la règle. Alors rien que pour ça, moi j'aurais pas voulu. Mais si vous voulez entre temps, il en a trouvé une, il l'a prise, mais ça ne lui convenait pas, donc il avait toujours cette agressivité à mon égard, vous voyez… C'était une agressivité intellectuelle, je dirais, continuelle. Par exemple, moi, je suis restée deux ans sans avoir aucune augmentation personnelle. Je faisais – comme disaient les gens autour de moi – mon chemin de Damas. Mais c'était affreux. Affreux, parce que si vous voulez, c'était continuel. C'était continuel…

— Et vous étiez parfois seule avec lui dans une pièce ou… ?

Corinne — Rarement.

— Rarement.

Corinne — Il manifestait sa… son agressivité à mon égard devant tout le monde. C'est un homme qui un jour m'a fait appeler dans son bureau, je ne sais pas ce que j'avais fait, il y avait tout le monde – il y avait toujours tout le monde, il le faisait exprès pour mieux me vexer – et il m'a dit, « j'ai bien envie de te foutre à la porte »…

— Ah bon, il vous tutoyait…

Corinne — Il tutoyait tout le monde. Et je lui ai dit, « faites, Monsieur », il m'a dit, « oui, même si je dois en mettre deux à ta place, parce que j'en ai plein le dos de toi ».

— Et il ne formulait pas pourquoi ? Il n'y a jamais eu d'explication ?

Corinne — Non.

— *C'était toujours…*

Corinne — Toujours implicite, comme ça…

— *Voilà, mais au début il a dû se passer un petit quelque chose avant que vous ne soyez mutée dans la première filiale, là… ?*

Corinne — Au départ…

— *Au moment… là, vous avez dit tout à l'heure, « il a jeté les yeux sur moi », qu'est-ce qui s'est passé à ce moment-là ?*

Corinne — Ça s'est goupillé comme ça, un jour il m'a dit, « Corinne est-ce que tu m'aimes ? » ; je lui ai dit, « oui Monsieur, comme ma petite médaille, je lui ai dit, plus qu'hier, moins que demain, mais, je lui ai dit, ça sera toujours comme ça ».

— *Et qu'est-ce qu'il a répondu, là ?*

Corinne — Il a rien dit, il est parti. Mais un jour il m'a dit, « tu le regretteras ». Mais si vous voulez, c'était pas un homme qui était amoureux de moi, ça n'avait aucune espèce d'importance ; c'était un pied-noir et pour s'imposer, il avait besoin, si vous voulez, de coucher avec. Dans le travail il n'aimait pas beaucoup la compétence des femmes, ça n'était pas…

— *Ça ne l'intéressait pas, j'imagine, au fond ?*

Corinne — Non. Du tout. Voilà. C'est très drôle des types comme ça, ça ne l'intéressait pas. Ma compétence, dans le fond… il aurait préféré que je couche avec lui. Il m'aurait laissée tranquille, j'aurais pu après, être dans mon bureau, ne rien faire. Pendant deux ans et demi, parce qu'en général ça durait deux ans et demi. Mais c'était épouvantable, et encore maintenant j'ai oublié, j'ai oublié beaucoup de choses parce que depuis, j'ai perdu mon travail, j'ai perdu mon mari, donc j'ai eu beaucoup de trucs qui se sont passés, mais moi je peux vous dire que ce genre de comportement, ça existe, mais ça n'existe pas à mon avis tellement dans les grandes entreprises, ça existe dans les petites. Parce que dans les grandes, si ça existe, vous avez toujours la possibilité de vous retourner vers le syndicat ou vers le Comité d'entreprise, chez nous ça n'existait pas.

Madame, ne fredonnez plus…

— *Et que pensaient les autres ?*

Corinne — Ils avaient peur. Alors il y en avait, dans le fond, chez les femmes qui devaient peut-être un peu se réjouir, « c'est bien fait pour elle, qu'est-ce qu'elle se croit », des choses comme ça ; chez les hommes, il y en a plein qui n'en parlaient pas…, j'ai eu des avantages lorsque j'ai été affectée dans la filiale, j'ai eu des avantages, ça m'a apporté des avantages financiers et de gentillesse…

— D'avoir été brimée par lui et d'avoir refusé de coucher avec lui parce que tout le monde savait…

Corinne — Voilà, mais surtout d'avoir été – vous savez la moralité dans l'industrie n'était pas si… les gens ça leur était égal que je couche ou que je ne couche pas – mais le côté si vous voulez injuste, le côté professionnellement injuste, pas sur le plan physique ou sexuel mais sur le plan professionnel, je crois qu'ils me disaient « mais c'est pas possible, il faut… ». Moi un jour j'ai eu un directeur qui m'a dit – je suis d'un caractère assez enjoué et souvent je fredonne – il m'a dit « Madame M, ne fredonnez plus, heureusement que Roger G. est loin, si il vous entend il va devenir fou furieux ». C'était une attention continue…

— Donc il était resté pendant cinq ans à se souvenir du refus, bien qu'il n'ait plus fait d'avances après ?

Corinne — Non.

— Mais enfin il attendait peut-être que vous vous écrouliez, que vous veniez à ses pieds… un jour d'effondrement, qu'il vous récupère comme ça…

Corinne — Je pense… Je pense… Et, si vous voulez, quand nous avons été en liquidation de bien, donc nous nous sommes restreints, nous étions sous syndic, un administrateur judiciaire, donc il y a eu énormément de licenciements, nous sommes restés pour finir les dossiers… une poignée. Et même là où vraiment, moi je n'ai pas changé d'attitude mais lui gardait toujours son agressivité.

— Mais il était au tapis, quand même là… ?

Corinne — Il était au tapis, eh bien il m'en voulait parce qu'il disait, je sais qu'il a dit à certains directeurs, « elle a vu arriver la chose ». C'est vrai. Mais je n'ai pas été le voir pour lui dire. « Monsieur faites attention, je vois ci, j'ai vu ça », je n'ai rien fait. Ce n'était même pas une question de vengeance parce que ça aurait été suicidaire de ma part. J'aurais été voir Roger G, je lui aurais dit « vous savez Monsieur, il y a certaines choses que je vois qui font ça », il aurait convoqué tout le monde dans son bureau, il aurait dit, « voilà ce que… Madame M nous raconte… », donc ça aurait été suicidaire. Donc je voulais pas le faire. Mais ça a été épouvantable. Pour vous dire, un jour nous avions un séminaire, il y avait des ouvriers qui étaient venus d'une usine à Giens, des ateliers – mais j'ai rien contre les gens des ateliers – tout le monde était assis à la table principale, moi j'étais au fond de la salle avec les ouvriers de l'atelier, mais j'avais rien à voir avec ces gens-là. Mais que des choses comme ça ! Alors que tout le monde était à table, autour de la table, je me revois encore… tout le monde cherchait son carton et il n'y avait pas de carton pour Madame M. Ah non, bien sûr, le carton il était là-bas. Ça il me l'a fait deux, trois fois…

— *Pourquoi il ne vous renvoyait pas… ?*

Corinne — Mais parce que il fallait payer, vous comprenez j'étais cadre, il ne pouvait pas me renvoyer. Mais pour lui c'était la pire des choses de me renvoyer, si il m'avait renvoyée mais… jusqu'au bout, il a été crasseux avec moi. J'étais la seule qui soit bilingue dans la boîte, quand on nous a placés sous administrateur, il y a eu des dossiers qui ont été traités avec le Nigeria, qui étaient très compliqués, il fallait jouer avec la Lloyd à Londres, enfin, ça a demandé du travail. J'ai donc mené ces dossiers à bien et quand j'ai eu fini, j'ai demandé, enfin comme pour les autres, qu'on me libère du préavis, vous voyez… Puisque tout le monde avait été libéré du préavis ! Et bien moi, il a refusé qu'on me libère du préavis…

— *Ça durait combien le préavis ?*

Corinne — La durée du préavis, vous êtes licenciée mettons le 1er février mais vous devez trois mois…

— *Ah oui, et vous c'est à la fin, quand vous vouliez partir…*

Corinne — Voilà ! Moi c'était le 8 mars je crois, ou quelque chose comme ça que j'ai demandé à être libérée, parce que tout le monde ! Personne n'avait effectué le… mais moi, il ne voulait pas.

— *Mais il y avait encore du travail à faire ?*

Corinne — Non. Alors j'arrivais le matin dans mon bureau…

— *Il y avait combien de gens encore là-dedans ?*

Corinne — Oh on devait être cinq ou six, que des directeurs généraux et moi. J'arrivais à mon bureau, je m'asseyais : dans la chemise, il y avait une lettre, j'avais cinq minutes de travail ; alors j'amenais mon poste, je lisais toute la journée, je pouvais pas faire quelque chose. Et ça, vous ne pouvez rien faire contre ça. Dans une grande société ça ne peut pas exister. Mais les gens qui n'ont jamais travaillé dans les petites et moyennes entreprises, ne peuvent pas savoir combien un employé, peut être tributaire de son chef hiérarchique.. On n'a pas idée. Vous dépendez carrément de celui qui est au-dessus de vous. Si la personne est correcte, ça va, mais sinon c'est l'enfer parce que vous n'avez pas de comité d'entreprise dans les petites et moyennes entreprises (...), c'est ça souvent, c'est affreux. Vous ne pouvez pas... moi je ne pouvais me retourner contre... personne ne m'aurait aidée ! Mais personne !

Des êtres malfaisants

— *Et les filles avec qui il couchait le patron, au bout des deux ans et demi, quand il en avait assez...*
Corinne — Ah non non, attention ! Ça les deux ans et demi, c'était pour les maîtresses...
— *Ah bon parce qu'il y avait plusieurs sortes...*
Corinne — Voilà. Mais les petites, enfin les... il couchait avec...
— *Il a jamais eu de problème ?*
Corinne — Jamais. (...) Écoutez, j'ai travaillé avec cet homme-là pendant plus de dix ans, je n'ai jamais vu personne partir. D'abord, il payait très bien son personnel d'encadrement. Et le petit personnel, il n'y en avait pas beaucoup puisqu'on était au siège, donc non c'était... Moi, il m'avait dans le collimateur, mais pour une raison – je vais parler vulgairement – c'était pour une histoire de cul.
— *Oui, enfin il avait été vexé qu'on lui...*
Corinne — Vexé, voilà. Et moi autour de moi, j'ai vu même dans d'autres... on avait des usines, puisqu'il y avait 1 800 salariés là où je travaillais, il y avait des filiales avec des usines, j'ai entendu parler de femmes qui étaient aussi brimées. Elles, ça se passait au niveau du contremaître ou des choses comme ça et vous n'avez aucun recours ! Moi, je n'avais aucun recours, aucun... Des fois je me disais, « qu'est-ce que je pourrais faire, je ne peux pas me laisser faire tout le temps comme ça », mais je n'avais aucun recours... Je ne peux pas vous expliquer. A un moment donné j'étais dans une filiale, il est venu nous visiter, les bureaux étaient propres et tout, il a invité tout le monde à déjeuner, sauf moi. Parce que il était maître après Dieu. (...) Vous savez ce genre de type qui monte comme ça des sociétés, genre Tapie, genre Maxwell – à un autre niveau, mais enfin... – ce sont des gens qui ont

les défauts de leurs qualités, c'est-à-dire qu'ils sont plein d'activité mais à côté de ça, ce sont des êtres malfaisants. On ne peut pas faire des entreprises comme ça en étant bon, gentil et… non ! Et puis moi je travaillais, si vous voulez, dans des dossiers qui me rapprochaient de lui, mais j'avais, entre lui et moi, deux directeurs, qui me servaient de paravent. Mais qui me disaient par exemple, « n'allez pas… », alors nous on avait des grands couloirs, ils me disaient, « vous restez dans votre bureau, Madame M. parce que Roger G. est là, ne bougez pas de votre bureau », et il ne fallait pas qu'il me voie !
[…]
Quand on apprenait que Roger G. partait en voyage ! Ah ! C'était horrible, tout le monde respirait ! Parce que vous savez, quand il se mettait à gueuler après les gens, quand il vous appelait à l'interphone, tout le monde entendait, il n'y avait plus personne dans les couloirs. Vous ne voyiez plus personne, vous n'entendiez plus rien.

—*Chacun dans son bureau, quoi…*

Corinne — Parce que tout le monde savait que la personne qui était appelée allait prendre son compte. C'était terrible. C'était terrible, oh c'était le jour… oh je vais vous raconter une anecdote très précise. Un jour je me suis trouvée à arriver au bureau à huit heures du matin, on marchait côte à côte, on n'avait rien à se dire, on arrive dans le hall, on voit un grand carton – mais un carton maritime, vous savez très dur –, il commence à gueuler tout ça, et il fiche un grand coup de pied dans le carton, moi ça a été plus fort que moi, j'ai éclaté de rire parce que le pied est resté dans le carton, il aurait pu se casser le pied d'ailleurs ; il a sorti son carton toute la journée, « enlevez-moi ses affaires, elle s'est foutue de ma gueule, je la fous à la porte », toute la journée il est allé emmerder tout le monde avec ça ! Il a fait faire à la comptable mon compte pour voir combien il me devait s'il me licenciait, il a laissé tomber, ça coûtait trop cher. Enfin c'est pour vous situer le personnage. Tout le monde a été sur le pont tout la journée pour ça… Moi je sais qu'il y a eu d'autres femmes, hein il ne faut pas croire que c'était que moi, non, non, non, il y a eu d'autre part des pauvres types… il a été et il est toujours !… bon. Est-ce que quelqu'un peut faire quelque chose ? Non personne ne peut rien faire, parce que maintenant il a une petite entreprise, là à Suresnes, mais personne ne va aller le voir dans son bureau, s'il (…), s'il ne donne pas le treizième mois, si il a des gens de renvoyés, vous voyez, personne… personne ne peut toucher à ce genre d'individu.

— *Qu'est-ce qu'il avait comme formation…*

Corinne — (…) Donc il avait aucune formation en tant que directeur, mais il avait un esprit extraordinaire, une capacité de travail formidable, ça il avait des qualités énormes ; et moi, si vous voulez, je regrettais ça, parce que franchement c'était un type sur le plan de… des idées, des combines, des tas de choses, des truandages extraordinaires. Je vous dis c'était Tapie, Maxwell en petit. Mais…, ça c'était intéressant, sans arrêter, on s'endormait jamais sur un dossier.

[…]

Pour moi la bagarre, maintenant je la fuis la bagarre ; enfin je n'irais pas céder si vous voulez, mais je tomberais malade ou n'importe quoi, et là je me battais, je ne voulais pas, je ne voulais pas accepter, c'était quelque chose d'atroce. Mais il avait une employée qui s'occupait justement, vous savez, de réserver les chambres d'hôtel comme ça, moi je l'ai vu pratiquement lui taper dessus. Mais c'était terrible, terrible… vous savez…

On l'appelait quéquette en zinc

— *Et votre mari, qu'est-ce qu'il en pensait de ça ?*

Corinne — Mon mari n'en savait rien !

— *Vous avez pu cacher ça ?*

Corinne — Jamais je n'ai parlé de mes problèmes à mon mari.

— *Quand même quand vous partiez le matin…*

Corinne — Jamais ! Je n'ai jamais parlé de mes problèmes à la maison. Jamais. Jamais, jamais. Mon mari n'en a jamais rien su. Moi, mon mari travaillait dans une boîte américaine, (…) et du jour au lendemain il a été licencié. (…) Un an après il rentrait chez Matra-Informatique, la jonction s'était faite, et il ne m'en a pas parlé. Il ne m'en a pas parlé. Non, non, c'était pas mon caractère.

— *Vous n'y pensiez plus arrivée à la maison, peut-être ?*

Corinne — Ah si !

— *Moi ça m'aurait empêchée de dormir…*

Corinne — Non alors moi au contraire, je dormais comme – ah oui – assommée ! Assommée ! Et toujours mon agenda avec moi. Alors ça des fois mon mari me le disait, « range-le ton agenda », je marquais tout. Tout ce que je faisais pour ces gens-là, je marquais tout ! Je vivais dans mon travail !

— *Mais il avait raison, dans cette affaire là, au fond... D'un certain point de vue...*

Corinne — D'un certain point de vue, si il avait pas été après moi comme il était... il avait raison. Il arrivait à faire... parce que le principe du travail comme ça, c'était pour tout son personnel, attention, il n'y avait pas que moi qui étais comme ça. Tous les directeurs, c'est pareil. (...) Oui ! Il y a eu un moment où ma fille un jour m'a reproché, mais dix ans après, elle m'a dit, « ah ben c'est bien que tu sois partie de là-dedans parce que tu ne t'en rendais pas compte, maman, mais il n'y avait que ton travail qui comptait ». C'était (...) à faire, ah oui, ça oui ! De toute façon, oui ! Il ne pouvait pas tolérer qu'on puisse partir du travail et rentrer chez soi tranquille, ça c'était valable pour tous les gens qui travaillaient dans la maison. Mais bon, à la limite, on pouvait le comprendre. (...) On travaillait beaucoup, mais enfin c'était pas le travail, c'était le comportement. Oh là là, il y en avait qui étaient maltraités, horrible, horrible... je vous dis j'ai entendu des types se faire traiter de pauvres cons, des types qui avaient sous leurs ordres 300 ou 400 personnes. Des directeurs d'usine. Et puis il les traitait devant n'importe qui, c'était pas entre quatre yeux, c'était devant tout le monde ! On avait engagé une femme de ménage, il arrivait au bureau le matin, il appelait la femme de ménage par interphone. La pauvre fille elle me disait, « Madame M. je vais être obligée de m'en aller, il veut tirer un coup sur la moquette », mais c'était ce genre d'homme-là, c'est un homme... comme je vous dis, c'est des potentats, c'est ces hommes qui montent une entreprise et l'entreprise c'est eux. Et c'est vrai, moi je me dis « si t'avais été à la place d'un type comme ça, qu'est-ce que tu aurais fait ? ». C'est vrai que sur le plan travail, j'aurais été féroce. Il était féroce. Il n'y a pas d'autre mot. Si il avait pu nous faire travailler la nuit, il nous aurait fait travailler la nuit. Ça c'est vrai, c'était quelque chose d'épouvantable... on ne pouvait pas vouloir... rien faire. Mais ça, ça fait partie d'un jeu, ça je l'admets parce que, je vous le dis, je l'aurais fait ça aurait été pareil. Mais en dehors de ça, il y a quand même une limite. Là il n'y en avait pas. Et je crois que... (...) Mais tout le monde, je me rappelle, on l'appelait quéquette en zinc...

— *Comment ?*

Corinne — Quéquette en zinc, c'est pour vous dire parce que… il n'y avait pas d'autres mots. Il ne fallait pas plaire à cet homme-là, il ne fallait pas… (…) mais on ne comprend pas, on ne comprend pas comment cet homme-là pouvait être aussi dur. Il venait, si votre bureau était mal rangé, il vous foutait tout par terre ; et moi je crois que quand on devient un peu puissant et qu'on n'a pas les épaules assez larges pour supporter on devient (…) et je ne sais pas comment il finira un de ces jours. Mais à côté de ça, il avait des qualités de cœur, pas pour tout le monde… pas pour tout le monde, hein. Et puis c'était du paternalisme. Il avait besoin de ça, il lui fallait… c'est très difficile, vous savez de travailler comme ça, ça vous marque, ça vous marque à vie, ça. Ça vous rend un peu méchant d'ailleurs, parce que on n'est pas sur ses gardes comme ça, pendant des années, sans devenir un peu méchant, méfiant. Moi après… quand je suis arrivée ici, j'étais tout étonnée. Je me méfiais. Je trouvais que les gens étaient trop gentils. J'étais pas habituée à ça. Dans l'industrie, vous savez on ne se fait pas de cadeau, même entre collègues, on ne se fait pas… c'est très dur comme ambiance, dans l'industrie, c'est pas du tout comme… parce qu'il y a de l'émulation, il faut faire mieux que l'autre. Alors qu'ici, non, ça n'existe pas ça…

— *Non, non ça n'existe pas en milieu…*

Corinne — Pas du tout ! On n'a pas à se bagarrer pour monter…

— *On a tous un travail à faire…*

Corinne — Voilà, déterminé. On reste toujours… c'est un peu tristounet quoi.

juillet 1992

Rosine Christin, Bernard Urlacher

Une affaire de famille

Monique et Armand W. sont ouvriers dans une petite usine du nord de l'Alsace qui fabrique des caravanes et des mobil-homes en bois. Lors de l'entretien, en juillet 1985, Armand, âgé de 33 ans, travaille à la chaîne de montage, et Monique, son épouse, de cinq ans plus jeune, dans l'atelier de couture. Le contremaître de l'atelier de montage, ami du couple, assiste aux entretiens mais n'apparaît pas dans les extraits cités ici. Les différentes conversations se sont tenues en alsacien, l'enquêteur, originaire du pays et ami des trois personnes, espérant ainsi limiter la distance sociale créée par la situation d'interview.

Dans cette région frontalière, une partie de la population travaille dans des entreprises alsaciennes, une autre en Allemagne où les salaires sont de 20 à 60 % plus élevés (10 000 francs pour un ouvrier) ; les frontaliers allongent ainsi de deux heures leur journée de travail et ont peu de chances, même diplômés, d'être promus au rang de la maîtrise, réservée en fait aux Allemands. Au village, ils côtoient ceux qui, moins chanceux ou plutôt moins diplômés, travaillent, comme eux, dans la région, le plus souvent dans des PME comme l'entreprise B. Ils vivent tous dans les grandes maisons dont ils ont hérité mais, si les uns roulent en

Mercedes, les autres doivent compenser la faiblesse de leur revenu, soit par quelque activité domestique, soit par des travaux de bricolage ou d'artisanat : couture ou tricotage à la machine, jardinage et soin de la basse-cour pour les femmes, petits travaux de maçonnerie, de menuiserie, fabrication de meubles ou réparation des voitures pour les hommes. Dès la prime enfance, les enfants sont initiés à ces travaux dans le cadre familial ou villageois.

L'entreprise B., créée en 1868, est rachetée en 1976 par un entrepreneur allemand qui va y appliquer ses méthodes de gestion et d'organisation. Elle emploie 500 personnes recrutées au village ou dans les environs immédiats et liées par des relations personnelles. Amis d'enfance se retrouvent à l'usine dans des positions différentes, ouvrier ou contremaître ; deux générations d'une même famille peuvent se côtoyer sur la même chaîne, brouillant souvent les traditions villageoises ou familiales.

Dans l'usine comme au village tous se connaissent mais les relations personnelles ne déterminent en rien les affectations à des postes de travail : les chefs d'équipe ou les contremaîtres sont passés par un lycée professionnel (comme les représentants syndicaux) ; ceux qui ont été formés par l'apprentissage travaillent dans les ateliers alors que les ouvriers sans formation sont placés sur la chaîne ou employés à l'entretien des bâtiments. Le travail de montage des pièces fabriquées dans les ateliers est très fortement codifié par la direction allemande ; c'est à l'ensemble des ouvriers de la chaîne qu'est attribuée ou supprimée une prime globale. Le moindre manquement de l'un d'entre eux à la discipline collective est dénoncé par les autres comme une atteinte aux règles de la morale et de la bienséance sociale.

Dans un entretien qui n'est pas reproduit ici, le contremaître de la chaîne raconte comment il doit composer avec deux types de contraintes divergentes : d'une part la pression de la direction allemande qui veut accroître la production sans tenir compte des appréciations de la maîtrise et codifie de façon autoritaire les postes de travail ; d'autre part la résistance des ouvriers de chaque équipe, qui, telle une équipe sportive, est composée de gens qui se connaissent depuis toujours et qui cherchent à maintenir sur leur lieu de travail la cohésion de l'univers villageois.

Armand W. n'a pas de diplôme et ne peut espérer aucune promotion à l'intérieur de l'usine. Pour atteindre le rendement imposé, conserver son salaire et son emploi, et surtout pour ne pas être désavoué par les autres, il doit fournir un effort de chaque instant. Cette angoisse continuelle tend peu à peu à détruire ses relations avec le contremaître, son ami d'enfance, tenu, du fait des contraintes de production, de refuser toute faveur (congé pour motif personnel ou simple autorisation de quitter le poste quelques instants).

Sa femme, Monique, gagne 4 700 francs par mois (5 300 avec les primes). Elle travaille à la confection de rideaux et de coussins pour les caravanes. Comme les trois autres ouvrières de l'atelier, elle doit produire un nombre de pièces imposé. Elle dit ne pas regretter d'avoir quitté l'école très tôt puisque c'est à la maison qu'elle a appris son métier, la couture. Cet emploi est pour elle une promotion sociale : après avoir été longtemps au chômage, elle devient enfin indépendante de ses parents et de son mari.

Mais l'embauche dans cet atelier représente toujours, pour toute nouvelle arrivante, une épreuve : elle doit réaliser le travail ordinaire et apprendre le métier. Elle attendrait donc de la contremaîtresse une certaine aide dans son apprentissage, voire un peu d'encouragement ou de réconfort : elle ne retrouve au contraire que l'affirmation de l'autorité, souvent fondée sur la menace d'un licenciement ou d'une mutation, et l'invocation du rendement.

Pendant cette période difficile, Monique a trouvé conseil auprès de son mari (il travaille à l'usine depuis cinq ans) et réconfort chez ses collègues d'atelier, à la fois voisines et amies au village, trop heureuses de se montrer solidaires et complices « face aux chefs ».

avec une ouvrière

— entretien de Bernard Urlacher

« Écoute Muller, ma sœur se marie, est-ce que je dois venir demain ? »

[...]

Monique — On doit faire tant et tant de coussins par jour. On a tant de minutes par coussins : deux minutes pour un petit, trois pour un grand. Des fois on y arrive, des fois non. Actuellement [*juillet 1985*] on a des problèmes avec les City [*modèle de caravane, terme utilisé dans le catalogue de vente des caravanes*]. Pour les Club, ça va. Les Club, on les coud simplement. Avec les City, on n'a pas assez de minutes, il y a plus de travail : on doit mettre la mousse, les passer à la machine, enlever la mousse restante et coudre. On ne peut pas vraiment s'imaginer le travail. La dernière fois, on n'avait pas beaucoup de primes : 5,49 francs au lieu de 6,75 francs. (...) Parce qu'avec les City, on perd beaucoup de temps, on ne peut pas travailler à 135 %. Maintenant, on va en discuter parce que ce n'est pas normal : il nous ont dit que si on ne travaille pas au rendement, ils vont nous enlever la prime de rendement ; ce n'est pas juste parce qu'on fait notre travail. Et l'autre fois, il y en a une qui a quand même eu ses 5,49 francs et ils n'ont pas réclamé. A l'usine, ils pointent rouge quand ils en ont envie, quand il leur manque des minutes pour arriver au rendement. Ça c'est voler le patron. Mais si nous, on pointe rouge, ça pose tout de suite des problèmes.

— Ça veut dire quoi « pointer rouge » ?

Monique — On a le droit de pointer rouge quand la machine est en panne ou pour chercher du matériel ; dans ce cas, on ne travaille pas au rendement. Par exemple, on nettoie la machine ; pour cela, on s'arrête 15 minutes avant la fin. Alors, on ne travaille pas au rendement, c'est-à-dire qu'on a le droit de retrancher des minutes. (...) Tu vois, demain matin quand je vais rentrer, je vais prendre une feuille rouge, je vais poser la feuille sous la pointeuse et pointer à 6 h 20. Je vais vérifier si la machine [à coudre] marche (...) J'ai une carte rouge pour les pannes ou quand quelque chose ne va pas dans le travail des coussins.

— *C'est du temps en moins, ou comment ça marche ?*

Monique — En une journée je dois faire 435 minutes à 125 %. Normalement, pour ça, j'ai une carte bleue, pour les petits coussins de 135 × 34 [*dimensions du pourtour du coussin données en centimètres*] j'ai 3. 67 minutes à 100 %. Pour les coussins de 135x63, j'ai 4. 67 minutes. Il y a des coussins à 125 % ; alors je dois faire un calcul : prendre 4. 67 et diviser par 1,25 pour obtenir le temps dont je dispose. Pour atteindre mon rendement [la prime de rendement], je dois faire ce temps [3. 73]. Disons pour dix grands coussins, j'ai 35 minutes, pour les petits : 28 à 29 minutes. Pour les coudre, pour finir, pour les poser et les fixer dans les palettes. Je fais de 135 à 145 coussins pour avoir mon rendement.

— *Mais par exemple, si tu as pointé rouge pendant un quart d'heure parce que tu t'es arrêtée, dans ce cas, tu n'atteins pas le rendement, alors comment ça marche ?*

Monique — Non. J'ai, admettons 435 minutes à faire (pour atteindre mon rendement sans pointage rouge), si je pointe rouge pendant 11 à 12 minutes, je les déduis. Alors pour atteindre mon rendement, je ne dois faire que 424 minutes (au lieu de 435). Mais normalement, on n'a pas le droit de pointer souvent rouge. La contremaître ne veut pas, tu sais ! Tu sais ce qu'elle fait ? Elle raconte tout au contremaître, au Kacher [le chef de fabrication], celui qui a tout sous sa responsabilité. C'est une vraie lèche-cul. Ce qu'il dit, elle le fait ! Et nous, on ne peut pas se défendre. Quand on dit quelque chose, elle le lui répète aussitôt. Pendant le café, elle lui téléphone des fois pendant des heures ! Mais… On ne se laisse pas faire. Pour dire, on a eu des coussins. Pas comme ceux-là (du salon de l'appartement), c'était pour les 80TN (modèle de caravane), il y a trois coussins de 60 × 60. Pour les faire, il faut coudre une bande pour accoler les trois coussins. mais ça n'allait pas ! Et tu n'avais que 8. 34 minutes pour coudre ces trois trucs, c'était quelque chose ! Alors, il [le Kacher] est venu… parce qu'il y en avait une qui n'y arrivait pas, Josiane. Alors, elle pointait rouge. La contremaîtresse lui a demandé pourquoi elle pointe [rouge]. Elle a répondu, « parce que ça ne va pas ! ». La contremaîtresse n'a pas vérifié [le travail], elle est tout simplement allée chez le Kacher. Quand elle a vu qu'on ne se laisse pas faire, elle a eu les jetons, alors elle n'est pas venue pendant deux jours. Elle nous a téléphoné pour nous dire le travail à faire. Le Kacher est venu le lendemain. Il a fallu que je fasse aussi le travail. Alors le Kacher a bien vu que ça ne va pas. On était agacé parce que si tu travailles au rendement, tu as 125 %. Pourquoi ils ne l'avaient pas vérifié avant ? (...) Écoute, tu trouves ça normal ! Elle m'a demandé, « tu as déjà travaillé à la chaîne ? ». J'ai dit, « non, pourquoi ? » Elle, « parce que Véronique manque à la chaîne ! » Je lui ai dit, « mais je n'ai jamais travaillé à la chaîne, comment veux-tu que je le fasse ? » Alors elle a dit, « hein ! » Et ça c'est une contremaîtresse qui travaille avec moi, une collègue pour ainsi dire. Alors, elle m'a dit, « on va y envoyer Josiane, elle l'a déjà fait ! » Au début, elle [Josiane] devait toujours y aller : nettoyer les caravanes de la chaîne. Armand m'avait prévenu, « si tu dois aller à la chaîne, tu ne t'embêtes pas, tu dis que tu ne l'as jamais fait ! » Je ne vais quand même pas travailler jusqu'à ce que la sueur me suit sur le front ! (...) Alors elle m'a dit, « tu ne dis rien [à Josiane] ». Alors lundi matin, le téléphone [de l'atelier de couture] va sonner, la contremaître va décrocher, elle va dire, « c'est pour Josiane ! » [Au téléphone, Kacher va dire] : « ils ont besoin d'elle à la chaîne ! » Tu vois, ça c'est de la faux-jetonnerie. Ils sont tous... ! Rien que pour te dire, la Muller [la contremaîtresse] qui fait cela, invite Josiane à la maison le dimanche. Moi, j'ai dit à Armand, « moi, je ne vais pas chez les collègues de travail le samedi et le dimanche ! » Denise m'a raconté que tous les samedis et dimanches, elles [Josiane et Muller] sont ensemble avec les enfants. Et maintenant, elle lui fait ça ! C'est bien ça, hein ! Alors je lui ai dit, « hein, tu as réussi à avoir Josiane, tu as failli m'avoir, moi ! » Avec moi, ça n'aurait pas fait d'histoires, je n'aurais pas dit non, je serais allée derrière à la chaîne. Parce que dans mon contrat, il y a marqué, « il faut aider dans l'usine quand c'est nécessaire ! » (...) Mais j'avais un travail, alors je n'allais pas partir. Si à l'occasion il faut aider, j'y vais. J'y suis allée mercredi dernier, je devais aider dans l'usine. Mais quand tu lui dis [à la contremaîtresse] que tu veux un jour [de congé], elle te le refuse [parce] qu'il n'y a pas [de travail] d'avance. Mais t'envoyer ailleurs, ça elle le fait [même si tu n'as pas d'avance]. Ils nous ont dit que si on travaille le samedi, on a droit à un jour de congé et qu'on peut le prendre quand on veut. Parce qu'ils ne peuvent pas nous obliger de travailler le samedi. Alors on a dit, « d'accord ». J'étais d'accord car on est toujours content quand on a quatre semaines de vacances d'affilée, ou quand on veut s'absenter. Mais qu'est-ce qu'ils ont fait ? Ils nous ont payé toutes nos heures et ça, ce n'est pas juste ! (…) Le dernier jour avant les vacances, ma sœur s'est mariée. Alors le jeudi, j'ai dit, « écoute Muller, ma sœur se marie, est-ce que je dois venir demain ? » Normalement je devais travailler jusqu'à 17 heures. Mais le jeudi, j'ai vu qu'on a terminé tout le travail. Alors je lui ai dit, « je ne viens pas demain, car tu n'as pas besoin de moi. » (…) Elle m'a donné le congé. Mais à lui [à Armand, son conjoint qui travaille à la chaîne], ils ne lui ont même pas donné deux heures pour prendre une douche avant d'aller à la mairie. (…) Il [le contremaître du conjoint] lui a dit, « non, non, si tu ne travailles pas, on monte au bureau ensemble ! » (…) Ils ne lui ont même pas donné les deux heures alors que les deux dernières heures [le vendredi, à la fin de la semaine], ils nettoient (…) En tout cas, si je n'avais pas eu le congé, je serais allée voir le syndicat, voir Dominique. Je paie au syndicat : si je demande quelque chose à Dominique, je suis sûre que lui, il aurait demandé. Je ne me serais pas laissée faire. Armand n'a rien pu faire. Alors il leur a dit, « mais je suis témoin au mariage. » Alors, il [le contremaître] lui a dit, « qu'ils cherchent un autre témoin ! ».

juillet 1985

Abdelmalek Sayad

Le souffre-douleur

Cela se passait dans les années 1970, à Paris, dans les faubourgs du XIe arrondissement, entre la place de la République et la place de la Bastille, dans une petite entreprise de polissage des métaux. Lui-même ancien ouvrier de cette entreprise, le patron l'avait reprise à son compte quand le propriétaire avait décidé de se retirer. Aussi la majorité du personnel ouvrier était-elle composée d'anciens compagnons de travail qui étaient déjà en poste avant la passation des pouvoirs. La moyenne d'âge était pour l'ensemble du personnel relativement élevée, ce qui correspondait aussi à une forte ancienneté dans l'entreprise. Conséquence de tout cela, il régnait dans l'entreprise une atmosphère de franche camaraderie, une « ambiance de famille » marquée par la fidélité attachée à l'entreprise et à son patron, à celle-là à travers celui-ci qui avait été un ancien compagnon de travail de la plupart des ouvriers.

Noyau central de l'entreprise, un groupe étroitement soudé de quatre ouvriers (un ouvrier français et trois ouvriers algériens) se sentent fortement engagés dans la marche de l'entreprise : se connaissant depuis très longtemps et, les deux choses étant liées, connaissant fort bien l'entreprise qui les emploie, entretenant entre eux et avec leur ancien compagnon de travail devenu leur nouveau patron de solides relations d'amitié – ils se reçoivent les uns les autres, les trois ouvriers immigrés algériens ont épousé des femmes françaises) –, ils s'éprouvent comme mutuellement solidaires et solidaires aussi de leur entreprise et de son patron. Pour ne considérer que les trois ouvriers immigrés algériens de ce groupe d'« anciens » compagnons, âgés à l'époque de 45, 48 et 52 ans, arrivés en France pour la première fois au tournant de la Seconde Guerre mondiale (le plus ancien en 1938, un autre durant la guerre en 1943 et le troisième au lendemain de la guerre en 1947), ils sont tous les trois originaires de la même région de Kabylie (de la même tribu, si ce n'est pas du même village), ayant été probablement recrutés à l'origine par le plus ancien de leurs compatriotes qui, à l'époque de l'enquête, jouait le rôle de chef d'équipe et de contremaître. Fruit, sans doute, de cette longue histoire qui fut d'une remarquable continuité et, par suite, de la longue expérience qu'ils ont acquise de leur métier et, surtout, de l'entreprise où ils l'exercent, ils disposent d'une bonne qualification professionnelle dans une activité qui n'exige pas une grande technicité.

Outre ce noyau d' « anciens », vieux amis et « amis du patron », dont ils sont, par là même, comme des adjoints ou des substituts, on compte parmi le personnel ouvrier quatre autres travailleurs immigrés : deux Africains noirs, plus jeunes que les autres et plus récemment immigrés ; un ouvrier yougoslave et un apprenti, un jeune Algérien de 17 ans, neveu du plus ancien des ouvriers, lequel, en raison sans doute de son âge et de son itinéraire dans l'entreprise, fait office de chef d'équipe. A cet ensemble de huit ouvriers, il faut ajouter deux autres figures : une ouvrière française, la doyenne d'âge, qui avait été recrutée dans le début des années 50, par mesure de solidarité, à la suite du décès de son mari, un autre compagnon de travail du groupe des « anciens » et enfin un autre ouvrier, un certain Louis que tout le monde appelait Loulou, lui aussi un survivant de l'ancienne équipe, totalement intégré au groupe des « anciens » qui l'assurent de leur protection [1].

Ils ont tous été témoins de l'espèce de processus de dégradation sociale, de démoralisation dans lequel il s'est trouvé pris à la suite d'on ne sait quel « accident » dans son itinéraire familial ; et tous parlent encore, avec nostalgie, tendresse et compassion, de la belle époque où Loulou était, à n'en pas douter, « un bon ouvrier, un bon camarade de travail et un bon ami hors du travail ». Aujourd'hui, vieilli prématurément, alcoolique invétéré, malade, réduit, semble-t-il, à un isolement social total, n'eût été la bouée de secours que constituait pour lui son milieu de travail, il aurait sombré dans la pire déchéance. C'est en tout cas le sentiment unanime de tous ses compagnons, anciens et nouveaux, et aussi leur crainte, même si ni l'un ni l'autre ne sont explicitement formulés. Il va de soi que cet ouvrier qu'on dit « attardé » est certainement le moins bien – ou le plus mal – payé, s'il est permis de parler, en toute rigueur, de salaire dans ce cas particulier où il n'y a pas, à vrai dire, de travail réel, le rendement de Loulou étant quasiment nul, surtout s'il faut le rapporter au travail qu'il est censé devoir effectuer et que tous les autres ouvriers ont dû reprendre à

1. Les nombreux entretiens qui ont été utilisés pour analyser la position de Loulou, et au-delà, le fonctionnement de cet atelier d'une entreprise artisanale traditionnelle, n'ont pas été reproduits ici. Réalisés pour la plupart in situ lors de libres conversations, ils ont été retranscrits de mémoire avec diverses notations ethnographiques sur les relations dans l'entreprise.

leur compte. En effet, par mesure de précaution, on a été jusqu'à lui interdire l'accès à certaines machines dont le maniement est jugé trop « dangereux » et trop risqué pour lui.

Peu à peu, il se trouve relégué, sans qu'apparemment il s'en rende vraiment compte, aux tâches subalternes et superflues : on lui laisse les petites besognes sans grande importance comme les commissions, le nettoyage des outils et même du hangar qui sert d'atelier ou on lui demande de servir les autres ouvriers en pièces.

« Allez Loulou, tu donnes un coup de balai ; Loulou, tu vas m'acheter un paquet de cigarettes, je te paie un canon tout à l'heure.

— Oui… mais une côte !

— Vas-y pour la côte. »

C'est ainsi qu'à mesure que le temps passe, que le personnel se renouvelle – sans doute de manière très lente et bien timide – et que, peu à peu, se transforme la répartition des tâches à l'intérieur du collectif des ouvriers, le statut social de Loulou au sein de l'entreprise arrive à se fixer : Loulou devient un assisté de ses compagnons de travail, au travail et, de plus en plus, hors du travail ; il est assuré de cette assistance tant que demeure le groupe des « anciens » ouvriers et tant qu'il peut compter sur la solidarité de ceux dont il partage, en partie, l'histoire professionnelle qui est, ici, l'histoire même de l'entreprise. Assistance et allégeance, protection et servitude, une chose ne va pas sans l'autre ; ce sont là les deux faces d'une même médaille. Deux moments de la vie quotidienne de l'usine, deux circonstances particulières peuvent illustrer de manière exemplaire le statut qui s'est trouvé peu à peu dévolu à cet ouvrier qui n'est plus comme les autres et témoigner aussi de la forme d'intégration (de pure sollicitude ou compassion) qui est la sienne. C'est, d'abord, le moment du repas, puisque celui-ci réunit tout le monde, chacun y apportant sa gamelle ; c'est, ensuite, en fin de journée, lorsqu'il s'agit de se répartir le travail de mise en ordre de l'atelier en vue du lendemain.

A l'évidence, Loulou vivait seul, sans femme et sans enfant. On le plaisante, à l'heure du repas, sur sa gamelle dans laquelle il y a toujours les mêmes mets : des pâtes et des pommes de terre, du saucisson et du chocolat pour le dessert, et bien sûr, la bouteille de vin. Mais de fait, il partage la gamelle de la plupart des autres ouvriers. En effet, le repas de la mi-journée étant pris sur le lieu même du travail, il est l'occasion d'une forte « commensalité » : on mange ensemble, les uns à côté des autres, on s'invite mutuellement ; il arrive même qu'on mette tout en commun et qu'on improvise une table commune. Mais tout cela revêt une grande diversité de formes qui est fonction d'un grand nombre de facteurs et comporte une multitude de nuances selon le mode des relations qu'on entretient mutuellement, le sentiment de proximité plus ou moins grande que les uns ont à l'égard des autres. On s'offre plus volontiers à boire au cours du repas : « goûte mon pinard, il est meilleur ! » et quelquefois, il arrive qu'on invite à goûter au dessert. On prend prétexte des fêtes, collectives ou privées, comme les anniversaires, pour se retrouver tous ensemble, le patron et sa femme – celle-ci s'occupait de tous les travaux de bureau et d'écriture, le standard, le secrétariat, la comptabilité, etc. – se joignant au groupe de leurs ouvriers, autour d'une bouteille de vin et d'un gâteau. Dans ce contexte Loulou tient une place tout à fait particulière. Il est, de tous les ouvriers de l'atelier, le seul qui soit toujours « invité » et invité par tous ; il est aussi le seul qui puisse se permettre de s'inviter de lui-même presque auprès de chacun de ses compagnons de travail. Cela est admis de tous, plus personne ne trouve à redire, car chacun sait – c'est ce qui se dit – que Loulou est incapable de préparer son repas : « Loulou mange à tous les râteliers… » ; « Loulou est un véritable pique-assiette… » ; « Loulou, qu'est-ce que t'as à bouffer aujourd'hui ? C'est comme d'habitude ?… » ; « Elle est dégueulasse ta bouffe, Loulou !… » ; « Comment Loulou, t'as pas marre de bouffer toujours la même chose, des patates, du saucisson,… C'est mauvais pour la santé, tu sais… » ; « Change un peu, Loulou. C'est toujours la même saloperie que tu ramènes… » ; etc. : autant de moqueries, de plaisanteries qui ont valeur d'invitations.

Autre habitude : après le repas et en attendant l'heure de la reprise du travail, tout le monde (y compris parfois la femme du patron) se retrouve pour le café (et le pousse-café, pour certains) au comptoir du bar mitoyen de l'atelier ; et là encore, les groupes de consommateurs se constituent en fonction d'affinités et de rapports qui, tout en étant d'une extrême familiarité, trahissent quand même une certaine hiérarchie dans les formes – comme une hiérarchie des bienséances surtout, allant des relations les plus proches, marquées par une plus grande liberté dans les propos et dans les comportements (ce qui n'est donné qu'à certains), jusqu'aux relations qui, sans être distantes puisqu'on est entre partenaires qui se connaissent et se voient tous les jours, sont empreintes de réserve, voire d'une légère déférence (comme on en a pour ses « aînés »). Là encore, le personnage de Loulou est au centre de toutes les plaisanteries, il est sollicité par tous pour payer à boire, ce qu'il faisait, il faut le dire, avec largesse – sans doute, avait-il conscience d'être mal placé pour refuser d'offrir à boire, sachant au fond de lui-même qu'il était d'une manière ou d'une autre l'obligé de chacun de ses compagnons de travail –, le patron du bar lui ayant ouvert un crédit (une « ardoise ») qu'il réglait à chaque fin de quinzaine. De la même manière, à la fin de chaque journée de travail, Loulou ne rentrait jamais chez lui sans avoir fait auparavant une halte dans ce même café, il n'y était jamais seul, d'ailleurs, car il y avait toujours là quelques retardataires qui ne manquaient pas de le provoquer aimablement. Mais c'est évidemment le vendredi soir, même si, à l'époque, on était toujours à la « semaine anglaise » comme on disait – on travaillait encore, sauf cas de chômage technique, le samedi matin –, que tout le monde se retrouvait pour « fêter » la fin de la semaine, et le « vendredi de la quinzaine » (la paie se faisait tous les quinze jours), l'affluence était plus nombreuse : c'était tout le personnel qui se retrouvait au comptoir avec le patron, bien sûr, puisque c'était lui-même qui remettait les « enveloppes » à ses ouvriers. Loulou n'était jamais oublié dans toutes ces circonstances. Et si on aimait « boire à sa santé » – « A la santé de Loulou ! », déclarait-on à haute voix –, c'était aussi parce que Loulou payait beaucoup de tournées, arrosait à la ronde en même temps qu'il réglait son arriéré, ce qui donnait toujours lieu à des plaisanteries, toujours les mêmes : « Allez Loulou ! Tu arroses... » ; « Loulou, tu m'en dois une... » ; « Loulou, c'est la tienne... » ; « Allez Loulou ! C'est la dernière... » ; et Loulou payait toujours la « dernière ». Décidément, il était en permanence, en tous lieux et en tous temps, au travail et hors du travail, le souffre-douleur.

La position que l'ouvrier Loulou occupe dans l'usine et, surtout, le traitement auquel il est soumis de la part de ses camarades de travail sont aussi une autre indication du statut tout à fait « marginal » qui lui est réservé dans l'organisation du travail. L'effet sans doute le plus visible du climat de coopération qui s'est instauré entre tous les ouvriers est que toutes les tâches qui consistent à préparer et à clore la journée de travail sont prises en charge volontairement et gratuitement (en plus du temps normal de travail) par le groupe des ouvriers les plus engagés dans la marche de l'entreprise. Tout d'abord, le contremaître (ou, plus exactement, l'ouvrier qui en fait fonction), parce qu'il garde sur lui le trousseau des clefs, est tenu de quitter les lieux le dernier, seulement après qu'il a fermé les portes, et d'arriver le premier le lendemain pour donner accès aux autres ouvriers. Ensuite – même si, à l'origine, avant que la chose ne soit adoptée par tous, c'était seulement le groupe des quatre ouvriers les plus anciens qui avaient eu l'initiative de ce supplément de travail par pure amitié et par souci de solidarité avec leur ami et patron –, c'est tout le collectif des ouvriers qui, petit à petit, a fini par collaborer, à des degrés différents et chacun à sa manière, à la remise en ordre de l'atelier à la fin de chaque journée.

Ce type de contribution devenant une habitude, il était difficile même pour les moins concernés de s'y soustraire ; en effet, cela eût été pour eux une manière d'avouer leur faible intégration à un groupe fortement soudé, une manière de signifier leur exclusion qui est le résultat, tout à la fois, de leur volonté de s'exclure et de la volonté des autres de les exclure. Ni les deux travailleurs immigrés noirs, les derniers arrivés dans l'entreprise ; ni le jeune apprenti algérien placé là comme futur ouvrier par son oncle qui était précisément le principal responsable des travaux dans l'usine – sans doute, ne pouvait-il pas ne pas se sentir obligé de s'engager auprès de son parent et avec lui ; ni même la seule femme ouvrière que comptait le personnel, la veuve de l'ancien compagnon de travail, que l'on consentait à dispenser de la « corvée » mais qui tenait à apporter au moins une contribution symbolique, personne ne pouvait accepter de ne pas se considérer et de ne pas montrer qu'il se considérait comme étant de la « maison », puisque telle était la signification dernière de ce « partage » de travail gratuit. La quantité et la qualité de la part de travail prise dans ce partage a fini par devenir l'indice et la mesure de la plus ou moins grande intégration de chacun des ouvriers à l'équipe centrale des « anciens » et, à travers celle-ci, à l'usine elle-même. En raison de l'importance que cette équipe a prise dans la vie de l'entreprise, elle incarne aux yeux de tous non seulement l'état présent de cette entreprise mais tout son avenir, au moins le plus proche.

Dans ce rituel qui s'impose à tous, peut-être inégalement, un seul ouvrier tient une place d'exception : Loulou. Ancien parmi les plus anciens de la « maison », totalement dépendant du personnel de la « maison », il est le seul à qui il est demandé non pas de participer à l'œuvre commune au même titre et dans les mêmes conditions que tous les autres, c'est-à-dire bénévolement, mais d'être réellement de corvée tous les jours, sans exception ; il est le seul à qui on donne des ordres : « Loulou, tu vas faire ça et ça… » On lui fait faire les travaux les plus pénibles ou les plus désagréables, les plus salissants (dans un métier qui est lui-même très salissant), depuis le début des opérations jusqu'à l'acte final de la fermeture des portes de l'atelier•

« Le chômage nous divise
et fait ressortir tout ce qu'il y a
de malsain en nous, la jalousie,
l'individualisme, l'envie »

syndicaliste

« On attend toujours »

une chômeuse

Pierre Bourdieu

La fin d'un monde

« La seule chance de trouver du travail ici, c'est qu'une petite entreprise se crée. Alors qu'avant, c'était pas un problème pour rentrer à l'usine. Nos parents, comment ils parlaient nos parents, quand j'avais 14 ans, comment ils parlaient : "Tu fous rien à l'école, t'iras à l'usine." Les parents nous parlaient comme ça. Pourquoi on allait à l'usine ? Parce qu'on savait qu'il y avait de l'embauche pratiquement tous les ans, il rentrait 300 ou 400 personnes. C'était pas un problème. Mais maintenant, les parents, ils peuvent plus dire, "t'iras à l'usine", il y a plus d'usine[1]. » Ces propos d'un syndicaliste de la région de Longwy, ancien ouvrier sidérurgiste (comme son père et son frère), âgé de 44 ans (A), actuellement employé à la mairie, condensent l'essentiel du système des facteurs qui ont déterminé la crise d'un syndicalisme autrefois florissant, et aujourd'hui, comme le dira un autre ancien responsable, véritablement « sinis-

1. Des cinq entretiens utilisés ici, trois ont été réalisés par Pascal Basse. Afin de préserver l'anonymat tout en permettant de rapporter les propos aux caractéristiques sociales de ceux qui les prononcent, on a désigné chacun des syndicalistes interrogés par une lettre de l'alphabet (A, B, C, etc.) qui est rappelée, après la première apparition, toutes les fois qu'il est cité.

tré[2] » : la fermeture de la plus grande partie des usines métallurgiques, accompagnée du débauchage ou de la mise à la retraite anticipée d'une forte proportion des ouvriers, l'interruption de l'embauche et, par conséquent, du renouvellement des effectifs par l'entrée des jeunes, autrefois recrutés dès le centre d'apprentissage, la disparition des grands ensembles de travailleurs, des usines groupant 4 à 5 000 ouvriers, au profit des petites entreprises, de moins de 50 employés, toujours difficiles à pénétrer, la rupture, favorisée par l'école, du cycle simple de la reproduction, le chômage et la menace constante qu'il fait peser sur ceux qui ont un travail, les condamnant à la soumission, et au silence.

Mais il y a aussi cette sorte de démoralisation collective, qu'évoque bien cet autre syndicaliste, âgé de 36 ans, lui aussi ancien métallo fils de métallo (B) : « Tout le monde pensait qu'avec les retraites à 50 ans, les associations allaient avoir un renouveau. Non.

2. Globalement, la CGT a perdu en 20 ans plus des 2/3 de ses effectifs, là où la CFDT connaît un recul d'environ 30 %. Avec 600 000 syndiqués à la CGT, et 428 000 à la CFDT en 1990, les deux premiers syndicats français réunissent à peine 1 million d'adhérents, dont environ 860 000 actifs, alors qu'en 1970 ils organisaient plus de deux millions deux cent mille syndiqués. Cet affaiblissement global s'est accompagné d'une modification dans le rapport de forces entre les deux confédérations. Alors qu'en 1970, la CGT représentait les 3/4 des syndiqués CGT et CFDT réunis, elle n'en regroupait plus que les 2/3 en 1980. Dix ans plus tard, les écarts se sont singulièrement resserrés, puisque la CGT compte environ 58 % – et la CFDT près de 42 % – du total des inscrits aux deux syndicats. Si l'on ne comptabilise que les seuls actifs, les deux syndicats sont désormais assez voisins en nombre d'adhérents. Dans les années 70, le pourcentage de syndiqués, actifs seuls, recule de 13 % à 10 %. Les années 80 accentuent la perte d'influence . Les deux plus grandes organisations représentent moins d'un salarié sur 20 (*cf.* D. Labbé, M. Croisat, A. Bevort, *Effectifs, audience et structures syndicales en France depuis 1945*, rapport terminal d'enquête, Grenoble, Cerat, 1991).

Rien ! On croyait qu'on allait raccrocher beaucoup de monde et on a énormément de mal à trouver des gens, même pour la défense de son logement, de son loyer qui devient de plus en plus énorme, puisqu'on réhabilite (...). Mais ce qui me surprend le plus, c'est le délégué actif qui a mené des luttes : je pense à un copain qui a été actif, qui était un bon militant : eh bien, voilà un copain qui au lendemain de la retraite a tout arrêté, il a complètement cessé toute activité. » Comme le montre un autre responsable, lui aussi ancien métallurgiste (fils d'un militaire de carrière), âgé de 54 ans (C), ce désenchantement est commun à toutes les victimes du déclin des entreprises métallurgiques : « La retraite à 50 ans, pour quelqu'un qui l'a pas organisée, c'est un drame (...). Moi je sais qu'à 50 ans, j'ai préparé (ma retraite). Je savais que je continuerais à militer à l'Union locale, à essayer de me rendre utile... Mais le contact avec les gars dans la boîte, je l'ai perdu, c'est ça ma coupure (...). Les autres retraités ont quand même pris leur carte de retraité syndiqué CGT, mais beaucoup sont désœuvrés complètement (...). C'est la pétanque, les courses, et puis c'est des discussions à n'en plus finir dans l'intérieur des grandes surfaces (...). Ils discutent, ils se rappellent les vieux souvenirs, ils sont désœuvrés. C'est ce qui fait qu'à Longwy, maintenant, il y a un grand problème de cas de divorce, de cas de mésentente, de foyer qui ne va plus. Parce que c'est une autre vie pour la famille : le gars qui faisait les trois-huit, qui était le plus souvent à l'usine et qui se retrouve maintenant constamment avec sa femme, c'est une autre vie qui commence (...). Et on a, c'est pas des dizaines, c'est des centaines de cas de divorce à 50 ans dans la région de Longwy (...). Il y a eu des suicides, hélas, il y a eu quelques dizaines de cas, que l'on connaît, quelques-uns ont sombré dans l'alcoolisme. »

Tout se passe comme si la crise, et les difficultés de tous ordres qui en résultent, avaient brisé les fondements mêmes des solidarités anciennes : c'est ce que suggère un autre responsable syndical, d'origine italienne, aujourd'hui âgé de 72 ans (D) : « Il y a beaucoup de peine, beaucoup de souffrance, moralement et physiquement, on souffre, on souffre (…). Dans les cités, il y a un désarroi, il y a des difficultés, les gens sont gênés, ils ne parlent pas beaucoup (…). C'est dur, c'est dur (…). Même dans les familles, ils sont divisés, parce que les jeunes rachètent le logement, et ils voudraient que les vieux s'en aillent, pour le refaire, pour le louer (…). Le chômage nous divise et fait ressortir tout ce qu'il y a de plus malsain en nous, l'individualisme, la jalousie, l'envie ; le travail nous unit, la fraternité, la solidarité… »

Ce désenchantement va de pair avec un dépérissement de l'esprit militant et de la participation à la politique qui frappe même les responsables syndicaux les plus convaincus : « Y compris dans les municipalités dites ouvrières, il n'y a plus d'activité politique. Il y a une activité de gestion pour celles qui sont socialistes ou communistes mais il n'y a plus d'activité politique (…). On gère, on gère, comme le ferait la droite, peut-être d'une façon un tout petit peu différente, mais on gère… (…) Il n'y a plus rien, il n'y a plus d'activités. Alors, il n'y a plus de militants, les gens sont devenus comme moi, ils voient ça de loin et ils ne sont pas motivés pour faire quoi que ce soit… » (A).

Il va de soi que les « déceptions » (notamment à propos des socialistes et de la politique qu'ils ont suivie depuis 1981) et les désillusions (à propos des pays de l'Est et des régimes « communistes ») sont pour beaucoup dans la défiance dont les militants syndicaux font désormais l'objet et qui contribue sans doute à leur démoralisation : « Moi je suis un petit peu perdu dans tout ça. Je ne sais pas comment sont les autres… (long silence). J'ai peut-être changé, ou c'est le monde qui a changé autour de moi, ou bien je n'ai pas senti changer les choses, je ne sais pas, mais, en tout cas, je suis un peu perdu. C'est peut-être le fait de prendre un petit peu d'âge qui fait qu'on a moins envie de s'embarrasser pour les autres. C'est possible, hein ? Parce que moi, je faisais quand même partie des gens qui croyaient que les idées que je défendais, les idées pour lesquelles je m'investissais, étaient des idées qui tenaient la route… » (A).

Mais c'est de la bouche du plus ancien, militant prestigieux, devenu fameux dans toute la région pour son action pendant les grandes grèves du début des années 50, que l'on peut entendre les critiques les plus rudes et de la CGT, et du parti communiste, et des régimes de type soviétique : « Ah ! Je le dis tranquillement, si on avait eu le pouvoir, on aurait fait les mêmes erreurs (que dans les pays de l'Est). Parce que ça se traduit à ceci : "Lénine a dit", "Staline a dit", "Maurice Thorez a dit", etc. Mais je lui disais un jour à un gars qui était député et membre du comité central : "Et les travailleurs qu'est-ce qu'ils disent, tu les écoutes ?" Voilà, c'est tout. Voilà le problème (…). Chacun s'est servi, chacun construit sa villa sur la Côte d'Azur ! Alors, voilà les faits ! » (D) Et de critiquer le vote à main levée, la tendance d'une grande partie des militants à s'abstenir, la logique de « promotion sociale » qui s'empare des responsables : « Parce qu'on a un niveau de vie, on est rattaché à la retraite des cadres, etc. On a créé aussi notre caste. Il y a aussi ces maisons de repos spéciales pour eux. Où, en fait, on est là, mais on ne paye pas. »

Et ils évoquent tous la formidable déception qu'a suscitée le gouvernement de gauche, après 81, tout spécialement dans la région de Longwy, en reprenant après une pause entre 81 et 83, la politique de fermeture des usines qui avait suscité les formidables mouvements de protestation de la fin des années 80 : « Et puis, 82-83, il y a le départ des ministres communistes, et puis on commence à annoncer dans la sidérurgie que ça va pas mieux, que l'on ferme telle installation, telle installation… Et c'est là que le malaise se crée. Alors, syndicalement, on perd des cartes. (…) 83, il faut être honnête, c'est 10, 20, 30 % de pertes d'adhérents à la CGT » (C). Même chose du côté du parti communiste : « Il y a plus de parti (…). Il y a plus de cadres, et plus d'adhérents (…). Nous sommes partis à 7 ou 8 (en 1988) et après, malheureusement, malheureusement, il n'y avait plus de cadres (…). Il reste des militants, ils ont des militants en carte, des sympathisants, mais il n'y a plus de cadres dirigeants » (C). Et surtout, comme l'observe un autre militant de la CGT, âgé de 36 ans et actuellement au chômage (E), il n'y a plus de renouvellement par le recrutement de jeunes : « Moi, je connais des fils de communistes qui disent : "mon père est un con !" (je m'excuse, mais ça veut dire ce que ça veut dire). Mais ça, en général, on a échoué sur la jeunesse. Ne parlons pas du parti socialiste. (…) Et la jeunesse est partisane de l'ordre. Ça explique qu'elle se jette dans les bras d'un Le Pen (...). Pour la première fois, il y a eu un certain nombre de voix Le Pen. »

Et devant les nouvelles formes d'exploitation, favorisées notamment par la déréglementation du travail et le développement du travail temporaire, ils sentent l'insuffisance des formes traditionnelles d'action syndicale : « Il faut qu'on aille dans les petites entreprises de moins de dix employés. Il faut aussi y aller, il faut qu'on arrive à s'implanter, à aller voir (...). C'est pour ça que le discours il est forcément obligé de changer dans nos têtes. On ne peut plus aller dans les entreprises comme, personnellement, je le faisais à l'atelier central. Je montais sur le petit wagonnet, je tapais dans mes mains, je sifflais, boum, 100 personnes étaient autour de moi, et je faisais une prise de parole. C'est fini, tout ça. Et puis, il faut présenter le syndicat autrement. Dans les petites entreprises, Dieu sait les problèmes qu'ils ont : des heures supplémentaires pas payées. On leur fait faire des heures, c'est à peine s'ils récupèrent. C'est les conditions de travail. Ils ont énormément de problèmes » (E). Et un autre : « Maintenant, on est dans une situation où il y a le chômage, un certain nombre de problèmes, et les gens se taisent. Moi je trouve complètement intolérable qu'il y ait des gens qui puissent travailler huit heures comme des dingues, parce que c'est comme ça, pour 5 300 francs par mois. Ça c'est difficile à admettre ! Mais c'est vrai qu'ils n'ont pas le choix : ils sont obligés de se taire. Et ça, ce n'est pas tolérable non plus. Il peut y avoir des mouvements et on l'a constaté, il y a quelquefois des réactions, y compris dans les grandes entreprises. Bon, on a vu souvent aussi les syndicats officiels et traditionnels débordés par des coordinations ou des choses comme ça. On peut se poser la question de savoir pourquoi : est-ce que le langage syndical correspond encore ? Pourquoi ça se passe comme ça ? Parce que l'étiquette syndicale doit avoir pris un coup… Parce quand on dit, "je suis au syndicat", on s'entend répondre, "mais les syndicats font de la politique, ils ne s'entendent pas". Peut-être, peut-être… Il y a beaucoup de questions qui sont posées aujourd'hui et auxquelles je suis incapable de donner des réponses, y compris pour moi-même. On a plus rien sur quoi se rattacher. On a perdu, probablement, beaucoup d'illusions. On y a trop cru. Et quand tout s'écroule, il n'y a rien derrière » (A)•

décembre 1990-janvier 1991

Michel Pialoux

Le désarroi du délégué

J'aurais dû rencontrer Hamid depuis longtemps. On m'a souvent parlé de lui ; lorsque j'évoquais les « problèmes » des immigrés dans l'usine, on me disait : « Tu n'a pas encore vu Hamid ? tu devrais aller le voir. » En fait je l'ai croisé, aperçu à plusieurs reprises, notamment lors de la grève d'octobre 1989 ; je connais sa silhouette courte, trapue, je l'ai vu en tête des défilés. Il figure dans beaucoup de documents tournés en camescope. Il apparaît dans un film tourné sur l'usine en 1990 : il a été filmé pendant plusieurs moments sur son poste de travail, il commente lui-même ses gestes, les opérations, il parle de la pénibilité de ce travail. Je l'ai vu également à la télé, aux actualités de FR3. Lorsqu'il s'agit de témoigner sur les nouvelles conditions de travail à HC1 (Habillage-Caisse, nouvelle usine de carrosserie), c'est souvent à lui, parce qu'il est délégué, et parce qu'il n'a « pas peur » de s'exprimer qu'on fait appel. Son avis a du poids dans le syndicat. Il fait partie de ce petit nombre de « délégués » qui sont en mesure de se présenter en porte-parole et parmi lesquels depuis cinq ou six ans le poids des femmes et des immigrés s'est beaucoup accru.

Il travaille dans la région de Montbéliard depuis une vingtaine d'années, et dans l'usine de Sochaux depuis

15 ans. Mais il n'a guère plus de 40 ans. Il a occupé différents postes, toujours en chaîne, et a très longtemps travaillé en finition. Syndiqué deux ou trois ans après son arrivée à l'usine, c'est après la grève de 1981 qu'il a accepté de devenir délégué et depuis n'a pas cessé de l'être. Depuis plusieurs mois, et après avoir fait le fameux stage de trois semaines à Morvillars, il travaille à HC1, le nouvel atelier qui s'est ouvert à la fin de 1989. Les délégués CGT et CFDT y sont très peu nombreux (« une poignée »). La plupart des militants et des délégués sont encore à cette date dans la « vieille » finition. Mais aux élections des DP (délégués du personnel) de mars 90, la CGT a fait, dans le nouvel atelier, un score tout à fait inattendu, dépassant 70 % dans certains départements.

J'ai pris rendez-vous avec Hamid, trois jours auparavant, un dimanche après-midi, lors de la fête de la CGT de Sochaux. Chaque année, la fête se déroule sur le terrain de sport de Bethoncourt, une commune proche de l'usine dont la municipalité est communiste. Quelques centaines de participants. On vient en famille. La journée s'organise autour des matches de foot que disputent des équipes improvisées : l'emboutissage contre la finition, les jeunes contre les vieux, le châssis contre la fonderie, les femmes contre les hommes. Ce ne sont pas de vrais matches. Certains joueurs sont déguisés, on rit beaucoup. Plusieurs hommes sont déguisés en femmes, ou l'inverse. Les femmes sont très applaudies. Les figures populaires des ateliers se doivent d'être présentes, de jouer sur la pelouse ne serait-ce que cinq ou dix minutes. Les séquences de jeu sont d'environ 20 minutes (il y a trois ou quatre ans, elles dépassaient largement la demi-heure, mais on a vieilli, et on est trop essoufflé). L'atmosphère sur le terrain et hors du terrain est celle de la franche rigolade. On entre dans le jeu, on en sort comme on veut (je me souviens qu'en regardant ces matches, j'ai pensé aux orchestres du syndicat des métallos, l'IG Metall, dont j'ai vu des images dans un film sur les usines Volkswagen de Wolfburg). Il me semble que les ouvriers présents ici sont tous des OS, qui ont sensiblement le même âge ; peut-être y a-t-il parmi eux quelques professionnels, mais en très petit nombre. Deux ou trois techniciens, ceux que l'on voit toujours, pas un seul cadre. Il me semble que je suis le seul, dans toute la fête, à ne pas avoir l'air d'un ouvrier.

C'est ainsi que j'ai rencontré Hamid. Il venait de jouer, de beaucoup courir, et il soufflait un peu, à demi allongé, sur le bord de la pelouse. Il était avec sa femme et sa petite fille, au milieu d'un groupe de « copains ». J'étais moi-même avec un groupe de militants que je connais depuis longtemps. On m'a présenté : « Un copain dont t'as peut-être entendu parler, qui a fait des articles sur l'usine, qui vient à Sochaux depuis quelques années. » « Sociologue » ou « journaliste », je ne sais trop les mots qui ont été employés. Hamid fait comme si ma figure ne lui était pas totalement inconnue. Et effectivement il a déjà dû me voir avec l'un ou avec l'autre. On continue : « Il aimerait discuter avec toi du travail à HC1, parler de l'ambiance de l'atelier, du boulot de délégué. » Je dis quelques mots de ce que je connais de HC1, des visites que j'y ai faites, de certains des ouvriers que j'ai rencontrés. Un accord immédiat, sans problème, pas l'ombre d'une réticence.

Quand j'arrive vers 10 h 30 à l'appartement où il vit, dans la ZUP de Montbéliard, une grande « barre » où les familles d'ouvriers immigrés sont nombreuses – on n'utilise ici qu'un mot pour les désigner : « les blocs » –, Hamid, un grand tablier passé sur son T-shirt, en jeans, est en train de préparer le repas de la famille, celui qu'il avalera tout à l'heure en vitesse avant de partir pour le travail de l'après-midi (il travaille « de tournée », et cette semaine, il est « de l'après-midi », c'est-à-dire qu'il travaille de 13 heures 15 à 21 heures). La fenêtre est grande ouverte. Dehors le ciel est très bleu, et il fait très chaud. Hamid prend, de toute évidence, beaucoup de plaisir à cette occupation : il vient d'éplucher quelques légumes et de vider des maquereaux qu'il va jeter dans un court-bouillon – tout à l'heure il m'en donnera la recette : une recette de chez lui, du Sud, accommodée aux possibilités locales.

Il m'accueille très gentiment, comme si je ne l'importunais pas, il me dit qu'il n'avait pas oublié notre rendez-vous, qu'il m'attendait. Je ne me sens guère obligé de me justifier d'être là. Il me semble que tout se passe comme si nous nous connaissions depuis longtemps et que nous reprenions une conversation interrompue. Je me dis que ce sera là un entretien « sans problèmes ».

Et puis – nous sommes encore debout dans l'entrée, je ne lui ai, bien sûr, pas demandé la permission d'ouvrir mon magnétophone – voilà qu'il se lance dans un récit un peu confus de ce qui est arrivé la veille dans son atelier, et de telle manière que je n'ai pas envie de l'interrompre ! Le récit est d'abord un peu chaotique, mais à la violence des mots – « ça me dépasse », « je n'ai jamais vu ça », « ça me passe par-dessus la tête » –, je comprends qu'un événement est survenu qui se situe en dehors du « train-train », de la « routine de la vie syndicale ». Un événement qui le touche, lui, personnellement, qui, à ses yeux, relève d'un autre ordre que ceux dont nous avions projeté de parler.

Que s'est-il passé ? En bref la veille, dans un secteur de l'atelier, tout proche du sien (où depuis le départ des intérimaires, à la suite de la guerre du Golfe, les collectifs de travail sont sans cesse réorganisés, où sans cesse arrivent des « vieux » provenant d'autres secteurs de l'usine) des ouvriers de son âge, qui sont des anciens de finition (des gens qu'il connaît bien, des « bons copains », de « bons ouvriers » qui ont fait grève en 1981 comme en 1989, sans problème, qui votent pour la CGT, même s'ils ne sont pas syndiqués) et qui partagent donc en principe les anciennes valeurs de solidarité, ont rédigé une pétition, plus ou moins à l'initiative des « chefs », pour demander qu'un ouvrier soit « exclu », non seulement du secteur, mais de l'usine de Sochaux – et cette pétition était dirigée contre un ouvrier, qui était lui-même, un ancien syndiqué, qui avait 10 ou 15 ans d'usine, mais qui, n'ayant jamais été en chaîne, n'arrivait pas à tenir le rythme. Hamid a voulu les faire revenir sur leur décision. Il a complètement échoué.

Il en reste abasourdi, assommé. Lui qui est habituellement plutôt calme, pondéré, il se met à parler avec volubilité, il est comme saisi à nouveau par l'émotion qui le tenait la veille. Il va me dire sa surprise, son désarroi, son indignation, la manière dont il est allé – en utilisant ses heures de délégation – engueuler ses copains, interroger les chefs, les mettre en face de leurs responsabilités, face à un événement qui lui paraît « scandaleux », qu'il n'admet pas. Il va mimer la surprise des chefs qui lui demandent : « Mais pourquoi t'acharnes-tu ainsi ? », « pourquoi cela te touche-t-il si fort, alors que, après tout, d'habitude on ne vous ménage pas, vous, les délégués ? ». Et il m'explique à nouveau comment il s'est agité, est revenu à cinq ou six reprises voir les chefs, a suscité entrevues et réunions. Il s'est passé là une chose qui le blesse profondément, qui semble l'atteindre à un niveau personnel, dans son honneur de militant et d'ouvrier.

Sa protestation me paraît plus éthique que vraiment politique. Elle ne se prolonge pas dans un discours de dénonciation des pratiques de la direction, du type de ceux que pourrait me tenir un militant aguerri, rompu au combat syndical. Son indignation – mais c'est une indignation qui reste contenue, qui ne s'exprime ni par de grands mots, ni par des éclats de voix, mais plutôt dans la vibration du ton – se porte dans deux directions.

Il s'emporte contre « les copains », les « vieux » qui ont dépassé les bornes de ce qu'il est possible d'excuser – qui ont rompu avec les règles « élémentaires » de la solidarité ouvrière. Un peu plus tard, il me parlera de l'attitude des ouvriers français et particulièrement des sympathisants de la CGT pendant la guerre du Golfe et la manière dont beaucoup de vieux syndiqués se sont montrés plus anti-arabes que certains « peugeotistes ». Il retrouvera le même ton, celui d'une indignation contenue : sans les excuser, il ne peut pas aller jusqu'à la condamnation totale, parce qu'il sait trop bien le poids de misère qui pèse sur ses copains.

Il s'emporte aussi contre la direction, les cadres de haut niveau, les « grands chefs » qui, en voulant ignorer le groupe « réel » des ouvriers pour favoriser l'émergence d'un groupe fictif autour des moniteurs et des chefs d'équipe, en exaspérant l'individualisme, les rivalités, les jalousies, pratiquent une politique aveugle, presque insensée qui, un jour, dit-il, se retournera contre eux.

Je suis frappé par le lien qu'il établit entre la violence des pratiques d'individualisation à outrance, et la destruction de ce qu'il perçoit comme des liens sociaux minimaux qui, même dans des ateliers ultra-taylorisés, assuraient une forme de vie sociale relativement organisée. Car, et il le redira à plusieurs reprises, ce sont les liens sociaux fondamentaux qui se trouvent affectés par des pratiques qui visent des gens tenaillés par la peur et que l'avenir angoisse. D'où le risque, sur lequel il insiste que courent les chefs d'être eux-mêmes atteints un jour, par ricochet en quelque sorte.

Au bout d'un moment cependant, il propose que nous nous asseyons. Nous nous installons dans la cuisine devant la table sur laquelle, tout à l'heure, il préparait légumes et poissons. Je demande l'autorisation d'ouvrir mon magnétophone, ce qu'il m'accorde comme allant de soi. Quelques phrases banales. On se vouvoie à nouveau : « Je ne sais pas trop ce que vous attendez. » Je lui dis que c'est exactement de « tout cela » qu'il faut parler, de toutes ces « histoires » auxquelles on ne prête pas habituellement assez d'attention, qu'il faut qu'on y revienne, qu'à moi aussi « tout cela » semble important, qu'on n'écoute jamais « vraiment » les militants qui sont en première ligne.

Nous resterons longtemps ainsi, assis à la table. Nous boirons une bière, un café. De temps en temps l'un ou l'autre se lèvera pour regarder la marmite. Au bout d'un moment, je me mettrai moi-même à éplucher quelques légumes, autant pour me donner une contenance que parce que ce geste est en quelque sorte « appelé » par le cadre.

C'est l'arrivée de sa femme, avec qui je bavarde un moment (à propos du pays), qui interrompra notre entretien. On ne peut retarder l'heure de départ pour l'usine.

avec un OS délégué CGT

— entretien de Michel Pialoux

« La cohésion du groupe, elle était contre les chefs, maintenant, il y a une adhésion des ouvriers contre d'autres ouvriers »

— Le mieux c'est que vous racontiez comme vous en avez envie et après je vous poserai des questions…

Hamid — Oui, j'étais en finition sur une ligne… la chaîne quoi ! C'était la 35, ils appellent ça ligne parce que ça fait meilleur ! Une chaîne de production, les 405, les 205. Pendant que j'y étais, on ne faisait pas encore de 605, maintenant je ne sais pas…

— Et vous y étiez depuis longtemps ?

Hamid — Depuis 72, toujours sur la même ligne. On a fait le lancement de la 604, de la 205, de la 405 et c'était toujours une chaîne pilote parce que les gens qu'ils ont choisis sur cette ligne, c'est des gens qui travaillent bien… par rapport à… ils n'ont pas beaucoup de défauts. Faut dire que la maîtrise, elle reconnaît quand même que les responsables de la CGT, des organisations syndicales et surtout la CGT, qu'ils peuvent être emmerdants pour eux au niveau de la bagarre syndicale et tout ça, mais qu'au niveau du boulot, ils font leur boulot comme il faut, d'ailleurs ils ne se plaignent pas là-dessus et ils le répètent souvent au niveau de HC1, ils disent, « oui, on n'a jamais eu de problème avec les délégués de la CGT ».

— Sur les questions de boulot ?

Hamid — De boulot parce que lorsqu'on va, nous, pour leur dire, « voilà, il y a des gens qui n'arrivent pas à tenir le poste… », ils disent, « oui, mais ce qu'il y a avec vous les délégués, c'est qu'on n'a jamais eu de problème avec vous », mais nous tout de suite, on contourne la chose parce qu'on ne veut pas tomber dans le piège, nous laisser flatter, nous, et ne pas… On peut à la limite sentir, à un moment ou à un autre, comment le reste des ouvriers ne fait pas son boulot comme il faut, et pourquoi, et tout ça ; alors nous, on dit, « on y arrive, mais avec les moyens du bord. » Mais il faut avouer qu'un délégué lorsqu'il n'arrive pas à faire son boulot, lui, il sait que le poste est trop chargé, il prend son stylo et il le marque, et il sait aussi qu'y a un retoucheur qui est payé pour. Mais un ouvrier, même âgé, pour lui ce n'est pas toujours évident. Il n'ose pas : j'ai vu des gens qui descendent à dix mètres de leur poste pour rattraper une bricole.

— *Qui prennent du retard et qui après n'arrivent pas à rattraper…*

Hamid —… Et le moniteur quand il remarque qu'il y a quelqu'un qui a oublié quelque chose, au lieu de faire la bricole et de le lui dire, non, il vient le chercher et il le fait descendre jusqu'à dix mètres plus bas… et le mec refait le boulot dix mètres en bas et après il remonte si le moniteur ne le remplace pas ou s'il ne met pas quelqu'un pour le remplacer. Alors les gars tombent dans ce piège. Mais depuis qu'on commence à parler avec eux, et tout, on leur dit, « s'il te fait descendre, il faut lui demander de te remplacer. S'il y a une retouche à faire, tu vas la faire, mais pendant ce temps, il te remplace ! ».

Le chef leur avait remonté la tête

— *Et pourtant c'est quand même des gens qui sont, pour la plupart, dans l'atelier depuis 10 ou 15 ans, qui connaissent ça, qui devraient avoir moins peur de s'adresser au chef ou au contremaître pour ça, quand même !*

Hamid — A HC1 ce n'est pas la même ambiance qu'en finition : par exemple… ils ont amené des gens d'autres secteurs, il y a des P1, P2, tout ça, et ils les ont mis sur la chaîne, et ces gens-là ne sont pas habitués parce que nous, quand même, ça fait 17 ou 18 ans qu'on est sur la chaîne, on a quand même… Bon, la cadence pour nous aussi, elle a augmenté progressivement. Au bout de quelques années… Tous les ans on nous rajoute quelque chose, tous les ans, il y a un pourcentage de plus de production, alors on s'est faits quand même à l'idée que l'année prochaine, ils allaient augmenter la cadence, c'est psychique, nous on est déjà préparés. Mais les gens qui débarquent dans le secteur, qui étaient professionnels en réparation, qui faisaient de la qualité, du jour au lendemain ils se retrouvent sur la ligne et ils ne peuvent pas suivre…

— *Et vous en avez beaucoup ?*

Hamid — Oui maintenant… par exemple, ils prennent des caristes et ils les mettent sur la ligne, ils n'y arrivent pas, et il y a aussi des professionnels qui sont venus d'autres secteurs... Plusieurs qui sont venus de l'« appro », des magasins d'approvisionnement... C'est hier qu'on en a eu deux qui sont venus de l'emboutissage, et qui n'avaient jamais travaillé sur la ligne... C'étaient des techniciens de réparation sur presse, peut-être, ils débarquent et ils n'arrivent pas à suivre... Et c'est là que le problème dont je parlais est arrivé [*silence*]. Le pire c'est que ce sont des ouvriers de son équipe qui ont fait une pétition... bien sûr remontés par le chef... travaillés au corps par leur chef qui leur dit, « vous, vous en chiez à longueur de journée et lui on lui a donné un petit poste de rien du tout et il n'arrive pas à faire son boulot ! » Alors vite on a su, en distribuant des tracts, ce qui s'était passé et je suis allé voir ces copains, de toute façon je connais tous ces copains parce qu'ils ont travaillé sur la ligne 35 avec moi... Et j'ai discuté avec eux, un par un, et j'ai dit, « comment ça se fait... ? » « nous, on arrive à travailler et lui, il n'y arrive pas ! ».

— *Ils ont fait une pétition pour le renvoyer ?*

Hamid — Pas pour le renvoyer de ce secteur, pour le renvoyer complètement de Peugeot ! Et c'étaient des ouvriers ! Et c'étaient, à la limite, de bons ouvriers parce que pendant la grève [*de 89*], il y en a pas mal qui ont fait grève. Et on n'arrivait pas à comprendre, alors je les ai un petit peu travaillés un par un, et j'ai commencé à savoir le pourquoi. Je me suis rendu compte que le chef leur avait remonté la tête et puis comme la personne n'y arrivait pas, qu'elle laissait passer des opérations... et alors le moniteur et le chef ne peuvent pas compter sur elle pour remplacer les gens qui prennent des jours... Et ça les touche de près, et en plus il y a une prime de 50 francs de qualité et ils ne l'auront pas à cause de lui, entre guillemets, mais dans leur tête c'est à cause de lui. Alors je me suis mis en rogne contre eux et j'ai dit, « c'est inadmissible que vous, des ouvriers, fassiez une pétition pour en renvoyer un autre ! » En fin de compte, j'ai discuté avec tout le monde, y compris avec le chef, on en a parlé avec d'autres délégués et on est allé voir le remplaçant du chef du personnel et puis on a dit, « attention, si des choses de ce genre se passent, nous, on ne restera pas les bras croisés ! On écrira le nom des gars et on les montrera du doigt au niveau de l'usine et tous les ouvriers sauront que c'est des... des mouchards, que c'est des gens qui ont... ». Et j'ai discuté avec un et j'ai dit, « tu te rends compte : s'il a une famille, s'il a des enfants, s'il a des dettes... comment peux-tu imaginer les problèmes que ça va lui poser si jamais il est renvoyé ! », il m'a dit, « j'en ai rien à foutre moi, il n'a qu'à faire comme nous ! ».

— *Celui qu'ils veulent virer, c'est un type quand même âgé, qui est dans l'usine depuis 10 ou 15 ans aussi ?*

Hamid — Il a 37 ans, mais il doit avoir facilement 15 ans de boîte, facilement… Le problème c'est qu'avant il faisait un travail de qualité, il n'avait jamais travaillé à la production, et la production, ce n'est pas la même chose. Et déjà il ne se sentait pas bien dans sa peau… parce que déjà, lui, il croit qu'ils l'ont déplacé… parce qu'il était P1 et ils l'ont mis APF3, c'est la même classification, disons, mais lui, il se sent déjà lésé. Et le pire de tout, c'est que ses copains de travail l'ont complètement rejeté, ils se sont tous… le chef est parvenu à leur faire comprendre que c'était un fainéant, qu'il ne fallait pas se laisser avoir par un type comme ça.

La haine des ouvriers contre ce mec-là, je n'ai jamais vu ça

— *Mais justement, les gens à qui vous avez fait un peu une espèce de morale, c'étaient aussi des ouvriers qui avaient 15 ans d'usine et qui se laissaient complètement prendre la tête par le point de vue du chef…*

Hamid — Du patron, quoi… ce qu'ils nous ont appris dans les stages de perfectionnement à Morvillars, moi, je croyais que c'était de la théorie, qu'une fois sortis de là les gens… mais là ils le pratiquent, parce que eux, lorsqu'ils parlent, ils parlent du « groupe » « il gêne le groupe, il empêche le groupe de travailler », ils ne parlent que du groupe. Je dis, « mais le groupe… nous, ça fait des années qu'on travaille en groupe… Vous avez les mêmes années que ce monsieur, si jamais demain on vous met, vous, au poste où il a été, vous saurez rien faire… parce que lui, il a une qualification qui lui permet de faire quelque chose mais qui… ». Alors j'ai vu son chef, je lui ai dit, « écoutez, je prends mon cas personnel : une fois on m'a mis dans le poste d'une femme, je ne suis jamais parvenu à le tenir ; et pourtant le contremaître en me mettant à ce poste-là, il croyait me faire une fleur. Après, il m'a donné un poste plus dur, c'était le tuyau de frein et je m'en suis sorti », alors il faut partir du cas approprié… « Et si cette personne n'arrive pas à tenir le poste ici, pourquoi vous vous acharnez à la laisser ici ? L'usine est énorme, envoyez-le ailleurs, cherchez-lui un autre poste dans une autre usine ou bien un autre secteur où il y a de la préparation ; le temps de s'habituer à la production et après vous le faites revenir dans notre ligne. » Parce que moi je lui dis, « la tension, c'est à double tranchant : si vous voulez remonter une équipe contre un ouvrier, nous déjà, en tant que responsables syndicaux, on ne peut pas se laisser faire, on va faire tout pour que cette personne ait un autre poste… mais en même temps, vous, vous prenez vos responsabilités parce que si jamais vous faites ça, ça va dégénérer un peu partout et puis ça remontera, ça se retournera forcément contre vous un jour ou l'autre. » Alors il commençait à baliser quand même. [*Silence*] Mais la haine des ouvriers contre ce mec-là, je n'ai jamais vu ça ; depuis que j'ai commencé à travailler dans l'usine, j'ai vu des gens qui rouspétaient, qui se… Mais là, c'est le rejet complet, ils ne veulent pas entendre parler de ce mec-là, pour eux, « c'est un fainéant… il ne veut pas travailler… » Je leur dis, « mais moi, je travaille dans une équipe comme vous et quand mes collègues ne veulent pas travailler, ce n'est pas mes oignons ; moi je fais mon boulot, celui qui n'y arrive pas, je ne vais pas tomber dans le truc de la direction et lui dire : toi, tu ne fais pas ton boulot ! Toi tu t'absentes ! Toi tu te mets en maladie ! » Nous sommes dans une équipe, on se dit bonjour, on travaille, d'ailleurs on n'a même pas le temps de parler parce que la chaîne va trop vite. Je lui dis, « mais il ne te gêne pas physiquement, il ne t'empêche pas de faire ton boulot ? » Il me dit, « non ». Alors, je lui dis, « pourquoi vous vous acharnez contre lui ? » Je suis désolé parce que parmi ces gens qui ont signé, il y a de bons éléments, et moi-même, il y a un mois, je suis allé leur donner un cahier de revendications… et les mecs ont accepté… et chaque fois qu'il y a un problème, ils le marquent, et les cahiers, ça marche bien sur les lignes… et ces gens-là participaient à recueillir des questions, et d'un seul coup ils se sont laissé « appâter » par le chef – je ne sais pas ce qu'il leur a promis. Il y a deux ou trois gars quand même, venus d'autres secteurs, qui n'ont pas signé, ils ont dit, « nous, on n'a rien à voir avec… ça ne nous gêne pas, il fait ce qu'il veut ; nous, on fait notre boulot, c'est au chef de résoudre ce problème, ce n'est pas à nous de signer ! ». Mais la majorité de la section a signé.

— La majorité a signé… il y a quand même une espèce d'adhésion des gens à ce type de travail, il y a quand même une partie des gens qui entrent dans le système…

Hamid — Carrément dans le système parce que pour eux... le chef se débarrasse de pas mal de charges, il n'organise plus les jours de congé et tout ça. « C'est à vous en tant que groupe de vous arranger. » Si quelqu'un arrive à sept heures au lieu de cinq heures, le chef demande au groupe s'il doit le payer ou pas, et il dit, « je vais te payer parce que le groupe l'a décidé. » Ce n'est plus Peugeot qui paie, c'est le chef qui paie l'ouvrier et ça, ça rentre, « chef, tu ne peux pas me payer mes deux heures ? je suis venu en retard ? » Alors des fois, le chef leur dit de rester jusqu'à 23 h 30, 24 h, ou bien ils partent à 22 h et il les paie jusqu'à 23 h 30...

Il y a une doctrine patronale qui est rentrée

— *On leur donne les moyens d'exercer tous ces petits chantages, tous ces petits trucs en finesse...*

Hamid — Le système de travail par exemple : on arrive à 13 h ou à 5 h le matin, et lorsqu'on commence le boulot, le chef dit, « il n'y a pas de gants aujourd'hui », ou bien, la veille, il vient nous dire, « ne jetez pas vos gants parce que je ne peux plus sortir de gants parce que j'avais un budget et je l'ai dépassé », alors les gens travaillent avec les mêmes gants pendant une semaine et avec cette chaleur, c'est vraiment dur. C'est malheureux qu'on en soit arrivé là dans la nouvelle usine ; heureusement que ce n'est pas généralisé, mais, si on ne fait pas attention, ça peut devenir dangereux... dangereux pour les deux d'ailleurs, parce qu'il y a une tension énorme avec la chaleur et s'il y a des gens qui se rebiffent contre Peugeot, et s'il y en a qui tombent dans le piège... ça peut se retourner contre Peugeot aussi bien que contre les ouvriers... c'est quelque chose qu'on ne pourra pas contrôler... D'ailleurs hier, il y a eu une réunion où on n'a parlé que de ça parce que c'était impossible de laisser passer...

— *C'était une réunion des délégués ?*

Hamid — Oui, après qu'on a vu ça, on a appelé tous les collègues des autres secteurs, et on a fait la réunion dans HC1, et on parlé entre autres de ce problème. Et on a dit de ce problème-là, il faut qu'on en parle parce qu'on n'a pas à se laisser dépasser par les événements, parce que si Peugeot fait ces choses-là, il peut nous diviser et après faire ce qu'il veut... et le mois prochain, il va nous rajouter 50 voitures... au mois de septembre, on va avoir du chômage... Maintenant, on fait des heures supplémentaires et après, on va chômer... Une semaine, on chômera par exemple deux jours, le vendredi et le lundi, et on ne travaillera que trois jours, mais n'empêche qu'on devra faire la production de toute la semaine parce que Peugeot augmentera les cadences, le nombre de voitures. Et puis, les gens diront, « après tout on ne va pas y perdre grand-chose puisqu'on ne travaille que trois jours, qu'on a deux jours de chômage... ». Et on a vérifié ça pendant toute la période de chômage, chaque fois qu'il y a eu du chômage, il y a eu augmentation automatique du nombre de voitures à faire. Mais n'empêche que les gens disent, « on va tenir le coup puisqu'on a deux jours de chômage ça va nous faire trois jours de repos avec le samedi et le dimanche. » Mais ce n'est pas la solution... Ça fait des années qu'il nous fait ça et maintenant les gens commencent à dire « attention, s'il nous fait chômer et qu'il nous augmente nos cadences, ça va mal aller ! » (...) Si on laisse faire, vraiment, on sait pas jusqu'où ça va aller (...).

Je crois que le système des primes, il est le pire de tous

— Il y a tout ce système de primes aussi qui est un moyen de pression...

Hamid — Je crois que le système des primes, il est le pire de tous parce que même les classifications et tout ça, Peugeot ne joue pas avec la légalité. Il est très avare au niveau des classifications, par contre, il distribue les primes, « tu restes jusqu'à minuit, tu auras une prime, tu viens un samedi, tu auras une prime, si tu ne fais rien, tu n'auras rien du tout... » Et puis, médicalement, il fait des entretiens avec les ouvriers, « tu as pris tel et tel jour, tu as un pourcentage pour te mettre en maladie, tu l'as dépassé... il te faut un pourcentage de qualité, tu l'as à peu près fait... on te demande de venir tous les jours juste avant la reprise du travail, cinq ou 10 minutes avant pour assister aux briefings, tu ne viens pas... Ça fait trop, je ne peux pas te donner ta prime ! ».

— C'est surtout les primes de groupe, si le type a fait perdre la prime au groupe, c'est sans doute pour ça que les ouvriers de son secteur ont fait une pétition ?

Hamid — Oui la tension vient de là, et puis le chef l'a bien signifié, il a dit, « c'est à cause de lui que vous perdez vos primes », et puis les gens sont tellement simples d'esprit, qu'ils croient que les

50 francs ça va leur coûter grand-chose… pour eux perdre 50 francs à cause de ce mec-là, c'est inadmissible. « Moi je fais mon boulot. » Le pire, c'est que Peugeot s'arrange pour donner les postes les plus chargés à ces gens-là, et à celui qui conteste on arrive toujours à lui trouver un boulot relativement cool, cool entre guillemets parce qu'il n'y a pas de poste vraiment cool… en tout cas, ce qui est sûr, c'est que son poste est meilleur que celui de ses collègues. Alors les autres disent, « il a déjà un poste "facile" et il n'arrive pas à le tenir, nous on a un poste difficile et on fait le travail, et par-dessus le marché lui, il fait des défauts et nous on n'en fait pas. » Comme il n'y a plus… maintenant tout, tout est global, c'est l'équipe… si moi, par exemple, je pose une suggestion, ça ne me rapporte plus grand-chose, ça rapporte au groupe, si je fais une connerie, c'est le groupe qui paie, si j'ai envie de m'absenter et je ne téléphone pas… c'est le groupe qui me dit « pourquoi tu n'as pas téléphoné ? » C'est des ouvriers qui téléphonent à d'autres ouvriers… j'en ai connu une qui a téléphoné à sa collègue parce qu'elle avait son numéro, elle lui a dit, « mais ça ne va pas, toi ! Tu ne viens pas, tu ne préviens pas, moi j'avais prévu de prendre mon jour et tu… », c'était le chef qui lui avait dit, « J'aurais bien voulu te donner ton jour mais ta collègue n'est pas là », ce n'est pas le chef qui a téléphoné, c'est la fille qui a téléphoné à sa copine et qui l'a engueulée. Et l'autre a abrégé sa maladie. Elle n'a pris que trois jours parce qu'elle s'est dit, « elle va me faire la gueule pendant des années », alors elle n'a pris que trois jours… elle a fini la semaine à l'usine et pourtant elle était malade. Moi je lui ai expliqué qu'elle n'avait qu'à envoyer chier sa collègue… je suis parvenu à lui faire comprendre que c'était une gaffe et elle m'a dit, « la prochaine fois, je ne ferai pas ça », mais n'empêche qu'elle est venue, elle a repris le boulot alors qu'elle n'avait pas le droit de le reprendre… son médecin lui avait prescrit une semaine… Il y en a une autre qui quand on ne lui donne pas de gants, prend les sales et les lave chez elle, et après elle vient se vanter devant les ouvriers en disant, « faites comme moi ». Y'en a même une autre qui m'a dit, « si Peugeot me le demande, je lui donne la moitié de ma paie »… Je lui ai dit : « Peugeot n'en a rien à secouer de ta paie, ni de la moitié ni de la paie entière. » Je me foutais de sa gueule. Mais pour elle c'est comme ça. Il y a une doctrine patronale qui est rentrée, et puis on n'admet pas que des ouvriers, par exemple, distribuent… moi je

distribue mes tracts, le chef ne me dit rien ou bien, « je note que vous distribuez des tracts pendant le temps de travail », je dis, « ça fait rien, faites ce que vous voulez ». Mais c'est des ouvriers qui me disent, des jeunes, « c'est pas le moment de distribuer les tracts : les tracts on les distribue dehors, pas ici ! », et c'est des gens de bonne volonté… parce qu'on leur a dit, « chaque fois que vous voyez quelqu'un qui fait une connerie, vous faites pas ça ». Et je leur dis, « mais de quel droit ? Toi, tu n'en chies pas assez à ton poste pour encore discuter de moi, t'occuper de ce que je fais ! » Il y a des gens comme ça…

Les gens s'habituent comme ça… à force d'écouter, ils tombent dans le piège

— Par rapport à l'ancienne finition… il y avait déjà du peugeotisme dans l'air… mais ici c'est quelque chose de différent ?
Hamid — Il y a quelque chose de différent et de nouveau dans la mesure où… je ne cite qu'un exemple : hier dans une salle, mon contremaître m'a dit, « laissez l'endroit aussi propre que vous l'avez eu ! », j'ai dit, « d'accord ». Je suis entré, il y avait une fille, une copine qui voulait fumer et c'est des collègues à elle qui lui ont dit, « non, non, on ne fume pas ! » parce que, lorsqu'ils ont fait leur stage, on leur a dit de ne pas fumer, alors ils ne fument pas et là, c'est sorti machinalement. Pourtant là, il y a d'autres collègues qui ont dit, « non, laissez, pourquoi on ne fumerait pas ? Si on ne met pas les mégots par terre, il n'y a pas de raison pour qu'on ne fume pas ! ». Après qu'on a mangé, y'en a qui ont dit, « faut laisser l'endroit aussi propre qu'on l'a trouvé », chacun a ramassé ses trucs et une copine a dit, « oui, il ne faut pas laisser comme dans l'autre usine, parce que là-bas, la femme de ménage viendra, ici, y'a pas de femme de ménage ». Les gens s'habituent comme ça malgré eux, à certaines choses, à force qu'on leur dise, à force d'écouter, ils tombent dans le piège… Des fois on réagit tout de suite pour se démarquer par rapport à toutes ces conneries mais des fois on les dit soi-même, machinalement, et même si on ne les pense pas, on les dit parce qu'autour de nous, il y en a qui les disent, c'est comme ça… même pour moi, c'est comme ça.

— Le premier mouvement, c'est d'entrer dans cette logique…
Hamid — Aller demander une bouteille d'eau pour amener au poste de travail… ce n'est pas facile. Maintenant à HC1, on leur a

tellement dit qu'ils ne devaient avoir aucun objet personnel sur leur poste de travail… Un copain m'a dit, « tu te ramènes la bouteille, toi ? », j'ai dit, « oui, pourquoi ? On s'est bagarré pour ça et la direction nous a donné la permission de ramener une bouteille » – « Eh bien, je vais aussi aller en chercher une pendant le dépannage pour pouvoir boire un coup » et il s'est ramené sa bouteille.

— *Et la bouteille, c'est une bouteille d'eau ?*

Hamid — Oui… ou bien de l'eau et de la menthe…

— *Ce qui se passait dans l'ancien atelier : amener du vin, de la bière, ça n'existe plus… ?*

Hamid — Ça existe toujours… [*sourires*] même dans la nouvelle usine, ça existe, bien sûr.

— *C'est toléré, le vin ?*

Hamid — Le vin… tout est toléré dans la nouvelle usine, c'est-à-dire que les ouvriers, ils l'ont exigé… parce que dans l'ancienne usine, les chefs étaient dans leur bureau et les ouvriers étaient dans le réfectoire. Ici, tout le monde se parle avec les chefs : on mange ensemble, personne ne peut manger ailleurs… dans les aires de repos, on va trouver des ouvriers, des chefs, des contremaîtres qui sont assis les uns à côté des autres. Alors les ouvriers depuis 30 ans de boîte qu'ils ont l'habitude d'amener leur bouteille chacun à son tour, ils n'ont jamais pu faire le contraire… donc ça continue. Mais justement, les gens qui boivent beaucoup, les chefs ont des moyens de pression sur eux… Parmi les gens qui ont signé hier soir, il y avait un ancien qui boit tout le temps, et qui à la limite est un peu alcoolique, alors ils lui ont dit, « toi, si tu signes pas, on te dénonce, on te fait un rapport, on te fout dehors, quoi », alors il a signé. Comme quoi… c'est une peur, c'est une pression qu'on fait sur eux…

— *Il y a bien ce problème de la peur que beaucoup de chefs continuent à entretenir…*

Les déçus du peugeotisme

Hamid — Ça revient comme dans l'ancienne usine : l'ancienne usine, ça avait déjà commencé… tous ces petits trucs qui existent à HC1, ils étaient déjà testés dans l'ancienne usine… Ils ont été mis en pratique avec 20 ou 30 % de chance de réussite dans l'ancienne finition et ça s'est amélioré dans la nouvelle… Les gens, ils tombent dans ce piège, c'est vrai, mais quand même, il y a une minorité qui marche pas... je te cite par exemple, y'a un moniteur qui n'arrivait plus à... il en avait marre parce qu'on lui avait promis de passer de 225 points à 265... « Si tu remplaces le chef... » Alors il vient le samedi, tout ça... Et maintenant, il en a marre, il a dit au chef, « foutez-moi en poste ! », pourtant c'était quelqu'un qui prenait des initiatives..., pour montrer qu'il travaillait plus pour Peugeot que pour la classe ouvrière... Du coup, il était même devenu complètement barjot, il était obsédé par Peugeot, quoi, la nuit il devait réfléchir Peugeot, chez lui, il devait avoir plein de photos de Calvet et tout ça, parce que « le patron, c'est lui qui nous paie... » [*rires*]. Mais n'empêche que maintenant il en a marre, il s'est rendu compte qu'il y a d'autres petits jeunes qui arrivent derrière lui, qui ont moins d'expérience que lui... Il a demandé à se mettre en poste... parce que des fois on est déçu, aussi, de Peugeot...

— *Oui, les déçus du peugeotisme ça existe...*

Hamid — Parce qu'ils croient qu'ils ne font que du bien pour Peugeot. Mais Peugeot... il y a une réalité... il ne peut pas rendre tout le monde heureux... ça arrive un moment où la limite est atteinte, où les gens n'ont aucune progression dans leur carrière, ni de niveau de vie et tout ça. Y'a à ce moment-là, une espèce de révolte... Pas toujours, mais disons que ça arrive... Peugeot ne réussit pas toujours ce qu'il fait au niveau de la formation, tout ça ou de l'information, beaucoup de choses se sont retournées contre lui. Tous les gens qui sont arrivés de l'usine de Mulhouse disent, « ce n'est pas possible, on nous a dit qu'on nous passerait à 180 points automatiquement, on nous a dit qu'on aurait une augmentation de 200 francs aussitôt qu'on rentrerait et on ne l'a pas ; on nous a promis une prime d'objectif de 300 francs, jamais on ne l'a eue parce que même si nous on fait le boulot, il suffit que la chaîne tombe en panne à l'étage au-dessus et on fait moins de voitures... » il y a plein de critères qui jouent dans cette prime d'objectif. Par contre, dans l'ancienne usine on avait une prime et tout le monde l'avait automatiquement.

— *Le système des primes tenait moins de place, quand même dans l'ancienne usine que dans la nouvelle. La prime était plus faible mais on avait plus de chance de l'avoir ?*

Hamid — A la limite tout le monde avait la chance de l'avoir : tous les malades... Maintenant, il y a des exclus... Lorsque, nous, on discute avec des responsables, ils nous disent, « on ne comprend pas, il y a 90 % de gens qui ont leur prime d'objectif et vous nous racontez que… » – « Moi je vous dis qu'il y a 70 % qui n'ont pas leur prime. » Alors eux disent, « 80 % qui l'ont » et nous on dit, « 70 % qui ne l'ont pas ». Mais c'est nous qui avons plus raison qu'eux…

Bons copains ou pas bons copains, les gens n'aiment pas montrer leur feuille de paie !

— *De toute façon les gens en parlent de leurs primes ? Ils le disent ou ils ne le disent pas ?*

Hamid — Ils le disent mais disons que c'est… depuis que j'ai connu la ligne, qu'on soit bon copain ou pas bon copain, les gens n'aiment pas montrer leur fiche de paie, et puis je ne sais pas si c'est de la jalousie ou je ne sais pas quoi, mais il y a un malaise, « combien tu as ? » — « J'ai 6 000 francs » et lorsqu'on voit vraiment sa feuille de paie, il n'y a pas 6 000 francs, il a 6 500 francs par exemple. « Combien tu as ? » — « J'ai 4 500 francs », il n'a pas 4 500, il a 4 000 seulement. Et même les chefs ne disent jamais la vérité… un collègue me dit, « combien tu as ? » — « J'ai 5 600 », alors je dis « 5 600 c'est bon, un peu plus que moi ». Mais j'ai regardé comme ça par-derrière et il avait 6 200, après je dis : « J'ai vu que tu avais 6 200 » — « Oui, 6 200, c'est avec les samedis mais toi, tu n'as pas fait les samedis ». Alors moi, je lui dis, « mais je te demande pas de déduire les samedis… » et puis ils viennent guetter ta feuille de paie mais jamais ils ne te laissent regarder la leur… Par contre il y en a quelques-uns qui font comme moi : j'enlève l'enveloppe, je la mets à la poubelle, je laisse ma feuille de paie dans l'atelier parce que je n'ai pas peur de… je suis à 170 points, ça fait 18 ans que je suis dans la boîte, je fais des fois 5 600 francs, 5 700 francs, 5 900 francs… des fois 6 000, ça dépend, je n'ai pas peur de… au contraire parce que pour commencer à travailler à quatre heures du matin une semaine et rentrer à 21 h 30 l'autre semaine…

— *Mais il y en a très peu qui affichent leur feuille de paie ?*

Hamid — Certains parce que, par exemple, comme je suis délégué, bon les gens ont moins peur, ils me donnent carrément leur fiche de paie, « voilà j'ai un problème… ce samedi-là n'est pas payé… là, ils m'ont retiré… je ne comprends pas ». Si j'arrive à expliquer, j'explique tout de suite, si je n'y arrive pas, je vais au contrôle pour qu'ils me donnent la réponse… les gens me donnent carrément leur fiche de paie pour l'amener au syndicat ou… parce qu'ils savent que c'est pour leur bien… mais entre eux, il n'y a pas…

— *Et si on oppose ça à ce qui existait dans les années 70, il y a quand même une différence parce qu'il y avait une espèce de cohésion du groupe, forte…*

Hamid — La cohésion du groupe, elle était contre les chefs, contre la maîtrise, maintenant il y a une adhésion des ouvriers contre d'autres ouvriers… Les ouvriers qui sont contre, qui n'admettent pas certaines injustices, qui trouvent les charges de travail insupportables, ces gens-là, ils sont mal vus parce que le chef a fait croire que les gens qui rouspètent vont casser la baraque, que si tout le monde rouspète, on ne pourra plus sortir de voitures et on n'aura plus de salaire, on n'a qu'à mettre la clé sous le paillasson et partir, et c'est comme ça que ça marche. Dans les années 70-78, quand ils nous donnent la paie, on les réunit toutes sur une table, on les regarde toutes l'une à côté de l'autre ; on compare l'ancienneté, et « comment ça se fait que tu n'as pas plus que moi ? » et c'est le mec qui a plus que moi qui me dit, « tiens va voir ton chef, tu as plus d'ancienneté que moi et tu as moins d'argent que moi… », c'était l'ouvrier qui m'incitait, à l'époque je n'étais pas délégué encore… c'était en 74-75… il me disait d'aller réclamer. Maintenant, le gars, quand tu demandes à voir une fiche de paie, « non, non, non ! », et si le gars veut, s'il est vraiment courageux et qu'il veut me montrer sa fiche de paie, il plie tout le dessus et il ne montre que le bas, la somme d'argent écrite en bas, il ne montre pas ce qui est marqué plus haut. Disons que… « c'est personnel »…

— *Ce sont des logiques d'individualisation qu'il est intéressant d'analyser parce que ce n'est pas raconté souvent, et c'est vrai que c'est une victoire pour Peugeot…*

Hamid — Oui pour Peugeot, c'est une victoire… Mais moi j'ai toujours dit que les victoires de Peugeot sont à double tranchant parce qu'il fait tellement de conneries que ça peut se retourner contre lui… parce que les ouvriers, ils n'admettent pas… Bon, il y a les deux : il y a des gens qui ne veulent pas montrer leur fiche de paie parce qu'ils ont peur, ils n'ont pas assez par rapport aux autres et ils se disent, « je ne suis pas plus bête que les autres et pourtant je touche moins », mais il y en a d'autres qui ont souvent plus d'heures… Suffit d'un rien pour que les mécontents de leur paie et puis ceux qui sont contents mais qui l'ont payé le prix fort… parce que ceux qui ont fait des heures supplémentaires, qui sont restés jusqu'à minuit, ils ont peut-être un plus sur leur feuille de paie, mais par quels sacrifices ? Il faut voir le sacrifice qu'ils ont fait : ils sont rentrés chez eux… le gars, s'il rentre normalement en sortant à 21 h 30, il arrive chez lui à 22 h 45, s'il reste jusqu'à 23 h 30, il arrive chez lui à une heure du matin. Et puis c'est souvent des gens qui s'arrangent, quand ils sont transportés, pour que les gens dans les parages… ils ramènent d'autres copains… Alors pour les copains qui sont loin… celui qui est « disponible », on lui paie peut-être l'essence, peut-être aussi que Peugeot le paie en liquide… si ce n'est pas directement le chef qui lui paie des heures supplémentaires… pendant ce temps il ramène plein de copains chez eux, quatre ou cinq copains chez eux, ça lui fait pas mal de détours, il arrive chez lui exténué… Et le lendemain il recommence… il travaille et il vit pour Peugeot.

Ce sont les ouvriers qui m'ont attaqué, « toi, ta gueule, tu rouspètes tout le temps »

— *Donc les chefs ont des marges de manœuvre pour négocier ces trucs-là au coup par coup… c'est un peu la logique retournée du groupe de copains…*

Hamid — Oui, c'est la logique du groupe de copains : tu arrives en retard… moi, dans cette usine, la première fois que je suis arrivé en retard… si tu veux, même si je me réveille à 5 h 15, je n'arrive pas à 5 h 30 ou 6 h, j'arrive avec ceux qui sont en horaire normal à 7 h… j'arrive avec les normaux, parce que de toute façon, ils m'enlèvent les heures, alors tant qu'à faire… et ce jour-là le chef me dit, « on a décidé de te payer tes heures », je lui dis, « c'est nouveau ça, jamais depuis que je travaille chez Peugeot on m'a payé ne serait-ce qu'1/4 d'heure. Comment ça se fait, ça ? », il me répond, « ici c'est le groupe qui décide et comme c'est la première fois que tu arrives en retard, le groupe a décidé de te payer tes heures », je lui dis, « c'est bien ça, continuez, je vais me mettre un peu plus souvent en retard ! ». Alors il me dit, « mais non, c'est une fleur que les ouvriers, tes collègues t'ont fait, alors faut être… », c'est-à-dire qu'on te paie tes heures mais attention ! faut pas les emmerder la prochaine fois, donc ils culpabilisent les gens… Il y a beaucoup de gens qui venaient en retard et dès qu'on leur a dit ça, après ils ne sont plus venus en retard… ils les achètent comme ça !

— *C'est vrai, ils les achètent un peu et, en même temps, ils font appel au sens de la morale collective.*

Hamid — Une autre fois il y avait la CGT qui m'avait demandé d'aller à un briefing à l'extérieur. C'est le chef d'atelier qui dispose comme ça… J'ai pris la parole et j'ai dit, « c'est bien beau de nous donner la parole mais laissez-nous au moins dix minutes pour nous expliquer, les ouvriers autour de moi disent au niveau de la cadence, au niveau de la qualité, ça va pas… ils disent que les voitures ne sortent pas bien propres… mais c'est normal parce qu'on est obligé de monter des pièces, puis de ressortir, puis de démonter et de remonter de l'autre côté parce qu'il y a des choses qui vont mal… au lieu de laisser passer tranquillement les voitures, vous nous obligez à faire des opérations et par la suite vous les remontez, alors ça fait monter, remonter, démonter, remonter et pour la voiture ce n'est pas bien… le nombre de voitures est déjà important et tous les mois vous nous rajoutez des voitures et… ça joue. » Alors le chef du personnel voulait me répondre mais c'est pas le chef, ce sont les ouvriers, des jeunes qui m'ont attaqué, « toi, ta gueule, tu rouspètes tout le temps ! C'est la première fois qu'on te voit ! ». Alors j'ai dit, « bien sûr, c'est la première fois, ça fait six mois ou un an que je suis là et c'est la deuxième réunion qui se fait, mais moi je suis venu, et je ne suis pas venu discuter avec toi, jeune homme, je suis venu discuter avec le chef du personnel ; toi ça ne fait même pas deux ans ou trois ans que tu es là, moi ça fait 20 ans que je suis là, alors tu fermes ta gueule… ». Mais pendant ces heures-là normalement, on est payé, ils ont payé tous les autres mais ceux qui ont rouspété… [*geste signifiant : « ils n'ont pas été payés »*.] D'accord, le chef du personnel m'a passé de la pommade, puis il a dit au chef, « lui, tu lui barres ses heures ». Alors je lui ai dit comme ça, « autrement je m'énerve… » heureusement il y a des ouvriers qui m'ont défendu, qui ont dit à l'autre, « ferme ta gueule », tout ça… y'a même le chef qui est intervenu, qui a pris ma défense, qui a dit, « de toute façon, Hamid parle comme ça, il nous expose ses vues, ses idées » (…) C'est vrai que, dans l'ancienne usine, on avait l'habitude d'avoir un autre mode de vie… Avant, les gars étaient pressés de partir chez eux après le travail… Maintenant ils restent « vers » leurs postes… ils commencent à tourner… pour montrer aux chefs qu'ils sont là…

— *« Disponibles » ?*

Hamid — Oui… Y'a la chaleur, tout ça… mais ils sont « disponibles »… parce que Peugeot… quoi… c'est leur chef… il faut pas… Le boulot du syndicat maintenant, chez les OS, c'est de plus en plus… difficile.

— *Pourquoi ? Parce que les chefs ont tendance maintenant à prendre en charge une part du boulot que les syndicats faisaient avant…*

Hamid — Oui… et puis maintenant beaucoup d'ouvriers font vraiment le jeu… ceux qui les premiers ont signé la feuille pour renvoyer quelqu'un, c'étaient des gens de la CGT…

Des petits moniteurs de rien du tout qui veulent avoir une bonne place

— *La maîtrise ne s'oppose plus à vous comme dans les années 70 ?*

Hamid — Non, beaucoup moins… parce qu'ils sont devenus un peu plus [*cherchant son mot…*] « malins ». Ils me disent par exemple, « je constate que vous êtes en train de distribuer un tract… » Je leur dis, « et alors ? Les autres, il le font bien ? » — « Oui, mais je constate seulement, je le marque… » Ils me disent, « mais nous, on veut pas faire de différence entre les syndicats ». Alors que je sais personnellement qu'ils font beaucoup de différence entre les syndicats, entre par exemple la CFTC et la CGT… Ils m'ont dit [*imitant le ton empreint de beaucoup de gentillesse*], « je vous dis ça seulement… » C'est-à-dire qu'il n'y a plus la notion, comme dans l'ancienne usine, des brebis galeuses qu'on montrait du doigt… Mais il y a maintenant de plus en plus la question d'avoir une bonne place. Moi j'ai vu des jeunes qui m'ont empêché de distribuer des tracts, qui m'ont arrêté… en disant, « des gens comme vous, ils ne devraient pas être ici… » Et ça fait deux ans, le mec [*qui m'a dit ça*], qu'il est à l'usine… deux ans, même pas, un ancien intérimaire, et puis je lui ai expliqué que, nous ça fait des années qu'on se bagarre… il m'a dit, « oui, et c'est à cause de gens comme vous qu'on va être au chômage » [*Long silence*] Le discours de la direction, il passe, facilement, de plus en plus facilement… Des petits moniteurs de rien du tout, qui veulent avoir une bonne place… Tout ça, ça joue… C'est vrai que le boulot des syndicats se révèle… de plus en plus dur…

— *Oui, les délégués sont un peu pris à contre-pied… Les moniteurs sont un peu en train de faire le travail du délégué. Est-ce que dans votre atelier il y a des « conseillers d'atelier » ? Comme en fonderie par exemple. Et les gens qui auraient des problèmes personnels seraient encouragés à aller les voir…*

Hamid — Chez nous, les « conseillers d'atelier », ils existent, mais c'est surtout les agents de maîtrise. Par exemple, le contremaître ou le chef qui fait un entretien… Et puis si jamais ils voient que le mec est absent, ils le convoquent, « on sait pas, mais nous on est prêt à discuter à fond de tout, si t'as des problèmes de famille, d'argent, de prêt, tout ça, nous on est prêt à t'aider… mais faut pas [*baissant la voix*] nous lâcher comme ça. Si t'es malade, tu viens nous dire que t'es malade ». Ils commencent à jouer sur la vie familiale,… après une autre personne vient… il lui disent, « voilà, M. [*il donne son nom*] est venu nous voir, il nous a dit que sa femme voulait divorcer… », ils disent, « oui, M. … a parlé, on a réussi à lever ses problèmes…, on est aller voir M. ou Mme… » C'est comme ça qu'ils jouent : ils donnent des exemples… même si c'est quelque chose de privé, de secret… entre les gens… ils disent, « vous avez vu, on a résolu les problèmes de M. … ».

— *Ce qui est aussi une manière de mouiller les gens, de les impliquer ?*

Hamid — Oui, oui [*silence*]…Parce qu'en fait c'est pas vrai, en plus ! Lorsqu'on a des problèmes de gosse, tout ça… des gens qui sont pas bien dans leur peau… alors ils disent, « oui, on nous a parlé de tes problèmes… On sait que t'es en maladie… que t'as un problème. Alors nous on est prêts à t'aider. » Alors le gars dit, « ils font quand même un effort… » Et même s'il est malade, il vient ! J'en ai connu un, un gars qui était en instance de divorce, et tout ça. Ils l'ont appelé, et après il s'absentait… un peu, alors qu'avant il s'absentait beaucoup. Et puis il est revenu, je suis allé le voir, et il m'a dit, « la CGT, elle ne m'a pas soutenu comme ça… » Il en voulait à la CGT ! Je lui ai dit, « mais t'es pas venu nous voir… et puis nous, c'est tes problèmes personnels, nous on veut pas intervenir dedans… » Il a dit, « oui, mais faut le faire ! il faut entrer dans les affaires personnelles… » Alors, tu vois, ça paye, les interventions de la hiérarchie.

— *Mais est-ce que ce n'est pas cela qui est redoutable pour les syndicats ?*

Hamid — Oh si ! C'est redoutable pour le syndicat... [*silence*] Mais redoutable aussi pour les ouvriers... Nous on dit, « Peugeot, il a des antennes partout... il connaît tout... il peut faire la pluie ou le beau temps... aussi bien à l'intérieur de l'usine qu'à l'extérieur de l'usine... ». Mais c'est vrai, comme on dit aussi que les ouvriers sont pas sortis de l'auberge si ça continue comme ça...

— *Et en même temps, ils votent CGT à 60 % aux élections de DP.*

Hamid — Oui, dans mon secteur, on a voté à 77 % ou 78 %. Ils savent que c'est Peugeot qui les met dans la merde... Et ils savent aussi qu'ils peuvent compter sur la CGT. Pourtant, en même temps y'a l'impératif Peugeot, c'est le patron, il faut faire aller... [*silence*]. Peugeot est toujours parvenu à faire rentrer dans la tête des ouvriers que la CGT n'est pas capable de gérer le CE... Et les ouvriers, ils disent, « pour tout ce qui est conditions de travail, vous, la CGT, vous êtes champion, mais pour tout ce qui touche à nos ressources, la CGT, c'est plutôt le parti communiste, tout ça... [*Geste de défiance*]. Il est parvenu à leur faire comprendre que la CGT, si on lui donne la responsabilité de gérer le CE, tout ça, l'argent des travailleurs ira au PC, ou à d'autres établissements... Et ça, ça marche ! Y'a beaucoup de gens de chez nous qui disent, « nous, on n'est pas capable de gérer... ».

[...]

Les ouvriers qui se bagarrent entre eux, je ne peux pas admettre ça...

Hamid — Le truc qui me paraît le plus frappant, c'est peut-être cette notion des ouvriers qui se remontent les uns contre les autres. C'est ça qui me semble le plus à craindre pour l'avenir... Et moi, mon sentiment personnel, c'est qu'il y a un travail à mener au niveau des sections syndicales... Je parle des nôtres, de la CGT... C'est dans ce sens-là qu'il faut aller... essayer par tous les moyens... ce système Peugeot... de le montrer du doigt...

— *Il faut l'analyser...*

Hamid — J'ai dit à un chef d'équipe qui me disait, « mais pourquoi tu t'acharnes comme ça ? Je suis venu cinq ou six fois dans la même journée… ». Je lui ai dit, « je m'acharne pour une seule raison : lorsqu'il y a des ouvriers qui ont des tensions avec des chefs, des contremaîtres, moi ça me pose pas de problèmes particuliers. J'essaie de voir, de voir où est la faille… Mais dès que je me retrouve en face d'une situation où y'a un ouvrier qui se trouve en face d'un autre ouvrier, ou d'un ouvrier qui veut exclure d'autres ouvriers, je dis, moi si je ne fais pas tout, tout pour dissiper ce… [*il cherche son mot*] ce "malaise"… moi, je ne conçois pas que j'ai fait mon boulot ». J'ai dit, « les ouvriers qui se bagarrent entre eux, ça je n'admets pas, moi je ne peux pas admettre ça ». J'ai dit, « c'est des bons gars, ceux qui ont signé, des ouvriers que j'ai côtoyés, qui ont fait grève en 89 avec moi… alors quand je les vois "exclure" un des leurs qui a fait aussi quatre semaines de grève !… là, je dis moi, « ça me dépasse, ça me passe par-dessus la tête ! » Et puis, là, il m'a dit, « oui… » Et je lui ai dit, « oui, même vous, méfiez-vous… parce que c'est à double tranchant… parce que des ouvriers "remontés" comme ça, demain la cible ce sera le chef ou le contremaître ». Je parle du conflit qu'on a eu dans les grèves de 89. Je dis par exemple la grève qu'on a fait : elle a montré la capacité des ouvriers [*à se contrôler*]. On n'a pas attaqué le personnel de maîtrise, le chef, les contremaîtres… malgré qu'ils nous ont embêtés, qu'ils nous ont encadrés… A part quelques insultes… mais ça n'a pas dégénéré comme ailleurs. » Je lui ai dit, « mais si on continue à laisser faire "ça" le jour où y'aura une grève… vous serez… vous serez… mais massacrés à la limite avec des boulons, avec des barres, avec n'importe quoi, parce que vous avez fait le lit pour ce genre de choses… par tout ce que vous êtes en train de faire en ce moment. Ces pratiques-là, je lui ai dit, j'estime que ça ne devrait pas exister. J'ai déjà eu plusieurs rendez-vous avec deux collègues délégués auprès du chef du personnel pour essayer de… de changer un peu ces choses-là ». La deuxième chose qui me paraît importante aussi, c'est que les contremaîtres, les chefs, ils jouent la carte de la sociabilité, de l'intérêt porté aux gens, mais pour moi, c'est de l'hypocrisie…

— *Ils y croient aussi ? En partie…*

Hamid — Ils y croient en partie, c'est vrai. Mais disons qu'ils ne la pratiquent pas ! On veut tout résoudre, on veut résoudre les problèmes de l'ouvrier. Mais lorsqu'ils se trouvent en face d'un ouvrier qui a vraiment des problèmes, ils s'en déchargent, « c'est pas de notre ressort ça ». Tant que les gens travaillent, tant qu'on peut les influencer pour qu'ils travaillent plus… rester plus tard… venir plus tôt, là d'accord ! Mais lorsqu'on est touchés dans notre chair, alors eux, ils se dégagent, malgré tout ce qu'ils affichent, « oui, on n'est pas là pour résoudre vos problèmes personnels. » Et là, on a des exemples concrets… Parce que ce qu'il faut bien voir, c'est qu'ils ne veulent plus de malades ! Et là, c'est clair et simple, ils l'affichent nettement ! les malades pour eux, c'est des handicapés. Ils le disent presque, « un malade, il ne doit pas avoir de boulot. Le boulot, il faut le laisser aux autres, à ceux qui sont valides. Pour eux, le travail, ça convient pas. » Ça, c'est une chose très importante : on revient à des années en arrière… Pourtant c'est pas parce que le gars est handicapé qu'il ne peut pas venir… qu'il n'a pas de droits…

— *C'est un peu une logique d'exclusion qui est en route ?*

Hamid — On exclut carrément… [*imitant le ton d'un chef*] : « Il est malade, il est tout le temps malade, il ne vient pas, il est malade… » Ils font rejaillir ça, ressortir ça dans toutes les discussions. Et les ouvriers, à force d'en entendre parler… c'est vrai, ils font très attention à ne pas être malades. Je crois qu'il faut que les ouvriers fassent attention… c'est ce que j'explique aux gens… parce que demain personne ne peut assurer qu'il aura une bonne santé, même en faisant du sport, tout ce qu'on veut… un jour ou l'autre, on tombe malade, on a un accident (…).

mars 1991

L'ordre ancien (dans les années 60-70), lié à un certain état du rapport de forces entre militants, ouvriers et agents de maîtrise, supposait tout un ensemble de conditions préalables. Et d'abord un certain « ajustement » entre des dispositions construites au fil du temps. Cet ordre est profondément perturbé, du fait de multiples changements dans toutes les sphères de l'existence. Aux yeux de Hamid, la direction est en train de mettre en place un mode de gestion pervers, avec ses moniteurs, ses primes, et cet appel continu à l'intérêt individuel qui modifie radicalement les conditions de travail et de vie commune et menace la relation « normale » (à ses yeux) entre ouvriers et délégués.

Il n'a pas tort de penser que la direction joue systématiquement cette carte. Bien sûr, il vise d'abord la manière dont certains membres de la direction en sont venus à encourager les ouvriers de l'équipe. Et il met évidemment le doigt sur un point fort important : l'action des (nouveaux) agents de maîtrise s'inscrit dans une stratégie qui va au rebours de celle qui existait dans les anciens ateliers, une stratégie visant à constituer de nouveaux groupes de travail... Mais les choses sont plus compliquées qu'il ne semble le croire en incriminant la seule action de la direction. En durcissant un peu, on serait tenté de dire qu'il y a eu tout un ensemble de changements dans les conditions qui permettaient à l'ordre symbolique et politique ancien (assignant par exemple des tâches précises, des rôles bien définis au délégué et au chef d'équipe) de se maintenir et de se reproduire (par exemple, les nouveaux moniteurs sont, dans leur grande majorité, très différents, socialement et scolairement, des anciens chefs d'équipe : certains, parmi eux, sont d'anciens intérimaires montés en grade).

Auparavant tout se passait comme si, implicitement, le rapport des délégués aux agents de maîtrise était réglé par une sorte d'accord tacite, un code moral. Les affrontements, qui les opposaient, pouvaient être violents, mais chacun avait son registre propre d'intervention, dans lequel l'autre n'intervenait pas. Chacun avait ses techniques (la pétition en était une) que l'autre n'utilisait pas. Chacun savait plus ou moins les règles en usage et « jusqu'où il ne fallait pas aller trop loin ».

Ce sont ces frontières qui ont été franchies, ces règles de partage transgressées.

En même temps, ce que Hamid découvre, sans vouloir se l'avouer complètement, c'est que ce sont les gens de son bord, ses copains, des « grévistes » comme il dit, qui sont entrés d'eux-mêmes dans la logique de la hiérarchie, du patron, logique qui se construit contre toutes les règles de la solidarité ouvrière de type ancien – puisque les pétitionnaires en sont venus à demander l'exclusion d'un « vieux gréviste ». Ce qu'il sent bien, c'est qu'on a là l'aboutissement d'un processus qui est engagé depuis longtemps et qui ne met pas seulement en cause l'action perverse de la direction, à un moment donné du temps, mais qui s'inscrit dans un lent mouvement de déstructuration.

On assiste ainsi à la déstabilisation morale d'un délégué de type traditionnel qui, bien qu'il soit étranger, bien qu'il soit relativement jeune, s'est formé selon la logique de l'ancien modèle militant, modèle qui, pour tout un ensemble de raisons complexes, a longtemps survécu à Sochaux, y a résisté beaucoup mieux qu'en d'autres usines. Il découvre à la fois qu'il ne peut plus remplir sa tâche (son "boulot" de délégué) comme avant, qu'il y a quelque chose d'anormal dans la situation à laquelle il a à faire face, et que, d'autre part, il lui faut plus que jamais rester présent dans l'atelier pour assurer la défense des « copains », qu'il ne peut pas renoncer à cette tâche, qu'il ne peut pas « tout lâcher », au moment où les conditions de travail deviennent pires que jamais.

Désormais Hamid sent bien que les techniciens de plus en plus nombreux dans l'atelier, les BTS, comme on les appelle et les nouveaux agents de maîtrise, (dont la formation s'apparente à celle des techniciens), et la majorité des moniteurs se retrouvent pris dans une autre logique, placés sur un tout autre terrain que les chefs d'« équipe de type ancien ». Autrefois, dans l'atelier ancien, prendre la blouse de chef d'équipe, chacun savait ce que cela voulait dire pour un ouvrier réputé fayot et on pouvait anticiper sur la logique de son comportement. Aujourd'hui, il est autrement plus difficile de comprendre ce que seront les stratégies des nouveaux techniciens.

Les évidences désormais se fissurent. Les relations de type ancien se sont trouvées lentement altérées, comme sapées de l'intérieur. Et tout à coup les effets de ce lent ébranlement sautent aux yeux du délégué. Et c'est le désarroi•

la formation [illegible] appropriée [illegible] celle des [illegible] de la
majorité des [illegible] se retrouvent pris dans une
[illegible] qu'on peut [illegible] que les
chefs d'équipe [illegible] Autrement dit, dans
quelque [illegible] particulier [illegible] de chef d'équipe
[illegible] pour [illegible]
[illegible] et on trouve [illegible] la logique de
son comportement ; à tout [illegible], il est autrement plus
difficile de comprendre ce que [illegible]
nouveaux [illegible]

[illegible] se [illegible]
de types [illegible] se sont trouvées [illegible]
[illegible] Et [illegible] les effets
de [illegible] aux yeux de [illegible]
[illegible]

Pierre Bourdieu

Vu d'en bas

Albert J., que je connais depuis l'enfance – nous avons souvent joué ensemble au football et nous nous sommes revus régulièrement depuis –, avait spontanément évoqué au cours d'un déjeuner et d'une visite des dernières réalisations de sa commune, le malaise que les militants comme lui avaient éprouvé avant, pendant et après le congrès du parti socialiste qui s'était tenu à Rennes peu avant. Comme je lui proposais d'avoir avec lui un entretien enregistré sur ce sujet, il a suggéré, après un bref moment d'hésitation, qu'il pourrait venir chez moi, un soir, accompagné de deux amis, des responsables qu'il jugeait plus compétents et surtout plus autorisés que lui à porter un jugement politique sur le parti socialiste. C'est lui qui, au début de l'entretien, présente, dans un petit préambule à l'intention de ses amis, l'objet de la rencontre, disant que ce qui pouvait être intéressant, c'était « surtout le fait d'avoir senti ce qui s'est passé au Congrès national de Rennes ». Il a sans doute envie de se servir de moi, et de l'autorité qu'il me prête, pour faire entendre à qui de droit sa révolte, en échappant aux lenteurs et aux censures de la « voie hiérarchique » ; mais il veut aussi renforcer ses prises de position critiques en les faisant ratifier par des camarades « mieux placés » (au cours de l'entretien il se tourne, à un moment donné, vers ses deux amis, en disant : « mais vous êtes mieux placés que moi pour le dire »). Il est certain qu'il parle moins et avec moins de liberté en leur présence qu'il ne l'avait fait lorsque nous étions en tête-à-tête : l'indignation morale qui le portait à décrire avec beaucoup de sévérité les répercussions locales des « luttes de chefs » (le fait notamment que la distribution des responsabilités au niveau de la section du canton s'est faite en prenant en compte le poids des différents « courants » au niveau national...), ne se manifeste plus que sous une forme très euphémisée.

La structure même du petit groupe qui pouvait s'appréhender lui-même comme une sorte de « délégation » et ma présence qui redoublait la solennité conférée à la situation par l'intention même de l'entretien et par le fait de l'enregistrement, tout concourait à renforcer l'effet de censure auquel chacun de mes interlocuteurs a réagi avec ses moyens et ses dispositions propres.

Albert J., le plus âgé des trois (il a 62 ans au moment de l'entretien), jouit auprès des deux autres de cette sorte d'autorité morale que lui confère, conformément à la tradition socialiste, son statut d'ancien ouvrier (au complexe industriel de Lacq). Bien qu'il soit devenu maire d'un petit village de la plaine du Gave, autrefois presque exclusivement composé de paysans, aujourd'hui augmenté de la population semi-urbaine de plusieurs ensembles de pavillons, le discours public n'est pas son fort et c'est sur lui que la censure pèse le plus : s'il cède bien volontiers la parole aux autres, il fait des interventions très brèves, mais toujours très efficaces (« on gère »), destinées à donner ou à demander des précisions, à ramener ses camarades, parfois emportés par leurs envolées rhétoriques, à des réalités plus terre à terre ou à leur reprocher de n'avoir pas dit plus tôt ce qu'ils déclarent dans l'excitation d'une conversation entre amis.

Henri O., 60 ans, cultivateur et président d'un important syndicat de producteurs, maire d'une petite commune de 600 habitants, dans le même canton, ancien conseiller général, a ses entrées en haut lieu. Professionnel du syndicalisme et de la politique (il se lancera, à la fin, dans un grand monologue, non reproduit, sur la situation de l'agriculture), il tient des propos, parfois un peu convenus, juxtaposant, sans toujours parvenir à les articuler dans la cohérence de la phrase, des formules toutes faites (« espace rural ») directement empruntées à la rhétorique journalistico-politique (« Ils veulent marquer leur passage en tant que maires »), laissant beaucoup de phrases inachevées, énonçant avec autorité les considérations prudentes (« premièrement, la culture politique, en milieu rural notamment, il n'y en a pas. Il faut être clair là-dessus ») et la contestation modérée du responsable.

Jacques E., 50 ans, employé dans une entreprise de vente en gros de produits agricoles, adjoint d'Albert à la mairie et syndicaliste CFDT, dont le *r* grasseyé atteste, autant que ses pratiques (il lit les rapports du Congrès de Rennes en prenant des notes), qu'il a un niveau d'instruction plus élevé que ses amis (il a poussé ses études jusqu'au baccalauréat), est celui qui aspire le plus visiblement à la virtuosité verbale des professionnels de la parole vus et entendus à la télévision et qui, dans la division spontanée des rôles, s'oriente souvent, avec un mélange de bonne volonté et d'enthousiasme, vers l'irresponsabilité critique de l'intellectuel. Il veut toujours « aller plus loin » et se pose en analyste (« ça veut dire quoi ? ») à qui on ne la fait pas et qui entend rappeler « les valeurs ». Sans doute stimulé par l'incitation à la contestation qu'impliquait peut-être mon intérêt pour le Congrès de Rennes, il se lance dans de longues improvisations d'une grande véhémence critique, parsemées de libertés verbales absentes du langage de ses amis (« faire les cons », « merde », « truc », etc.) et parfois un peu aventureuses (« mon inquiétude, c'était de voir cette désagrégation… un petit peu, ce truc-là… »).

Malgré toutes les contraintes qui s'y trouvent inscrites, la situation d'entretien, par l'effet d'incitation et de licitation qu'elle exerce, crée les conditions de l'apparition d'un discours improbable ;elle offre aux trois militants une occasion de porter au jour des pensées qui sont réprimées et censurées par la logique des traditions bureaucratiques de la vie politique ou syndicale telle qu'elle s'est peu à peu inventée, tout au long du XIXe siècle, avec ses plates-formes et ses programmes, ses courants et ses tendances, ses motions et ses résolutions. Jacques E. remarque qu'à peu près rien de ce qui s'est dit au cours de l'entretien ne pourrait se dire dans une instance ordinaire du parti. Et l'on voit ainsi se dessiner, comme *a contrario*, l'image de ce que pourrait être la relation entre la « base » et les « sommets » du parti si les dirigeants centraux, au lieu de traiter les militants en exécutants de leurs consignes ou en défenseurs de leurs actions, en instruments de leurs manœuvres électorales ou en enjeux de leurs luttes intestines, pouvaient et savaient animer des débats destinés non à affirmer des différences et à imposer des dominations, mais à entendre et à élaborer en commun des projets.

Par un étrange renversement des rôles, ce sont ici les « militants de base » qui s'adressent aux dirigeants, au nom de la « fraternité socialiste » (ou en s'autorisant, à l'occasion, de leur rôle de chauffeurs bénévoles...), pour leur rappeler les idéaux au nom desquels ils ont triomphé. Et il suffit de tendre un peu l'oreille pour les entendre exprimer leur nostalgie d'une morale socialiste, celle qui porterait, par exemple, les maires à exorciser leur propension à faire triompher leurs intérêts particuliers, suivant le modèle des dirigeants du parti devenus dirigeants de l'État.

Les dominants sous-estiment presque inévitablement la lucidité des dominés. Et il faudra quelque grand cataclysme politique – ce que les commentateurs appellent un « raz de marée électoral » – pour que des dirigeants qui se sentent mandatés pour l'éclairer et l'animer viennent à découvrir que la « base » n'ignore nullement que, loin d'exprimer ses vues, ses vœux, ses volontés, ils lui imposent leur vision et surtout leurs divisions [1] ; et que, aveuglés par les passions et les intérêts liés à leurs pouvoirs et à la concurrence pour les conserver et les augmenter, quand ils ne sont pas tout simplement enfermés dans leur certitude technocratique, ils ignorent l'impitoyable vision des militants invisibles.

1. Ce texte a été écrit en septembre 1990.

avec trois responsables locaux du parti socialiste

— entretien de Pierre Bourdieu

« On gère »

[...]

Henri O. — (...) Et c'est vrai que la gauche aujourd'hui, elle se met à pratiquer et... elle se fait valoir surtout par les interdits qu'elle prononce. Qu'est-ce qu'elle propose la gauche aujourd'hui ? Moi, je lui ai dit à Mermaz, là l'autre jour quand il est venu ici à P. ... parce qu'on s'est beaucoup engueulés pour des raisons que j'aurai peut-être l'occasion d'expliquer après.

Albert J. — Quand il est venu à P. ?

Henri O. — A Mermaz, oui, quand il est venu ici à P. ... je lui ai foutu une volée, dans la voiture, dis donc...

Albert J. — Parce que tu es allé à l'aéroport...

Henri O. — Oui, j'ai été le chercher à l'aéroport. Bon. Mais c'est vrai quand j'ai commencé à parler,« mais qu'est-ce qu'elle propose (...) la gauche ? », mis à part les interdictions qu'elle prononce sur tout, mais quelles perspectives ? Et pour les jeunes, comment vous voulez attirer les jeunes à venir à la gauche, à s'intéresser à la politique, par rapport à des orientations que vous prendriez : pas de projet, pas de perspectives, ils savent pas les dégager. Peut-être que si on revenait à des choses beaucoup plus simples, mais qui ont quand même... Ah oui, parce que quand on parle des valeurs... vous comprenez... les paysans, etc., les gens de la terre... ceux-là, ce sont... tout le monde à un certain moment en fait partie, en période électorale... On a tous une racine, on a tous un pied. Mais, pour dire effectivement ces valeurs ce qu'elles représentent,... cette richesse, cette ressource qu'on a et qu'on exploite pas, on n'en parle pas,... Bon, je me tais maintenant !

[...]

Jacques E. — Et par rapport au Congrès de Rennes, parce que là, moi, j'ai... j'ai lu tous les rapports avant. Je me suis amusé et j'ai...

Albert J. — Il n'y en a pas beaucoup qui les ont lus.

Jacques E. — Je les ai tous lus, mais, bon, je les ai lus parce que je m'étais dit que je voulais les lire. Il aurait fallu aller plus loin, prendre des notes et résumer et comparer, etc., parce que je me suis amusé… à souligner des mots, des phrases, des expressions, tout ça. Presque tous les rapports avaient les mêmes mots bien sûr. Alors il y avait je ne sais pas combien de contributions et de grandes tendances et puis des courants, qu'on n'appelait plus courants, etc. ;et je me suis dit : « Mais ils vont s'arrêter de faire les cons ou ils vont pas s'arrêter ? » Et mon inquiétude c'était de voir d'abord cette… désagrégation un petit peu, ce truc-là et puis cette foire d'empoigne, cette impression qu'ils donnent de viser tous un truc pour être les mieux placés soit auprès de Dieu ? ou bien auprès du siège. Et puis, bon, on s'est dit après… Et puis alors là, par contre, quand on a vu la pauvreté du débat et puis l'échec même du congrès. Moi, je me suis dit… J'ai douté là.

— *Et comment ça s'est répercuté, à la base, tout ça* (…) *?*

Jacques E. — Alors deuxième aspect, la base c'est quoi ?

— *Ben, je sais pas, là, au niveau des sections, des…*

Qu'est-ce qu'ils foutent ?

Albert J. — Des militants ?

Jacques E. — Ça, c'est une chose importante… et on est obligé de constater que il n'y a pas de vraie vie politique à la base ;on se réunit quand on peut, quand il faut, pour voter, pour ceci, pour cela ou quelquefois pour étudier une démarche, pour proposer un débat, pour… des trucs comme ça, mais… nous ne nous connaissons pas beaucoup entre nous. Je suis persuadé que nous avons des tas d'idées communes, mais aussi des tas d'idées différentes et que nous ne nous disons pas. J'avais été très surpris, une fois, de voir une agression vive d'un membre de la section vis-à-vis des immigrés — c'était il y a cinq ou six ans au moment où ça flottait un petit peu et puis vraiment une diatribe contre les immigrés, il y en a trop, etc.

Albert J. — Il y a un problème de génération là peut-être aussi…

Jacques E. — Il y a aussi un problème de génération, mais c'est pas… c'est pas le gars que j'incrimine, c'est le fait qu'il ait pu dire ça sans que personne n'ait réagi. Il a le droit de le dire à la limite, encore que… encore que… encore que… on a tous les droits mais enfin…. Si on côtoie trois Arabes sur la place Clemenceau à P., il ne faut pas non plus se laisser aller à dire qu'il y a trop d'Arabes à P. ; enfin ils sont pas venus pour rien les Arabes à P., non plus ou ailleurs. Et encore, à P., il n'y en a pas beaucoup. Et bon, ben, c'est ce truc-là qui m'avait mis mal à l'aise. Et je me suis dit, « merde, on ne peut pas en parler », et puis, quand on voit comment sur d'autres débats, etc., on se... on communique pas, on sait pas. La vie ouvrière et la vie paysanne et tout. On est chacun dans nos trucs, dans nos cases, puis, bon, on a un truc qui nous rassemble, c'est la carte du parti ;de temps en temps, on se réunit... Et ce congrès-là, on l'a pas non plus tellement discuté. On a voté sur les trucs... j'ai même pas pu voter, ce soir-là, j'étais pas là, c'était le rapport... Mais on n'a pas réellement parlé du congrès et cet aspect-là est frustrant aussi, dans la mesure où on n'a pas une structure vivante qui nous permettrait de temps en temps de nous caler ou de faire appel, ou même de s'interpeller ou même de développer une position pour la population. On pourrait imaginer que la section joue un rôle et anime un truc... Bon, on est très pris les uns et les autres aussi, parce que ceux qui sont là sont au moins pour les animateurs, pour la plupart, des gens déjà sur-engagés ailleurs, on peut pas tout faire. Mais on n'a pas... moi, j'ai pas eu l'impression au moins... Et j'ai eu cette impression, chaque fois qu'on en parlait, c'était un peu le désappointement, on se retrouvait tous un peu à se dire, « qu'est-ce qu'ils foutent ? ».

Ça fait désordre tout ça

— *Tu m'as dit que les courants se retrouvaient jusqu'au niveau des...*

Jacques E. — Tout à fait...

Albert J. — Au niveau des responsables ensuite... (...) c'est la motion Jospin qui est la majorité, donc le secrétaire fédéral est issu de la motion Jospin. Et ensuite, dans les sections importantes, le fédéral a demandé à ce que le vote des sections ait un reflet sur les responsabilités.

— *Sur la structure des responsabilités, à tous les niveaux, jusqu'au niveau le plus bas ?*

Albert J. — Jusqu'au niveau le plus bas.

— *Et ça s'est fait ça ?*

Albert J. — Je ne sais pas, je ne peux pas... Certaines sections peut-être comme P., oui.

Jacques E. — O. aussi, peut-être, je n'en sais rien...

Albert J. — Mais pas chez nous

Jacques E. — Non, non pas chez nous, je crois qu'on est une section aussi beaucoup plus tolérante que d'autres ;moi, je suis surpris de voir quelquefois l'agressivité de ton qu'il y a jusques et y compris dans des positions d'hommes publics et qui prennent un malin plaisir à foutre une cheville... bon, je sais pas, ça fait désordre tout ça aussi ;on se dit, « merde, on est avec qui, on est contre qui... c'est pas parce que je suis avec Un tel que bon... », moi, je ne veux pas me laisser entraîner, je sais pas, enfin... ça, ça met mal à l'aise, et c'est vrai ce que dit Albert : les courants ont officiellement disparu, n'empêche qu'on se regroupe sur des motions et puis après, on s'écharpe, quoi, on s'étripe. Alors ça veut dire quoi ? Je ne sais pas. Ça veut dire qu'il y a encore des guerres intérieures, ce qui est peut-être une bonne chose, qu'il y ait des différences, qu'il y ait des... expressions, bon, pourquoi pas ? Mais bon Dieu ! il y a des moments où il faut savoir se taire, arrêter la comédie et puis tirer ensemble et se mettre d'accord sur... un tronc commun et puis...

— *Oui surtout que dans ces tendances, au niveau des programmes, il n'y a pas grande différence, c'est quand même lié à des personnes et c'est relayé par des affaires de personnes aussi au niveau local...*

[...]

Albert J. — Mais ce qu'il faudrait également pour compléter un peu ce que vient de dire Jacques, mais peut-être tu... – vous êtes mieux placés que moi pour le dire –, c'est qu'il y a eu quand même une certaine lassitude chez les militants et chez les sympathisants, surtout dans l'opinion publique, quand après ce congrès qui a été assez virulent où tout le monde a compris que c'était, disons, des rivalités de personnes et non d'idées et c'est un peu ça, quoi. Et dans les militants aussi...

Jacques E. — Et où il est apparu tragiquement, comme disait tout à l'heure Henri à propos de Mermaz, l'absence de projet porteur, qui fasse qu'on dit, « ben, on y va, quoi », et puis qui soit quelque chose, qui entraîne y compris les jeunes ;moi, je dis, c'est vrai que les jeunes actuellement... pas pour qu'ils viennent à gauche, je m'en fous, mais qu'ils aient un espoir à vivre, hein...

— *Oui, c'est ça, c'est ça...*

Jacques E. — Ils savent pas quoi foutre les jeunes maintenant, mais il n'y a plus rien qui les transcende. Bon, alors ça, ça nous paraît...

Il y a des valeurs aussi...

[...]
Henri O. — Il [*Mermaz*] a été sensibilisé dans les quelques...
Albert J. — C'est un modérateur, je pense.
Jacques E. — N'empêche que le discours qu'il a tenu à A. est un discours de gestionnaire pur. Il y a eu uniquement les aspects de gestion, il a défendu la gestion du parti socialiste (...). Et oui ! J'ai eu envie de gueuler, moi, je vous le dis franchement, j'ai eu envie de gueuler à A., parce que je me dis : tenir un langage comme ça, uniquement où on défend des positions qui sont basées uniquement sur le revenu des gens, sur le pognon de l'État, sur les trucs, la place de la France dans le monde, etc., mais merde, quoi ! Mais merde ! il y a des valeurs aussi, auxquelles on croit, ou on croit pas, mais il faut peut-être le dire de temps en temps et se reprendre en disant, « bon, on fait ça d'accord, mais merde ! il y a le reste aussi ! », ça veut pas dire qu'on va tout mélanger, faut pas non plus faire dans la démagogie. Mais rappeler les valeurs auxquelles on croit depuis au moins... se dire qu'au moins il y a toujours un... là, qu'est-ce que c'était ? Un langage d'économiste pur et puis il faut adhérer à ce truc-là, et qui c'est qui était dans la salle ?
Albert J. — C'était des socialistes...
Jacques E. — [*Véhément*] Et oui, d'accord... Il y en a certainement qui n'en ont rien à foutre que la balance commerciale de la France soit comme ça et que les entreprises françaises aient tels atouts par rapport à ceci ou tel défaut par rapport aux Allemands.
Albert J. — Surtout qu'il y avait beaucoup de jeunes.
Jacques E. — Tout le monde peut-être n'en a pas conscience et il faut le rappeler, il y a des instances où on doit le rappeler et puis il y a des instances où il faut dire profondément ce qu'est le parti socialiste dans le gouvernement actuel et dans l'État français, qu'est-ce qu'on peut faire et tout. Et puis essayer, essayer, avancer. Mais pas rester dans le ronron qui fasse qu'on est là, on est bien.
Albert J. — On gère.
Jacques E. — Et puis on est cinquième puissance mondiale, et puis on vend des armes, et puis on est reconnu et puis, etc... Mais ça, en cité,... [*à voix basse*] Le petit paysan qui a des dettes jusque-là, qui sait pas quoi faire, ou un ouvrier qui gagne 4 300 balles et qui a trois enfants et qui sait pas, etc. Et puis bon, tout, quoi. Ou au jeune là, qui est chômeur depuis trois ans.

Henri O. — Mais si… en cherchant un peu les raisons de cette…, de ce qu'on peut appeler presque des rivalités parfois, puisque vous avez dit des tons agressifs et des peaux de banane, je crois que bon… Premièrement, la culture politique, en milieu rural notamment, il n'y en a pas. Il faut être très clair là-dessus. Deuxièmement la vie publique, c'est quelque chose d'excessivement compliqué parce que c'est simple. Alors comme c'est simple, on le complique un peu. […]
[*Longue discussion sur l'ours des Pyrénées, menacé de disparition, qui oppose les écologistes et les chasseurs et à travers lequel s'exprime une forme de particularisme régional : Henri O. voit dans le traitement politique du problème un exemple de l'incapacité des socialistes « centraux » à comprendre la spécificité des traditions locales.*]
Albert J. — (…) Et comme tu l'as dit tout à l'heure, même un maire qui a ses idées socialistes, certaines fois il est obligé d'aller à l'encontre de ses idées. On en a un exemple, tu l'as dit tout à l'heure.

— *A quoi vous pensiez quand vous disiez ça ?*

Henri O. — A quoi je pensais ? Moi, je peux prendre un exemple (…) quatre maires de gauche qui sont du SIVOM (Syndicat intercommunal à vocation multiple) de L., ils sont pas foutus de se mettre d'accord ;et nous, pour nous, c'est un point…
Albert J. — …négatif…
Henri O. — Non, c'est pas un point négatif, mais, vraiment, on est dans un truc très sensible, là, sur ces quatre maires, deux viennent d'être élus la dernière fois, socialistes. Et ils veulent tous les deux, et rapidement, marquer leur passage en tant que maires :« qu'est-ce qu'il faut faire, qu'est-ce qu'on va faire, etc. » Bon, alors le maire de [*nom de village*] reprend un ancien projet de la municipalité qui était celui de la création d'une crèche avec un investissement, avec un financement qui était prêt. Et il en fait part au maire de R. [*nom de village*], de A. [*nom de village*] et de G. [*nom de village*] en leur disant, « voilà, je vais mettre en place une crèche puisque j'ai les financements : est-ce que vous voulez participer au fonctionnement de cette crèche ? »…
Albert J. — En amenant les enfants des communes concernées bien sûr.
Henri O. — Fonctionnement, ça veut dire que les communes viendraient… Moyennant quoi, le maire de Y qui avait eu ou n'avait

pas eu – peu importe – la même idée, mais qui a dit qu'il avait aussi pensé la même chose, dit, « moi aussi, je vais faire une crèche », etc. Voilà le genre de situations où l'on va créer des points de friction avec un contre-pouvoir, avec des associations qui vont être pour, qui vont être contre.

Jacques E. — Et des coûts financiers insupportables pour tout le monde.

Henri O. — Et puis rien qui va se réaliser et avec inévitablement un conflit entre maires de même tendance et des populations qui vont prendre parti pour les uns ou pour les autres.

— *Il n'y a pas d'instance d'arbitrage dans le parti pour régler des trucs comme ça ?*

Henri O. — Le parti est incapable de régler une situation de ce genre parce qu'il a pas d'autorité, parce qu'il n'est pas reconnu en tant qu'instance de décision.

On rame, on rame, on rame...

— *Mais ça tient aussi au fait qu'il n'y a pas – vous le disiez tout à l'heure, « c'est comme au sommet »... – il n'y a pas de « valeurs socialistes »...*

Henri O. — Qu'est-ce que c'est qu'être socialiste ? Ça commence par là.

Albert J. — On l'était quand on était dans l'opposition...

Henri O. — (...) A la base, qu'est-ce que c'est qu'être socialiste ? N'allons pas toujours parler de Jospin et de ..., etc.

— *Parce que justement vous disiez : « Y a pas de projet, pas de valeurs... » On peut imaginer par exemple qu'il y ait une instance centrale qui serait chargée de faire remonter...*

Henri O. — Absolument.

— *... les bonnes idées, de les élaborer et de les faire redescendre...*

Jacques E. — (...) Je crois en fait qu'il y a des projets. En tant que gouvernement, en tant qu'État, il y a des projets, mais nous ne nous sentons pas... accrochés. Et par contre nous vivons des problèmes dont nous avons l'impression qu'ils ne sont pas pris en compte pour des projets ;et c'est un peu ce décalage qu'il y a, dans la façon de vivre, dans les problèmes de..., comme il dit, de relations au niveau de l'économie très locale ou des difficultés de vie ici, industrie, famille, éducation, santé, logement, etc. Et tous ces trucs-là qui font l'objet de beaucoup d'efforts, et y compris l'effort des militants socialistes qui sont engagés dans des instances, le plus souvent, où ils essaient de trouver des solutions, d'avancer des propositions, etc. et on rame, on rame, on rame et quelquefois à contre-courant sans se sentir dans un projet porteur qui serait agréé et soutenu avec peut-être quelques fonds publics qui aideraient et qui feraient que, bon, on y va, quoi, on y croit et on y va ;et c'est un peu ce décalage.

[*Jacques E. évoque une discussion qu'il a eue avec un enseignant sur les rapports entre les diplômes et les salaires, l'enseignant estimant qu'il n'avait pas un salaire proportionné à son niveau scolaire, les autres rappelant tous les efforts qu'ils ont faits pour se former.*]

— *Ce qui est frappant, c'est que cette discussion est une discussion privée et il n'y a pas de lieu dans les instances politiques où ce genre de discussion pourrait se dérouler, pratiquement pas...*

Jacques E. — Difficilement... Et là, moi, je vous garantis que ce type de discussion – j'ai l'impression, je ne sais pas si c'est vrai –, on voudrait [si on voulait] l'avoir dans des instances, on se fait piéger uniquement par des considérations tactiques de politique bureaucratique (...). J'ai été écœuré l'autre soir à R. [*nom de village*] sur le découpage du canton de... [*nom de villages*]. Parce que j'étais dans une réunion où on parlait tactique... [*Véhément*] Mais les expressions qu'il y a eu, et le niveau de perception des trucs, moi, je dis, c'est pas vrai, c'est pas avec des gens comme ça..., je me sens mal à l'aise. Je me sens mal à l'aise. Je te le dis franchement... [*se tournant vers Henri O.*]. Parce que ce raisonnement-là, de vie, qu'on voudrait avoir de temps en temps, pas toujours... parce qu'il faut aussi faire la place à... mais de temps en temps ; et j'ai l'impression qu'on ne peut pas avoir ce type de discussion [d*ans les instances du parti socialiste*] parce que ces mecs-là, ils sont tous prisonniers de structures, de langage, d'idées ou d'ambitions qui font qu'il n'y a plus rien qui compte de ce qu'on dit maintenant. J'ai l'impression. Je peux me tromper. Alors, moi, je suis dans le brouillard complet depuis Rennes, ça c'est vrai, c'est depuis Rennes que je me dis, mais qu'est-ce qu'on fout à ce parti socialiste, maintenant et dans le parti, qu'est-ce qu'il y a ? (...) Et je l'ai dit.

Albert J. — Tu me surprends un peu parce (...) que tu aurais dû le dire...

Jacques E. — Mais on n'a pas eu tellement l'occasion, c'est vrai que… et puis j'ai été très pris et on s'est pas vus beaucoup.
Albert J. — Sur le moment… [*Jacques E. hausse les épaules d'un air découragé*]. Ah ! mais si, pourquoi, Jacques ?
Jacques E. — J'ai eu envie de gueuler à… [*nom de village*], ça. Tu crois que c'est le lieu ?
[*Henri O. et Albert J. reprochent à Jacques E. de ne pas s'être exprimé plus tôt. Il se défend mal.*]

Les certitudes de ces gens-là

Albert J. — Non, moi, c'était pour décrire le décalage qu'il peut y avoir entre les certitudes de ces gens-là qui sont dans des sphères toujours à calculer quel est le truc, etc., mais dont j'ai l'impression qu'ils se sont coupés des réalités.
— *Ces gens dont vous parlez… A qui vous pensez ?*
Jacques E. — Oh ! ben, c'était… il y avait quelques, bon, c'était pas des grands responsables départementaux, mais enfin il y avait quand même l'attaché de presse d'un député, non un attaché parlementaire d'un député [*ton à la fois respectueux et un peu ironique*] et puis… [*rires*] et puis je sais pas qui, enfin bon, c'est pas des grands mecs, mais bon, c'est des gens qui ont l'oreille des mecs… [*rire*].

[*Retour à la discussion sur les divisions entre maires socialistes et sur la question de l'instance qui doit trancher les différends entre maires socialistes.*]

Henri O. — Moi, je vous réponds. C'est pas au parti de trancher dans ce genre de discussion. Il y a un cadre administratif qui est le SIVOM. Donc ce sont des problèmes qui doivent se régler dans le cadre du SIVOM. Il faut pas non plus vouloir tout mettre sur le parti.
[…]
— *Mais je pense, ce que vous dites c'est une solution technique au fond, c'est une solution technocratique ; c'est un peu comme au niveau de l'État, on dit : on va faire un arbitrage, etc. Il y a quand même aussi des solutions qu'on pourrait dire éthiques : on pourrait imaginer que quelqu'un dise, quand même on est entre représentants de la gauche, on n'est pas élu uniquement pour*

faire sa propre publicité, pour dire, « moi, j'ai fait ci, j'ai fait ça », il faut dépasser ses intérêts particuliers…

Henri O. — Bien sûr… Tout à fait d'accord…

— *Or ça, ça n'existe plus…*

Albert J. — Non, mais on est tout à fait d'accord.

Jacques E. — Vous ne pensez pas que là, il y a de mauvais exemples qui viennent d'en haut ? C'est-à-dire que ces gens-là qui devraient avoir en vue l'intérêt public avant tout, ils donnent l'impression permanente d'une bagarre pour eux tout seuls. Alors ça ne me surprend pas qu'au niveau communal ou cantonal ou petites régions, les gens, ils aspirent aussi à avoir un (…), et qu'ils jouent ce jeu-là. Il n'y a rien qui les retient…

[*Question de la formation et de l'information des militants. Stages. Problème de la sélection des délégués : les critères moraux sont-ils pris en compte ?*]

Albert J. — Les candidatures, ça passe par les sections.

Henri O. — On connaît, on connaît et puis il y a un profil quand même.

— *C'est-à-dire…*

Albert J. — Les chances de succès des uns et des autres, l'implantation de l'un, de l'autre… La moralité aussi bien sûr…

— *La moralité, c'est pas seulement il prendra pas dans la caisse… C'est aussi…*

Albert J. — C'est cet homme par rapport à une population…

— *Mais par rapport aussi à un idéal… On dit « les valeurs ».*

Henri O. — Mais aussi par l'expérience qu'on a acquise dans la vie, etc. C'est ça… Que ce soit basé sur des valeurs qui sont les nôtres, quoi… Disons-le… Parce que, c'est pas… Et puis moi, je pense qu'être socialiste aujourd'hui, c'est aussi, c'est aussi un état d'esprit, quoi… Je crois que ce qui est, ce qui nous a un peu déboussolés, dans ce parti… On a fait abstraction de tout ça. Moi, je le dis fortement, je crois que ça c'est pas le critère essentiel celui-là, malheureusement ! Parce qu'on a pris au parti socialiste des gens qui sont venus de n'importe où : je dis pas que c'étaient des nuls mais c'est vrai qu'on a au parti socialiste des gars qui sont au parti socialiste parce qu'ils avaient pas de place ailleurs et ils auraient très bien vendu leur camelote ailleurs comme ils le font au parti socialiste. Et les militants, ils sont certainement beaucoup plus sensibles à tout ça, qu'à n'importe quoi. Je vois des militants, des sympathisants et puis ceux qui votent pour nous enfin, quoi merde ! On n'en parle jamais de ceux-là. On n'en parle jamais de ceux-là ! Il n'y a pas que ceux qui sont inscrits à un parti qui sont socialistes, il y a tous ceux qui votent pour nous…

— Quand vous dites : « Ils sont sensibles », vous voulez dire quoi ? Vous voulez dire qu'ils sont sensibles au fait qu'il y a des…

Albert J. — …à la personnalité…

Henri O. — Ils sont sensibles au fait que on a des exemples où des gars viennent, bon, je vois pas maintenant là, qu'est-ce que je pourrais…

Jacques E. — Les parachutages, tu veux parler ?

Albert J. — Oui, des parachutages et puis également des gars qui sont devenus socialistes par le congrès de ceci, de cela enfin… Heureusement qu'on ne naît pas, je ne veux pas dire qu'on naît socialiste, mais… mais… mais quand même, hé…

Jacques E. — (…) Pour ça, comme pour l'Éducation nationale, comme pour certaines entreprises, comme dans d'autres secteurs, etc,. n'y a-t-il pas des lieux où la gauche, le parti socialiste étant majoritaire, (…), où on tenterait des expériences, où on ferait avancer pendant deux ans ou trois ans ce type de truc et qu'on utiliserait après, avec, bon… d'abord interne, pour essayer de voir les limites et les résistances et les choses à faire ou à ne pas faire, conneries, etc., et puis dont on se servirait pour fabriquer un argumentaire qu'on vendrait. Et en développant l'idée parce qu'elle a déjà été…

Albert J. — Avec une expérience.

Jacques E. — Et on a le temps, même si on est pressé, on a le temps. Gérer c'est aussi avoir le temps. Alors il y a des expériences scolaires qui se font qui sont très intéressantes. Il y a des expériences dans des entreprises qui sont intéressantes, et on a l'impression que c'est comme avant et qu'on n'innove pas et que…

Albert J. — On improvise surtout.

Jacques E. — Et que tout le monde est toujours acculé devant des difficultés à devoir résoudre tout seul les problèmes et tout et qu'il n'y a pas d'aide pour les résoudre. Mais pourquoi, nom de Dieu, il n'y aurait pas des cellules d'étude mais qu'on diffuse, dont on donne des résultats. On informe les maires, on informe les enseignants, on informe les délégués syndicaux, on informe les comités d'entreprise, on informe les patrons et puis de temps en temps on fait un point, là, sur l'objet, en disant, « voilà ce que ça a donné ». Et puis bon, on va le recorriger, on va le reprendre ailleurs.

Albert J. — Avant de généraliser, quoi…

Jacques E. — Et après on dit, après on dit, « si on est socialiste et si nous y croyons, nous prenons, nous, le manche pour essayer de convaincre aussi dans l'opinion… ». Et les maires socialistes ou apparentés font la même démarche. Et on essaie de lancer petit à petit puisqu'il y a des exemples précis et valables, eh bien, on reprend l'idée… Et c'est des trucs qui seraient, je crois, porteurs. Mais on a peur, on a peur que ça soit parachuté, que ça nous porte tort, que ceci. On a peur de tout et on fait rien.

— Oui, autrement dit, vous dites : « Au lieu d'avoir une idée qu'il y a au centre des mecs qui doivent avoir un projet, etc., il faudrait qu'il y ait des lieux d'expérience, à l'endroit où les choses vont se faire, c'est-à-dire dans les écoles, les entreprises, dans les municipalités, etc., que ces expériences soient observées, analysées, éventuellement critiquées, améliorées par une instance chargée de regarder ça, et ensuite généralisées. » Et on dirait, « il y a eu l'expérience de D., de SOS-Enfants abandonnés », on l'étudie, on l'analyse et on…

Albert J. — Ou de rénovation de l'habitat, ou bien d'aménagement de ceci, transports ou…

— Oui, et le maire socialiste qui débarque, qui vient d'être nommé, au lieu d'être avec sa bonne mine et puis ses intentions, il aurait une espèce de…

Albert J. — … un support des scientifiques…

[…]

Je suis tenu par les textes

Henri O. — Un exemple : l'enseignement des langues, dans le primaire. Alors vous connaissez très bien la démarche du gouvernement : il faut que ça se passe dans l'unité d'un collège. Alors, moi, je ne vais pas chercher des exemples dans toute la France, je prends l'exemple du SIVOM de L, donc du collège de L. [*nom de village*]. Les professeurs du collège de (…) n'ont pas d'heures disponibles pour dispenser l'enseignement dans les écoles primaires et dans les écoles rurales. (…) Je réunis les maires des communes rurales avec l'inspecteur d'Académie. Et nous faisons

le constat qu'effectivement, qu'on ne pouvait pas, bon, etc., très bien, puisqu'on n'avait pas les profs. En sachant très bien que c'était (...) l'Éducation nationale qui prenait à sa charge et en heures supplémentaires l'enseignement dispatché par ces professeurs. Alors moi, j'ai fait une proposition, je venais, il y avait quelques jours, d'écouter avec beaucoup d'intérêt P. M. qui est chargé de mission par Jospin et qui a pris pour thème la défense de l'école en milieu rural. Moi, je trouvais très bien ce qu'il disait, mais je voyais pas comment il allait y avoir quelque chose de changé. Alors voilà, la proposition que j'ai faite aux maires, qui a été acceptée, et également, par l'inspecteur d'Académie.
Albert J. — Primaire...
Henri O. — ... inspecteur primaire, un homme courageux. (...) La proposition que j'ai faite est la suivante : puisque l'Éducation nationale paye en heures supplémentaires cet enseignement, pourquoi ne pas imaginer, sous forme de convention, de contrat, avec une négociation qui est à mener, que l'Éducation nationale embauche quelqu'un, avec cette somme qui ne va pas être utilisée puisqu'il n'y a pas... pour donc, dispatcher cet enseignement. Alors j'en parle, je téléphone à P. M.. Et puis il me dit, « fais-moi une lettre, ça m'intéresse beaucoup », enfin, etc. Je lui ai écrit – sur-le-champ – avec également tous les chiffres donnés par l'inspecteur d'Académie en lui disant que ça se fait en collaboration... etc. Suite à quoi il me fait une magnifique lettre, en me disant que cet enseignement devait être réalisé, qu'il fallait que je prenne contact avec l'inspecteur d'Académie comme s'il n'avait rien compris. Alors là, j'ai changé de crayon et je lui ai fait une lettre, moi. En lui rappelant un certain nombre de vérités. Et cette lettre, il l'a reçue pendant qu'il était en congé. Et donc j'ai eu de nouveau P. M., la semaine dernière, dès qu'il est rentré de congé le 28, (...) clac c'était moi (...). Il m'a dit, « bon, écoute, ce que tu me proposes là est tout à fait intéressant, ça me paraît tout à fait logique ; mais seulement, c'est que je suis tenu par les textes ». J'ai dit, « écoute, moi, les textes je m'en fous ! C'est pas la peine de venir chez nous défendre l'école en milieu rural, si vous n'êtes pas capables devant une proposition comme celle-ci de réagir ». Il m'a dit, « je suis bien d'accord avec toi, je suis bien d'accord avec toi et je vais voir avec Jospin et je vais voir ce que je... ». Je lui ai dit, « écoute, je te demande pas de faire ça pour la rentrée, c'est impossible, mais au moins qu'une démarche... que nous ayons une

réponse dans le courant de l'année scolaire. Mais qu'est-ce que c'est que ce gouvernement, de gauche, qui ne veut rien changer ? ».

Albert J. — Ce n'est pas le gouvernement, c'est l'administration et les habitudes…

Henri O. — Mais je lui ai dit, « mais, écoute moi… », je lui dis, « mais, écoute, P., si c'est uniquement pour appliquer des règlements, ne te déplace pas ! ». Moi, je dis qu'on n'a pas besoin de commission, on n'a pas besoin de chargé de mission – je lui ai dit comme ça, parce que je le crois fermement, parfois je ne peux pas supporter – on n'a pas besoin de types pour courir dans les campagnes, si c'est pour dire après, « mais le règlement ne le permet pas ». Qu'est-ce que c'est que ce travail ! Et il était, vraiment, il était emmerdé. Et il était soucieux, il m'a dit, « écoute, je te promets, je fais le… ». Je lui ai dit, « écoute je vais à Paris toutes les semaines, si j'ai pas de réponse rapidement, je vais à ta porte, tu peux être tranquille »…

Jacques E. — Ce qu'on fait, il faut que ce soit définitif, généralisé et obligatoire… Alors qu'est-ce que tu veux… [*rire dans la voix*]. On parlait des enseignants. Moi, j'ai été surpris de voir les difficultés à faire admettre l'avancement au mérite. Hein, c'est comme ça. On reste figé, tous les trois ans on a une promotion, on sait que, etc., Et puis finalement il y a des cas flagrants où la personne ne rend pas le service pour lequel elle est…, elle est là, elle est payée et tout le reste et elle a les mêmes droits que celui qui se défonce et qui fait de l'animation…

Albert J. — Il y a quelque chose qui n'est pas normal.

Jacques E. — Mais merde, c'est pas normal.

— *Ça, c'est vrai partout…*

Jacques E. — Et on voit les syndicats qui emboîtent le pas à ces positions-là. Moi, je dis, il y a quelque chose qui ne va plus. Parce que le syndicat, bon, Dieu sait que… si j'y crois au syndicalisme, et j'ai mes raisons pour ça, mais je ne veux pas que les syndicats soient une arme de guerre et je ne veux pas que ça soit un truc pour arrêter. (…) Ça, je ne sais pas, c'est peut-être particulier à la France, j'en sais rien, mais à mon avis la gauche ne débat pas assez dessus [*sur le syndicalisme*], parce que il y a malgré tout dans la gauche une plus forte tradition syndicale que dans la droite (…). Moi, je crois qu'on aurait plus d'atouts pour se remettre en question parce que ça c'est des trucs fondamentaux, je crois qu'on a fait fausse route pendant une dizaine d'années, on a cassé les mécanismes, on a donné en plus une mauvaise image et puis on est… on est responsable de notre propre décrépitude là, parce que si les syndicats actuellement n'ont plus … et tout le truc, c'est parce qu'on a fait trop les cons. Et on a donné une image du syndicalisme qui est négative à tout crin et, bien sûr, les patrons de la droite s'en sont servis pour démolir tout et faire le reste. Ceux-là aussi ils sont pas blancs, hein. Mais, mais merde, quoi ! Quand on voit encore des gens qui se crispent sur des avantages qui sont totalement ou désuets ou injustifiés, oh ! merde alors !

Albert J. — C'est surtout la CGT…

Jacques E. — Pas seulement… Oui, la CGT particulièrement qui est en opposition permanente sur tout, etc., et qui a une ligne très dure, qui est… qui est d'en haut. Là aussi c'est pas facile. Mais ils évolueront, je crois que si la base évoluait, si on faisait évoluer les trucs, on remettrait en cause.

— Oui, et ces choses-là ne sont pas tellement discutées. Ni en haut ni en bas.

Jacques E. — Nous on en discute… La CFDT, on est ouvert, on est ouvert là-dessus et bon… ça fait trois, quatre ans qu'on recherche justement à voir, comment il y a des trucs qui peuvent se reprendre ;actuellement il y a des expériences très intéressantes d'ailleurs.

juillet 1990

Sandrine Garcia

L'œuvre volée

J'ai rencontré Claudie, pour la première fois, à la Maison des femmes de Paris, local situé dans le 11e arrondissement où se réunissent des homosexuelles et des militantes appartenant à la fraction la moins « intellectuelle » du féminisme. Après une longue période de chômage, elle suivait un « stage de réinsertion », organisé principalement autour des activités d'accueil et de gestion et donnant accès à des emplois temporaires et sous-qualifiés par rapport à sa formation de journaliste et son expérience professionnelle (elle avait eu un emploi stable à l'INSEE, puis avait dirigé un refuge pour victimes de la violence conjugale).

Dès notre première rencontre, j'ai été frappée par son air « tragique », par une sorte de gravité interrompue par de soudains éclats de rire stridents, comme si elle portait en elle un drame très lourd ; si lourd que lorsqu'elle se décide à nous le révéler, elle ne peut s'empêcher de parler longuement, revivant avec une passion toujours intacte chaque épisode de son histoire, incapable souvent de retenir ses larmes, même lorsqu'elle s'efforce de faire ressortir « le côté positif » de cette aventure, la création d'un refuge, « son œuvre », qui, certes, lui a été « volée » mais qui « vient de fêter ses dix ans ».

Une enfance à la campagne dans un milieu familial dominé par un père violent qui a coutume de battre sauvagement sa femme, le spectacle de l'exploitation des femmes dans le milieu agricole, toutes ses expériences l'amènent à porter très tôt « un regard critique sur la société, sur les injustices, et surtout sur les injustices faites aux femmes ». Cette disposition à la révolte féministe trouve son expression lors de sa rencontre avec le MLF, à Paris, dans les années 70. Elle vit alors une période d'euphorie, d'effervescence collective qui la porte de groupe en groupe, de discussions en discussions, d'actions en actions. Elle se situe parmi les « féministes révolutionnaires », fait partie des « Gouines rouges », groupe d'homosexuelles communistes, puis d'un groupe de « prise de conscience », où la fréquentation de sociologues et de psychologues fait « progresser sa réflexion ». Cette expérience lui paraît d'autant plus enrichissante qu'ayant très vite interrompu ses études supérieures, elle éprouve un grand besoin d'apprendre. Après une première période d'activité – un travail d'enquêtrice qui la mène d'une ville à l'autre –, malgré les satisfactions que lui apporte la sociabilité féminine et même homosexuelle qu'elle rencontre dans cet environnement professionnel, elle se lasse de cette vie instable et retourne à Y., sa ville natale, pour s'y fixer et y chercher un emploi. Elle travaille alors quelques années à l'INSEE. A peine de retour à Y., une ville de l'Est de la France, elle cherche à retrouver, en vain, le climat du militantisme parisien. Elle ne rencontre dans cette « ville morte » que des militantes du MLF, exclusivement préoccupées par les « luttes de classes » dans la pure ligne de mai 68.

Les points de désaccord se multiplient : la priorité

conférée à la cause des « ouvriers » ou des « Palestiniens », les problèmes spécifiques des femmes face à la domination masculine, le primat accordé à la réflexion théorique ou à la « lutte idéologique », les actions pratiques en faveur des femmes opprimées et elle abandonne très vite ce groupe du MLF – qui ne cesse de « la relancer », animé d'une hostilité et d'un ressentiment croissants, et de critiquer le caractère « typiquement bourgeois » de sa démarche – pour s'engager dans des actions concrètes en faveur des femmes.

Ce sont les « copines de Paris » qui lui suggèrent de créer à Y., sur le modèle des SOS femmes qui se créent à Paris à ce moment-là, un groupe affilié à la Ligue du droit des femmes de Paris (dont Simone de Beauvoir était la présidente d'honneur), qui se donne pour objectif de lutter contre les violences conjugales. Dès lors, elle jette toute sa vie et toute son énergie dans cette entreprise : en plus de son travail à l'INSEE, elle s'emploie, des années durant, à recevoir les appels des femmes maltraitées, elle les aide à trouver des solutions, notamment juridiques, pour s'en sortir, elle cherche à sensibiliser l'opinion publique et à obliger les institutions à s'en préoccuper. Petit à petit germe dans son esprit ce qui deviendra le projet du groupe : créer un refuge pour femmes battues, leur permettant d'échapper à l'emprise de leur conjoint et de réorganiser leur vie.

Elle s'engage corps et âme dans un combat difficile pour faire reconnaître par les institutions concernées – DASS, médecins, déléguée à la Condition féminine, instances du pouvoir local – la nécessité d'un tel refuge et pour obtenir les subventions indispensables à son fonctionnement. Elle parvient, parfois au prix de sa santé, à vaincre tous les obstacles et toutes les résistances que les institutions lui opposent avant de consentir à reconnaître son « travail ». Mais la lutte en faveur des femmes, qui est devenue sa raison d'être, ne s'arrête pas là : elle a l'ambition de créer un second refuge et d'entreprendre de nouvelles actions.

Ce combat qu'elle anime à Y., et auquel elle prend la part la plus active, affrontant souvent seule les conjoints des femmes réfugiées auprès d'elle, interlocutrice principale des institutions qu'il faut convaincre, elle n'aurait, dit-elle, sans doute pas pu le mener avec tant de fermeté si ses amies militantes de Paris, plus expérimentées et mieux armées qu'elle, ne lui avaient pas apporté des appuis, des conseils, un soutien moral et parfois une aide directe (c'est grâce à leur intervention, par exemple, que la DASS, dont dépendent les subsides nécessaires au fonctionnement du refuge, ou que la déléguée à la Condition féminine acceptent de se pencher sur ses dossiers) ; elles lui apportent aussi la confirmation de la justesse du combat isolé qu'elle mène dans cette ville de province plus fermée que Paris, où le seul groupe de féministes constitué lui est irrémédiablement hostile : elle a besoin, dit-elle, de se sentir « sécurisée » par la conviction profonde que son action, indissociable de celle que mènent ses amies de Paris, en est comme le prolongement naturel.

C'est au moment de sa première victoire que se manifeste le décalage, sans doute présent dès l'origine, entre son action militante et celle des autres membres de son groupe : à la veille de l'ouverture du refuge, lassées par ces années de travail de terrain, une grande partie de ses amies quittent le groupe, certaines pour poursuivre des études, d'autres parce qu'elles ont

« d'autres choses à vivre », dit Claudie qui, manifestement, n'a, quant à elle, aucune vie affective en dehors du groupe ni aucune ambition en dehors de son projet féministe. Restée seule face à ce qui est devenu pratiquement son œuvre, elle ne peut même pas savourer une victoire qui a déjà un goût de défaite, puisqu'elle ne peut plus compter que sur ses propres forces, et qu'il lui manque désormais l'élan d'une mobilisation collective.

Pourtant, elle ne s'arrête pas là : elle démissionne de son travail pour occuper la fonction de présidente du refuge, en surveille activement les travaux d'aménagement, puis s'y installe, et y vit désormais absorbée, jour et nuit, par toutes les tâches nouvelles qu'exige son bon fonctionnement. C'est à ce moment de l'histoire du refuge, dont la gestion ne peut plus désormais reposer sur le seul travail bénévole, que surgissent toutes les difficultés. Elle recrute secrétaire, cuisinière, veilleuse de nuit : « ça ne posait pas de problème », dit-elle ; mais elle doit aussi engager une « éducatrice et psychologue » et découvre bientôt l'horreur d'une collaboration impossible, d'une opposition absolue entre deux visions du monde : celle de la militante qui obéit d'abord aux impulsions du cœur, à la révolte et à la compassion, agissant le plus souvent dans l'urgence et dans l'improvisation généreuse et créatrice ; celle de la « professionnelle », dont les actes impersonnels et réglés par avance obéissent à une logique purement bureaucratique. Une « éducatrice, c'est un métier… il faut montrer patte blanche » devant ses exigences, commente Claudie, qui emploie, non sans intention précise, le terme de « métier », de la même manière que, comme elle le fait observer, elle « utilise sciemment » dans la suite de son récit, celui de « personnel » (du refuge) qui « n'a plus rien à voir – explique-t-elle – avec le militantisme », « qui pense à son syndicat », « qui me dit : ce n'est pas mon travail ». Son évocation passionnée de tout ce qui l'oppose à cette employée « qualifiée » l'amène à analyser avec une grande perspicacité le fonctionnement habituel des univers bureaucratiques, avec leurs dénominations et leurs catégories administratives abstraites et impersonnelles, l'effet de distance sociale que ces instruments de pensée et d'action créent entre les travailleurs sociaux, qui les ont en tête et les utilisent, et leurs « clients », la division et la spécialisation étroite des tâches qui excluent les initiatives, l'utilisation des ressources institutionnelles et collectives qui tend à dispenser de mobiliser celles de la personne et d'engager sa responsabilité propre. Elle observe, par exemple, que l'éducatrice du refuge « n'avait même plus à avoir d'espoir pour ces femmes, puisque c'était une population à traiter pour elle ! C'était son boulot ». Elle décrit également le désarroi des femmes du refuge qui se plaignent d'un « fossé entre le personnel et elles ». « Avec moi, explique-t-elle, il n'y avait pas de fossé », ce qui arrive aux femmes battues, « ça aurait pu m'arriver aussi », « je ne me sens pas au plafond et les autres par terre », « seulement, ajoute-t-elle, il y a un certain type de gens qui se disent : voilà, j'ai un métier, je suis éducatrice, psychologue ». A propos de toutes les catégories professionnelles qu'elle aura l'occasion d'observer, elle fera le même constat sans illusion, mais sans malveillance : médecins, assistantes sociales ne prennent jamais de risque, sans doute parce qu'ils ont le respect de toutes les formes de pouvoir, et se réfugient derrière l'alibi commode de leur déontologie professionnelle. Sa bienveillance l'amène à relativiser la portée de ses critiques en invoquant les différences « d'ouverture d'esprit, de cœur » entre les individus qui composent ces professions (« il y a des êtres humains qui sont des médecins »), et à conclure innocemment à propos de sa propre action : « ...c'était une question de tempérament, j'aimais ça. C'est vrai qu'il y avait un risque, qu'il fallait foncer et qu'en fin de compte, je faisais ce que des gens payés par la société ne font pas. »

« L'éducatrice, une espèce de syndicaliste » réfugiée dans « la convention » et dans l'invocation de ses « droits », qui « demande de plus en plus de choses » et ne s'intéresse pas aux femmes du refuge, lui devient vite si insupportable qu'elle cherche à s'en débarrasser avant la fin de sa période d'essai : se sentant menacée, cette dernière n'hésite pas à alerter Mme de X., sœur d'une célèbre femme de lettres qui a joué un rôle important dans le mouvement féministe, à qui Claudie, devenue directrice du refuge et n'ayant pas le droit de cumuler deux fonctions, avait demandé de prendre à sa place la fonction, purement honorifique, de présidente de l'association, dans l'espoir de tirer profit du capital symbolique attaché à son nom et de l'utiliser dans ses rapports avec les institutions politiques et sociales ; et la présidente qui, jusqu'alors, menait au loin une vie d'artiste-peintre sans se soucier de la vie du refuge, s'émeut à l'annonce d'un licenciement et décide brusquement que son devoir lui commande d'intervenir pour restaurer une orthodoxie militante menacée : rappelée à une assemblée générale chargée examiner son action, Claudie se retrouve en fin de compte face à ses adversaires de toujours, les féministes de « lutte des classes », que la présidente a réussi à faire entrer dans l'association à l'insu de Claudie et qui se font ses alliées pour prendre petit à petit le pouvoir au sein de l'association; ensemble, elles parviennent à mettre au point différentes stratégies qui ont pour effet de convaincre Claudie de faute professionnelle, puis de l'enfermer dans une situation telle que la démission lui semble la seule issue possible.

Vaincue, « mise à mort » par l'acharnement de militantes qui ne lui pardonnent pas d'avoir réussi à faire quelque chose là où elles-mêmes n'ont produit que des phrases et des mots d'ordre creux et inefficaces, Claudie mettra longtemps à surmonter ce sentiment de n'être et de n'avoir plus rien, elle qui « s'était mise tout entière dans le refuge », qui lui avait « tout donné » au point qu'il était « tout elle ». Inaccessible au ressentiment, elle affirme encore : « le refuge marche bien, c'est important, ça »; mais, instruite par une aventure personnelle qui est comme un condensé de l'histoire du mouvement féministe en son entier, elle avoue « être devenue méfiante à l'égard des autres », à l'égard des groupes de militantes féministes, et leurs réunions, et leurs discussions; elle a compris que la domination sociale et culturelle traverse aussi le militantisme féminin, que, là aussi, le pouvoir existe et appartient à « celle qui parle le mieux » et qui a « le plus de connaissances ». « Il y a des gens, dit-elle, on les laisse lutter, on les laisse travailler, mais il ne faut surtout pas qu'ils réussissent. Ils ne sont surtout pas destinés à ça. Ce n'est pas leur image. Je ne suis pas Mme de X. Moi je suis Claudie ».

avec une militante féministe

— entretien de Sandrine Garcia

« Elles ont une critique de la société, mais il est beaucoup plus facile d'agir vers l'intérieur, en démolissant »

Claudie — Moi je vais commencer par le groupe que j'ai créé. Et en fin de compte, je vais reprendre au départ. Le départ, c'est l'enfance, et dans mon enfance, j'ai vu tout de suite l'oppression des femmes. Comme je te l'ai dit la première fois, ma mère était battue fréquemment par mon père… qui était chef de gare et qui avait commencé comme ouvrier, tout simplement.

— Et ta mère ?

Claudie — Ma mère elle avait fait de la comptabilité, donc employée d'administration, jusqu'à son mariage, puisqu'il était inconcevable qu'une femme puisse avoir des enfants et continue à travailler. Il y avait de nombreuses scènes, mon père était extrêmement violent. Ça veut dire qu'il la mettait par terre, qu'il la piétinait, que les tables étaient renversées, etc., etc. Il ne buvait pas, mais il était extrêmement violent. Bon alors, je ne vais pas rentrer dans les détails. Il était violent parce que tout simplement il avait envie de se garder son argent, de sortir avec d'autres femmes, il n'avait absolument pas envie de prendre ses responsabilités. Il avait envie de rentrer, d'avoir à manger tout prêt, d'avoir ses vêtements lavés et elle, elle ne pouvait pas s'empêcher de lui dire « mais tu as des enfants, mais tu as des responsabilités », et bref, ça démarrait.

— Il se mettait alors en colère…

Claudie — Il se mettait en colère. Il y avait un contexte d'un autre côté, côté village, donc un microcosme. Donc j'ai très bien pu voir, en ce qui concerne ma grand-mère, ma marraine, comment les femmes étaient traitées par les hommes.

— C'est-à-dire ?

Claudie — Je voyais surtout le travail pénible des femmes et c'était l'époque où commençait la première série de tracteurs. Et toute petite déjà, je me rendais compte, on me disait : l'homme c'est le chef, c'est le plus fort, et je voyais ces types qui étaient assis sur les tracteurs et les femmes qui piochaient derrière !

— *Tu participais à ces travaux, toi ?*

Claudie — Je regardais, j'observais, j'étais en vacances et le fait de cette violence que je voyais continuellement m'a ouvert les yeux très très vite. Et j'ai eu un regard critique sur la société très très jeune. Surtout en ce qui concerne les injustices contre les femmes. Et j'entendais des choses aberrantes : quand un homme frappe, il a toujours raison, il sait pourquoi il frappe, et donc c'était très très dur, parce que moi je savais ce que nous vivions. Donc prise de conscience mais solitaire. Parce que même si j'en parlais avec les copines du lycée, elles n'avaient ni la même expérience ni le même regard.

— *Elles pouvaient vivre la même chose mais ne pas avoir de regard critique ?*

Claudie — Peut-être. Mais j'étais sûre au fond de moi qu'un jour je trouverais des femmes qui pensent comme moi, qui ont la même sensibilité, pourquoi je ne sais pas puisque j'étais seule, mais j'étais sûre que je trouverais des femmes qui pensent comme moi. Donc à l'âge de dix-neuf ans, je suis venue à Paris. Et nous étions en 70 et très vite, au bout de quelques mois, j'ai trouvé le Mouvement. Bon, c'était les grands rassemblements, les grandes discussions, et je me suis retrouvée avec des filles qui venaient de province, qui avaient la même expérience. C'était la joie de se retrouver.

— *Quels étaient ces groupes ? Parce que dans le MLF, il y a eu plusieurs tendances ?*

Claudie — Au début, c'était très informel. J'étais dans la tendance des féministes révolutionnaires, il y avait un autre groupe qui était les Gouines rouges et c'étaient donc des groupes qui fonctionnaient le week-end, parce que moi je travaillais en province, j'étais enquêtrice, et je ne rentrais que le samedi soir. Par contre, un groupe qui m'a énormément aidée, c'était un groupe de prise de conscience. Ma réflexion a beaucoup progressé parce que dans ce groupe… Moi j'avais fait une école de journalisme, j'ai arrêté, je ne suis presque pas allée en fac, il y avait là des filles qui étaient sociologues, qui étaient psychologues, qui étaient un petit peu plus âgées, et donc, j'ai énormément appris. Et en même temps, une grande solidarité, une grande camaraderie, hein. Après, ça nous mène en 75, j'étais un petit peu partie en Espagne et je suis rentrée à Y.

— *A cause de ton travail ?*

Claudie — Je suis rentrée à Y. parce que j'avais beaucoup voyagé pour mon travail, pour les enquêtes, j'étais tout le temps en déplacement pour mes enquêtes. Une semaine à Grenoble, une à Lille, j'étais toujours partie.

— *Qu'est-ce que c'était cette boîte qui t'employait ?*

Claudie — Je faisais des enquêtes pour L. [*une grande entreprise alimentaire*] et là également, il s'agissait de groupes de femmes, mais elles n'étaient pas féministes, mais il y avait une telle solidarité parce que nous étions seules, ensemble, en province, jeunes, nous avions envie de travailler mais aussi de nous amuser, nous gagnions bien parce que les enquêtes étaient très peu connues, et il fallait faire tout un travail d'explication en même temps. Et là aussi c'était une expérience un petit peu parallèle au féminisme, des femmes qui soient totalement libres, prêtes à voyager, et donc, il y avait quand même un grand nombre de lesbiennes. Mais bon, au bout d'un certain moment, hôtels, restaurants, on en a assez, j'avais envie quand même de me stabiliser un petit peu. Je suis rentrée à Y. et là, j'ai trouvé un job à l'INSEE, c'est la première chose et j'ai trouvé une ville morte, par rapport à Paris, et par rapport à toutes ces années-là. Malgré tout, il y avait un groupe qui fonctionnait, et qui s'appelait MLF. J'y suis donc allée, et je vois là des filles, une quinzaine, qui étaient en train de discuter à propos d'un ouvrier qui a été licencié… (…) Alors je me suis dit, ça ne va pas. Et dans ce groupe il y avait une fille qui avait un peu la même réaction que moi, qui s'appelait Annik et qui, elle, venait des États-Unis. Et qui avait eu une expérience de travail d'un an avec les féministes américaines. Nous étions donc deux, ayant eu vraiment des expériences avec les féministes, avec une optique féministe, avec une critique féministe, à nous retrouver dans ce groupe un petit peu ouvriériste. Alors je laisse parler un petit peu et au fur et mesure que les semaines passent, pareil et je leur dis, « écoutez, il ne me semble pas que vous soyez le MLF, que vous n'ayez rien à voir avec le MLF ni avec les féministes, vous ne parlez que d'ouvriers. D'ouvriers hommes ! Qu'est-ce que ça a à voir avec le MLF ? ». Par rapport à toutes les discussions que j'avais eues… Et donc elles me répondent « quand la lutte des classes a fait son chemin, les femmes suivront tout naturellement… ».

Un groupe qui n'est pas un groupe de réflexion…, mais un groupe d'action

— *C'était bien des luttes de classe !*

Claudie — C'est les luttes de classe, ça ! Et donc moi j'avais quand même un petit peu étudié l'histoire, parce que ça m'intéressait, et donc, je savais très bien que c'était tout à fait faux et je leur ai dit que cela ne pouvait pas continuer comme ça, parce que j'avais vu des femmes, qui avaient vraiment des problèmes de femmes, être carrément chassées, en disant « ça, ça ne nous intéresse pas, ça ne nous regarde pas ces histoires-là ». Donc, elles trompaient les femmes. Et je leur ai carrément dit, « vous ne pouvez pas continuer comme cela. Il vous faut un autre nom. Mais dire que vous êtes le MLF, tromper les femmes, tout ça, ça ne va pas de toute façon, si dans trois semaines, vous n'avez pas changé de sigle, moi, j'avertis toutes mes copines de Paris, et ça se saura ». C'est clair, net et précis. Elles ont eu la trouille, elles ont changé leur nom. [*Elle évoque une « grande fête des femmes » organisée par ce même groupe, centrée en fait sur la Palestine, la violence des critiques dirigées contre ses propres interventions, la déception de femmes venues d'Allemagne pour assister à une manifestation en faveur des femmes qui exclut les femmes de ses préoccupations et insiste sur les « dégâts » que sont capables de faire les militantes du MLF.*]

Et puis juste quelques mois après, je lis dans le journal de la presse régionale, il y avait trois femmes mortes sous les coups de leur mari en l'espace de trois mois et à chaque fois ça m'avait fait tilt. Et rentre ma marraine un jour chez moi, pour dire « c'est tout de même aberrant, à Y. il y a une femme, qui a été défenestrée, qui est morte sous les coups et ce salopard n'a même pas été inquiété ». Parce que j'ai eu ensuite l'article de la presse, il était noté dessus crise cardiaque. Tout cela a fait que j'ai contacté mes copines avec qui j'étais en relation pour leur dire ce qui se passait. Et une me dit huit jours plus tard, « écoute, ici nous commençons à créer un SOS femme, ce serait peut-être intéressant que tu le fasses aussi ». J'ai dit, « oui, mais Annik et moi, on est toutes seules, comme on n'a rien, vraiment rien, quoi, comment démarrer ? ». Elles m'ont répondu, « si, si, tu peux quand même commencer, Claudie – elles m'ont quand même un peu poussée, encouragée ». Et nous avons donc commencé, avec le téléphone chez moi, je travaillais à l'INSEE dans la journée, donc avec des horaires de bureau, donc avec mon téléphone chez moi, qui est resté pendant trois ans chez moi, j'ai eu presque 10 000 appels de femmes battues. Et j'ai commencé à travailler effectivement jour et nuit.

— Et il y avait une structure d'accueil ? Comment ça se passait ?

Claudie — Non, il y avait un téléphone, il n'y avait pas de répondeur parce que je n'avais pas les moyens pour un répondeur, nous avons commencé simplement avec ce téléphone personnel. [*Elle énumère ses activités : conseils aux femmes battues, élaboration de statistiques des femmes en détresse à partir des appels téléphoniques, démarches auprès d'avocates pour solliciter leur aide, recherche de locaux, prise de contact avec des « groupes de conscience », recrutement de militantes pour le futur refuge, à qui elle demande de venir pour « agir » et non pour « discuter pendant des heures ».*]

Et effectivement tout de suite, il y a des filles qui sont venues. Alors certaines sont venues une ou deux fois, d'autres se sont plus accrochées, d'autres venaient en disant, « j'ai du temps tel jour à telle heure, si tu as quelque chose à faire, dis-le-moi ». C'était très organisé. Très vite, ont rappliqué les « luttes de classe » et cela nous faisait perdre un temps et une énergie considérables. De véritable tiques qui ne s'en vont pas. Bon, alors tout de suite il fallait aller à la Délégation à la condition féminine faire des dossiers, etc. La première déléguée à la Condition féminine était une femme-médecin qui nous avait très bien reçues, mais qui nous avait dit, « vous savez, moi je suis médecin, mais je n'ai jamais entendu une femme dans mon cabinet parler de ce genre de choses. Ce sont des histoires d'alcoolisme, des histoires de… vous montez les choses en épingle », et elle a eu le malheur de l'écrire. Et bon, moi, j'ai tout de suite envoyé ça aux amies de Paris, ce qui a donné un mouvement assez considérable, puisque, elles, elles étaient amies avec Françoise Giroud, qui, à l'époque, était au Secrétariat de la condition féminine. Mais par la suite, cette femme, et ça je tiens à dire que c'est très important, politiquement, humainement, elle, au bout de quelques mois, elle a compris, elle a vu des articles dans la presse, elle a vu, bon, des discussions aussi à Paris, et elle a fait amende honorable, elle a fait des déclarations publiques, à la presse, partout, et ça, chapeau ! Parce qu'un homme politique ne l'aurait jamais fait. Elle a eu des problèmes politiques ensuite. C'était une femme de droite et on lui a dit « va-t-en tricoter tes tricots, etc. » et elle a démissionné, aussi de son poste de déléguée à la Condition féminine. Et ça montre un peu la mentalité qu'il y avait à cette époque-là, puisque des hommes politiques pouvaient dire devant la presse, publiquement, de telles choses et ça passait très bien. Et nous, on cherchait des locaux dans cette bonne ville de Y. pour les femmes battues, avec une mentalité aussi réactionnaire. Alors, j'ai tout de même pris rendez-vous, c'était le chargé des affaires sociales, en me narguant il me dit « la ville n'a rien ». Or, je savais que la ville avait énormément de propriétés et qu'il y avait énormément de locaux dans cette ville qui est quand même une ville importante. Bon. Ceci était fin 75, début 76. Début 76, j'ai commencé à faire quelques enquêtes sur la mort des femmes, sur les femmes qui étaient mortes sous les coups de leurs maris, j'ai pu avoir des adresses, j'avais l'habitude des enquêtes, j'étais quand même une ancienne élève de l'école de journalisme. J'ai fait ces enquêtes auprès des voisins. Et… d'abord auprès de la famille, bien sûr, hein. C'étaient les parents de la femme victime par exemple. Alors évidemment, la famille de la femme, ce sont souvent des gens tout à fait effarés par ce qui arrive, et quand ils trouvent quelqu'un à qui en parler, ils sont tout à fait d'accord et très souvent, ils remercient. Et donc, par les voisins. Il y en a eu un en particulier qui m'a dit, « écoutez, ce sont des pavillons, vous voyez la distance, c'était le voisin du pavillon le plus proche. Quand il rentrait le soir, même le chien n'osait plus bouger, ni aboyer ». Et il lui a dit, à son voisin, « moi je fais du sport, si tu veux descendre dans la rue, je te casse la gueule tout de suite ». Et donc, à ce moment-là, le voisin n'a plus bougé, n'est plus intervenu. Et la femme recevait les coups, elle en est morte, les enfants étaient là, en ayant agonisé dans la cuisine toute la nuit. Ça c'est des renseignements que je n'aurais jamais pu avoir autrement. Et quand le type a eu son jugement, il comptait bien s'en tirer, il faisait partie de la société, il avait même une entreprise, pas mal d'argent et il pensait que les trois mois de préventive suffiraient, qu'ensuite, ça serait bon. Et la manifestation que j'avais décidé d'organiser était pour l'ensemble des femmes, le nombre de cas de femmes mortes sous les coups, devant les enfants et le manque de réaction de la société face à ça, cette acceptation de l'ensemble. Nous avons été aidées par des femmes très très chouettes, qui avaient beaucoup à faire, je parle des femmes du Planning familial. Elles avaient leur propre lutte, mais lorsqu'il y avait besoin d'un coup de main, elles étaient toujours là, il y avait un respect. Bon, alors évidemment, recommencent ces femmes en lutte de dire, « ah une manif ! Alors nous allons gueuler ». Parce que gueuler, paraît-il, c'est quelque chose d'extraordinaire, quand on gueule pendant deux heures, une fois par an, tout s'arrange ! Mais nous, ce qu'on voulait, c'était une manifestation totalement silencieuse. Quand il y a une vraie manif, les gens se disent, bon il y a une manif, tandis que faire une manif vraiment silencieuse, les gens se disent tout de suite qu'est-ce qu'il se passe ? C'est ça qui attire l'attention. Bon, c'est l'imagination qu'il faut avoir pour lutter. Surtout si on n'a pas d'argent… [*Elle évoque cette manifestation symbolique, au milieu de gerbes envoyées par les associations féministes de tous les pays, puis l'aide apportée par la presse*.]

Je faisais ce que des gens payés par la société ne font pas

— *Vous aviez des appels venant de femmes de tous les milieux ?*
Claudie — Oui, je vais t'en donner un exemple. Qui nous appelait ? Il y avait la femme d'un professeur de droit. Le droit, il connaissait bien, lui. Et il connaissait aussi où frapper. Une femme de médecin aussi. Femmes d'entrepreneurs. Il y avait un grand nombre de femmes qui étaient au foyer, et certaines étaient des salariées. Il ne me semble pas qu'il y avait des professions libérales, plutôt commerçantes, mais pas libérales. Il y avait plus de femmes qui n'avaient pas d'emploi, et surtout qui avaient des enfants. Ensuite, vient le rôle des médecins. On avait demandé à ces femmes de demander un certificat médical pour porter plainte. Eh bien le syndicat des médecins sort une circulaire qui dit que dorénavant, pour obtenir un certificat médical pour coups et blessures, on ne prenait plus simplement le tarif normal, mais on payerait le tarif K5, K6, je ne me rappelle plus du numéro, mais 350 francs. Je suis allée demander des explications, tout de suite. Et on m'a dit, « mais il y aura pléthore de demandes ! ». Donc on reconnaissait que le problème existait. C'est pour limiter les demandes et sur le dos de qui ? Mais il ne faut pas oublier qu'il y a d'autre part des êtres humains qui sont des médecins, et qui, eux,

font l'inverse, qui téléphonent pour donner un coup de main, pour dire voilà... D'autres ont fait la démarche d'héberger des femmes, parce qu'elles ne savaient pas où aller. Dans le fond, c'étaient des personnes sensibles et qui voyaient le problème humain. Parfois, c'était l'hôpital qui nous appelait, il y avait des femmes qui étaient défenestrées, il y avait des traumas crâniens. Appelaient les femmes elles-mêmes, l'hôpital, les voisins, les employeurs, par exemple pour leurs femmes de ménage, les instits. Cela montre bien que les relations d'amitié ce n'est pas rien. Appelaient les enfants, c'étaient les appels les plus durs... Quand on lit dans la presse, les enfants parricides, on s'aperçoit, que la plupart du temps, c'était pour défendre leur mère qui les a amenés à intervenir. Plus ça se savait, plus il y avait d'articles. de presse, plus les gens osaient tout à coup s'exprimer et prenaient conscience de leur responsabilité. Dans les articles, il y avait des rappels du principe de non-assistance à personne en danger. En fin de compte, les gens étaient informés. Après ça, etc., le tour des ministères. Parce qu'à Paris, évidemment, elles avaient fait un travail considérable auprès des ministères. A Y., c'était la DASS. [*Elle évoque les résistances et l'inertie de la DASS qui laisse dormir les dossiers, ses démarches à Paris auprès du ministère qui prend en considération le dossier qu'elle défend.*]
Je venais aussi à Paris de temps en temps, parce qu'il me fallait de nouvelles données, les avancées du problème, et ça je le trouvais à Paris, plus un état d'esprit très fort féministe que je prenais, que je ramenais à Y. C'était cette cohésion féministe, cet approfondissement de la recherche, etc. Dans notre groupe de Y., il y avait des étudiantes, des femmes comme moi, et après, il y a eu des femmes en instance de divorce et qui étaient victimes de violences qui ont éprouvé le besoin de se joindre au groupe parce qu'elles avaient besoin d'une écoute, de ne plus être seules, de solidarité, de savoir qu'elles étaient comprises, que leur démarche faisait partie d'un ensemble. Il y avait une femme qui ne savait pas comment exprimer les choses et qui venait avec des poèmes. Mais la plus grande partie, c'étaient des militantes jeunes et qui n'avaient pas vécu cela. Il y avait aussi le copain d'une copine qui savait ce que c'était le féminisme, que c'était notre lutte, mais qui, parfois, donnait des coups de main. Les hommes dans tout cela pouvaient jouer un rôle très utile, qui consistait à parler avec les hommes violents, en discuter avec

eux... Ils ne pouvaient pas faire partie du groupe, mais ils pouvaient faire ce travail-là. Parce que nous, on s'occupe des urgences. Donc, du boulot, il y en avait, s'ils voulaient et il se trouve que certains ont fait du boulot et c'était sympa, c'était important. Maintenant je vais parler de Bruxelles. Nous avions une réunion, mais où sont venues des femmes, des féministes du monde entier, en ce qui concerne les violences faites aux femmes. Là c'était en 76, c'était féministe, c'était mondial et c'était une très grande fête. Et là ça nous a permis de nous faire connaître, de rencontrer des gens, de voir que les problèmes étaient les mêmes partout pour les femmes. Que donc c'était vraiment un problème de civilisation patriarcale. Donc, il a été question de violents et violence. Et on avait organisé ensuite 24 heures contre le viol à la Mutualité. Et on a vraiment vu de grandes tendances se dégager. Notre tendance SOS comme nous, très pratique, très active et puis d'autres femmes qui cherchaient plus à se définir, qui étaient contre les violences, mais qui trouvaient, par exemple, qu'il fallait déconseiller aux femmes de faire des procès, qu'il ne fallait pas entrer sur ce terrain-là. Bon, tout à l'heure, j'ai parlé du groupe, j'ai parlé des interventions mais très peu. Je dois dire qu'il y avait également des femmes qui téléphonaient, pour dire que la police refuse de se déplacer, et donc, il m'est arrivé d'y aller, moi. Et là, j'ai vu la réaction des types. Il y en a un qui m'a fait rentrer devant la sonnette d'entrée en me disant « voyez ce qui est noté là ». Qu'est-ce qu'il y avait noté ? C'était son nom. Il me dit « c'est moi qui habite ici » et donc, les autres, sa femme et ses enfants, ce sont le troupeau, finalement, ça lui appartenait. J'entre là-dedans. Évidemment, le téléphone était arraché, elle avait eu le temps de téléphoner, cette femme, mais ensuite il lui avait arraché le téléphone. J'ajoute qu'il y avait des traces de sang sur le mur. Et évidemment, il y avait deux tout petits enfants qui, eux, ne pouvaient même pas parler parce qu'ils étaient terrorisés, ils étaient recroquevillés, en attendant la suite et c'est tout. Et le type de m'expliquer qu'il travaille à l'usine. Que je ne sais pas ce que c'est. Parce que j'avais pris l'habitude de me déplacer avec une petite serviette pour prendre des notes. Donc, j'étais considérée comme une intellectuelle. Et que donc, puisqu'il travaillait à l'usine et qu'on le fatiguait à l'usine, cela expliquait qu'il frappe sa femme. Sur ce je lui ai dit « mais il y a aussi des femmes qui travaillent à l'usine. A ma connaissance, elles ne frappent pas leur mari ». Bon, là pour cette intervention, c'était clair, le médecin refusait de venir, et donc je l'ai obligé à venir. Parce que ce qu'il lui fallait, à cette femme, c'était un certificat médical. Bon, il y a eu d'autres choses, il y a eu le coup de la laisse du chien aussi. [*Elle raconte comment un mari la menaçait de son chien, ou comment elle a pu arracher une jeune Algérienne à sa famille qui voulait l'empêcher de faire des études*.] Donc il y a eu des interventions diverses et variées. Maintenant avec le recul, je dois dire que c'était une question de tempérament parce que j'aimais ça. C'est vrai qu'il y avait un risque, qu'il fallait foncer et qu'en fin de compte, je faisais ce que des gens payés par la société ne font pas.

Il y a toujours des individus qui n'acceptent pas la hiérarchie... c'est une question d'ouverture de cœur

— *Et l'histoire du refuge ?*

Claudie — Les dossiers ont traîné, on te convoque, il n'y a toujours pas de locaux, parce que la DASS donne l'argent, mais elle ne te donne pas les locaux, les locaux, il faut aussi les chercher, hein. Avec mes copines de Paris, on travaillait quand même ensemble, non pas au point de vue du boulot, mais ça me sécurisait beaucoup par rapport à des femmes en lutte, etc., de dire : notre groupe est important, il est lié au groupe de Paris, donc... Ça c'est une question de stratégie. Mais je dois dire qu'il y avait une surcharge de travail terrible. Dans le groupe on partageait, mais il y avait des amies qui ne pouvaient pas faire grand-chose, parce qu'elles avaient des études, etc., et donc, c'était un petit peu pas vraiment réparti. En plus, il y avait des élèves des écoles qui venaient et ça, pour moi c'était très très important. C'est des choses qu'on peut refuser, dire « je n'ai pas le temps », etc. Pour moi, ça m'a paru très très important pour le féminisme, que des élèves des écoles viennent, surtout sociales, qui font économie familiale, etc. Surtout que c'était diffusé au niveau des jeunes, des profs et au niveau social, c'est-à-dire là où les gens...

— *...feront ce travail.*

Claudie — Ce sera leur travail. Donc ce temps-là, il fallait le prendre. Donc, il y avait aussi une recherche de fonds, d'autre part, l'idée centrale c'était le refuge, mais il fallait que sur la région, puisqu'on commençait à avoir une audience sur la région,

le féminisme soit mieux connu. Et il y avait dans le groupe une ou deux filles qui s'intéressaient beaucoup à l'art. Et nous avons décidé de faire un festival du film féminin. C'était en 77… [*Elle raconte comment elles ont pu obtenir des locaux pour leur association grâce à l'organisation de manifestations artistiques et en mettant en concurrence deux municipalités politiquement opposées. Mais ce n'est pas sans difficulté : on leur propose d'abord des « baraquements près d'une gravière » puis, devant leurs protestations, un local qui nécessite 300 000 francs de travaux*.]
Et à ce moment-là, j'étais vraiment plus que surchargée. Et j'ai obtenu, parce qu'on a vu le travail qui a été fait, des fonds pour une permanente, parce que c'était un travail qu'il fallait faire toute la journée, ce n'était plus possible, je n'avais plus de vacances, je n'avais plus rien. C'était des fonds pour ça, en tout cas, pour une permanente, pendant le temps des travaux, à un mois d'ouverture. Bon, il était donc évident parce que j'avais fait tellement de boulot, parce que je connaissais les dossiers, etc., c'est moi qui ai démissionné de l'INSEE et pour être permanente. Donc, j'ai suivi tous les travaux. Les services sociaux… Car j'ai parlé de tout, mais pas des services religieux, ni des services sociaux. Alors les services sociaux, la DASS, c'est une chose. La DASS a pour mission de savoir si une association est valable ou pas valable et ensuite seulement d'ouvrir éventuellement des possibilités. Euh ! En ce qui concerne seulement les assistantes sociales, les assistants sociaux, là, de nouveau, le même problème que pour les médecins. C'est vraiment pas une question d'individu, c'est une question d'ouverture d'esprit, de cœur. C'est une question d'ouverture de la société et il y a eu, par exemple une assistante sociale, qui m'a téléphoné, par exemple, quand le refuge était ouvert, au sujet d'une femme hébergée, pour me dire, « voilà, il s'agit de madame Untel, elle a fugué ». Je réponds « comment ça, elle a fugué ? Elle est mineure ou majeure ? ». Eh bien non ! Elle me répond, « c'est monsieur Untel, son mari, qui la recherche et vous êtes priée de me la ramener ». Comme un chien, hein, bon. Bon, on a eu d'autres histoires avec les assistantes sociales. C'était une femme, le refuge n'était pas encore ouvert, qui était venue nous voir, et qui ne savait vraiment pas où aller. Et nous non plus, nous ne savions pas. J'avais commencé à héberger une ou deux femmes chez moi au début du groupe, mais ça n'était pas possible, ça n'était pas tenable. Et en plus avec un petit enfant. Donc, cette

femme vient, elle avait vraiment, vraiment des problèmes, parce qu'avec l'habitude, tu connais les tons, tu connais les situations et tu sais très bien si une femme est en danger ou si elle peut encore tenir 15 jours. Et cette femme était vraiment en grand danger. On lui a dit de faire tout son possible, éventuellement d'aller dans un hôtel, mais que… L'assistante sociale l'a convoquée par la suite, lui a intimé l'ordre de rentrer ! Et plus tard, dans la presse, cette femme avait eu je ne sais combien de coups de couteau et elle est morte. L'assistante sociale n'est en rien responsable, bien entendu. Il y a eu une autre qui est venue (…) pour me dire qu'actuellement elle s'occupe donc de cet homme, il avait la fâcheuse habitude d'attacher son enfant sur le lit et de le frapper. Elle me dit qu'elle me le disait à moi, parce qu'elle-même elle ne pouvait pas le faire, parce que si elle le faisait, la confiance de cet homme, il sentirait que la confiance est trahie. Qu'elle ne pourrait donc pas le suivre, qu'elle, elle ne peut pas, mais qu'elle me le dit, donc moi je peux le faire ! Il y a des gens comme ça qui disent, « mais moi je ne peux pas téléphoner à la police, mais vous vous rendez compte, mais ça serait de la délation ! » [*rire*]. Elles ne se rendent pas compte ! Et elles ont fait trois ans d'études pour confondre la délation, qui est la dénonciation d'une personne innocente à une autorité dégueulasse, et sauver une victime qui est sur le point de crever. J'ai jamais compris ça. C'est une sorte de peur du pouvoir, la peur du maître et du plus fort, c'est-à-dire de celui qui frappe. Alors en ce qui concerne d'autres assistantes sociales, c'était carrément l'inverse…

[*Elle juge les membres des groupes religieux plus ouverts et plus disposés à aider les femmes en danger*.]

Et moi, je fais cette différence entre les individus et les institutions. Il y a toujours des individus qui n'acceptent pas, qui n'accepteront pas la hiérarchie… Au bout de six mois de travaux, le refuge était ouvert. On était toujours groupe, mais au bout d'un moment, on nous a demandé de devenir association. C'est une question de statut, de responsabilité, etc. A ce moment-là, j'étais présidente, Annik était vice-présidente, c'était les copines qui avaient le plus travaillé… S'est posée assez rapidement la question du pouvoir, au départ, et tout au long, et cette question du pouvoir a été résolue très vite. L'idée qui était en l'air, partout, c'était pas de pouvoir, nous ne voulons pas de pouvoir, nous travaillons en groupe. Et à ce moment-là tu remarqueras, si tu vas dans un groupe, que ce pouvoir est malgré tout là. C'est celle qui parle le mieux, c'est celle qui a le plus de connaissances, c'est celle qui parle le plus fort, je n'en sais rien, c'est celle qui sait le mieux manipuler, mais bon, il est là de toute manière, simplement d'une manière plus discrète et négative. Nous, on a décidé au début, on a dit, « voilà, il y a toujours du pouvoir, on ne pourra pas l'empêcher, mais le critère pour le pouvoir, c'est le travail, c'est l'efficacité ». Moi, je tenais à ce que toutes les décisions soient prises en commun, de toute façon les décisions doivent toujours se prendre en commun. Bon. Le refuge. Il fallait acheter les meubles, etc., etc.

— C'était un grand refuge ?

Une fatigue terrible

[*Elle évoque la fin d'une période militante avec la création de ce refuge de 20 places : la lassitude de ses amies, leur sentiment d'avoir achevé leur tâche, leur départ, son propre épuisement, et la tristesse de se retrouver seule, bien décidée pourtant à poursuivre et élargir son action.*]

Claudie — Ce n'était pas la fin ! Mais ça c'est sans critiquer, hein. Parce que c'est déjà très chouette tout ce qu'elles ont fait, hein. Aucune ne pouvait travailler dans le refuge. Parce que soit, une avait un poste très important, elle était juriste, de temps en temps elle donnait des conseils, très bonne amie… Elle m'a encore téléphoné hier, donc, ça prouve que… [*elle pleure*] des liens qui sont restés très forts. Mais il est certain que certaines n'allaient pas soit rater leurs études, soit gâcher leur poste pour s'occuper du refuge. Et donc, le problème se posait, maintenant la DASS veut tant de postes, et ça c'était pas à discuter. C'est un barrage très très net. En ce qui concerne la secrétaire, la cuisinière, ça ne posait pas de problèmes. Mais éducatrice, c'est un métier, pas question d'engager des militantes. Il faut montrer patte blanche, là. Donc… [*le débit devient pénible et haché*], donc, alors, il y a des gens qui ont été engagés. Ensuite, il fallait convoquer des personnes, des femmes, pour faire ce travail. Alors donc, il y avait une secrétaire à mi-temps, elle était très bien, elle connaissait bien son boulot, elle travaillait dans un autre refuge avant, pour personnes droguées, et donc elle connaissait le système. Une veilleuse de nuit aussi, tout ça. Très

bien. Une autre fille qui était venue dans le groupe six mois avant, qui était éducatrice et psychologue en même temps. Et je me suis dit « après tout, pourquoi pas, on a besoin d'une psychologue, à mi-temps, pour les enfants », hein, parce que les enfants sont très très traumatisées, et on a bien démarré, les femmes sont venues et j'ai vu quelque chose d'extraordinaire. Une solidarité entre ces femmes, immédiate. Parce que quand les femmes partent, en vitesse, elles n'ont même pas une paire de chaussures, elles n'ont rien, ni pour leurs enfants. Donc, il faut aller avec elles, pour chercher des vêtements, et là ça peut être très dangereux, j'ai demandé une fois à une éducatrice d'y aller, mais tu parles, c'est là que j'ai été confrontée au problème. Je n'avais plus affaire à une militante, j'avais affaire à un personnel qui pensait à son syndicat, qui m'a dit que ce n'était pas son travail. Elle avait les chocottes, tiens ! Mais à ce moment-là, il ne fallait pas se faire engager dans un refuge, hein ! Et moi j'avais un tas d'autres choses à faire, puisque moi, j'avais le poste de directrice du centre. Donc, j'avais affaire avec des dossiers, etc., puisque ce refuge-là était une ouverture pour un refuge de 50 places qui était en train de se préparer, avec la déléguée à la Condition féminine. Donc, c'était très facile, parce que quand une première ouverture est faite, et que tu montres… il fallait tenir un an. Que tu montres que ta gestion est bonne. Que tu ne dépasses pas… comme ils se l'imaginaient, parce que la DASS me dit après qu'elle s'imaginait que le mot féministe veut dire : ne pas savoir gérer. Veut dire : faire n'importe quoi. Tu vois. Ils me l'ont dit après. Donc, du point de vue des femmes, une solidarité, une entraide. Et aussi une reconnaissance pour certaines… L'année dernière encore, j'ai reçu un coup de téléphone d'une femme, et pourtant cela fait dix ans, qui me dit « merci, etc., joyeux Noël ! ».
[*Elle évoque le fonctionnement du groupe, la répartition solidaire de tâches innombrables et variées.*]
Donc, impossible déjà de compter sur cette éducatrice pour chercher le moindre vêtement. Quand moi j'avais par hasard rendez-vous chez le toubib, ce sont les femmes, les copines entre elles qui s'arrangeaient. Bon, petit à petit, elles se sont posé des questions, qu'elles m'ont posées. Elles me disaient, « nous avons l'impression qu'il y a un fossé entre le personnel et nous. Pourquoi il y a ce fossé ? ». Parce qu'avec moi, il n'y avait pas de fossé. Parce

que moi quand elles me disaient « ça n'arrive qu'à nous, ça n'arrive pas aux autres », je leur disais, « mais je suis désolée, avec moins de chance, ça aurait pu m'arriver aussi, ce qui vous arrive ». Moi, je ne me sens pas au plafond et les autres par terre. Seulement, il y a un certain type de gens, pas tous, qui se disent, « voilà, j'ai un métier, je suis éducatrice, psychologue, et voilà ». Il suffit d'un regard pour ces femmes pour qu'elles se sentent rabaissées, elles sont déjà fragilisées. Ce n'est pas le but d'un refuge. C'est le contraire.

— *Ça se passait comme ça avec le personnel ?*

J'avais affaire à une espèce de syndicaliste...

Claudie — Non, pas tout le personnel. Une seule. Qui malheureusement avait le rôle d'éducatrice. Mais si elle s'en était tenue là, elle était en période de... elle avait ses trois mois de préavis. Bon. Voilà que cette fille commence à me dire « la convention ». Toute la journée, je ne voyais que ça. Elle fuyait dans la convention. Quand il y avait quelque chose à faire elle disait, « j'ai le droit à une journée de repos ». Et que je téléphone à une avocate et de dire, « et là, j'ai le droit à un franc supplémentaire, et là, je dois être payée le double, et encore avoir une journée ». Bon, parce qu'il y a toujours des problèmes de roulement, le samedi et le dimanche, dans un refuge, et donc de compensation. J'avais affaire à une espèce de syndicaliste qui venait demander de plus en plus de choses, sans s'occuper de ce que faisaient les femmes et les enfants, ça ne l'intéressait pas. Bon, je la convoque et je lui ai dit que, bon, ses trois mois d'essai, de toute façon, ce n'était pas du tout ce que je pensais et que, il valait mieux se séparer, qu'il fallait s'entendre mais que j'étais prête, puisqu'elle voulait se mettre à son compte, à l'aider. Bon, c'était assez chouette de ma part, en plus. Parce que je connaissais des gens à Y. et c'était plus facile pour elle pour se mettre à son compte. On en discute, elle me dit d'accord. Bon, je lui dis, « je prépare la lettre, et on la signe demain, ensemble ». Elle me dit, « mais moi je ne signerai jamais rien ». Bref, elle est allée après, parce que moi j'étais présidente de l'association, à partir du moment où tu prends le poste de directrice, tu ne peux plus être présidente de l'association, tu n'as pas le droit, parce que tu cumules deux fonctions. J'ai fait la bêtise de demander à une dame très connue, artiste, disons, qui avait quand même… son nom était important, quoi, si elle voulait être présidente de l'association, et on avait décidé ça à plusieurs, en se disant, ça aura du poids vis-à-vis des autorités. Bon, alors qu'on avait fait tout ce boulot seules, à se crever, tu vois, elle me dit, elle me dit, « oui, bien sûr, je suis féministe, mais, etc. Mais de toute façon, je ne me mêlerai jamais de vos décisions, vous me demandez simplement d'occuper ce poste, d'accord ». La fille, ni une ni deux, va voir cette femme. Cette femme, c'était la sœur de S. de X. [*une féministe célèbre*]. Elle s'appelait Mme de X., elle vivait en Alsace, elle était artiste-peintre. Elle était, mais enfin, ça ça se comprend, un petit peu jalouse par rapport à sa sœur et la fille y va, et Mme de X. a été extrêmement, « voyez d'abord, mais enfin, ce n'est pas du tout féministe, enfin, faire une chose pareille, vouloir licencier quelqu'un ! mais vous êtes devenues folles ! ». On peut faire n'importe quoi, on peut tout te gâcher, mais une féministe ne licencie pas ! Je lui dis, « il ne s'agit pas de licencier, il s'agit de mettre fin à une période d'essai ». Mais cette pauvre bête ne connaissait pas la différence entre ceci et cela, elle était artiste. Je n'ai rien contre les artistes, je fais moi-même des photos, etc., mais je veux dire, on ne peut pas se mêler de quelque chose qu'on ne connaît pas. Bon, eh bien les choses en sont venues à ce qu'on fasse un conseil d'administration et donc, elle, elle était présidente, elle était au conseil d'administration. Et il y avait Annik, qui avait beaucoup travaillé, il y avait moi, il y avait une ou deux personnes qui avaient beaucoup travaillé. Et nous sommes là, dans ce conseil d'administration, j'explique la situation, en expliquant, oui, elle nous perturbe tout, ce n'est pas une fille féministe, bon, ça ne va pas du tout, il faut mettre fin à cet essai. Et puis elle me dit, « halte-là, je suis présidente, qu'est-ce que vous êtes en train de faire, là ? Mais ça ne va pas du tout ! Moi je vais convoquer une assemblée générale ! Parce que je m'oppose à votre décision ! ». Elle crie. A nous qui avons tout créé, tout fait ! Pendant ce temps, au refuge, les femmes ne comprenaient plus rien du tout, parce qu'évidemment, moi j'étais là, je bossais, je bossais et il nous manquait un poste. C'est-à-dire que la DASS avait dit, « il doit toujours y avoir quelqu'un dans un refuge ». S'il t'arrive le moindre pépin, et qu'il n'y a pas quelqu'un, alors là, tu es dedans. Or, il nous manquait un poste. Quand on me parlait de pouvoir, à la fin, je disais, « le nombre d'heures de travail que je fais divisé par mon salaire. Mais je gagne moins que la cuisinière ! » C'était

pas du tout mon truc, mais puisqu'on me disait, « tu as un poste et ceci et cela », eh bien moi je disais ben voilà… Moi, je faisais ça parce que je sais qu'au bout d'un an je rends les comptes en parfait état. Ça fonctionne bien. Il y avait derrière ce truc de 50. Et les copines qui, elles, ne travaillaient pas mais qui avaient fait toute la lutte avaient compris non seulement la stratégie, mais elles avaient compris ce qui se passait dans le refuge avec cette femme. Mais les femmes, pas du tout ! Et elles me posaient de plus en plus de questions ! Bon, elles sentaient bien qu'il y avait quelque chose qui n'allait pas. Pourquoi avec moi ça marchait et pourquoi avec celle-là ça n'allait pas ! Elles se posaient la question ! Elle n'avait même plus à avoir d'espoir pour ces femmes, puisque c'était une population à … C'était à traiter pour elle ! C'était son boulot. (…) …elle avait appris ça, elle avait l'habitude de ça, c'était une autre manière de faire, ça n'avait rien de féministe, de toute façon. Mais Mme de X. ne voulait absolument rien entendre. Alors nous, on avait décidé ça mais en conseil d'administration. Elle, elle te convoque mais en assemblée générale. Qui avait les papiers ? Moi, bien sûr, puisque je m'étais occupée de tout. Donc, j'ai une liste de gens, de femmes, qui font partie de l'association, qui ont payé leurs cotisations. Tout à coup elle me dit, « tu es priée de donner cette liste ». Moi je n'aime pas du tout donner les listes mais bon, je veux bien.
[*A l'assemblée générale, elle voit entrer dans la salle* « *un tas de femmes qui n'ont rien à voir avec l'association* ».]

Une mise à mort

Claudie — Et en particulier, je retrouve mes petites copines du début ! Toutes ! (…) Les luttes de classe ! Toutes ! Il n'en manquait pas une ! Avec Mme de X. ! Parce qu'elle avait dit, « je suis présidente de l'association ! Parce que moi je suis Mme de X. ! ». Et je dis, « mais comment se fait-il que ces personnes n'aient jamais été à l'association ? Que ces personnes n'aient pas payé leur cotisation ? ». Elle me montre une liste, elle me montre des feuilles. 37 feuilles. 37 feuilles signées. « Fait partie de l'association, signé. » En faisant notre association, on avait mis dans les statuts qu'il était possible d'entrer par plusieurs moyens et moi sur le moment, je n'y ai pas prêté attention. Pendant que moi je m'occupais des femmes battues, des femmes hébergées, que je m'occupais des dossiers, je dormais là-bas pour remplacer la veilleuse de nuit. Alors ces trucs avaient été signés, parce qu'il y avait un autre moyen d'entrer dans l'association et pendant que moi, je faisais tout ça, elles étaient allées chercher les statuts, elles s'étaient réunies. Mais je leur dis, « mais qui a signé ça ? ». Elle me répond, « mais comme vous pouvez le voir, c'est ma sœur qui a signé ça ». Elle t'aurait signé n'importe quoi, de toute façon, entre nous soit dit. Ce n'est pas son œuvre que je critique, mais elle a rendu service à sa sœur…

— *Elle ne connaissait sans doute pas les enjeux…*

Claudie — Elle ne connaissait sans doute pas les enjeux non plus, c'était dû à son âge, c'était dû à tout ça. Ceci dit, après, j'ai eu un très grand choc. Je pense que ça peut se comprendre. Toutes les femmes du refuge, c'est-à-dire toutes les femmes sans exception, se sont mises à écrire une lettre de deux pages, disant qu'elles ne comprenaient pas, qu'elles me voyaient travailler tout le temps, que j'étais une très bonne directrice, qu'elles ne comprenaient pas pourquoi j'étais mise en question, etc. Donc, il y a eu un second conseil d'administration et plus aucune femme du refuge, ni de celles de Paris qui avaient aidé, plus personne, il n'y avait plus question de féminisme, là-dedans, c'était clair. Et donc, autre conseil d'administration qui me demande d'engager immédiatement une femme, celle qui manquait. Parce qu'il y a un contrat qui te lie à la DASS. Si tu ne remplis pas ce contrat, plus d'argent, et le refuge saute. Dans ton budget, c'est bien clair, tu as des postes de budget précis. Que tu ne dépasses surtout pas la première année. Elle me demande d'engager une femme. Je ne sais toujours pas comment je vais la payer ni comment je vais payer ses charges sociales. Alors, soit je l'engage et je suis une très mauvaise gestionnaire, je ne remplis pas mes engagements vis-à-vis de la DASS, soit je ne l'engage pas, et à ce moment-là je fais une faute, je désobéis au conseil d'administration. D'accord. La DASS, qui avait quand même entendu parler de tout ça, me dit, « écoutez, tout ça, ça ne va pas du tout. Vous, vous travaillez très très bien. Nous tenons à ce que vous gardiez votre poste. Parce que nous avons confiance en vous, parce que vous faites une bonne gestion ». Bon, alors il y a eu d'autres choses, c'est-à-dire j'ai été convoquée, je ne connaissais pas ces petites manies, tu as une convocation et tu es tenue de venir et cette convocation, on te la glisse entre deux pages de ton cahier. Je ne l'avais pas vue, et au dernier moment, je la vois. Et là, encore une faute : tu ne t'es pas présentée au conseil d'administration. Et petit à petit ça a commencé. De plus en plus de choses. Je suis allée voir une copine de Paris, avocate, je lui expliqué la situation, je lui ai dit, « il y a des votes qui ont été irréguliers, le comptage a été mal fait, d'autres personnes qui sont restées me l'ont dit ». Elle m'a dit « Claudie, tu es dans une arène. Alors soit tu quittes l'arène, soit tu ne la quittes pas, mais on veut te mettre à mort. On te lance des piques ». J'étais dans une arène. Bon, elles avaient le pouvoir, mais c'est surtout que il y a des gens, on les laisse lutter, on les laisse travailler, mais il ne faut surtout pas qu'ils réussissent. Ils ne sont surtout pas destinés à ça. Ce n'est pas leur image. Je ne suis pas Mme de X. Moi je suis Claudie ; Claudie, tu peux l'envoyer par là, tu peux l'envoyer là où il y a des mitraillettes, des coups de couteau, elle te fera un bon boulot. Mais Claudie la directrice d'un refuge qu'elle a créé ? J'étais en plus extrêmement fatiguée, et à la fin, je me suis dit, comment dire, la DASS m'avait dit de faire attention, qu'elle recevait des nouvelles de ces histoires, bref, il est possible qu'on ferme le refuge. Alors moi je suis une bonne gestionnaire, mais que si je n'arrive pas à rétablir l'ordre, il est possible que le refuge ferme. D'autre part, madame A. me dit, « le refuge de 50 places, on n'en parle plus, votre association qui a des histoires, là on n'en parle plus. Terminé ». Alors, j'ai pensé à cette histoire de taureau dans l'arène, à la mise à mort, j'ai vraiment ressenti ça et je me suis dit, je ne pourrais pas payer cette fille, je ne vais pas engager. Et j'ai été contrainte à démissionner. A cause de la connerie de Mme de X., il faut bien appeler les choses par leur nom. Je suis partie, et le jour où je suis partie, Claude est né, c'est-à-dire qu'il y a une femme qui est venue, qui était enceinte et moi j'avais privilégié le Planning par rapport à d'autres associations, par rapport à d'autres choses, on avait un peu d'argent et le planning venait régulièrement pour expliquer, faire des discussions avec les femmes. Bon, cette femme était enceinte, elle a demandé des explications, mais elle n'était pas sûre de ce qu'elle voulait faire. Et on n'arrêtait pas de lui dire, « mais avorte, mais quand est-ce que tu vas avorter ? ». Alors elle m'a dit, « j'en ai marre ». Alors moi je ne suis pas d'accord, je suis pour la liberté des femmes de prendre leur décision, mais de leur dire : avorte ou avorte pas, c'est de l'abus ! Alors j'ai dit, « maintenant, ça suffit ! Plus per-

sonne n'a à lui parler de ça ». Il se trouve qu'elle a décidé de garder cet enfant, et que je suis marraine de cet enfant. Il est né le jour où je suis partie et elle l'a appelée Claude (...), donc, il y a aussi de très très jolies choses, il ne faut pas voir que le côté négatif. Mais les choses positives sont venues soit des militantes, tout au long du groupe, des femmes hébergées, beaucoup beaucoup. Mais pas ce qui concerne le personnel. C'est sciemment que j'emploie le mot personnel, hein, parce que ça n'a plus rien à voir. Et certaines étaient très très chouettes.
[*Elle a appris que l'éducatrice a fini par être renvoyée du refuge.*]
[...]

— *Il continue, ce refuge ?*

Claudie — Il continue parce que je l'ai créé, il continue. Je vais te montrer des articles sur lui, il marche bien. C'est important, cela. Il a fêté ses dix ans au mois de décembre. Je me suis sentie mal après pendant quelques années. Déstabilisée complètement. Parce que c'était tout moi qui m'étais mise là-dedans...

— *Toute ton énergie...*

Claudie — Tout, je lui avais tout donné. Et il continue à fonctionner. Il existe. Et ça, c'est quand même un côté positif. Peut-être que si j'avais fait un procès, j'aurais gagné le procès. Bon, je suis partie, mais le refuge existe. Alors ce que je peux te dire, alors peut-être, c'est que après un coup comme ça, généralement... Tiens, il y a quelque chose que j'ai oublié de te dire. On avait de bonnes relations avec les écologistes. Parce que c'est un peu le même état d'esprit, ils nous ont demandé des articles, de temps en temps, il y avait des coups de fil, et ce que je peux te dire, c'est que je suis restée féministe, j'ai gardé une optique féministe, ça n'a absolument pas changé ce qui est au fond de moi, tu vois, parce que ce qu'il y a au fond de moi, c'est là, tu vois. Par contre, je suis devenue méfiante. Méfiante à l'égard des autres, je fais très attention. S'il y a quelque chose à faire, oui, je suis là. Il y a deux ans, j'ai accompagné la marche Paris-Genève pour les enfants enlevés. Donc, quand il y a quelque chose à faire, je le fais, là. Quand il s'agit de réunions, de groupes, ça ne m'intéresse absolument pas. J'en ai marre. Et il y a des femmes qui se prétendent féministes qui ne le sont pas du tout, parce que là, elles m'ont fait ce coup-là, elles me l'ont fait à moi, mais elles l'ont fait à d'autres aussi. On m'a raconté qu'elles avaient fait la même chose avec un type qui avait créé une association de quartier, elles ont fait de l'entrisme, etc., avec leurs petits copains. Et on m'a dit, lui s'est suicidé. Il s'est suicidé. Parce que c'est une entreprise de démolition totale. Démolition de la personne. Totale. Et elles ont fait ça pourquoi, en fin de compte, elles ont une critique de la société, mais il est beaucoup plus facile d'agir vers l'intérieur, en démolissant, ce que font certaines féministes, que d'agir vraiment, vers l'extérieur.

1991

« Il y a tout qui va pas »

chômeuse

Rosine Christin

Témoin silencieux

Je suis arrivée à Longwy, un dimanche soir de février, vers 20 heures. Il neigeait. Les rares passagers sont descendus du train qui s'était peu à peu délesté de ses voyageurs ; quelques voitures attendaient, éclairant le quai de leurs phares, puis, en quelques minutes, la gare et ses alentours ont replongé dans l'obscurité, le chef de gare avait fermé les portes et était rentré se réchauffer ; le même train repartirait en sens inverse le lendemain matin. Sur la grande place déserte, la façade de l'hôtel de ville éclairée faisait comme un décor, témoin et vestige de l'ancienne richesse de la ville. Derrière la place, dans les rues du Bas-Longwy, la nuit cachait en partie l'abandon, les commerces fermés depuis longtemps, les notifications de mises en vente.

J'avais rendez-vous avec Maryse, une femme de 45 ans, caissière dans un supermarché. Alors que je cherchais à rencontrer des femmes d'ouvriers ayant vécu la crise de la sidérurgie et de la métallurgie lorraines, son neveu, un étudiant de 20 ans, m'avait parlé d'elle, de son récent veuvage, et un peu de sa vie. Notre rendez-vous a été difficile à fixer, elle travaillait dans la journée et, surtout, elle vivait au domicile de ses parents dans un village un peu éloigné ; peut-être aussi ne souhaitait-elle pas ma présence auprès de ces personnes âgées et malades. Mais un des frères de son mari, un agent commercial, a proposé de nous recevoir toutes les deux un soir, chez lui, à une dizaine de kilomètres de la ville. La maison, située dans un lotissement bien tenu, éclairé, paraissait chaleureuse après la nuit et la neige, avec ses meubles en pin clair et son ordre parfait ; mes hôtes, le repas terminé, étaient assis en compagnie de Maryse autour de la table desservie et donnaient une impression de solidité, de réussite, d'adéquation à la vie. Maryse m'est apparue jeune, ou peut-être désarmée, un jean, une silhouette d'étudiante et un regard dont je ne saurais dire s'il exprimait l'appréhension ou le soulagement de parler à une inconnue. Nous nous sommes installées toutes les deux sur la table de la cuisine pendant que les B. regardaient la télévision dans la pièce voisine : un échange de confidences habituel entre femmes après un repas familial, tel nous apparut ce premier entretien.

Maryse est née en 1947, dans un village situé à une dizaine de kilomètres de Longwy, d'un père « qui travaillait aux chemins de fer » et d'une mère au foyer. Elle était la deuxième des quatre enfants, tous mariés, dont aucun n'a fait « des études poussées » ; ils ont aujourd'hui « des problèmes de chômage ». Maryse est allée en classe jusqu'en première, puis a tout arrêté. Comme elle était une bonne élève, les professeurs du collège de son village lui ont conseillé de poursuivre ses études au lycée de Longwy, après la classe de troisième. Côtoyant les filles de la ville, enfants de cadres et de techniciens de l'industrie, elle y a « senti la différence », surtout quand elle a commencé à sortir, et « à s'habiller comme une fille peut en avoir envie (...) » ;

elle n'avait pas d'argent de poche, même pour aller boire un café : « Dans la vie de tous les jours, pour une fille, ça compte. » Elle réussissait plutôt bien, en dépit de quelques difficultés en maths, mais « elle en avait marre » ; elle a voulu arrêter pour travailler et gagner de l'argent. Elle a pris un emploi à la poste pour l'été, « ça lui plaisait bien », et elle a décidé de ne pas retourner en classe en octobre ; peu après, elle s'est « retrouvée vendeuse à Prisunic ».

Après un premier mariage et la naissance de son fils, elle a divorcé, à 20 ans, pour épouser, en 1968, celui dont elle ne prononcera jamais le prénom au cours de nos entretiens enregistrés et de nos conversations privées (et que j'ignore toujours), comme si un usage partagé devait l'éloigner d'elle. « Son mari », comme elle dit toujours, par un témoignage de sa fidélité et de sa compassion, était soudeur aux Ateliers de Longwy (SAF), une petite entreprise qui marchait bien avec les commandes des grandes usines de la région. Il avait commencé comme apprenti, puis « doué pour ça », était monté peu à peu jusqu'à « la catégorie la plus haute, soudeur P3 » ; il y gagnait bien sa vie, les heures supplémentaires s'ajoutant au salaire arrondissaient les fins de mois. Et il y avait aussi les déplacements, un peu partout en France, qui leur donnaient le sentiment d'une vie aux horizons plus larges. Maryse garde un souvenir tout particulier d'un chantier de trois mois en Haute-Savoie sur lequel, avec ses deux enfants, elle avait suivi son mari.

Lorsqu'elle parle du Longwy de cette époque-là, Maryse s'anime : « C'était une ville d'ouvriers, mais c'était vraiment la mentalité ouvrière. On croisait bien des contremaîtres qui se croyaient toujours un peu plus que les autres, mais on rencontrait partout les copains, on allait au café. Dans l'ensemble, les gens étaient assez à l'aise, ne se privaient pas trop. » Aujourd'hui, dit-elle, « c'est la dégringolade, (...) », c'est « le genre racaille qui vient de je sais pas où, on sait pas comment ils vivent, et puis, vous avez tous ces gens-là qui ont eu leur retraite de bonne heure, qui sont contents d'eux, avec leur petite vie, leur petite maison, leur petite voiture ».

La grande maison qu'ils ont achetée en 75, presque sans apport initial, avec un crédit bancaire inespéré, appartient encore à ce monde enchanté : « une grande baraque », (...) huit pièces, des recoins, mais alors, vraiment... tout à refaire. Elle était délabrée, mais moi, c'était ce qui me plaisait, faire des projets avec mon mari, on fera ci, on fera ça (...). On n'y serait jamais arrivés avec son salaire, mais ça fait rien ». « Pas de sous, mais heureux... mon mari rentrait de son travail, il était deux heures et demie et alors hop ! on allait dans le jardin, on discutait avec les gens du pays. » Leurs ennuis ont commencé avec cet achat déraisonnable, dans un climat économique qui se dégradait. Les traites mensuelles s'élevaient à 700 francs, l'équivalent d'un fort loyer et « c'était de plus en plus dur pour y arriver ».

Il était déjà trop tard, en dépit des diverses tentatives de sauvetage qui ont fait suite aux manifestations ouvrières de Pompey en 78, pour voir s'accomplir leurs espérances d'une vie de travail solidement arrimée dans la région. Dès 75, les fermetures d'usines s'étaient accélérées et 79 a été une année noire. Peu après, l'usine de la Chiers, la SAF, a fermé ses portes, suivie des aciéries de Senelle et de Rehon. La solidarité ouvrière s'est effritée avec les propositions de retraites anticipées et les primes de licenciement. Maryse se souvient : « Mon mari était à la CGT, on lui expliquait tout ça, lui, il pensait comme ça aussi et, quand il en parlait aux autres, même dans ma propre famille (...), on se faisait regarder de travers parce qu'on passait pour des révolutionnaires ou des gens qui étaient jamais contents de leur sort. »

Suivant les conseils d'un ancien collègue, il est embauché comme intérimaire pour le compte d'une entreprise de Travaux publics, la SPIE. Ils doivent partir sur le chantier de la Centrale de Gravelines, dans une caravane achetée d'occasion avec l'aide de la famille et le produit de la vente de quelques-uns de leurs meubles. Il semble, tant le sort qui leur était fait leur paraissait injuste – sur ce point, les divers récits de Maryse sont contradictoires –, qu'ils aient longtemps espéré revenir à Longwy : même lorsque la SPIE, son employeur, prenant la suite de la société d'intérim, embauche les ouvriers, ils conservent leur grande maison inhabitée et, pendant cinq ans, ne cherchent pas à s'établir de manière un peu plus commode. A Gravelines, ils installent la caravane sur le camping municipal comme tous ceux de la Centrale venus d'un peu partout en France, population déplacée au gré des chantiers de la SPIE ou d'autres entreprises.

Ils s'étaient peu à peu résignés, plutôt contents d'avoir « trouvé quelque chose », craignant le chômage et ignorant, l'un comme l'autre, les désagréments de l'inconfort et de l'exiguïté auxquels ils sont accoutumés depuis l'enfance. La « grande baraque », c'était un peu un rêve qui devait se terminer et leur caravane était « belle » avec ses dix mètres de long, elle avait « tout ce qu'il faut » et « la cuisine était bien aménagée ». Mais comme le temps passait – ils y vivront cinq ans, un an et demi à Gravelines et plus de trois à Saint-Valéry-en-Caux –, ils souffraient davantage de l'étroitesse du logement et de la promiscuité. Les chambres ressemblaient à des placards à portes coulissantes, « les gosses, ils étaient dans une pièce qui faisait quoi ? La longueur du lit (...), c'était des lits à étage, ils avaient chacun leur lit et leur chambre se réduisait à ça. Alors des enfants de cet âge-là, ils pouvaient pas écouter de musique, ils pouvaient rien faire. (...) On avait une autre pièce qui faisait comme un petit salon ; donc là, on avait une banquette, une petite table de salon et puis un meuble où on avait la télé dessus. Notre vie à la caravane, c'était la télé ».

Sur le camping de Gravelines, on se fréquentait peu, les uns et les autres trop absorbés par le travail et une vie difficile à aménager pour des familles meurtries par le chômage et le déracinement. Des voisins sont venus un soir prendre l'apéritif, une visite qu'ils ont rendue, mais ces amis possibles sont partis peu après sur un autre chantier. Deux ans plus tard, c'est à Maryse et à son mari de déplacer la caravane : la SPIE les envoie à Saint-Valéry-en-Caux ; ils s'installent dans un champ loué à un paysan, en pleine campagne. Il fallait une voiture pour aller en ville. Maryse ne sortait que pour faire les courses et conduire les enfants : le grand, à 7 heures du matin, au car de Dieppe, pour se rendre au lycée, la cadette à 8 heures et demie pour le collège de Saint-Valéry, puis elle retournait à la caravane. Les journées lui paraissaient longues à attendre son mari et les gosses ; le ménage était vite fait et elle lisait à longueur de jour les livres empruntés à la bibliothèque, n'importe quoi, dit-elle, des romans, des policiers.

La vie dans cet espace étriqué imposait à chacun un contrôle de chaque instant : un geste un peu vif, un cri de protestation ou de simple impatience était perçu avec une intensité douloureuse. Le fils aîné, privé de copains, contraint à la solitude par l'éloignement de la caravane, ne travaillait plus en classe et s'était réfugié dans un mutisme hostile, comme pour détourner sur lui-même toute la souffrance de la famille. Dans la caravane, les relations étaient souvent tendues entre son fils et son mari : « (...) c'était l'enfer... l'enfer parce que j'avais toujours peur qu'un mot de travers et puis... que ce soit le drame, quoi ; (...) il se renfermait vraiment sur lui et on arrivait rien à en tirer, il avait 16 ans, je parlais, il baissait la tête, il nous répondait pas ». Maryse a pendant longtemps attribué les difficultés de son fils aux conditions de sa naissance (il est né du premier mariage de sa mère et son père n'a jamais cherché à le voir) ; aujourd'hui, elle admet que la précarité de l'existence familiale, aggravée par la révélation, en 1981, de la maladie du chef de famille, atteint de polykystose rénale, une maladie héréditaire dont son père était mort quelques années plus tôt, avait pu contribuer aussi à bouleverser le jeune homme.

En apprenant la maladie de son mari, Maryse en a connu l'issue. Elle a su aussi très vite, pour en avoir parlé avec le médecin, qu'il ne pourrait sans doute plus occuper son poste très longtemps. Il faudrait renoncer à ce travail, seul gage de survie, pour lequel ils avaient quitté leur pays, leur famille et leur maison. Le fragile équilibre s'effondrait. Il fallait partir encore une fois dans l'inconnu, sans espoir de retour à Longwy où la situation économique et le chômage s'étaient aggravés. Pour eux, les circonstances tragiques se répétaient, l'errance, « le déracinement » se perpétuaient. « On se sentait pas chez nous en plus, parce que on n'était toujours que des étrangers là où on allait, forcément, surtout sur des terrains de camping. » En 83, ils réunissent ce qui leur reste, le petit capital que procure la mise en vente de la maison de Longwy, et l'expérience de vendeuse de Maryse pour acheter un commerce de journaux-papeterie à Asnières trouvé par une petite annonce immobilière ; ils prennent plusieurs crédits pour payer les 380 000 francs du fonds de commerce.

Elle savait désormais qu'ils étaient en sursis et elle était sujette à de brutales crises de désespoir comme celle qui l'avait saisie pendant son emménagement dans l'appartement d'Asnières : une arrière-boutique sans fenêtre qui leur servirait de salle de séjour et trois pièces en étage, minuscules, desservies par un escalier en colimaçon. L'ensemble était très vétuste et, par certains côtés, moins confortable que la caravane. Elle y avait fait venir les quelques meubles restés à Longwy mais le logement était trop étroit pour eux : « On ne pouvait même pas mettre l'armoire qui était assortie au lit, alors on avait une armoire dans une pièce, le lit dans l'autre, enfin c'était moche ! Affreux, affreux, affreux. Alors une fois, je vais même vous dire ce que j'ai fait, une fois. On avait un beau canapé en velours... il était assez long et puis les déménageurs me l'avaient monté par la fenêtre en haut puisqu'il ne pouvait pas passer par en bas. Et moi, je voulais à tout prix le descendre en bas, et une fois la rage m'a pris puisque je pouvais pas le descendre en bas et que je voulais plus le laisser en haut, j'ai pris le marteau et je l'ai cassé en petits morceaux. »

La première année n'est pas trop difficile, il n'y avait

pas encore de charges à payer, mais ensuite, malgré les bénéfices, les traites de 10 000 francs par mois sont trop lourdes. Ils ont le mal du pays : « Je pourrais pas vous dire qui en a parlé le premier, mais, en tout cas, c'est là qu'on a osé se dire qu'on avait envie tous les deux de revenir par ici. »

L'année précédant la mort de son mari, Maryse faisait encore avec lui des projets de retour. Ils étaient allés à C...., dans son village natal, où ses parents vivent encore, se choisir une maison, la dernière du pays, avec un point d'eau au fond du jardin, qu'ils auraient acheté après avoir vendu la boutique. Le fils aîné était marié, avait un emploi stable de commis-métreur à Asnières, seule la fille, étudiante, manifestait quelque réticence. Maryse aurait bien trouvé un emploi de vendeuse, et, près de la famille, tout serait moins dur à vivre, même la maladie. Il est mort avant ce retour et elle a « bradé » le magasin pour revenir à Longwy en janvier 91.

Le lendemain de notre premier entretien, je suis allée la voir sur son lieu de travail, à la Fouillerie, une moyenne surface située à quelques kilomètres de la ville. Il faut s'y rendre en voiture, emprunter la voie express Metz-Bruxelles, passer sur un viaduc qui surplombe des friches industrielles avant d'arriver sur une zone commerciale, transformation d'une ancienne zone industrielle légère : quelques gros cubes de béton disposés çà et là, un supermarché à bas prix, deux concessionnaires automobiles, un dépôt de produits surgelés. La « Fouillerie, grand marché du monde » partage un de ces grands rectangles de béton avec un entrepôt de cuisines et une « halle aux chaussures ». Le magasin présente sur 1 200 mètres des monceaux d'objets, accumulés pêle-mêle, assiettes, cendriers, cache-pot, moulins à légumes, images saintes, films égyptiens de la collection Soleil d'Égypte, écureuils en peluche synthétique. Ici, pas de publicité mensongère, pas de décor, le dénuement complet. Maryse debout derrière sa caisse, porte deux gros pull-overs superposés puisque le local est glacé ; à ses côtés, un tabouret, « mais ce n'est pas pratique pour rendre la monnaie ». Une dizaine de vendeuses travaillent, la plupart passent leur temps à étiqueter et à ranger les grands bacs toujours bouleversés ou assistent les clients dans l'achat d'un vêtement. En semaine, en milieu de journée, ils ne sont pas très nombreux, des retraités viennent pour passer le temps et les enfants regardent les prix des jeux. Une sono ininterrompue déverse des rocks années 50 en alternance avec les succès populaires plus récents.

Dans cet univers de pacotille, sous la lumière froide du néon, Maryse a l'air résigné de celle qui aurait aussi perdu sa dignité. Comme elle se plaint, sans trop oser, d'être privée de sa liberté par la sollicitude un peu étouffante de sa famille : « Le midi, je vais manger un peu chez tout le monde, parce qu'il faut que j'aille manger une fois chez ma belle-mère, une fois chez ma belle-sœur, une fois chez mon frère… (…) c'est fatigant. J'aime pas aller manger et puis… il faut que je mange, des fois j'ai pas toujours faim, bon, on me prépare spécialement à manger, je dois manger, je mange ; et puis des fois, j'ai pas envie de voir quelqu'un, j'aimerais bien être toute seule et puis manger sans… me détendre quoi ! »

Aujourd'hui, un an après la mort de son mari, elle se sent dépossédée, femme sans homme, sans identité sociale, étrangère dans son pays, sans logement à elle pour se retirer, faire ses repas, recevoir sa fille étudiante à Nancy. Elle n'a plus rien et elle ne sait plus qui elle est, sentiment encore aggravé par l'affectueuse sollicitude de ses deux familles qui lui dérobe le peu de liberté et d'autonomie qu'elle pourrait avoir, sans vraiment les revendiquer. « Il y a ma sœur qui vient souvent manger le dimanche, ils restent là tout l'après-midi, on est tous là, assis autour de la table, à attendre que le dimanche se passe. Et puis, il y a la mère de mon mari, quand elle peut se faire emmener par quelqu'un, qui vient au cimetière, et puis qui repasse après chez mes parents, et puis voilà on passe tout l'après-midi ensemble. Alors moi, quand ils repartent, j'ai mal à la tête (…) j'en ai marre. »

« Ce n'est pas ma vie », dit-elle encore après avoir passé quelques jours chez son fils. « Ils étaient contents et tout… je les aime bien. (…) Eh bien, je les vois vivre et tout ça et je me dis, c'est fini pour moi… » ; sa fille, atteinte elle aussi de polykystose rénale et restée jusque-là très proche de sa mère, vient de rencontrer un jeune homme, « elle était toujours cramponnée à moi et puis là, forcément… ».

Les bons jours, elle pense à la petite maison de C…., qu'elle avait choisie avec son mari et qu'elle a fini par acheter après avoir vendu la boutique. Elle « n'y habite pas parce qu'il n'y a plus que les quatre murs », il faut « la retaper » . Elle n'aménagera que le rez-de-chaussée, cela suffira bien ; il lui faudrait l'aide de son frère pour continuer les travaux à peine commencés, mais « le dimanche, ils sont contents, ils viennent se promener » et personne ne songe à bricoler. Peut-être aussi leur plaît-il à tous de sentir la famille se resserrer, autour des parents vieillissants et ne sont-ils pas trop pressés de voir Maryse s'installer dans sa maison, pourtant si proche, à 700 mètres de là... Elle-même ne sait pas toujours ce qu'elle fera ; après tout elle n'a plus de famille, « elle est la seule maintenant qui est toute seule, alors que les autres ont leur mari ou leur femme ».

Il nous a fallu plusieurs rencontres pour arriver à dépasser le récit un peu froid du premier entretien [1], discours trop usé pour avoir tant servi depuis son retour, et dont on ne savait pas si elle y croyait encore. Peu à peu, la familiarité aidant, au fil des conversations, comme je la questionnais sur elle-même et lui demandais de me décrire de la façon la plus précise le déroulement de ses journées, les lieux qu'elle avait habités, ou ce qu'elle avait pensé de certains événements, elle a pu se réapproprier ces dix années.

En écoutant Maryse, j'étais souvent frappée par l'analogie entre cette vie singulière et le destin collectif de toute une région. Il lui semblait toujours que sa vie s'était achevée, et, veuve sans illusions et trop entourée, elle me faisait penser à ces retraités prospères et nostalgiques que l'on voit aujourd'hui errer sur les friches industrielles de Longwy ou des environs, rêvant du temps où ils étaient l'élite ouvrière.

1. Cet entretien n'a pas été reproduit ici. La plupart des informations que Maryse m'a données l'ont été dans des conversations informelles, parfois téléphoniques, souvent non enregistrées sur le magnétophone. J'ai donc été amenée à construire un récit chronologique en citant les phrases les plus significatives.

Lorsqu'elle me parlait d'elle, elle me donnait à voir, réfractée par le prisme des préoccupations féminines, la vie de l'ouvrier qui avait été son mari et, plus généralement, la réalité d'un monde qui se défaisait. Il m'est apparu qu'il fallait écouter autrement ceux qui, comme Maryse, n'ont pour évoquer une vie pénétrée par l'histoire collective, que des paroles privées, des « petites histoires », des histoires de femme, toujours exclues de l'Histoire, même quand elle est écrite par des femmes. En déroulant avec moi la mémoire de sa vie, l'adolescence difficile de son fils, la caravane, l'angoisse permanente du chômage, la maladie, autant de souvenirs brouillés par des récits successifs, elle m'a permis de saisir, mieux que d'autres interlocuteurs sans doute plus autorisés et plus « compétents », mieux préparés à énoncer le discours officiel sur la misère, ce qu'a été la misère ordinaire des familles de travailleurs de l'industrie métallurgique et le malheur des femmes, simples figurants du monde social, vers lesquels convergent irrémédiablement, en dernier recours, les contrecoups de toutes les crises•

septembre 1992

Pierre Bourdieu, Gabrielle Balazs

Un équilibre si fragile

Antonio et Linda Demoura avaient quitté le Portugal, il y a plus de 20 ans, pour venir en France y chercher du travail. Bon footballeur, il avait obtenu un contrat de trois ans dans le bâtiment et il était parti, laissant sa femme et ses trois enfants, encore en bas âge, jusqu'à ce qu'il soit en mesure de les recevoir, au bout d'un an, dans un minuscule appartement. « Sans une couverture, ni un drap, ni un meuble pour se coucher », ils avaient dû tout acheter, peu à peu. Travaillant tous les deux, lui comme contremaître en mécanique d'entretien, elle comme femme de service dans les écoles et employée de maison chez les notabilités de la ville, ils avaient accumulé, au prix de beaucoup d'efforts et de privations, de quoi faire construire un petit pavillon dans un quartier calme, voisin de petits HLM, à Saint-Marcelin. Ils avaient le sentiment d'avoir réussi à « vivre comme tout le monde ».

Ils pouvaient même croire qu'ils s'étaient fait une place reconnue, grâce à leur dévouement et à leur empressement, parmi les notables de la petite ville. Lui, par sa fonction d'entraîneur du club de foot, qui lui donnait mainte occasion de côtoyer des personnalités locales et de rendre des services à la collectivité (notamment en consacrant du temps et de l'argent au club et en hébergeant des visiteurs) ; elle, par sa bonne volonté et sa disponibilité de tous les instants : « Même les jours de Noël, j'étais appelée pour aller chez mes patrons. Et j'y allais, hein. Je n'osais pas dire non. » À la faveur des échanges flatteurs et de l'identification affective que favorise le statut de domestique, elle se sentait un peu comme de la famille.

Après avoir travaillé autant (« des journées de 14 heures ») et s'être dévoués sans compter, après avoir bâti leur maison et réussi à pousser leurs enfants dans leurs études, ils pouvaient mesurer le chemin parcouru, depuis le Portugal. Elle surtout qui, orpheline à dix ans, avait quitté l'école très tôt, pour s'occuper de ses trois sœurs, avant de devenir ouvrière dans une usine de joaillerie. Ils pensaient « avoir le droit de s'en sortir ».

Le charme s'est rompu soudain : elle a été frappée d'hémiplégie en 1985, à l'âge de 46 ans ; il a eu les doigts de pied coupés par une tondeuse à gazon en 1990. Dès lors, tout a basculé : sans travail, abandonnés de tous, ils ont perdu l'illusion d'être « intégrés » à la (bonne) société française. L'équilibre économique qu'ils avaient conquis par leurs efforts conjugués s'est révélé extrêmement fragile. Licencié, il a été obligé de se rabattre sur « une place de manœuvre, à 24,06 francs de l'heure ». De son côté, elle a découvert qu'elle ne pouvait pas bénéficier de l'allocation chômage et qu'elle n'était pas prise en charge par la Sécurité sociale. Ils ne peuvent plus rembourser les emprunts qu'ils avaient faits pour l'achat de leur maison et ils ont un fort découvert à la banque ; leur fille aînée qui « faisait un DEUG de droit à Paris » a interrompu ses études.

Après de multiples démarches pour faire reconnaître

leurs droits, ils se sentent « rejetés de partout ». Ils ont le sentiment d'avoir été trompés : leurs employeurs, publics ou privés, auraient dû les informer sur leur véritable statut (« Ils pouvaient pas lui dire, ils pouvaient pas l'informer, à la mairie ? ») ou, au moins, les conseiller. Et ils disent leur stupéfaction de découvrir soudain que des personnages qu'ils considéraient comme des amis ne faisaient rien pour les aider à sortir de leurs difficultés ; et aussi leur déception de voir que la « société française » à laquelle ils ont tant voulu appartenir, ne les connaît pas, ne les reconnaît pas. (« Je ne m'attendais pas à ça, non. Je m'attendais quand même que la société française et surtout les organismes payeurs reconnaissent quand même une personne qui a travaillé toute sa vie. ») Alors qu'ils envisageaient de demander la naturalisation et qu'ils étaient l'exemple même d'une « intégration » réussie, ils se sentent devenir « anti-français ».

Ils découvrent tout ce que l'émerveillement de la réussite, toute relative, qui était la leur, et le sentiment d'être pleinement acceptés, eux qui venaient de si loin, leur avait fait oublier, la fragilité de l'équilibre dans lequel se maintiennent, au prix d'une vigilance incessante, ceux qui bénéficient d'un emploi stable, et le danger toujours menaçant de la rechute. Les événements qui peuvent déterminer cette retombée, perte de l'emploi, mort d'un proche, divorce, maladie, sont extrêmement divers et, en apparence, tout à fait contingents ; mais, avant de conclure à la faillite de l'explication par des causes sociales, il faut observer que ces accidents, outre qu'ils sont plus probables dans certaines conditions d'existence, ne sont que des causes occasionnelles qui, agissant comme un déclic, déclenchent des effets eux aussi inscrits, à l'état potentiel, dans certaines conditions économiques et sociales. La chiquenaude n'agit si puissamment que parce qu'elle s'applique à des gens comme M. et Mme Demoura, ces immigrés modèles qui, dans leur conviction d'avoir réussi leur intégration à l'économie et à la société françaises, ont peut-être surestimé un peu les sécurités dont ils disposaient ; et leur détresse et leur désarroi sont d'autant plus grands que c'est seulement au moment de basculer qu'ils se découvrent dépourvus des garanties statutaires et des relations familiales ou amicales qui assurent aux « vrais Français » (au moins, le croient-ils) les ultimes filets de protection.

avec un couple de Portugais

— *entretien de Gabrielle Balazs et Jean Barin*

« J'ai tout fait pour m'intégrer dans la vie des Français »

M. Demoura — Vous savez, c'est très difficile à expliquer ces trucs-là, parce que il y a tellement d'injustices… que…

— *Justement, justement… comment on les sent ces injustices…*

M. Demoura — Moi, j'en ai pensé tellement de la France, c'est la première chose, il y a cinq ans en arrière, je voulais pas non plus entendre du mal de la France, parce que c'était un pays de solidarité, un pays où tout le monde était sensible à la misère des autres ; mais depuis cinq ans, c'est vraiment, vraiment inverse, on a beaucoup, beaucoup de choses à dire.

— *Et pourquoi depuis cinq ans ? Qu'est-ce qui s'est passé ?*

M. Demoura — Parce que c'est très facile à dire. Pendant que vous gagnez bien votre vie, que vous faites partie d'un niveau donné, d'un niveau de société… moyen, ça passe. A partir du moment où vous faites partie de… vraiment de l'arrière, vous êtes considérés comme nuls.

— *Par qui ?*

M. Demoura — Par tous. Par tout le monde, presque… Quand je dis par tout le monde, évidemment c'est pour les gens qui sont comme moi…

Mme Demoura — Par les centres administratifs, surtout la mairie, je vois qu'on n'a plus personne au bout du fil, ni personne pour un homme qui s'est occupé de…

M. Demoura — Écoutez, je vais vous résumer seulement mon cas. Depuis que je suis en France, j'ai tout fait pour m'intégrer dans la vie des Français. Parce que, premièrement, j'étais dans un pays qui n'était pas le mien ; deuxièmement, je pouvais pas imposer ma langue ni mes habitudes, alors il fallait bien que ce soit moi qui s'intègre et qui fasse l'inverse. Bon, je me suis très bien intégré, tout de suite j'ai fait partie de l'équipe athlétique de la ville. On a formé, étant Portugais, on a formé une association, on a formé un groupe folklorique, on a formé le club de football, on a bâti avec l'aide de la mairie le bâtiment pour l'association, c'était tout à fait normal. Je fais partie, étant toujours dans cette ville, j'étais éducateur [*entraîneur de foot*] pendant six ou sept ans et, jusqu'il y a deux ans, je faisais encore partie du club [*très énervé*]. Bon, tant que j'ai apporté, tant que j'ai pu donner, les grandes portes m'étaient ouvertes et une fois que j'ai arrêté, c'était plus rien : les portes se sont refermées. Et mes amis n'étaient plus là.

— *A la suite de votre accident ?*

M. Demoura — Ça, c'est le problème du football, le jour où je pouvais être présent et où je gagnais bien ma vie, où je pouvais apporter et donner sans demander un sou, aucun problème, tout marchait sur des roulettes. J'ai reçu des amateurs toulousains – quand ils venaient, je les recevais chez moi, je faisais partie de la société – le jour où j'ai pas pu apporter ça, je n'en ai plus fait partie.

— *Ah oui, d'accord, mis à l'écart de l'association de football ?*

M. Demoura — Mis à l'écart complètement. A tel point que… 18 ans au service du club en apportant, parce que j'ai apporté beaucoup d'argent, quoique l'argent, j'ai donné de l'argent et des déplacements, du temps perdu, en payant les réparations du club à chaque fin de saison, sans que le club me donne un sou. C'est moi qui a payé de ma poche parce que c'était mon entourage ; ben, aujourd'hui pour rentrer dans le stade, il faut que je paye. Alors, vous voyez bien jusqu'à quel point l'injustice est faite. 19 ans au service du club, sans jamais profiter de quoi que ce soit, j'ai toujours apporté ; en tant qu'entraîneur, c'est moi qui ai apporté le plus grand nombre de titres, c'est moi qui ai fait la plus grande formation ici et je suis considéré comme nul. Tout le monde a reçu une médaille donnée par la mairie pour services rendus. Moi, je n'ai jamais rien reçu. Quoi que ce soit, hein.

— *Oui, c'est pas reconnu ?*

M. Demoura — Ah oui, parce que, si je m'appelais Dupont ou Durand, j'aurais une médaille. Mais je m'appelle Demoura.

— *Vous croyez que ça tient à ça ?*

M. Demoura — Ben oui. Moi je le croyais pas… (…) mais je le crois réellement maintenant. Maintenant que je suis de l'autre côté de la barrière, je…

[…]

Parce que je m'appelle Demoura

M. Demoura — Ce qui arrive, en France, il y a deux sociétés, il y a les moutons et c'est la plus conne ; on fait partie des moutons.

Voilà la différence qui existe. Et puis il y a plein d'autres choses au niveau social qui ne marchent pas, parce que il y a celui qui connaît bien la loi, ils arrivent aux problèmes administratifs, que ça soit la Sécurité sociale, que ça soit n'importe où ils attendent, ils ont leur droit ; nous, il faut qu'on se batte jusqu'à la fin. Les Portugais pourtant, dans les Portugais, il y a dix pour cent de déchets, comme dans toutes les races (...), ce sont des gens avec qui il n'y a rien à faire. Mais dans l'autre partie, on a des droits, on a des obligations, du moment que je respecte mes obligations, je sais pas pourquoi on ne me donne pas mes droits. Vous comprenez ?

— *Vous n'êtes plus reconnu, quoi ?*

M. Demoura — Je suis plus reconnu. A tel point que je vous donne le cas de mon accident. J'ai été arrêté encore jusqu'au 27 novembre, j'ai un contrôle à la Sécurité sociale parce que je m'appelle Demoura, le médecin conseil, il dit, « à partir du 19 vous n'avez plus le droit », et je suis en arrêt de travail accordé jusqu'au 27 novembre. Et le 19, il faut que j'aille travailler. Attendez, je vais vous expliquer.

Mme Demoura — Non, mais je ne trouve...

M. Demoura — [*Coupant sa femme, très énervé.*] Attends, attends, laisse-moi parler. La Sécurité sociale, elle m'a accordé des chaussures orthopédiques ; il fallait que j'aille travailler comme ça, avec un chausson, est-ce que vous trouvez que c'est normal ? La Sécurité sociale interdit d'entrer dans l'usine sans chaussures de sécurité et m'a accordé une paire de chaussures orthopédiques et la Sécurité sociale m'envoie au travail sans tenir compte de ça. J'arrive à mon travail, mon patron, il dit, « mais je le prends pas, ou il met les chaussures de sécurité », bon, on s'est arrangés avec le médecin du travail ; le médecin du travail a téléphoné à la Sécurité sociale, le gars qui m'a opéré a téléphoné à la Sécurité sociale, ils m'ont accordé jusqu'au 7 janvier, mais qui dit que je vais pouvoir aller travailler ? Dans l'état que je suis ? Mais comme c'est le médecin du travail qui voulait...

Mme Demoura — Mais ça...

M. Demoura — [*Poursuivant, sans prêter attention.*] Je suis obligé d'aller, il n'y a rien à faire.

Mme Demoura — [*Trouvant qu'il confie trop de choses, et voulant l'arrêter.*] On n'a pas besoin de savoir ça.

M. Demoura — Regardez... Mais si, on est obligé de savoir parce que cette chose, cette chose (...) [*s'adressant à sa femme*]. Qu'est-

ce qui t'est arrivé à toi ? [*S'adressant à nous.*] Elle a pas eu droit, elle a pas eu droit, elle était paralysée, aujourd'hui elle l'est plus.
Mme Demoura — Je le suis un peu encore. C'est le côté droit.
M. Demoura — Vous savez pourquoi qu'elle était pas prise en charge par la Sécurité sociale ? Parce que, à l'époque, elle avait pas touché…
Mme Demoura — Et je souffre énormément.
M. Demoura — … d'indemnités journalières et cependant, pendant un an, il fallait un an, pour avoir droit aux indemnités journalières ; mais qui lui a enlevé les indemnités journalières ? C'était bien la Sécurité sociale. Ils nous ont dit qu'il n'y a jamais eu de demande, j'ai la lettre là qui prouve qu'on a fait une demande, elle a été refusée parce qu'elle avait pas un an.
Mme Demoura — J'ai eu un journaliste qui est venu pour enquêter dernièrement et, justement, je me suis plainte un petit peu de la société française, mais de l'administration française, je me suis pas plainte de mon entourage. S'il y a une personne qui me voit mal… je pense, bon, elle m'aime pas, je laisse tomber ; mais quand on arrive dans un organisme français où ils entendent un petit peu notre accent et on réclame quelque chose, ils ne nous informent pas. Et on souffre…
M. Demoura — Déjà premièrement, on est mal informés.
Mme Demoura — On est mal informés. Alors vous savez quand on écrit pas bien le français, quand on n'a pas une… on se démerde pas bien, moi, personnellement, je suis assez têtue, moi, quand quelqu'un il m'embête…
M. Demoura — Il y a le français, moi, je parle français.
Mme Demoura — Oui, je vais un peu plus loin, c'est pas tout, parce qu'on connaît pas tout et les personnes, ils nous disent pas la vérité et ça, c'est embêtant.
[*M. et Mme Demoura parlent de leurs difficultés avec le français : elle ne l'écrit pas, ne l'ayant jamais appris à l'école, contrairement à son mari, qui se plaint d'avoir « appris le mauvais accent là-bas ».*]

J'ai été rejetée de partout

Mme Demoura — Alors je trouve qu'on est rejeté, j'ai été rejetée de partout. J'ai été rejetée à la Sécurité sociale, où on a eu divers entretiens avec le directeur du service qui nous a menés en bateau un petit peu avec des belles paroles, il nous a dit, « écoutez, moi... », j'ai dit, « écoutez, vous vous rendez compte que j'ai travaillé quand même en France 20 ans, je n'ai pas fait huit heures de travail par jour ; j'ai été un peu partout, au besoin de mes patrons, et je leur ai jamais dit non, je gagnais de l'argent, c'est sûr, mais j'ai jamais su dire non et quand ma maladie elle est venue... ».

— C'est arrivé quand ?

Mme Demoura — Il y a sept ans.

M. Demoura — En 85.

Mme Demoura — Oui, j'exagère déjà, c'est 85. J'ai été dans cette condition-là, je pensais que j'étais couverte du fait que j'avais un employeur à la ville. J'étais femme de service aux... écoles... depuis 13 ans. Et 13 ans de travail dans les écoles, je pensais quand même que je serais un petit peu couverte ; et vous savez que jusqu'à aujourd'hui, je touchais pendant ma maladie mes salaires, c'était normal, mais... (...). Alors écoutez, de toute façon, pendant ma longue maladie, j'ai été payée à mi-temps et ensuite je suis restée trois ans sans toucher un sou, à n'avoir... j'ai travaillé toute ma vie en France, depuis 20 ans.

— Mais ça, c'est les lois sociales, le statut de la fonction publique, c'est effectivement trois ans de longue maladie, après il n'y a plus rien.

Mme Demoura — Oui, mais alors j'avais un titre d'adulte handicapé. J'avais un mari qui travaillait, qui gagnait... il faisait pas face à nos dépenses. J'avais des crédits, je touchais 113 francs par mois pendant deux ans...

M. Demoura — 107.

Mme Demoura — 107 francs par mois pendant deux ans, alors vous allez pas quand même me dire que la mairie ne prévoit pas, la préfecture non plus, la Sécurité non plus, parce que, s'ils avaient des gens de nationalité étrangère à travailler dans une ville, ils devraient prévoir le chômage au moins ! Alors pourquoi ils emploient des gens qui ont un statut, qui sont portugais ou qui sont algériens ou qui sont espagnols et ils ne voient pas que la maladie peut arriver, comme elle m'arrive à moi et à d'autres, de dire, « écoutez, nous on doit quand même prévoir le chômage pour ces personnes-là », je serais enchantée si il y avait le chômage...

— Oui, mais la fonction publique n'a pas prévu des indemnités chômage pour ses...

M. Demoura — Où je ne comprends pas, c'est que, étant malade, elle soit licenciée sans pouvoir…
Mme Demoura — Sans indemnisation.
M. Demoura — … Sans indemnisation déjà pour commencer… et sans pouvoir… Sans voir si elle pourrait faire autre chose en même temps…
Mme Demoura — Ah oui, on m'a pas proposé…
M. Demoura — … C'est licenciée comme ça, sans rien demander, et sans qu'on sache qu'elle est licenciée !
Mme Demoura — Oui, et vous savez que je n'avais pas encore terminé mon mois.

— C'est le statut de la fonction publique. Vous êtes licenciée pour invalidité, au bout d'un moment.

Mme Demoura — La Sécurité sociale ne m'a pas reconnue.
M. Demoura — C'est licenciée pour longue maladie… Parce que si elle a travaillé dans une usine, elle a le droit…
Mme Demoura — Oui, je serais au chômage.
[…]

— Vous avez fait ça combien d'années, comme ça ?

Mme Demoura — 20 ans, depuis que je suis arrivée ici, puisque quand je suis arrivée ici, je n'avais ni une couverture, ni un drap, ni un meuble pour me coucher, et grâce à M. X…, président du football, je suis arrivée… avec mes quatre enfants, et il avait quelque chose dans son grenier, un sommier, quelques couvertures…
M. Demoura — C'est pour ça que je veux pas dire du mal de la France parce qu'ils m'ont aidé tout de suite les gens, quand je suis arrivé.
Mme Demoura — Quand je suis arrivée ici, j'ai commencé à travailler tout de suite. Sans savoir, je marquais de ma main ce qu'était une serpillière, pour savoir dire demain, ce que c'était un balai-brosse puisque je commençais à travailler un peu partout chez des patrons…, un hôtel, chez le Dr A., chez le maire, chez Mme S., les patrons de l'usine, et comme c'était assez dur, arriver avec quatre enfants et avoir une maison vide, même si le Portugal était dur, je devais quand même m'en sortir. On pouvait gagner de l'argent. Et puis aussitôt, j'ai commencé à travailler, on a commencé à renouveler les choses dont on avait besoin. Les lits principalement, parce qu'on n'était pas très bien installés ; après les meubles que par la suite, j'ai fait petit à petit mon mobilier et puis comme on peut, et puis ensuite on est arrivés, et on croyait qu'on

allait quand même rester dans la même… Même en travaillant beaucoup (…) [*silence, soupir*]. On pensait que le plus dur était passé.

— *Oui. Vous avez pensé que c'était fini…*

Mme Demoura — Maintenant, le plus dur est revenu. Parce que, quand ça m'est arrivé, j'avais le crédit.

— *Ah, vous aviez des engagements pour la maison ?*

M. Demoura — Et il y en a encore.

Mme Demoura — Et j'en ai encore. Pour quatre ans. Pour quatre ou cinq ans. Mais c'est pas beaucoup. Là qu'il a eu cet accident-là, bon, heureusement qu'il y avait une petite assurance, parce que là, on pourrait pas… vivre.

J'ai eu des injustices énormes… en étant toujours au service des Français

Mme Demoura — Je suis très contente d'être en France et j'aime bien les Français, mais j'ai eu quand même des injustices énormes. Beaucoup, hein, surtout moi ! En étant toujours au service des Français.

— *Oui, avec le travail que vous avez fait comme employée de…*

Mme Demoura — Parce que je peux vous assurer que si il faudrait aujourd'hui qu'ils disent, « elle était présente tous les jours qu'on avait besoin d'elle », j'aurais des certificats. Par des personnes… j'avais, une personne très vieille, elle avait sa mère qui était malade, c'est une personne qui faisait partie du Rotary et de certaines choses, hein, elle me disait, « Linda, j'ai besoin de vous parce que ma mère ne veut pas une autre personne, alors vous viendrez tel jour ou tel jour la nuit, à l'heure qu'on arrive, je vais vous emmener ». Vous savez que, souvent j'entendais la chanson, mais je disais, il est pas question de l'argent, il est question que cette personne m'aime et puis je veux pas dire non. Combien de fois, pendant trois ans, sa mère invalide à la maison…, et moi j'allais, j'allais à quatre heures du matin, quand elles arrivaient, parce que les réunions du Rotary souvent, c'était tard, hein, la nuit. Alors ils me ramenaient ici à quatre heures du matin. Je regrette rien, j'ai rendu service même s'ils m'ont payée, et elle m'a payée quand même, ce sont des heures qui ont pu compter très cher et j'ai toujours touché au prix de l'heure normale. Alors, donc, je n'ai pas fait…

M. Demoura — Et quelquefois pas payée.
Mme Demoura — C'était d'autres mais c'est normal, mais, enfin, je ne m'attendais pas à ça, non. Non, je m'attendais quand même que la société française, et surtout les organismes payeurs, reconnaissent quand même une personne qui a travaillé toute sa vie, j'ai été… si je savais que j'allais être malade et que ça allait m'arriver ça, j'aurais cherché à travailler en usine. J'avais besoin de travailler à l'époque, je chercherais à travailler en usine. J'allais pas travailler dans un organisme où on n'avait pas la sécurité d'emploi. Et encore, s'ils avaient été gentils avec moi, ils m'auraient conseillé de reprendre un petit peu le travail, parce qu'il fallait 15 ans, je crois, pour avoir droit à toucher, à toucher…
M. Demoura — [*Scandalisé.*] Ils pouvaient pas lui dire, ils pouvaient pas l'informer à la mairie ?
Mme Demoura — Ils pouvaient pas me dire ? Ah si, ils pouvaient ! Si, ils pouvaient.
— *Ah oui, oui.*
M. Demoura — Il y a quand même un niveau social, là-dedans.
Mme Demoura — Là, il y a une négligence quand même de…
M. Demoura — Parce que ils s'en foutaient complètement !
Mme Demoura — Il y avait 13 ans que je travaillais à la mairie, 13 ans et demi. 13 ans et demi.
[…]
M. Demoura — De toute façon, c'est très compliqué, pour un Français c'est compliqué, alors pour nous, étrangers… J'ai rien vu pour son affaire et son dossier, c'est un dossier de ministre…
— *Ce qu'on devrait, c'est… on vous a pas expliqué tout ça.*
Mme Demoura — Voilà ce que je reproche et puis dans ma tête, je ne voulais pas employer le mot raciste, mais… je pense quand même, qu'il y avait quelqu'un qui ne voulait pas qu'il y ait des étrangers au service. Et ça, dans ma tête, même si je le dis pas, je le pense quand même. Je pense quand même parce que, un jour, je parlais à un conseiller municipal, ici, à cette table, et cette personne, je le croyais notre ami, et puis elle m'a dit, « de toute façon, je souhaite que une place… une place dans l'administration ne soit pas proposée à un étranger », mais je dis, « écoutez… ».
M. Demoura — C'est comme l'autre qui ne voulait pas qu'on touche des allocations familiales.
Mme Demoura — Oui, c'est ça. Alors je dis, « comment ça ? ».

M. Demoura — Il savait pas pourquoi les étrangers touchaient les allocations familiales.

Mme Demoura — Quand j'ai été appelée à faire ce travail-là, j'ai même pas fait de demande à la mairie ; je suis allée travailler parce qu'à l'époque j'étais reconnue que je courais partout, et c'est donc l'année où il a fait très chaud, en 76… ? 76… que les femmes de service étaient toutes malades ; puisqu'elles ne pouvaient pas supporter la chaleur et puis il y en a deux qui se sont fait opérer de la vésicule biliaire… et j'ai eu un coup de téléphone, parce que je voulais aller travailler, par une femme de service des écoles que je connaissais. J'ai dit, « oui, je vais commencer à travailler quelques heures pour t'aider à… », et puis, à la suite, la mairie m'a gardée. Donc, j'ai même pas posé de candidature, hein, voyez-vous, il me manquait pas de travail à l'époque. Non, non, ça me tombait tout le temps, j'en avais trop. Et puis après, ils m'ont gardée. Et ensuite…, il y a eu un conseiller qui m'a dit, « non, je souhaite que ce travail soit donné aux Français », et non… c'est là que ça m'a mis dans la tête, et le type, je peux vous dire qui il est, mais…

M. Demoura — Non, non, dis pas.

Mme Demoura — Et moi je dis, « comment ça ? », d'ailleurs je me suis débattue un petit peu avec lui, j'ai dit, « eh ! dis donc, mais on paye les impôts comme tous les autres, on participe à toutes les dépenses », moi d'ailleurs, j'ai jamais été assistée, jusqu'à présent, et encore là, j'ai jamais été, alors que je devrais l'être. Un point c'est tout, parce que je peux plus y arriver. Mais je parle de cette époque-là, je lui ai dit, « écoute, de toute façon je fais le travail que font les autres, ils m'ont proposé ce travail, bon, je trouvais que c'était, les enfants, ils commençaient à être grands, ils pouvaient vivre sans que je fasse le ménage à gauche et à droite, c'était beaucoup plus stable et tout »…

M. Demoura — Erreur, erreur. Grave erreur.

Mme Demoura — Et puis j'ai accepté. Il a dit, « ah non, non, je te dis franchement, ces travaux-là ne devraient pas être donnés aux étrangers, je souhaite qu'ils soient donnés aux Français ». Il y en avait des étrangers à la mairie, mais ils sont naturalisés Français. (…) J'ai fait une demande pour être naturalisée et puis, ensuite, je sais pas qu'est-ce qui manquait au niveau de… de la suite et j'ai négligé et puis je ne pensais pas être malade, et en plus je ne connaissais pas ces droits, parce que si j'avais su, j'aurais fait démarrer la demande de nationalité. (...) Mme de L., je la croyais une personne bien, aujourd'hui j'ai un peu... je doute un peu, (...) si elle m'avait dit, « Mme Demoura, venez me voir parce que j'ai besoin de vous voir au sujet de votre emploi, vous savez que vous êtes en maladie depuis deux ans, au bout de trois ans on est obligé, soit on vous propose un petit travail à mi-temps, soit... », personne n'a pas bougé ! Si j'avais su j'aurais... quand même été la voir en disant, « Mme de L., vous allez quand même parler au conseil ou à M. le maire si il y a quelque chose à me donner à mi-temps », si j'avais su que ça allait se passer comme ça, j'aurais dit quelque chose.

M. Demoura — Elle est restée, elle a été licenciée. Et au conseil municipal, ils ont su que dans deux ou trois mois elle était licenciée.

Mme Demoura — Oui, au mois de mai de cette année.

M. Demoura — Alors vous voyez bien comment ça se passe. [*Élevant la voix.*] Faut le faire ! Faut le faire !

Il faut savoir s'ils veulent qu'on s'intègre ou s'ils veulent qu'on soit menteurs, qu'on trafique...

Mme Demoura — C'est-à-dire, mon mari, il commençait à perdre énormément de salaire, puisque, les deux mois suite à sa maladie, l'usine, elle paye son salaire moins les primes, mais au bout du troisième mois, on touchait 4 000 francs et moi je touchais à l'époque rien, 107 francs. Alors, on n'a pas pu faire face, alors je touchais une facture d'eau à 1 100 et quelques francs. Alors moi, écoutez, j'étais très en colère, je fais une lettre, que j'ai portée à M. le maire, j'ai dit, « pour la première fois, je demande d'être assistée, je peux pas faire face à mes dépenses suite à ma maladie, la négligence de la mairie et secundo que mon mari vient d'avoir un accident – que tout le monde connaissait – et je ne peux pas payer... alors je demanderais que le bureau d'aide sociale me prenne cette facture pour une fois ». Un mois après, j'avais déjà le percepteur qui m'envoie un avertissement. Je téléphone un vendredi à la mairie, je dis, « je veux parler à M. le maire », on me dit, « non, il est absent », je dis, « Mme, quelle est la personne qui s'occupe du bureau d'aide sociale ? », « ah ! c'est moi Mme A. », je dis, « Mme A., je suis Mme Demoura, je vous ai amené une lettre il y a un mois et demi ou plus, c'était pour une demande

de… », et elle m'a dit, « ah, mais c'est refusé ! », « Comment ? Je ne mérite même pas une réponse, qu'est-ce que c'est que ça cette mairie ? C'est non, vous le savez, et vous ne m'avez même pas répondu ». Elle a dit, « mais écoutez venez voir M. X. », la personne qui s'occupe du technique, là, de je sais pas quoi, j'ai dit, « j'ai rien à voir avec monsieur, c'est avec M. le maire, je veux le voir », je suis rentrée dans la mairie sans rien lui dire avec mon mari, j'ai dit, « M. le maire, on vient vous voir », il a dit, « Mme A. m'a parlé, ta facture va être payée », M. le maire, je lui en veux un peu, parce que mon mari il a servi de tourner en rond, le dimanche, tous les jours pour le football ; c'était [*diminutif affectueux*] c'était tout. Et là, il a même pas passé un coup de fil suite à son accident ; il y a eu… la police municipale, des hommes qui l'accompagnaient au foot, qui, quand ils ont entendu la sirène, ont su que c'était lui, ils sont venus ici, c'étaient des amis, ils sont venus ici. Et il y a d'autres personnes, au conseil municipal, alors ils ont su ça le 20 mai quand j'ai fait cette demande, quand il a parlé de notre cas de non-payé, et alors le lendemain, c'était un samedi, alors tous les conseillers municipaux nous ont téléphoné, nous ont dit, « mais c'est affreux, on vient de connaître une chose qui vous est tombée dessus il y a quelques temps, nous on n'était même pas au courant, et alors là… si t'as besoin de quelque chose, tu demandes ».
[*Discussion sur le conseil municipal.*]
Mme Demoura — Il y a trois ans encore, j'étais malade et le maire m'a téléphoné, il m'a dit, « Mme Demoura, écoutez c'est très embêtant, c'est le moment de la communion ici », c'était au mois de mai et « on est très embêtés, les Français qui ont dit qu'ils allaient recevoir des gens… j'ai plein de monde sur les bras, je sais pas où les coucher », j'ai dit, « M. le maire, qu'est-ce que vous voulez que je fasse, je peux donner comme d'habitude à manger à deux personnes, coucher je peux faire coucher des célibataires », il a dit, « c'est bien, c'est gentil ». Je ne voulais pas sortir ces choses sur la table, mais je crois qu'un jour à lui, je le dirai, parce que, encore aujourd'hui, quand il a besoin, ils savent que les personnes qui disent toujours oui, elles sont là. Mais pour informer un petit peu le conseil et faire un peu le nécessaire pour que notre vie ne soit pas en danger… Parce que vous savez, si je suis pas encore saisie de ma maison, je vais vous dire pourquoi je suis pas, parce que j'ai des enfants qui sont toujours… élevés en Por-

tugais, ils m'ont donné de l'argent. Parce que notre maison… elle a pas été payée pendant quelque temps, et le crédit de la voiture, là, le crédit est fini.

[…]

Mme Demoura — C'est pas les gens que je vise, c'est pas les gens que je sens comme racistes, c'est l'administration française.

M. Demoura — Vous savez, il y a des moments où je me dis, pourquoi on s'intègre ? Ils ont raison ; moi, ce que j'aurais dû faire, c'est vivre assisté ici, en ramasser et envoyer au Portugal. Être assisté ici, et faire une fortune de l'autre côté ? Non. Mais c'est dingue ! Il faut savoir si ils veulent qu'on s'intègre ou si ils veulent qu'on soit menteurs, qu'on trafique, qu'on contourne la loi, non, on a droit, on a droit, on a des droits et des obligations. Bon, on fait nos obligations, qu'ils nous donnent nos droits. C'est ça qui me révolte. (…) Parce que je fais partie de la famille, tout roulait, tout allait bien, le moment que vous êtes dans le caca, personne n'est là. Même avec les droits.

décembre 1990

Pierre Bourdieu

Suspendue à un fil

Elle fait commencer ses malheurs avec l'achat de sa maison, « une folie » : 12 millions plus les frais de notaire qu'elle croyait inclus. Elle tente de se justifier, comme elle le fera tout au long de notre entretien. Elle ne se plaisait pas dans le bloc où elle habitait et elle avait envie d'un jardin. A l'époque où elle était femme de ménage dans une société de nettoyage industriel (un des secteurs où le respect du droit du travail est le plus incertain), elle avait demandé à acheter une maison qui lui aurait coûté moins cher, mais on la lui a refusée, sous différents prétextes.

Elle a joué de malheur. Quelques mois après cet achat, elle est « licenciée économique », conséquence indirecte des « restructurations de la sidérurgie », et reste, pendant une année entière, à la charge de sa mère. Elle fait alors « des piles de stages », puis trouve une place au Luxembourg mais, faute de moyens de transport (ceux qui l'emmenaient dans leur voiture ayant été licenciés), elle doit renoncer à cet emploi.

Elle a environ 35 ans. Ce jour-là, elle sort d'un stage dit « d'alphabétisation » – encore un palliatif ou, plutôt, un sursis – qui se tient dans les grands bureaux d'Usinor, transformés en « Maison de l'information ». Elle parle avec une violence contenue, en scandant ses paroles par des petits mouvements brusques de la tête suivis de silences, sur un ton direct et très personnel qui est moins celui de la confidence que celui du plaidoyer. Tout dans son attitude, son regard, dit le désir avide d'être entendue, pour une fois, écoutée, et aussi le plaisir de trouver quelqu'un à qui parler, devant qui se justifier ou, mieux, se sentir justifiée, acceptée ; et la sympathie que provoque en retour cette demande est si intense que c'est elle qui prend, peu à peu, la direction de l'entretien, suscitant des questions ou des suggestions qui s'inspirent surtout de l'espoir d'apporter des encouragements ou du réconfort.

Elle énumère longuement la liste de ses traites, pour la voiture, pour la maison, pour le notaire, pour le téléphone, à quoi s'ajoutent tous les frais courants, bien qu'elle ait réduit les dépenses au minimum, même pour son fils, la taxe d'habitation, la taxe de la télévision, soit près de 3 000 francs chaque mois ; elle s'indigne des véritables persécutions que les employés de banque lui font subir, téléphonant chez elle ou même chez des connaissances, menaçant de l'obliger à vendre sa maison, incapables de comprendre qu'elle voudrait bien payer, si elle pouvait : « Moi je suis honnête, je veux bien payer, donnez-moi des sous, moi je vous les paye tout de suite, mais si je ne peux pas, c'est que je peux pas, et c'est tout, je peux pas faire autrement » (c'est aussi ce que dit, presque mot pour mot, un immigré algérien au chômage).

Le plus dur à vivre, dans ces circonstances, c'est sans doute l'hostilité, un peu méprisante, de la famille, et la solitude qui en résulte. A l'exception d'une copine, elle aussi au chômage, et de sa mère, ancienne ouvrière, abandonnée par son mari, et obligée d'élever seule ses quatre filles, tous, dans son entourage, loin de l'aider, lui font reproche de sa situation : son beau-père, manœuvre alcoolique, contraint lui-même au chômage, sa belle-mère, qui lui refuse l'usage du téléphone ou tarde à lui transmettre des messages à propos d'un emploi possible, et surtout sa sœur aînée, jalouse de l'aide que lui accorde leur mère, tous s'ingénient à lui rappeler sa situation, à lui faire entendre que si son mari et elle-même sont au chômage, c'est qu'ils sont des fainéants, qu'ils ne font rien pour trouver du boulot, ignorant les efforts et les sacrifices extraordinaires qu'ils font pour en chercher et les obstacles non moins extraordinaires qu'ils rencontrent.

Le terrible isolement, en partie subi, en parti voulu, par une sorte de fierté du désespoir, se fait aussi sentir comme une absence de tout recours contre la menace tant redoutée de l'ultime déchéance. Lorsque, saisi par cette profonde détresse, et succombant au désir d'offrir des encouragements, ou du réconfort, on évoque successivement l'un ou l'autre des soutiens qu'elle pourrait trouver dans sa famille, chez ses sœurs ou leurs époux, chez les parents ou les frères de son mari, on voit s'abattre, à chaque fois, de nouvelles misères. Sa sœur cadette est plus gentille avec elle que sa sœur aînée, mais elle est handicapée, et le garçon, un manœuvre, qu'elle vient d'épouser est aussi au chômage. Elle ne peut que se replier sur elle-même, sur son mari, qu'elle défend avec beaucoup de tendresse contre les accusations de la famille, et sur son fils, qu'elle aide de son mieux à surmonter ses difficultés scolaires, liées à de graves problèmes psychologiques.

Enfermée dans le cercle vicieux de la misère, elle ne peut acheter la mobylette ou la voiture qui lui permettrait de répondre aux offres d'emploi de fin de stage (elle n'a d'ailleurs ni le permis de conduire ni la possibilité de s'y préparer). Exposée avec son mari à la répétition désespérante des promesses et des refus, à la violence des employeurs sans scrupule qui profitent de la situation de sous-emploi pour offrir des salaires de misère sous couvert de fausses promesses d'embauche définitive, elle cherche en vain un appui dans les bureaucraties de l'assistance, qui l'accablent de demandes insatiables de papiers (« mais c'est pas possible qu'ils demandent tout ça ! ») et l'obligent à répéter indéfiniment ses démarches pour l'obtention du RMI, auquel sont suspendues toutes ses espérances.

On comprend qu'elle fasse alterner, presque dans la même phrase, la révolte vaincue contre une injustice sans nom et sans visage, et le désespoir qui conduit à tout laisser aller. « C'est pas une vie comme ça ; des fois j'ai envie d'abandonner, des fois même, quand il y a un problème de papiers, j'ai envie de laisser tout dormir, tellement j'en ai marre. »

Et le sentiment de ne rencontrer de toutes parts que la malveillance (« la société était méchante avec moi et j'en voulais à tout le monde ») n'est sans doute pas sans lien avec cette sorte de cauchemar qu'elle fait souvent, récapitulation désespérée d'une histoire qui commence avec l'abandon et la mort du père, avec les brimades de la sœur aînée, et semble se répéter indéfiniment : « Il y a un peu aussi..., il y a mon père, il est mort, eh ben, il m'a beaucoup manqué et puis, bon, il nous a laissés aussi dans la misère et tout ça... ça, quand j'ai des problèmes, là, je vois ça comme un livre. »

Elle dit et redit à maintes reprises qu'elle se sent au

bord du gouffre, suspendue comme à un fil à la survie de sa mère, dont elle dépend complètement : « Quand j'ai vu que ma mère elle avait eu la crise, là, j'ai dit, "ça y est, c'est terminé pour moi, moi je vais être dans la rue, j'aurai plus de maison, je serai, personne ne s'occupera de moi". » Combien de temps devra-t-elle et pourra-t-elle se maintenir ainsi, entre la vie et la mort sociale, entre la maison de sa mère, où elle se sent hébergée, et sa maison toujours pas aménagée et désormais sans électricité, à attendre l'intervention de l'assistante sociale qui ferait avancer son « dossier en instance » pour l'obtention du RMI, ou l'embauche, enfin définitive, de son mari ? •

avec une chômeuse

— entretien de Pierre Bourdieu

« Il y a tout qui va pas... »

— *Vous êtes restée très très longtemps sans aucune ressource...*

Lydia D. — Oui. Un an, un an à peu près et quelque, oui, j'ai eu que 200 francs au début pour vivre, c'est tout. J'avais aucune ressource. Ni lui, mon mari, ni moi.

— *C'était votre mère qui vous nourrissait ?*

Lydia D. — Oui, oui, qui nous donnait à manger et tout ça... Oui.

— *Et alors il n'y avait ni sortie, ni rien, ni...*

Lydia D. — Ben non, on restait à la maison. C'est tout, et c'est pas évident.

— *Non. Et pour les vêtements et tout ça...*

Lydia D. — Les vêtements, moi, j'ai des vêtements que j'avais achetés déjà, avant quand il y avait des sous ; j'ai acheté pour mon fils après ; quand il y avait des problèmes, ma mère, des fois, elle m'achetait pour le gosse, quoi. Autrement, je ne pouvais pas acheter, c'est pas...

— *Et ça, ça vous est tombé tout d'un coup sur la tête. Au fond, ça allait bien, vous étiez contente, vous aviez un gosse, vous aviez une maison...*

Lydia D. — Quand j'ai acheté la maison, ça n'a plus été, en tout.

— *Vous aviez des grosses traites ?*

Lydia D. — Oh oui, oh la, la ! j'ai une traite de voiture à finir, j'ai une traite de comment ça s'appelle ?... la maison, comment ça s'appelle ?... le notaire, j'ai le téléphone parce que j'avais le téléphone, bon, ben, j'ai une traite de 100 000 balles, je pouvais pas les payer alors ça s'est accumulé et puis j'en ai, comme j'ai eu le retard du chômage, j'ai eu un million et quelque, j'ai liquidé une partie aussi parce que j'avais eu la taxe d'habitation, j'ai eu la taxe de télé, et j'ai payé tout le retard d'avant, parce que là, au niveau de là, j'étais régulière, je payais au fur et à mesure et puis j'ai eu aussi encore, je sais plus quoi... oui, un crédit aussi à une banque que je dois aussi, et puis des autres comme ça, je me rappelle plus bien, je sais qu'il y en a pas mal dedans, qu'il y a quand même pas mal de dettes, oui... pas mal.

— *Ça fait combien que vous devez sortir tous les mois ?*

Lydia D. — 3 000, 3 000 balles et quelques, tous les mois, il faut que ce soit…

— *Et ça va s'arrêter quand tout ça ?*

Lydia D. — Il y en a qui vont s'arrêter dans un an des crédits, il y en a de deux ans, il y en a de trois ans, il y en a de 60 mois. Ça varie, c'est pas tous les mêmes. J'aurais des sous, il y en a qui auraient été liquidés comme le téléphone, 1 000 balles, ça aurait été liquidé mais pas possible… pas possible… parce que j'ai fait un crédit de surendettement et, normalement, le crédit de surendettement, ils font un barème sur qu'est-ce qu'on a, mais ils m'ont fait un barème trop élevé et moi, je leur ai dit… ils disent, « c'est ça ou alors on vous vend la maison. C'est à choisir », moi, je savais plus comment faire ; moi, j'ai dit, « bon, ben… » – je voulais pas dire parce qu'il travaillait à Panifrance [société de boulangerie et de pâtisserie industrielle] et normalement c'était possibilité (soi-disant, d'après eux, mais il y a des sacrés patrons) possibilité d'embauche ; alors il avait fait un contrat d'un mois, c'était un contrat d'un mois seulement et puis après c'est possibilité d'embauche ; alors je voulais pas en parler vu que c'était à peine, ça faisait une semaine qu'il travaillait, alors je dis, « bon on va en parler, vu que ils veulent vendre la maison, ben, dis-leur que t'as trouvé une place » ; mais c'était pour se débrouiller comme ça, parce qu'on avait même les crédits qui nous téléphonaient aussi, « quand est-ce que vous payez », on nous disait, comme si on ne voulait pas payer ! Je dis, « moi, je suis honnête, je veux bien payer, donnez-moi des sous, moi, je vous les paye tout de suite, mais si je ne peux pas, c'est que je ne peux pas, et c'est tout, je ne peux pas faire autrement », elle nous harcelait et tout ça ; elle a même téléphoné chez des gens, ils nous connaissaient pas et je sais pas comment qu'ils savaient notre nom parce que nous, on les connaissait même pas, ils ont dit, « vous direz qu'elle téléphone » et après quand mon mari, deux minutes après revenait, qu'il avait été au travail là, à Panifrance, elle retéléphonait, comme si elle savait que mon mari était revenu, tout de suite après pour nous harceler et c'était toujours un dossier, c'était jamais la même personne du crédit qui s'occupait de nous, c'était toujours une personne intermédiaire et tout ça, et nous, on trouvait des noms bizarres, ils disaient pas c'était pour quoi, alors on avait des noms, un numéro de téléphone on ne savait pas d'où ça venait, des trucs comme ça, c'était inadmissible de voir des trucs pareils. C'était de la méchanceté !

— Oui, c'était une espèce de persécution...

Et pourquoi vous travaillez pas ?

Lydia D. — Oui. Moi, si j'aurais pu faire même des vacheries je l'aurais fait parce que rien que la société était méchante avec moi et j'en voulais à tout le monde, c'est vrai, je voulais plus qu'on me... même de travail, et tout ça quand on parlait de travail, parce que mon beau-père, il parlait de travail, il dit, « oh t'as pas de travail et tout ça », il parlait de travail et tout ça ; je dis, « parlez pas de boulot, parce que je l'ai en contre-cœur », parce que il parlait que de ça, quand il nous voyait, il parlait que de ça, j'ai dit, « arrêtez avec ça, avec ça... ».

— Oui, comme si vous faisiez exprès de ne pas travailler...

Lydia D. — Oui, et il me considérait comme fainéante ; et toujours, toujours il a considéré son fils comme fainéant ; on entendait ça partout, « et pourquoi vous travaillez pas ? » Et « il y a qu'à vous que ça arrive », tout ça. Et je dis, « si on n'a pas de chance, c'est pas de notre faute » et puis il y a aussi des patrons qui, dans la société de maintenant, il y a des patrons, ils ne veulent pas payer les gens, les jeunes, maintenant, ils voudraient qu'on travaille pour rien du tout. Parce qu'il a fait des boîtes aussi, ils lui ont dit, ils promettaient aussi qu'ils le payent, en fin de compte, il avait rien, il a arrêté, mais il avait été travailler dans la Meuse, faut le faire, parce que ce serait un fainéant, il a même dormi dans la voiture ! Alors pour trouver du travail dans la menuiserie dans la Meuse, à C., ben, il a dormi là-dedans, il mangeait même des gamelles comme ça, parce qu'on avait un terrain qu'on nous avait prêté, ben, il mangeait là-dedans et ben autrement, il avait pas de boulot, mais il gagnait juste... pas beaucoup, 200 francs, 300 francs, c'est tout, c'est pas assez. Moi je dis, « si c'est pour travailler et arriver à quelque chose, t'es pas couvert pour le trajet et tout ça, c'est pas la peine que tu continues dans des conditions comme ça, c'est pas possible, c'est pas possible ». Même dans ma famille, moi rester... bon, je mange chez ma mère, mais il y a toujours des histoires, « oui tu payes pas la pension à la maman » et ci et là...

— Qui se mêle de ça ?

Lydia D. — C'est ma sœur, elle est jalouse… J'ai des problèmes au niveau de ça.

— Qu'est-ce qu'elle fait ?

Lydia D. — Elle travaille à la piscine comme caissière. Mais toujours, elle est jalouse, « oui tu payes pas la pension », tout ça. Et elle, elle a une maison et tout, elle a tout qu'est-ce qu'il faut, elle reste même pas chez elle, elle embête ma mère et tout ; elle garde un gosse de deux ans, et que même ma mère elle est fatiguée, elle a même manqué de mourir l'an dernier, j'ai manqué de la perdre ; quand je travaillais à Luxembourg, j'ai manqué de la perdre, j'ai eu des problèmes au niveau de là aussi. J'ai dû, j'ai dû… aller la voir à l'hôpital, elle a eu un œdème au poumon, alors tous des problèmes qui se sont accumulés, vraiment en 90 et puis jusqu'à maintenant que des ennuis.

— Oui, c'est une mauvaise passe. Et cette sœur, elle peut pas vous trouver un boulot… ?

Lydia D. — Ben, elle nous donnait des places et tout, mais c'était pris à chaque fois et tout le monde… il y a beaucoup de chômage. Ils tombent tout de suite dessus. Et c'est pas possible, c'est incroyable. Et puis, il suffit qu'ils nous le disent un peu en retard, et c'est ça aussi, faut savoir. Des fois, ils disent, « non, c'est tout de suite » et on téléphone et c'est pris entre-temps. Et puis, faut dire aussi que j'avais pas de facilité pour téléphoner. Ma belle-mère, elle m'interdisait de téléphoner de chez elle, elle ne voulait pas et tout ça ; j'avais le téléphone à un moment donné, maintenant j'avais plus le téléphone, même question quand j'étais chez moi à S., j'avais du mal à téléphoner à ma mère, j'avais des problèmes, j'avais du mal à téléphoner, j'avais une cabine où elle marchait une fois tous les tremblements de terre ; je pouvais pas téléphoner, alors elle n'avait pas de nouvelles de moi des fois, c'est pour ça…

— Vous habitiez dans la maison que vous aviez achetée ?

Lydia D. — Oui, oui.

— Donc vous ne pouvez pas l'améliorer, rien ?

Lydia D. — Non. Ben non. Il y a des trucs à refaire, je sais même pas, j'ai la porte, il y a un jeu comme ça de la porte, il y a l'air qui rentre, mais j'ai l'eau chaude quand même, j'ai quand même des commodités, bien qu'avant. Parce qu'avant j'avais pas l'eau chaude, j'avais rien, je payais pas grand-chose, 400 francs, mais j'avais rien. J'avais pas de commodités et tout ça, on avait froid l'hiver, c'était pas isolé et tout ça, j'habitais au quatrième dans un bloc, et puis la vie des blocs, moi j'aimais pas et puis je voulais un jardin, alors mon mari il cultivait, ça nous aidait un peu de cultiver un peu le jardin quoi, parce qu'autrement on n'y arrivait pas non plus, c'est ça.

— *Et en plus, autour de vous les gens trouvent...*

Lydia D. — Oui, des problèmes comme ça, ils critiquent. Ils critiquent beaucoup même...

— *Même dans la famille ?*

Lydia D. — C'est pour ça que moi, des amis, des amis j'en ai pas beaucoup. Je les exclus. Je suis toute seule, je fréquente presque personne. Je suis peut-être à part, mais je suis comme ça, je suis devenue comme ça, je peux plus voir personne des fois, je suis mieux comme ça, parce que tout le monde me critique et tout ça, « moi, je comprends pas comment tu restes avec un mari comme ça, qui travaille pas », que des commentaires comme ça, je dis, « si tu me crois pas, t'as qu'à venir chez moi, les lettres que j'ai, c'est pas possible, oh ! on garde votre candidature quand on aura quelque chose », on n'entend que ça, que des trucs, des promesses, des tampons aussi, parce que là (...) à un moment donné c'étaient des tampons, il a une liste de tampons où il n'y a rien.

Je suis coincée en tout...

— *Et qu'est-ce qu'il a comme spécialité de...*

Lydia D. — Ben, c'est un manœuvre. Il a pas de CAP non plus. Il touche un peu à tout, il a été boucher, peintre en bâtiment, il a fait maçon. Qu'est-ce qu'il a fait encore ? Représentant, il a fait aussi pas mal de petits trucs comme ça, il fait qu'est-ce qu'il peut. Dans n'importe quoi, lui, il s'en fout.

— *Si vous vous entendez bien, déjà...*

Lydia D. — Pour ça, il est gentil, il est gentil... il est gentil.

— *C'est important.*

Lydia D. — Mais le problème que j'ai eu, j'ai même perdu mon père en 89, même la maison, je devais l'avoir en 89 et je me suis fait avoir avec la maison, je l'ai eue qu'en 90. Et la maison là, normalement il m'avait donné un million pour refaire un peu la maison. Et en fin de compte, normalement le crédit de la maison, il devait être compris avec le notaire, il était pas compris, alors ils m'ont retiré les un million – les malins – pour compléter pour le notaire, alors j'ai dû rajouter deux millions en plus, alors j'ai deux sociétés différentes par rapport à ça.

— *Combien elle vous a coûté la maison ?*

Lydia D. — 12 millions. Et je l'ai pris telle qu'elle était. J'ai rien refait.

— *Et ce stage, vous l'avez eu comment ?*

Lydia D. — L'assistante sociale m'en avait parlé qu'il devait se dérouler et puis elle dit, « mais c'est pas normal, elle me dit, mais ça y est, vous avez commencé ? », je dis, « non, toujours pas », elle me dit, « c'est pas possible, elle me dit, j'ai parlé pour que vous fassiez un stage et tout », mais c'est un peu aussi de l'Agence de l'emploi qui m'ont appelée, aussi un peu de ça, parce que j'étais en fin de droits. Alors ils m'ont appelée et puis j'ai fait le stage là. Et là, c'est comme moi j'ai fait, parce que là, on travaille une semaine dans les entreprises, bon, ben, soi-disant que le patron était content de moi et puis il y aurait peut-être possibilité d'embauche ; et là, j'ai un problème parce que j'ai pas de transport, j'ai pas de permis et puis où c'est que j'irais trouver la voiture, mon mari il en a besoin, où c'est que j'irais travailler, je peux pas, si c'est sur place ça va, mais les bus, il n'y en a pas sur V. de M., il n'y a pas de bus. Et puis, moi, la mobylette, je tiens pas debout, j'ai essayé, j'arrive pas à tenir debout, et puis il faut acheter une mobylette encore une fois, je peux pas l'acheter, moi qu'avec le salaire que j'ai, c'est pas possible. Je suis coincée en tout. J'ai pas de solution : je peux pas acheter une autre voiture parce que j'ai pas les moyens, bon, le permis je l'ai pas encore non plus, il y a tout qui va pas, quoi.

— *Et ici, ils font pas de trucs pour le permis ? Oui, vous dites que vous êtes coincée en tout, il y a ce problème d'argent, pas d'automobile, de boulot…*

Lydia D. — Oui, tout, il y a tout qui s'en mêle en même temps. Il n'y a pas d'issue. C'est embêtant il n'y a pas d'issue. Il n'y a pas de solution. Il n'y a pas d'issue, je sais… il y a des solutions, moi, je veux bien apprendre le permis, mais il faut quand même que je puisse y aller quand même, moi, j'aimerais bien l'avoir…

— *Oui, sauf si votre mari a un boulot permanent, ça va vous tirer d'affaire, ça.*

Lydia D. — Oui, mais comme c'est à M.-St-M. et qu'il a des heures pas possibles, il peut pas, il commence à quatre heures du matin, il n'y a pas de bus à quatre heures du matin à M.-St-M., c'est pas possible. Il lui faut la voiture.

— *Il fait quoi, il fait quatre heures du matin... ?*
Lydia D. — Il fait quatre heures du matin jusqu'à une heure de l'après-midi, après il a d'une heure de l'après-midi jusqu'à neuf heures du soir ; c'est des tournées comme ça... oui, c'est ça, c'est pas possible.

— *Et il gagne bien ?*
Lydia D. — On le sait pas, ça, il commence que maintenant, ça fait que huit jours, on sait pas.

— *On lui a pas dit combien il allait gagner ?*
Lydia D. — Normalement c'est le SMIC, c'est pas grand-chose, c'est 5400, c'est pas évident non plus pour payer tout ce que j'ai à faire et puis tout le retard, je m'en sortirai jamais, c'est pas possible ! Faudra que je me prive jusqu'à combien de temps comme ça, c'est pas possible, c'est pas possible !

Je faisais des cauchemars...

— *Vous devez pas dormir toutes les nuits, hein ?*
Lydia D. — Je faisais des cauchemars avant, des cauchemars, tout ça pour...

— *C'est-à-dire ?*
Lydia D. — Ben, je rêvais des problèmes que j'avais, je me voyais, de toute façon, je me voyais vivre dans la rue, parce que quand j'ai vu que ma mère elle avait eu la crise, là, j'ai dit, « ça y est, bon, ben, c'est terminé pour moi, moi je vais être dans la rue, j'aurai plus de maison, je serai, personne ne s'occupera de moi parce que ma sœur ne s'occupe pas de moi ».

— *Et les parents de votre mari ?*
Lydia D. — Ben... faut pas compter sur eux. Ils sont méchants, vraiment méchants. Même avec moi. Même avec lui et... (...). Le père, il boit. Et puis il est méchant, toute la journée, il critique sur un, sur l'autre, sur tout le monde. On est tous des fainéants dans la famille. Même au niveau de son fils, il l'a traité de fainéant et il a retrouvé du boulot, mais il l'a traité... parce qu'à un moment donné, il était en chômage, eh ben, je dis, « la roue, elle tourne un jour, il faut jamais se moquer, je dis, un jour ce sera, si ça se trouve, vous serez en chômage », eh ben, il s'est retrouvé en chômage et en préretraite, il s'est retrouvé en chômage, il a pas assez de points, alors il est en chômage.

— *Oui, alors il était quoi ? Il était métallo ?*

Lydia D. — Il était un peu comme manœuvre, un peu comme ça.

— *Dans la sidérurgie ?*

Lydia D. — Oui, dans la sidérurgie, il était. (...) Mais ma belle-mère, c'est une aussi, elle critique aussi, tout ça, c'est pas une bonne famille, ça. Ça aussi. Moi, je vais pas les voir. Presque jamais.

— *Vous disiez que vous aviez des cauchemars, c'était lié à votre boulot ?*

Lydia D. — Oui, tout ça, les problèmes comme ça, et puis un peu la famille, les problèmes comme ça.

— *A votre belle-mère et tout ça ?*

Lydia D. — Oui, belles-sœurs tout ça... Mes belles-sœurs, c'est pareil, on ne se fréquente pas, il n'y en a qu'une que je fréquente et une autre aussi, autrement les autres je les fréquente pas non plus.

— *Oui, c'était toujours lié au travail et aux reproches qu'on vous faisait, des choses comme ça ?*

Lydia D. — Voilà. Oui, des problèmes comme ça.

— *Oui, ça pesait beaucoup sur vous tout ça... oui...*

Lydia D. — C'est vrai. Bon, il y a un peu aussi..., il y a mon père, il est mort, eh ben, il m'a beaucoup manqué et puis, bon, il nous a laissés aussi dans la misère et tout ça, bon, ben, ça, quand j'ai des problèmes, là, je vois ça comme un livre, comme si ça se...

— *Ça se répétait ?*

Lydia D. — Je vois tout défiler, depuis quand je suis petite, les problèmes que j'ai eus et puis jusqu'à maintenant, ça...

— *Vous voulez dire quoi... vous vous rappelez tout ?*

Lydia D. — Oui, oui. Je vois tout défiler.

— *Et quand vous dites que vous voyez l'avenir en noir, c'est quoi ?*

Lydia D. — C'est... c'est tous les problèmes que j'ai vécus, depuis petite, jusqu'à maintenant. C'est ça, je vois pas...

— *Et pour l'avenir vous avez peur ?*

Lydia D. — Mmm, je vois pas... je vois pas qu'il y aura de l'amélioration. Je sais pas. Je crois pas à ça. Je crois plus en rien. Non. Je peux plus croire, avec toutes les promesses qu'on m'a fait et je peux pas, quoi. C'est pas possible. Je peux pas. Je dis, ou alors là, si il y aurait quelque chose qui arriverait d'événement, je dirais,« il y a un miracle, alors ». Je dirais, « c'est pas possible ». J'arriverais pas à m'en remettre, je dirais, « c'est pas possible ».

Je crois en rien du tout, ni en jeu, ni rien, je joue pas, ni en jeu, ni tout ça, je crois à rien.

— *Non, là, je crois que c'est pas de ce côté-là qu'il faut…*

Lydia D. — Non, non, là, je dis… même les jeux, tout ça, parce que même mon mari, des fois, il y a des jeux, il réécrivait ou des trucs, « vous avez gagné… », je disais, « n'écris pas, c'est des conneries, ça c'est des conneries », je dis, si on va pas travailler, on n'a rien, c'est que la solution qu'on a. Moi, je crois en rien. Je crois que si on va pas travailler, moi, je crois que il n'y a pas de solution. C'est nous qui nous faisons notre [point ?]… c'est pas les autres et puis, c'est comme ça. (…)

Parce que c'est un désastre…

Lydia D. — C'est comme ça. C'est pas évident [*petit rire*]. Ça je sais qu'il y a pas que moi qui ai des problèmes comme ça, parfois ça soulage, je dis qu'il y a pire que moi, bon, ben, heureusement, parce que je dis, heureusement qu'il n'y a pas que moi parce que ça serait un désastre, mais je dis, « c'est pas possible qu'on vit dans une époque comme ça » ; qu'il y ait encore des problèmes comme ça. On dit que le progrès, il avance mais c'est pas vrai. Moi, je trouve qu'il recule, plutôt qu'il avance. C'est pas possible, faut des solutions, il faut qu'ils agissent. C'est pas possible, c'est pas des promesses et puis rien faire. Ça, c'est facile, moi aussi je peux en faire. Des promesses, ou alors être dans des bureaux et puis dire, « j'ai fait vos papiers », et puis ils dorment – ça j'ai déjà vu – ils dorment à côté et puis ils disent, « on fera ceux-là et puis on fera pas ceux-là », ça, moi je connais ; je peux le faire bureaucrate comme ça. Moi, je le fais, faire bureaucrate comme ça, moi, je le fais tout de suite parce qu'il y a une pagaille, c'est pas possible, dans les papiers. J'ai déjà donné les papiers, ils ont perdu les papiers, il faut le faire. Même depuis qu'ils ont mis les ordinateurs, les conneries qu'ils font, c'est pas possible. Moi, j'ai eu un numéro, comme quoi j'étais née à l'étranger. Je suis pas née à l'étranger, je suis née en France. J'avais des soins d'une dame, des yeux, que j'étais opérée des yeux, une fois, un problème, j'ai dû faire, je sais pas combien, 50 bureaux ! « ah ben non, c'est pas moi qui m'occupe », on me renvoie à l'appel et après, « non, c'est pas celle-ci, c'est celle-là », et moi, c'est pas une vie comme ça ; des fois j'ai envie d'abandonner, des fois même, quand il y a un problème papiers, j'ai envie de laisser tout dormir tellement j'en ai marre…

— *Je sais pas, si je pouvais faire un miracle, je voudrais bien.*

Lydia D. — Oui, c'est pas évident. C'est dur. C'est pas évident. Et des fois, on se demande comment ça se fait que le monde, il est comme ça, parce que le monde avant, il était moins méchant comme ça et même, quand des fois vous allez dans des endroits même pour demander des renseignements, on vous remballe ou des machins comme ça, des fois. C'est comme mon mari, une fois on lui avait donné un entretien pour le 20, pour le RMI, vous avez gagné ; il avait dit, « oh ! mais je sais pas si je pourrais venir ? », vous savez ce qu'on lui a répondu ? « oh ! mais vous n'en avez plus besoin du RMI ? », qu'on lui a fait comme ça, il a dit, « si mais si je peux pas me déplacer ? », vous vous rendez compte. Alors il a toujours des rendez-vous, c'est avec la mairie, mais il n'y a rien qui avance. Rien qui avance.

— *Il l'a toujours pas ?*

Lydia D. — Non, toujours pas.

— *Il l'a demandé ?*

Lydia D. — On a fait tous les papiers et tout, mais on a toujours rien. On est toujours au même point. (…) Parce qu'elle avait dit que si ça n'allait pas, elle s'en mêlerait, parce qu'elle a dit, c'est pas possible, elle a dit, « un dossier comme ça, elle a dit, ça va tout de suite », elle a dit. Elle a dit, « c'est pas possible ». A un moment donné, je me disais aussi, si c'était pas quelqu'un comme ça qui me foutait la pagaille dans ma vie comme ça, parce que j'ai dit, c'est pas possible de voir des trucs comme ça !

— *D'avoir tellement de malchance ?*

Lydia D. — Je me demandais si quelqu'un me faisait pas du mal.

— *Si quelqu'un vous jetait un mauvais sort ?*

Lydia D. — Oui, je me le demandais.

— *A ce point-là ?*

Lydia D. — Ben oui, parce que c'est un désastre, je sais pas si il y en a comme ça, comme moi, pour l'instant j'en connais pas ; je sais qu'il y en a qui ont des problèmes mais pas autant que moi, déjà au niveau du stage.

— *Même là ? Pourtant ce sont des gens qui ont des problèmes…*

Lydia D. — Ils ont des problèmes, mais pas les mêmes que moi ; je connais leurs problèmes, mais pas si tant que ça ; ils ont pas… il y en a ils ont des problèmes, mais ils ont pas de dettes comme moi, des trucs comme ça, déjà, tout ça, des problèmes de papiers ; ils ont eu leur RMI, oui, et moi je l'ai pas. C'est moi la seule qui est « en cours », j'ai même marqué, parce que, quand on devait s'inscrire, j'ai marqué qu'elle marque « en cours », parce que je savais pas… C'est ça, que je me le demande des fois, je me demandais si on ne me faisait pas du mal au niveau des papiers, ou quelqu'un qui me connaît, qui ne peuvent pas me voir…

— *Et qui vous sabote ?*

Lydia D. — Oui, qui me sabote tous mes papiers et tout ça, c'est pas possible ! C'est pas possible ! On m'a redemandé des papiers que j'avais envoyés, on me les a redemandés trois fois.

— *Oui, malheureusement la Sécurité sociale, c'est souvent comme ça…*

Lydia D. — Non, non, c'est au niveau du RMI. Vous savez pas qu'est-ce qu'on m'a dit aussi au téléphone, j'ai dit, « je voudrais savoir qu'est-ce qu'il en est de mon dossier de RMI, tout ça, parce que j'ai toujours rien ». Parce qu'on m'avait dit, « au bout de dix jours, vous recevrez la somme » et tout ça. Toujours rien, un mois, tout ça. J'ai dit, « vous me demandez le papier de 90 de mon mari, les ressources, je vous les envoie, je dis, c'est pas possible ! » Je dis. Après, elle me fait comme ça, « mais il y a aussi autre chose ». Je dis, « non sur la feuille, c'est marqué 90, les ressources de mon mari ». Et maintenant elle me demande, le papier comme quoi j'ai été en maladie. Je dis, « mais faudrait savoir, alors vous me marquez un truc sur un papier, vous me marquez pas les deux ! Et puis heureusement que je téléphone, vous me demandez autre chose ». Je dis, « non, faut pas prendre les gens pour des imbéciles ! » Alors elle gueulait au téléphone, « non, on ne prend pas les gens pour des imbéciles, c'est pas ma faute si la mairie, elle fout la pagaille », qu'elle me fait, comme ça. Elle me répond comme ça. Vous vous rendez compte ?

[…]

Dossier en instance

Lydia D. — Ils jettent la pierre à un autre…

— *C'est ça, entre la mairie et…*

Lydia D. — Oui, et puis c'est une chaîne sans fin.

— *… et le RMI. Et tout ça, et vous n'avez pas été interrogée pour le RMI par personne, il n'y a pas eu d'enquête…*

Lydia D. — Non, j'ai juste, il avait eu une réunion mon mari, un rendez-vous, quoi. Il lui a dit, « vous l'avez pas », il a dit, « non ». Il a dit, « oh ben, je vais faire une lettre et puis je vais appuyer pour que ça active, ce qu'il en est et tout ça, et que c'est pas normal ; je vais marquer une lettre assez importante ». On attend toujours. Il a dit au bout de 15 jours, ou je ne sais plus combien, « vous aurez la réponse ». Là, c'est dépassé, le délai, il est dépassé. Moi je comprends pas, ou alors elle a oublié de faire la lettre ou elle fait pas son travail, c'est pas possible, celle de la mairie. Il y a un truc.

— Et c'est vous qui faites tous les papiers, tout avec votre mari ?

Lydia D. — Mon mari et moi. Mais je sais remplir les papiers et tout ça, c'est pas mal. Même un peu plus que mon mari, alors j'ai tout rempli comme ça, j'ai tout renvoyé ; même je fais assez vite, dès que je reçois un truc, qu'il faut quelque chose, je renvoie aussitôt. En instance, chaque fois qu'ils me renvoient un papier « dossier en instance », c'est marqué à chaque fois ça, aussi. C'est pas possible !

— Peut-être ça va se régler, ça.

Lydia D. — Je sais pas. Je sais pas. Parce que là, il n'y a pas longtemps, il a eu une entrevue avec une assistante sociale de C., de la mairie. Et elle lui a dit, « j'envoie la lettre, là ». Maintenant j'attends, et là, c'est dépassé, là, on a envoyé le mois de février, c'était du mois de janvier. C'est au milieu de janvier, je crois par là. Et il n'y a toujours rien. C'est pas possible. Faut quand même pas trois jours pour avoir une lettre, ou une semaine, je sais pas combien… c'est pas possible, ça ! Il y a un problème. Je ne sais pas qui c'est qui fait des problèmes comme ça, je sais pas, je peux pas dire. (Il y a que des problèmes comme ça ?) Après, ils ont demandé un papier comme quoi je touchais plus d'allocations du gosse, le dernier papier je leur ai renvoyé ; j'attends, toujours rien. Et on me demande des papiers pas possibles. Quand est-ce que j'étais en maladie, comment est-ce que j'étais payée, les ressources 90, les ressources 89 et que je touche plus d'allocations pour le gosse, un tas de papiers, des trucs que je me demande si ça va pas la tête, de demander tout des papiers comme ça. C'est pas possible ça. Des papiers, ça sert à quoi tout ça !

— Peut-être ça va se débloquer tout d'un coup, c'est bien possible.

Lydia D. — Il m'ont même fait ouvrir un compte pour le RMI quand elle m'a fait le papier, et je l'ai toujours pas. Depuis le 5 octobre 90 ! Oui, j'ai toujours rien et je l'ai ouvert pour ça. Vous vous rendez compte… C'est pas possible. J'ai même dû payer ; elle avait dit, « vous payerez pas », j'ai même payé 50 francs, elle avait dit « normalement le truc dossier RMI vous devez pas payer », j'ai payé 50 francs. J'avais même pas 50 francs, c'est même ma mère qui me les avait prêtés. C'est pas possible ! Il y a un truc qui va pas ! Je sais pas comment qu'ils font. Même là j'ai le courant coupé ; on m'a coupé le courant ; parce qu'il y a 10 000 balles d'électricité, ils m'ont coupé, pas le chauffage parce qu'ils ont pas pu, parce que c'était chez moi et que c'était fermé, mais ils ont coupé l'électricité. On est dans le noir des fois, parce que le week-end, je retourne chez moi. Pour arranger et tout ça, parce que j'ai un chien aussi. J'ai un chien à moi. A m'occuper.

— *Qui reste là-bas ?*

Lydia D. — Je peux pas l'amener chez moi, chez ma mère, puisque c'est un petit appartement, c'est un F3 ; et puis ma belle-mère veut pas me le garder, elle en a eu un, mais mon beau-père il cherche des histoires, ça aboie, etc., pourtant ils ont une cabane au fin fond, ça ne dérange pas. Voilà, parce qu'il est quand même gros comme chien. Ça les dérange. Moi, mon chien, je le garde. J'aime bien les bêtes. J'adore les bêtes.

— *Oui, surtout on s'attache. Et votre mari, il fait un peu de jardin.*

Lydia D. — Jardin, le jardinage, tout ça.

— *Il y va pour ça ?*

Lydia D. — Oui, pour le jardin et tout ça ; il fait des bocaux et tout ça. Oui, il fait les bocaux… il s'occupe beaucoup de tout ça…

— *Oui, ça vous aide à vivre ; ça vous fait quand même une ressource.*

Lydia D. — Oui, voilà. Mmm… c'est pas évident.

— *Non, c'est dur… c'est vraiment dur.*

Lydia D. — C'est dur, hein (…) ; je dis, « pourquoi moi et pas les autres » et j'acceptais pas au début. C'étaient des pleurs, ma mère elle me disait, « arrête ! ». Et puis elle me voyait pleurer, elle me dit, « qu'est-ce que t'as, ça va jamais ». Elle m'engueulait aussi. Et je lui dis, « toi, t'es pas bien, moi je t'engueule pas, alors tu me laisses tranquille, c'est tout ». J'ai dit. Parce que je sais que ma mère, elle a eu les mêmes problèmes et qu'elle ne veut pas me voir pleurer. Elle a eu des problèmes d'argent. Et moi j'ai dit, « t'arrives quand t'as des problèmes, de pas arriver à pleurer ». Elle disait non, elle pleurait aussi. Et je dis, « moi, c'est pareil, il ne faut pas m'en vouloir parce que je pleure. J'y peux rien ».

— *C'est sûr, il y a de quoi.*

Lydia D. — C'est comme mon beau-frère, il voulait que je parte à Marseille et que moi, j'ai pas voulu ; pour retrouver du travail. Je dis, « moi je ne veux pas, j'ai ma maison, j'ai pas fini de payer, et moi, j'ai des dettes et j'ai pas le droit de partir comme ça. C'est pas possible », je dis. Et puis travailler où ?

février 1992

Anne-Marie Waser

Sans feu ni lieu

L'entretien avec Nanou et Michel s'est déroulé là où ils sont en quelque sorte installés, et où ils passent la plus grande partie de la journée, devant les grilles d'une église arménienne du 3e arrondissement de Paris. Assez étroite, à cet endroit la rue n'est guère passante et ne comporte que très peu de petits commerces, mais par contre des galeries de peinture, des agences immobilières et des grossistes. Le couple est connu des habitants des immeubles voisins dont certains lui adressent parfois la parole et discutent un peu de leur situation qui finalement n'évolue guère. Ils sont assez ouverts et semblent ravis du contact qu'ils peuvent avoir avec certains résidents, même s'ils sont souvent déçus par leurs offres d'aide et leurs promesses non tenues.

Au cours d'une première rencontre, en novembre 1990, ils ont accepté d'être interrogés. Je ne connaissais rien d'eux, je supposais que c'étaient des clochards parce qu'ils sont toujours présents à cet endroit et parce que, parfois, ils ont une bouteille de vin rouge à côté d'eux. Leur aspect physique relativement soigné et leurs vêtements en bon état les distinguent pourtant de la plupart des autres clochards : tous deux portent des jeans de couleur noire plus ou moins neufs, des chaussures en cuir, des pulls et des blousons (un blouson en cuir noir pour lui et pour elle une veste doublée d'une fourrure intérieure). La toilette est un de leur combat quotidien : rester propre, se laver est l'ultime étape avant la déchéance (ils prennent une douche deux fois par semaine, portent leur linge à laver « aux machines » et vont régulièrement chercher des « fringues qui sont propres que les gens donnent »). Même si les visages et les mains sont marqués par les longues années passées dehors – l'homme a les doigts noircis par les cigarettes – ils font, comme on dit, « bonne impression ». Elle a les cheveux soigneusement attachés. Quant à lui, il est rasé (même s'il a parfois une barbe de quelques jours).

C'est elle qui porte le sac contenant tout ce qui est précieux : l'argent, les rares papiers qu'ils possèdent (un acte de naissance vieux de plusieurs années et soigneusement plié que Michel a mis dans un portefeuille), la radio et les cigarettes. Ils tiennent à donner une bonne apparence et même s'ils se reconnaissent « clochards », ils ne recherchent pas la compagnie des autres clochards et évitent de fréquenter les lieux où ils se regroupent. « Si on sort avec des clodos comme nous, c'est problème, ça se bourre la gueule », dira Michel, qui décrit presque avec dégoût les clochards qu'il leur arrive de rencontrer dans certaines salles de cinéma, avec « leur casse-croûte et tout, leur bouteille et [qui] s'engueulent ».

Plus âgés et moins familiarisés avec le système institutionnel que les jeunes sans-abri qui ont été scolarisés et qui parfois possèdent des diplômes, Nanou et Michel n'ont guère recours à l'assistance qu'ils décrivent comme une épreuve humiliante et ils préfèrent la

« débrouille ». Ils ont le sentiment d'être exclus des systèmes de protection ; ils n'ont pas la possibilité d'être logés en HLM et résident dans des habitats de fortune (caves, halls d'immeuble, voies de garage, ponts ou arcades). Ils risquent à tout moment d'être pris par les « bleus » et conduits à la maison de Nanterre qui, comme les foyers d'accueil, est pour les clochards une sorte de maison d'arrêt dans laquelle, avec un sentiment coupable, ils doivent ôter leurs habits (afin d'être lavés), passer sous une douche et partager avec les autres pensionnaires des moments toujours pénibles qui leur rappellent encore une fois qu'ils sont des moins-que-rien. Ils doivent aussi se plier à des horaires et perdent non seulement leurs repères, mais également la liberté de mouvement à laquelle ils sont très attachés.

Nanou et Michel paraissent enchantés de réaliser cet entretien, non qu'ils en attendent grand-chose, mais plutôt parce que ça leur fait une distraction qui permet de changer un peu leur quotidien. Sans attache familiale, sans ami et sans cesse repoussés ou renvoyés, ils n'ont pour seule compagnie qu'une petite radio qui leur parle.

Ils sont tous les deux issus de familles nombreuses qui ont connu le chômage et dans lesquelles les problèmes se sont accumulés (argent, santé, alcool, etc.) jusqu'à ce que la famille éclate (disputes des parents, séparations des enfants, etc.). Ils ont été à l'Assistance publique, puis placés dans des familles. Ils n'ont gardé aucun contact avec leurs familles et se retrouvent illettrés, sans qualification. Sans marquer vraiment de rancune à l'égard de leurs parents, ils les rendent clairement responsables de leur situation actuelle. S'ils ont trouvé du travail quand ils étaient jeunes (au début des années 60) – elle comme femme de service dans une école maternelle, lui dans une mine de charbon –, ils sont les premières victimes de la récession économique des années 70 et ne trouvent plus guère que des petits boulots au noir de plus en plus dégradants (de femme de ménage au ramassage de cartons dans la rue et de manœuvre dans le bâtiment au ramassage du cuivre dans les poubelles), puis c'est la manche. Mariée à un Kabyle (employé dans le bâtiment) à 16 ans, Nanou est mère de cinq garçons et d'une fille. Elle perd son emploi ; son mari ne paie plus le loyer, boit, joue au poker et trompe sa femme : ils divorcent et elle quitte l'appartement avec sa fille de quelques jours. Elle rencontre Michel qui est dans une situation analogue. Ils partagent aujourd'hui cette vie de misère. Ils ont 38 et 44 ans. Elle est enceinte et ils sont « à zéro ».

Accepter la charité, c'est afficher clairement leur misère. A la main tendue, ils préfèrent des petits boulots qui ne rapportent parfois que trois ou quatre francs par jour. Quand ils n'ont pas l'argent nécessaire pour manger, ils sont contraints à faire la manche. Mais ils ne la font pas de manière visible. Ils n'ont ni pancarte, ni petite boîte qui feraient comprendre aux passants qu'ils mendient. Ils ne tendent pas systématiquement la main, ils saluent d'abord puis demandent des pièces et ce n'est que lorsque les gens s'apprêtent à les leur donner qu'ils tendent la main. Comme la plupart des clochards, ils organisent leur existence autour d'activités qui donnent un rythme et un sens à leur vie : il faut être au bon moment pour faire les poubelles des quartiers chics, avant que d'autres ne soient déjà passés ; il faut partir tôt le matin pour ramasser la ferraille ou le cuivre ; arriver à temps pour la fermeture des marchés, etc. S'ils possèdent des biens (objets destinés à la vente, effets personnels), ils les protègent en les plaçant dans les consignes des gares. Mais pour payer la consigne, il faut un budget : trouver chaque jour 10 à 15 francs. Il faut « travailler », vendre ou faire la manche, pour conserver la consigne. Sinon, ils doivent se contenter de « planques » qui ne sont jamais très sûres. Ils rangent, nettoient, réaménagent leur logement de fortune, utilisent les toilettes publiques et les laveries automatiques pour leurs soins corporels, ont leurs circuits de promenade et leurs territoires de « chasse » pour la manche. Quand la journée a été maigre et qu'ils n'ont pas de quoi acheter à manger, ils vont au secours alimentaire où on leur sert une soupe difficile à avaler. La précarité même de leur logement installé dans un couloir d'immeuble et dans lequel ils ne peuvent même pas se préparer un repas chaud à midi – car « on n'est pas chez nous », expliquent-ils, « on peut pas rentrer là » – leur interdit d'y rester dans la journée et les contraint à errer pour tuer le temps lorsqu'ils n'ont aucune activité précise en vue : « on traîne, on se promène », « on s'emmerde, hein », « faut rentrer tard n'importe comment ».

Ils cherchent à rendre de petits services, comme surveiller les véhicules des riverains en stationnement interdit et prévenir quand un agent de police est en vue ou encore ouvrir et refermer la grille qui entoure la cour de l'église pour les voitures autorisées à y stationner (le curé leur a confié les clés de la chaîne fermant la grille et ils la conservent, tout honorés de cette confiance).

Lorsque je me suis présentée pour l'entretien, ils

étaient devant l'église comme d'habitude en train de discuter avec un adolescent de nationalité chinoise qui habite un immeuble voisin. Ils tutoyaient le jeune homme et semblaient bien connaître la situation de sa famille ; ils ont évoqué le cas du jeune frère, qui est en train de « mal tourner », et la nécessité de le reprendre rapidement en main : « il faut le visser », diront tour à tour Nanou et Michel. A la fin de la discussion, alors que je m'apprêtais à leur rappeler l'entretien, ils ont fait un signe pour montrer qu'ils s'en souvenaient parfaitement et étaient prêts à répondre aux questions. C'est Michel qui a pris le premier la parole pour demander à Nanou de commencer à répondre. Elle se montre un peu réticente et ne commence à parler qu'après y avoir été poussée par Michel. Elle tient le micro un peu maladroitement au début comme pour montrer que ça l'embarrasse, puis elle jouera bien le jeu et passera le micro à Michel quand il prendra la parole et le reprendra ensuite à nouveau. En les vouvoyant, j'ai sans doute imposé du même coup le vouvoiement. Mais à la fin de l'entretien, après la visite de leur logement de fortune, vouvoiements et tutoiements se mêlent.

Plusieurs difficultés sont apparues à chacun de nos échanges : la brièveté de leurs réponses, qui oblige sans cesse à poser de nouvelles questions. J'ai relancé selon une ligne directrice chronologique (leur faire raconter à chacun leur histoire, de leur enfance jusqu'à aujourd'hui) qui ne correspond pas véritablement à leur façon à eux de la raconter. Les souvenirs qu'ils ont sont bien plus liés à des lieux ou à des personnes qu'à des dates. La durée des différentes phases de leur vie semble moins importante que la qualité de ce qu'ils ont vécu à ces moments-là (Michel parle plus longuement, et avec plus de détails, d'un travail qu'il a eu dans le bâtiment pendant quatre mois que de son expérience dans une mine où il a travaillé 25 ans). Ils formulent leurs réponses en quelques mots. Ce n'est qu'en de rares occasions qu'ils ont enchaîné plusieurs phrases.

La femme s'exprime beaucoup plus aisément que son ami qui parle parfois très peu distinctement. Il maîtrise plutôt mal le français. Il a beaucoup de difficulté à se souvenir des noms de personnes, de lieux, des dates et même parfois des mots, et demande systématiquement de l'aide à sa compagne. Au début de l'entretien, j'ai ressenti de la part de Michel une volonté d'affirmer sa préséance sur Nanou, qui est plus à l'aise pour s'exprimer (c'est sans doute elle qui prend la parole pour représenter le couple quand ils s'adressent à des gens étrangers à leur milieu). Il lui a quasiment imposé de prendre la parole alors qu'elle aurait préféré, un peu intimidée par le magnétophone, que l'on commence par parler de Michel. L'un et l'autre respectent le tour de parole décidé au début de l'entretien et n'interviennent pas de manière intempestive, mais seulement pour donner des précisions qui, presque toujours, vont dans le sens de ce qui a été dit et montrent que chacun connaît bien la vie de l'autre. A un seul moment, Michel a demandé à Nanou une précision sur sa trajectoire (« Dans quel foyer que t'as été quand j'ai été en prison ? »). Pour parler de lui, elle dit toujours « mon mari » (ils ne sont pas mariés pour le moment, même s'ils l'envisagent), alors que lui l'appelle soit par son prénom, soit par son surnom, mais ne dit jamais « ma femme ».

Michel s'exprime sans réserve, donnant l'impression

de pouvoir parler de tout, sans honte ni gêne. Ce n'est pas le cas de Nanou qui a montré, sur les questions d'argent notamment, une certaine gêne et une forme de réticence vis-à-vis des regards extérieurs. Dans ses gestes et dans sa voix, elle parvient à exprimer de manière beaucoup plus sensible que Michel la difficulté de vivre leur situation. Elle exprimera assez souvent son ras-le-bol en baissant les bras et la tête ou en donnant parfois à sa voix, volontairement semble-t-il, des intonations proches du sanglot. Les histoires qu'elle me raconte, son intonation, les gestes qui accompagnent son récit, tout cela paraît être le produit d'une certaine expérience de mise en scène de la misère. Michel, par contre, ne semble pas chercher à m'émouvoir avec la malchance ou les injustices dont il se dit victime. Il parle d'une manière franche, droite et quasiment sans émotion de son histoire et des échecs qu'il a subis. Dans le récit même que tous deux font de leur vie perce un certain fatalisme : ils se présentent la plupart du temps comme des victimes (« j'me suis fait vider »), ne cherchant à trouver des causes à leurs malheurs que si on les y incite (« la boîte a coulé », « j'ai pas donné de certificat médical »).

Ils se sont installés au rez-de-chaussée d'un immeuble délabré. Ce bâtiment, disent-ils, sera d'ici peu de temps entièrement rénové et, de nombreux appartements sont inoccupés (fenêtres condamnées par des planches en bois). L'entrée de l'immeuble qui mène à un escalier en bois est assez étroite et comprend d'un côté les boîtes aux lettres et de l'autre un mur pourri par l'humidité. Il n'y a pas de logement au rez-de-chaussée. Seul, un autre couloir, perpendiculaire à celui de l'entrée, donne sur une porte conduisant vers les caves. Ils ont choisi ce couloir, qui n'est pas très fréquenté, pour s'installer. Ils occupent le bout de ce passage, en partie sous les marches de l'escalier qui tourne au niveau du demi-étage. Un vélo est posé contre le mur et les poubelles de l'immeuble ne sont pas bien loin. L'entrée et la cage d'escalier ne sont éclairées que d'une seule ampoule qui pend aux fils électriques. Elle donne très peu de lumière et reste d'ailleurs allumée jour et nuit, puisque, même la journée, il fait très sombre. Les peintures des murs sont très sales et on aperçoit le plâtre à certains endroits d'un mur écorché lors des déménagements. L'escalier en bois n'est visiblement pas balayé régulièrement et sans doute jamais ciré, pas plus que le sol en carrelage des couloirs.

De l'entrée, on devine à peine leur squat : dans l'obscurité, un matelas en mousse plié en deux et coincé en dessous de l'escalier ; à côté, un grand carton contenant les habits et les couvertures pour la nuit. Entre le matelas et la caisse se trouve la « cuisine » : le réchaud à alcool à brûler, la casserole, les ustensiles de cuisine et le « garde-manger » (paquets de pâtes, sachets de purée, de soupe, etc.). Tout est bien rangé la journée, hors de portée de la voracité des rats. Ils ont fait le ménage avant de partir pour leur petit boulot du matin. Ce n'est que tard le soir, après le retour des locataires, qu'ils déballent leurs affaires, préparent le repas, puis se couchent.

Pour faire ressortir le caractère bref et laconique des propos, on a choisi de retranscrire intégralement, en première partie de l'entretien, les questions et les réponses qui, en deuxième partie, seront parfois regroupées pour faciliter la lecture.

avec un couple de clochards

— entretien de Anne-Marie Waser

« Parler de soi quand on n'est rien »

— Je travaille pour un organisme qui s'intéresse à la vie des gens sans abri. Et c'est pour savoir qui sont ces gens et comment ça se fait qu'ils en sont arrivés là. Il faut donc que je trouve des gens qui sont dans la rue, c'est votre cas, et voir quels sont les problèmes qu'il y a. Au début, ce qu'ils aimeraient c'est que vous racontiez chacun individuellement votre enfance et tout ça, quoi.
Michel — [*À Nanou*] Alors vas-y, raconte ta vie.
— [À Nanou] *Disons qu'on commence par vous. Prenez le micro...*[Je lui tends un petit micro qu'elle regarde d'un air gêné avant de consentir à le prendre.]
Nanou — Mais qu'est-ce que je dois raconter ? [*Elle rit tout en paraissant un peu coincée comme si elle était prise dans un piège.*]
Michel — Ben vas-y, comment t'es d'venue comme ça, par qui, comment ? [*Il bouscule un peu Nanou du coude, cherchant à la faire parler.*]
Nanou — Comment ?... [*soupir*]
Michel — Ben vas-y.
— Comment était votre famille ? Où c'est que vous habitiez à l'époque et tout ça, quoi.
Michel — Vas-y Nanou. [*Il adopte un ton plein de douceur et d'encouragement*].

L'enfance et le mariage de Nanou

Nanou — Ben j'étais déjà abandonnée à l'Assistance publique à deux ans par mes parents. C'étaient des alcooliques.
— Qu'est-ce qu'il faisait votre papa ?
Nanou — Il était... en général il était relieur. Mais après il a abandonné.
— Il était employé ?
Nanou — Oui, relieur dans... et ma mère était lingère dans une blanchisserie.

— *Et c'était dans quelle ville ça ?*

Nanou — Euh, à Bagnolet, mon père. Et ma mère c'était rue Saint-Denis.

— *Et puis il a arrêté de travailler? Ou comment ça c'est passé ? Parce qu'il était alcoolique ?*

Nanou — Moi j'étais petite, je ne sais pas.

— *Et les frères et sœurs ?*

Nanou — Ben j'ai trois frères, euh oui, trois frères. Mais ils habitent rue de Charenton, à côté du marché d'Aligre dans le 12e. Ils veulent pas me voir.

— *Ils étaient aussi à l'Assistance publique, vos frères et sœurs ?*

Nanou — Non, j'ai pas de sœur. J'en ai eu une sœur, mais elle est morte à la naissance, elle avait une maladie.

— *Et vos frères ils étaient plus âgés que vous ?*

Nanou — Non, c'est moi la plus âgée.

— *Mais ils sont aussi allés à l'Assistance publique alors ?*

Nanou — Il y en a trois qui ont été à l'Assistance publique et le quatrième il n'a pas été.

— *Ah bon ! et qu'est-ce qu'il a fait le quatrième ?*

Nanou — Ben il est resté avec ma mère.

— *Ah bon, ça a marché cette fois-ci, elle a pu le garder.*

Nanou — Ben elle était gardienne rue Mouraud... [*Elle a plus d'assurance dans sa voix, parle avec plus de confiance et semble oublier un peu la situation d'entretien.*]

— *Après lingère elle est devenue gardienne ?*

Nanou — Gardienne, concierge dans une seule petite pièce.

— *Et pourquoi elle a arrêté lingère ?*

Nanou — Ah ça je sais pas.

— *Et vous, après l'Assistance publique ?*

Nanou — Ben j'étais... on gardait, je gardais, j'étais placée dans une famille, je suis restée pas mal de temps.

— *On vous a placée dans une autre famille, c'est ça ?*

Nanou — Même mes frangins, ils étaient placés à côté de moi, mais on n'était pas ensemble.

— *Et c'étaient qui ces gens-là ?*

Nanou — Ben c'était une famille, paysan...

— *Ils n'avaient pas d'enfant ? Ils voulaient prendre un enfant ?*

Nanou — Oui, n'importe comment ils en avaient plein de l'Assistance.

— *Vous étiez avec combien d'enfants là-bas ?*
Nanou — Il y avait trois filles puis moi.
— *Et vous êtes restée combien de temps là-bas ?*
Nanou — Au moins, cinq ans.
— *Jusqu'à sept ans.*
Nanou — Mon grand-père nous a élevés un petit peu. Après mes parents m'ont récupérée parce que j'avais un grand-père qui habitait rue Saint-Nicolas, c'est pas mon vrai grand-père, mais… c'était un grand-père quand même [*mimique presque tendre, elle incline un peu la tête de façon sentimentale*]. Il nous avait repris tous, on est revenus tous. Mon père, il avait disparu dans la nature, j'sais pas où [*rire pour montrer que ça ne l'a pas trop affectée*]. Mon grand-père, il nous a élevés un petit peu. On avait été un peu à l'école à côté de la rue de Charenton, mais on n'a pas été beaucoup à l'école, hein.
— *Pourquoi ? Donc à partir de sept ans…*
Nanou — Non, parce que vous comprenez pas, parce que quand mon père il est revenu plus tard après, la nuit il fallait se lever pour aller chercher des mégots d'cigarettes par terre pour qu'il puisse fumer et chercher à boire. Et en plus j'étais mariée à un Arabe.
— *Mais ça c'est plus tard ? A quel âge vous vous êtes mariée ?*
Nanou — Moi, je me suis mariée j'avais 16 ans.
— *Et comment vous l'avez connu, c'est un Kabyle, vous m'avez dit l'autre fois ?*
Nanou — [*Rire un peu gêné*.] Dans un bal j'sais pas où. (…) A Vitry dans le Val-de-Marne. (…) c'était un Noël et puis… on est restés deux ans sans être mariés et puis après on s'est mariés. Mais j'ai eu cinq fils et une petite fille.
— *Et vous êtes restée avec lui jusqu'à quel âge ? C'est lui qui a demandé le divorce ?*
Nanou — En 83 j'ai divorcé [*elle a alors 37 ans*]. On a demandé tous les deux. Ben, quand je… parce que j'ai travaillé à la ville de Vitry-sur-Seine, moi, comme femme dans les écoles. J'ai travaillé pendant presque 27 ans et lui il m'a fait chier, il téléphonait tout le temps à la directrice [*pour demander*] si j'étais là, si je… où que j'étais partie et tout ça. Parce que la directrice, elle passait pas toujours les coups de téléphone, hein. Alors des fois, elle en avait marre.
— *Et pourquoi il se méfiait ?*
Nanou — [*Hausse les épaules de façon interrogative.*] Et pour-

tant il n'y avait personne. Parce que je faisais le trajet [*de la maison au travail, seule*]. Et un jour je rentre, plusieurs jours [*c'est arrivé plusieurs fois*], je rentre à la maison : il était avec une bonne femme dans mon lit. Alors c'est là que ça a commencé.

— Mais d'abord c'est lui qui vous a suspectée d'avoir une autre relation puisqu'il téléphonait toujours ?

Nanou — J'avais pas de relation du tout, hein.

Michel — Il était jaloux. Et il buvait aussi.

Nanou — Ben oui, et il jouait aux cartes. Au poker. Et puis ses sous...

— Et qu'est-ce qu'il faisait, lui, comme profession ?

Nanou — Peintre en bâtiment. Mais plusieurs fois il a été en Arabie saoudite, il gagnait trois millions par mois. (...) C'est le directeur de Vitry qui l'avait placé comme contremaître ou sous-directeur en France, mais après il partait pendant trois ou six mois là-bas en Arabie saoudite.

— Quel âge il a ?

Nanou — 42, deux ans de moins que moi. Là maintenant il est remarié, il a deux enfants (...) avec une Arabe.

— Et vous vous voyez encore un peu là ? Et alors vous êtes restés en bons termes ?

Nanou — [*Un peu hésitante.*] Si, on l'a vu une fois avec lui [*elle montre Michel de la tête*]. Oh, non non non, j'aime mieux pas le voir.

Michel — Moi, il veut pas me voir.

Quand on est placé à l'Assistance publique, l'école c'est pas obligatoire

— Et votre scolarité, comment ça c'est passé quand vous étiez dans votre première famille ? Alors qu'est-ce que vous faisiez là ?

Nanou — Ben je gardais des vaches. chez un paysan (...) au fin fond de la...[*campagne*]. Il n'y avait aucune maison dans...

— Et ça vous a plu, ça ?

Nanou — Pas tellement, mais... [*elle a un sourire un peu navré*].

— Et qu'est-ce que vous vouliez faire ?

Nanou — ... [*elle hausse les épaules*].

[...]

— Et après quand votre grand-père vous a reprise, vous êtes allée un peu à l'école ? Votre grand-père vous a gardée jusqu'à quel âge ?

Nanou — Non, j'ai une autre famille encore. Une dame qui m'avait [fait] rentrer à la ville de Vitry, elle était adjointe au maire à Vitry. C'est quand je suis rentrée à 16 ans. (...) C'était la demi-sœur à ma mère.

— *Et l'école, comment ça c'est passé ?*

Nanou — Oh ben il n'y a pas eu grand-chose [*rire*]. (...) Parce que je savais pas lire, ni écrire [*rire*].

— *Mais l'école c'est fait pour apprendre ?*

Nanou — Hein ben... [*Elle adopte un ton plaintif*.] Quand on est à l'Assistance publique, quand on sort de l'Assistance publique, on vous met... vous tombez dans une famille, on vous fait travailler tout de suite, on va pas à l'école. (...) J'avais neuf ans quand je suis retournée, quand mes parents m'ont récupérée. Ils ont récupéré moi, mes deux frères, et les autres, ils étaient restés avec mes parents.

— *Alors vous avez de nouveau habité avec vos parents. Et comment ça c'est passé ?*

Nanou — Et puis mon grand-père, rue Saint-Nicolas. (...) Ben c'était mon grand-père, mais en général c'était même pas le vrai grand-père parce que...

— *C'était le père de votre père ou de votre mère ?*

Nanou — De ma mère.

Michel — Il chantait dans la cour.

Nanou — Oui, j'étais plusieurs fois chanter dans la cour quand j'étais petite. Il chantait dans les cours pour gagner ses sous.

— *Et alors, à neuf ans vous êtes allée à l'école ?*

Nanou — J'ai presque jamais été à l'école.

— *Mais c'est obligatoire ?*

Nanou — Mais non, c'est pas obligatoire. Quand on est placé à l'Assistance publique c'est pas obligatoire.

— *Et vous ne vouliez pas y aller ? Vous pensiez que ça ne valait pas la peine ?*

Nanou — Mais non, n'importe comment à 16 ans...[*elle s'est mariée*].

— *Mais à neuf ans quand vos parents vous ont reprise, vous n'êtes pas allée à l'école ? C'est vos parents qui ne voulaient pas ?*

Nanou — Non, je n'étais pas à l'école. C'est moi [*qui ne voulais pas*]. J'allais au cinéma, oui [*rire*] avec mon grand frère.

— *Et qu'est-ce que vous avez fait pendant tout ce temps-là ?*

Nanou — Ben… on a vécu avec mon grand-père et puis c'est tout. C'est moi qui l'accompagnais pour aller chanter, ramasser les pièces, aller trouver les bouchers et des trucs comme ça. Parce que mon grand-père connaissait les bouchers, il ramenait de la viande et un tas de trucs. Ça a duré cinq ans.

— Et après ?

Michel — Ben, maintenant on est à zéro.

Nanou — Maintenant ouais [*renifle comme si elle pleurait*].

— Et vos frères ?

Nanou — Ben non, ils veulent pas me voir.

— C'est quand que vous les avez vus pour la dernière fois ?

Nanou — Oh, il y a deux ans.

— C'est eux qui sont dans le gardiennage ?

Nanou — Oui, ils ont repris le truc à ma mère. Parce que ma mère elle est morte, mon père il est mort. Ils sont morts tous les deux d'un cancer il n'y a pas longtemps. Ma mère elle est morte en 80, mon père est mort.

[…]

— Et le grand-père, il est mort aussi ?

Nanou — Ah oui, le grand-père il est mort à Monaco.

— A Monaco ? Qu'est-ce qu'il faisait là-bas ?

Nanou — Ben chez sa… il avait une autre fille là-bas. Sa fille était médecin et son beau-fils était médecin. Il est mort là-bas.

— Et eux, ils ne pouvaient rien faire pour vous ?

Nanou — Rien. Même ils ont jamais voulu faire rien pour ma mère et mon père. Alors pourquoi ils auraient voulu faire pour moi ? [*Voix tremblante, mine abattue.*]

— Vous leur avez demandé ? Et comment ça se fait que la famille n'a pas aidé ?

Nanou — Ça je ne sais pas [*elle hausse les épaules*].

Michel — Parce qu'on est ivrogne (…). On picole. Non, pas nous. Mais ses frères gardiens, ils picolent 24 sur 24.

[…]

— Mais ils ont un boulot quand même.

Nanou — Il y en a un qui est gardien, mais les deux autres, ils pourraient travailler. (…) Mon frère qui est gardien, a 49 ans. Non, qu'est-ce que je raconte, non, 42. L'autre il a 39 ans et le troisième 28 ans. Et puis j'ai mes deux fils qui vivent avec eux. Ouais parce que mon mari, mon ex-mari les a mis à la porte, alors ils vivent chez mes frangins.

— *Et vos enfants ont fait une scolarité ? Qu'est-ce qu'ils ont fait vos enfants ?*
Nanou — Rien [*ton sec et cassant*].
— *Aucun n'est allé à l'école ?*
Nanou — Non. Si, la petite dernière, elle est restée avec le père. Mon mari, mon ex-mari en a gardé deux ; les deux derniers. Ceux-là ils vont à l'école.
— *Et les autres sont avec votre frère. Ça fait beaucoup de monde ?*
Nanou — J'ai cinq fils et une fille.

Quand on vit comme on vit, on ne peut pas retrouver du travail

— *Vous avez travaillé dans une crèche, vous m'avez dit.*
Nanou — Dans une école maternelle.
— *Comme agent de service ?*
Nanou — Oui, et puis j'aidais les gosses à faire les dessins et des trucs comme ça, à les apprendre [*petit sourire à l'évocation de souvenirs meilleurs*].
— *Ça vous a plu, ça. Vous n'auriez pas voulu faire maîtresse de maternelle ?*
Nanou — Hmmm ! faut avoir un gros bagage [*elle lève les sourcils et hoche la tête*].
— *Vous avez travaillé 25 ans là-bas ?*
Nanou — 27.
— *Ça fait beaucoup, ça. Et les gens là-bas ils n'ont pas pu vous aider ? Ils devaient être contents de vous quand même, 27 ans c'est beaucoup ça ?*
Nanou — Mes collègues, ils étaient gentils avec moi, oui.
— *Vous les voyez encore, là ? Vous êtes sûre qu'ils ne peuvent pas vous aider ?*
Nanou — Non, je ne vais plus à Vitry. Non, c'est terminé, ça a été passé par euh… comment ça s'appelle… ils m'ont mis en machin, termi… oh, comment ça s'appelle ?
Michel — En demi-retraite. [Dis] combien tu touches.
Nanou — Tous les trois mois je touche 4 000 francs.
Michel — On prend deux, trois fois un hôtel et puis ça y est, il n'y a plus rien. [*Lors de la première entrevue, il a expliqué qu'ils vont deux ou trois fois par mois dans un hôtel à bon marché pour se laver et dormir dans un lit.*]

— *C'est parce qu'ils ont fermé la crèche ? Pourquoi ils vous ont mise en retraite anticipée ?*
Nanou — Parce que j'avais pas fourni de certificat médical. Pendant huit jours, je suis passée au maire, j'suis passée par un adjoint et puis j'étais virée comme ça. C'était comme ça [à] la ville de Vitry, y'en a pas mal qui se sont fait virer comme ça, des femmes de service, des euh…
— *Ils avaient trop de personnel ?*
Nanou — Sûrement, pour virer comme ça.
— *Vous n'avez pas essayé de retrouver une autre crèche ?*
Nanou — Mais non, je ne peux pas.
Michel — Quand on vit comme on vit, on ne peut pas.
— *Mais si, pourquoi ?*
Nanou — [*Ton assez agressif.*] Ben non, euh. Écoutez, non on ne peut pas trouver du travail : des fois on peut pas manger parce que personne nous donne. Des fois on dort sur des cartons, quand on se lève on a mal dans les reins, on a mal partout, on est emmerdés par des gens, les flics qui nous… on nous fait mettre ici, comme si on était des voleurs [*elle parle sans doute de la maison de Nanterre qu'elle cite plusieurs fois par la suite*]. Pourquoi ils arrêtent pas les drogués ou les truands, là ? [*doigt pointé vers eux, dans le vide*].
— *Au moment où vous vous êtes fait virer, vous n'étiez plus avec votre mari ?*
Nanou — Ben j'avais divorcé déjà. C'est là qu'il commençait à emmerder le monde.
[…]
— *Et quand vous avez divorcé, vous avez trouvé un autre appartement ?*
Nanou — Ben, non. C'est lui qu'a gardé l'appartement. C'était un HLM, il a pas loué, il a rien fait. N'importe comment, normalement c'était mon appartement. C'était un logement d'employés communaux.
— *Donc il était à votre nom. Et comment ça se fait que lui il est resté dedans ?*
Nanou — Ah… Toutes les semaines les assistantes sociales y venaient : Monsieur A., faut virer. Les flics plusieurs fois j'les ai appelés. Il a cassé complètement les portes, des trucs… Cinq minutes [après que] les flics ils étaient partis, il venait.
— *Et le divorce, comment ça s'est fait ? Vous avez demandé la garde des enfants ?*

Nanou — Ben, c'est pas moi qui ai demandé la garde des enfants. J'aurais pas pu, dans la rue. Moi, j'ai accouché de ma fille le 19 septembre 83, le lendemain je divorçais et le surlendemain, je foutais le camp avec ma fille et mon fils Malek.

— Et pourquoi est-ce que vous êtes partie ?

Nanou — Parce qu'il m'a virée dehors.

— Mais l'appartement était à vous ! C'est vous qui payiez le loyer.

Nanou — Non, on avait un… comment ça s'appelle. Parce que un jour, pendant plusieurs mois, il n'avait pas payé le loyer et puis la DASS nous avait mis une tutelle, c'est lui qui payait le loyer et ce qui restait, c'était pour les enfants. Mais lui, il prenait ma paye, il prenait le restant et puis il s'en allait jouer aux cartes, voir ses bonnes femmes et puis tout le bordel.

Les enfants, c'est des drogués

— Et vous vous entendiez bien avec vos enfants ?

Michel — (…) Si, la gamine [ça va], le petit, oui, le restant… [*signe vaguement négatif*].

— Et à partir de quel âge ils sont devenus comme ça les enfants ? Au début ça devait être bien avec tous ces enfants ? Non ?

Nanou — N'importe comment, c'est des drogués. J'partais au marché avec la petite dans le landau, y s'faisaient des piqûres et tout ça avec des copains. Alors c'était pas la peine. En plus, ils piquaient ma paye et tout aussi, eux.

— Alors vous n'avez plus de contact du tout avec eux.

Nanou — Je sais qu'il y en a deux qui sont chez mes frangins et c'est tout.

— Les autres, vous ne savez même pas où ils sont ?

Nanou — Ben si, il y en a un qui est au service militaire en Algérie, les autres, pff… Ma fille, elle est avec… la belle-mère [*silence*].

— Et donc là, vous êtes arrivée quand dans le 3e arrondissement ?

Nanou — Ça fait huit ans. Ensemble [*avec Michel*] ça fait huit ans qu'on est ensemble. On a travaillé…

Michel — Au noir, à droite, à gauche.

— Et vous vous êtes rencontrés quand ? Où ?

Michel — Sous les arcades à côté de la poste [*un squat*]. (…)

Avant on habitait chez une petite vieille. (…) Y'avait un mec qui devait venir [chez la vieille dame]. La vieille, elle ramassait les bouteilles pour les refourguer.
Nanou — Vous savez, elle ramassait dans les poubelles les bouteilles pour les refourguer. Elle avait aligné toutes les bouteilles comme ça. Après y'a un aide social de la Mairie du 3e qui est monté, il voulait nous donner un secours et puis nous chercher quelque chose, ben il a vu toutes les bouteilles, ben il a compris.
Michel — Il pensait qu'on picolait.
Nanou — Il a compris tout de suite.
Michel — Il a dit : « Messieurs Dames, je ne peux rien pour vous, vous picolez, eh bien continuez. » Il est parti.

— Et la petite vieille, elle vous a accueillis comme ça ?
Michel — Non, je la connais depuis longtemps. La petite vieille, moi je l'ai aidée. Son mari, il était infirme, je le lavais et tout ça. Il ne pouvait plus marcher, plus rien. Il était assis. Je l'aidais, c'est tout.

— Alors c'est comme ça qu'elle vous a prêté une chambre ?
Michel — Non, ce n'était pas une chambre, on dormait à terre, hein.
Nanou — Comme des chiens oui.
Michel — A côté de la porte. Il y avait deux pièces seulement. Il y avait son lit. Nous, on dormait dans la cuisine. On l'aidait, c'est tout. […]

— Et qu'est-ce que vous avez fait comme petit boulot ?
Michel — Bon, ben moi j'ai travaillé dans le bâtiment, au noir.

Ouais, ma mère doit être morte

— Bon, ben vous aussi, vous racontez depuis le départ. [Nanou lui passe le micro.]
Michel — Bon on s'est connus comme ça. Moi je suis du Nord, Bruay-en-Artois, près de Valenciennes, Pas-de-Calais. J'ai un frère, il est bidon. J'ai une sœur…

— Attendez, bidon ? Qu'est-ce que ça veut dire ça ?
[*Il a commencé à raconter très vite son histoire, comme s'il avait peur de ne pas réussir à s'exprimer dans le micro.*]
Michel — Il va toujours en prison, des trucs comme ça. J'ai une sœur qui lave les carreaux. (…) Mon frère est plus grand, plus vieux, ensuite moi et puis une sœur.

— Et vos parents qu'est-ce qu'ils faisaient ?

Michel — Moi, c'est... avant, euh, c'est pas des parents, c'est une famille qui m'a pris avec eux.

— Donc vos parents vous ne les avez jamais connus, jamais vus ?

Michel — Euh non, jamais vus. C'est une famille comme ça qui nous a pris. J'étais à l'Assistance publique, je me suis sauvé plusieurs fois, plusieurs fugues.

— Pourquoi, ça ne vous plaisait pas ?

Michel — Ben non, faut (...), faut aller au carré, ça me plaisait pas ça, moi. (...) C'est un grand dortoir, 100, 200 personnes, même avec des jeunes, tout ça. C'est pas mélangé. D'un côté c'était les femmes, d'un côté c'était les hommes.

— Comment on passe une journée là-dedans ? Qu'est-ce qu'on fait ?

Michel — Eh bien, on s'embête, on tourne en rond. Le matin on se lève, on prend le petit déjeuner, on doit astiquer le plancher, on doit donner un coup de main. (...) C'est des moniteurs qui nous surveillent. On jouait aux cartes, [on faisait] des conneries. (...) Il y avait des sorties que le dimanche, c'est tout. Le restant rien.

— Vous n'avez pas appris à lire, à écrire ?

Michel — Non.

— Vous n'êtes pas allé à l'école ?

Michel — Non jamais.

— Et combien de temps vous êtes resté à l'Assistance publique ?

Michel — Moi j'ai rentré à l'Assistance publique j'avais deux ans. J'avais une famille. J'ai travaillé, donné un coup de main à gauche et à droite. (...) Premièrement j'étais dans le bâtiment, c'est des coffrages de béton qu'on coule et puis ça monte les immeubles comme ça [*geste des mains à l'appui*].

— Donc c'est vous qui mettiez le bois pour faire les coffrages ?

Michel — Ouais, après le béton, le fil de fer, le grillage. (...) J'ai fait ça à partir de 16 ans. Après, quand j'étais plus vieux j'ai travaillé dans une mine.

— Et pourquoi vous avez arrêté dans le bâtiment ?

Michel — Oh, ça a fait faillite. La boîte a fait faillite.

— Et là vous étiez payé au noir aussi ?

Michel — Non, c'était déclaré. C'est... c'est pas mon père, c'est l'autre qui me cherchait la paye et puis je faisais la java (...).

— C'est qui l'autre ?

Michel — C'est… euh comment ça s'appelle, le père nourricier… Il s'appelle Gaston, ma mère elle s'appelle B., lui il est toujours bourré, pareil.

— *Mais vous les avez vus après vos parents ?*

Michel — Oui, après je les ai vus. Oh, j'avais 20 ans.

— *C'est vous qui avez fait des recherches pour les trouver ?*

Michel — Non c'est eux qui ont fait des recherches. Seulement c'est moi qui ai laissé tomber.

— *Et qu'est-ce que ça vous a fait comme impression de les voir ? Qu'est-ce que vous avez dit ?*

Michel — J'ai vu. On a discuté… On s'est dit bonjour, on s'est embrassés, c'est tout, hein. Mon père, c'était vraiment un alcoolique 100 %. (…) Ma mère s'est fait brûler avec un tisonnier sur les seins. (…) Le père était pas normal, il rentrait bourré, il cassait tout, c'était pas possible.

— *C'est lui qui bossait dans la mine ?*

Michel — Ça après, il a arrêté. Il a arrêté pour… non, pas la retraite, il picolait trop. Comment s'appelle… le patron l'a viré.

— *Et après vous ne savez pas ce qu'il a fait ?*

Michel — Non.

— *Et vous ne l'avez vu qu'une seule fois ?*

Michel — Qu'une seule fois. Avec mes frères. Mes frères sont toujours dans le Nord.

— *Et eux voient encore vos parents ?*

Michel — Ah là, je ne sais pas. Là, j'suis à Paris, là…

Nanou — Sa mère doit être morte. Parce que le tisonnier sur les seins, ça pardonne pas.

Michel — Ouais, ma mère doit être morte.

— *Vous êtes sûr ?*

Michel — Non, on sait pas. On n'a pas de nouvelles.

— *Et vos frères vous les voyez encore ?*

Michel — Non. Si, une fois ma sœur à Paris elle est venue. Qu'une seule fois.

— *Et qu'est-ce qu'elle fait, elle ? Et le frère ?*

Michel — Laveur de carreaux. Le frère il est bon à rien. Il vole, il pique.

— *Et ça ne vous fait rien de plus les voir ?*

Michel — Ça me fait rien du tout moi [*ses réponses sont très brèves, très sèches, presque brutales*].

— *Vous considérez à la limite que c'est pas de votre famille ?*

Michel — Si, c'est de la famille. Mais entre famille on s'entend (…) pas. On s'aide pas.

— *Et pourquoi ? Votre sœur, elle a de l'argent quand même, non ?*

Michel — [*Il fait non de la tête.*]

[…]

— *Et vous ne pouvez pas aller chez elle, voir si elle peut vous aider ?*

Michel — Ben non, euh… eh… j'ai pas le droit. (…) Son mari va me foutre à la porte.

— *Mais vous êtes quand même le frère, vous ?*

Michel — Mais lui il s'en fout.

— *Il fait quoi, lui ?*

Michel — Sais pas, il me l'a pas dit.

J'ai une tache au poumon… eh bien on nous vire, c'est tout

— *Et vous êtes venu quand à Paris ?*

Michel — Oh, ça fait longtemps. Après la mine j'ai quitté.

— *Combien de temps vous avez travaillé à la mine ? Et dans le bâtiment ?*

Michel — 25 ans à la mine. Après j'ai arrêté. Dans le bâtiment c'était pas longtemps. J'ai travaillé quatre mois, cinq mois.

— *Donc c'est surtout la mine. Mais la mine c'était un boulot régulier ?*

Michel — Oui, régulier, déclaré et tout le bordel.

— *Et pourquoi ça a pas marché ? Pourquoi vous avez arrêté ?*

Nanou — Parce qu'il a une tache au poumon.

Michel — J'ai une tache au poumon. On a passé la radio, [on m'a dit] Monsieur… [*signe défavorable*]. (…) Eh bien, on nous vire, c'est tout.

— *Mais c'est quand même la faute de l'employeur.*

Michel — L'employeur, il s'en fout.

— *Et les autres qui étaient dans le même cas que vous ?*

Michel — Oui, il y en a beaucoup. Mais il s'en fout.

[…]

— *Et on vous trouve pas un autre boulot ?*

Michel — Mais non, comment ça s'appelle… l'exploitation [*il regarde Nanou qui confirme le mot*]. Ça s'appelle l'exploitation. On nous exploite. C'est tout.

— Donc vous avez arrêté, et quel âge vous avez ?
Michel — [*En s'adressant à Nanou.*] J'ai quel âge maintenant ?
Nanou — 39.
— Et vous avez travaillé 25 ans. Et ça fait maintenant combien d'années que vous êtes à Paris ?
Michel — Alors là ? [*Il se tourne vers Nanou.*]
Nanou — Moi je n'étais pas là, alors j'peux pas dire.
— Ça fait plus que huit ans, puisque vous vous connaissez depuis huit ans.
Michel — Plus que huit ans. Avant je travaillais aux cartons rue Quincampoix.
— Et vous êtes venu à Paris pour quoi ?
Michel — Ben y'avait plus rien à gratter. Dans le Nord y'a plus rien à gratter maintenant.
— Et on vous a dit qu'à Paris il y a du boulot ?
Michel — Ouais à Paris y'a du boulot…[c'est ce qu'on m'a dit] Ben à Paris c'est pareil [il n'y a pas de boulot non plus]. Si, je travaillais au carton. On ramasse des cartons dans la rue, tout partout. On les revend 10 centimes le kilo.
— [*Signe d'étonnement.*]
Nanou — C'est pas grand-chose, hein ?
— Non, c'est pas grand-chose. Faut les mouiller les cartons pour qu'ils soient plus lourds.
Michel — Même, si tu les mouilles, c'est pareil.
— Et on pouvait vivre avec ça ? Ça faisait combien par mois ça ?
Michel — Ben, un coup on faisait 400 francs, 300 francs. J'travaillais avec Michèle [*Nanou*].
— Combien de temps vous avez fait ça ?
Michel — Combien ? Hein Michèle, combien ?
Nanou — On a travaillé aux cartons six ans. Chez Gérard.
— Et vous aviez un logement ou quelque chose ?
Michel — Ben non, on dort dehors. (…) On a dormi un peu partout. Un jour à droite, un jour à gauche, ça dépend (…). Ben un jour on a trouvé un squat à côté des arcades, à côté de la poste.
Nanou — On pouvait même fermer la porte. Et puis il y a un autre clochard qui est passé la journée, l'a piqué tous les meubles.
Michel — (…) Mais c'est l'autre qui a fait le con : il a déménagé les meubles en plein jour. Et maintenant il est scellé, ils ont mis les scellés. Ça a duré trois, quatre mois. Maintenant on dort là [*il me montre la maison*].

On veut une p'tite pièce de rien du tout (...) ou une cave propre

— *J'aimerais aussi que vous racontiez une journée comme aujourd'hui par exemple. Vous vous levez à quelle heure ?*

Michel — Le matin ? De bonne heure.

Nanou — Bon, ben aujourd'hui on s'est pas levés de bonne heure : c'était sept heures et demie. D'habitude on se lève vers cinq heures et demie, six heures. Ben les gens [de l'immeuble] ils travaillent. On est à peu près tranquilles vers le samedi, dimanche.

Michel — Puis on fait à manger, on fait une soupe. On a une casserole. On a un réchaud à alcool à brûler.

Nanou — Si on finit pas ce qu'on a fait le soir, on finit ça le matin.

Michel — A midi, on ne mange pas. On n'a pas le droit.

Nanou — Après on fait un peu notre ménage. On range tout. Et après on boit un café. On va à la boulangerie là-bas. C'est beaucoup moins cher. A la boulangerie elle a une machine pour le café [un distributeur automatique].

Michel — On paie trois francs, alors trois et trois ça fait six. C'est pas cher !

— *Et vous prenez un croissant ?*

Nanou — [*Elle commence par dire non de la tête.*] Si, des fois elle nous le donne. C'est bon, trempé dans le truc.

Michel — Après on vient ici [devant les grilles de l'église], on fait la manche, on essaie.

— *Vous demandez aux gens des pièces ?*

Michel — On essaie.

Nanou — S'ils peuvent [donner]. On gueule pas comme certaines personnes qui demandent aux gens.

— *Et vous gagnez combien à peu près par jour ?*

Michel — Oh, on fait 50 francs par jour à peu près. Pour deux, c'est bon.

Nanou — Parce que il faut acheter l'alcool à brûler, du beurre, de la soupe, des pâtes, de la purée. (...) On mange pas à midi.

Michel — Si on a des sous on va chez les Noirs, manger. Un restau à côté de la République.

Nanou — 7,50 francs par personne.

— *C'est un restaurant pour les sans-abri ?*

Michel — Non, pas pour les sans-abris (...) tout le monde, il bouffe là-bas. (...) En plus c'est un foyer pour les Noirs là-bas.

— Et pourquoi vous ne mangez pas à midi ?

Michel — Ben, si on a les moyens, on mange. Si on n'a pas les moyens, on ne mange pas.

— Et puis l'après-midi, vous restez ici aussi ?

Nanou — On va se promener. On reste pas sur place, on se promène.

Michel — Parfois les bleus nous ramassent.

Nanou — Ils te prennent comme un chien et puis hop ! Et hop, de force dans le car.

— Mais quand on vous voit comme ça, on n'a pas l'impression que vous êtes dans la rue [*leur aspect physique est soigné*].

Michel — C'est les gens qui téléphonent. (...) A Nanterre, quatre heures on est relâché.

Nanou — L'autre fois on a été pris à huit heures du matin.

Michel — C'est un camion, et on nous amène. Si t'es pris le soir, tu passes la nuit là-bas. C'est pas beau à voir là-bas. Tu vois tous les mecs à... [*il fait un signe de dégoût*]. C'est pas beau.

Nanou — Dans le camion quand ils t'embarquent, y'en a qui dégueulent, qui chient dans le camion, Euh... (...) Quand on va la journée, on ne dort pas. On prend une douche et on attend dans une salle et...

— Ils vous donnent à manger ?

Michel — Manger ? Faut voir qu'est-ce qu'ils donnent. (...) Il y en a qui sont volontaires. Moi j'suis pas volontaire.

— Pourquoi ? Vous êtes mieux ici ?

Michel — Ah oui [*très affirmatif*] c'est mieux. Il paraît qu'ils profitent des femmes. Pas les clochards, les bleus.

— Et le squat que vous avez ici, ça va durer combien de temps ?

Michel — Oh, il paraît à la fin du mois ça va fermer. J'sais pas. Ils vont faire des meublés là-dedans.

— Et alors, qu'est-ce que vous allez faire ?

Michel — Ben on va chercher autre chose.

— Et vos démarches à la mairie, qu'est-ce que ça a donné ?

Michel — Rien du tout.

— Vous avez demandé quoi ?

Michel — Ben un truc. Une p'tite pièce de rien du tout.

Nanou — Ou une cave propre. Ça existe les caves propres.

[...]

Michel — Ils veulent rien foutre. Comment ça s'appelle... merde... l'a un nom..., j'ai dit tout à l'heure... l'administration c'est zéro [*il a eu un peu de difficulté à prononcer ce mot qu'il cherchait*]. Ça c'est l'administration. Ah si, il faut mettre du cirage sur ta tête pour passer le premier.

On a droit à rien, on est des épaves

— Et l'enfant c'est pour quand alors ?
Nanou — Mois de mars.
— Et vous en avez parlé à l'assistante sociale ?
Michel — Ils s'en foutent.
Nanou — Vous avez qu'à aller sous les ponts de Paris, vous allez voir les landaus qui traînent, les bébés qui dort[ment] dans les landaus sous les ponts de Paris.
Michel — L'autre coup, on a vu une petite fille qui, elle, avait sa mère qui faisait la manche avec le landau.
— Et vous ne connaissez personne, des amis qui pourraient vous aider ?
Michel — Même les gens, ils promettent, ils promettent, c'est… et puis il y a rien. Un p'tit studio. Y a rien. Si, faut aller en banlieue, il paraît. Qu'est-ce qu'on va foutre [en banlieue]. On était en banlieue, on était à la porte des Lilas…
— Mais c'est pas vraiment la banlieue ça ?
Michel — Mais si, c'est la banlieue. On était à porte des Lilas, on est allés voir, comment ça s'appelle… la mairie porte des Lilas et [on nous a dit] : « Monsieur, il y a rien pour vous. Vous habitez pas là, hop [sortez d'ici]. »
— Mais qu'est-ce que vous demandez quand vous allez voir l'administration ?
Michel — Pour un meublé, il faut payer trois mois d'avance.
Nanou — Mais allez regarder les prix. [*Ils m'indiquent une agence immobilière juste en face de l'endroit où ils sont : les offres y sont de 900 000 francs pour un studio de 30 m², 4 500 francs par mois pour un deux-pièces, etc.*]
Michel — Il paraît qu'il faut payer trois mois d'avance. Trois mois d'avance, ça on peut pas y arriver. C'est impossible. Avec ce qu'on gagne, trois mois d'avance c'est impossible.
— Et avec la pension et votre retraite, ça fait combien ?
Michel — Ah, moi j'ai pas de retraite, j'ai rien. Moi j'fais la manche, j'ôte de la ferraille, moi j'ai rien du tout moi. C'est Michèle qui a une p'tite retraite, c'est pas moi.

— Et la retraite et la pension, ça fait combien ?
Nanou — J'ai pas de retraite ni de pension, j'ai qu'un… euh, une retraite que je touche tous les trois mois, c'est tout.
— Et ça fait combien en tout ?
Nanou — Ah, ça ne regarde pas les (…). On a droit à rien, on est des épaves.
— Et comment ça se fait que vous ne touchez rien, vous avez travaillé à la mine ?
Nanou — Il a perdu tous ses… tous ses papiers ont brûlé. Alors comment il va se faire inscrire à la retraite ?
Michel — Tous mes papiers ont brûlé.
— Comment ça ils ont brûlé ?
Michel — J'travaillais rue Quincampoix, il y a eu le feu : tous mes papiers ils ont cramé.
— Mais il y a quand même des gens qui peuvent témoigner que vous avez travaillé.
Michel — Mais ils s'en foutent.
Nanou — Ben non, il peut pas être déclaré, aux cartons [*l'entreprise qui les avait embauchés*] ; c'était au noir.
— Non, mais à la mine.
Michel — Ouais, il faut rechercher les patrons. Et s'ils sont morts ou un truc comme ça ? Quelles recherches faut faire ? (…) Combien de temps faut attendre ? Il faut descendre là-bas et… Non, on peut pas, nous. On n'a pas les moyens. (…) On voulait toucher le… comment ça s'appelle… le RMI. On n'a pas le droit.
— Vous avez demandé ?
Michel — Ouais, on n'a pas le droit parce qu'on n'a pas de domicile.
— Et vous avez vu les assistantes sociales qui traitent du RMI, vous pouvez demander un dossier.
Michel — Un dossier, non. Non, on a rien. (…) On n'a pas le droit, on n'a pas de domicile. On a demandé.
Nanou — Ouais, on est connu des épaves dans la rue. C'est comme les voitures.
[…]
Nanou — Les gens ils passent, ils vous regardent comme des bêtes, là [*d'un ton assez révolté*]. Ils vous insultent, « ah, bande de clochards ». Un de ces jours je vais leur dire, « vous avez qu'à prendre ma place et vous me donnez la votre ». N'importe comment ils seront encore plus clochards… je souhaite sur la tête à

ma fille qu'ils soient plus clochards que nous. Surtout lui en face [le gérant de la petite agence immobilière située en face de l'église]. Et [à] pas mal de personnes.

— *Ah, il y en a qui vous engueulent, qui vous traitent de…*

Michel — Ils appellent les flics, ils appellent les bleus, on est ramassés. Il paraît qu'on gêne pour travailler [on empêche les autres de travailler]. On est assis ici et on gêne pour travailler. Qu'est-ce qu'on gêne pour travailler ? On crie pas, on gueule pas, hein [*silence*]. Ce type va travailler ? [*Il rit et montre de la tête l'employé de la petite agence immobilière.*]

Nanou — Il reste assis, il bouge pas, toujours en train de fumer, il bouge pas de son fauteuil de la journée, de neuf heures du matin jusqu'à sept heures du soir et puis voilà. Il va manger de midi jusqu'à trois heures de l'après-midi, au restaurant. Vous appelez ça du boulot !

— *Et c'est de la faute à qui le fait que vous soyez dans cette situation-là ?*

Michel — La faute des parents. Faut pas chercher plus loin.

décembre 1990 et janvier 1991

Nanterre terminus — *Pierre Louapre*

Au moment de l'enquête, Julien, 41 ans, est sans travail depuis 10 ans. Ouvrier jusqu'à 31 ans, d'abord dans l'usine de caoutchouc où son père était OS, ensuite manutentionnaire dans les entrepôts d'une chaîne de grands magasins, enfin, jusqu'à son licenciement économique en 1981, il est OS chromeur dans une robinetterie où les ateliers sont robotisés.

Comme beaucoup de chômeurs « de longue durée » sans diplôme – il a échoué au CAP de pâtisserie vers lequel il avait été « orienté » –, il décroche petit à petit du marché du travail, et, parallèlement, il prend l'habitude de boire. Les événements s'enchaînent et le dérèglement de la vie professionnelle entraîne le dérèglement de la vie familiale. La femme de Julien, ouvrière, le quitte en gardant leur petite fille : « Ma femme ne pouvait pas supporter le chômage au-delà d'une certaine limite qu'elle s'était fixée, je ne sais pas, peut-être un mois. Dans sa tête, elle s'était peut-être fixé une limite en se disant : d'ici un mois, il va retravailler. Au bout de deux mois d'ailleurs, j'ai vite compris que son comportement n'était plus le même, elle ne m'embrassait plus quand elle rentrait le soir de l'usine, elle n'avait plus envie de me parler de son travail. »

Pendant une période, il joue dans les orchestres pour les bals locaux de sa région, mais, malgré un prix de solfège au Conservatoire où sa mère l'avait poussé lorsqu'il était enfant, il ne parvient pas à tirer un profit professionnel de son goût pour la musique. Il quitte alors la région, et sans travail ni logement, se fait héberger quelques mois chez un de ses frères vivant en région parisienne, puis il va de foyer en foyer, à l'Armée du salut, au Secours catholique, et il dort souvent dans la rue. Peut-on dire qu'il est chômeur ? Il n'a plus de droits, plus de domicile, il est devenu véritablement alcoolique. Après plusieurs cures de désintoxication, il obtient une allocation d'adulte handicapé.

Dans l'extrait que nous avons retenu, Julien évoque la période où, « sans domicile fixe », il lui est arrivé de se faire ramasser par les « bleus », policiers chargés de conduire les « sans-abri » ou les « sans papiers » au foyer de Nanterre. Ni les soins apportés – un médecin traite les urgences, les arrivants prennent une douche – ni le toit et la table offerts ne suffisent à sauver ce lieu, aux yeux de Julien. Nanterre lui paraît profondément repoussant, par la violence qui s'y exerce parfois et sans doute – surtout – par l'image de soi plus ou moins répugnante qu'il renvoie à chacun de ceux qui s'y trouvent condamnés.

[...]

Julien — *J'y suis allé plusieurs fois au foyer de Nanterre, ce n'est pas un foyer inconnu, c'est-à-dire qu'en l'espace de quelques années, j'ai peut-être été contrôlé six à sept fois dans ce foyer de Nanterre. Le foyer, à l'heure actuelle, est mieux parce que un bâtiment a été construit au milieu de la cour où avant il n'y avait rien ; c'est une ancienne prison de femmes, hein, donc il y a un bâtiment avec une télévision, qui s'appelle le Transit, qui a été construit il y a quelques années. Pourquoi le Transit, parce que c'est là que les gens récupèrent, vont regarder la télévision, récupèrent leur vestiaire, leurs affaires le matin après le café, et changent de vêtements. Donc abandonnent le costume, le pantalon et la veste qui sont fournis à l'entrée, en arrivant, et récupèrent leurs vêtements personnels. Avant d'aller au bureau d'arrivée, récupérer les objets personnels qui sont dans des caisses prévues. C'est-à-dire que quand les gens arrivent, ils laissent leurs objets personnels, signent un registre et ensuite prennent une douche. Mettent leur vestiaire sur un rayonnage avec un numéro accroché à une ficelle. Et après la douche, on nous donne un pantalon et une veste de la maison. Donc les gens sont... passent une nuit dans ce foyer, n'ont plus d'objets personnels sauf ce qu'ils veulent conserver sur eux, cigarettes, chaussures... montre, mais c'est* *vraiment le minimum, et pas d'argent, pas de papiers, tout va dans les caisses de plastique qui sont distribuées à l'arrivée. Voilà. Et signent. Même les sacs en plastique sont conservés dans un local à l'entrée. Ensuite, après la douche, il y a un repas, ça dépend de l'heure d'arrivée…, si c'est la garde de nuit qui contrôle des gens, après une certaine heure, après vingt heures, il n'y a pas de repas le soir. Mais il y en a un le lendemain, vers midi. Si par contre les gens arrivent à 20 heures du soir, ils ont le repas du soir et repartent le lendemain matin. Donc le repas se passe dans une grande salle, le réfectoire à côté des dortoirs, il se compose d'une soupe et d'un plat, de quelques morceaux de pain. Parfois un plat supplémentaire, une entrée qui accompagne la soupe et le plat principal. Ensuite les gens regagnent, gagnent les (…). Donc la nuit se passe assez bien, selon les moments, parce que, des fois, les gens… les gens parlent, les gens font un peu de bruit parfois, des gens crient, et puis il y a quand même le calme qui revient, les gens dorment jusqu'au moment du réveil, sept heures du matin.*

— Vous êtes combien par dortoir, à peu près ?

***Julien** — Des dortoirs comme ceux de Nanterre sont assez vastes, à lits superposés, disons trois cents, trois cents lits environ, dans un dortoir. Parce que tous les lits sont superposés (…). Et puis il faut bien dire que c'est un foyer d'urgence. Donc les gens sont aidés pour une nuit, on a la possibilité de prendre une douche, de manger, de dormir… Par contre, il y a des gens qui travaillent. Qui sont bénévoles. Qui travaillent pour la maison de Nanterre.*

— Toi, ça t'a jamais intéressé ça ?

***Julien** — Non. Non.*

— Tu détestes Nanterre. Comment t'as été pris, comment t'as ressenti tout ce parcours-là ?

***Julien** — Oui j'avais bu, j'avais acheté une bouteille de vin, mais j'avais bu plusieurs consommations dans un bar avant.*

— T'étais où ?

***Julien** — Dans le quartier du Louvre.*

— Dans la rue tu t'es fait gauler comme ça ?

***Julien** — Oui avec une bouteille de vin, ou alors la première fois dans le XIe, près de chez moi. Parce que les policiers passent parfois dans des petites rues avec un minicar, parce qu'il y a des petits cars aussi, qui sont moins grands, qui passent dans les petites rues. Donc, ces derniers temps, oui j'ai été… Il y a, c'est vrai qu'il y a une certaine humiliation parce que les bleus, comme on les appelle, contrôlent quelqu'un qui a des papiers, ils disent « oui mais vous n'avez pas de preuve comme quoi* *vous avez toujours votre domicile puisqu'il n'y a plus de fiche d'hôtel à jour actuellement » ; donc ils disent aux gens de monter à l'arrière du car où il y a déjà du monde qui est assis à l'intérieur, on monte donc...*

— Et comment ça se passe dans le car ?

Julien *— C'est-à-dire que parfois j'ai rencontré des gens que je connais déjà.*

— Et t'aimes pas ça déjà, rencontrer des gens que tu connais qui sont dans la galère comme toi, déjà. Ça t'embête ou pas ?

Julien *— Non j'aime pas trop, j'aime pas trop. Non.*

— Pourquoi ? Parce que ça te fait peur un peu, t'as envie de t'en séparer ?

Julien *— Oui, oui, parce que ce sont des gens qui sont parfois un peu voleurs ; qui n'hésitent pas à voler le copain et à lui prendre sa bouteille, à lui rendre quand elle est vide. C'est ça, c'est un peu... si on a le malheur d'avoir une bouteille de vin, les gens peuvent la prendre, la distribuer à l'arrière du car et elle est abandonnée sur place. Alors il y a aussi des voleurs, des voleurs de cigarettes, de porte-monnaie, de montre, etc.*

— En fait c'est un monde violent ?

Julien *— Oui, ah oui, assez violent (...).*

— (...) C'est une aide puisque les gens sont...

Julien *— Une aide, une aide, mais surtout une certaine... une humiliation, c'est sûr.*

— Mais comment... ?

Julien *— De, de la personne. De la personne, voilà. De la personnalité. Parce que quand on arrive dans ce car, ils... en fin de compte, dans l'état où on se trouve, quelqu'un qui a bu n'a plus la même personnalité qu'en étant normal. Il y en a qui ont, au contact des autres personnes, la personnalité est complètement changée, n'est plus la même, on est sous l'emprise de l'alcool, hein, et puis... Enfin, la personnalité est complètement changée. Oui, Nanterre-Terminus, beaucoup de gens se figurent, oui, en particulier les gens qui y vont pour la première fois, on en a entendu parler en plus ou moins bien, mais en fin de compte c'est pas un terminus du tout, puisque les gens repartent le lendemain. Beaucoup s'imaginent justement que, oui c'est... la fin de tout, bon ils s'imaginent, ne savent pas quand ils vont repartir, s'alarment facilement. (...) D'ailleurs, pour reparler un peu du foyer de Nanterre, j'ai vu certaines inscriptions dans les toilettes qui prouvent bien que les gens qui arrivent détestent les autres, les autres qui sont dans la même situation qu'eux, c'est-à-dire ne les détestent pas, mais sont jaloux, sont très jaloux l'un de l'autre. N'arrêtent pas de demander des cigarettes par exemple s'ils n'en ont plus parce qu'ils... les gens donnent rarement quelque chose, ils* *n'ont rien à donner. Et en allant dans les toilettes, par exemple, il m'est arrivé de voir une inscription du genre de celle que j'ai vu écrite : « ordure finie, tu es de trop sur la planète, tu es de trop sur cette planète, ordure finie », bon ce qui prouve bien que les gens sont mal vus. Les gens sont jaloux l'un de l'autre, il faut pas. (…) Même dans le métro, c'est généralement des petits groupes de ces malheureux qui s'isolent, qui évitent la foule. Qui préfèrent s'isoler, voilà. Et pourquoi, pourquoi vouloir s'isoler, ça je me suis souvent demandé pourquoi. Avoir le sentiment d'être inférieur aux autres* •

Pierre Bourdieu

Une vie perdue

Pierre L., âgé de 59 ans, et Henri F., sont deux agriculteurs très actifs dont on peut dire, dans ce pays durement frappé par l'exode rural et le célibat, que, à la différence de la plupart des hommes de leur génération, ils ont réussi.

Henri F. a hérité d'une petite propriété de 18 hectares, située loin du bourg, sur des coteaux aux pentes très abruptes – ce qui en rend l'exploitation difficile, et coûteuse. Au prix d'un énorme travail (« on n'est pas parti en 29 ans plus de deux jours »), il a augmenté d'une dizaine d'hectares la surface cultivable. Pour défricher et mettre en culture les terres arrachées à la forêt, il a dû se doter d'un équipement très important, assez important, selon lui, pour exploiter une propriété de 100 hectares en plaine. Au moment de l'entretien, il vient d'apprendre que son fils, âgé de 27 ans et récemment marié à une citadine, a décidé, pressé par son épouse, de quitter la maison paternelle pour vivre chez la grand-mère de sa femme. Sa déception est d'autant plus grande que rien ne l'avait préparé à ce revirement soudain : à son retour à la ferme, après ses études dans un lycée agricole, son fils s'était montré pleinement décidé à reprendre l'entreprise paternelle. Très dynamique, il participe activement à la défense de la profession et c'est à ce titre que Pierre L. l'a invité à prendre part à l'entretien.

Pierre L. possède une des exploitations les plus importantes du canton, avec ses immenses hangars, destinés au séchage du tabac et à la conservation du foin, qu'il a presque entièrement bâtis lui-même, ses vastes étables ultra-modernes, dotées de tout l'équipement nécessaire à la traite, au traitement et à la conservation du lait, pour abriter son troupeau d'une centaine de vaches laitières. Membre très actif de la JAC dans sa jeunesse, il a participé à l'élan de rénovation des années 50, s'est marié (en un temps où la plupart de ses camarades d'âge restaient célibataires) et a eu un fils, aujourd'hui âgé d'une trentaine d'années, qui, après deux années passées dans une école d'agriculture, travaille à la ferme avec lui, toujours célibataire. Honorablement connu dans tout le village, notamment au bourg, où il livre lui-même le lait chaque jour, il a été longtemps un conseiller municipal très actif. Son épouse est morte il y a quelques années après une longue maladie. Il a dû lui-même subir une grave opération, pour une arthrite de la hanche, qui le fait boiter fortement.

Le père et le fils vivent donc seuls, exploitant sans aide extérieure, mais grâce à un gros équipement, une vaste étendue de terres, pour la plupart détenues en affermage. Lorsqu'on les surprend dans leur travail, avec un visiteur non prévenu (comme cette économiste chinoise que je devais initier à l'agriculture européenne), on les découvre s'affairant, en bleu de travail, dans un univers de boue et de bouse, un peu à l'abandon (des ustensiles usagés, des instruments agricoles hors d'usage traînent çà et là), où flotte partout l'odeur nauséabonde des fourrages conservés par ensilage.

Dotés, à l'origine, d'un minuscule patrimoine, Henri F. et Pierre L. ont pu étendre leur exploitation, au prix d'investissements immenses, en argent, « grâce » au crédit, et surtout en travail, et accumuler un capital relativement important, sous forme de terres, et surtout de bâtiments, d'outillage et de cheptel. Mais l'héritage, en ce cas plus que jamais, a agi comme un destin : alors que, comme ils le remarquent non sans amertume, des héritiers mieux lotis partaient pour la ville et que d'autres, moins entreprenants, se laissaient vivre en laissant mourir doucement une « maison » sans doute destinée à disparaître avec eux, ou bien tiraient de la vente de quelques parcelles les moyens de maintenir leur exploitation et leur demeure sans recourir au crédit, ils sont « restés à la terre », comme on dit, sans doute par fidélité à la mère ou au père ;enchaînés d'abord par cet héritage, puis par les investissements économiques et aussi psychologiques qu'ils lui consacraient, ils ont été pris dans une sorte d'engrenage, celui de l'innovation appelant l'innovation : ils ont suivi, comme malgré eux, les incitations et les injonctions diverses des conseillers agricoles, des Chambres d'agriculture, des organismes de crédit, des coopératives laitières, etc.

Ils sont aujourd'hui habités par la contradiction : capitalistes, ils ne peuvent réaliser leur capital (ou seulement avec un « coût de sortie » immense, tant psychologique qu'économique) ; ils ne disposent que de très peu de liquidités et leurs revenus sont plus proches du salaire d'un OS que de celui d'un ouvrier qualifié (voudraient-ils l'ignorer que le retour au pays, pour les vacances, des parents exilés ne manquerait pas de le leur faire voir) ; salariés déguisés d'une entreprise de laiterie qui a le pouvoir de les recruter et de les licencier, qui leur impose ses directives par des « circulaires », à la façon d'une administration centrale, qui fixe en fait leurs horaires de travail, contrôle régulièrement la qualité de leur matériel et de leurs produits, etc., ils peuvent se donner l'illusion, collectivement soutenue, d'être maîtres chez eux et cultiver le mythe ancestral des libertés de l'existence paysanne. Comme cela m'est apparu soudain pendant que je les interrogeais à l'intention de l'économiste chinoise que j'accompagnais, ils sont un peu dans la situation de kolkhoziens qui auraient financé leur propre kolkhoze. Les aléas des décisions politiques de l'État ou des instances communautaires, plus lointaines encore, commandent directement leurs revenus, parfois leurs décisions en matière d'investissements productifs, de manière aussi brutale et imprévisible que le faisaient en d'autres temps – et aujourd'hui encore, malgré les protections et les garanties, plus apparentes que réelles, de l'État-providence – les aléas du climat et les calamités naturelles.

Dispersés aux quatre coins de l'espace, dans leurs fermes reculées, et traditionnellement attachés aux franchises des travailleurs indépendants, les agriculteurs sont désormais reliés par les fils invisibles de la dépendance à l'égard de l'État, de ses réglementations omniprésentes, de ses subventions aussi indispensables qu'incertaines. Et l'on peut ainsi comprendre que ces hommes nourris dans l'horreur du désordre et du laisser-aller, qu'ils identifient au monde urbain contre lequel, avec le refus du départ, toute leur existence s'est construite, soient conduits à mener, comme malgré eux, des manifestations uniformément dirigées contre les grilles des Préfectures ;ou que la violence sans cible assignée qu'engendrent les *double-binds* multiples auxquels ils sont soumis atteigne parfois (avec par exemple le meurtre gratuit d'animaux d'élevage) les extrémités d'une sorte de sacrifice suicidaire ;ou même que les conflits *politiquement inexprimables* qu'ils portent en eux les inclinent à livrer, une fois le micro fermé, leur sympathie, lâchée d'un souffle profond, pour le leader du Front national alors au commencement de son ascension. Cela au terme de longues variations prudentes, embarrassées et embrouillées jusqu'à la limite de l'intelligible sur les injustices de la justice, sur le prix des journées d'hôpital et le coût de l'entretien des criminels emprisonnés, sur le chômage « trop bien payé », sur l'immigration et les désordres urbains (dont ils n'ont aucune expérience directe), sur les complicités entre les hommes politiques de bords opposés (le Front national obtiendra 72 voix, quelques années plus tard, dans l'ensemble de cette commune rurale d'un millier d'habitants).

Ainsi, le *double-bind* qui est inscrit dans la structure même de leur entreprise économique et domestique est au principe d'un système de dispositions lui-même contradictoire, et comme divisé contre lui-même, et, à travers celui-ci, de tous les propos où la contradiction, proprement tragique, se dévoile, mais en se voilant, c'est-à-dire toujours sous une forme partielle, sans doute parce qu'un dévoilement complet aurait quelque chose de fatal pour celui qui l'accomplit, ou en se détournant et en se déplaçant vers des objets de substitution, avec les déclarations vaguement racistes, propres à leurrer leur auteur autant que l'interprète. On n'est jamais aussi près d'une révélation totale de la déchirure intérieure, du clivage de l'habitus, que lorsque ces héritiers appropriés par l'héritage sont contraints de se poser le problème de sa transmission, avec l'héritier qui ne veut pas hériter (ou qui, célibataire, ne pourra pas transmettre l'héritage), et d'affronter l'évidence de l'impossible perpétuation d'une entreprise qui, *en fin de compte*, n'aurait sans doute jamais dû exister. Découvrir, comme Henri F., que le fils qui est à la fois *la fin* de l'entreprise de toute une vie, le but tacitement posé d'un plan de vie laborieusement mené à son terme, et *la condition sine qua non* de sa perpétuation, peut renoncer à la succession, c'est voir s'effondrer, d'un coup, le *sens* même de toute une existence, rétrospectivement renvoyée à l'absurdité d'un choix initial inconséquent. Le départ de l'héritier signe l'arrêt de mort de l'entreprise agricole – dont on a montré qu'elle doit ses particularités les plus remarquables au fait que la reproduction biologique de l'unité domestique, donc de sa force de travail, fait partie des conditions de sa reproduction ;il condamne du même coup l'attente de toute une vie, et celui qui l'a portée, et qui ne peut pas ne pas sentir (sans pouvoir nécessairement se le dire) qu'il ne peut vouloir pour son propre fils, cet autre lui-même socialement désigné dans lequel sont déposés *tous ses investissements*, un projet aussi manifestement mortel. Le fils qui refuse de se laisser hériter par l'héritage paternel accomplit un « meurtre du père » bien plus terrible que celui qui consiste à prendre sa place, à lui succéder, c'est-à-dire à le « ressusciter », comme disent les Kabyles, à le tuer mais pour le perpétuer, à le dépasser en le conservant, par une sorte d'*Aufhebung* socialement aménagée et approuvée. Il annule non seulement l'acceptation paternelle, sa soumission à la tradition de l'héritage, mais, s'agissant d'un héritage qui est presque entièrement le produit de celui qui le transmet, il annule aussi et surtout l'œuvre paternelle, cette œuvre de toute une vie. Il place son père devant un dilemme si insupportable que celui-ci ne peut l'évoquer que dans un discours qui, par ses silences, ses circonlocutions, ses atténuations, ses dissimulations et ses contradictions, vise autant à le voiler qu'à le dévoiler : soit pousser son fils dans l'engrenage tragique où il s'est lui-même laissé prendre (j'ai travaillé de bon cœur pendant quelques années en me disant : « Là, j'ai de la ressource, il en veut ») ; soit le sauver de ce destin fatal en l'encourageant à abandonner la terre (je lui ai donné le choix. Je lui ai dit : « Fais attention, il y a une propriété très petite ; tu peux travailler en saisonnier à la coopérative »). Choix que tous les petits propriétaires doivent affronter, un jour ou l'autre, très directement, lorsque leur fils, dans une sorte de chantage plus ou moins inconscient, les somme de leur procurer tel ou tel équipement coûteux (ci-dessous : « c'est la conditionneuse ou rien ») qui leur paraît exigé par leur représentation de l'avenir de l'entreprise (et qui les fait entrer dans l'engrenage), sous la menace du départ.

Seule l'illusion historiquement cultivée de la singularité irréductible de la personne nous empêche souvent de *lire les symptômes* les plus visibles des expériences que l'on dit personnelles, et qui peuvent, évidemment, être vécues comme telles sans cesser pour autant d'être le produit de l'inscription dans l'ordre social d'un genre particulier d'expériences sociales prédisposées à s'exprimer dans des expressions génériques. Ce n'est donc pas par hasard que la banalité du discours le plus ritualisé s'impose souvent, dans les occasions les plus graves de la vie quotidienne, comme la seule manière de dire l'indicible : le plus impersonnel n'est si bien ajusté à l'expression de ce qui est vécu comme le plus personnel que parce que le plus personnel est souvent, comme ici, le plus impersonnel. Dire, comme font souvent ceux qui sont placés dans la situation de mes deux interlocuteurs, que « la terre est fichue », c'est sans doute la seule façon concevable, pour des gens dont l'existence est identifiée à une entreprise agricole condamnée, de parler de leur propre mort, de crier, sans tomber dans le ridicule, la proposition inconsistante et autodestructive du personnage de comédie : « je suis mort ».

avec deux agriculteurs béarnais

— entretien de Pierre Bourdieu

« C'est un enchaînement, on est obligé »

Pierre L. — L'avenir de l'agriculture va devenir de plus en plus difficile. Parce que ce sont les problèmes de l'exploitation d'abord et puis c'est souvent des problèmes familiaux. C'est par exemple le cas de chez moi. Il y a une question santé qui joue. Or moi étant diminué (...) en principe le fils se trouve tout seul... au moins pour les gros travaux. Et un agriculteur sur une exploitation, un homme tout seul ne peut pas y arriver... (...) D'ici dix ans... il doit y avoir sept célibataires sur dix (...). Il va y avoir beaucoup d'exploitations qui sembleraient devoir être libérées. Mais seulement comment vont-elles être libérées ?
Henri F. — Il va y avoir des fils d'agriculteurs qui vont rester, qui vont avoir l'embarras du choix des terrains : ils pourront pas s'occuper de tout.
Pierre L. — Mais est-ce qu'ils pourront les avoir ?
Henri F. — Mais s'ils peuvent les avoir...
Pierre L. — Parce que tu vas voir... regarde le cas du voisin, c'est un marchand de bestiaux qui a ses terres en location. J'avais discuté avec lui, je le connaissais (...) J'ai su un peu la somme qu'il demandait. Il m'a dit, « je le reconnais, ce n'est pas vous, agriculteurs, qui pourrez payer... Nous, marchands de bestiaux, on met quelques bêtes, elles vont engraisser là-dedans, tandis que vous, vous ne pouvez pas »... (...) Il faut « sécuriser les agriculteurs en location ».

Une déception, une très grande déception

Henri F. — Maintenant les jeunes, ils se marient avec des filles qui ne sont pas... qui ont un autre emploi par exemple. Et pour moi, parce que moi, je suis responsable agricole du canton, c'est un truc où je me bats avec les jeunes (...). Moi je leur dis,« ça va très bien tant qu'ils ont les vieux pour les épauler. Mais le jour où ils vont se retrouver, ces jeunes, — plutôt ce jeune parce que sa dame sera ailleurs –, se trouver à midi devant l'assiette tout seul » ; s'il a

quelques gosses à s'occuper, et tout seul au boulot. Alors à ce moment ça ne lui servira plus à rien d'avoir voulu beaucoup de terrain pour… parce qu'il ne pourra plus s'en occuper…
[…]
Moi je viens de marier le fils (…), il n'habite pas chez nous. Il est parti chez sa grand-mère. Pour moi, c'est une déception, une très grande déception. Parce que j'avais passé cette année pour arranger la baraque un peu. C'est au dernier moment, il m'a dit non : « ma femme a décidé qu'on pourrait pas vivre dans un premier temps avec les parents. Elle ne va pas habiter seule pour autant, elle va habiter avec sa grand-mère… » Ça, ça m'a déçu… Dès qu'on se marie avec quelqu'un qui n'est pas dans l'agriculture, tout ce qui maintenant est fonctionnaire ou ouvrier (…) ces gars-là ont trop de temps libre par rapport à l'agriculteur. Automatiquement, ça fait démissionner le jeune agriculteur, qu'on le veuille ou non. Ça veut le week-end, l'heure le soir, le matin tant pis si le réveil sonne pas assez tôt… Ça devient grave. Nous, si on est arrivés à faire quelque chose, cette génération, on n'a pas regardé les heures.
[…]
Pierre L. — Où vas-tu trouver une fille qui est dans l'agriculture ? De toute façon, elles ont été obligées, les filles, suivant leurs capacités, de poursuivre des études, pour un emploi, pour… Donc elles ne sont plus sur les exploitations, à la limite tu vas trouver quelques héritières, c'est tout…
[…]
Henri F. — Moi je pense plus à l'avenir qu'au présent, quand le gars va se retrouver sans l'aide des parents. (…) le jour où il se trouve seul, c'est là qu'il (…) ou il démissionne carrément, il suit l'épouse qui a un métier (…).
Pierre L. — Et que va-t-il faire ? N'importe quoi ? Ne serait-ce que conduire un camion… ou n'importe quoi. Un fils d'agriculteur trouve des places très facilement. (…)
— *Aller conduire un camion quand on a une femme à la maison… entre nous…*
Henri F. — Mais c'est le mois qui change…
Pierre L. — C'est le mois qui est sûr et en plus ce fameux temps libre… S'il est poussé par sa femme…
Henri F. — C'est ce temps libre. Jusqu'à présent on n'en avait jamais entendu parler, mais de plus en plus on sent qu'il va être

utile, le Ministère du temps libre, parce que il y a des gens (...) qui ont beaucoup de temps libre. C'est ce qui va faire démissionner quelques jeunes agriculteurs...
[...]
[*Pour Pierre L., c'est normal : les relations entre les générations étaient souvent très conflictuelles.*]
Henri F. — Moi ce que je reproche... je ne sais pas, té... c'est personnel, c'est-à-dire ce qui se passe à la maison. Les jeunes sont devenus très durs, ils s'en foutent que vous ayez perdu toute la vie, ils veulent tout tout de suite. Par exemple, je me rappelle d'il y a deux ans, je voulais acheter une faucheuse pour faucher au moins facilement. Et non, c'est la conditionneuse ou rien. Mais la conditionneuse ou rien, il fallait déjà un million et demi de plus... Ils sont très exigeants, après ils ne suivent pas. A certains moments, il me disait, « il n'y a qu'à, il n'y a qu'à faire... ». Il n'a qu'à faire ce qu'il veut, moi j'en ai marre aussi. Quand on a passé plus... Moi je suis peut-être un peu spécial. J'ai pris une propriété de 22 hectares, en 53, il y en avait cinq de cultivables. En 30 ans, j'en ai rendu 18 de cultivables. Mais il a fallu cogner dessus... A l'époque on n'avait pas des bulls.
Pierre L. — Surtout que c'est pas des terres faciles.
Henri F. — C'est tout des terres à ski, s'il y avait de la neige. La fameuse terre défavorisée...
Pierre L. — Et en plus gorgée d'eau...
Henri F. — ... qu'il a fallu drainer... et dans des coteaux... Nous, on est trois à travailler sur la propriété, si on gagnait à tous les trois réellement le SMIG, on aurait un peu d'argent (...). J'aurais dû me mettre à reboiser au lieu de défricher. Ça aurait été plus rentable ; parce que tant qu'il y avait des arbres, on ne voyait pas l'eau dessous. Au bout de sept-huit ans, c'est défriché, on a l'eau.
[...]
Quand l'investissement est fait, on continue. C'est un enchaînement. Petit à petit, on est dans l'engrenage, puis tout le corps y passe. On s'y laisse prendre...
[...]
Il faut réellement y voir, le voir, pour s'en rendre compte... Les petites propriétés de coteaux, pour les tenir en état, il faut beaucoup de travail, et manuel (...). Le jeune, de plus en plus, il se trouve seul... Nous, on a passé notre génération à rendre cette propriété viable et à acheter du matériel et voir les jeunes qui... Sauf

que, moi, j'ai peur d'une chose, qu'ils abandonnent carrément, qu'ils démissionnent. Parce qu'on sent qu'ils sont plus tranquilles... Et ça vous rend inquiet, parce que moi je me trouve... les derniers mois, je suis devenu inquiet... parce que je m'attendais pas premièrement à le voir partir et je crois qu'il a commencé à partir (...) pour partir carrément (...). C'est un cas chez nous où lui, en avançant en âge [*il a 27 ans*], il faudrait qu'il puisse s'installer dans les six ou sept ans après pour bénéficier des aides aux jeunes agriculteurs, et moi, je suis encore trop jeune pour la retraite. On n'a pas assez de terrain pour faire un GAEC. Il faut deux fois... il faut 26 hectares à peu près.
[...]
Là, c'est ce qui est regrettable, nous sommes dans une zone défavorisée, on le sait, mais on aurait dû faire au moins une zone de piémont. Parce que quand on voit par exemple la plaine d'Asasp (il y a dix kilomètres tout plats comme ça, des exploitations de 60 hectares à peu près, plat comme ça, 70 ou 80 têtes de bétail chacun, ils font des fortunes), ils ont le culot d'être zones de montagne. Ils auraient dû faire coup par coup, exploitation par exploitation. A Asson, il y a le plus grand tank à lait de la laiterie de Villecomtel, ici à Rontignon, 4 500 litres de lait, pour une zone de montagne, alors qu'ils tondent 150 francs par bête...
Pierre L. — Ils ont beaucoup plus de subventions que les autres.
Henri F. — Nous, dans notre zone défavorisée, par exemple, dans ma propriété en référence, j'en ai pas un seul bout de terrain où je consomme moins de 80 litres à l'hectare pour un labour. (...). J'ai demandé qu'on ait... le fuel vert (...), qu'on détaxe le fuel de la zone de montagne à la zone défavorisée, mais le détaxer quand même dans la plaine, puisque déjà nous, on consomme une moyenne de 80 à 100 litres à l'hectare pour faire une prairie, dans la plaine on consomme 25 à 30 litres à l'hectare.
[*Il y a quatre catégories de terres : zones de montagne, zones de piémont, zones défavorisées, plaine. Les deux premières ont une détaxe sur le fuel ;pas les zones défavorisées. 80 litres à 2,50 = 200 francs, pour le labour (préparation). Dans les plaines, le labour consomme trois heures à l'hectare, dans les coteaux huit à dix heures pour préparer le terrain et autant pour labourer.*]

Cet investissement continuel, et toujours renouvelé, toujours renouvelé

Henri F. — On ne trouvera plus des gars de notre trempe qui avons accepté pendant de très nombreuses années de travailler de plus en plus pour gagner de moins en moins. Ça se passe depuis dix ans… Maintenant les jeunes ne vont plus vouloir de ça… Ils vont… ils ont été en classe plus que nous, c'est peut-être normal qu'ils n'acceptent pas ça. C'est ce qui s'est passé. J'ai relevé quelques factures depuis dix ans. C'est affreux de voir ce qui s'est passé. En 73, avec un litre de lait on achetait 2,06 litres de fuel, aujourd'hui avec un litre de lait à 1 franc 50, on n'en achète plus que la moitié d'un litre, un quart en moins. On a des tracteurs de plus en plus puissants qui consomment de plus en plus. Si on veut…
Pierre L. — On est obligé. C'est un enchaînement, on est obligé. Tant que nous avions un seul petit tracteur à 20 chevaux, c'était… – par rapport à notre paire de bœufs, nous étions au ciel – et maintenant qu'est-ce que tu veux faire avec un 20 chevaux ? Tu ne peux absolument rien… Cet investissement continuel et toujours renouvelé, toujours renouvelé… pour peu, comme tu dis, que les jeunes aient un peu d'ambition, qu'ils ne se donnent pas la peine de calculer la puissance que vous avez de…
Henri F. — Moi, pour ma part, j'ai du matériel pour faire tourner une propriété de 100 hectares, je suis sûr qu'un exploitant de 100 hectares de terrain de plaine n'a pas besoin de tout le matériel que j'ai…
Pierre L. — Oui, c'est une surcharge qui pèse beaucoup…
Henri F. — Alors, c'est un jeu, c'est un jeu. Parce qu'avant, il y quelques années, je changeais le tracteur tous les six ans. C'était devenu facile, il y avait la TVA… On ajoutait très peu d'argent, on avait tout le temps du matériel neuf. Maintenant, le dernier que j'ai, il a donc six ans et demi… Je suis pas prêt d'en racheter, parce qu'en six ans et demi, il a doublé. Un tracteur sans aucun confort, le même qu'il y a six ans, il vaut (…). Ça demande à réfléchir pour sortir le double ; malgré qu'on enlève la TVA, on va récupérer mettons deux millions de TVA, ça fait une charge trop lourde. Tandis qu'avant c'était dans les années où ça tournait, là, vers les… jusqu'à la crise… je changeais facilement tous les cinq ans… et la tranquillité de n'avoir jamais

aucun pépin. Et c'est ça qui va être très mauvais, que si on passe trop aussi [de temps], ça va faire des paquets affreux…

[*Il reste peu d'exploitations actives, environ 150 (contre 220 en 1970) ;dont une cinquantaine de viables, avec succession, d'ici dix ans.*]

Pierre L. — Dans les 50 exploitations, il y a un point d'interrogation. Le cas que tu rapportes du jeune exploitant qui… qui a un pied à la maison, qui a l'autre dehors, de toute façon, là, c'est comme si c'était un célibataire…

— *Est-ce qu'ils ne vont pas trouver d'autres solutions…*

Henri F. — Là dans mon coin, il y aurait la vigne, qui serait rentable, mais les jeunes, en général, ne l'aiment pas.

— *Mais ça consomme beaucoup de travail…*

Pierre L. — Oui, ça et un troupeau laitier, c'est très astreignant…

Henri F. — Je connais quelques agriculteurs qui ont essayé de faire comprendre à leur fils que, avec un vignoble, il pouvait partir les week-ends, sauf dans les périodes où il faut vendanger. Tandis que le bétail, on ne peut pas se le permettre. (…)

— *Il n'y a pas de système possible d'entraide…*

Henri F. — Il faut être du métier… et sur place… Ça commence à être la mode : les jeunes partent. Nous, on n'est pas partis. Il y a 29 ans, moi, que je suis marié, je crois qu'on a dû s'absenter, si on ne compte pas les jours (…), on n'est pas partis en 29 ans plus de deux jours. (…)

[*Les remplacements coûtent très cher. Les coups de main (salaire et sécurité sociale) aussi.*]

Henri F. — Il faut pouvoir faire le travail soi-même, enfin, familialement, sinon il vaut mieux le laisser. Maintenant, il y a très peu d'ouvriers agricoles par ici.

Pierre L. — Oh ! C'est un luxe… Et ce qu'il y a de terrible, c'est qu'on ne trouve personne, alors qu'il y a tant de chômage…

Henri F. — Le chômage est trop bien payé aussi. Si tous les chômeurs étaient au SMIG, peut-être ils trouveraient à travailler… Mais il y a trop de différence… Le chômeur au SMIG trouve du travail. Mais celui qui est déjà un intermédiaire… (…). Parce que là il y a beaucoup de points qui sont en suspens… L'autre soir, à la coopérative, quand j'ai dit qu'on venait vous voir, le Président m'a demandé de rappeler les plans de restructuration des vignobles. C'est lettre morte, parce que c'est annoncé, je crois, depuis le début de cette année, alors les gars ont planté, et ils attendent le pognon… Les charges que ça représente de planter un hectare de vigne, c'est un peu décevant… Toujours falloir attendre comme ça… Les choses promises devraient arriver…

— *Ça a été promis quand, ça… ?*

Henri F. — C'est en place depuis 82. (…) Le contrat des pays de Baïse aussi. On ne voit rien venir. On a lancé des dépenses, là… On ne voit pas venir. (…)

[*Parenthèse sur le fonctionnement de la coopérative viticole de Jurançon. Protestation contre le règlement communautaire qui oblige à distiller l'excédent de vin, alors qu'il s'agit d'une très bonne année. Les mêmes peuvent être pénalisés une année (l'excédent est acheté à vil prix) et déficitaires une autre année (après une grêle). « C'est ça qui fait mal au cœur, qu'on ne puisse pas jouer sur deux campagnes ».*]

Henri F. — C'est comme le truc du lait. C'est affreux de voir qu'on nous applique cette taxe alors qu'on a toutes les peines du monde à produire et on a les industries laitières qui nous demandent de plus en plus de lait ; elles sont déficitaires pour faire tourner et on nous impose la réglementation… comme les copains (sauf dans les montagnes qui…). Il y a une demande ici… Il y a une coopérative à Lons (ULP). (…)

[*Ils s'accordent pour dire que les règlements communautaires sont particulièrement injustes pour les producteurs français ; que les aides promises arrivent avec beaucoup de retard ou jamais et que beaucoup se laissent prendre à ces promesses. « Ça fait beaucoup de déçus… ».*]

Henri F. — Moi, ce qui me fait un peu peur, c'est ils [les jeunes] ne veulent pas trop de responsabilités. Nous, on a été habitués à une période où on avait choisi un boulot. On était… on essayait d'être à l'heure… Ça, ça me fait mal au cœur. Parce que quand on voit quand même un gars comme chez moi.

— *Ça c'est lié à l'école. Il a été à l'école jusqu'à quel âge ?*

Henri F. — Ah non ! Il n'y a que les deux ans de Montondon. Après…

— *Il a été à l'école jusqu'à 16-17 ans.*

Henri F. — 18 ans. Mais je crois qu'il était plus dispos en rentrant de l'école. Parce que là je lui ai donné le choix. Je lui ai dit, « fais attention, il y a une propriété très petite ; tu peux travailler en saisonnier à la coopérative de céréales et gagner (…) ». Il voulait tout

garder. « Pense quand même, tu vas très vite penser à quelque chose ».
[…]
Autant j'ai travaillé de bon cœur pendant quelques années en me disant, « té, j'ai de la ressource, il en veut ». Mais il y a… Ils se montent la tête entre jeunes aussi. L'un a une chose, l'autre a l'autre…
[…]
La réflexion qu'il m'arrive à faire maintenant, depuis… qu'il me faisait pas avant, mais depuis deux ans, ça lui arrive, deux fois par an : « tu es un couillon, pourquoi tu n'en as pas profité pour partir en congé ». Et je lui dis, « mais nom d'une pipe, tu n'aurais pas tout ce matériel entre les doigts ». Parce que, je me rappelle que quand ma fille avait eu le bac, il y a un agent d'assurances qui est passé, « vous pouvez lui payer de belles vacances à votre fille ». Payer des vacances ? Pour moi les vacances, c'est acheter un outil de plus… Avec l'argent pour payer les vacances, j'achète un outil qui me ferait travailler un peu plus facilement. Enfin (…), parce qu'il y en a d'autres qui n'ont pas acheté tant d'outils et qui travaillent aussi. Moins que nous. Ils ont peut-être plus d'argent dans la poche. Enfin, ils n'ont pas eu la même ambition. Nous peut-être… Partir de rien et vouloir faire quelque chose, c'est… très mauvais.
Pierre L. — Ce qui est dangereux, c'est que le père perd son temps en pensant (…) à son fils, parce que le fils ne voit pas du tout comme le père… Il y a l'environnement qui est là…
Henri F. — Il y a quelques années j'ai cru réellement qu'il suivait, parce que, té, quand je lui ai fait la proposition de rester à la coopérative…

— Et sa femme qu'est-ce qu'elle fait ?…

Henri F. — Elle est employée maintenant au secrétariat. Elle a des bagages. Elle cherche une place mais elle n'en trouve pas. Maintenant, elle était à un secrétariat de maison de handicapés à S. Mais c'est temporaire (…).
Pierre L. — Là aussi, il y a eu beaucoup de déception pour ces jeunes qui avaient un bagage pour quelque chose et qui… ont travaillé… et s'ils n'ont pas eu le « gnac » pour faire autre chose, les uns ont accroché, les autres se sont dégoûtés et ça finit par faire des…
[…]

Henri F. — (…) Mais tous les gars qu'on a libérés qui sont en train de faire du trafic de drogue, etc., c'est pas tolérable de voir (…). Quand on voit maintenant des gars, ils ont des armes chez eux… […]
Je crois que sous le gouvernement précédent, on avait un peu libéré la gâchette des policiers, je crois que c'était quand même mieux quelques bavures que de voir… (…) Je vois pas moi… quand il y a un barrage de flics à faire, ils n'ont qu'à y mettre les moyens, et le premier type qui bouge… (…) On n'a pas à crier contre le policier (…), même s'il a tiré un coup de plus, (…) on le juge. Moi quand je tue un sanglier, s'il n'est pas mort à la première fois, je lui en fous une autre et je me… Je me mets à la place du policier si… (…) On nous demande… Il y a une chose qui m'a frappé. On demande (…) pour un lit d'hôpital pour un gars qui va se faire soigner et quand on compte ce que coûte le logement d'un de ces gros bandits en taule, c'est une vraie catastrophe. Il vaudrait mieux libérer quelques places là et ne pas faire payer le simple citoyen son lit d'hôpital… Seulement, je vois de loin… je ne suis pas de l'avis de tout le monde. Mais, j'en vois des gars qui ont quand même quatre ou cinq morts sur la conscience (…). On peut pas s'apitoyer sur des gars comme ça… C'est la société qui s'en va…
Pierre L. — Oui, oui. Il y a un déboussolage (…).
Henri F. — Ils [les hommes politiques] doivent quand même être copains entre eux aussi (…). C'est un peu comme les deux avocats : chacun défend son client, finalement entre eux ils sont déjà arrangés avant de venir à l'audience. Et là ça doit être pareil…
— *Souvent c'est bien pire dans le même…*
Pierre L. — … dans le même groupe.
Henri F. — Mais quand même, il y a trop de laisser-aller. Avec tout ça, il faut bien le dire, on comprend ceux qui défendent Le Pen… Au moins, lui, il dit quelques vérités…

1983

La transcription de l'entretien a été rendue très difficile, parfois impossible, par le mauvais état de conservation de la bande magnétique.

J'avais conduit cet entretien, en 1983, avec l'intention, assez vaguement définie, de tenter une sorte d'expérience à la fois politique et scientifique : il s'agissait d'essayer d'offrir à des personnes que je connaissais depuis longtemps, agriculteurs, ouvriers, artisans, petits employés, etc., une occasion d'exprimer leur malaise et leur mécontentement profonds, c'est-à-dire tout ce que les instruments ordinaires de communication entre la « base » et les « dirigeants », qu'il s'agisse des motions ou des plates-formes des congrès politiques ou des sondages d'opinion, ont peine à saisir et à véhiculer. Je pensais qu'une situation d'enquête dans laquelle les personnes interrogées étaient expressément consultées par un interrogateur perçu comme capable de rapporter leurs propos à qui de droit, et méritant de ce fait d'être pris au sérieux, serait de nature à les inciter à sortir de l'attitude de demi-irresponsabilité dans laquelle les placent les enquêtes ordinaires pour se poser en porte-parole autorisés, décidés à poser leurs problèmes, leurs préoccupations, leurs revendications (c'est ainsi que Henri F., à qui Pierre L. avait demandé de l'accompagner, en raison de sa « représentativité », avait pris contact, avant l'entretien, avec les dirigeants d'une coopérative viticole afin d'être en mesure de rapporter auprès de moi leurs attentes et leurs demandes). Et de fait, toute la logique de l'entretien témoigne que mes deux interlocuteurs, comme s'ils entendaient tirer parti de la disposition de totale réceptivité (tout à fait exceptionnelle dans la vie politique et même dans la vie quotidienne) dans laquelle je m'étais placé, ont saisi l'occasion de dire ce qui leur tenait le plus à cœur : ils m'ont imposé, pour la plupart, les problèmes, tout à fait personnels en apparence (telle la question du départ du fils), qui s'imposaient à eux et qui, si on laisse de côté quelques questions comme celles du prix des terres ou des subventions pour le fuel, avaient en commun d'être totalement exclus de l'univers de discours proprement politique. Ainsi se trouvait manifesté, a contrario, le caractère artificiel des réponses que les « enquêtés » ordinaires font, plus ou moins à la légère, et sans toujours prendre la peine d'y penser vraiment, aux problèmes imposés (et souvent mal posés) par tant d'enquêtes centrées, comme la plupart des sondages d'opinion, sur les intérêts de ceux qui les financent et qui les « conçoivent ».

Venus et mandatés pour poser des problèmes politiques, publics, mes deux interlocuteurs m'ont posé des problèmes que l'on dit personnels ou privés. Une grande partie de la conversation (de plus de trois heures), que nous avons eue a tourné autour du départ du fils de l'un d'eux. Quoique attentif, depuis longtemps, à ce problème (j'avais mené, dans les années 60, une étude sur le célibat des aînés dans la région), je n'avais pas entendu vraiment ce qu'ils me disaient. Sans doute parce que je n'avais vu dans les propos initiaux (sur « les jeunes » notamment) de celui qui se présentait lui-même comme « le responsable agricole du canton » que le prélude imposé qu'il fallait « subir » avant d'en venir aux « choses sérieuses », c'est-à-dire à ce que j'attendais. Je dois ainsi avouer que c'est seulement après avoir transcrit complètement l'entretien, et m'être ainsi imprégné, profondément, de sa logique, que j'ai entendu ce que Henri F. n'avait cessé de me dire, d'ailleurs dans un langage qui, parce qu'il se cantonnait dans l'ordre du générique, sans doute par souci de dignité et de bienséance, et aussi pour éviter la souffrance d'un aveu trop précis, était bien fait pour susciter l'attention distraite que nous accordons aux misères ordinaires des autres. Il m'avait dit, sans me le dire, parce qu'il ne pouvait se le dire, que son fils, à proprement parler, l'avait tué. Et c'est seulement après avoir construit le modèle explicatif, à la fois unique et générique, du refus de la succession comme annulation de l'héritage et meurtre du père qui l'a produit que j'ai pu entendre des phrases comme celle-ci : « Les jeunes sont devenus très durs ; ils s'en foutent que vous ayez perdu toute la vie » (où « les jeunes » est mis pour mon fils, comme à peu près partout dans son discours) ; ou celle-ci, prononcée par Pierre L., dont la situation, quoiqu'elle soit, en un sens, moins dramatique, puisque son fils reste à la maison, mais célibataire, est assez proche pour qu'il n'ait pas de peine à comprendre le drame de son ami : « Le père perd son temps en pensant à son fils, parce que le fils ne voit pas du tout comme le père. » La compréhension véritable du plus dramatiquement intime n'est possible qu'au prix d'un détour par la compréhension du plus impersonnel, c'est-à-dire de mécanismes génériques, ici ceux de la succession, qui ne se livrent que dans l'unité d'une condition sociale appréhendée dans sa totalité. Et il n'est pas interdit de penser que le modèle construit à propos d'un cas particulier pourra permettre de comprendre le souci (qui n'a rien de naturel et d'universel) de se perpétuer dans un héritier ou un héritage (matériel ou spirituel) tel qu'il se manifeste dans (et sous) certaines conditions sociales : ne faut-il pas y voir une manière d'arracher toute une existence à l'absurdité en évitant que finissent avec elle les fins mêmes qu'elle a poursuivies et qui lui ont donné son sens (telle la défense du nom et de l'honneur familial, s'agissant d'un noble), et qui, en s'anéantissant, la dépossèdent rétrospectivement de sa signification ?•

Patrick Champagne

Un avenir incertain

Sur la même exploitation travaillent, en attendant la succession, M. et Mme Lapastourelle, un couple d'agriculteurs âgés, et leur fils unique, François, qui s'est marié jeune (il avait alors 20 ans) et a trois petites filles. Au moment de l'entretien, le père était âgé de 56 ans, la mère de 53 ans et le fils de 32 ans. La ferme qu'ils exploitent, un « GAEC père-fils »[1], fait 90 hectares, ce qui n'est pas très important pour la région. Ils ne sont propriétaires que de 20 hectares, le reste étant pris en location depuis longtemps déjà, pour 30 hectares, à la bourgeoisie locale (médecins et notaires) et, pour 40 hectares, à d'autres agriculteurs. Ces derniers, qui ont manifesté l'intention de vendre leurs terres à la fin du présent bail, en 1996, contribuent par là involontairement à aggraver la situation économiquement déjà très délicate de cette exploitation agri-

1. Le GAEC (Groupement agricole d'exploitation en commun) visait à l'origine à accroître la taille moyenne des exploitations et à développer une agriculture collective en réunissant plusieurs agriculteurs au sein d'une même entreprise. Il a surtout été utilisé, étant donné les avantages fiscaux de ce type de société, pour assurer la coexistence des générations sur l'exploitation familiale avant que la succession ne devienne effective. Ce sont ces GAEC, les plus nombreux, qui sont appelés « GAEC père/fils ».

cole. M. et Mme Lapastourelle et leur fils connaissent actuellement, en effet, de graves difficultés. Ils m'ont été signalés par un responsable de la Chambre d'agriculture s'occupant des « agriculteurs en difficulté » de la région dont le nombre croît chaque année, les catégories touchées étant de plus en plus nombreuses.

La ferme est au bout du village, lui-même situé un peu à l'écart, à quatre kilomètres d'une route nationale qui traverse la Normandie. Bien qu'elle soit à une vingtaine de kilomètres d'une ville de préfecture importante, et à 150 kilomètres de Paris, la ferme présente un aspect extérieur qui est resté relativement traditionnel. Si les anciens bâtiments où résident les parents ont été refaits, ceux qui servent à mettre le matériel ont été, faute de moyens, laissés en l'état, toitures abîmées, portes vermoulues ou cassées. Sous des hangars plus récents, manifestement construits à l'économie, s'entassent en désordre un matériel agricole qui n'est plus tout neuf, des balles de foin, des sacs d'engrais, des objets rouillés. La cour de la ferme, vaste et accidentée, est envahie par la boue ; deux ou trois carrés de pelouse vaguement entretenus, un petit portique auquel sont suspendues des balançoires pour enfants et quelques maigres parterres de fleurs permettent d'identifier, dans cet ensemble confus de bâtiments, les lieux d'habitation. En dehors d'un autre agriculteur qui, lui, a bien réussi parce que « il est né en haut de l'échelle », les voisins sont des Parisiens ou des salariés retraités qui ont acheté les anciennes fermes du coin pour leur « caractère » et les ont refaites à neuf. En face de la ferme, de l'autre côté du chemin, réside un colonel de la gendarmerie en retraite : des haies, hautes et bien taillées, cachent en partie une maison de style normand, poutres apparentes et toit de chaume récent, entourée de massifs de fleurs importants et soigneusement entretenus.

Ils me reçoivent tous les trois dans la maison des parents, un petit bâtiment typiquement normand qui, sur un seul niveau, juxtaposait autrefois pièce d'habitation, étable et grange et qui, en 1985 seulement, a été entièrement réservé à l'habitation. Nous nous installons dans cette grande pièce située de plain-pied mais un peu sombre à cause des fenêtres étroites ; elle est chauffée par une petite cheminée moderne et fonctionnelle qui a remplacé la grande cheminée ancienne. Le centre de la pièce est occupé par une longue table recouverte d'une toile cirée usée dont on ne distingue plus les motifs ; près de la fenêtre, des serins s'agitent ; accrochée au mur, une pendule au mécanisme bruyant rompt le silence toutes les demi-heures ; contre un mur est disposé un canapé fatigué mais que l'on fait durer en le recouvrant d'un plaid. Un grand buffet rustique en chêne foncé constitue le seul mobilier de cette pièce encore inachevée.

Assis autour de la table, nous engageons la conversation qui se prolongera pendant plus de trois heures. Le père, en bleu de travail, parle peu et vite, de façon souvent incompréhensible. La mère, en pantalon et blouse, répond aux questions, avec malice lorsqu'il est question de son fils, avec émotion lorsque l'on parle d'abandonner la ferme. Le fils, grand et puissant, habillé d'une parka, s'exprime avec facilité et tient des propos à la fois revendicatifs et sans illusion. Durant l'entretien, deux de ses filles viendront dire bonjour et embrasser tout le monde. On ne verra pas sa femme qui est restée dans leur petit pavillon, toujours en chantier, situé à 150 mètres de là environ. Elle aide à l'exploitation mais cherche un travail salarié à l'extérieur pour accroître les revenus : « Elle va faire du ménage chez les personnes âgées, d'abord comme remplaçante, mais elle espère avoir le poste de titulaire », dit François, son mari.

M. et Mme Lapastourelle s'étaient mariés en 1959, ils avaient alors 20 et 23 ans, et avaient repris, quatre ans plus tard, la ferme héritée de la famille du mari. Celle-ci faisait déjà 90 hectares, ce qui était important pour l'époque alors qu'aujourd'hui, la taille moyenne pour la région est passée à 120 hectares. On y faisait traditionnellement de tout (système de polyculture-élevage). Il y avait alors une vingtaine de vaches, une dizaine de bœufs à l'engrais et sept chevaux. Mais la modernisation de l'exploitation fut lente, trop lente : « mon père, c'était pas un démarreur », dit M. Lapastourelle qui précise que le premier tracteur n'a été acheté qu'en 1952, pratiquement après tout le monde. C'est M. et Mme Lapastourelle qui décident d'installer l'eau courante, une petite salle de bains et des toilettes en 1968 – « l'année où ça a bardé ! » – avec l'aide d'un cousin alors au chômage.

M. Lapastourelle a repris, en 1963, sans enthousiasme, la ferme paternelle parce qu'il était l'aîné (il a un frère plus jeune qui est devenu garçon-boucher dans la région) et surtout parce que son père, très autoritaire, l'exigeait. Mais il avait aussi repris parce que sa femme alors le souhaitait : cela représentait pour elle une promotion (elle est issue d'une famille d'agriculteurs plutôt pauvres de la commune). La ferme, qui ne faisait que 26 hectares, ne comptait qu'une dizaine de vaches. Le fils aîné était parti à Paris alors qu'il avait 20 ans pour « prendre femme » et travailler comme ouvrier. Lorsque le fils cadet décida à 25 ans de partir à son tour, le père, seul sur la ferme, alors qu'il était âgé de 55 ans, dut partir, lui aussi, pour aller travailler en usine.

C'est presque toujours avec un temps de retard que ces agriculteurs ont subi les transformations majeures qui, depuis 30 ans, ont affecté le secteur agricole. Lorsque les parents s'installent, en 1963, ils ne peuvent bénéficier des prêts à l'installation des jeunes agriculteurs parce que le mari a un an de trop (26 ans au lieu de 25). Ils augmentent fortement leur production laitière l'année même où sont instaurés les quotas laitiers qui visent à stabiliser une production laitière jugée excédentaire. Ils découvrent ainsi progressivement qu'il ne suffit pas de changer et de « moderniser » l'exploitation ; encore faut-il le faire au bon moment. Ils s'inscrivent au Centre de gestion par hasard en 1978 alors qu'ils ont déjà plus de 40 ans et ont beaucoup de mal à changer leurs habitudes. Ils se perdent tous un peu dans les cotisations sociales. Le père parle du Centre de gestion avec une certaine distance (« c'est comme ça que je suis rentré là-dedans », « c'est venu plus tard, ça », autrefois « à c't'époque-là… y'avait pas tous ces… »). La mère ne sait plus vraiment comment il faut raisonner : « Le lait, ça me paraissait bien (autrefois) parce que ça faisait une rentrée d'argent. Et puis je raisonne encore de la même façon. Je ne sais pas si j'ai raison… » Elle raconte l'engrenage de la modernisation, sans réelle amélioration de leur mode de vie et de leurs revenus, dans lequel a été prise finalement toute l'agriculture traditionnelle. « Depuis qu'on a démarré, la vie a toujours changé », dit la mère qui explique comment, à mesure que les charges de l'exploitation s'accroissaient – du fait, entre autres, de la forte augmentation des cotisations de la Mutualité sociale agricole, des assurances, des impôts fonciers, du matériel agricole, des engrais, etc. –, il fallait agrandir sans cesse le cheptel alors que, dans le même temps, la main-d'œuvre diminuait ; comment les rendements des cultures et des vaches laitières tendaient à devenir de plus en plus performants alors que les revenus stagnaient. En 1978, lorsqu'ils s'inscrivent au Centre de gestion, ils faisaient 3 800 litres de lait par an et par vache en moyenne. « Aujourd'hui, constate le fils, on arrive à faire plus de 7 000 et on n'est pas encore contents. Faut dire qu'aujourd'hui on paye plus de charges et on n'arrive pas à avoir de revenus ». En 1992, les deux ménages qui travaillaient sur le GAEC ne pouvaient prendre chacun qu'un salaire de 7 000 francs par mois, ce qui s'avérait encore trop important compte tenu des bénéfices dégagés par l'exploitation.

La petite et moyenne exploitation familiale, prise dans des contraintes financières diverses en raison de l'importance des capitaux désormais nécessaires pour s'installer et s'agrandir, est devenue à la fois complexe et vulnérable : « Plus ça allait, plus ça devenait compliqué » fait observer le père, avec le ton de celui qui est « dépassé par les événements ». « Qu'est-ce que ça se complique ! » confirme également le fils qui estime que « à la limite, pour être agriculteur, il faudrait pratiquement avoir fait deux-trois ans de faculté de droit » en raison de la complexité de la réglementation qui contraint désormais la production agricole. La conséquence majeure de cette évolution est qu'elle a fragilisé des exploitations familiales de plus en plus dépendantes des banques. Ce qui est nouveau, c'est que, aujourd'hui, « il ne faut pas grand-chose pour foutre une baraque sur le dos », constate encore le fils qui en a fait lui-même l'expérience. La productivité de son exploitation est pourtant à un bon niveau ; c'est du côté des banques que les choses se passent moins bien. Les petits exploitants ne sont pas de taille à lutter avec les quelques gros exploitants de la région qui achètent les terres libres à des prix pour eux prohibitifs (« on n'est pas de taille »). Ces agriculteurs qui ne trouvent pas de terres pour s'agrandir sont, en outre, devenus fortement dépendants des conseillers en tout genre qui, aujourd'hui, sont censés les diriger et les encadrer pour les aider à intensifier leurs productions. En fait, ils sont surtout à la merci des erreurs d'appréciation de ceux qui les conseillent comme c'est le cas ici : un plan de financement calculé trop juste (200 000 francs au lieu de 350 000 francs) qui entraîne un énorme découvert à court terme chez les fournisseurs et les coopératives (il était encore de 210 000 francs au moment de l'enquête), et donc des agios importants ; un contrôleur laitier qui « fait faire des conneries », c'est-à-dire des dépenses inutiles ; des conseillers qui valsent en permanence et qui sont plus ou moins compétents. A la différence des entreprises agricoles importantes qui ont leurs propres conseillers, choisis parmi les meilleurs, les petits et moyens agriculteurs, en ce domaine comme en d'autres (en médecine, par exemple), ne peuvent que s'en remettre au hasard et à la chance.

A cela s'ajoute le fait que ces familles en difficulté sont, plus souvent qu'à l'ordinaire, frappées par les malheurs et les accidents, physiques et/ou sociaux qui ont des conséquences graves sur les trajectoires sociales étant donné la fragilité des exploitations et l'importance qu'ont ici pour la production les relations familiales : décès précoce de la mère, polyarthrose qui handicape prématurément un parent, chute grave dans un accident du travail du père constituent autant de charges pour les membres valides de la famille. Les ruptures familiales sont également nombreuses, fratries brouillées ou séparées, divorces. Bref, des relations de parenté souvent réduites aux charges, ce qui n'est pas sans conséquences lors de l'installation des jeunes générations qui ne peuvent guère compter sur un indispensable capital familial. Comme le remarque le fils, évoquant une famille d'agriculteurs située à proximité qui, elle, s'en sort bien, « le père a installé ses deux garçons en même temps dans deux fermes différentes de 100 hectares chacune et apparemment ça n'a pas posé de problèmes (alors que moi) je suis reparti en bas. »

On comprend la révolte et l'amertume de ces agriculteurs qui ont fait tout ce qu'on leur a demandé de faire et qui, pourtant, se retrouvent aujourd'hui en difficulté, et même, pour un nombre croissant d'entre eux, en faillite. Même les organismes coopératifs de la profession les considèrent de plus en plus mal. « Avec les agriculteurs, le Crédit agricole devient très méfiant. Il n'a plus confiance dans cette catégorie de gens », remarque la mère. Le fils trouve un peu fort que sa filleule, qui est salariée, soit mieux accueillie que lui au Crédit agricole lorsqu'elle demande un prêt pour s'acheter une voiture. On comprend aussi les très fortes résistances que ces agriculteurs opposent à la politique agricole européenne et aux « technocrates de Bruxelles » qui conçoivent leurs réglementations du seul point de vue économique : comment pourraient-ils accepter ce système de primes compensatoires qui les met, vis-à-vis de l'opinion, dans une position d'assistés, qu'en outre ils ne voient pas toujours venir, et qui ne compensent que très partiellement leurs pertes ? Comment pourraient-ils accepter de mettre chaque année 10 % de leurs bonnes terres en jachère alors qu'ils cherchent désespérément à s'agrandir ? Comment ces agriculteurs, qui sont encore très attachés à leurs animaux, ne percevraient-ils pas comme « une histoire de fou » et même comme un crime contre nature le fait de donner une prime pour supprimer les veaux mâles à la naissance (« Ça va décourager les vaches », dit la mère) parce que le marché n'arrive pas à les absorber en raison notamment des importations venant des pays de l'Est. Bref, comment ces agriculteurs qui ont même perdu, pensent-ils, le traditionnel soutien de l'opinion – « Aujourd'hui, on s'aperçoit quand même qu'on fait partie un peu des indésirables quand on manifeste » –, ne seraient-ils pas en plein désarroi, déboussolés, à la recherche de repères un peu plus stables : « On sait plus quoi faire, dit le fils ; on sait plus vers quel débouché s'orienter, quelle culture adopter. »

La situation de cette petite et moyenne agriculture est tout entière traversée par d'impossibles contradictions. Si ces fermes ont souvent été reprises par les enfants faute de mieux, les contraintes de l'élevage étant de plus en plus difficiles à supporter à mesure que les agriculteurs sont amenés à comparer leur vie à celle des salariés, ces jeunes agriculteurs qui ont cependant accepté de s'intégrer au processus de modernisation, s'estiment bien mal payés de leurs efforts. La mère a, pour son fils, lorsqu'il est encore jeune, des attentes démesurées à l'égard de l'école qui est censée le faire sortir par le haut de ce métier de misère (« Moi j'étais prêt à manger des pommes de terre tous les jours pour qu'il devienne quelqu'un », dit la mère à propos de son fils). Mais c'est elle qui, l'échec scolaire consommé, fait tout pour le faire revenir sur l'exploitation afin qu'il la reprenne. Elle se plaint de ce métier de misère mais ne peut se résoudre à le quitter. Elle aime son métier, elle « lui a tant donné ». Et elle envisage avec inquiétude une retraite qu'elle dit pourtant attendre avec impatience. Le travail de la ferme, même dur et mal payé, a trop occupé sa vie pour qu'elle ne s'y accroche pas comme à quelque chose qui a été toute sa raison de vivre. Quant au fils, il va essayer de se maintenir, mais sans conviction parce qu'il sait, on le lui a suffisamment dit, que son exploitation est sans avenir. Sa disparition est annoncée par l'État qui « veut faire partir 300 ou 400 000 agriculteurs » et surtout qui a plus que jamais les moyens de rendre effectives ses prévisions à travers les prêts, les primes et la fixation des prix agricoles (« On ne peut pas négocier nous-mêmes les prix, on doit les laisser négocier par les politiciens… »). Et comment ne se sentirait-il pas déjà un peu de trop lorsqu'il lit dans les revues mêmes de la profession, comme un avenir à la fois souhaitable et inéluctable, qu'en l'an 2000, il ne restera que les grandes entreprises et, seulement de façon accessoire, ceux qui ne veulent pas lâcher et quelques agriculteurs à temps partiel ? •

avec des agriculteurs

— entretien de Patrick Champagne

« On travaille mais on sait pas où c'est qu'on va »

— [*Aux parents.*] *Vous vous êtes connus comment ?*

La mère — Sur les bancs de l'école [*elle rit*]. Mon mari habitait ici et moi à côté.

Le père — Quand ma femme elle est née, j'ai été la voir… y paraît… [*il rigole*]… avec ma mère. Moi, j'm'en rappelle pas, mais ma mère me l'a dit plusieurs fois.

Le fils — En ce temps-là, quand on disait le bout du pays, c'était à 300 mètres…

Pour vous dire que c'était pas tellement évolué chez nous

— *Vous alliez souvent en ville dans votre jeunesse ?*

La mère — Non, on n'avait que des vélos.

Le père — On allait à A. [*à 18 kilomètres*] que pour la foire. On prenait le train qui, autrefois, passait ici et on allait là-bas et c'est tout. Autrement…

La mère — Autrement on allait au cinéma à côté [*à 5 kilomètres*]. (…) J'ai un frère qui est parti comme ouvrier à Paris à 20 ans. Pour vous dire que c'était pas tellement évolué chez nous, quand il s'est marié à Paris, on n'a même pas été au mariage parce que Paris, c'était le bout du monde. Alors on n'a pas bougé de là. Il s'est marié avec deux témoins. Même mon père n'y a pas été. Et puis j'ai mon autre frère qui s'est marié six mois avant moi. Il a resté un peu plus longtemps jusqu'à 25 ans. Quand il est parti, Le père ne pouvait plus s'occuper tout seul de la ferme. Il est parti à 55 ans à l'usine, au cartonnage. Il disait que c'est les 10 années où il a été le plus heureux. Il attendait les camions. Si y'avait des camions, y'avait du travail et si y'avait pas de camions, c'était pareil. Y'avait la paye qui tombait. Il était bien.

— [*Au père.*] *C'est vous qui avez repris la ferme. C'est parce que vous étiez l'aîné ?*

Le père — Oui. Enfin, ça s'est fait comme ça.

— *Vous aviez envie de reprendre ?*

La mère — [*avec un petit sourire*] Non, c'était peut-être plutôt moi.

— *Tandis que vous, vous aviez envie de quitter l'agriculture ?*

Le père — Oui… [*incompréhensible*].

— *Et qu'est-ce qui vous plaisait pas ?*

Le père — Déjà être pris tous les jours, être rentré à telle heure. Des vacances, j'en ai jamais eues. On allait au cinéma, le soir il fallait être rentré à telle heure.

— *A cause des vaches ?*

Le père — Il fallait traire les vaches malgré qu'y avait un vacher.

La mère — Oui, puis ton père était « le règlement c'était le règlement ». Mon beau-père était très dur, fallait se plier…

Le père — L'heure c'était l'heure. S'il disait de rentrer à minuit, c'était minuit. Le dimanche soir, on allait au cinéma ou au bal, fallait taper à la fenêtre pour avoir la clé pour rentrer. C'était minuit et pas une heure du matin parce que le dimanche d'après, vous aviez compris…

La mère — Et quand il a quitté [*pris sa retraite*], au début il revenait là pour voir si on mangeait bien à l'heure, et tout.

Le père — Des fois, on aurait voulu manger plus tard pour finir quelque chose, mais on pouvait pas.

La mère — Il était chez lui [*dans une petite maison située à 300 mètres*] mais il revenait sur la ferme tous les jours.

Ils avaient envie de ne pas me voir faire ce métier-là

[*La mère explique comment ils ont repris progressivement la ferme, avec quatre vaches d'abord puis en augmentant progressivement le cheptel. En 1965, ils sautent le pas et construisent une stabulation libre, c'est-à-dire un grand hangar qui remplace les étables et où les vaches sont en liberté.*]

— [*Au fils.*] *Vous avez été jusqu'où à l'école ?*

Le fils — Pas très loin. Si j'avais voulu j'aurais pu réussir mais j'étais pas motivé par l'école. Aujourd'hui, je regrette un peu.

— *Vous avez fait quoi comme scolarité ?*

Le fils — J'ai été mis en pension. J'ai fait une sixième, deux cinquième parce que j'avais pas l'âge de rentrer dans le technique et après j'ai été à Caen pour faire métallurgie.

— *Vous ne pensiez donc pas reprendre ?*

Le fils — Ben à 12, 13 ans, je savais pas trop ce que je voulais faire.

— *Et vos parents ?*

Le fils — Ils avaient surtout une envie. C'était de ne pas me voir faire ce métier-là.
La mère — Moi j'étais prêt à manger des pommes de terre tous les jours pour qu'il devienne quelqu'un. J'aurais bouffé des patates tous les jours. Il avait la tête à le faire. Et puis, bon, ça s'est pas fait.

— *Vous, vous ne souhaitiez pas qu'il reprenne ?*

La mère — Non, moi je le voyais faire autre chose. Moi je disais, c'est un métier où on est trop pris… tout en aimant le métier parce que moi je l'adore. Ça j'aime mon métier hein ! Je souhaitais autre chose [*pour mon fils*].

— *Le travail agricole ne vous paraissait pas assez intéressant ?*

La mère — On ne gagnait pas le sel de sa soupe tout compte fait.
Le père — Plus ça allait, plus ça devenait compliqué.
La mère — Quand on avait payé les charges et tout, qu'est-ce qui restait ? Rien ! Bon, de toute façon, l'agriculture ça a toujours été un métier de misère.

— [*Au fils.*] *Et vous avez été orienté vers le technique…*

Le fils — Non, c'est moi qui ai choisi. Quand j'avais 12-13 ans, j'étais passionné par la mécanique. Je crois que je suis né avec une clé à molette. J'avais une passion à cette époque-là, j'aurais voulu être mécanicien dans l'aviation. Je voulais travailler sur les avions.
Le père — C'était un passionné des astronautes. Quand il y a eu les bonshommes sur la lune, eh ben, il les regardait jusqu'à une heure du matin.
Le fils — Bon et puis les études, ça m'a vite pris la tête. J'ai fait deux années de mécanique automobile puis j'ai pas fait la troisième. J'ai pas de CAP. Ça s'est trouvé arrêté comme ça. Je suis revenu sur l'exploitation. (…) Il y a eu des investissements de faits en 78 sur l'exploitation. On a pensé alors abandonner le lait et s'orienter vers les céréales pour avoir plus de confort au niveau de la vie sur l'exploitation.

— [*Aux parents.*] *Le fils venait tout juste de sortir de l'école à ce moment-là. Vous ne faisiez pas ces investissements sans espérer que le fils ne reprenne derrière ?*

Le fils — [*regardant sa mère*] Faut dire qu'à ce moment y'a eu une bonne poussée pour que ça continue, et ça s'est fait.
La mère — [*cherchant à se défendre*] Mais te rappelles-tu ce que tu as dit à ce moment-là quand on montait les silos ?
Le fils — Oui. Mais on ne parlait pas encore de quotas laitiers. J'ai dit que y'aurait peut être un jour 100 vaches sur l'exploitation. A

l'époque, je savais pas ce que c'était le travail des vaches. Quand j'étais gamin, j'allais pas aux vaches. Je suis parti à neuf ans en pension, je suis revenu à 17 ans et je savais pas vraiment ce que c'était que l'agriculture. De toute façon, moi je suis né céréalier, je suis pas né vacher. En 87, j'ai vraiment cru que je pourrais m'y mettre mais j'aime pas ça.

— *Et pourquoi ? Ce sont les contraintes ?*

Le fils — C'est les conditions de travail. C'est trop prenant et puis c'est dégueulasse. J'aime pas me lever le matin et aller mettre les mains dans la merde. C'est malheureux à dire... [*ne voulant pas blesser sa mère*]...on est comme on est, on se refait pas, mais c'est pas mon truc. J'ai fait l'effort pourtant.

— *Pourquoi êtes-vous revenu sur l'exploitation ? Vos parents avaient besoin de vous ? Vous saviez qu'en revenant à ce moment-là sur l'exploitation, vous aviez une forte chance de rester...*

Le fils — Oui. Mon père et ma mère étaient seuls sur l'exploitation et, avec les vaches laitières et les cultures, il y avait du boulot.

— *Ce sont vos parents qui vous ont demandé de revenir ?*

Le père — Il est revenu, et y'a eu un problème. Il voulait repartir travailler à l'usine. Un jour, j'étais en train de faire du blé pas loin. Il vient me voir et y m'dit, « j'peux t'y r'venir ? ». Je lui dis « oui, mais si c'est pour faire le cirque, c'est pas la peine ! ».

La mère — Et puis, ma foi, il est resté [*elle sourit*].

Le fils — J'avais 18 ans...

La mère — [*sur le ton de la confidence*] Il avait une copine qui d'ailleurs est devenue sa femme.

— *Et c'était quoi le problème ? Vos parents ne vous payaient pas assez en tant qu'aide familial ?*

Le fils — Oui, on avait loué un petit studio à 20 kilomètres de là et ça avait augmenté un peu les besoins financiers.

[*Suit une discussion entre eux sur ce que donnaient les parents à l'époque. La mère prétend qu'ils lui donnaient 2 500 francs par mois. Le fils rectifie : non 1 500 francs. Oui, peut-être, dit la mère, mais pas de loyer, pas d'électricité à payer, c'était pas mal...*]

Il nous a dit que ça allait redresser la barre, quoi

Le fils — J'ai été aide familial jusqu'en 80. J'ai fait mon service militaire. Je me suis marié pendant mon service militaire. J'ai eu un enfant. Après mon service, je suis revenu comme aide familial et après, pour des raisons d'assurances, je suis devenu salarié d'exploitation à 22 ans. Et je me suis installé en 87.

— *Quand vous êtes rentré du service militaire, vous pensiez reprendre ?*

Le fils — Ben…

La mère — Disons que là, c'était encore moi. Faut dire les choses qui sont.

Le fils — Y'a eu une première étude de faite, mais ça s'est pas fait. On avait étudié l'hypothèse du GAEC mais ça m'avait pas plu vraiment parce que je suis assez indépendant, j'aime ma liberté, ça c'est important pour moi. Aujourd'hui ça me manque énormément ce genre de chose. On avait envisagé de faire un atelier de taurillons – c'était la pleine vogue des taurillons… enfin ça commençait à redescendre – et puis financièrement, c'était pas très brillant, on avait fait une étude sur le papier. On partait de zéro, y'avait rien, pas de bâtiments, pas de matériel.

— *Quand vous dites « on », c'est qui ?*

Le fils — Le Centre de gestion. Je ne me suis pas engagé là-dedans. On a laissé passer un peu d'eau sous le pont. En 86, on a commencé à reparler sérieusement du GAEC.

— *Qui « on » ?*

Le fils — Surtout les conseillers agricoles qu'ont un petit peu poussé.

— [*A la mère*.] *Et vous qu'est-ce que vous en pensiez ?*

La mère — J'étais enthousiaste. Bon, ça s'est pas fait cette fois-là.

— [*Au père*.] *Et vous ?*

Le père — Ben le GAEC, c'était plus facile pour lui pour prendre derrière moi pour quand j'allais quitter.

La mère — Oui, il y avait une question aussi que les conseillers de gestion nous avaient un peu inculquée dans l'esprit, c'est que ça saignerait moins à la sortie, pour lui comme pour nous [*elle fait allusion à la fiscalité*].

— [*Aux parents*.] *Au début, est-ce que vous saviez ce qui rapportait le plus sur l'exploitation ?*

La mère — On savait pas. On ne faisait pas partie de rien du tout. Y'avait rien de chiffré.

Le père — A c't'époque là… y'avait pas…

La mère — Le lait, ça me paraissait bien parce que ça faisait une rentrée d'argent. [*plus bas, se sentant un peu en faute*] Et puis je raisonne encore de la même façon. Je sais pas si j'ai raison.

— *Quand avez-vous adhéré au Centre de gestion ?*
Le père — En 78, au moment de l'imposition forfaitaire qui était trop... c'est un conseiller du GDA [*conseiller de développement agricole*] qui venait là pour discuter. Je lui raconte. Il dit, « attendez je téléphone, on peut toujours prendre des conseils », et c'est comme ça que je suis rentré là-dedans.
— *Vous avez su à ce moment-là quels étaient vos revenus ?*
La mère — Oui, parce qu'avant, on se rendait pas tellement compte.
— *Vous gagniez combien ?*
Le fils — Je crois qu'à cette époque-là [*en 1980*], on gagnait 25 000 francs par an.
La mère — Enfin on vivait, mais il restait rien pour... En 87, avec le projet de GAEC, selon le conseiller de gestion, il nous a dit qu'il y avait un grand espoir, que ça allait redresser la barre, quoi.
Le fils — Bon, et il y a eu maldonne dans les calculs, quelque chose qui a merdé quelque part.

Il y a eu une grosse erreur de faite dès le départ

— *Le projet de création de GAEC reposait sur quoi dans l'étude ?*
Le fils — D'abord une augmentation du quota laitier, qu'on a obtenu. [*Il explique que leur quota n'était pas très important parce qu'ils avaient augmenté le troupeau laitier une année trop tard, en 1984, lorsque les quotas laitiers – qui avaient été instaurés par la Politique agricole commune et visaient à bloquer la production laitière des exploitants à leur dernier niveau – sont arrivés. L'année de référence, 1983*] « n'était pas terrible. En plus on avait eu une mauvaise année laitière qui fait qu'on a été pénalisé. On avait eu une bonne augmentation en 84. Les quotas sont venus là-dessus. Ça a fait mal. Il y a eu beaucoup de lait à éponger en excédent. » [*Ils font alors, en catastrophe, un atelier de démarrage de taurillons (élevage des veaux mâles jusqu'à six mois*] *qui rapporte très peu.*] De toutes façons, sans augmentation je ne m'installais pas. On était à 169 000 litres et on est passé à 278 000 litres. Après il y a eu la volonté de continuer à produire parce que au niveau des revenus... on est toujours trop court en revenus. (...)
— *A combien se sont montés les investissements lors de votre installation en 1987 ?*

Le fils — [*Vers son père*.] On a investi combien ? Une cinquantaine en tout ? Il y a eu 35 pour le hangar, le béton, les silos dont une bonne partie a été payée en autofinancement.

— En autofinancement ?

Le fils — Oui, c'est ce qui a cassé le budget et créé des dettes-fournisseurs énormes. Il y a eu une grosse erreur de faite dès le départ. Là, je peux pas dire que j'en veux à la Chambre d'agriculture mais, disons que, quand ils vous envoient quelqu'un pour vous monter un dossier, vous faire un plan, histoire pour vous donner une échelle de grandeur, y'en a qui se plantent complètement. Eux, ils avaient compté 20 millions et ça nous a coûté 35, mais les prêts avaient été demandés pour 20. Donc, toute la trésorerie a passé à boucher le trou du manque de financement. Ce qui fait que ça a créé des dettes-fournisseurs un peu partout. Qui dit agios, dit, on s'en sort pas, et plus ça va plus il en vient. Aujourd'hui on recommence à voir un peu la surface mais avec énormément de mal. On en a encore pour deux ou trois ans. Quand on avait fait l'étude avec le Centre de gestion, au point de vue du financement, ça passait bien…

— Sauf qu'ils se sont quand même plantés.

Le fils — Oui, y'a eu des problèmes quelque part. Bon mais à part ce truc qui nous a foutu notre trésorerie en l'air, on n'a pas eu de catastrophes climatiques. On a énormément travaillé au niveau de la génétique du troupeau laitier. Ça a coûté de l'argent, c'est pas gratuit. Il a fallu acheter des bêtes de qualité.

[…]

— [*Au fils*.] *Vous avez quoi comme formation ?*

Le fils — J'ai pas fait de formation agricole.

— *Vous n'avez pas fait le stage des 200 heures ?* [*Il s'agit du stage de formation qui est organisé par la Chambre d'agriculture et que doivent suivre les jeunes agriculteurs pour avoir droit aux subventions à l'installation.*]

Le fils — Si, mais c'est vraiment théorique. On n'apprend pas grand chose. Ce qu'on apprend le plus dans le stage – ça dure que deux ou trois jours dans le tout – c'est la visite avec le représentant du Crédit agricole où il nous expose tous ses petits calculs financiers, puis une personne qui vient de la Chambre d'agriculture mais qui est plutôt conseiller technique, et aussi une personne qui est intéressante, c'est le conseiller juridique. Il y a beaucoup de choses à apprendre avec un homme comme ça. C'est pour ça qu'on s'aperçoit qu'à la limite pour être agriculteur, il faudrait pratiquement avoir fait deux-trois ans de faculté de droit. C'est incroyable mais il y a beaucoup de choses qu'on ne sait pas.

— *Par exemple…*

Le fils — Au niveau des baux… on n'en parle pas tous les jours mais le problème, c'est que dans l'agriculture, j'ai l'impression qu'il y a beaucoup d'agriculteurs qui se font avoir… au niveau des baux ruraux par exemple… alors que les grosses exploitations, elles ont leurs conseillers.

[*On aborde le problème des terres et des locations de terre. Dans la région, il n'y a pas de terres à louer ni à acheter. « C'est infernal, c'est la guerre », dit le père. Ils recherchent des terres parce qu'ils ont appris, depuis peu, que 40 ha qu'ils louaient à d'autres agriculteurs, vont être mis en vente en 96.*]

Le fils — Et puis on a ici une bande de loustics, de gros agriculteurs, gros… enfin j'aime pas trop le mot, disons d'exploitations assez importantes qui ont l'air de bien rouler et qui achètent à tour de bras. Ils se battent entre eux. Nous on ne peut pas rivaliser. On a essayé d'acheter une parcelle de terre il y a deux ans. C'est une parcelle qui appartenait à la commune qui a été achetée par la SAFER à 39 000 francs l'hectare et qui a été revendue 52 000. [*Ironique*] Merci la SAFER ! Moi, j'étais candidat pour l'acheter à 39 000 francs mais pas à 52 000. (…)

[*Ils évoquent les grosses exploitations situées à proximité. Elles ont entre 250 et 300* hectares *avec des salariés agricoles. L'une fait des pommes de terre, une autre de 1 000 hectares avec une usine de lin et une troisième de l'engraissement de cochon. La femme remarque que « ceux qui font le lin, c'est des Belges, celui qui fait des pommes de terre, c'est un Hollandais, celui qui fait des cochons, ah, là, c'est un Français ».*]

On est toujours passé à côté

Le fils — On n'a jamais été dans le lot de ceux qu'ont repris quelque chose. On est toujours passé à côté. A l'époque, en 63, on faisait partie des exploitations assez grandes. Aujourd'hui, on est classifié dans les moyennes, on est en dessous de la moyenne du département qui est de 120 hectares. On n'a jamais eu le facteur chance avec nous au bon moment.

— *Ça aurait été quoi le facteur chance ?*

Le fils — Il y a des gens qui trouvent toujours quelque chose à reprendre, des terres à louer. Nous, ça s'est jamais présenté.
La mère — [*Le contredisant*] Il y a eu six hectares, y'a pas longtemps
Le fils — [*Avec vivacité*] Oui mais dans quelles conditions ! Ils [*les propriétaires*] sont arrivés là dans la cour un matin et pour reprendre [*en location*] les six hectares, il fallait 60 000 francs le soir même ! C'était pas évident.
La mère — [*Approuvant finalement son fils*] Et puis il y avait une très très forte reprise. Un bail de 18 ans mais un fermage élevé avec possibilité de monter encore au bout de neuf ans. Et puis pas des bonnes terres en plus.
— Combien il faut ici pour tenir ?
Le fils — Il faut 120 hectares pour tenir en céréales. Il y a quelques affaires qui vont se faire mais c'est pas de notre taille.
— Vous êtes combien d'agriculteurs dans le coin ?
La mère — Deux !
— Et il a les mêmes difficultés que vous ?
La mère — Non, parce que, pour vous parler franchement, nous on est arrivés au monde nus, et les voisins à côté tout habillés.
— Il avait quoi de plus que vous ? des terres ?
La mère — Les parents avaient beaucoup plus de facilités que nous pour les mettre en route.
Le fils — C'est même pas comparable. Ils étaient trois garçons. Il en a installé deux en même temps dans deux fermes différentes de 100 hectares chacune. Apparemment ça a pas posé de problèmes.
La mère — Y'en a qui sont partis comme sur des roulettes alors que nous on est partis avec des millions de dettes !
Le père — Y'en a un qui est parti qui était en haut de l'échelle alors que l'autre il est parti en bas.
Le fils — Oui, je suis reparti en bas.
[…]

Bon, on va essayer d'aller contre

— J'ai l'impression que plus vous vous modernisez, plus vous vous améliorez et plus les difficultés augmentent ?
Le fils — On sait, on nous l'a assez rabâché, c'est malheureux à dire, l'État aujourd'hui veut diminuer le nombre d'agriculteurs. Ils

mettent tous les moyens pour le faire et apparemment ils vont y réussir.

— *Vous vous sentez visé ?*

Le fils — Ben oui. Je lisais un petit article dans *La France agricole* qui disait que dans l'an 2000, il restera trois catégories d'agriculteurs. Il restera les grandes entreprises, quelques entreprises, disons des gens qui ne veulent pas lâcher, et puis une petite partie d'agriculteurs temporaires qui auront leur petite exploitation et iront travailler la moitié du temps à l'extérieur. (...) C'est vrai que je me sens visé par la politique agricole qui veut faire partir 300 ou 400 000 agriculteurs. Bon, on va essayer d'aller contre. Ils mettent tout en œuvre pour ça. (...) Ils vont mettre des primes, mais moi j'y crois pas trop. (...) On nous a pondu une PAC [*politique agricole commune*], mais on sait pas où ça va nous mener. On sait par des bilans comptables qu'on aura 15 et 30 % de revenus en moins. Avec des primes hypothétiques. Alors s'ils nous donnent pas les primes...

— *Qui vous suit actuellement ?*

Le fils — Un conseiller de gestion. C'est le Centre de gestion qui a tiré la sonnette d'alarme. Enfin, on le savait. On n'arrivait plus à joindre les deux bouts. Y'avait une facture qui arrivait, on ne pouvait pas la payer et sans compter qu'on avait des dettes chez les fournisseurs, jusqu'à 320 000 francs. L'an dernier, on avait encore 235 000 francs. Il y a les frais, les agios.

Le père — C'est le contrôleur laitier qui nous a fait faire des conneries.

Le fils — On a eu un technicien qui n'était pas performant, qui l'est toujours pas, qui nous a fait distribuer des concentrés [*aliments pour le bétail*] qui étaient soi-disant faramineux. Ça nous a coûté une petite fortune, au moins 50 000 francs. On a été mal conseillé de ce côté-là, un technicien à côté de la plaque. On a pris ça en mains nous-mêmes et on fait ça nous-mêmes, avec le service vétérinaire qui nous conseille.

La mère — C'est mieux, ça rapporte plus.

[...]

Ce qui nous embête le plus, c'est la suite

La mère — On aurait pu prendre notre retraite l'année dernière mais ça s'est pas fait.

Le fils — C'est de ma faute. C'est à cause du problème que je vais avoir en 96, les 40 hectares qui s'en vont. Tant qu'il n'y a rien de fait, ils veulent être là pour voir ça.
La mère — [*Faisant semblant de se fâcher*.] Mais dis donc, pour l'instant, tu nous em... parce que j'en ai marre, ce qui s'appelle bien marre.
— *Vous vous seriez arrêtés ?*
La mère — Mon mari oui. Et moi avec.
— *On a l'impression que vous êtes un peu découragés.*
Le fils — Oui, on est découragés. Je vais sur 32 ans mais il y a une chose qui me décourage plus que les autres, c'est d'être obligé de laisser des terres à ne rien faire. On doit mettre 15 % des terres en jachère. Nous cette année, avec 93 hectares, on est obligé de laisser 10,5 hectares en jachère.
La mère — On a chiffré qu'on va perdre 40 000 francs de revenus.
Le fils — Ce qui nous embête le plus, c'est la suite. Quoi faire dans quatre ans ? [*Il fait allusion à la mise en vente, en 96, des 40 hectares qu'il a actuellement en fermage*.]
La mère — [*Avec émotion*.] Oui, c'est ça qui m'embête, parce que pour moi la ferme, elle doit vivre !
— *Vous êtes très attachée à cette ferme...*
Le fils — [*Répondant pour sa mère, un peu émue*.] Oh oui !
Le père — Les terres qu'on a, ça fait 70 ans qu'on les a en location !
— [*Au fils*.] *Et vous, ça vous serait égal de vendre la ferme et de partir ?*
Le fils — Pas tant que ça. Ça serait vraiment la dernière solution parce que maman, ça passerait pas. Avoir été toujours là et puis surtout avoir tant donné.
— *Aujourd'hui, ce qui est nouveau, c'est l'incertitude, non ?*
Le père — On travaille mais on sait pas où c'est qu'on va.
La mère — Depuis qu'on a démarré, la vie a toujours changé. Y'a jamais eu rien de sûr. Parce que moi, je me rappelle, quand on a démarré, on vivait bien avec un employé et 17-18 vaches. Quelques années après, il a fallu monter à 21 vaches parce qu'on arrivait plus à avoir assez pour couvrir les salaires, les charges sociales, les impôts et tout. Après, pour faire face, on a mis encore trois-quatre vaches. Après, ça faisait plus face encore, alors on a investi, on a emprunté, on a commencé à faire des silos et puis

mettre les vaches en libre-service pour monter à 30. Et puis une fois à 30, on a monté à 35, 36. Et pourquoi ? Parce que y'avait toujours un besoin d'argent plus pressant. Parce que tout montait, il fallait payer beaucoup plus chère l'assurance, la MSA [*la mutualité sociale agricole*], et petit à petit…

Le fils — Et aujourd'hui on est arrivé à 50 vaches. Et il y a plus de salarié ! (…) Ce qui colle pas, c'est les charges. Au niveau rendement, on est performant comme les autres. Le foncier s'est un peu élevé. Mais c'est surtout la mutualité, les assurances. Et puis ce qui nous a mis dedans, dans le rouge, ce sont ces retards de paiement qui nous ont amené des frais énormes. [*Suit, entre eux, une discussion confuse sur les diverses assurances, celles qui sont obligatoires et les autres, les principales et les complémentaires. Ils ont du mal à s'y retrouver et vont consulter leurs relevés. Ils doivent payer 70 000 francs de cotisations par an pour la MSA pour les deux ménages du GAEC et 50 000 francs d'assurances diverses.*]

— Et c'est pour payer ces charges-là que vous avez dû vous agrandir ?

Le fils — C'est toutes ces charges qui ont augmenté beaucoup plus vite que le restant. C'est ce qui a tué tout le monde.

C'est une vraie histoire de fou

— Et vous n'êtes pas sûr des prix…

Le fils — On a une fourchette et les primes qui doivent compenser un peu, les fameuses subventions de la Communauté qui sont, pour moi, incertaines.

La mère — Ce qui est prévu aussi, c'est de tuer les veaux mâles quand ils vont arriver au monde pour… pour ne pas les mettre sur le marché !

Le fils — Y'en a déjà qui le font. C'est des directives nationales… ou européennes. On touche une prime pour ça, 680 francs. On paye déjà 250 francs de vétérinaire pour le faire abattre. Avec la visite avec le produit ça fait encore 240 francs. Toucher 180 francs pour tuer les veaux ! Enfin, je travaille pour l'instant avec un marchand de bestiaux qui me prend tous mes veaux mâles.

La mère — Tuer les veaux ! Ils vont vraiment finir par décourager les vaches. Si faut tuer les veaux pour avoir du lait… On se donne du mal à faire vêler et s'il faut tuer les veaux à l'arrivée, c'est une vraie histoire de fou, c'est pas logique. On avait un débouché pendant longtemps c'était l'Italie.

Le fils — Maintenant, ils viennent des pays de l'Est.

La mère — Soi-disant mieux que les veaux français…

Le fils — Comme quoi l'ouverture des frontières n'a pas que du bien.

— *Si c'était à refaire, vous le referiez ?*

La mère — Mon père a beaucoup travaillé avec ses bras pour pas gagner grand-chose. On a toujours su ce que c'était que de tirer le diable par la queue.

Le fils — Moi, je sais déjà que, au bout de cinq ans, si c'était à refaire, je le referais pas.

La mère — J'envisage même mal la retraite parce que je me demande ce qu'on va faire de notre temps. Il va falloir apprendre à s'organiser. On ne sait pas du tout ce que c'est que la distraction. Autre que le travail, on ne sait pas. Je me pose des questions. J'ai tort sûrement. Si y'a pu de vaches, qu'est-ce que je vais faire ? Je ne suis pas du tout « femme de maison ». Mais s'il faut que je passe ma vie avec la bombe à cire et le chiffon, alors là, non ! On n'a p'être pas su non plus. Quand j'étais plus jeune, y'avait que travailler. Mais on n'a peut-être pas suffisamment travaillé avec la tête. Ça c'est vrai je crois.

[…]

— *Vous êtes syndiqué ?*

Le fils — Oui. Mais on les voit jamais [*les responsables syndicaux*].

— *Quels sont les avantages ?*

Le fils — Ben, en cas de litige, de contrôle fiscal, ils sont là avec le Centre de gestion pour plaider notre cause… mais on n'a jamais eu ce problème.

— *Vous avez déjà manifesté ?*

Le père — Oh la la ! oui.

Le fils — Oui, moi aussi. On a fait les récentes manifestations à la préfecture. De toute façon, les manifestations, on a le sentiment que ça sert à rien. Bon, avant on faisait une manifestation, c'était à peu près sympa. Disons qu'on s'est aperçu, au début, au niveau des gens, on était relativement bien vus. Aujourd'hui, on s'aperçoit quand même qu'on fait partie un peu des indésirables quand on manifeste. (…)

— *Tout le monde manifeste ici ?*

Le fils — Non c'est pas solidaire ici.
Le père — C'est les petits qui y vont.
Le fils — Les grosses fermes, on les voit pas beaucoup, on voit que ceux qui font partie du bureau [*syndical*]…
La mère — Et il y a encore une chose, quand on entend à la télé, dans les journaux qu'ils débloquent je ne sais combien de milliards pour les agriculteurs. Où ça va ?
Le fils — Parce que nous, on en voit jamais la couleur. Ça, ça nous fait du mal.
La mère — Les gens disent, regarde ça, les agriculteurs se plaignent.
Le père — Quand on manifestait avec les tracteurs, y'en avait qui disaient, oui, regarde les engins qu'ils ont ! Heureusement qu'il y avait une agricultrice dans la foule qui leur disait, « oui mais ils ne sont pas encore payés, ils sont au Crédit agricole ».

Il n'a plus confiance dans cette catégorie de gens

Le fils — Si vous voyez dans une ferme du matériel neuf, y'a de bonne chance qu'il appartienne au Crédit agricole ou à une autre banque parce que le Crédit agricole n'est pas forcément le banquier des agriculteurs. C'est moins vrai aujourd'hui.
La mère — Avec les agriculteurs, le Crédit agricole devient très méfiant. Il n'a plus confiance dans cette catégorie de gens, ça se sent.
Le fils — C'est quand même malheureux. On va à la banque pour avoir un prêt de trésorerie de 50 000 francs, ils vous le refusent. J'ai ma filleule qui va acheter une voiture, elle a son bulletin de paye, elle a eu besoin de 70 000, ils lui ont dit [*il prend une petite voix*], « oui mademoiselle ».
La mère — Un agriculteur qui veut faire un emprunt, il faut des répondants, des cautions alors que celui qui achète sa voiture… C'est ça aussi qui va pas très bien non plus.
Le fils — On a du mal à prêter de l'argent aux agriculteurs. Ça devient un métier aléatoire. C'est un métier qui demande un gros capital d'exploitation. Ce qui fait que ça coûte cher à entretenir du fait du renouvellement du matériel qui coûte de plus en plus cher. Un tracteur, il faut remettre 10 millions de plus que ce qu'il fallait mettre il y a 10 ans. Quand on voit l'évolution du prix de tout ce matériel agricole, si on veut acheter le moindre tracteur, il faut

passer par une banque, on n'a pas le choix. Et on voit les portes qui se ferment devant nous.

— *Mais on vous a pourtant encouragés à reprendre, non ?*

La mère — Celui qu'a mis le GAEC en route, il est parti ailleurs et celui qui l'a remplacé s'en occupe pas beaucoup.

Le fils — En règle générale, les Centres de gestion sont un peu indifférents à ce qui se passe. Moi je ressens ça comme ça. C'est pas leur argent. Ils savent pleurer quand c'est leur argent. On a un conseiller de gestion qui n'est pas performant. Il est tout sauf un technicien. Il a pas de bonnes idées. Il s'en fout. Il fait son boulot. Il fait ce qu'il a à faire. Il en fera pas plus. Moi je le vois comme ça. C'est pas qu'on n'est pas conseillé, mais on n'est pas forcément aiguillé dans le bon sens. Et encore plus aujourd'hui. Avec le conseiller, je lui ai demandé ce qu'on pouvait faire d'autres. Il a dit, « oh vous savez dans votre région, on peut pas faire grand-chose ». Ça a été sa seule réponse. J'ai clos le sujet. C'était fini. Bon avec le conseiller qui nous suit à cause du déficit, c'est un peu différent parce que je le connaissais. Avec lui, on a essayé de réfléchir pour l'avenir de l'exploitation. Mais, lui il ne pousse pas. Il donne ses idées, ses hypothèses. Il y a peut-être des solutions plus performantes mais qui ne sont peut-être pas dans notre mentalité. Pour l'exploitation, il conseillait de clore et de s'en aller. Mais ce n'est pas la nôtre. On a exposé nos problèmes, on en a parlé, on en discute encore. Il a trouvé qu'on a très bien travaillé cette année.

Le père — On a serré les boulons !

Le fils — Cette année, pour une fois, on a peut-être eu le facteur chance pour nous. Pour une fois !

— *Vous êtes « dans le rouge » de combien actuellement ?*

Le fils — 210 000 francs de dettes court terme et 220 000 en emprunts long terme à finir de rembourser. C'est la dette court terme qui pompe l'argent avec les frais financiers. (...) Quand ils disent à la télévision que le revenu moyen des agriculteurs a augmenté de 1 ou 2 %, on dit toujours, c'est pas nous, on n'est pas compris dedans ! (...) Peut-être que je suis pessimiste, mais peut-être que dans 20 ans ils supplieront peut-être quelqu'un pour cultiver les terres de la commune parce que y'aura peut-être plus d'agriculteurs. Bon, faut pas se faire d'illusion, aujourd'hui la barre est à 120 hectares, demain elle sera peut-être à 150 ou 200. (...) Du côté d'Étretat, y'en a un qui s'est reconverti. Il fait des poneys avec quelques chambres d'hôtes et ça marche. Mais c'est pas mon truc, c'est pas ma tasse de thé. Et puis là, faut plus avoir une mentalité d'agriculteur mais de commerçant ! Pour être agriculteur aujourd'hui, faudrait être tout à la fois, commerçant, avocat, juriste… Qu'est-ce que ça se complique l'agriculture ! Ça va tellement vite, tout est bousculé. On ne sait plus quoi faire. On n'est plus assuré de notre avenir et il est pas rose. C'est quand même malheureux de ne plus pouvoir vivre décemment de son métier et d'être obligé de travailler « au noir » [*il explique que, pour avoir des revenus complémentaires, il est obligé de faire des chantiers de maçonnerie ou de plomberie non déclarés et que, si je n'étais pas venu l'interviewer, il serait sur l'un d'entre eux…*].

La mère — Mais on ne peut pas faire autrement.

Le fils — Beaucoup de charges ne baissent pas. Le problème, dans les études d'évaluation, c'est qu'ils évaluent mal comment les choses évoluent dans le temps. La Mutualité a beaucoup augmenté. Les impôts aussi et les charges à l'hectare. Alors que le prix du lait et du quintal de blé, eux, baissent. Il faut pas grand-chose aujourd'hui pour foutre une baraque sur le dos. C'est très fragile.

La mère — [*Résignée.*] On sera ben mort avant d'être riche. Mon père disait déjà ça. Enfin, on n'est pas vraiment pauvre. On a un toit, on mange. Tant qu'on bouffe pas le capital. Il faut savoir se contenter de ça.

octobre 1992

Patrick Champagne

La chute

Pierre C. est négociant en vins dans une petite ville rurale de près de 3 000 habitants située dans l'Est de la France. Il a plus de 65 ans et se refuse à prendre sa retraite, invoquant entre autres les difficultés, très réelles, de cession de son fonds de commerce. Je le connais depuis longtemps et j'ai eu avec lui, à de nombreuses reprises, de ces conversations banales qui sont suscitées par les interactions de la vie quotidienne et par les visites spontanées ou obligées au cours desquelles on parle de tout et de rien, de la vie de la commune, de la pluie et du beau temps, de la famille ou encore de ce qui, par le biais des journaux télévisés, fait « l'actualité » nationale. Les discussions qu'il a avec ses proches, amis et parents, surtout celles qui portent sur des sujets politiques, se font pourtant, depuis un certain temps déjà, assez rares parce qu'elles se terminent souvent mal. Serviable, généreux, « le cœur sur la main », il est aussi par ailleurs « quelqu'un d'entier », comme on dit, prompt à s'emporter, tenant des propos jugés excessifs qui provoquent une certaine gêne, voire parfois l'indignation (« comment peux-tu dire ça ! »). C'est pour ne pas susciter de ces brouilles inutiles qu'on évite de parler politique, sachant cependant que, avec lui, tout peut y ramener.

Et lorsqu'il s'emporte, on le laisse parler (« on ne peut pas discuter avec lui ») en attendant qu'il ait fini de réciter, sur un ton véhément, ce qu'il tient à dire et que, autour de lui, « on connaît par cœur ».

L'entretien donne une bonne idée de ses propos et de sa façon de parler par longs monologues, sans vraiment écouter les questions qu'on lui pose ou les objections qu'on peut lui faire – parce qu'il est persuadé d'avoir raison – et dans lesquels il peut passer de l'augmentation récente d'un taux de TVA sur les alcools, au « brave père Pétain », qui avait bien raison, et à De Gaulle, « qui, tient-il à rappeler, était un déserteur en 40 ». La restitution presque mot pour mot de ces discours que j'ai entendus bien des fois auparavant constitue le premier intérêt de cet entretien qui n'a guère été parasité par la relation d'enquête, Pierre étant ici en situation presque « naturelle » : il avait accepté facilement le magnétophone et l'avait ensuite assez vite oublié. Cela ne signifie pas que toute auto-censure ait été absente. Il ne dira pas, par exemple, qu'il vote Le Pen et il atténuera un anti-intellectualisme que j'ai pu entendre s'exprimer plus ouvertement en d'autres circonstances (il évoque seulement ici ceux « qui ont fait de grandes études » mais ne savent pas lire un bilan).

Si je ne pouvais pas être vraiment étonné par ces propos agressifs que j'entendais depuis longtemps sans vraiment les comprendre, j'ai été en revanche surpris de découvrir à quel point ils étaient sociologiquement cohérents dès qu'on les rapportait (ce qu'on ne fait jamais en situation ordinaire ou alors de façon polémique) à la position sociale de celui qui les tenait. Sans doute, tous ses proches savaient que le commerce de Pierre n'allait plus très bien depuis longtemps et nous

nous doutions tous un peu que ses positions extrémistes (il est « réactionnaire » politiquement, « intégriste » sur le plan religieux, « traditionaliste » en tout) devaient sans doute quelque chose à sa situation professionnelle difficile. Mais, pour désigner ces comportements et ces opinions, les qualificatifs politiques (« il est raciste », « il a des idées de droite un peu exagérées », etc.) ou psychologisants (« il est caractériel », « irascible »), qui sont généralement utilisés, tendent plus à étiqueter les individus qu'à les comprendre.

Cet entretien, moins que tout autre, ne peut être livré tel quel parce qu'il risque, selon la position de chacun dans l'espace social, de fonctionner comme un test projectif, déclenchant seulement des réactions d'approbation ou d'indignation. Ses propos expriment – sur le mode de l'indignation éthique (« tout fout le camp, on ne respecte plus rien ») – une chute sociale qui lui apparaît comme injuste. Véritable incarnation de la vertu punie (s'il ne s'en sort pas c'est, dit-il, parce qu'il est « trop honnête »), il n'a rien à se reprocher et n'a même pas le sentiment de n'avoir pas fait, à un moment donné de sa vie, ce qu'il aurait fallu faire : tous ses malheurs, pense-t-il, ont été programmés par les « magouilleurs de la finance » et les « politiciens ». Tout était prévu et voulu. Et s'il crève, c'est parce qu'on a assassiné le petit commerce honnête avec des méthodes malhonnêtes (ce que font les supermarchés, « autrefois, ça s'appelait de la carambouille », dénonce-t-il).

Pierre subit trois formes différentes de déclin social. Il était un notable local important, il n'est plus aujourd'hui qu'un habitant parmi d'autres dans la commune. Commerçant riche, il a été ruiné par les supermarchés. Enfin, il vendait du vin de table, boisson autrefois noble et chargée de toute une mystique nationale, voire nationaliste (c'était la boisson qui avait, au moins dans l'imaginaire populaire, permis « aux poilus de 14-18 » de tenir et de gagner la guerre), qui est aujourd'hui dépréciée, voire méprisée (« le gros rouge ») et est remplacée dans la consommation quotidienne par des boissons, à ses yeux, moins françaises comme le Coca-Cola ou le whisky, ou moins naturelles comme les jus de fruits en poudre.

Héritier, il avait cependant succédé sans enthousiasme. Il n'a jamais consacré toute l'énergie et le temps qu'il aurait fallu à son commerce, préférant passer des heures à bricoler dans son atelier de mécanique, sa véritable passion. L'entreprise familiale, lorsqu'il l'a reprise, il y a maintenant près de 40 ans, était pourtant une des plus importantes de la région. Le négoce du vin, dans cette zone agricole alors pauvre, située à proximité du riche vignoble champenois, était une activité très prospère : il y avait, après la guerre, huit négociants dans la région (dont deux dans la commune même). Aujourd'hui, ils ne sont plus que deux et, à la veille de prendre sa retraite, il découvre – ce que tout le monde d'ailleurs savait plus ou moins depuis longtemps – qu'il est pratiquement ruiné. Depuis plusieurs années, il ne pouvait se maintenir qu'en « mangeant son capital » et en vivant sur les économies personnelles de sa femme (qui le pousse, autant qu'elle peut, à prendre sa retraite). Alors qu'il roulait, dans sa jeunesse, dans une Hotchkiss, luxueuse voiture de marque achetée par son père, il se déplace aujourd'hui dans une vieille 2CV rafistolée.

La chute de ce benjamin d'une famille de quatre enfants a commencé dès sa jeunesse puisqu'il refuse, malgré les incitations de ses parents, de terminer ses études secondaires et épouse, peu avant de reprendre l'entreprise, une jeune fille issue d'une famille ouvrière de la commune. Bien que sa femme l'ait activement secondé, elle n'a pas pu lui apporter le capital économique et la compétence (elle n'a pas fait d'études) qui auraient été nécessaires pour opérer avec succès des transformations radicales et l'aider à maintenir une activité commerciale dans un secteur très fortement secoué par la modification des habitudes de consommation et par la concurrence des supermarchés. Ce n'est pas le cas de son frère aîné, qui a repris lui aussi un négoce de vins dans une petite ville située à une trentaine de kilomètres de l'entreprise familiale, et a pu échapper au déclin en épousant la fille d'une riche famille paysanne de la région. Sa sœur, elle aussi, a réussi socialement : après des études secondaires (ce qui était rare à l'époque pour les filles), elle a fait un « beau mariage » avec un antiquaire issu d'une bonne famille de la bourgeoisie lyonnaise (le dernier grand mariage de cette petite ville qui est resté dans bien des mémoires) : son ascension, symbolisée, entre autres, par la résidence secondaire assez luxueuse qu'elle a pu acquérir dans le Midi, ne pouvait que renforcer et rendre insupportable pour Pierre, qu'elle voit régulièrement, lors des vacances notamment, la conscience de son propre déclin social.

Mais cette chute est surtout celle de toute une profession et de toute une forme de commerce. Le négoce du vin, qui était fortement lié à la vie traditionnelle des campagnes, a subi de plein fouet le contrecoup de la plupart des grandes transformations – économiques et culturelles – de l'après-guerre, celles-ci ayant toutes eu pour conséquence de faire presque totalement disparaître les modes de vie anciens et, du même coup, cette profession dans sa forme ancienne. L'exode rural a progressivement réduit la clientèle des nombreux cafés-restaurants de campagne, cette évolution étant renforcée par un repliement plus général sur la famille. L'activité de ce type de commerce s'est trouvée fortement ralentie, la plupart des négociants étant contraint de disparaître. Les fêtes communales, qui représentent une des dernières occasions de célébration d'un groupe de plus en plus éclaté, constituent aujourd'hui l'un des rares moments forts, à la fois économiquement et socialement, de ce négoce lorsqu'il existe encore. Pendant longtemps, ces fêtes locales ont masqué, en partie, à Pierre sa chute parce que c'est là une des rares occasions où il peut se sentir encore indispensable, voire irremplaçable : il dépense alors sans compter son temps et son énergie, fournit les boissons, prête à cette occasion des tables et des bancs (qu'il appelle, dans sa comptabilité, des « garnitures de fêtes », ce qui lui vaudra un petit conflit avec le fisc), etc.

Le négoce du vin a dû en outre faire face, au même titre que le commerce de détail, à une concurrence économique nouvelle et particulièrement forte. L'individualisation croissante de la consommation de boissons a été, en effet, pour l'essentiel prise en charge par les nouveaux circuits de distribution qui se sont développés dans les années 70, essentiellement les chaînes de supermarchés (trois grandes surfaces étaient implantées en 1992 dans la seule commune où réside Pierre). Il dénonce violemment les grandes surfaces qui, de son point de vue, pratiquent une concurrence déloyale. Il critique l'incompétence des vendeurs et les méthodes de gestion qui ne reposent pas sur une honnête gestion de bon père de famille mais sur la « magouille financière » (« Ce ne sont plus des commerçants, ce sont des financiers »). La soudaine intrusion du capitalisme financier dans le système de la distribution et l'autonomisation de la logique économique et financière, qu'elle a permise, ne pouvaient que heurter ses valeurs morales qui sont étroitement liées au commerce rural traditionnel. Il retrouve presque naturellement les thèmes antisémites anciens sur le capitalisme financier ou la dénonciation, dans la logique du bouc émissaire, des sectes de francs-maçons qui agiraient jusque dans le milieu politique.

Pierre incarne parfaitement le commerçant rural traditionnel. Il appartient, et il en est fier, à une famille de négociants installés dans la commune depuis plus d'un siècle. Les supermarchés qui sont fléchés dans un rayon de plusieurs kilomètres à la ronde ont des gérants qui changent en permanence ; Pierre occupe depuis toujours un vieux hangar au fond d'une cour et a une clientèle exclusivement locale. La marchandise est entassée dans un grand désordre. Il a constamment la démarche lente et régulière de celui qui n'est jamais pressé. Le temps ne coûtant rien, il ne le compte pas, ni le sien, ni celui de ses clients, qui doivent souvent attendre pour se faire servir. L'activité commerciale qu'il exerce n'a jamais pu s'autonomiser complètement des relations personnelles qu'il entretient avec sa clientèle : il tarde à envoyer les factures et l'on tarde plus encore à le payer sans qu'il songe à s'en plaindre, faisant ainsi gratuitement crédit et laissant à sa femme le soin de faire ce qu'il faut pour se faire payer lorsque les clients abusent. Enfin, il a ce goût du secret dans la gestion de l'entreprise, non pas pour cacher quelques opérations troubles, mais parce qu'il se sent tenu de laisser un certain flou sur les revenus qu'il gagne. Bref, il fait corps avec un commerce qui tourne pourtant aujourd'hui à perte, trouvant toujours une bonne raison pour retarder l'échéance de la retraite bien que sa femme le pousse à se retirer.

Il s'emporte contre l'État qui, avec l'argent des impôts, non seulement paye des fonctionnaires, qu'il juge inutiles et trop nombreux, mais pratique, en outre, une redistribution qui lui paraît plus qu'abusive : [autrefois] « on ne donnait pas le RMI, on ne donnait pas ceci, on ne donnait pas cela. On est trop large dans le social, beaucoup trop large ». Pierre ne connaît que ce que l'on pourrait appeler « l'État méchant », celui qui ruine les commerçants avec de lourdes charges sociales et rackette les bons citoyens avec les taxes, celui qui fait de la « propagande » contre le vin, pourtant recommandé, précise-t-il, par Pasteur, ou encore qui persécute l'honnête contribuable avec ses réglementations tatillonnes appliquées à la lettre. La même intransigeance morale, qui a ruiné économiquement son commerce, l'entraîne dans des conflits, perdus d'avance, avec l'administration fiscale, ce qui ne peut que renforcer son ressentiment et sa haine de l'État, des hommes politiques et des bureaucraties. Il voit d'ailleurs comme un symbole le fait que, à Paris, le ministère des Finances se soit installé à Bercy sur l'ancienne Halle aux vins. Même si nombre de modifications du commerce des boissons ne doivent rien ou peu à l'action volontariste des politiques, la tentation est grande, de la part de ceux qui en sont victimes, de faire de l'État et des politiciens les responsables de tous les malheurs.

Fortement intégré à la vie locale, et par là prisonnier des routines et des valeurs traditionnelles, il a subi sans vraiment les comprendre les transformations qui ont affecté sa profession et la société rurale. Il a refusé, par exemple, de s'associer avec tel autre négociant de la région pour acheter le vin en grosses quantités aux producteurs parce qu'il ne voulait pas voir disparaître son nom des transactions commerciales. Transmuant en choix électif du passé son incapacité à changer, il n'a jamais été en mesure de prévoir les changements – ce qu'il dit, mais de façon déniée, en répétant que « tout cela était prévisible » –, ni de prendre les décisions indispensables pour se maintenir dans ce secteur. Aujourd'hui encore, il parle des changements passés de manière vague, et la seule stratégie qu'il envisage, « si c'était à refaire », est encore et surtout de ne rien faire. Son impuissance ne signifie pas qu'il manque de lucidité : il connaît bien les mécanismes économiques qui ont laminé son commerce (on a largement coupé dans l'entretien ses analyses souvent très techniques). Il n'a pas besoin de comprendre ce qui arrive, car il le sait déjà. Seulement, tout le pousse à refuser ces transformations et l'entraîne vers une ruine qu'il sait inévitable.

Son village se transforme et devient méconnaissable au point qu'il ne s'y sent plus chez lui. Il a le sentiment d'être envahi par des étrangers en qui il voit la cause de son malheur (il ne connaît les immigrés, contre qui il s'insurge, qu'à travers les faits divers de l'actualité télévisée). Il croit au maintien de ces frontières qui protègent et rassurent. Il est pour le rétablissement des barrières matérielles, et regrette, par exemple, la destruction du « mur de Berlin » qui, craint-il, va laisser la place libre au déferlement vers l'Europe des Russes et, ultérieurement, du « péril jaune ». Il est pour la restauration des barrières morales, et, dénonçant les droits sans cesse nouveaux qui sont revendiqués, il estime qu'il vaudrait mieux rappeler les devoirs et les obligations qui, seuls, selon lui, permettent de limiter raisonnablement les aspirations.

La violence des propos est à la mesure de la violence sociale, notamment politique et économique, qu'il a endurée et qui, jour après jour, l'a détruit, lui, mais aussi sa femme, le couple ayant été à plusieurs reprises au bord de la séparation. Enfermé dans le statut de l'homme viril et dominant, qui sait tout et n'a surtout pas de leçon à recevoir des femmes (« les bonnes femmes, ça comprend rien », dira-t-il dans l'entretien lors d'une courte apparition de son épouse), il n'a pas su entendre ce que sa femme lui disait depuis longtemps (« c'est une vraie tête de mule », répète-t-elle souvent) et a dû affronter seul une situation de crise qui le dépassait. Il s'est surtout borné à déplorer, dans cette petite société rurale dans laquelle rien n'échappe à personne, les rares mesures qui ont été prises en faveur du commerce et à les comparer avec les aides importantes qui ont été accordées aux agriculteurs pour qu'ils se modernisent. Comment ne pourrait-il pas être persuadé qu'« on a tout fait » pour que le petit commerçant « crève et foute le camp » et penser qu'« il ne lui reste que la corde pour se pendre » ? •

avec un commerçant rural

— entretien de Patrick Champagne

« Nous, on est assassinés »

— *Quand tu t'es installé* [au début des années 50], *est-ce que le commerce du vin te paraissait intéressant, viable, comment ça s'est passé ? Et quand as-tu commencé à sentir que ça n'allait pas bien ?*

Pierre — C'était très bon à reprendre. C'est une profession qui tenait. Maintenant, on a fait une politique contre le vin, contre l'alcoolisme. Alors la politique contre l'alcoolisme a été basée contre le vin et non contre le whisky ou d'autres alcools ou le Ricard. Et puis on a fait passer le Français pour l'alcoolique le plus invétéré au monde sans tenir compte de l'alcoolique russe, américain avec le whisky et la bière. Dans tous les pronostics d'alcoolisme, on n'a jamais tenu compte de la consommation de bière, si bien que, en France, on passait pour le pays le plus alcoolique du monde. Si on avait tenu compte de la consommation bière, eh ben, on n'était pas plus mal que les autres, on n'était pas plus taré que les autres !

— *Tu veux dire que ça a commencé à aller un peu moins bien, le commerce, avec les campagnes contre l'alcoolisme sous Mendès ?*

Pierre — Ah ! Mendès France ! C'était une vaste couillonnade, il a commencé à faire de l'usine à lait dans la région de Tournus. J'ai vu construire l'usine en 56. On a donné le lait dans les écoles et dans l'armée, et ça n'a pas marché. L'usine qu'il a construit là-bas, c'était forcément une utopie avec une arrière-pensée puisque la région de Saône-et-Loire ne pouvait pas produire pour alimenter l'usine complète, si bien que le lait frais qui est venu pour approvisionner l'usine descendait aussi bien des Ardennes que de toutes les régions où il y avait des vaches laitières. Alors le lait frais qui arrivait à l'usine, il avait déjà trois jours dans des conservateurs, c'était plus du lait frais. Ensuite, sur le lait, on a instauré un texte de loi interdisant la vente du lait frais de ferme, dans des pays de moins de 3 000 habitants. Aujourd'hui on vous fait boire du lait écrémé ou demi-écrémé, alors qu'un bon lait nature, sortant du pis de la vache, on n'en n'est jamais mort. On n'a jamais eu plus de cholestérol que maintenant. D'ailleurs, aujourd'hui, il n'y a plus de vaches laitières dans le coin. Il n'y en a plus parce que avec les accords européens, il y avait trop de lait (...). On vendait le lait en poudre à l'Italie pour élever les veaux français. Avec une prime à l'exportation ! Et qui dit prime, dit combine et magouille, à un certain niveau, des gens qui sont à la charnière des tractations.

C'est fini, la France est à l'état de faillite

— *Est-ce que tu peux dire à partir de quel moment ton commerce s'est dégradé ?*

Pierre — Oh ! on peut très bien situer tout ça. C'était prévisible. Un bon militaire est un mauvais politique, hein ? Un bon politique est un mauvais économiste. La purée dans laquelle on est actuellement – je dis la purée parce que, il n'y a pas que nous, c'est tout [partout]. Et puis il ne faut pas prendre comme comparaison les autres pays, il faut voir ce qui se passe en France. C'était trop facile de dire, « on ferme les sidérurgies, il vaut mieux acheter de la ferraille ailleurs que de la produire chez nous, parce que ça revient trop cher ». C'est un raisonnement simpliste. C'est pas une question de politique de droite ou de gauche, c'est une question d'individus qui ont pris des décisions. On a fabriqué des chômeurs, on a encore le minerai, mais on ne sait plus l'exploiter. On a fabriqué tout ça et puis, aujourd'hui, on se retrouve à ne plus rien faire, à sortir de la monnaie pour aller acheter chez les autres. Il faut savoir si on veut travailler ou si on veut pas travailler.

— *Mais ton commerce, toi, tu as senti quand... ?*

Pierre — Bon, alors moi, mon commerce c'est très simple, il a évolué dans un certain sens, comme toute évolution et c'est assez normal. Mais nos économistes ont fait un mauvais calcul et, tout au moins, ils l'ont fait dans un système où certains sont mis au parfum au détriment de tout le reste qui est en train de s'effondrer. Qu'est effondré : il est pas en train, c'est fini, la France est à l'état de faillite actuellement, elle va pouvoir s'amener à l'Europe en demandant que l'Europe la prenne en charge parce qu'elle est incapable de se gérer et de se subvenir à elle-même et c'est impossible à redresser actuellement. Et il faudra dix ans, si tout va bien et si tout le monde veut retravailler, pour arriver à rétablir la situation, et ça, j'y crois pas. Tout ce qui est arrivé était prévisible.

Ceux qui ne l'ont pas prévu, sont des gens qu'on devrait passer au poteau. Ils devraient être fusillés. Parce qu'ils savaient ce qui allait arriver... ou alors ils n'ont pas été écoutés, c'est un des deux. Il y a peut-être eu un signal d'alarme et puis on a peut-être dit, « oh ben c'est des vieux fous, c'est des rétrogrades, l'avenir c'est... » L'avenir ça doit aller comme ça, ça ne doit pas plafonner, si ça plafonne, on est à la veille de la culbute. Alors on a plafonné, maintenant on est en train de se casser la gueule. C'est très simple, hein.

— *Toi, tu l'as senti quand dans ton commerce à toi ?*

Pierre — Ben, notre commerce, il a été attaqué – je dis bien attaqué – par le vin. On a dégoûté les gens de boire du vin.

— *C'était à quelle époque, ça ?*

Pierre — Ah ! il y a deux systèmes. Un système propagande qui porte son fruit. Qui dit propagande, dit publicité. On a poussé une politique de jus de fruits faits non pas avec des jus de fruits qu'on va presser, mais avec des fruits qu'on a disséqués, qu'on a mis en poudre, qu'on a lyophilisés, qu'on met de l'eau dedans et qu'on avale comme ça, si vous mettez ça dans une carafe, au bout de trois jours tu passes ça au microscope, c'est un bouillon de culture. Ça, c'est très bon pour les intestins, pour les gens qui sont un peu paresseux de ce côté-là, ça fonctionne ! Mais c'est pas du naturel. A partir du moment que vous prenez un fruit, que vous le pressez, que vous le mettez dans votre verre, vous consommez quelque chose de naturel. Si vous prenez de la poudre et que vous mettez de l'eau..., pendant que les gens ils boivent ces saloperies-là, eh bien ! ils ne boivent plus autre chose, par exemple des vins de table. On a dégoûté les gens à boire du vin en leur disant qu'ils étaient alcooliques. On s'est aperçu de l'erreur et, en 78, Giscard d'Estaing a pris la décision de faire une publicité sur le vin (...). On est obligé de payer une taxe de un centime pour faire un fonds de publicité pour relancer la consommation du vin, alors qu'on a été 20 ans à taper sur le dos du vin en tant qu'alcool et ivrognerie ! Alors que c'était faux. Vous prenez des documents de Pasteur, le vin fait partie de l'alimentation. C'est comme tout, si vous exagérez de boire du whisky, vous serez beurré, si vous buvez trop de vin, vous serez beurré, mais c'est pas pour autant qu'on est alcoolique. (...) Et puis, on a changé le mode de distribution. Le changement du mode de distribution a fait que les gens, c'est pas au bistrot qu'ils prennent la cuite. Le bistrot, il fait la culbute trois fois. Il prend son prix hors taxes [des boissons qu'il achète], il le multiplie par trois. Obligatoirement parce qu'ils sont taxés en chiffre d'affaire à trois fois le prix hors taxes. Les gens, ils vont au supermarché, ils achètent au supermarché des alcools encore moins chers que dans les maisons de production, que ce soit le Ricard ou les whiskies. Là aussi, il y a une anomalie grossière et honteuse. On a beau dire que ils achètent par quantités, ou ceci ou cela, c'est faux. (...). Vous pouvez m'expliquer comment on peut vendre des quantités de whisky à des tarifs aussi bas ?

— *Mais tu sais comment ils font pour y arriver quand même ?*

Pierre — Comment ils font ? Ben, il doit rester un vieux texte de loi d'avant 68, avant la généralisation de la TVA. [*Il m'explique la « Règle du Butoir », une législation fiscale très complexe que les députés eux-mêmes, dit-il, connaissaient mal*.] Enfin, c'est pour dire qu'il y a des gens qui ont pondu des textes de loi, ils ne savaient pas comment ça s'appliquait et ils ne le savent même pas encore aujourd'hui. (...) Les grandes surfaces ne payent pas leur TVA à l'Hôtel des impôts du département, c'est payé directement au ministère des Finances où personne ne sait combien ils payent. (...) Si les grandes surfaces ont une TVA ou un avantage par rapport au commerce traditionnel, ben nous, on est couillonnés et puis..., le salarié, il est couillonné pareil, parce que c'est pas pour autant qu'il achète tout à la grande surface. Il fait... enfin, maintenant, il achète presque tout à la grande surface, mais il y a 15 ans – parce que ça date de 15 et 20 ans, ce truc-là, 68 – les premières grandes surfaces ont commencé à ouvrir en 68... 69 ou 70. Et c'est là que, par recoupement, je me suis aperçu que il y avait la combine des 20 % sur la TVA.

[...]

Les grandes surfaces, je les appelle les « comptoirs coloniaux »

— *Donc, toi, c'est après 68 qu'il y a eu...*

Pierre — Après 68, ça a été la merde. Ça a été la merde avec la généralisation de la TVA. D'une part les communes ont perdu leurs taxes locales. Les maires ont jamais retrouvé leurs avantages. En plus de ça, dans les campagnes, tous les petits commerçants, ils ont été obligés de se sauver parce que, après 72 ou 73, l'obligation de l'assurance obligatoire sur le régime de Sécurité sociale, ça a taxé et imposé des commerçants, des petits commerçants. Un petit épicier de campagne, un petit boulanger, un petit boucher a des charges tellement élevées qu'il ne pouvait même plus vivre. Il pouvait travailler 10 ou 12 heures par jour et, quand il a fini de payer – il y avait des fois la bonne femme qui travaillait avec –, il sortait même pas un salaire à deux en fin d'année quand il avait fini de payer la patente. (…) Bon, ben, alors tout ça, ça a fait basculer tout et puis tout a disparu. Et quand au bout de quelques années que les grandes surfaces ont commencé à s'installer, que les petits commerçants se sont vus contraints, soit par l'âge, soit pécuniairement par un manque de vente… Dans un petit pays, vous aviez un petit boulanger, un petit machin…, vous aviez tout de suite un peu d'activité, vous aviez quand même à portée de votre porte ce qu'il fallait pour vous ravitailler. Bon, ben, tout ça, tu fais maintenant six ou huit pays avant de trouver un commerçant dans un coin ou dans un autre. Tout s'est vidé. Alors il a été créée une taxe pour, justement (…) parce que c'était déjà prévu et orchestré par nos économistes, que les « comptoirs coloniaux », – ce sont les grandes surfaces, que j'appelle les « comptoirs coloniaux » –, que les comptoirs coloniaux boufferaient tous les petits commerçants et qu'ils ne pourraient même pas revendre leur fonds. Alors ces comptoirs coloniaux payent une taxe pour que, quand un commerçant arrive à l'âge de la retraite et qu'il vend pas son fonds, il retouche une indemnité de départ. Donc, c'était déjà prévu qu'il fallait que ce vieux, il crève et qu'il foute le camp. Au même titre que la branche des négociants en vin, il a été prévu qu'il fallait qu'elle crève et qu'elle foute le camp. On a fait une propagande en conséquence et vous en avez la preuve à Paris où là, le vin… parce que, le négoce du vin, c'était un potentiel, c'était du monde, c'était quelqu'un, c'était contrôlé par la régie, ça rapportait à l'État. La Halle aux vins, on a entamé une politique contre le vin, justement… On a fait une politique contre le vin, mais ça rendait service pour récupérer des grandes surfaces [de terrain] dans Paris. Les premiers qui ont sauté, ça a été la Halle aux vins dont on a fait l'École de médecine [*en fait la faculté des sciences*]. Tu es bien d'accord ? Et puis ça a continué de pousser et puis aujourd'hui, eh bien Bercy, on en a fait un complexe sportif ; et puis on continue de pousser et, de Bercy, on fait le ministère des Finances. Eh bien, on a assassiné toute une profession de distribution pour mettre en place le ministère des Finances d'un côté de la Seine et la médecine de l'autre côté. [*Enchaînant sur la médecine.*] Alors évidem-

ment la médecine, ça aussi c'est un système... vous avez des petits gamins, vous ne savez pas quoi en faire, vous leur faites faire un peu des études, vous en faites des… on commence par vétérinaire, là c'est plus fort, parce que vétérinaire, faut qu'il y en ait dans la tête ; si il loupe vétérinaire, il peut faire médecine, [s'il loupe] médecine, il peut faire dentiste, dentiste il peut se retrouver kinésithérapeute et puis ça finit comme ça, éventuellement pharmacien. Machine à signer [les médecins], c'est la Sécurité sociale qui paye la différence ! On est malade, c'est la sécu ! Quand on était malade et qu'il n'y avait pas de sécu, c'était peut-être pas mieux, mais ça a été un petit peu plus qu'exagéré (…). Si la médecine était gratuite, vous auriez votre toubib, on vous soignerait, vous auriez déjà moins de médecins, parce qu'il faudrait qu'ils aient la vocation, ça serait plus des commerçants, et ça, ça pèse très lourd dans le système social et dans le système du regain de la productivité en France. C'est très très lourd.
[*Il explique qu'il trouve injuste le système des cotisations qui « pompe vos trois sous de bénéfices sans vous soigner mieux pour autant ».*]

Ce ne sont plus des commerçants, ce sont des financiers

— *Il y a donc les charges, mais tu disais qu'il y avait aussi une réglementation qui favorise les supermarchés.*
Pierre — Parce qu'ils achètent une grosse quantité, ils ont des prix. J'ai vu des supermarchés vendre de la bière en pack de six, toutes taxes comprises, le prix que moi j'achetais la bière par palettes complètes, hors taxes, départ brasserie !
— *Comment c'est possible, ça, à ton avis ?*
Pierre — Ben, j'ai posé la question à la brasserie, on ne m'a jamais répondu. On vous répondra que moi j'achète une palette ou cinq palettes et qu'eux ils vont acheter deux ou trois wagons, quatre wagons de bière. D'une part, ils ont à une époque accordé jusqu'à 120 jours de crédit – c'est interdit maintenant, c'est revenu à 90 jours. Mais voyez le volume d'argent que ça représente par rapport à ce qui est vendu journellement et l'argent frais qui est rentré avant qu'ils payent le premier wagon de bière ou de pinard ou de whisky. Qu'est-ce que fait cet argent-là, où passe cet argent-là ? Ce sont des sociétés, avec un ordinateur, elles vont faire un pré-bilan en 15 jours, elles vont savoir quels sont les

résultats réels de l'entreprise – ce ne sont plus des commerçants, ce sont des financiers – et elles vont faire ce qu'on appelle des primes de bilan. (...) C'est là qu'est la magouille financière. Ce n'est plus du commerce qui se bat contre du commerce ; la loi commerciale, c'est pas d'arnaquer le client. Le bénéfice d'un commerçant, c'est d'équilibrer son budget et, ce qui reste, c'est le service rendu à son client pour l'avoir approvisionné, mis à disposition sa marchandise et ainsi de suite. Les grandes surfaces, c'est pas du commerce. Elles font des profits financiers... j'appelle ça de la carambouille, hein, dans le temps on appelait ça de la carambouille : le produit était vendu trois fois avant qu'il soit payé.
[*Pierre prend l'exemple de telle grande maison de vins qui s'est modernisée pour travailler avec les grandes surfaces et qui n'a pas pu tenir les prix exigés par celles-ci.*]
Ils [les supermarchés] ont l'argent dans le tiroir-caisse avant d'avoir payé le fournisseur ! Les grandes surfaces bouffent toutes leurs fournisseurs. (...) En quatre ans de temps, la maison [de vins] était raide comme des passe-lacets ! Ils ont bouffé les vignes, le château, tout ! Tout a été vendu à un type de Londres qui avait déjà racheté un domaine dans la région de Bordeaux. Aujourd'hui il reste là-bas – c'est comme ça qu'on fabrique du chômage – un bureau avec, je sais pas, trois ou quatre employés, quelque chose comme ça et, à la cave, il reste deux ou trois employés. Les récoltes sont stockées dans les cuves, on prend des camions-citernes, on emmène le beaujolais mis en bouteille à Bordeaux, on met ça dans le bateau et ça part à l'étranger, c'est fini, c'est terminé. Les Français, ils en ont plus et l'entreprise française, elle est bouffée, elle a disparu. Une entreprise rayée des cadres. C'est passé dans la main des étrangers. Pourquoi ? Ils ont joué la carte des grandes surfaces !

Le capitalisme financier, c'est du maquereautage

— *Qui est derrière ces mesures en faveur des supermarchés ?*
Pierre — C'est par le politique, par les politiques, c'est sous le couvert...
— *Qui est-ce qui veut ça ?*
Pierre — Le système financier ! Oui, c'est la magouille de la finance. C'est tout ce monde-là. Tu as des sectes. Les sectes religieuses, n'en parlons pas de trop. Le catholicisme, il fait pas le

poids, ils font des prières ; les protestants pareil. Par contre, vous avez des sectes qui sont plus que solides, vous avez d'une part les juifs, vous avez également la franc-maçonnerie. C'est soudé et ils ont leurs filières dans le milieu politique, ils ont les filières, dans la finance et tout est mené par la finance. Le système capitaliste par lui-même est bon. Mais le capitalisme financier, c'est du maquereautage. Nous, entreprises, petits négociants qu'on est, si dans l'industrie et le commerce on nous avait donné, il y a 30 ans, les avantages financiers d'emprunts en dessous de 10 %, on serait bien. On était en place il y a 30 ans, il y a 50 ans, je dirais même 100 ans puisque mes grands-parents étaient déjà dans le métier, mais enfin mettons au début du siècle la maison existait. Il y a tout pour faire. Si on nous avait donné la facilité de s'équiper et de se moderniser, avec l'évolution du temps... puisqu'on a commencé à faire de la distribution de vin avec des tonneaux en bois et on est passé après au litre, il a fallu s'équiper en caisses, en bouteilles, en machines à rincer, ainsi de suite. Ça fait partie d'une évolution. [...]
A l'heure actuelle, on est arnaqué par les banques. Vous avez un découvert, c'est du 18 %. Quel prix il faut vendre un produit pour arriver à payer le taux de découvert 18 % ? Et si vous avez fait trois sous de bénéfice, vous avez encore l'État qui vous fout une feuille d'impôts dessus ! Alors qu'est-ce qui vous reste ? La corde pour vous pendre, c'est comme ça que ça se termine. C'est tout ça qui va pas. Tu vois, c'est tout un enchaînement. Bon, pendant la guerre, le père Pétain qui était un bon vieux renard – heureusement qu'on l'a eu parce que les Boches, ils auraient embarqué beaucoup plus de Français et ils auraient peut-être ben même fait foutre le costume sur le dos aux Français de force, ils ont pris des volontaires, mais ça, les volontaires, c'est leur affaire –, mais si on n'avait pas eu le père Pétain… parce que Hitler respectait Pétain, c'était un vieux de la Guerre 14 et c'était un vieux dur. D'ailleurs, moi je considère que De Gaulle, qui était un déserteur en 40 au même titre que Thorez, puisque Thorez est parti en Russie en 40 et lui il a déserté, bon il était déserteur comme bien d'autres qui étaient en Angleterre et puis qui y sont restés.

[*Pierre évoque la modernisation des agriculteurs de la région et dénonce au passage les bénéfices que certains ont tirés des prêts à taux bonifié en détournant une partie de ces aides vers des place-*

ments spéculatifs. Il constate, un peu amer, que les paysans, autrefois pauvres, sont devenus riches (c'est-à-dire plus riches que lui), bien qu'ils travaillent comme des fonctionnaires « 120 jours par an ou 150 jours par an, à peu près comme un instituteur... ils attendent que ça pousse ! ».]

J'ai toujours dit, la honte du capitalisme financier, ça a été de faire de l'inflation, donc, à partir du moment où on jetait de la poudre aux yeux et ça, ça a basculé encore bien plus vite après 68. Mais déjà avant 68, on avait du mal à équilibrer. Le père De Gaulle, il s'est fait couillonner par les pieds-noirs, quand il a rapatrié les pieds-noirs en 62, il n'a plus tenu les manches après 65. Parce qu'attention, les pieds-noirs, c'étaient des colons qui avaient l'habitude d'exploiter les Arabes (...). Ces gens-là, en quelques années de temps, ils se sont réinfiltrés, réintroduits dans tous les services – un peu comme la franc-maçonnerie –, ils se sont réinstallés un peu dans la politique, dans la finance et puis dans tous les circuits. Et ils ont réimporté un peu leur système, leur méthode d'exploitation avec les Arabes. D'ailleurs, c'est eux qui ont fait revenir leurs Arabes pour leur astiquer les godasses, les parents qu'ils avaient eus chez eux comme domestiques, ils ont fait venir leurs enfants, il en fallait en France parce qu'il y avait besoin de main-d'œuvre à une époque, c'est un fait. Enfin fallait les prendre mais sous une forme de contrat assez limité. Enfin, c'est tous ces maquereaux de la banque qui nous ont assassinés. Alors, on a les charges sociales qui ont pesé lourd et les banques qui se sont associées dans les entreprises. L'État qui s'est associé dans les entreprises par la TVA. Tant qu'on a eu des frontières, le système interne, il marchait, mais, à partir du moment où on commence à faire l'Europe et puis à éclater, notre système économique, il ne tient pas debout. Il tient pas la route. Alors, tu as tout le système économique qui a été basculé par un système pieds-noirs qui était une exploitation de la main-d'œuvre à bon marché. Ils ont remodifié le système en France.
[...]
Tu crois que ça va durer encore longtemps ? Tu vas avoir encore beaucoup de gens qui vont avoir la feuille d'impôts pour pouvoir payer tout ça ? Il n'y a plus grand monde pour mettre de l'argent sur la table ! Les commerces, t'as plus un commerce qui tourne, ils ne tournent plus, c'est un fait ! Ici, il y a trois ou quatre bistrots à vendre. T'as un hôtel-restaurant ici, il n'y a personne pour l'acheter.

— *Et toi, tu évalues ton affaire à combien parce que le problème se pose aussi pour toi ?*
Pierre — Le fonds de commerce, c'est 10 % du chiffre d'affaires hors taxes.
— *Ça veut dire combien actuellement ?*
Pierre — 15 briques. Et il n'y a pas preneur.
— *Il n'y a pas preneur à 15 briques ?*
Pierre — J'ai eu un preneur, un escroc. J'ai été trop honnête. Ils se sont présentés avec un jeune couple, ils allaient l'arnaquer de 10 ou 15 briques, ils lui montaient un crédit pour m'acheter mon fonds...
— *Ils voulaient reprendre l'affaire ?*
Pierre — Ils reprenaient l'affaire, oui, c'était un couple de 35 ans. Le bonhomme il faisait les tournées, la bonne femme elle tenait le bureau, mais ils exigeaient au bonhomme à faire 60 ou 80 clients dans la journée. C'est pas possible. Moi, je connais le métier. Si ça va bien, t'en fais 35 et en été, quand les jours sont un peu plus longs et que tu comptes pas les heures, tu peux en faire 45. Alors, ils lui avaient promis qu'ils gagnaient un million et demi par mois à 60 ou 80 clients.
— *Donc, toi, tu leur as dit, « vous ferez pas 60 clients » ?*
Pierre — J'ai dit, « j'veux bien, j'veux bien, mais honnêtement parlant vous pourrez pas faire 60 à 80 clients ». Les gens, ils sortaient d'une halle à chaussures, un hypermarché de la chaussure, la godasse... les gens viennent... c'est de la chaussure qu'on achète au kilo, t'achètes ça par 500 kilos de godasses et puis tu vends ça, tu mets ça sur une table. Alors l'agent commercial de l'affaire, quand il a vu que je parlais trop franchement et que je leur disais la vérité, il a dit, « il faut remplir ça ». Mais ils ont rien rempli du tout. Je leur aurais rien dit du tout, je les faisais signer l'un et l'autre, bon, ben, j'empochais 20 briques et puis c'était fini.
[...]

Ça n'a plus rien à voir avec du commerce

— *Ce qui est dominant aujourd'hui, c'est la distribution, les supermarchés ?*
Pierre — C'est les supermarchés ! (…) Il y a une loi, la loi Royer. Royer, on l'a mis plus bas que terre, on s'est foutu de lui à une époque en disant que c'était un petit rigolo et ceci et cela. C'était

le gars qui était honnête et qui défendait le commerce. C'était un homme... un homme bien. Mais Royer, on s'est foutu de lui parce que tous les autres qui étaient au parfum des banques, des marchands de sous et des maquereaux du système, tous ceux-là, il fallait que ça marche dans une autre optique. (…) Les grandes surfaces, elles ont toujours fait ce qu'elles ont voulu ! Ça passe en commission, c'est refusé en préfecture, c'est refusé en mairie, ça remonte au ministère, t'as le copain de la franc-maçonnerie ou du parti, à droite ou à gauche, parce qu'ils sont tous dans le même sac. Moi, je ne fais pas de différence de partis politiques, le système économique est apolitique ; ce n'est pas une question de dire, « c'est les socialistes » ou « c'est la droite » ou « c'est la gauche », c'est pas vrai ! Le système économique, c'est un système qui... c'est une gestion d'entreprise, c'est un père Pinay. Qu'est-ce qu'il a fait Pinay ? C'était un chef d'entreprise, il avait une tannerie, il savait ce que c'était qu'un bilan et un budget, les charges, ce qu'il y avait à payer, ce qu'il n'y avait pas à payer. Quand tu mets des gens en place dans des ministères et qui sont des gens qui ont fait des grandes études [*faussement déférent*], je suis d'accord avec eux, mais est-ce qu'ils savent lire un bilan ? J'ai un député, c'est moi qui lui ai fait son calcul pour faire le cœfficient d'une TVA. Toutes les grandes surfaces représentent un potentiel d'achat, ils représentent un potentiel de finance, c'est de l'argent frais qui arrive dans les banques. (…) Alors ça n'a plus rien à voir avec du commerce.

[…]

Pour nous c'est fini, là, nous, on est assassinés. Nous, c'est terminé. On est assassinés par les grandes surfaces. J'en avais causé au comptable, il y a cinq ans, j'ai dit, « voyez avec ce qui va se passer en Europe. J'aurais 35 ans, je fermerais ma boutique, j'astique mes fours, je remets mon matériel tout en état, tout impeccable, je remets tout à neuf et quand l'Europe sera faite – enfin faite, mais soudée, pas une Europe qui marche à cloche-pied – quand l'Europe sera faite, eh bien, deux ou trois ans après, je r'ouvre et je retravaillerai. Mais jusque là... on est en train de s'enliser, on ne s'en sortira pas ». Et on ne s'en sortira pas. Et puis, bon, on va pas parler de politique parce que…

[*Pierre raconte alors qu'il avait accepté de prendre en stage des élèves d'une école ménagère de la région, mais qu'il avait refusé de leur communiquer le bilan de son entreprise, parce qu'il était persuadé que ces informations sur l'état de santé de son entreprise serviraient d'armes contre lui et le petit commerce en général : « J'ai dit, vos élèves, je ne dirais pas que ce sont des espions, mais avec l'informatique on sait tout ce qui se passe dans une région, dans toutes les formes de profession. Du marchand de vin jusqu'au marchand de chaussures, jusqu'à un marchand de cacahuètes, jusqu'à un marchand de vêtements et de ceci et de cela. »*]

Qu'on ait des droits, c'est d'accord, mais il faut des devoirs

Pierre — Nous, notre connard de Mitterrand avec les plaquettes des droits de l'homme qu'on va foutre la merde dans tous les pays du monde, parce que ça, c'est de la merde ! Il faut ce qu'il faut, des droits de l'homme. Les droits de l'homme ! Les droits de la femme et les droits de l'enfant ! Et les devoirs, où c'est qu'ils sont ? Qu'on ait des droits, c'est d'accord, mais il faut des devoirs et des obligations, et il faut des barrières à des endroits pour dire, « bon, la liberté des individus commence où s'arrête celle des autres ». Et si on mettait ça en application, le monde serait vivable et il y aurait une sacrée bonne entente. Mais à partir du moment où c'est « ôte toi de là que je m'y mette, je te pousse et puis moi je prends ta place, et puis moi je m'en fous », c'est le commencement de l'anarchie. Bon, alors le machin des droits de l'homme, Gorbatchev a voulu donner la liberté, mais ils sont pas rodés à avoir de la liberté du jour au lendemain, t'es sous atmosphère d'oxygène, tu respires avec de l'oxygène, parce que tu es adapté, t'es déficient, t'as pas une grande santé. D'un seul coup, on te dit, « t'es guéri », on te coupe l'oxygène et on te fout à l'air libre, tu cours, tu... tu suffoques, tu peux pas tenir le coup, il faut une transition.
[...]
Et là aussi, on retrouve la magouille, la magouille commerciale, financière, le commerce-magouille, pas le commerce commercial honnête, parce que, quand les Allemands de l'Est produisaient des vaches, c'était pour nourrir les Russes. Du jour au lendemain, on a pris les lois européennes et on a dit à Bruxelles, les vaches qui sont en Allemagne de l'Est... les marchands de barbaque, les magouilleurs de l'argent, de la finance et du commerce-magouille, ils ont acheté les vaches à pas cher là-bas. Qu'est-ce que ça a fait ?

Ça a fait crever de faim les Russes qu'avaient besoin de ça pour leur équilibre économique, pour manger. Et puis, ça a fait crever de faim les éleveurs français qu'avaient des vaches et qu'ont pas pu les vendre. Alors qu'est-ce que c'est que ce beau monde-là ? Ça relève quand même d'une sacrée crapulerie.

— *C'est vrai que le problème de l'URSS, c'est très compliqué…*

Pierre — La connerie que je reproche aux Français, à tous ces gars de 1989, des droits de l'homme, de la liberté, de ceci et de cela... il faut de la liberté, il faut pas des brimades, mais une liberté, quand même, limitée ! C'est pas possible de donner du pain blanc à tout le monde, c'est pas possible de donner des vacances à tout le monde, faut pas rêver, ça n'a jamais existé, où que vous allez chercher le pognon ? C'est pas quand on aura fait crever une certaine catégorie d'individus, où aller chercher le reste ? Et c'est là que tout notre système économique, social et tout, ça ne colle plus. En plus de ça, on a quand même des étrangers qui sont en France, qui sont à charge de la France, qui sont chômeurs, qui sont... ben, si ils ont une carte d'étranger, si il n'y a plus de travail pour eux, il faut leur donner un pactole et puis qu'ils rentrent chez eux avec un capital et puis ils achèteront une vache, un cochon, et ils referont leur élevage chez eux, ils referont leur petit truc chez eux. (…) Le père Pinay, c'était un grand bonhomme, c'était un chef d'entreprise et il savait ce que c'était qu'une gestion. Tu vois quand on a des ministres qu'on met, un coup à l'Éducation nationale, qu'on met un coup à l'Agriculture, qu'on met un coup à droite, qu'on met un coup à gauche – tu me diras, « on ne change pas le ministère, c'est le ministère qui continue » –, mais moi j'estime qu'il faut des gens qui soient du métier et puis qui connaissent ce qu'ils parlent.

— *Oui, oui, oui, tout à fait.*

Pierre — Mais le problème et que personne ne parle et que les Américains ont prévu, c'est qu'en divisant la Russie comme ils ont fait, ils sont en train de l'affaiblir, soit au point de vue technique puisqu'ils ont été quand même les premiers à aller dans le cosmos. Eh bien, le cas le plus grave de l'an 2000, ce sera la Chine, parce que la Russie, c'est le bouclier pour l'Europe contre l'invasion chinoise et si la Russie est divisée, ben les Chinois, ils auront la partie belle. Et ils pousseront, et c'est ça le péril jaune. Les Russes, en l'an 2000, feront la partie avec les Chinois, ils basculeront avec les Chinois pour pousser le continent.

— *Est-ce que tu veux dire qu'il n'y a pas un politicien pour racheter l'autre actuellement, il n'y en a pas un qui...*

Pierre — ...pour taper sur la table, pour dire, « c'est fini la rigolade, il faut travailler et il faut mettre le compteur à zéro », c'est ça que tu veux dire ?

— *Je ne sais pas, moi je te pose la question pour savoir comment tu vois les choses ?*

Pierre — Bon, ben, pour faire un redressement économique [il faut baisser le] taux d'intérêt, taux de prêt pour redresser déjà la situation bancaire de toutes les entreprises. Toutes les entreprises ont des ardoises en banque, elles sont obligées de passer par des banques et les banques maquereautent toutes les entreprises. Crois-tu normal que le système des cartes (bancaires), pour avoir de la monnaie, crois-tu ça normal ? Est-ce qu'il n'y a pas assez de monde dans les guichets ? Voilà des gens qui s'octroient 17 mois de salaire par an, ce sont des trop-payés. Et une veille de fête, ça travaille pas ! (...) Que ça soit de la technique moderne, les cartes, les ceci, cela, c'est très bien, mais je suis contre ce système-là : quand il n'y a plus de sous dans les distributeurs, les gens n'ont pas d'argent ! Moi j'ai jamais eu de carte et je suis contre ça. J'ai un carnet de chèques, je vais faire un chèque. Si j'ai besoin d'argent, j'irai chercher de l'argent au guichet. C'est surtout pour que les employés de banque, ils soient pas emmerdés, on fait travailler les autres. C'est comme dans les grandes surfaces : c'est des gens qui se servent eux-mêmes, il y a deux, trois gus qui mettent la camelote dans les rayons ou qu'amènent une palette et puis les gens ils se servent, ils passent à la caisse, il y a juste la caissière qui fait le travail. Ça fait des chômeurs, parce que ça ne crée pas d'emplois, les grandes surfaces, elles ne créent pas d'emplois par rapport à des petites entreprises. Et pourquoi on ne fait pas d'emplois ? [C'est parce qu'] on a fait des lois sociales. Quand tu embauchais quelqu'un, tu pouvais plus le foutre à la porte (...) et t'es obligé de sortir le carnet de chèques et de lui envoyer encore de la blédine. On a été trop loin dans ce système, il faut faire machine arrière. Et c'est pas un truc rétrograde de... Alors, première chose, les banques c'est trop cher, ils sont trop payés et ils prennent des taux d'intérêt et des taux d'agios beaucoup trop élevés pour n'importe quelle entreprise qui veut essayer de se développer. Même un jeune qui veut s'équiper, il est étranglé. Des charges trop lourdes, t'as une patente, la taxe professionnelle. Ah, si tu travailles tout seul avec ta quéquette et ton couteau, ah ça, mon vieux, t'as rien à payer ! A partir du moment où t'achètes une camionnette, un groupe d'embouteillage, une machine à rincer, un chariot élévateur, on te calcule ton machin sur ton matériel. (...)

— Donc, les deux remèdes que tu vois, c'est, un, les banques et deux... ?

Pierre — Deux, les charges sociales sont mal établies. Pour alléger les charges sociales, la première chose qu'il faut faire : la médecine gratuite. Vous supprimerez les tire-au-cul, les gens qui sont à la Sécurité sociale à vie, j'en connais ici. (...) Les charges sociales, la médecine gratuite pour alléger les charges sociales, les taxes professionnelles qui sont trop lourdes.

[...]

C'est pas des textes de loi qu'il faut, c'est de la logique

Pierre — C'est comme, tiens, j'ai des déclarations à faire tous les ans pour l'URSSAF, mais il y a des fois, moi, ça me sort de mes nerfs. Tiens voilà ce qu'on reçoit [*il me montre des formulaires*], c'est la déclaration annuelle qu'on fait tous les ans pour les salariés. C'est à fournir pour l'ordinateur pour le 31 janvier. En 91, j'ai fait mes machins, j'ai mon double, c'est du 23 janvier, on a envoyé ça. Le 1er mars, je reçois une lettre recommandée de l'URSSAF me disant qu'ils avaient reçu l'imprimé en retard et que vu l'article de ceci, de cela – il n'y a rien à payer, c'est simplement la déclaration de tous les salaires qu'on a payés pour établir par ordinateur les fiches de retraite, enfin le dossier de chacun –, alors une amende de 400 francs ! Alors je dis,« ça c'est la meilleure ! » (...) Je prends le papier, je vais les trouver et je leur demande des explications. Je dis, « montrez-moi l'enveloppe avec le cachet de la poste, je veux savoir, c'est pas moi qui ai posté le courrier », — « Ah ben, on n'a pas gardé l'enveloppe », je dis, « alors quelle preuve ? », — « Ah ben, vous devez nous faire confiance », je dis, « je suis pas d'accord, vous deviez me prévenir le 2 février ou le 5 février, ou le 10 février si vous l'avez reçu le 10 février, mais pas un mois après le délai en cause ». (...) Fin mai je reçois une notification me disant que j'ai payé, il y a deux ans, trop de cotisations URSSAF, ils remboursent deux ans après, en me disant, « ben voilà, nous avons fait votre note de calcul, nous vous sommes redevables de 3 200 francs que nous vous régulariserons par chèque le 31 octobre 91 ». (…) Le 31 octobre, j'ai pas de chèque. Au mois de novembre, pas de chèque. Autour du 10 décembre, je passe à Troyes, je dis, « alors dites donc, vous deviez m'envoyer un chèque de 3 200 francs », — « Ah ! ben oui, pour votre chèque, ben oui, effectivement, on va voir ça, mais on va être obligé de vous retenir vos 400 francs », je dis, « c'est pas le même dossier, comment vous avez pu voir que… ? », — « A l'ordinateur ! ». Je dis, « c'est possible à l'ordinateur, mais je dis, c'est pas le même dossier, c'est deux affaires différentes », — « On va vous envoyer un chèque ». Ils m'ont envoyé un chèque de 2 800 francs, ils m'ont piqué mes 400 balles. Ce qu'ils font, c'est malhonnête. Je dis, si vous pensez renflouer votre caisse à coups de 400 francs par l'un et par l'autre, en disant c'est des bons gars, ils diront rien, ils vont envoyer 400 balles.

— *Et t'as pas encore eu de nouvelles de ton recours gracieux ?*

Pierre — J'attends encore un mois. Mais crois-moi que, si j'ai pas de nouvelles, je vais leur refoutre une lettre recommandée, je prends ma carte d'électeur et je leur mets dedans en leur disant que tant qu'on aura des administrations malhonnêtes, j'ai pas besoin de me déplacer pour aller voter ! Si on me considère pas comme un citoyen, on n'a qu'à me considérer comme un Arabe et un contestataire. J'ai dit à X, « si tu ne me vois pas voter, c'est que ils m'ont piqué 400 balles ». C'est pas pour 400 balles, j'en ai rien à foutre d'aller voter au Conseil général. Et qu'est-ce que tu veux, tout est comme ça… C'est pas des textes de loi qu'il faut, c'est de la logique. Et par la logique, on trouve des solutions. J'ai eu un jour, c'était au début que Mitterrand est passé en 81, je sais pas si tu te rappelles, il y avait une exonération d'un pourcentage, je ne sais plus de combien, 3 à 4 % de moins sur les bas salaires. Tous les salaires qui ne passaient pas 4 200 francs brut payaient une cotisation, je sais plus, je voudrais pas te dire une blague, au lieu de mettons 14 % de charges sociales, tous ceux qui passaient pas 4 200 francs ne payaient que – je sais pas, je dis comme ça – 10 %. Un abattement de 4 %. J'ai été pendant six mois où j'avais des salariés qui étaient en dessous de ce quota-là et puis il y a eu une hausse de salaire. On ne nous a pas passé une note en disant « attention, vous passez 4 200 francs, nous vous rappelons que… ». J'avais un employé qui avait fait quelques heures de plus et ça avait passé 4 200 francs. Mais, tiens-toi bien, ça avait dû lui faire 4 208 francs et 20 centimes, il y avait 820 [anciens] francs de plus. Un an après, vient un contrôleur de l'URSSAF, il prend tous les dossiers. Ah ! la bonne affaire ! Il y avait 820 de trop pour ce client-là. Eh bien, tu me croiras si tu veux, moi j'ai dit pour 8 francs 20, j'ai dit c'est pareil. « Ah ! il me dit, c'est pas ça, il y a 4 % en plus ». Il a repris les 4 % sur 4 200 francs, ça faisait 160 francs, mais comme il était venu avec un an ou deux ans de retard, les intérêts… tant de pour-cent en plus. Alors j'ai dit, « c'est peut-être le texte de loi, mais je dis, vous vous mettez à ma place, je me mets à la vôtre, vous vous asseyez à ma place ». — « Ah, il me dit, vous avez toujours le recours, vous pouvez contester si ça vous… ». Je monte le dossier, je fais le recours, je me dérange à l'administration du contentieux administratif à la cité administrative du département. Ils regardent le truc, ils me disent, « oh ! ben oui, on ne peut pas grand-chose, il faut demander ça, il faut demander l'avis au juge ». On a été au tribunal, c'était une espèce de pisseuse qui devait sortir sûrement tout juste de sa chrysalide, je suis arrivé avec tous mes papiers, tous mes éléments pour prouver que pour 8 francs 20 dépassés, s'il y avait un problème de logique… J'ai pas pris d'avocat parce que à ce moment-là… Eh bien, tiens-toi bien, je me suis présenté avec mes papiers, j'ai voulu parlementer, la juge elle devait être née comme ça, elle m'a dit, « bon allez, affaire suivante ! ». J'ai dit, « mais j'ai pas eu le temps de m'expliquer et tout », — « Non, non, c'est bon. Affaire suivante ! ». On ne m'a pas donné le temps de m'expliquer, rien du tout, je suis reparti, j'étais écœuré. Il y avait une espèce de bonne femme qui était l'avocate ou la comptable de l'URSSAF qui représentait… Je l'ai rencontrée dans le couloir, je lui ai dit, « vous savez, vous êtes en train d'assassiner les petites entreprises, j'ai dit, vous m'écœurez », ça m'a coûté 120 000 balles, pour 8 francs 20 de trop ! Merde ! C'est un texte de loi ? J'ai dit, « c'est ça la justice française ? Et puis je dis, je m'en fous, ça vous fera 1 200 francs dans votre tiroir, vous les aurez, vous serez contente ? Je dis, vous savez, des entreprises comme nous, ben, on disparaîtra, vous irez chercher ça aux grandes surfaces ». Ah ! tout ça, c'est des petits détails. Et puis tout ça, hé bien moi, tu sais, demain il y a des élections, je ne me dérange même plus. Il y a longtemps que j'irais même plus voter, si j'étais pas dans un petit pays où l'on regarde ceux qui sont venus et ceux qui sont pas venus voter. Parce que tous nos gars qui sont en place, quand ils sont élus c'est « on s'en fout, on y est pour six ans… ». Oh ! ils sont pas pour se baisser leurs indemnités, ceux-là !

— *C'est vrai que ce genre d'histoires a de quoi révolter.*

Pierre — C'est triste, c'est du petit monde. Ils ont peut-être la grosse paye, mais, pour moi, c'est du petit monde. Je considère que ce sont des gens négligeables.

janvier 1992

Frédérique Matonti

La déception

C'est fin décembre 91 que je rencontre Marie pour la première fois. Elle vend *National-Hebdo*, le journal du Front national devant Saint-Nicolas-du-Chardonnet, haut lieu de l'intégrisme catholique depuis son occupation il y a 15 ans. Sa table, un peu en retrait du parvis de l'Église, où l'on trouve Le Choc mais aussi des « pin's » *National-Hebdo* et des briquets à l'effigie de Jean-Marie Le Pen, jouxte celle d'un couple de militants qui vend, lui, *Rivarol* et *L'Action française*. Marie me tend un tract sur la vivisection. Devant mon air étonné, elle me dit dans un sourire, « ça n'a pas de rapports, mais ils sont sympas ». En réalité, comme je m'en apercevrai en parcourant le numéro de la semaine de *Minute-La France*, qui consacre plusieurs articles à la question, le Front national, qui vient de découvrir l'écologie, semble s'intéresser aussi à la vivisection.

J'explique à Marie que je souhaite interviewer des militants du FN. Elle ne se considère plus vraiment ainsi, parce que « être militant, c'est quand on n'est pas nombreux ». Prête à me dire « tout ce qu'elle sait », mais pas aujourd'hui, parce que la messe va bientôt finir et qu'elle doit vendre son journal et distribuer ses tracts, elle me précise spontanément qu'elle est l'ancienne responsable du FN, pour le 4e-6e arrondissement, auquel elle a adhéré au moment où Jean-Marie Le Pen s'implantait dans le 20e arrondissement.

Un jeune homme d'une vingtaine d'années qui se présente à elle comme proche des idées du FN mais pas militant, se mêle peu à peu à notre conversation. C'est autant à son intention qu'à la mienne que Marie décrit ce temps où l'on allait avec Le Pen au café, où il y avait si peu de sympathisants que pour remplir une salle de 200 personnes, il fallait aller chercher les clochards du quartier. Marie m'explique encore qu'elle est entrée en politique par anticommunisme : « faut dire que ma mère est russe ». Même si, comme elle dit, « moi ça m'a pris tard », elle a d'abord fréquenté Ordre nouveau et le Parti des forces nouvelles. Elle se souvient, mi-nostalgique, mi-ironique, du militantisme de l'époque, et décrit, gestes à l'appui, les « types qui roulaient des épaules ». Si elle estime que « ça faisait de la contre-publicité », elle remarque qu'aujourd'hui les « bourgeois » qui soutiennent le FN – vise-t-elle le jeune homme qui s'est mêlé à la conversation ? – hésitent à militer vraiment.

Marie a une petite cinquantaine chaleureuse : ses yeux bleus qui fixent droit dans les yeux, ses cheveux roux teints, ses rondeurs enveloppées aujourd'hui dans un blouson, les autres jours dans un vieux trois-quarts à chevrons, forcent la sympathie. Comme je le remarquerai à nouveau le jour de l'entretien, elle connaît tout le monde, tutoie vite ceux qui s'approchent de son stand – mais pas moi – et embrasse nombre des personnes qui viennent la voir. Elle accepte immédiatement de prendre rendez-vous pour le dimanche suivant : « entre les deux messes parce que j'ai un peu de temps ».

En fait, malade, elle ne sera pas au rendez-vous le dimanche suivant. Je la retrouve donc début janvier, à la même table. Lorsque j'arrive, au moment de la sortie de la première messe, elle brandit très haut, à l'intention des fidèles, *National-Hebdo*. Elle me reconnaît, mais paraît moins décidée qu'il y a trois semaines. Elle n'est plus, dit-elle, « une vraie militante : vous feriez mieux d'interviewer quelqu'un d'autre ». C'est, en réalité, comme je m'en apercevrai tout au long de l'entretien, le premier d'une série d'« évitements » qu'elle m'oppose.

Sur sa table, à côté des briquets et des pin's, on trouve *Mes derniers cahiers* par François Brigneau. L'un est consacré à Pétain, l'autre au « racisme juif raconté par un fils de rabbin » et le troisième à Mgr Lefebvre. Une femme d'une soixantaine d'années se plaint de leur prix : « C'est cher, alors que les gens sont pas informés. » Marie renseigne longuement et patiemment un couple de jeunes provinciaux d'une vingtaine d'années qui achètent *National-Hebdo*, des pin's et veulent se rendre au siège du FN, rue du Général-Clergerie. Un homme proche de la quarantaine vient lui apporter le calendrier de la Fédération du Val-de-Marne qui s'orne de la photographie de Jean-Marie Le Pen tenant dans ses bras un enfant blond. Marie et ses voisins de table s'interrogent : « C'est qui ? » L'homme – Marie me dira tout à l'heure que c'est un réfugié roumain – répond en riant : « En tout cas, c'est pas un Arabe ». Il demande à Marie si elle ne veut pas profiter d'une occasion : un Roumain qui quitte la France pour s'installer aux États-Unis et vend tous ses meubles. Marie lui explique qu'en ce moment elle n'a vraiment pas d'argent. Heureusement, me confie-t-elle, des amis lui ont donné une cuisinière et un réfrigérateur. Entre deux conversations, elle bavarde avec moi, se plaint des mauvaises ventes du jour, des difficultés du militantisme, des épouses qui empêchent leurs maris de militer parce qu'elles croient qu'ils vont rencontrer d'autres femmes.

La vie difficile de Marie, le registre des plaisanteries qu'elle échange avec ses voisins de militantisme, leur apparence et leurs vêtements pratiques, plutôt neutres et peu coûteux, contrastent violemment avec l'allure des fidèles majoritairement très « collet monté » de Saint-Nicolas-du-Chardonnet ou des quelques jeunes gens qui arborent ostensiblement un crâne soigneusement rasé au-dessus de leur loden. Marie ne s'approche jamais du porche de l'église. Cette distance révèle à elle seule que le militantisme populaire du FN qu'elle incarne ne fait que côtoyer, sans plus amples contacts, le rendez-vous obligatoire de l'extrême-droite aristocratique et bourgeoise.

Marie se décide et demande au couple qui vend *Rivarol* et *L'Action française* de bien vouloir tenir sa table. Elle plaisante avec sa voisine : « prête-moi ton mari » – qui répond sur le même ton : « quand on prête son mari, on n'est pas sûr de le revoir ». Elle m'entraîne – sur son territoire – dans l'un des cafés de la rue Monge : « c'est un peu un rendez-vous de militants, c'est un café kabyle, on n'a jamais de problèmes. » En entrant, elle annonce, « je paye ». Marie, pour m'inviter, a saisi une occasion : le couple de jeunes provinciaux lui a remis un billet de 500 francs et elle a besoin de monnaie. On s'assoit, Marie commande un jus d'orange. Elle parle très bas, au point que je m'interroge un instant sur la qualité de l'enregistrement. Son ton triste tranche avec sa gaieté publique. Marie rit toujours, mais d'un rire timide, souvent gêné. Tendue, troublée, elle se trompe dans ses réponses, se corrige et s'excuse. La solennité de l'entretien, face auquel elle ne peut guère que mobiliser son expérience militante comme ressource sociale pour ne pas « perdre la face », la présence du magnétophone auquel elle jette de fréquents coups d'œil, y sont sans doute pour beaucoup.

Mais le changement radical dans son attitude ne s'explique sûrement pas seulement ainsi. Marie affronte d'abord la charge de violence que recèle le temps court de l'entretien, lorsque, comme ici, il oblige l'interlocuteur, qui ne s'y attendait pas, à faire le point sur une vie difficile. Elle croyait parler uniquement de ses souvenirs de militante, et raconte une succession d'échecs. Échec professionnel d'abord : après avoir « fait 36 métiers (...), on dit, 36 métiers, 36 misères » qui l'ont conduite jusqu'au Portugal salazariste, Marie est au chômage depuis un an et touche le RMI. Échec familial ensuite : elle s'est séparée de son mari qui se « foutait » du militantisme et de la politique. Son fils « s'en fout aussi », même si, corrige-t-elle, « il a un peu [ses] idées ». Échec politique relatif peut-être, avec ce parti dans lequel elle ne se reconnaît plus guère. Mais lorsqu'elle se dérobe plusieurs fois par le silence, par des tentatives plus radicales et enfin réussies, pour mettre un terme à l'entretien, c'est moins à propos de ses difficultés que lorsqu'il s'agit de dévoiler son origine sociale, celle de ses parents, et plus encore sa (ou ses) profession (s). Ce que Marie semble vouloir éviter, c'est que sa vie politique cesse d'être ce coin de liberté, ce coup de folie, pour apparaître comme un aboutissement nécessaire. Lorsque je lui demande pour la deuxième fois ce qu'elle faisait avant d'être au chômage, Marie me répond qu'elle « préfère ne pas le dire... parce que tout de suite vous allez... » Son métier me paraîtrait trop évidemment lié à son entrée à Ordre nouveau, puis à son parcours à l'extrême droite.

Sa vie politique semble en effet terriblement cohérente. Par les racines de son engagement, Marie est fidèle à l'histoire de sa mère russe, à sa propre expérience au Portugal, à sa trajectoire professionnelle, comme elle le suggère elle-même. Son parcours militant, rare au sens où peu de personnes l'ont accompli dans l'espace politique, ne l'est pas dans le monde de l'extrême-droite française : François Brigneau, par exemple, dont Marie vend les publications, est passé par Ordre nouveau, a fondé le FN, puis le PFN, avant de revenir auprès de Jean-Marie Le Pen.

Je me suis évidemment demandé la profession qu'exerçait Marie en m'inspirant de la sociologie spontanée que les militants du FN font de leurs adhérents et que Marie elle-même pratique, comme l'atteste l'explication qu'elle me fournit de son silence. L'engagement dans la police ou dans l'armée, à moins qu'il ne se soit soldé par une démission – une radiation ? – avant d'atteindre le nombre d'annuités ouvrant droit à la retraite, l'aurait garantie du RMI. Un emploi de serveuse, ou de vendeuse, en bref de petit indépendant, pourrait cadrer assez bien à la fois avec sa trajectoire faite de « 36 misères » et avec la nécessité que je ne manquerais pas de lire dans son engagement.

Marie qui se présente comme « entière », qui se veut fidèle à elle-même, à condition que cette fidélité, jusqu'à son désengagement militant, soit l'expression d'un choix et non d'une contrainte sociale, délivre un message politique. C'est toujours en termes moraux – courage, désintéressement, dévouement – qu'elle décrit le travail militant. Mais des manifestations, des collages qui tournent mal, elle ne retire pas la même excitation que les hommes du FN. Là où d'autres militants parlaient des « soldats de l'an II » et du « Pont de la rivière Kwaï », Marie parle d'« horreur ». Si elle rejette comme les « notables », son engagement et son corollaire actuel – le retrait – ne reposent pas sur une vision idéale qui voudrait que, d'un côté, il y ait le bon FN et, de l'autre, les mauvais partis. Fidèle à une extrême-droite groupusculaire, mais aussi révolutionnaire, désenchantée par la professionnalisation du FN, elle ne donne son admiration, sa sympathie, puisque c'est en ces termes qu'elle s'exprime, qu'à la base désintéressée, et populaire, comme sa dénonciation des bourgeois, le premier jour de notre rencontre, ou des « giscardiens peinards », lors de l'entretien, le montre aisément. Marie, lorsqu'interrogée sur son attitude vis-à-vis des étrangers, retraduit immédiatement ces questions selon le registre idéologique qu'elle maîtrise, le patriotisme et le nationalisme. Enfin, Marie, qui « sait ce que c'est que la misère », entend porter, bien plus que les petits notables du FN, la revendication des « petits Blancs » tenus en lisière de l'intégration sociale.

Marie a connu toutes les désillusions. Elle les révèle dans le malaise, mais ne les cache pas, car cette défense des petits Blancs n'en est que plus fondée. En revanche, elle a besoin d'un espace de liberté, celui de ses choix politiques, et d'une reconnaissance, celle qu'elle me demande lorsque je la quitte sur le parvis de l'église : « Ne dites pas trop de mal de nous. » Avant d'ajouter, le sourire retrouvé : « Revenez me voir, pour me dire comment ça marche. »•

avec une militante du Front national

— entretien de Frédérique Matonti

« Moi je sais ce que c'est que la misère »

— Je voulais savoir quand vous êtes entrée au FN ou comment vous avez commencé à militer ?

Marie — Attendez, il faut que je réfléchisse une minute [*petit rire dans la voix, un peu gêné, Marie dit bonjour à un client du café*] hein, parce que c'est vieux, quand même. Alors… Attends voir… Quand est-ce qu'il a été nommé, Le Pen, conseiller municipal du 20e ? C'est à cette époque-là, j'sais pas, quelle année c'est…

— 83.

Marie — Ben, c'est en 83, déjà, ben, ça fait pas dix ans, alors. Voilà.

— Vous êtes entrée à ce moment-là ?

Marie — Voilà, je militais. Oui. Oui, là, je militais, puisqu'on a commencé avec lui, dans le 20e arrondissement, oui, oui.

— Et vous aviez milité avant ?

[*Ici Marie met un temps à retrouver ses esprits, répond d'abord non, et s'excuse.*]

Marie — Oui, j'avais milité à Ordre nouveau.

— A Ordre nouveau ?

Marie — Ordre nouveau, et au PFN, parti des forces nouvelles [*j'acquiesce*]. Au PFN…

— Et pourquoi vous avez choisi le FN après ?

Marie — Ben, parce que y avait beaucoup de gens qui sortaient du PFN, qui avaient été… c'était à peu près les mêmes idées, quoi, à peu près… grosso modo, hein, vous savez dans la droite, c'est surtout une question, à mon avis de personnalité, vous avez des gens qui sont à peu près… qui pensent la même chose… j'entends dans les mouvements de droite nationale, ensuite ce qui fait la différence, c'est les caractères du chef. C'est le plus ou moins de charisme du chef. Il est évident que vous avez les mêmes idées avec un mec qu'est pas sympa, vous y allez quand même moins, bien que ça soit vos idées… ça joue quand même.

— Qu'est-ce qui vous avait fait rentrer à Ordre nouveau, parce que c'est rare quand même.

Marie — De quoi ?

— *Y avait pas de tant de gens que ça…*

Marie — Ah non, quelques-uns… Pourquoi, attendez, attendez que je réfléchisse, parce que c'est vieux [*silence*]. Moi, j'avais été au Portugal avant (…). Et puis au Portugal, les gens avaient beaucoup d'ennuis avec les communistes, hein, là-bas dans leurs… dans leurs colonies, les communistes faisaient des désastres là-dedans, alors j'étais anticommuniste, et puis quand je suis arrivée en France, eh ben, le seul qui combattait vraiment le communisme, c'était à l'époque, Ordre nouveau, qu'avait pas… peur de s'afficher en tant que tel, nationaliste, anti-communiste, à fond. Donc c'était, si vous voulez, le parti qui correspondait le mieux… voilà… à une réaction… à une réaction anticommuniste… c'était Ordre nouveau à l'époque, puisque tout le monde pactisait avec le parti communiste…

[*Marie, pour la première fois, esquive mes questions sur ses activités professionnelles au Portugal. Je l'interroge ensuite sur son entrée à Ordre nouveau, elle n'en retrouve plus la date mais pense que c'est au début des années 70*.]

Ils n'ont plus besoin de moi

— *Et là, vous militez en Seine-Saint-Denis, maintenant ?*

Marie — Non, actuellement, je vais vous dire, je milite plus [*petit rire un peu triste*] ou je milite très peu, voilà, je milite, bon, gentiment. Parce que je vais vous dire, moi, en fait, ce qu'est intéressant, c'est démarrer petit, avec des idées bien précises, avec un programme bien précis, et puis on a toujours un côté d'être un peu, comment vous dire ? Un côté de défi. Voyez, c'est comme les premiers écolos, ou les premiers… nationalistes, c'est un état d'esprit qui… et ensuite ça devient, si vous voulez, des grosses machines, donc ça perd un peu de son… ils ont plus besoin de moi, si on peut dire [*petit rire*], maintenant le fait que je milite ou je milite pas, bon, c'est pas une grosse différence… quand vous êtes dans un petit parti, vous êtes, vous vous sentez plus responsable, et beaucoup plus concerné.

— *Et là, ça vous paraît trop gros le FN ?*

Marie — Ben, ça me paraît… Non, c'est très bien, mais je veux dire que… c'est plus tellement exaltant, parce que… bon… c'est sur les rails, quoi. Bon… et mais y a un danger, c'est que y a beaucoup d'anciens militants, on était vraiment désintéressés, on n'était pas du tout… on cherchait pas l'argent, on cherchait rien du tout. Or, maintenant, y a beaucoup de nouveaux qu'arrivent qui… et puis qui veulent se faire une place, qui veulent surtout être [*petit rire*]… comment vous dire être… rémunérés, être élus…

— *Ah bon ?*

Marie — Ah ben oui, parce qu'ils sentent… les gens sentent que ça rapporte… et à ce moment-là vous avez… c'est comme [*petit rire*] pendant la Guerre, au moment de la… comme ils disent de la Résistance… ils étaient une poignée [*petit rire*] et ils se sont retrouvés des milliers à la dernière minute. Ben, je vais vous dire, c'est un peu un effet comme ça, si vous voulez, mais le vrai militant, l'ancien, etc… le brave de braves… je dis le brave de braves, parce qu'on est un peu des idéalistes, quoi… (…) il se sent un peu floué, parce qu'il n'a pas fait ça dans cette optique… La plupart, moi je parle pour moi, je parle que pour quelques amis, mais je peux pas généraliser non plus… Vous avez des gens qui ont été de très bons militants, et puis qui maintenant vont devenir quelqu'un… Mais… On ferait bien de regarder (…) aussi leur passé. [*Marie continue son développement. Je lui demande si elle est d'une famille de militants ; ce n'est pas le cas, mais malgré mes questions, elle ne livre rien de l'histoire de sa famille, sauf que sa mère est russe* .]

C'est l'horreur, on se fait même agresser…

— *Alors, comment ça se passe en Seine-Saint-Denis, parce que ça doit pas être facile…*

Marie — Non, non. Ils sont fantastiques, ce sont des héros en Seine-Saint-Denis, je le dis bien haut. Ils font des choses que je ferais pas, ils sont sensationnels, ils ont un courage fou… fou ! Ils sont un contre je sais pas combien, ils ont tout le monde contre eux… faut pas croire que la droite traditionnelle nous aide, absolument pas… Il y a aucune aide de la part de la droite traditionnelle, des chiraquiens, des giscardiens, ils s'en foutent complètement, j'veux dire, ils font même chorus avec les autres, quand il s'agit de nous condamner… faut bien que les gens se mettent ça en tête. [*Marie explique que la droite se trompe en croyant que tous les électeurs du Front national voteront pour elle, avant de revenir aux militants du FN* .] Ils sont sensationnels… j'ai pas de mot assez fort, parce que c'est des gens qui d'abord travaillent, font ça sur le temps de… le soir… collent, tractent… et, en plus, se paient le luxe, quand il y a des fois des ennuis, d'aller chercher la police pour rechercher dans les quartiers chauds les personnes qui les ont ennuyés…

[*Marie développe encore le thème du courage des militants.*]

— *Ils sont beaucoup attaqués ?*

Marie — Ben, je sais pas [*rires*]. Vous avez déjà essayé de vendre *National-Hebdo*, vous sur la place de Saint-Denis ? Ben, essayez ! [*elle rit*]. C'est l'horreur. Moi, je l'ai vendu dans le 20e, mais c'est rien à côté, moi, je me suis fait injurier, traiter de tous les noms, quand on vend dans certains quartiers, c'est l'horreur, on se fait même agresser. Des fois même, on appelle la police, on est obligé d'être, d'être… on est chassé comme des lépreux. (…) C'est pas parce qu'on entend parler de Le Pen que, dans la rue et partout, c'est facile… ça toujours été très dur… Maintenant ça commence à aller un peu mieux, mais ça été,… Moi j'ai connu l'époque, où le fait de dire qu'on était Français, le fait de se balader même avec un drapeau français, je me rappelle du temps d'Ordre nouveau, des descentes des Champs-Elysées avec le drapeau français, ben, on vous envoyait l'extrême gauche par-dessus, hein, et les cars de police, les CRS, sans compter le reste, ah non, l'horreur, hein !

[…]

Ces gens-là étaient dans leur petit bureau, giscardiens peinards

Marie — Non, vous comprenez les gens qu'arrivent maintenant, la voie a été un peu tracée (…). Bon, c'est très bien, s'ils peuvent se joindre à nous, mais je vais vous dire, la plupart du temps, ces gens-là étaient dans leur petit bureau, giscardiens peinards, hein [*elle rit*]. Moi, j'ai entendu des choses effarantes, effarantes ! Des gens une fois dans une réunion, quelqu'un me dit, « oh mais, de toute façon, si les communistes viennent, vous l'extrême droite, la droite nationale, vous vous battrez ». Ils nous envoyaient au casse-pipe délibérément. (…) Et je dis, « mais vous qu'allez-vous faire à ce moment-là, et vous, qu'est-ce que vous faites dans une situation comme ça, vous réagissez ? ». (…). Et le type ne faisait rien, apparemment il n'avait pas prévu, qu'il pouvait faire éventuellement quelque chose (…). Mais, j'ai trouvé ça… j'm'en rappellerai toujours, c'était absolument surréaliste comme conversation… parce que le type qui vous envoie délibérément… un Français !

— *C'était un type qui est devenu militant du FN ?*

Marie — Ah pas du tout ! Pas du tout, c'est un monsieur rencontré comme ça, qui était un monsieur de la droite dite traditionnelle… mais qui, tranquillement, avait le culot… Enfin je sais pas, j'avoue que, bon… moi je suis entière, alors on milite, on milite pas, on a ses idées, mais je respecte toutes les idées… je vais vous dire, à la limite, des fois, je préfère un gars qu'est… un communiste, qui est brave, mais qui croit en ce qu'il fait… qu'est honnête, qui va se démener comme un dingue… qui est sincère, voyez et qui est courageux. Mais j'ai dix fois plus de respect que [pour] ces mecs qui manipulent quelquefois les autres à leur profit.

[… *Nouvelle esquive de Marie sur ses activités professionnelles, elle s'apprête à partir, je tente de relancer l'entretien.*]

J'ai vécu au 7e étage, sans ascenseur, avec un gosse, sans eau, sans…

— *J'ai déjà interviewé des gens du Front national,* […] *ils parlent toujours des étrangers, alors que vous, vous n'en parlez pas du tout…*

Marie — Non, j'en parle pas parce que, comment en parler ? Vous savez, moi, j'suis un peu dégoûtée. Nous, ça fait… on essaie de fermer les frontières, on crie le holà ! depuis des années et… ça sert à rien… bientôt il y en aura de plus en plus [*petit rire*] on pourra plus les renvoyer, faudra faire avec, moi j'veux bien me battre… mais comment dire… c'est un peu démoralisant… hein. On crie depuis… on se fait traiter de tous les noms. On est les méchants, on est les fascistes, on est les pas beaux, on est les ceci, on est les cela, n'est-ce pas ? Ce qui n'est pas une politique en soi, parce que de critiquer quelqu'un (…) c'est pas constructif. Et, à part ça, les choses ne changent pas et… les étrangers continuent d'arriver. Moi, je vais vous dire, on est un peu écœurés.

[…]

— *Apparemment, ce n'est pas pour ça que vous êtes entrée au Front national…*

Marie — Moi, c'était plutôt anticommuniste, au départ. Mais il est évident que, moi, quand je me promène à Belleville, à Barbès ou boulevard de la Chapelle, je peux pas dire que je suis heureuse, non, ça, non, là franchement. Et puis ce que je n'aime pas, c'est que nous, quand on est arrivés, nous, par exemple des immigrés russes, nous étions… (…) on essayait de s'intégrer, on essayait d'avoir non pas des droits, mais des devoirs aussi, enfin ! Et maintenant les gens qui viennent sont arrogants, (…) on est sans papiers, et on se permet de manifester dans les rues… Moi, non, alors là je n'admettrai jamais… Moi, dans aucun pays du monde… Vous voyez vous allez en Chine ou en Amérique, sans vos papiers, sans permis de travail et gueuler dans les rues ? Ah non, ça c'est trop, c'est trop ! Là, on est en train… on devient un paillasson, on s'essuie les pieds sur nous, et je trouve que c'est très inconfortable comme situation, quand même, hein ? Je pense qu'on a perdu notre fierté, notre fierté d'être français, notre fierté d'être maître chez soi et ça… j'avoue que… (…) il y a un dicton, on dit, « charbonnier, maître chez soi ». Alors, même si on n'a pas énormément de moyens, on peut quand même… nous sommes quand même… faut pas oublier quand même, il y a des générations de Français qui sont morts pour qu'on soit libres [*elle insiste sur le mot*], hein ! Et pour qu'on puisse décider nous-mêmes, hein ! Faut pas oublier quand même,… c'est malheureux à dire, mais regardez les cimetières militaires, merde, enfin, ils ont quand même combattu pour la France, ils se sont battus pour justement être libres [*nouvelle insistance sur le mot*]. Si maintenant, on doit se faire insulter par le premier… Moi j'ai rien contre le Bantou, je m'en fous parce que moi, même si, un jour, je dois gagner ma croûte, j'irais peut-être en Amérique, mais je me permettrais pas de faire la loi et de critiquer l'Amérique, sinon je reste chez moi. Faut un peu de décence, quand même.

— *Vous, vous êtes née en France ?*

Marie — Ah ! je suis née en France, bien sûr. Mais je suis française et fière de l'être, pas de problèmes. Pas de problèmes [*elle rit*]. Mais je trouve que maintenant ça devient presque un droit, on vient en France, on gueule, on n'a pas de papiers, on veut de l'argent, (…) alors que vous savez, moi, j'ai vécu au 7e étage, sans ascenseur, avec un gosse, sans eau, sans… moi je sais ce que c'est que la misère, pourtant j'étais ni arabe, ni noire, ni, ni, ni rien du tout. Alors faut qu'on parle aussi des Français et des petits vieux, et des gens qui sont… il y en a, bon sang de la vie ! Allez dans le Nord, allez voir, c'est l'horreur. Bon, ceux-là, ils ne sont pas dans les rues, ils ne brandissent pas des drapeaux, ceux-là… ils font pas de bruit, ben, ils peuvent crever de faim, tranquilles. On n'en parle pas. Oui, et je n'aime pas ces deux poids, deux mesures, vous comprenez. On parle de l'étranger, d'accord, mais aussi des Français… il me semble… Parce que le Français, où va-t-il se… il peut pas s'expatrier, le pauvre bougre, qu'est-ce qu'il va faire ? Tandis qu'évidemment le pauvre bougre du Ghana, il peut toujours venir ici, mais le pauvre Français, qu'est-ce qu'il fait, lui ? Moi, j'ai connu comme ça… (…) pour vous dire… un truc ahurissant, un harki français qui a repris, qui va prendre la nationalité algérienne pour être aidé. C'est un comble. Il s'était battu pour la France, il avait quitté son pays, il avait eu des choses épouvantables (…) Bon, alors quand on arrive à des situations comme ça, faut pas nous demander des fois pourquoi les gens sont écœurés, ça c'est même plus une question de politique, c'est de bon sens. [*Marie s'apprête à partir, comme je la retiens elle me parle pour finir de son ancien mari et de son fils.*]

janvier 1992

La religion spectacle – *Frédérique Matonti*

La paroisse de Saint-Nicolas-du-Chardonnet est le lieu phare de l'intégrisme catholique depuis le début de l'occupation de l'église en mars 76. Chaque dimanche matin, deux offices se succèdent et deux représentations s'offrent à l'observateur : la première, à l'intérieur de l'église, pendant la messe, la seconde, plus complexe parce que moins apparemment codifiée, sur le parvis, après les cérémonies. Une sortie latérale permet à une part des fidèles d'éviter le parvis et de ne pas s'impliquer plus avant dans l'engagement politique.

Aux deux offices, et chaque dimanche, l'église est si pleine qu'une partie de l'assistance suit la messe debout, près de la sortie, et il ne faut pas moins de six prêtres pour administrer la communion. Les hommes sont à peine moins nombreux que les femmes ; tous les âges sont représentés.

La première messe n'est pas encore achevée, les fidèles quittent encore l'autel après la communion, que les habitués du second office s'installent. Il s'agit, comme les conversations le révèlent, d'être bien placé, pour bien voir. Une avidité qui pourrait trancher avec l'esprit du rite de saint Pie V. Pratiqué à Saint-Nicolas-du-Chardonnet depuis son occupation en 76, il impose non seulement la messe en latin mais encore que l'officiant tourne le dos aux paroissiens. Cette avidité s'accorde en réalité avec le fait que tout ici est spectacle.

Au fil des semaines, la comparaison s'impose avec une salle de cinéma permanent. Spectacle d'une « belle église », bien chauffée, très fleurie, puissamment éclairée par des quantités de bougies, de lustres baroques, et de cristaux, aux vitraux discrètement mis en valeur par des spots. Spectacle d'une « belle messe », avec enfants de chœur et vicaires en surplis, chorale, vapeurs d'encens et orgues, qui atteint son apogée lorsqu'à la fin de l'office, le curé, accompagné de ses enfants de chœur, de ses vicaires et précédé d'une bannière de la paroisse, entreprend en procession la descente de la travée centrale, et la remontée d'un bas-côté vers la sacristie.

Cette esthétique est au cœur du dispositif de Saint-Nicolas. L'abbé Laguérie, en charge de la paroisse depuis 83, le rappelle à ses ouailles lors de son sermon du 1er mars. Prêche particulièrement révélateur des valeurs de Saint-Nicolas et de ses fidèles, puisque l'abbé Laguérie le prononce pour le quinzième anniversaire de l'occupation de l'église. L'objectif de la paroisse, assure-t-il, c'est une église et des messes encore plus belles. Cette recherche esthétique permet, certes marginalement, d'attirer à Saint-Nicolas des fidèles qui ne se retrouvent plus dans l'Église jugée souvent austère de l'après-Vatican II. En faire un objectif en soi, comme le prêche le révèle, c'est aussi défier les autorités ecclésiastiques. L'abbé Laguérie ne s'y trompe pas : la messe c'est « notre drapeau », les églises traditionalistes, des « bastions de la résistance ». D'ailleurs, à Saint-Nicolas, on parle couramment non d'occupation, mais de « libération » de l'église. Ce défi, l'abbé Laguérie n'hésite pas à assurer avec aplomb, qu'il est « apprécié au ciel » et je le retrouve le 1er mars, avec le calicot accroché sur le fronton de l'église : « 15 ans la tradition, c'est le progrès ».

A cette messe stratégiquement mise en scène, les fidèles répondent pour la plupart par une piété qui paraît largement ostentatoire. Un bon dixième de l'assistance passe la majeure partie de la messe à genoux, une petite moitié communie chaque dimanche, la quasi-totalité chante à pleins poumons, tous les visages affichent le recueillement. A Saint-Nicolas, la foi aussi se doit d'être spectaculaire. Combative, sûre d'elle-même, elle fait partie du défi. L'abbé Laguérie décrit, toujours avec le même aplomb, les retours à la foi, la « ferveur » des paroissiens, et même « la sainteté de certaines âmes ».

L'abondance des mantilles, rares de nos jours, mais fréquentes ici sur la tête des jeunes femmes, ou des petites filles, pourrait laisser attendre des tenues « modestes » ; il n'en est souvent rien : les femmes sont fardées, les visons et les fourrures abondent. Quand elle ne s'affiche pas, la richesse se donne pourtant encore à voir dans le classicisme des tenues : tailleurs, jupes écossaises, jupes plissées, foulard Hermès, cheveux retenus, marée de bleu marine.

Une part nettement plus réduite de l'assistance – un quart, un cinquième ? — est d'origine manifestement populaire. C'est en particulier le cas de femmes antillaises, très représentées aux offices de Saint-Nicolas, mais qu'on ne retrouve pas à la fin de la messe sur le parvis. Cette présence à l'église et cette absence sur la deuxième scène de Saint-Nicolas laisse supposer qu'une partie des fidèles recherchent bien le catholicisme flamboyant que Saint-Nicolas feint de se contenter d'offrir.

Les hommes qui assistent à la messe arborent fréquemment une fleurs de lys ou un Sacré-Cœur, à la boutonnière. Cette ostentation – encore –, en parfait accord avec le sens des prêches, révèle que ce qu'on exhibe ici, c'est aussi et avant tout un ensemble de valeurs qui sont bien évidemment celles de la droite traditionaliste, repérables aux chants choisis pour les offices. Au fil des dimanches, j'entends entonner, avec bien plus de ferveur que pour les chants grégoriens, « je suis chrétien », « Sauvez, la France au nom du Sacré-Cœur », « O Marie, O mère chérie ! » dont le refrain s'achève par « catholique et français, toujours ! ». Certains transgressent les normes du « bon goût » dominant. Il ne s'agit plus pour une infime minorité d'afficher simplement ses opinions, mais de mimer avec le corps tout entier l'une des manières de concilier ces valeurs du catholicisme, de la tradition, et du royalisme : la chouannerie. Quelques hommes, d'origine populaire, arborent ainsi cheveux longs, croix de grande taille, tatouages du Sacré-Cœur ou de fleur de lys. Un dimanche, je croise un homme d'une trentaine d'années, d'origine, lui, manifestement bourgeoise qui non seulement porte grande croix et cheveux longs mais arbore ces mêmes tatouages sur chaque jointure des phalanges des deux mains.

Ces pratiques ostentatoires ne s'arrêtent pas la messe dite. Le premier dimanche, j'ai suivi un groupe de fidèles dans le métro. Une femme d'une cinquantaine d'années salue l'un des hommes qui l'accompagne d'un sonore « Dieu vous garde, cher Jacques » tandis qu'un jeune homme, après avoir parcouru son missel, le referme en se signant avant d'entamer la lecture de France catholique, *journal qui titre sur « Le retour de Charles Péguy ».*

Mais c'est sans doute sur le parvis que cet ensemble de valeurs se prête le mieux à l'exhibition. Ceux qui sortent par la porte centrale ne ressemblent que par la trame des comportements à des paroissiens qui sortiraient de n'importe quelle église. Les familles, les amis se retrouvent, des jeunes gens au crâne rasé – des militants du GUD, comme leur dis-

cussion sur une manifestation à venir le laisse supposer – viennent chercher leurs amies à la sortie. En attendant leurs parents, des scouts aux insignes composés d'une fleur de lys en leur centre jouent pendant que leurs aînés vendent des gâteaux. L'abbé Laguérie sort pour parler avec ses paroissiens, serre des mains, bénit des enfants. Mais je l'entendrai aussi, en bon militant, préparer la commémoration du 1er mars, discuter des voitures à enlever du parvis, du texte de la banderole à installer sur l'église.

Dimanche après dimanche, les conversations se ressemblent : un groupe commente favorablement un article de Pierre Boutang, un homme explique la conversion de Maurras à la foi, un autre qui arbore un pin's du CNC (le Centre national des combattants, de Roger Holeindre, un des dirigeants du Front national), remet, avec indignation, à l'un de ses amis la photocopie d'une interview de Serge Klarsfeld. Des royalistes distribuent le texte d'une « supplique proposée à la signature de personnes de religion catholique, pour demander à notre saint-père le pape, la béatification de Sa Majesté très Chrétienne, Louis XVIe du nom ». D'autres, un tract à l'effigie du duc d'Anjou annonçant une « grande journée royaliste et catholique »… Le 1er mars, enfin, la chorale Montjoie-Saint-Denis, quatre hommes d'une bonne trentaine d'années, installés sur le parvis, enchaîne chant royaliste sur chant traditionaliste, tandis que des bénévoles distribuent aux paroissiens vin et chocolat chauds.

Si les conversations ne faisaient pas parfois référence à l'actualité politique immédiate, on perdrait ici aisément tout repère temporel. L'actualité, c'est bien évidemment celle des élections du 22 mars : on parle régulièrement de « Cresson, cette salope », des groupes annoncent « qu'on va leur montrer aux régionales »… Le 1er mars, une femme d'une quarantaine d'années, entourée d'autres militants du FN à l'allure très nettement bourgeoise, ignorant Marie qui tient sa table à sa place habituelle, vient distribuer des tracts pour la liste du FN.

Mais même quand les paroissiens de Saint-Nicolas parlent de politique, l'histoire, leur histoire politique n'est jamais loin. Ainsi, lors d'une vente de charité du « Combat de la foi » dans la salle des catéchismes, un dimanche de janvier, un homme qui n'a pas dépassé la cinquantaine prophétise que « Tapie, c'est pire que Stavisky, un jour on va le retrouver suicidé ! ». Son interlocutrice qui tient le stand après avoir vitupéré ce « salaud », cette « ordure », assène la clé sociale de son indignation morale : « on ne peut pas avoir été dans une chambre de bonne à 15 ans et être milliardaire… ».•

décembre 1991

Louis Pinto

Carrières brisées

Le licenciement met les individus hors jeu pour une durée indéfinie et précipite un effondrement des anticipations : en plus de la diminution des revenus, il apporte une invalidation des prétentions sur l'avenir qui tend à anéantir ou à dévaluer la plupart des possibles contenus dans la condition professionnelle antérieure. La perte d'emploi inflige, entre autres conséquences douloureuses, un démenti au narcissisme que l'entreprise encourage parfois parmi ses cadres en activité. Pour beaucoup d'entre eux, le travail et l'énergie dépensée avaient pour condition nécessaire la croyance active dans les espérances associées à l'idée de « carrière », processus cumulatif de profits matériels (salaire, primes...) et symboliques (réputation, relations...). C'est cette assurance qui rendait raisonnable toute une série d'engagements plus ou moins solidaires aussi bien dans le travail (poste en province, à l'étranger, spécialisation...) que dans la sphère privée (vie de couple, mariage, enfants, loisirs, crédits immobiliers...). Le licenciement a eu pour effet de mettre en cause tout ce qui est engagé à travers leur personne, des qualités « individuelles » (comme le « dynamisme », le zèle et la loyauté), et des aspirations professionnelles autant que privées. Parce qu'il rend le futur incertain, il oblige à faire une sorte d'inventaire des ressources utilisables et rend patents, chez certains, des manques jusqu'alors refoulés ou travestis. Et si le regard d'autrui, du conjoint, des amis, des voisins, devient parfois difficilement supportable, c'est qu'il laisse voir la discordance qui pouvait exister entre la condition actuelle et des prétentions longtemps confirmées.

Cette épreuve ne peut avoir la même signification pour tous. La façon de la vivre et, le cas échéant, de la surmonter, dépend du capital possédé. On pourrait opposer, à un extrême, les cadres qui détiennent l'ensemble des propriétés positives – titres scolaires rares, sexe masculin, jeunesse... – et, à l'autre extrême, ceux qui en sont le plus dépourvus. Étant inégalement « cadres » (selon la définition sociale qui existe à un moment donné), les cadres sont inégalement exposés au chômage. Les premiers touchés sont ceux dont l'appartenance au groupe est la plus fragile, en particulier ceux qui le sont devenus à la faveur d'une conjoncture exceptionnelle et singulière, étroitement dépendante des employeurs. Ces individus sont victimes des limites inscrites dans leur manière d'être cadre, de ce qui découle de leur curriculum et aussi de leur apparence extérieure, de leur absence de relations, de leur compétence jugée trop limitée, etc. Ils découvrent alors que la considération dont ils avaient joui, les propos bienveillants des chefs ou même leur titre de « cadre » n'avaient été que des signes de réussite bien précaires.

Salle d'attente

Cela fait 10 ans que M. Sapin n'a pas réussi à retrouver un emploi et il a fini par perdre espoir. Mais à

51 ans, volubile et d'allure solide, il est encore loin de l'âge de la retraite. Il avait été, au sein de la Société K., une grande entreprise d'eaux minérales où il a travaillé de 26 à 43 ans, ce qu'on appelle un « cadre-maison ». N'ayant d'autre bagage scolaire que le baccalauréat (il parle de ses « deux bacs »), il avait été rapidement promu cadre dans le poste de visiteur régional chargé des contacts avec le corps médical. Sans doute avait-il su faire apprécier et reconnaître son savoir-faire dans les relations humaines. Refusant d'être un simple « commercial » exclusivement préposé aux tâches de démarchage auprès des grandes surfaces, il se voulait un interlocuteur des spécialistes avec lesquels il pouvait avoir des discussions « intéressantes ». Il voyageait, voyait beaucoup de monde, avait des « responsabilités » (dans le recrutement et la formation). Sur les causes de son licenciement, il semble aujourd'hui partagé entre une explication par le marché, qui met en avant la nécessité de limiter les effectifs d'un secteur désormais en déclin, et une explication par la politique de recrutement, qui met en avant la préférence ouvertement accordée aux « jeunes » au détriment des « anciens ».

Il n'aura pas été très difficile de le rencontrer, à l'occasion de « Journées annuelles » organisées par une association se consacrant à la défense des chômeurs. Affable et disponible, il donne l'impression de chercher à saisir toute occasion pour parler de lui et accessoirement d'un ordre social responsable du chômage. Manifestement habitué à prendre la parole en public, il lui est arrivé de passer à la télévision. Son désir de reconnaissance sociale se laisse voir dans sa hantise de ne pas laisser indifférents ses interlocuteurs. Issu d'une famille modeste du Nord de la France et très tôt orphelin, il a espéré un temps mener des études supérieures qu'il a interrompues au bout d'une année, et cette relation malheureuse au système d'enseignement a quelque chose d'une expérience originaire qu'il est condamné à revivre sans cesse. Bien qu'il n'ait pas les titres officiels, il estime avoir le niveau. Mais cette absence de titres juridiquement garantis est au principe de ces alternances de doutes et d'affirmations qui caractérisent en permanence ses propos : il se dit élève exemplaire mais pas « brillantissime », il affirme avoir un diplôme de diététique mais ajoute qu'il n'est pas vraiment diplômé, il est cadre mais pas vraiment, etc. Ressentant simultanément la marque de la réussite et celle de l'échec, il se sent foncièrement double (« il y a deux personnes en moi »). Cadre, il est chômeur mais il vit comme un rentier parce qu'il a réussi à accumuler, à la faveur d'une série d'héritages de famille, un patrimoine mobilier et immobilier dont il tire des revenus complémentaires, source d'une relative sécurité. Il se juge presque riche mais, obsédé d'économies, il vit de façon très modeste. Spontanément « de gauche », il se perçoit différent de ses voisins, copropriétaires de l'immeuble cossu qu'il habite (il leur a dit très haut la vérité sur son chômage). « Anticonformiste », il refuse les apparences bourgeoises : il a les cheveux presque longs, un peu en désordre et porte un ensemble pull-blouson. La même dualité se manifeste dans ses options politiques : il est de « gauche » mais contre les immigrés, les femmes, les jeunes, les enseignants, etc. Son rapport à la culture porte aussi la marque d'une exclusion : il parle avec fierté de ses « 3500 livres », il parsème son propos de citations savantes plus ou moins appropriées, se targue de pouvoir « tenir une demi-heure » sur un sujet comme la Pologne du temps de Pilsudski, et il lui arrive parfois de se voir champion d'un jeu télévisé. Intéressé par la politique, il s'engage modérément mais consciencieusement dans la défense des chômeurs et rend quelques services qu'on attend de lui. Loin d'être désœuvré, il semble s'être procuré la clef, enviée et recherchée par la plupart des individus concernés, d'un chômage en quelque sorte « réussi ». Ayant appris à renoncer, il livre volontiers quelques recettes sur l'art d'économiser. Et s'il s'impose un style de vie « frugal », on sent que c'est autant pour tenter d'ajuster de façon ingénieuse les besoins à des moyens réduits que pour justifier une conversion quasi éthique consistant, en partie, à déplacer la frontière entre l'ordre du nécessaire et l'ordre du superflu.

Telle est l'impression largement « positive » que M. Sapin entend donner de son état. Or voici que, tandis qu'il parle depuis près d'une heure, une jeune femme surgit dans la pièce, interrompt l'entretien tout en s'en excusant, et demande la parole en déclarant qu'elle tient absolument à intervenir. Elle est nerveuse : visiblement éprouvée par la condition de chômeuse, ses propos sont moins résignés.

Mme Laurent a été agent de maîtrise dans un service du personnel mais avec des responsabilités non reconnues de cadre. La « disgrâce » qui aboutit à son licenciement lui fait mesurer tout ce que sa position antérieure avait de gratifiant. Femme dans un univers particulièrement peu propice aux femmes, elle ne possédait pas de diplômes assez élevés pour échapper au bon vouloir des employeurs : ils portent jusque dans leur intitulé « spécialisé » (DESS de gestion du personnel) la marque dévaluée des titres les plus récents émis par le système scolaire pour répondre à l'accroissement de la population scolarisée. Comme réveillé en sursaut par ces propos réalistes, M. Sapin laisse alors revenir, par bribes, des regrets (ses dents qui ne seront pas soignées, des vacances pour lesquelles il n'a ni les moyens ni surtout le goût), des craintes, des envies, tout ce que son propos, dans son excès même, avait occulté.

avec des cadres en chômage

— entretiens de Gabrielle Balazs et de Louis Pinto

« L'avenir, je ne sais pas ce que c'est »

M. Sapin — Je ne rentre dans aucune catégorie…

— Pourquoi ?

M. Sapin — Pourquoi ? Parce que je suis un anticonformiste-né, j'ai jamais été en concordance de phase avec les tendances de l'opinion, enfin jamais, j'ai été anti-gaulliste forcené à 25 ans, mitterrandiste quatre fois, mais maintenant… j'attends, j'attends un changement de majorité, pas pour des raisons d'appartenance à la droite (je suis pas fondamentalement de droite) mais comme je suis démocrate, pour moi l'alternance règle utilement les problèmes ; enfin, il faut passer par mon atypisme, j'ai un parcours : orphelin à six ans de mère, à 19 ans de père, adulte prématurément, tout ça, ça fait de moi quelqu'un d'un peu particulier ; en plus un parcours professionnel pas brillantissime mais enfin aidé par la fin des Trente glorieuses avec deux bacs, une année d'école supérieure de commerce ; je me souviens que j'avais passé le concours, j'étais deuxième sur 275, et puis j'ai pas confirmé parce que mon père est mort la même année. Je pense que je n'avais pas le soutien familial me permettant de mener à bien des études ; je dis ça parce que j'ai une fille de 21 ans qui, elle, ira assez loin, pour l'instant elle est en licence, mais normalement elle devrait être prof… J'ai passé un premier bac techniques économiques, qui, à l'époque, était balbutiant et après j'en ai eu marre, j'ai fait un bac philo… Avec deux bacs à l'époque, professionnellement on rentrait partout, j'étais pas tellement fait pour les études, il y avait eu un manque d'orientation, de structuration familiale, d'encadrement familial. J'ai connu la femme avec laquelle je vis toujours 35 ans après – 35 ans que cette situation perdure – à l'âge de 16 ans, alors on s'est mariés assez vite. J'ai été pion pendant quelque temps à l'Éducation nationale, ma femme travaillait, ma femme n'est pas une intellectuelle mais enfin c'est une femme très intelligente qui a les pieds sur terre et qui est un esprit curieux. Elle était secrétaire de direction ; elle était bien intégrée dans le monde du travail, elle était appréciée, efficace.

— Votre boulot consistait à…

M. Sapin — Je visitais le corps médical, donc dans un premier temps c'était dans le nord de la France et j'avais un secteur qui avait été gonflé et qui s'est dégonflé, enfin variable mais je me suis retrouvé à une certaine époque avec le Nord, la Picardie et les deux Normandie ; j'habitais Lille, je passais la moitié de l'année en rentrant le soir chez moi, l'autre en déplacement, comme les oiseaux migrateurs ; dès le mois de mars je partais et l'hiver j'étais chez moi … je tournais en caravane. Et ça, ça a duré un certain moment parce qu'après un ou deux laboratoires pharmaceutiques, j'ai été intégré à l'âge de 26 ans dans la société K. qui m'a fait cadre très vite au bout de deux ans. Et ils m'ont viré après que j'aie demandé dans un autre secteur à Nantes. Ils m'ont viré avec juste raison. Pour la bonne raison c'est que je ne servais plus à rien. Je me suis retrouvé à Nantes et ma fonction était de faire des relations publiques et comme vous le voyez, je suis quelqu'un qui vraiment a été très très à l'aise dans les contacts humains. (…) J'ai peur de rien, aux dernières « Journées annuelles », j'ai pris la parole devant 600 personnes, apostrophé le grand directeur de l'ANPE de l'époque ; je ne connais pas l'appréhension… mais ça c'est l'habitude parce que mon métier m'a fait rencontrer plusieurs dizaines de personnes différentes ; j'ai fait énormément de congrès car nous rencontrions le corps médical. (…) A Nantes, je me suis retrouvé avec potentiellement 20 000 personnes à aller visiter, alors le métier pour moi me ravissait… je voyais les gens que je voulais et ça partait de l'infirmière de clinique au grand patron avec lequel je me retrouvais dans des congrès ou devant les étudiants duquel je faisais un topo de 20 minutes sur l'acide urique, la cure, etc. C'était extrêmement varié, il n'y avait pas une journée qui ressemblait aux autres, c'était toujours dans des endroits différents et pour cause. Donc j'étais pas prisonnier dans les murs de l'entreprise, parce que pour me comprendre (je crois que c'est essentiel) : 25 ans d'activité salariée mais pas dans l'entreprise. Et n'étant pas lié à des résultats, vous voyez…

— Ah oui… Ben si, vous étiez lié à des résultats quand même…

M. Sapin — C'était inchiffrable. Alors il se trouve que le patronat nous fut d'abord très favorable ; et puis après quand K. a été racheté, les patrons nous ont largués. Et quand je suis arrivé à Nantes, je savais très bien que ça branlait dans le manche, on ne remplaçait pas les partants, les retraités et puis au bout de six ans il y a eu une réunion du comité d'entreprise, etc. ils ne voulaient plus nous conserver comme visiteurs médicaux, ils avaient raison; la publicité télé avait remplacé, on servait plus vraiment à rien. Alors on m'a mis…

— *Le nom de votre poste, c'était visiteur médical.*

M. Sapin — Oui, enfin j'étais visiteur médical, délégué médical mais chargé dans les sept, huit dernières années, j'étais cadre déjà depuis longtemps mais j'ai vraiment été cadre dans la mesure où j'ai formé plus de 50 personnes sur la route à une époque où il y a eu beaucoup d'embauche, des commerciaux, et pour les initier au côté médical de nos produits, j'ai formé plus de 50 personnes et en ai embauché une trentaine et quand il y avait des embauches on m'appelait à Paris et avec un collègue qui était mon alter ego de Montpellier, et on décidait du recrutement… on le prend, on ne le prend pas. Et quand on avait recruté, j'étais chargé de la formation si bien que j'ai pratiquement dû pendant de très longues années consacrer mes dimanches à l'acquisition d'un savoir médical; et quand j'habitais le Nord, la société K. m'avait envoyé pendant trois ans à l'Hôtel-Dieu, ça me permettait d'avoir le niveau suffisant pour former les gens. Et ma patronne qui était médecin me faisait confiance : je recrutais, je formais, j'accompagnais les gens… (…) Alors c'était très très vivant parce que je voyais les gens, et puis alors je choisissais les médecins que je voulais, mes collègues médicaux me signalaient tel médecin comme épouvantable, mauvais caractère, j'en avais 20 000 dans un fichier et j'ai eu des contacts excellents avec des médecins (…).

J'ai fait beaucoup de congrès à Paris, ailleurs, je faisais des congrès à l'étranger (je parlais très très correctement l'allemand et l'anglais), enfin c'était vraiment très agréable parce que c'était du relationnel pur avec des médecins qui m'accueillaient les bras ouverts parce que je tranchais sur le côté emmerdant des laboratoires. La plupart des jeunes médecins ignoraient comment on prescrivait des cures thermales parce qu'on ne leur avait pas appris, non c'était très chouette. Ma journée s'organisait de façon très souple… ; ma semaine était organisée sur trois jours et demi, je bombais à mort quand j'étais en déplacement; quand j'étais en déplacement je faisais des journées de 12 heures; on commençait chez certains médecins qui recevaient à 7 heures du matin, je suis déjà sorti de chez des médecins à minuit et demi. Mais ça ne me dérangeait pas dans la mesure où j'étais libre et puis ce métier c'était beaucoup de déplacements (mais moins qu'on pourrait le penser). Et j'étais donc en déplacement avec la contrainte de la solitude, bien sûr, c'est dur la solitude mais j'avais une épouse qui tenait le choc ; et puis dans le fond, sur le plan des sentiments du couple ça a… c'était tout aussi bien comme ça.

De la culture et du patrimoine

— *Et pourquoi vous avez dit que ça a commencé à « branler dans le manche », qu'est-ce qui s'est passé…?*
M. Sapin — Ils ont très vite découvert qu'il y avait des eaux moins chères, le marché des hôpitaux s'est effondré, effondré ! Ils ont lâché, alors moi ils m'ont proposé une reconversion totalement bidon, j'avais plus l'âge. Alors ils m'ont dit, « si vous voulez, si vous voulez pas : licenciement et vous êtes licencié dans vos droits intégralement conservés », je suis parti avec 45 000 francs de maintenant. Alors, évidemment, j'ai pas acheté une BMW avec ça, je l'ai placé tout de suite, c'est ce qui me permet, je reviens à ce que je vous disais hier quand j'évoquais ces trois conditions de la culture, de l'humour et du cynisme, et du patrimoine ; je suis quelqu'un qui par rapport à l'ensemble des chômeurs se considérerait comme à l'aise. (…)
— *Parce que vous avez fait des placements, vous avez fait des placements de cet argent…*
M. Sapin — J'ai hérité de grands-parents des maisons, etc., si bien que si vous voulez je suis quelqu'un qui, par une astuce fiscale, réussit à ne pas être imposable (…), mais enfin je ne roule pas sur l'or. Disons que maintenant je vis avec 9 000 francs par mois. Alors comme je suis une fourmi économe et que je connais toutes les astuces pour vivre dans la vie en dépensant le moins possible, je conserve un mode de vie bourgeois ; j'habite un immeuble bourgeois où il n'y a que des fonctionnaires et j'ai même un ancien sous-préfet dans mon immeuble, un commissaire de police, etc., tout le monde dans l'immeuble sait que je suis chômeur parce que je l'ai proclamé, sans me cacher…
— *Haut et fort…*
M. Sapin — Oui haut et fort. Pour certains, pour les mettre mal à l'aise, pour d'autres simplement leur dire la vérité ; ça ne pose aucun problème, c'est ça l'avantage de la formation et de la culture, je suis détenteur de certains codes sociaux et de langages

qui me permettent totalement de combler cette distance sociale qui s'introduit. Bon actuellement, je suis un petit peu plus tranquille, bon mes remboursements d'appartement diminuent, et à 60 ans j'aurai 12 000 francs de retraite.

— *Ah oui d'accord, à partir de là ça va rentrer dans l'ordre…*

M. Sapin — Parce que en plus, l'ANPE m'a déclaré un jour en pleine face – je les en remercie parce que c'était quelqu'un avec lequel j'avais introduit, amené des relations très positives,… alors il se trouve que l'ANPE m'a dit, « monsieur, quelqu'un comme vous ne retrouvera jamais »… Je suis passé à la télé. Ils ont retenu ma diatribe contre l'exclusion par l'âge. J'ai précisé (parce que je suis un petit peu comédien, alors j'ai fait claquer mes mots), « j'estime personnellement que le racisme sur l'âge équivaut au racisme sur la peau », et ça, c'est passé ! Vous n'avez plus aucune chance de retrouver du boulot. Je vais vous en donner la preuve, j'ai un vieux copain qui, lui, est resté, et puis il a accepté d'être commercial… moi commercial, c'était tellement médiocre, aller dans les hypermarchés, discuter le bout de gras pour des questions de budgets, ah non ! C'était trop…

— *Ça ne vous convenait pas du tout…*

M. Sapin — J'ai pas beaucoup d'études mais je suis quelqu'un qui lit 150 bouquins par an, *Le Monde* depuis 30 ans, je suis tout de même un peu intellectuel. Pour vous situer mon niveau, je fais les mots croisés du *Monde* et du *Figaro* en une demi-heure ; ça vous situe mon niveau de culture et je ne désespère pas un jour d'apparaître pour « Question pour un champion », j'ai une mémoire fantastique, je suis plus capable de ce côté-là que du côté de l'intelligence, je ne me prends pas pour quelqu'un de spécialement intelligent, je suis hyper-adapté, hyper… ben oui parce que j'ai eu un métier où des gens que je ne connaissais pas, des médecins, je rentrais dans leur bureau, il fallait qu'en 30 secondes, vous savez la règle des trois premiers mots, des trois premiers pas et des trois premiers regards… il fallait que je comprenne absolument ! Tout, absolument tout, à savoir ce type-là : « typologiquement caractériel », le décor… je m'étais inspiré de ce qu'il y avait dans la salle d'attente, etc. Et ça c'est une gymnastique mentale, c'est même effrayant parce que je découvre l'intérieur des gens en 15 secondes. (…)

Il y a deux personnes en moi

— *Vous avez dit qu'au début c'était dur…*

M. Sapin — Oui, évidemment, si vous voulez, actuellement je suis là en train de dire, tout va bien. La claque que vous prenez en pleine gueule quand on vous dit, à 45 ans, « c'est fini » ! Cela dit, j'étais pas dans l'entreprise. Je suis à la fois capable d'être un bourreau de travail, de travailler 12 heures par jour, j'ai fait des congrès à Paris pendant un mois d'affilé, mais par contre, je sais être fainéant quand il faut ; j'ai, disons, une conception un petit peu nonchalante de l'existence tout en étant quelqu'un de tonique… Mais enfin mon métier me valorisait parce que c'était un métier très gratifiant. J'avais affaire à des médecins qui, eux, étaient tellement gentils ! Qui m'invitaient à manger… à prendre l'apéro, qui… Un jour je tombe sur un médecin qui me dit, « on va écouter de la musique », il a laissé toute la salle d'attente en place…Il est un fait que même si vous n'êtes pas un drogué du boulot, ce qui n'a jamais été mon cas, j'avais trop de pôles d'intérêts, je connaissais tous les musées de Normandie. Mais même si vous êtes cossard, même si vous avez le mépris affiché du travail et même si vous êtes pénétré de *L'Éloge de la paresse* de Lafargue [le gendre de Marx], il n'y a pas de problème quand ça vous tombe dessus, bon. Mais bon, moi je fais contre mauvaise fortune bon cœur…

— *Oui mais quand même, il a fallu réorganiser votre vie… ?*

M. Sapin — Oui, oh ben ça la réorganiser, écoutez c'était pas difficile, j'étais pas dans l'entreprise, j'avais la propre maîtrise de mon emploi du temps, ça n'a pas changé… J'ai retrouvé, parce qu'il y a quand même des retombées positives, j'ai retrouvé ma famille, parce que j'étais tout le temps en déplacement, vous savez c'est pas marrant, heureusement…

— *Oui, en fait, on bosse parce qu'il n'y a rien d'autre à faire.*

M. Sapin — Non, je prenais des livres… tous les journaux, mais la vie à l'extérieur, c'est pas rigolo, rigolo, j'ai fait des rencontres intéressantes, hommes ou femmes, etc., mais c'est pas le pied, vous ne pouvez pas avoir une activité sportive, vous ne pouvez pas avoir des rendez-vous réguliers de loisirs dans la semaine, si vous êtes en déplacement, alors moi j'estimais, et ça je leur avais déjà dit… bon, il y avait des rapports à faire, et moi les samedis et les dimanches je me farcissais toutes les revues médicales. Eh ben oui, parce que j'ai passé des dimanches entiers à lire de la presse médicale, à faire des dossiers, à préparer des conférences pour mes collègues, etc. Alors j'ai retrouvé ma famille… je ne suis pas quelqu'un qui est obsédé par la famille et j'ai de très mauvais rapports avec mon fils ; ma femme et moi ça va très bien ; ma fille est une fille intellectuelle, mais nous ne sommes pas du tout sur la même longueur d'ondes ; à titre indicatif, elle a voté non [*au référendum sur le traité de Maastricht*] parce qu'elle est contaminée par les idées Le Pen. Pourtant je sais pas comment… Ah oui, père de gauche, fille de droite. Eh oui, mais j'accepte, c'est comme ça… elle changera, elle changera.

— *Est-ce que ça a changé non seulement l'organisation de votre vie, mais est-ce que ça a changé aussi votre vision du monde ?*

M. Sapin — Oui ma vision du monde ! Ah c'est simple ! j'étais de gauche sans nuances, j'ai basculé dans l'abstention, dans le vote extrême gauche… vote communiste non. Au-delà du vote assez désenchanté, assez pessimiste, je suis un pessimiste, un pessimiste qui annonce les catastrophes parce que j'ai l'espoir qu'elles ne se réalisent pas. (…) Et puis je crois pas du tout à l'astrologie mais je suis un gémeau typique ; l'astrologie c'est de la foutaise, mais plus gémeau que moi, vous ne trouverez pas, vous ne trouverez pas ! Ah non, mais il y a deux personnes en moi, je le sais… c'est incroyable ! une dualité phénoménale en moi, d'où la lucidité d'ailleurs !

[…]

Je ne surconsomme pas

M. Sapin — A titre indicatif, j'ai un patrimoine de presque trois millions de francs, avec mon appartement… Oh je paye 600 francs pour cette maison ; alors je suis un chômeur atypique et je peux pas raconter ça à tout le monde, évidemment. (…) Mon patrimoine n'est pas valorisé autant que je le pourrais, mais c'est volontaire parce que je le maintiens diversifié, parce que je ne veux pas mettre tous mes œufs dans le même panier. Alors si vous voulez, moi, il y a un côté mauvaise conscience ; je suis un salopard de bourgeois capitaliste possédant. Ben oui ! oui, ça avec les idées de gauche en plus, mais enfin c'est comme ça, ça ne me pose pas de problèmes (…). Je ne surconsomme pas comme la plupart des gens : pas de voyage, la voiture je vais la faire durer, si elle peut durer jusqu'à la retraite, pas de signes extérieurs de richesse, je suis habillé correctement comme ça, mais la semaine durant je suis en jean, j'ai plus les moyens d'user des vêtements, le pantalon que j'ai, c'est une personne à qui j'ai réparé un volet, qui m'a filé quatre pantalons, des pantalons superbes, ma femme les a recoupés, etc., ma femme fait des travaux de couture, nous sommes du Nord, elle va régulièrement quand on va dans le Nord une fois par an – enfin quand je dis, « je prends pas de vacances », je suis allé dans le Nord l'année dernière (mais est-ce que c'est des vacances, d'aller dans le Nord ?). Je ne suis pas dupe de certaines choses ; je ne vous cache pas, par exemple, que je suis adversaire du RMI, je l'ai déjà dit. Il faut préciser que s'il y a du chômage, c'est qu'il y a eu un certain nombre de femmes voleuses d'emploi, qui ont foutu des pères de famille comme moi au chômage ; ça je persiste à rester sur cette opinion.

— Vous pensez ça... ?

M. Sapin — Je le pense, mais attention, je suis pas un macho. Les femmes font carrière, pour moi c'est clair et net. Mais il faut dépasser, moi je dépasse, je dépasse par la solution du partage du travail. Mais bon j'ajouterais qu'un petit peu moins d'immigrés, un petit peu moins de gens chassés des campagnes, etc., etc. De toute façon, moi j'attends deux choses, je les attends, ne croyez pas que ça soit de la *Schadenfreude* [*joie maligne*], de la politique du pire, mais j'attends primo la baisse des naissances, secundo l'explosion des caisses de retraite. Les femmes qui travaillent, (...) le fils unique c'est une catastrophe, les femmes qui s'arrêtent à un devraient être pénalisées, il vaut mieux ne pas en avoir à la limite ; c'est des gens à double salaire, deux millions et demi par mois ; chez moi j'ai un voisin retraité qui vient de se payer une Mercedes d'occasion à 17 millions (vous voyez dans quel milieu je vis), alors la BMW pour Monsieur, la Volvo pour Madame... Moi, je ne comprends pas les femmes ! La condition du travail c'est un esclavage, se faire chier, c'est le cas de le dire, dans une entreprise avec les complots, les intrigues, le côté dictatorial des patrons. Bon, moi je ne vois pas l'intérêt qu'il y a à aller passer sa vie au travail. Moi, si j'étais une femme avec un mari gagnant bien ma vie, d'abord j'essayerais de négocier dans mon couple une bonne entente et puis si on a choisi un homme, c'est pour essayer de rester avec lui, rien ne vaut la fidélité dans la vie, une

vie durant ; moi quand je vois la façon dont les gens fonctionnent mental… et je passe trois ans avec une telle femme, oh ! et puis le prix à payer pour les gosses ! oh non, non… non ! Et alors le travail des femmes est vivement la cause, enfin…
Une jeune femme, Mme Laurent, apparaît, se présente, demande à être entendue.

Ça, c'est quelque chose que j'ai oublié de vous dire

Mme Laurent — … ce qui est terrible, si tu veux, c'est le fait de pas rêver, ça veut dire, parce que on ne sait pas de quoi va être fait demain, on attend et dans cette attente, et ce qui est grave c'est que même votre famille ne peut plus faire de projets non plus… C'est ce que je voulais te dire de le dire (…).
M. Sapin — Ah, elle a tout à fait raison ! Ça, c'est quelque chose que j'ai oublié de vous dire… Oh, que je te remercie, que je te remercie ! Que c'est providentiel ! Parce que ça… j'ai oublié de vous le dire… j'ai oublié…
Mme Laurent — … parce que c'est grave et bien que n'ayant pas encore trop de problèmes, parce que ça ne fait pas encore très très longtemps que je suis au chômage, mais c'est quelque chose au plus profond de moi, et c'est quelque chose qui me fait mal, c'est ça, c'est en être à dire, « je ne sais pas ce que je vais pouvoir faire demain », mais dans rien ! Dans rien, que ce soit…
M. Sapin — Danielle, j'ai trouvé la parade, je vis dans un éternel présent…
Mme Laurent — C'est ça que je voulais simplement vous dire parce que tout le monde parlait, c'est ça, c'est vivre toujours dans ce présent, alors que jusqu'à présent ma vie, avec celle de ma famille, mes proches vraiment proches, c'était souvent faire des projets, toujours être un peu dans le futur… Si au moins on se servait des Épicuriens qui disent de vivre au présent parce que c'est extraordinaire, c'est le fameux…
M. Sapin — « Jouir de l'instant qui passe »…
Mme Laurent — Ce n'est pas ce présent épicurien, c'est pas le présent comme ça…
M. Sapin — C'est un présent pesant, voilà. Un présent difficile à digérer.
Mme Laurent — Voilà. Et ce présent pour moi c'est presque ne pas avoir envie de voir demain parce que j'ai peur, comme si on se

réveillait… Et comme si on disait, « c'est encore pareil, j'ai toujours rien, je ne sais pas ce que je vais pouvoir faire »… et c'est à la fois se dire, « je vais avoir une lettre ou un coup de téléphone intéressant ». Voilà tout simplement ce que j'ai voulu vous dire.
M. Sapin — Non, elle a tout à fait raison…
Mme Laurent — Vous savez c'est grave dans une vie de ne pas pouvoir rêver, avec le mot « rêve » dans tous les sens du terme…
M. Sapin — Non c'est pour ça que j'ai posé la question, quels rêves ? Le rêve la nuit ou le rêve…
Mme Laurent — Moi j'ai toujours rêvé ! Tout ce que je faisais dans ma vie, c'était justement le présent, c'est vrai, toujours en se disant « le mois prochain, la semaine prochaine nous allons faire ça », aussi bien dans le travail que dans la vie privée. Et là, je peux rien faire !… Et vraiment c'est ça, et ça pour moi c'est grave, enfin… il y a des choses bien plus terribles, d'accord, mais… on n'a pas de sous, non mais c'est grave pour un être humain… de plus faire des projets, de plus avoir de rêves.
M. Sapin — D'autant plus qu'en ce qui me concerne, j'ai la substitution possible… Avec deux enfants – mon fils est pas une réussite exceptionnelle, bon, mais enfin il bosse, il a des projets ; ma fille, théoriquement, elle devrait aller loin, peut-être, je sais pas… au moins une maîtrise ou… Alors ils relaient un peu mon avenir. Mais en ce qui me concerne personnellement, l'avenir je n'y songe jamais. Et ça c'est très juste, je te remercie parce que j'avais complètement oublié, je surfe, je surfe sur un éternel présent.. L'avenir je ne sais pas ce que c'est. Alors bien sûr, je me dis, « tiens encore huit ans avant la retraite », mais demain, non. Alors ma notion du temps, elle a complètement disparu. Je peux vous dire une chose : j'ai jamais eu d'insomnies par exemple à cause du chômage, mais j'avais des réveils difficiles ; pendant des mois, je me réveillais avec toujours le même rêve : j'étais dans une salle d'attente de médecins et c'était jamais la même. Alors comme j'en ai visité 25 000 – enfin peut-être pas, j'exagère – c'était jamais la même. Mais je n'ai jamais eu d'insomnies. Quant à la dépression nerveuse, à mon avis, je sais pas ce que c'est.

— [*A Mme Laurent.*] *Qu'est-ce que vous faisiez comme travail ?*
Mme Laurent — J'étais dans la gestion du personnel, je veux dire… Vous voyez je parle toujours au passé, « j'ai été… » ! je suis… puisque c'est mon travail (mais je peux pas m'empêcher de dire… c'est malheureux de parler comme ça)… Ma collègue et

moi-même, on nous promettait depuis deux ou trois ans d'avoir un statut cadre – c'est un peu un piège le statut cadre, tu sais…
M. Sapin — Oui, c'est la carotte…
Mme Laurent — On ne réclamait peut-être même pas tellement le salaire, si vous voulez, mais… on se battait un peu pour un statut. Et il y avait un problème un petit peu de personnalité avec un directeur qui s'est toujours opposé à ce que deux femmes… Mais ils étaient pas tellement pour les promotions, surtout dans notre service, parce qu'ils estimaient qu'en passant à un statut cadre – bien qu'on était agents de maîtrise quand même avec beaucoup de responsabilités – ils avaient peur qu'on ne soit pas capables de faire preuve d'une certaine autorité une fois qu'on aurait franchi le cap de ce statut : on est cadre, on n'est pas cadre.
[…]

Un travail « super »

Mme Laurent — Je ne suis pas cadre, mais j'ai un CV (il y en a qui ont téléphoné à mon employeur, j'ai eu beaucoup de responsabilités et ça peut paraître étonnant) ; mais je reconnais que, grâce à la société où j'étais, en dépit des problèmes avec une personne hautement placée dans la hiérarchie, on a eu énormément de chance (je dis « on » parce qu'on était deux personnes, on était vraiment en symbiose parfaite au niveau du travail). Enfin, justement cet avantage c'est qu'on a eu vraiment des opportunités de travailler, de faire des choses extra. Alors pendant quelque temps on en a tiré profit, on s'est dit, « super, on nous confie des missions, on a confiance en nous, on va se dépasser, on fait des contrôles, des audits un peu », c'est formidable pour nous ! Mais après on s'est dit, « mince ! » on voyait des tas de gens passer cadres et puis on s'est dit, « pourquoi ? ». Dans une société où il y avait beaucoup d'hommes, surtout, très peu de femmes… Et donc on s'est dit, « pourquoi pas nous ? ». Et puis, « pourquoi pas nous ? » la première fois – chaque année nous avions des entretiens, un entretien annuel avec notre mission pour l'année qui allait suivre – et puis l'année d'après, on nous a dit « non » pour des raisons complètement futiles qui ne tenaient pas debout. Et puis ça s'est gangrené, au fur et à mesure toutes les relations se sont détériorées, notre directeur administratif et financier, qui était plus financier que personnel, il ne connaissait pas très bien sa fonction en fait, il sentait que le service lui échappait, on faisait très bien notre boulot. Il nous tenait plus, si vous voulez, ça lui échappait, il disait, « mais je comprends pas dans cette société, le service comptable je n'ai pas de problème ; ce service du personnel je n'ai que des problèmes ».

M. Sapin — Tu aurais été mariée avec des enfants, tu pouvais pas.

Mme Laurent — Non mais mon ami, un jour il m'a dit, « je te fais passer tous ces documents, je les fous par la fenêtre », il en avait marre ! C'était tellement intéressant que je me disais… je voulais pas… quelquefois le week-end, je voulais savoir, je voulais en faire et puis bon, je faisais des déplacements aussi, tout ça. Pendant une année, tous les 15 jours, je passais 15 jours par mois en dehors, Bordeaux, Clermont-Ferrand, tout ça. Donc tous les mois, ça se renouvelait. Alors au départ, ça devait être une ou deux fois, et puis, ça n'arrêtait pas et… mon compagnon commençait à se faire du souci… Et puis il avait été extrêmement contrarié de voir que j'avais pas pu avoir mon statut cadre. Parce que lui savait que c'était pour moi… c'était même pas, je vous dis, c'était même peut-être pas tellement financier…

— *C'était une reconnaissance…*

Mme Laurent — Voilà ! Il aurait été très fier que… il disait, « au moins tu le mérites »…

Rien n'arrive pour rien

On est un peu étonné de trouver Mme Fournier parmi des gens aussi différents d'elle. Le chômage ne doit pas, selon elle, autoriser un quelconque relâchement dans le soin porté à l'apparence physique. Habillée d'un tailleur aux teintes sombres et nuancées, parée de bijoux en or, et portant des cheveux blonds coupés court, elle évoque assez bien l'image aujourd'hui répandue de la « femme active » occupant un poste relativement élevé en entreprise. Elle parle avec assurance, mais de façon mesurée, cherchant à faire admettre son « caractère » à ses interlocuteurs, et non, semble-t-il, à en obtenir quelque approbation admirative.

L'énergie intérieure qu'elle manifeste au milieu de ses épreuves n'est pas sans relation avec la certitude de soi procurée tant par ses titres scolaires (sciences économiques, divers diplômes spécialisés) que par son expérience professionnelle en matière de contrôle de gestion et de service financier (elle se juge « très, très forte dans ce domaine »). Elle n'a commencé à travailler qu'après son divorce, dans une entreprise de progiciels de la région parisienne. Avec sa fille unique, elle s'est installée en province dans la perspective d'un « plan de carrière » ou, plus précisément, dans l'espoir d'obtenir un poste important de directeur financier : ses aspirations n'ayant pu être satisfaites à Paris, elle a dû accepter d'aller à Nantes, dans une société de même type, pour faire du contrôle de gestion et accéder enfin au statut initialement convoité. Son travail, qui consistait à informatiser la gestion d'une société en pleine expansion, la passionnait : il s'agissait de « monter le système, mettre en place, organiser les équipes, prendre le matériel informatique, former les gens à écrire des programmes, former les gens au matériel, enfin tout structurer au fur et à mesure ». Mais dans la « structure familiale » qu'était cette entreprise, elle n'a pas tardé à mesurer la contradiction entre ses attentes apparemment légitimes et le désir des employeurs de se débarrasser d'une concurrente possible une fois remplie la fonction attendue d'elle.

Mme Fournier avait déjà eu plusieurs déconvenues, en particulier « trois postes de refusés en tant que directeur financier parce qu'on ne voulait pas (la) faire monter à Paris dans des conseils où il n'y avait que des hommes ». C'est finalement par réalisme qu'elle s'était précipitée sur le poste de contrôle de gestion à Nantes, trouvant là une occasion inespérée de promotion malgré des inconvénients qu'elle pressentait plus ou moins dès le début. Avait-elle vraiment le choix ? « Très vite, j'ai su que j'allais me heurter aux deux personnes, le directeur et sa femme. Je savais pertinemment qu'il y avait un problème dans le fond, mais j'ai toujours très confiance dans les individus, et je me suis dit que peut-être… de toute façon, je comptais partir après, je pensais pas… parce que j'avais pas de carrière, j'étais là pour une carrière professionnelle, donc je m'étais dit "quand je vais avoir bouclé complètement…" Là où j'ai manqué de jugement c'est que j'aurais dû partir un petit peu avant, même si tout n'était pas… Mais je suis très perfectionniste, donc il fallait que tout soit nickel et j'ai été prise de court. Mais le problème aurait été peut-être le même parce que je me serais peut-être aperçue que dans cette région il n'y avait pas de travail. »

De façon significative, le conflit avec la direction éclate lors d'une discussion qu'elle a non avec le patron mais avec son épouse, dotée, elle, du titre (maison) de directeur financier, quelqu'un de « réellement nul » à qui elle dénie toute compétence et en qui elle ne voit que l'incarnation d'une logique « familiale » injustifiable à ses yeux. La forme même que va prendre son licenciement est bien faite pour rappeler à Mme Fournier qu'elle est une femme : le couple patronal la pousse à démissionner en cherchant à atteindre son amour-propre (tâches impossibles, mesquineries, etc.). « Un jour, la femme du patron m'a demandé quelque chose qui était absolument pas faisable (pas faisable parce que j'étais sur deux structures, la structure manuelle, et en même temps l'implantation informatique). J'étais seule, j'avais un travail absolument phénoménal, c'était le dimanche, les nuits, enfin… Et elle me demande quelque chose le vendredi pour le lundi parce qu'il y avait des Américains qui venaient. J'ai dit, "écoutez, ce n'est absolument pas possible, je peux pas vous le donner, c'est pas possible", et alors elle me dit, "mais je le veux absolument", et moi j'ai dit, "non c'est pas possible". "Mais mon mari veut absolument ça pour lundi", j'ai dit "écoutez, je vous dis que matériellement, si je pouvais vous le donner ça serait avec plaisir mais je ne peux pas le faire". Donc je lui explique, je lui dis, "vous savez très bien" et alors elle a eu une espèce de rire sarcastique, alors ça a dû effectivement me renvoyer à quelque chose d'insupportable, et alors là j'ai piqué une crise ! mais alors là, ce qu'on appelle une crise et je lui ai dit, "mais vous êtes franchement nulle ! Vous êtes une nullité effrayante !". C'était fini, je pouvais plier mes affaires ; mais j'ai quand même attendu parce que je voulais absolument qu'elle dise la raison pour laquelle elle allait me licencier, parce qu'il n'y avait rien du tout ; donc j'ai attendu un petit peu de voir comment elle allait manœuvrer. Alors elle a engagé quelqu'un, entre elle et moi, de façon à me faire partir. Elle n'a pas eu elle-même le courage de le faire, mais… j'ai une résistance, j'ai une adaptation assez extraordinaire, ça ça fait partie de mon caractère. Et elle a été certainement surprise de cette adaptation. Parce que le type m'a – ce qu'on appelle – "tannée" pendant six mois ; il était en face de moi, dans un bureau vitré et je ne pouvais pas faire un pas sans qu'il me suive, je ne pouvais pas recevoir une communication téléphonique sans qu'il soit à côté de moi. Toute la journée, il me disait, "où est-ce que vous en êtes, qu'est-ce que vous faites ?", etc. mais je n'ai jamais eu un mouvement ni d'agression, ni rien... je voulais voir jusqu'où pouvait aller cette espèce de lien absolument terrible. Et là, ils ont été quand même un petit peu perturbés par le fait que je ne dise rien et ils ont quand même été obligés de prendre des options, et en fin d'année, il m'a dit, "je ne veux pas de vous dans l'équipe" alors j'ai dit, "bon, vous m'en donnez les raisons exactes", "c'est comme ça, je ne veux pas de vous dans l'équipe", j'ai dit, "écoutez, très bien, je verrai avec la directrice financière", et alors elle, elle savait plus du tout où elle en était et alors j'ai dit, "maintenant vous allez me dire pourquoi ?", "eh bien je... je...", il n'y avait aucune raison, elle n'a pas pu me dire de raison et alors moi, je lui ai dit, "écoutez je ne regrette pas ce que je vous ai dit, dans ce métier vous êtes nulle. Il se trouve que vous êtes la femme du directeur et que vous faites ce que vous voulez, maintenant je peux vous dire quand même que vous êtes nulle. Vous ne le supportez pas, c'est votre problème mais vous avez tort de le prendre comme ça parce que j'étais tout à fait prête à supporter que vous soyez nulle dans ce domaine si vous m'aviez donné toutes les possibilités de pouvoir faire le travail, même en ayant un travail vide, quoi". Et j'ai dit, "c'est dommage, c'est dommage pour vous surtout, et alors ils ont mis comme raison "perte de confiance". »

Pour surmonter la situation, Mme Fournier entend analyser et comprendre : « rien n'arrive pour rien... d'une souffrance quelconque il faut tirer une énergie pour ne pas se détruire...on a une capacité phénoménale de régler les choses si on voulait s'en servir... ». Bien qu'ayant mesuré l'étroitesse des possibilités locales d'emploi, elle refuse tout fatalisme et nourrit même quelques idées pour résoudre ses difficultés (il s'agit notamment de créer un dispositif local mettant en relation une population de cadres au chômage et l'univers des entreprises au sein duquel elle a conservé des liens). La certitude de sa propre valeur professionnelle lui permet d'échapper au ressentiment en l'aidant à relativiser des échecs sur lesquels elle n'a pas de prise. D'où le regard quasiment détaché qu'elle porte, malgré ses ambitions et au-delà d'elles, sur l'univers masculin de l'entreprise, cet univers un peu étranger, « fait par les hommes ». Mettre, à l'instar des hommes, toute son « identité » dans le « travail » lui paraît un illusoire privilège•

septembre 1992

élève

il fau

e bac

Pierre Bourdieu, Patrick Champagne

Les exclus de l'intérieur

Parler, comme on l'a fait souvent, notamment à l'occasion de crises telles que celles de novembre 1986 ou de novembre 1990, de « malaise lycéen », c'est attribuer indistinctement à l'ensemble d'une catégorie extrêmement diversifiée et dispersée un « état » (de santé ou d'esprit), lui-même mal identifié et mal défini. Il est clair en effet que l'univers des établissements scolaires et des populations correspondantes est en fait un continuum dont la perception ordinaire n'appréhende que les deux extrêmes : d'un côté les établissements de fortune que l'on a multipliés à la hâte dans les banlieues déshéritées pour accueillir des populations d'élèves toujours plus nombreux et plus démunis culturellement et qui n'ont plus grand-chose à voir avec le lycée tel qu'il s'est perpétué jusqu'aux années 50 ; de l'autre, les établissements hautement préservés, où les lycéens de bonne famille peuvent encore mener aujourd'hui une vie scolaire qui n'est pas radicalement différente de celle qu'ont connue leurs pères ou leurs grands-pères. Et, même s'il peut rassembler pour le temps d'une manifestation des élèves (ou des parents) qui ont en commun de l'éprouver, le « mal d'École » aujourd'hui très répandu, revêt des formes extrêmement diversifiées : les difficultés, voire les anxiétés que connaissent les élèves des sections nobles des grands lycées parisiens et leurs familles diffèrent comme le jour et la nuit de celles que rencontrent les élèves des collèges d'enseignement technique des banlieues pauvres des grandes cités.

Jusqu'à la fin des années 50, les institutions d'enseignement secondaire ont connu une très grande stabilité fondée sur l'élimination précoce et brutale (au moment de l'entrée en sixième) des enfants des familles culturellement défavorisées. La sélection à base sociale qui s'opérait ainsi était assez largement acceptée par les enfants qui en étaient victimes et par leurs familles, puisqu'elle paraissait reposer exclusivement sur les dons et les mérites des élus et que ceux dont l'École ne voulait pas étaient convaincus (notamment par l'École) qu'ils ne voulaient pas de l'École. La hiérarchie des ordres d'enseignement, simple et clairement identifiable, et tout particulièrement la division nettement tranchée entre le primaire (donc les « primaires ») et le secondaire, entretenait un rapport étroit d'homologie avec la hiérarchie sociale ; et cela ne contribuait pas peu à persuader ceux qui ne se sentaient pas faits pour l'École qu'ils n'étaient pas faits pour les positions qu'ouvre (et ferme) l'École, c'est-à-dire les professions non manuelles et, tout spécialement, les positions dirigeantes à l'intérieur de ces professions.

Parmi les transformations qui ont affecté le système d'enseignement depuis les années 50, une des plus lourdes de conséquences a été sans nul doute l'entrée dans le jeu scolaire de catégories sociales qui s'en excluaient ou en étaient pratiquement exclues jusque-là, comme les petits commerçants, les artisans, les agriculteurs et même (du fait de la prolongation de l'obligation scolaire jusqu'à 16 ans et de la généralisation corrélative de l'entrée en sixième) les ouvriers de l'industrie ; processus qui a entraîné une intensification de la concurrence et un accroissement des investissements éducatifs des catégories déjà grosses utilisatrices du système scolaire.

Un des effets les plus paradoxaux de ce processus à propos duquel on a parlé, avec un peu de précipitation et beaucoup de prévention, de « démocratisation », a été la découverte progressive, parmi les plus démunis, des fonctions conservatrices de l'École « libératrice ». En effet, après une période d'illusion et même d'euphorie, les nouveaux bénéficiaires ont peu à peu compris soit qu'il ne suffisait pas d'accéder à l'enseignement secondaire pour y réussir, soit qu'il ne suffisait pas d'y réussir pour accéder aux positions sociales auxquelles les titres scolaires, et en particulier le baccalauréat, donnaient accès en d'autres temps, c'est-à-dire en des temps où leurs équivalents ne fréquentaient pas l'enseignement secondaire. Et l'on ne peut pas ne pas supposer que la diffusion des acquis majeurs des sciences sociales à propos de l'éducation, et en particulier à propos des facteurs sociaux de la réussite et de l'échec scolaires, a dû contribuer à transformer la perception que peuvent avoir de l'École des enfants et des familles déjà instruits en pratique de ses effets. Cela sans doute à la faveur d'une transformation progressive du discours dominant sur l'École : en effet, bien qu'elle revienne souvent, comme par d'inévitables lapsus (à propos par exemple des « surdoués »), aux principes de vision et de division les plus profondément enfouis, la vulgate pédagogique, et tout son arsenal de vagues notions sociologisantes, « handicaps sociaux », « obstacles culturels » ou « insuffisances pédagogiques », a répandu l'idée que l'échec scolaire n'est plus, ou plus seulement, imputable aux déficiences personnelles, c'est-à-dire naturelles, des exclus. La logique de la responsabilité collective tend ainsi peu à peu à supplanter dans les esprits celle de la responsabilité individuelle, qui conduit à « blâmer la victime » ; les causes d'apparence naturelle, comme le don ou le goût, cèdent la place à des facteurs sociaux mal définis, comme l'insuffisance des moyens mis en œuvre par l'École, ou l'incapacité et l'incompétence des maîtres (de plus en plus souvent tenus pour responsables, par les parents, des mauvais résultats de leurs enfants) ou même, plus confusément encore, la logique d'un système globalement déficient, qu'il s'agit de réformer.

Il faudrait montrer ici, en évitant d'encourager l'illusion finaliste (ou, en termes plus précis, le fonctionnalisme du pire), comment, dans l'état tout à fait différent du système scolaire qui s'est trouvé instauré avec l'arrivée de nouvelles clientèles, la structure de la distribution différentielle des profits scolaires et des profits sociaux corrélatifs s'est maintenue, pour l'essentiel, au prix d'une translation globale des écarts. Mais avec une différence fondamentale toutefois : le processus d'élimination étant différé et étendu dans le temps, et par là comme dilué dans la durée, l'institution est habitée durablement par des exclus en puissance, qui y importent les contradictions et les conflits associés à une scolarité sans autre fin qu'elle-même. Bref, la crise chronique dont l'institution scolaire est le lieu, et qui connaît de loin en loin des manifestations critiques, est la contrepartie des ajustements insensibles et souvent inconscients des structures et des dispositions à travers lesquels les contradictions entraînées par l'accès de nouvelles couches à l'enseignement secondaire et même à l'enseignement supérieur trouvent une forme de solution ; ou, en termes plus clairs, mais aussi plus inexacts, donc plus dangereux, ces « dysfonctionnements » sont le « prix à payer » pour avoir les profits (politiques notamment) de la « démocratisation ».

Il est clair qu'on ne peut faire accéder les enfants des familles les plus démunies économiquement et culturellement aux différents niveaux du système scolaire, et en particulier aux plus élevés, sans modifier profondément la valeur économique et symbolique des diplômes (et sans faire courir un risque, au moins en apparence, aux détenteurs de titres) ; mais il n'est pas moins clair que ce sont les responsables directs du phénomène de dévaluation qui résulte de la multiplication des titres et de leurs détenteurs, c'est-à-dire les nouveaux venus, qui en sont les premières victimes. Les élèves ou les étudiants issus des familles les plus démunies culturellement ont toutes les chances de n'obtenir, au terme d'une longue scolarité souvent payée de lourds sacrifices, qu'un titre dévalué ; et, s'ils échouent, ce qui est encore le destin le plus probable pour eux, ils sont voués à une exclusion sans doute plus stigmatisante et plus totale que par le passé : plus stigmatisante dans la mesure où ils ont eu, en apparence, « leur chance » et où l'institution scolaire tend à définir de plus en plus complètement l'identité sociale ; plus totale, dans la mesure où une part de plus en plus grande des places sur le marché du travail est réservée en droit, et occupée en fait, par les détenteurs, toujours plus nombreux, d'un diplôme (ce qui explique que l'échec scolaire soit de plus en plus vécu comme une catastrophe, jusque dans les milieux populaires). Ainsi, l'institution scolaire tend à apparaître de plus en plus, tant aux familles qu'aux élèves eux-mêmes, comme un leurre, source d'une immense déception collective : cette sorte de terre promise, pareille à l'horizon, recule à mesure qu'on avance vers elle.

La diversification des filières, qui s'associe à des procédures d'orientation et de sélection de plus en plus précoces, tend à instaurer des pratiques d'exclusion douces ou, mieux, *insensibles,* au double sens de continues, graduelles, et d'imperceptibles, inaperçues, tant de ceux qui les exercent que de ceux qui les subissent. L'élimination en douceur est à l'élimination brutale ce que l'échange de dons et de contre-dons est au donnant-donnant : en étalant le processus dans le temps, elle offre à ceux qui le vivent la possibilité de s'en dissimuler la vérité ou, du moins, de se livrer avec des chances de succès au travail de la mauvaise foi par lequel on peut parvenir à se mentir à soi-même à propos de ce que l'on fait. En un sens, les « choix » les plus décisifs sont de plus en plus précoces (dès la troisième, et non, comme autrefois, après le baccalauréat et même au-delà), et le destin scolaire est scellé de plus en plus tôt (ce qui contribue à expliquer la présence de très jeunes lycéens dans les dernières grandes manifestations) ; mais, en un autre sens, les conséquences dont ces choix sont porteurs apparaissent de plus en plus tard, comme si tout conspirait à encourager et à soutenir les élèves ou les étudiants *en sursis* dans le travail qu'ils doivent faire pour différer le bilan final, la minute de vérité où le temps passé dans l'institution scolaire leur apparaîtra comme un temps mort, un temps perdu.

Ce travail de la mauvaise foi peut se perpétuer, en plus d'un cas, bien au-delà de la fin des études, notamment à la faveur du flou et de l'indétermination de certains lieux incertains de l'espace social qui, parce qu'ils offrent moins de prise au classement, laissent plus de marge de manœuvre au double jeu. C'est là un des effets les plus puissants, les mieux cachés aussi – et pour cause –, de l'institution scolaire, et de ses rapports avec l'espace des positions sociales auxquelles elle est censée ouvrir : elle produit de plus en plus d'individus affectés de cette sorte de malaise chronique qu'institue l'expérience – plus ou moins complètement refoulée – de l'échec scolaire, absolu ou relatif, et obligés de soutenir par une sorte de bluff permanent à l'égard des autres et aussi d'eux-mêmes, une image de soi durablement écorchée, blessée ou mutilée. Le paradigme de ces innombrables *ratés relatifs* que l'on rencontre même aux niveaux les plus élevés de réussite – avec, par exemple, les élèves des petites écoles par rapport aux élèves des grandes écoles, ou les mal classés de ces dernières par rapport aux mieux classés, et ainsi de suite – est sans doute le contrebassiste de Patrick Süskind dont la très profonde et très réelle misère vient de ce que tout, au sein même de l'univers hautement privilégié qui est le sien, est comme fait pour lui rappeler qu'il y occupe une position déprimée.

Mais le travail de refoulement de la vérité objective de la position occupée au sein du système scolaire (ou de l'espace social) ne réussit jamais complètement, même lorsqu'il est soutenu par toute la logique de l'institution et par les systèmes de défense collectifs qu'elle aménage. Le « paradoxe du menteur » n'est rien auprès des difficultés que soulève le mensonge à soi-même. Rien ne le montre mieux que les propos de certains de ces exclus en sursis, qui font coexister la lucidité la plus extrême sur la vérité d'une scolarité sans autre fin qu'elle-même et le parti quasi délibéré d'entrer dans le jeu de l'illusion, peut-être pour mieux jouir du temps de liberté et de gratuité ainsi offert par l'institution : celui qui entreprend de faire sien le mensonge que l'institution fait à son propos est voué, par définition, à la double conscience et au *double-bind*.

Mais la diversification officielle (en filières) ou officieuse (en établissements ou en classes scolaires subtilement hiérarchisés, notamment à travers les langues vivantes) a aussi pour effet de contribuer à recréer un principe, particulièrement dissimulé, de différenciation : les élèves bien nés qui ont reçu de leur famille un sens du placement bien affûté, et aussi les exemples ou les conseils capables de le soutenir en cas d'incertitude, sont en mesure de placer leurs investissements au bon moment et au bon endroit, c'est-à-dire dans les bonnes filières, les bons établissements, les bonnes sections, etc. ; au contraire, ceux qui sont issus des familles les plus démunies, et en particulier les enfants d'immigrés, souvent livrés complètement à eux-mêmes, dès la fin des études primaires, sont contraints de s'en remettre aux injonctions de l'institution scolaire ou au hasard pour trouver leur voie dans un univers de plus en plus complexe et sont ainsi voués à placer à contretemps et à contresens un capital culturel au demeurant extrêmement réduit.

C'est là un des mécanismes qui, s'ajoutant à la logique de la transmission du capital culturel, font que les plus hautes institutions scolaires, et en particulier celles qui conduisent aux positions de pouvoir économique et politique, restent aussi exclusives que par le passé. Et que ce système d'enseignement largement ouvert à tous et pourtant strictement réservé à quelques-uns réussit le tour de force de réunir les apparences de la « démocratisation » et la réalité de la reproduction, qui s'accomplit à un degré supérieur de dissimulation, donc avec un effet accru de légitimation sociale.

Mais cette conciliation des contraires ne va pas sans contrepartie. Les manifestations lycéennes qui surgissent de loin en loin, depuis une vingtaine d'années, sous des prétextes divers, et les violences majeures ou mineures dont les établissements scolaires les plus déshérités sont en permanence le lieu, ne sont que la manifestation visible des effets permanents des contradictions de l'institution scolaire et de la violence d'une espèce tout à fait nouvelle qu'elle fait subir à ceux qui ne sont pas faits pour elle.

L'École exclut comme toujours, mais elle exclut désormais de manière continue, à tous les niveaux du cursus (entre les classes de transition et les lycées d'enseignement technique il n'y a peut-être qu'une différence de degré), et elle garde en son sein ceux qu'elle exclut, se contentant de les reléguer dans des filières plus ou moins dévalorisées. Il s'ensuit que ces exclus de l'intérieur sont voués à balancer, en fonction, sans doute, des fluctuations et des oscillations de ses sanctions, entre l'adhésion émerveillée à l'illusion qu'elle propose et la résignation à ses verdicts, entre la soumission anxieuse et la révolte impuissante. Ils ne peuvent pas ne pas découvrir, plus ou moins vite, que l'identité des mots (« lycée », « lycéen », « professeur », « études secondaires », « baccalauréat ») cache la diversité des choses ; que l'établissement où l'orientation scolaire les a placés est un lieu de regroupement des plus démunis ; que le diplôme qu'ils préparent est un titre au rabais (« je prépare un p'tit G2 » dit par exemple l'un d'entre eux) ; que le bac qu'ils ont obtenu, sans les mentions indispensables, les condamne aux filières mineures d'un enseignement qui n'a de supérieur que le nom, et ainsi de suite. Obligés par les sanctions négatives de l'École de renoncer aux aspirations scolaires et sociales que l'École même leur avait inspirées, et contraints, en un mot, d'en rabattre, ils traînent sans conviction une scolarité qu'ils savent sans avenir. Fini le temps des cartables en cuir, des vêtements d'allure austère, du respect accordé aux professeurs, autant de signes de l'adhésion que les enfants des familles populaires accordaient à l'institution scolaire et qui a cédé aujourd'hui la place à une relation plus distante : la résignation désenchantée, déguisée en nonchalance désinvolte, se marque dans l'indigence affectée de l'équipement scolaire, le dossier tenu par une ficelle ou un élastique que l'on trimballe nonchalamment sur l'épaule, les crayons feutres jetables qui remplacent le stylo à plume de prix offert, à titre d'encouragement à l'investissement scolaire, à l'occasion d'un anniversaire, etc. ; elle s'exprime aussi dans la multiplication des signes de défi à l'intention des enseignants, comme le walkman que l'on écoute parfois jusque dans la salle de classe ou l'habillement, ostentatoirement relâché, et souvent recouvert de noms de groupes de rock à la mode, inscrits au stylo à bille ou au feutre, qui veulent rappeler, au sein même de l'École, que la vraie vie est ailleurs.

Ceux qui, mus par le goût de la dramatisation ou

par la recherche du sensationnel, aiment à parler du « malaise lycéen », en le ramenant, par un de ces raccourcis de la pensée prélogique qui sévit si souvent dans le discours quotidien, au « malaise des banlieues », lui-même contaminé par le fantasme des « immigrés », touchent sans le savoir à une des contradictions les plus fondamentales du monde social en son état actuel : particulièrement visible dans le fonctionnement d'une institution scolaire qui n'a sans doute jamais joué un rôle aussi important qu'aujourd'hui, et pour une part aussi importante de la société, cette contradiction est celle d'un ordre social qui tend toujours davantage à donner tout à tout le monde, notamment en matière de consommation de biens matériels ou symboliques, ou même politiques, mais sous les espèces fictives de l'apparence, du simulacre ou du simili, comme si c'était là le seul moyen de réserver à quelques-uns la possession réelle et légitime de ces biens exclusifs•

Pierre Bourdieu

Oh ! les beaux jours

Malik a 19 ans et il a déjà « beaucoup vécu ». Lorsque nous l'avons rencontré, il faisait, sans beaucoup d'illusions, un stage non rémunéré et peu formateur qu'il avait dû trouver lui-même pour satisfaire aux exigences imposées aux élèves d'une filière mal définie d'un lycée de banlieue peu coté. Il vivait dans un pavillon, avec son père, resté seul après son divorce survenu quelques années auparavant. Mais il allait régulièrement visiter sa mère dans sa « cité », univers dont il gardait la nostalgie, pour l'ambiance de solidarité qu'elle offrait ce qu'il appelle « le côté partage ». Peut-être parce que, sous ses airs rieurs, il gardait le souci de l'unité de sa famille, dont il semblait parfois prendre sur lui tout le poids, il avait pour son frère aîné, modèle d'un moment, des sentiments ambigus : tout en continuant à l'aimer beaucoup, il lui reprochait un peu, sans jamais le condamner vraiment, son indifférence à l'égard de son père, qui avait été profondément blessé par ses mésaventures. Malik parlait de son père avec beaucoup d'indulgence et de compréhension, expliquant ses peurs ou sa sévérité à la fois excessive et vaine par « ses origines » et par son désir de reconnaissance et d'intégration. Il essayait de son mieux de le protéger et, si le mot n'est pas trop fort, de le rééduquer. Les responsabilités qu'il assume *à l'égard de* cet homme déraciné, déphasé, et dépossédé de tous les fondements de l'autorité paternelle, mais aussi *à sa place*, sont sans doute, avec la peur de la vie et du monde social, au principe de cet immense désir de stabilité qui le conduit à essayer de se perpétuer dans le statut provisoire et incertain mais, en définitive, relativement confortable, de lycéen. Il nous a raconté sa vie comme en deux fois, de deux points de vue différents, qu'il n'a pas cherché à réconcilier : d'abord du point de vue de l'école, ensuite du point de vue de la « cité » où il a passé son enfance et une partie de son adolescence. Deux mondes séparés, voire opposés, et aussi deux ensembles de souvenirs qui ne prennent leur sens que si on les met en relation.

Tout dans son visage, dans son maintien, dans sa tenue, dans son langage même, donne un sentiment de très grande aisance, sans doute associée à son charme physique, qu'il ne peut pas ignorer, mais aussi de fragilité et d'instabilité, comme dit parfois la mauvaise psychologie d'école. Il ne tient pas en place et paraît toujours en mouvement. Illustrant l'analogie que la mythologie berbère fait entre l'adolescence et le printemps, avec ses alternances d'avancées et de reculs, d'éclaircies et de retours de la pluie et du froid, il passe sans cesse d'une insouciance presque enfantine à la gravité anxieuse. Il perd souvent le fil de son discours et s'en inquiète explicitement, de manière un peu excessive, comme s'il était coutumier du fait et accoutumé à se le voir reprocher. Dès le début de l'entretien, il remarque, après un long silence, qu'il « ne trouve pas ses mots » ; un peu plus tard, il observe, avec beaucoup d'impatience, qu'il oublie « encore un deuxième mot » et il s'acharne à le retrouver, en s'encourageant lui-même à haute voix, comme par jeu, « je ne bloque pas, je ne bloque pas ! » ; dans les deux cas, il s'agit d'un mot de la langue scolaire ou même bureaucratico-scolaire « technique de recherche d'emploi », « conventions de stages ». Comme s'il reprenait à son compte des jugements scolaires, il dit qu'il a beaucoup de peine à lire des livres (« j'arrive pas, je me mets à la lecture et puis je laisse parce qu'il y a des événements extérieurs alors que je pourrais rechercher, sinon, ce que j'ai besoin dans les bouquins, parce que c'est vrai que c'est inépuisable et tout à fait génial [concessions verbales aux topiques scolaires] mais pour ça il faudrait que je vive en ermite, avec une bibliothèque ») ; il se reproche la confusion (« c'est moi qui suis confus, je vous le dis, c'est confus ce que je vous dis ») dans laquelle il tombe parfois lorsque, intimidé par la situation d'entretien, qui évoque sans doute des expériences scolaires, il se lance dans des phrases qu'il ne finit pas.

Faisant en quelque sorte de nécessité vertu, il lui arrive de faire de l'instabilité un parti : « J'ai l'impression que j'ai besoin de… fuir…, de fuir tout le temps mais c'est plus une fuite qu'autre chose, hein, c'est… j'ai…, il faut… j'aime pas la stabilité. J'ai besoin que ça secoue tout le temps, qu'il y ait des événements, qu'il y ait quelque chose. » Ou encore : « disons que… c'est pareil, dans les stages on va retrouver aussi mon caractère parce que je cherche dans chaque entreprise que je vais faire, je veux qu'elle soit différente ». Et tout porte à croire que les relations qu'il a nouées à l'école et autour de l'école (ses amis et aussi la jeune femme qu'il aime et qui enseigne dans son établissement) lui ont fourni les moyens d'inventer une sorte de variante picaresque du style de vie artiste (visible notamment dans le récit, non reproduit ici, de vacances passées en Espagne) : « Être PDG et [ne] plus regarder sa copine, [ne] plus…, ça m'intéresse pas… »

De fait, toute son existence s'est trouvée placée sous le signe de l'instabilité et du changement incessant, dans le travail, le domicile, l'école, les amitiés. Son père, né en Algérie, à Tlemcen, et arrivé en France peu avant sa naissance, a changé à plusieurs reprises de métier et d'entreprise : « Il a changé beaucoup de boulot, il a…, je crois qu'il a commencé comme… Il était mécano, mais sur mobylette, etc. ; après il a fait des trucs, après il s'est retrouvé perceur, perceur dans une entreprise, c'est là qu'il est resté le plus longtemps, ensuite elle a fait faillite (…), et après il s'est retrouvé dans une autre qui a fait faillite aussi ; dans une autre, il a été déplacé un peu jusqu'à se retrouver maintenant… » En relation avec les déplacements de son père, et aussi de sa mère, émigrée yougoslave qui a été tour à tour caissière dans une piscine (où ils étaient logés) et dans un grand magasin, il a, comme il dit, « déménagé, déménagé, changé d'établissement » à maintes reprises.

L'incertitude profonde sur le présent et l'avenir qui est inscrite dans une telle expérience se trouve redoublée et renforcée par les aléas et les déceptions d'une scolarité sans doute désorganisée par l'irruption déconcertante de la logique de la « cité » : celle de la « connerie » que l'on fait pour faire quelque chose plutôt que rien, pour « que ça bouge », et aussi par solidarité avec les plus grands, la grande sœur et ses copains plus âgés qui vous emmènent dans les boîtes dès l'âge de 12 ans, le frère, de deux ans son aîné, que la surenchère de la « connerie » appelant la « connerie » (« c'est en crescendo, ça augmente, ça va de plus en plus ») et aussi le besoin d'argent ont conduit à la prison, à la suite d'un hold-up.

On comprend ainsi que, à la façon des sous-prolétaires qui, comme lui, sont à peu près totalement dépourvus de prise sur le présent et sur le futur, il ne puisse qu'essayer de durer dans cet état d'incertitude qui lui interdit précisément de maîtriser la durée (« finalement, on s'y complaît à l'école, à vrai dire » ; « finalement, c'est la voie que j'ai prise, elle m'a permis de rester plus longtemps à l'école ») et qu'il fasse coexister le réalisme le plus extrême et l'utopisme le plus aventureux. D'un côté, il peut affirmer (souvent dans un rire ou un sourire) des prétentions démesurées : « Attention ! Je suis très exigeant ! Je veux un métier qui me plaît du début à la fin ! » Et il peut même évoquer, au terme de l'entretien, le projet parfaitement irréaliste qu'il a élaboré, tel un mythe millénariste, avec deux copains, tout aussi perdus que lui : créer une sorte de Club méditerranée pour milliardaires dans un pays d'Extrême-Orient qu'il n'a jamais visité. Mais, par ailleurs, il ne cesse de témoigner, de mille manières, qu'il sait toujours parfaitement où il en est, que son école est un « lycée poubelle » (il décrit, avec une grande économie de moyens, comment il comprend très rapidement où il a fini par échouer, en découvrant que ceux qui sont assis devant lui, à côté de lui, derrière lui, sont comme lui) ; il parle de diplôme « voie de garage » et, après avoir dit le désir de partir, à tout prix, qui ne l'a jamais quitté, depuis la plus petite enfance, il conclut en réaffirmant la vérité que son rêve de fugue déniait : « A la limite, je suis sûr d'une chose, c'est que je vais rester ici. Mais pour l'instant, je n'en ai pas envie. »

Rien ne dit sans doute mieux ce qu'il faut bien appeler sa « sagesse » que cette sorte de théorie de l'économie des échanges scolaires qu'il propose, tout à la fin (« à l'école on me demande pas d'avoir 20… autant foutre le strict minimum »), comme pour donner un fondement rationnel à l'art de survivre au moindre coût dans l'univers protégé de l'école : outre qu'il permet de différer l'entrée dans la vie et surtout d'échapper à la peur de « l'usine », que la scolarisation, entendue au sens fort d'adaptation à la vie d'école, a sans doute contribué à inspirer, cet art de durer a pour vertu majeure de prolonger l'état d'indétermination scolaire et d'autoriser ainsi la survie imaginaire des désirs que l'école elle-même ne cesse d'anéantir.

avec un jeune beur

— *entretien de Pierre Bourdieu et Rosine Christin*

« Ma vie est sympa »

— *C'est quoi ce stage ? Vous faites quoi là ?*

Malik — Je suis censé faire de la vente. De la vente et de la représentation. Et donc en fin de compte, j'en fais le matin, je prospecte puisque je prends pas de commandes, du fait que je connais pas les produits et sinon… sinon l'après-midi je reste un peu dans le magasin et je regarde, j'essaye d'apprendre. Je commence à apprendre.

— *Et c'est dans quel domaine ?*

Malik — Il fait des pièces détachées automobiles.

— *Et c'est payé ce stage ?*

Malik — Pas du tout.

— *Et c'est l'école qui a trouvé ça ou toi ?*

Malik — Ah non, non, ça fait partie du… ça fait partie d'un… je trouve pas mes mots ; enfin, peu importe ; ça fait partie d'une technique de recherche d'emploi, disons qu'on doit rechercher. Et c'est noté, etc. Tout dépend quoi, comment on trouve, ce qu'on trouve, etc.

[…]

— *Alors on peut revenir un peu sur, je sais pas, vos études tout ça, comment ça s'est passé…*

Malik — Ça dépend si vous voulez commencer de la maternelle jusqu'à…

— *Ben oui, pourquoi pas.*

C'était plus un établissement poubelle qu'autre chose…

Malik — Maternelle, parfaitement à part que l'après-midi j'y allais pas trop parce que j'étais surtout avec ma mère. (…) A l'époque elle travaillait à mi-temps dans un Casino [supermarché] (…). Après le CP, toute ma primaire s'est faite normalement à vrai dire, normalement, et ensuite j'ai eu ma première année de sixième puisque j'en ai fait deux qui a été : premier trimestre normal, deuxième pas très bien et puis troisième catastrophique.

— *Et c'était où ça ?*

Malik — C'était sur Cachan. Sur Cachan, donc pour vous situer. Donc c'était là. Et puis, ça c'était, disons l'entrée dans le secondaire. Je crois que c'est un épanouissement et dès qu'on arrive dans ce truc, on ne pense pas trop aux études, on devrait penser un peu plus tôt, quoi. (...) Ensuite j'ai fait ma deuxième année de sixième dans une école plus ou moins privée, enfin sous contrat. Mes parents m'avaient placé là. Qui faisait aussi pensionnat. Pour moi il était pas question que je rentre dans un pensionnat parce que je suis un peu claustro. Et non, ça s'est bien passé. Ça s'est très bien passé. Et puis en cinquième, ça a été catastrophique.

— *C'est-à-dire ?*

Malik — Ben j'ai pas voulu trop travailler. C'est un peu... c'était pas l'école, mais c'était moi qui étais autre part.

— *Mais pourquoi ça, si on peut savoir ?*

Malik — (...) Non je sais pas peut-être les copains, je sais pas. Non ce n'était même pas ce qui m'entourait en fin de compte, c'était... je pense que j'avais besoin de faire un break à un certain moment pour pouvoir un peu stopper et puis me rendre compte de certaines choses.

— *Et vos parents, ils vous soutenaient à ce moment-là ou... ?*

Malik — Non. Vous savez, le problème hélas, c'est que mes parents ont pu m'aider jusqu'en primaire du fait qu'ils soient... et ensuite, au bout d'un moment il y a un décalage qui se fait.

— *Mais à l'école primaire, ils soutenaient votre travail ? Ils vous aidaient...*

Malik — Oui, ils regardaient, etc., ils pouvaient m'aider, etc.

— *C'est ça, votre père il fait quoi ?*

Malik — Ah mon père, il est – en ce moment – dans un laboratoire et il fait, il fait tout ce qu'on peut faire : il rend des services, il conduit les voitures ; il est polyvalent, quoi. Il a pas vraiment un... un poste fixe.

[...]

— *Mais cette école privée ça devait leur coûter cher, non ?*

Malik — Non parce que c'était une école, donc ça s'appelle le foyer des PTT et on paye selon le revenu des parents. Il y a un quota, etc. Donc là-dessus, ça allait. Enfin et puis là j'ai décidé, enfin on m'a proposé de redoubler, j'ai refusé et ensuite...

— *En cinquième, c'est ça ?*

Malik — Oui, la cinquième et ensuite j'ai décidé de prendre une voie, là c'est un CAP. Donc on m'a laissé toujours dans cet établissement.

— *Et vos parents vous ont aidé, là à décider pour le CAP ou... ?*

Malik — Non j'étais très obstiné, non, je voulais faire ça, je savais pas à quoi ça allait aboutir...

— *Un CAP de quoi, alors ?*

Malik — D'employé de bureau, de compta...

— *Un peu comme votre mère ? Votre mère est comptable ?*

Malik — Non, non pas du tout, elle est caissière. Enfin elle fait un peu de compta mais...

— *Pourquoi compta ?*

Malik — Pourquoi compta ? Parce que j'avais le choix entre électromécanique ou je ne sais pas quoi, mécanique pure... Donc comme j'ai un très long poil dans la main...

— *C'était mieux compta parce qu'on est assis, c'est ça ?*

Malik — Oui, je crois que c'est ça. On est assis et puis disons qu'on n'a pas... ce qui devait peut-être m'effrayer, pas m'effrayer, c'était le côté atelier, les bruits...

— *Oui, l'usine.*

Malik — Ouais, l'usine. Ouais, l'usine, voilà le mot. Eh non, ça devait m'effrayer. (...) Et puis ensuite, donc, j'ai fait ma première année de CAP, deuxième, troisième et puis, toujours aussi fainéant, je ne sais pas pourquoi, je progressais...

— *Et toujours dans le même établissement là ?*

Malik — Dans le même établissement. Et on va dire que ces trois années, ça a été les trois meilleures années scolaires parce que... Mais pas au niveau des notes, surtout avec les gens qui m'entouraient, avec la classe, parce que c'est là que je me suis fait deux amis et puis d'autres, etc. Ensuite... donc là ont commencé, je sais donc que je faisais... J'ai passé mon CAP et donc à la fin de l'année du CAP, il y a un méga conseil, etc., tout un truc et ils décident si on peut continuer ou si on peut pas continuer. Je trouve que c'est complètement ridicule puisqu'on devrait laisser sa chance à tout le monde. Enfin, ridicule, je sais pas, parce que, à la limite... c'est ridicule par rapport au CAP, quoi ; je veux dire, on va pas laisser, on devrait laisser sa chance mais c'est un peu plein. Du fait que ça soit plein, je comprends qu'ils trient.

— *Ah ! oui, ils n'ont pas assez de place, c'est ça.*

Malik — Mais bon à ce moment-là, donc ils m'ont pas laissé continuer, j'avais pas l'avis favorable, c'est-à-dire que mon dossier ne part pas au rectorat, donc n'est pas redistribué, donc après c'est à nous de rechercher par nous-mêmes, donc j'ai fait, j'ai fait des établissements, de bureau en bureau, etc., et puis j'ai fini par trouver un établissement mais bon c'est…

— C'est vous qui avez fait ça ? De trouver des trucs…

Malik — Je devais parce que moi, il était pas question que j'arrête. Parce que à ce moment-là je crois que j'avais plus de chance que… Bon c'était pas un CAP qui allait me mener bien loin. (…) Je cherchais dans la vente (…), alors je cherchais dans la vente puisqu'ils avaient ouvert une section de vente : vente-action-marchande, et je recherchais (…) donc je l'ai pas trouvée, c'était plein, c'était… et j'ai fini par avoir une adresse parce que j'ai été au CIO de ma ville, etc., et on m'a dit qu'il y avait des places qui se libéraient dans un établissement. Donc je suis allé dans cet établissement, ils ont fini par m'accepter. Mais pas en vente, ni en compta, secrétariat. Et ils m'ont laissé croire que ma deuxième année, je pourrais la faire en compta.

— Ah ! oui, et c'était où ça ?

Malik — A Gentilly. A Gentilly et donc au fur et à mesure, je me suis aperçu que c'était plus un établissement poubelle qu'autre chose…

— Ça s'appelait comment ?

Malik — Le lycée professionnel du Val-de-Bièvre. Enfin, c'est dur quand on se rend compte de ça…

— Et en combien de temps vous avez pris conscience de ça ?

Malik — Très vite en discutant avec mes voisins… en discutant avec mes voisins qui étaient dans le même cas que moi. Et puis l'autre qui était devant moi, qui était dans le même cas que moi. Et puis l'autre derrière qui était dans le même cas que moi. Enfin on s'est aperçu que c'était un (…), et, donc là par certains qui bien sûr étaient à proximité, ça s'est su…

— Et qu'est-ce que vous avez dit à ce moment-là ? Vous avez discuté entre vous ?

J'aime bien, c'est vrai, je sais pas pourquoi, j'aime bien

Malik — Ben le problème, c'est qu'une fois qu'on y est, qu'on est pris dans… il faut se laisser, c'est là que… je me suis dit : bon c'est pas grave, je vais faire une deuxième année de compta ; et puis après, finalement, on s'y complaît à vrai dire. On s'y complaît parce qu'on a des amis dans la classe, on commence à faire connaissance avec les profs, etc. Donc ça se passe bien, non pas que ce qu'ils nous enseignent c'est pas bien ; c'est l'établissement, quoi, on sent il n'y a pas de… C'est bloqué, quoi, on a l'impression que après ça, de toute façon ça s'arrête au BEP, on a l'impression que c'est à part et puis qu'on passe par là si on prend pas la voie normale, on est obligé de passer par cet établissement, c'est un peu bizarre.

— Et les profs sont sympas ?

Malik — Ah ! oui, ils sont très sympas.

— Mais ils savent eux-mêmes…

Malik — Ah ! oui, ils se rendent très bien compte, ils sont pas fous…

— Et ils font ce qu'ils peuvent, quoi ?

Malik — En général. En général. On peut pas dire… une partie est plutôt là, pépère, c'est parce qu'ils veulent finir deux ou trois années parce que c'est aussi un établissement pour les profs…

— Poubelle ?

Malik — C'est-à-dire pas poubelle mais d'attente pendant trois ans…

— Pour trouver autre chose, oui c'est ça.

Malik — Et puis beaucoup de profs commencent par là. Par cet établissement. Des jeunes profs, etc., on va les mettre dedans, ils seront encore (…), je sais pas, enfin plein de trucs comme ça. Et puis après ça, bon, j'ai fait ma deuxième année et puis finalement on m'a pas laissé accéder en compta et j'ai fait ma deuxième année de secrétariat. Donc ensuite, arrivé en deuxième année… donc moi je voulais absolument continuer, je voulais faire une première, première d'adaptation.

— Oui pour rattraper…

Malik — Pour rattraper le cycle, parce que là je me suis dit : il faudrait mieux le rattraper, et pareil : refus. (…) Bon j'ai jamais travaillé, mais à la limite, j'ai pas éprouvé le besoin de travailler pour pouvoir accéder, je sais pas et puis je suis… je suis arrivé à passer normalement, sans problème, mais il faudrait travailler ou faire voir qu'on travaille pour peut-être… Parce que eux ils se disent : si il travaille pas, peut-être qu'en première il ne travaillera pas aussi. Et c'est vrai que il faudra travailler sûrement. Donc là-dessus, mais par contre ils ont été très gentils puisqu'ils m'ont laissé faire une première d'appro et là-dessus, c'est ce que j'ai fait. Et puis donc c'était à peu près la première fois que je choisissais vraiment, vraiment. Donc c'était la vente, j'ai pris la vente. Et puis voilà, je suis là.

— *Tout à l'heure vous avez parlé des copains, devant, derrière, etc., et puis après vous avez dit : « ben oui on se rend compte… », oui, ça veut dire quoi ça ?*

Malik — Ben on accepte. On se dit, ben c'est comme ça. C'est comme ça, mais c'est pas complètement négatif, si on s'aperçoit, on arrive à… (…) Oui, de toute façon c'est du bon temps; moi j'aime bien l'école, ça me… j'aime bien, c'est vrai, je sais pas pourquoi j'aime bien… Ni pour les copains, ni pour à la limite ce que j'apprends; je sais pas pourquoi.

— *Et quand vous dites que vous avez un poil dans la main, que vous…*

Malik — Ah ! non, je suis très, très, très fainéant. C'est ce qui s'appelle être fainéant.

— *Oui mais pourtant vous vous accrochez, quand vous allez chercher un établissement partout, etc., vous avez fait de gros efforts ?*

Malik — Ben je trouve pas que ce sont des efforts, parce que je les aurais faits avant sinon les efforts. Là c'est, je suis [*inaudible*], dès que j'arrive devant le mur, c'est là que je me dis, bon, il faut que je réagisse, donc c'est que j'essaye d'accrocher un grappin, peu importe où, il faut que je suive encore un peu le bateau. Mais bon, c'est difficile, quoi. C'est difficile… c'est pas si difficile que ça. Mais bon, de toute façon… Non, ouais je suis fainéant parce que, moi à la limite… si je rentrais le soir et puis je bossais, ben ouais, peut-être qu'on m'aurait laissé plus de chance, plus de choix, c'est vrai… c'était pas qu'ils se… non, enfin ils sont là, c'est sûr, ils me poussent, ils me poussent, ils me disent, « bon ici tant que tu continues, il n'y a pas de problème », etc. Mais il sont pas là derrière.

Il était sur ses bases

— *Ils ne savent pas quoi faire pour vous aider, quoi, c'est ça ?*

Malik — Je pense qu'ils me font confiance maintenant. Ils doivent me faire confiance, je crois que c'est plus ça, parce que ils se disent, bon, après tout, même si il ne travaille pas, on ne sait pas comment, mais bon il se… Mais c'est vrai qu'à la limite, c'est curieux ce que je vais dire, mais j'ai même un père, à la limite, qui ne saurait même pas ce que je fais. Exactement. Il pourrait pas vous dire exactement ce que je fais. Il sait pas si c'est de la compta, si c'est de la vente, il ferait plus un amalgame comme ça dans sa tête entre beaucoup de choses, mais il ne sait pas précisément ce que je fais.

— *Vous n'en parlez pas tellement avec lui ?*

Malik — Non, on n'en parle pas trop ; d'autant qu'il ne me parle pas trop de son boulot, moi je lui en parle pas trop.

— *Et c'est difficile aussi pour lui, non.*

Malik — Bon, ben je pense que ça doit être... au bout d'un moment, enfin il est pas complètement analphabète, mais disons qu'il sait à peu près A, B, C, D, mais il a des difficultés d'arriver à pouvoir lire, etc.

— *Il est d'origine algérienne ?*

Malik — Oui, c'est ça.

— *De quel endroit ?*

Malik — Il est né là-bas.

— *De quel coin, vous savez pas ?*

Malik — Si, de Tlemcen.

— *Ah ! oui, de Tlemcen. Donc il a du mal.*

Malik — Oui, il a du mal et à la limite je sais pas parce que à la limite pour lui ça a été, donc il a jamais été dans une école, il a mis une fois les pieds dans une école et il n'y est pas retourné. Et j'ai plus l'impression que, pour lui, ça a été, ça a été tellement une frustration, une fois qu'il est arrivé, etc., qu'il a été brimé ou je ne sais pas, et il s'aperçoit maintenant que c'est (...) et il voudrait maintenant et peu importe ce qu'on fait, à la limite peu importe ce qu'on fait, du moment qu'on pousse un peu plus haut. Et c'est vrai qu'il est là, il fait tout ce qu'il peut. Ça veut dire que financièrement, il m'aidera, etc., du moment où je suis à l'école. Mais c'est vrai que si je relâche ça, là il est pas content, mais tout à fait.

[...]

— *Pour ton frère qu'est-ce qu'il fait ? Ton frère il est aussi avec vous deux ?*

Malik — Non c'est bizarre lui aussi, enfin il vit avec une copine qu'on sait pas ; alors des fois il est chez moi, des fois il est pas là. Qu'est-ce qu'il fait ? Il [*son père*] a baissé les bras. Je crois que c'est plutôt ça. Je crois qu'il a baissé les bras, quoi. Parce qu'il a senti qu'il lui échappait complètement, mais très tôt quoi, quand mon frère avait 16, 17 ans, il lui a échappé complètement...

— *Qu'est-ce que vous voulez dire par « il lui a échappé » ?*

Malik — Il lui a échappé parce que mon frère était complètement, il était presque pas chez moi, parce qu'il était souvent dehors, etc. Donc il l'a pas suivi pendant deux ans, trois ans, n'a pas pu le voir évoluer, etc.

— *Ça a dû le faire souffrir beaucoup ça ?*

Malik — Je pense que… pas mal… je pense. Mais c'est que maintenant que moi malgré tout je prends conscience de ça, puisque maintenant qu'il est tout seul…

— *Il parle plus* [davantage] *?*

Malik — Il essaye de parler plus ; il doit essayer de parler plus. Mais je crois qu'il avait besoin de ça aussi (…) ; enfin là c'est plus, ça va être moins marrant là, ça va être moins marrant, c'est plus…

— *Dis un peu quand même… (…)*

Malik — Donc suite au divorce – enfin c'est maintenant, c'est avec le regard que j'ai, attention c'est pas objectif –, donc, suite au divorce, disons qu'avant il avait pas conscience… il nous a toujours regardés sous un œil père-enfants, etc., et puis il nous a pas laissés, enfin grandir, je sais pas, mais enfin les discussions étaient pas possibles jusqu'à un certain temps parce que je lui parlais de quelque chose, il suivait pas ; pour lui c'était très terre à terre et donc là, suite au divorce, ma mère donc est partie, donc moi, mon frère et moi on est restés, ma sœur était déjà partie donc avec son ami. Mon frère n'étant pas beaucoup là, à la limite il n'y avait que moi. Mais comme moi j'étais pas beaucoup là, – plus que mon frère pendant un moment et puis moins –, ça fait qu'il est complètement tout seul depuis… ça fait dix mois, en fait on va dire depuis la rentrée scolaire. Et donc là il commence à… du fait qu'il soit mis à part et là je suis sûr qu'au fond de lui-même il doit se sentir mis à part. A côté de la plaque. Alors que ma mère est plus à côté de nous au niveau, et lui j'ai l'impression… (…) Et là il doit…

— *Réfléchir ?* [Malik perd son fil et le déplore.] *(…) Mais au fond si vous aviez parlé comme ça, avant, avec lui, ça aurait été autrement ? C'était pas possible ?*

Malik — Oui, mais ça ne marchait que dans un sens, parce que c'est ce que je vous disais, c'est que lui il était sur ses bases, il était sur ses bases, c'était moi qui devais aller vers lui et ça marchait que dans un sens, alors je vous parle de moi. Mais à la limite, c'était partout pareil, c'était… c'est, c'est le père qui…

— *… c'est ça, qui a raison.*
Malik — C'est le père central qui est… sur lequel on ne dit pas… Mais ça c'est, mais je comprends tout à fait c'est, par rapport à ses origines, etc.
— *Bien sûr, c'est normal.*
Malik — Et, pourtant il est génial parce que à la limite il a tout lâché, etc. Je veux dire religieusement il est pas du tout… lui, ce qu'il veut à la limite c'est s'intégrer ; même il en devient parano parce qu'il ne veut pas de problèmes ; dès qu'il a une amende il devient fou, dès qu'il y a des problèmes, etc. Il veut pas du tout d'histoire, il essaye de se caser. Mais il a, je crois qu'il a une peur, il a une peur dingue de ce qui n'est pas [prescrit], mais ça c'est encore, ça vient de son… Tout à fait. Je veux dire, il reçoit un papier, je sais pas, par exemple moi, il m'est arrivé d'avoir un PV, etc., donc au bout d'un moment il y a un… c'était sur ordinateur, alors hop, on envoie directement, c'est l'échéance et lui, il arrive pas à comprendre que c'est un ordinateur et que c'est pas une personne qu'il a à saisir, etc. Mais c'est très parano, quoi, c'est vraiment grave, mais (…) dedans, il faut lui expliquer. Faut lui expliquer, mais il a du mal, c'est vrai qu'il a du mal, beaucoup de mal. C'est à la fois marrant et pas marrant du tout. Alors on rigole sur le moment et puis…

J'ai besoin que ça secoue tout le temps

[…]
— *Et pour l'avenir vous pensez à quoi, là ?*
Malik — [*Rire*] Pas ici. Pas ici.
— *C'est-à-dire ?*
Malik — Pas là, quoi, pas à Paris. Enfin j'aime bien Paris, attention, c'est une ville que j'adore, je veux dire, bon je suis très content d'y vivre, mais j'ai l'impression que j'ai besoin de… fuir…, … de fuir tout le temps. Mais c'est plus une fuite qu'autre chose, hein, c'est… j'ai, il faut… j'aime pas la stabilité. J'ai besoin que ça secoue tout le temps, qu'il y ait des événements, qu'il y ait quelque chose. Si au bout d'un moment, je suis là, je m'assois et je m'aperçois que ça commence à se répéter, je commence à… j'ai pas voulu me faire prendre par un engrenage pour l'instant. C'est surtout ça. Mais peut-être ça va changer. Et puis même, ça n'arrive qu'à nous, ça change de toute façon, c'est sûr.

A la limite je suis sûr d'une chose, c'est que je vais rester ici. Mais pour l'instant j'en ai pas envie.

— *Oui, c'est ça, vous ne voulez pas le savoir, quoi.*

Malik — Ouais, ouais, voilà. Je crois que c'est ça. Mais je vais partir [*rire*].

[...]

— *Et alors actuellement ce stage, ça débouche sur quoi ? Après, tout de suite, là ?*

Malik — Le stage ? Le stage, si, c'est intéressant, disons que... c'est pareil dans les stages on va retrouver aussi mon caractère parce que je cherche dans chaque entreprise que je vais faire, je veux qu'elle soit différente. Donc je sors d'une, une grosse boîte, L'Oréal, etc., pour retrouver une petite entreprise qui vient de s'ouvrir, il y a six mois, quoi. Une SARL, petite, toute petite (...). Mais ça c'est pareil, parce que sous le rapport..., le jour où je vais me présenter, parce qu'à la fin on a... sur l'examen, on a un entretien oral, sur le rapport de stage qu'on doit présenter, etc., le stage, tout ça à l'oral, ben ce jour-là, je voudrais pas, si ils m'interrogent sur le stage, je voudrais pas répéter deux fois le même stage. Ça, ça m'intéresse pas. Ça m'intéresse pas parce que eux, ils vont s'ennuyer et puis moi, je vais en avoir marre et puis ça se sent aussi. Alors que si j'ai deux, quatre, là je dois en faire quatre au cours des deux ans, eh bien on prendra les deux ans, je veux qu'ils soient différents et complémentaires.

[...]

— *Et après la boîte vous place, qu'est-ce qu'elle fait ?*

Malik — Ah ! non, non, non après... tiens j'y avais même pas pensé qu'un établissement pouvait nous placer [*rire*], ça se faisait peut-être avant mais plus maintenant.

— *Et quoi alors, les diplômes qu'on...*

Malik — Le diplôme là ? C'est un bac professionnel, voie de garage, quoi. Je dirais, c'est un truc sans issue. Je sais pas, j'ai pas l'impression que ça soit clair à faire, quoi, ça fait pas longtemps que c'est ouvert et puis je me méfie de ce genre de diplôme. [*Les stages ne sont pas payés.*]

— *Oui et alors comment vous faites pour vivre ? Il vous faut quand même un peu de fric...*

Malik — Moi ? Ben ça dépend, des fois je bosse, il m'arrive de bosser...

— *En dehors, oui, c'est ça.*

Malik — Enfin pas trop, moi je suis pas… je vous l'ai dit, enfin il m'est arrivé de bosser, aussi.

— *Et puis papa donne un coup de main… ?*

Malik — Non c'est surtout papa et maman, ils sont gentils pour ça. Ils ont été très, très, très gentils pour ça.

— *Pourquoi tu dis « pour ça » ?*

Malik — [*Inaudible.*] C'est salaud, hein ?

Ça amène un côté très partage

— *On pourrait parler de la cité, là où tu vis, un petit peu, depuis combien de temps, comment c'est…*

Malik — O. K. Bon j'ai grandi à (…), je suis parti de Paris et puis les différents endroits où j'ai vécu. Je peux vous parler même de mes parents. Mes parents sont arrivés en France en 64 je pense, 63 ou 64 je sais plus ; ils se sont rencontrés. Mon père vivait à Cachan, ma mère vivait à Paris dans des chambres, (…), ensuite ils se sont rencontrés, très bien, ils sont tombés amoureux, ils vont vivre ensemble à Paris dans une chambre, donc c'étaient des amis français, qui sont devenus ensuite des très bons amis. Ensuite ils ont trouvé donc par l'Office des HLM un immeuble dans Cachan. Donc là, c'est là que je suis apparu (…)
C'est pas une cité énorme, elle est grande, mais il n'y a pas beaucoup de monde contrairement à d'autres.. Et là donc, on va dire… Moi je trouve que c'est intéressant de vivre dans un endroit où c'est vrai qu'il y a plus de facilité à faire connaissance avec un, des copains, peu importe, avec des copines, etc. Je trouve qu'on y est amené plus vite que si on est blotti dans un pavillon, etc. Et puis ça crée des choses, ça amène un côté très partage. Enfin c'est ça que je ressens, je sais pas si ça vient de mes parents ou quoi que ce soit, mais ça dure ça, parce qu'on a 20 centimes, on peut s'acheter deux bonbons, on va pas se bouffer les deux bonbons si il y a l'autre à côté. Et je sais pas du fait… Je sais pas, soit on sent qu'on a pas de fric et donc tout ce qu'on a, il faut le partager avec l'autre, puisque l'autre fera pareil un autre jour. Je sais pas. Bon là-dessus j'ai grandi, etc. Et donc ma mère avait fait une demande pour une loge à la piscine, donc c'est là qu'on est arrivés, à la piscine. Donc dans tout le quartier… (…)
Et puis, oui, mais j'ai fait de la natation et tout ça et puis arrivé à un certain moment dans la natation, je me suis aperçu que, donc,

j'avais 13, 13 ans ; donc on nous pousse, on nous pousse, on nous pousse, puisqu'on s'aperçoit que c'est tous les jours des entraînements, par exemple le samedi compétition, voire le dimanche, et ça c'est un certain niveau, c'est qu'on arrive, etc.

— Et tu étais assez fort, toi, pour avoir fait tout ça, non, tu... pour la compétition ?

Malik — Paraît-il, je nageais, quoi ! Et là-dessus, je sais pas, j'ai senti ça malsain, quoi. Trop malsain. Qu'on me poussait comme ça, je trouvais pas ça normal. (...)

— C'est un peu comme l'école quoi.

Malik — Non mais à l'école, on nous pousse pas comme ça. C'est différent.

— Oui, c'est ça à l'école on pousse pas assez et en sport on pousse trop ?

Malik — [*Long silence.*] A l'école aussi on pousse pas assez.

— Pas comme il faut.

Malik — Et puis... je crois que c'est ça. Je crois que c'est ça, c'est tout à fait ça. Pas comme il faut. Enfin il y a une pédagogie générale bien établie, très académique, mais on s'aperçoit qu'il n'y a pas de, de truc individuel, on prend pas l'élément à part...

[...]

Ce qu'on voulait, c'est que ça bouge...

— Les copains ça comptait beaucoup ?

Malik — Oh oui !

— C'était tous tes loisirs ?

Malik — Ouais.

— Dans la cité alors ?

Malik — Beaucoup dans la cité, donc là c'est... c'est là que j'étais avec... donc j'étais encore en primaire quand j'ai déménagé donc à la piscine et donc (...) j'ai déménagé, déménagé, changé d'établissement, donc à Cachan tout allait bien. J'ai commencé à faire connaissance justement avec des gens qui vivaient ici. Donc ça ne me changeait pas du tout puisque j'ai toujours vécu, je ne me sentais pas en annexe, etc., pas du tout. Donc j'ai eu des contacts faciles, etc., donc ça allait, CM 1, CM 2... Et puis on va dire que c'est fin CM2 – puisque je me réfère aux années scolaires – fin CM 2, ben là j'ai commencé à voir autre chose, quoi, à me dire, je ne sais pas, je faisais des conneries comme gosse, quoi, on cha-

parde, c'est des conneries, c'est vraiment des conneries, c'est con. C'est d'une connerie monstrueuse, parce qu'à la limite, on aurait volé la Banque de France, ça aurait été plus intéressant. On n'avait pas trop d'ambition, quoi. Ouais c'est plus sympa, mais enfin je crois que c'est le côté risque, par contre ça c'est… quand on est môme vraiment, c'est pas le côté je vole parce que j'ai besoin de m'en sortir ; c'est ça : j'ai pas ça, je vole ; je veux dire c'étaient des conneries, des oranges, des conneries, du moment qu'il y avait du risque, quoi ! Ce qu'on voulait c'est que ça bouge [*rire*]. Ouais c'était autant… c'était comme quand on est vraiment (…). Mais bon, là on est évolués un peu plus donc ; et puis il m'est arrivé une fois, donc après, donc c'est là je changeais, on changeait beaucoup… donc j'étais toujours avec mon frère, ça c'est ce qui à la limite nous a… on était toujours ensemble quand on était mômes, et puis quand on est arrivés là-bas et puis comme on s'est retrouvés tous les deux, ben on était toujours ensemble, on traînait toujours ensemble, alors on bricolait nos vélos, donc on bricolait nos vélos et puis on partait en vélo, quoi. A la conquête de Cachan.
[…]

— *Mais qu'est-ce qui s'est passé ? Lui il…*

Malik – Il grandit. Il grandit et nous on est petits. Petits, quoiqu'à 14 ans, on est débrouillard, ça va, je pense. Mais à la limite c'est là qu'on a pris deux voies différentes. Moi ce qui a été… c'est mes années CAP, je vous le dis, ça a été [*inaudible*]. Non c'est vrai, c'est pas des bêtises, je veux dire, j'avais… Je sais pas, je peux pas vous en parler comme ça, il faudra qu'on en parle longtemps, c'est plein de souvenirs, c'est plein de trucs, c'est plein… c'est génial, quoi ! C'est des trucs on n'oublie pas, quoi. Mais c'est autant des conneries avec les profs, que des trucs à pleurer ensemble, des trucs fous, quoi. En tout cas j'avais jamais pleuré avec un copain. Si, on a dû pleurer mais au commissariat, c'est différent ; [*inaudible*] au commissariat, mais ça c'était pour une connerie stupide. Donc on en revient, donc on change beaucoup d'amis à ce moment-là.

— *Tu sautes beaucoup là : qu'est-ce que t'avais fait pour aller au commissariat ?*

Malik — Donc… j'étais avec deux… c'est marrant parce que moi, je vois ce qui se passe [*fait signe vers sa tête*] mais vous, vous voyez pas. J'arrive à imaginer et j'arrive…

— *Tu nous dis pas tout.*

Malik — Non, ben non…[*rire*]

— *Tu peux, tu sais, ça reste ici.*

[*Il explique qu'il a « fait des bêtises » avec des garçons, « pas de bonne fréquentation mais sympas » : vols par « goût du risque », jeux avec le feu et incendies involontaires, squat de maisons plus ou moins abandonnées, au cours duquel il se fait ramasser par la police qui prévient ses parents.*]

Malik — (…) Donc arrivés au commissariat, mes parents viennent. Ben surtout ma mère, parce que ma mère est… n'est pas – à la limite elle m'a jamais vraiment frappé ou tabassé, etc. – mais c'est des sanctions dures, c'était de couper les cheveux, t'as pas envie, couper un trou là sur la tête, quoi. Alors quand t'arrives le lundi au bahut avec ta (…), t'es vraiment pas content. Et puis voilà, quoi, ça allait, c'était rien de méchant, j'ai jamais fait rien de méchant. Et toujours dans cette boîte, c'est vrai que après c'est en crescendo, ça augmente, ça va de plus en plus et donc on commence à arriver à une période… Et moi, vers… donc la cinquième, j'arrive en CAP, je commence à connaître des personnes et là j'ai eu par rapport à ça, j'ai complètement, je suis parti complètement… Je me suis détaché de tout ce milieu, alors que mon frère est resté…

— *C'est ça, lui il a continué à…*

Malik — Continué à faire toutes ces conneries, et tard. Et donc c'est après…

— *Il a eu des ennuis, lui ? Il a été…*

Malik — Arrêté. Arrêté, pas emprisonné, mais pas loin à vrai dire.

— *Et pourquoi ? Pour des vols, des trucs comme ça ?*

Malik — Ben… ça a été une fois pour… parce que, alors il a… parce que pendant un moment – là c'était un peu plus tard – pendant un moment donc, il avait arrêté l'établissement et puis toujours ce besoin de fric, pourtant il sait pas les dépenser ses sous, je comprends pas. C'est ce que je ne comprends pas, il a pas besoin de fric tant que ça, mais il est resté dans le trip à vrai dire. Donc il est rentré avec effraction dans un supermarché. Un soir, un soir. Et puis c'était l'époque Ricard, on va dire. Mais il buvait pas, il vendait. Il dealait des Ricard aux (…), ça ils y sont. Donc c'était ça, quoi. Et donc lui, il a progressé, donc il a souvent été arrêté, oui. Il s'est retrouvé… et puis lui il fait preuve d'une malchance dingue. Donc il s'est retrouvé, il rencontre des copains un soir, ils sont sur une mobylette, lui il discute, les flics passent, il se fait arrêter avec, c'est à chaque

fois des plans comme ça. Ou soit il est dans Paris, il est tranquille, il fume son joint tranquille, il se fait arrêter, c'est con, des choses comme ça. Et là, disons que… et puis moi j'étais un peu plus ; donc c'est là que je rencontre ceux qui sont maintenant mes amis…
[…]

On aimerait bien monter une base nautique

— *C'est ça, mais tu te plaisais tellement que t'avais pas tellement envie de…*
Malik — De rentrer. Non je rentrais pas à la maison. Enfin je rentrais vers huit heures. Je restais en étude, donc avec… et puis voilà, ça s'enchaîne et puis on discute et puis, etc., et puis on s'aperçoit que…
— *Et t'as pas eu envie de bosser à ce moment-là ?*
Malik — Non justement. Je crois que c'est là, à ce moment précis que, quand j'ai fait la rencontre de ces personnes qu'il y a eu le déclic, on va dire, de pas vouloir bosser parce que… parce que il y avait encore d'autres moments comme ça à passer. D'autres moments, d'autres rencontres, d'autres rencontres qui sont importantes. Et je sais pas si c'étaient tous des personnes, on dirait, qui avaient compris le truc. Qu'avaient saisi le truc au passage.
— *Qu'est-ce que tu veux dire là ?*
Malik — Ce besoin d'échanger des trucs…
[*Long récit picaresque d'un voyage en Espagne avec ses copains.*]
— *Qu'est-ce qu'il fait maintenant ce copain ?*
Malik — Lui, il fait un bac professionnel ; il est en deuxième année, parce qu'on a passé en candidat libre, et lui il l'a eu et pas moi.
— *Qu'est-ce que t'as dit là, j'ai pas entendu ?*
Malik — Lui il l'a eu et pas moi.
— *Mais quoi ?*
Malik — Le BP en candidat libre. C'est-à-dire un an avant, un an avant. Puisque lui, il a pas pu passer son CAP, il a eu un accident ; ça n'empêche pas que ça soit un élément très très bien.
— *Et vous avez des projets ensemble ?*
Malik — Je ne sais pas ce que vous appelez projets…
— *Non je ne sais pas, parce que je pense que…*
Malik — [*Ton pompeux.*] Enfin lui il a le projet, disons qu'on aimerait bien monter une base nautique.

— Et où ?

Malik — Au Vietnam [*rire*].

— Et pourquoi ?

Malik — Parce que c'est en pleine expansion, le Vietnam, ça vient de s'ouvrir.

— Oui c'est pas bête.

Malik — Ça vient de s'ouvrir et ça a l'air d'un pays qui va… ça va affluer, quoi…

— Oui un club c'est pas bête.

Malik — Non pas un club, c'est pas un club, moi j'aime pas…

— Alors c'est quoi ?

Malik — … Les clubs, comme je disais tout à l'heure. Non moi, comme je disais, c'est l'authenticité du début jusqu'à la fin.

— C'est-à-dire ? Par exemple ?

Malik — C'est plein de choses ; c'est le son, les odeurs, c'est faire attention à tout, donc ça sera pas n'importe qui qui viendrait. Parce qu'on aimerait monter en parallèle une autre base nautique mais qui se situerait donc dans l'Ouest de la France, sur la côte, sur tout (…) comme on sait pas où ; et à ce moment-là ça sera plutôt un recrutement… on pourrait dire, donc ça sera des propositions de ces services aux entreprises, mais c'est vrai qu'il faudra une certaine catégorie de personnes. Et pendant ce… – on va dire, eux à leur insu, ils le sauront pas – donc on verra parmi ces personnes lesquelles sont à même de pouvoir… qui recherchent ça ; enfin c'est ça, il se situe sur ça, le projet. Et c'est à ces personnes pendant ce truc qu'on leur proposera… uniquement et c'est pas celui qui restera sur le pont à se demander. C'est bien, quoi.

— Non, non, c'est bien, oui.

Malik — Non, non, si c'est sympa. Mais ça partira du début, disons qu'on offrira tout du début jusqu'à la fin. Enfin, offrir… Mais enfin ça partira sur la bouffe, tout quoi, tout. Vraiment tout. Parce que on perd ça, ça m'exaspère, on perd ça aujourd'hui, mais nous on est salauds, on va se faire du fric dessus, puisqu'on va le faire, enfin je sais pas… Mais on perd et ça, moi je supporte pas de voir des gens qui…

— Et vous commencez à y aller tous les deux là-bas pour voir…

Malik — Non parce que lui, il est parti en Thaïlande, avec un ami, donc le deuxième Frédéric, qui, lui, voyage pas mal à travers son père parce que son père est donc ingénieur, mais qui est détaché par les Télécoms et donc qui voyage sans arrêt ; et lui donc a la possibilité, c'est à travers lui qu'on a su que le Vietnam était un pays…

— *Et qu'est-ce qu'il fait ce copain, ce Frédéric ?*

Malik — Frédéric est en première d'adaptation sur un lycée dans Paris. Et l'autre fait une deuxième année bac pro mais en alternance ; parce que lui il vit pas chez ses parents ; il a eu (…) des problèmes, très vite, il a été lâché très vite.

— *Lâché par qui ? Par ses parents ?*

Malik — Ah ! oui, non par ses parents. Mais c'est un peu compliqué cette affaire de toute façon. Lui serait très bien aussi pour ici, non, non c'est vrai… Donc là-dessus, voilà, quoi. Donc il a son appartement tout seul, il est complètement autonome et…

— *Donc vous pensez à faire ça à trois, quoi ? Avec Frédéric…*

Malik — Ouais, mais…

— *Et même lui il est allé voir là-bas ?*

Malik — Oui, mais pas allé voir même, ils sont partis en Thaïlande, tranquilles avec Laurent…

— *Mais ils ont assez de fric, c'est loin pour aller là-bas ?*

Malik — Ben ils se débrouillent.

— *Ils travaillent ?*

Malik — Ben l'autre est en alternance, donc il travaille, mais il a eu six mois de disette après le voyage.

— *Et qu'est-ce que tu vas faire cet été ?*

Malik — Moi je vais donc essayer de partir avec Laurent ; donc je vais essayer de partir une semaine, donc on a proposé ensemble de faire un truc à l'UCPA.

— *Ah oui et où ça ?*

Malik — Dans le Verdon, de faire une descente… en eaux vives, etc.

[…]

— *Ben ça c'est des trucs vachement bien. Ouais c'est tuant, mais…*

Malik — Ouais c'est tuant ; mais bon, là on va voir, il faut qu'on s'y prenne vite, sinon on partirait pareil une semaine mais ce coup-ci dans l'Ouest de la France et on ferait un peu de (…), du cata.

— *Qu'est-ce que c'est ?*

Malik – Du cata ? Les petits hobbycats vous voyez pas ce que c'est ? C'est des petits hobby comme vous voyez dans Bounty, mais bon on reste dans la France, quoi. Ça c'est bien, ces sensations. Voilà, sinon c'est ça. Ah oui et dix jours dans… donc avec… avec… avec mon… mon amie, en Espagne. Parce que moi j'aime bien…

Algérienne. Et c'est pas fait exprès...

— Ton ami, c'est qui ?
Malik — C'est [*amie*] I. E.
— Ah oui, parce que de la façon dont tu le disais, je n'osais pas le dire. C'est ça.
Malik — I. E.
— C'est qui I. E. ? Si c'est pas indiscret...
Malik — [*Rire*] I. E., c'est Fedellah. Elle est gentille.
— Qu'est-ce qu'elle fait ?
Malik — Elle est enseignante.
— De quoi ?
Malik — Dans un LEP [*en fait, il s'agit de son LEP*]. Elle est enseignante, elle fait droit, éco., des trucs comme ça.
[...]
Oui, je partirai dix jours ; ouais, non c'est plus sympa parce qu'elle connaît pas, elle aime pas l'eau, elle sait pas nager et puis moi je veux la faire... lui apprendre, pas lui apprendre, il suffit qu'elle mette les pieds dans l'eau à Gibraltar, parce qu'il n'y a que là que j'ai trouvé, j'ai dit autant qu'elle connaisse un bon élément. L'Atlantique et la Méditerranée qui se croisent !
— Elle est de quelle origine ?
Malik — Algérienne. Et c'est pas fait exprès [*rire*]. C'est pas fait exprès, parce que tout ce qui est... enfin peu importe. Ouais, si, ça peut être sympa, je sais pas.
[...]
[*Malik parle du pavillon où il habite avec son père quand il n'est pas avec sa copine.*]

Ça me fait peur aussi, les carrières...

— Et tu y habites tout le temps avec ta copine, là, ou tu y vas...
Malik — Non, chez ma copine ? Oui... parce que... [*rires*].
— Non, non, je suis mon idée, pas du tout... pas du tout...
Malik — Non c'est parce que je suis entre les deux. Et c'est vrai que, c'est vrai que c'est plus agréable de se réveiller à côté de...
— Donc ton père la connaît ta copine ?
Malik — Oui, il la connaît ; il la connaît et ça se passe bien ; ils s'entendent pas mal, les deux...
— Les deux ensemble, ils s'entendent bien... Et ses parents à elle ils sont... son père est algérien... ?

Malik — Son père est algérien, sa mère est algérienne. Et comme de par hasard, ils sont de Tlemcen aussi.

— *Ah oui, c'est marrant ça. Ils se connaissaient pas…*

Malik — Non, ils se connaissent pas parce que ses parents… on va dire, son père est arrivé très tôt, ici ; il est arrivé dans les années 30 et donc…

— *Oui, c'est ça alors que ton père est arrivé beaucoup plus récemment.*

Malik — Et voilà.

— *Tu nous as tout dit là ?*

Malik — Oui, à part (…). Oui je vais peut-être rester un petit peu au bahut, à l'école, j'aime bien. C'est tout, je continue pour être sûr, quoi. Et puis si un jour je me casse et que je me plante…

— *Oui il faut que t'aies un…*

Malik — …que je sois voué à rester ici et puis à faire sa place en essayant de compenser par le matériel, ce que tout le monde fait.

— *Je comprends pas ce que tu veux dire là ?*

Malik — Enfin je vois l'argent bizarrement, parce que j'ai l'impression que l'argent amène surtout une compensation. Et j'ai l'impression que tout le monde a son mal à l'aise et que l'argent permet de compenser certains rêves par le matériel qui reste fixe… c'est la compensation ; alors que moi j'ai pas trop envie, j'ai envie de vivre, pas de compenser par quelque chose.

— *Au fond l'argent c'est pas l'essentiel, quoi ?*

Malik — C'est pas, c'est pas mon… c'est pas mon but premier. Mais c'est sûr qu'avec ce que je veux faire, j'en aurai besoin. Disons que ça va être le moyen le plus facile, le plus radical pour pouvoir accéder à ce que je veux faire. Mais ça ne sera pas le but premier.

— *Vous y avez pensé un peu pour trouver du fric, là pour votre entreprise ?*

Malik — La Banque de France [*rire*]. Non, non, je sais pas… pour trouver le fric, il faudra travailler justement et bon, essayer de trouver un poste assez sympa, agréable, enfin je veux un métier passionnant. Attention ! je suis très exigeant, je veux un métier qui me plaît du début jusqu'à la fin. Mais pas un métier carriéral ou qui bouffe, après on [*inaudible*], [*rire*]. Disons : pas endosser un autre numéro quand on va au boulot, mais rester quand même de ce côté (…) quand même c'est important. Faut pas que ça gratte, ça me fait peur aussi, les carrières.

— Oui, dans un sens l'école c'est bien.

Malik — Être PDG et puis laisser, plus regarder sa copine, plus… ça m'intéresse pas.

[…]

— Mais l'école, au fond, c'est un univers qui te plaît ? L'école ?

Malik — Si, ouais, ouais, ça me plaît beaucoup. Je crois que maintenant, ça fait partie aussi, je me dis, finalement c'est la voie que j'ai prise, elle m'a permis de rester plus longtemps à l'école. Et je me dis…

— Au fond ce qui t'emmerde à l'école c'est d'avoir à travailler, quoi ? Parce que sinon ça serait très bien.

Malik — Ben je travaille pas.

— Oui, c'est ça, donc c'est très bien.

Malik — C'est très bien. Non, non, mais c'est bien quoi. C'est sympa (…) les profs, ils sont cool, c'est sympa.

— C'est-à-dire ?

Malik — Ben ils se posent des questions. Ben ils se demandent pourquoi je bosse pas.

— Oui on se demande, parce que si tu voulais, tu réussirais très bien.

Malik — Non.

— Si.

Malik — Non, non, mais non je suis très bien comme ça. Pourquoi, pourquoi… c'est ce que je comprends pas, à l'école on me demande pas d'avoir 20. Par contre au boulot, il faut avoir… c'est pas 20, c'est 0 ou 20, c'est pas 14 ni 12 hein… Et là on nous laisse une occasion de choisir justement d'avoir 12, 13, 10, bon pas 9 parce que après c'est pas bien. Donc autant foutre le strict minimum [*rire*], avoir… prolonger son 10 et puis au dernier trimestre balancer 12 de moyenne, et puis une escapade et puis t'as rien foutu mais ils te laissent passer. C'est ce qui crée mes problèmes, je vous dis… de pouvoir accéder à ce que je veux, parce qu'ils ont l'impression que ça va être tout le temps comme ça, c'est très, vraiment très ; mais je commence à mieux les comprendre du fait que mon amie, I. E. est enseignante, de l'autre côté de la barrière qui… on voit un peu ce qui se passe. Mais… c'est sympa. Ma vie est sympa [*rire*].

juin 1991

Sylvain Broccolichi

Un paradis perdu

Claire, Muriel et Nadine partagent avec un grand nombre d'élèves l'expérience de la baisse brutale de leur valeur scolaire à leur arrivée au lycée. Cette découverte s'accompagne, chez toutes trois, d'un coup d'arrêt porté à leurs espérances ainsi que de l'apparition d'une posture critique à l'égard des structures et des conditions de travail du lycée. Issues de trois collèges différents, c'est au lycée Verlaine qu'elles ont ainsi déchanté en découvrant un monde plus nettement hiérarchisé, où se trouvent déconsidérés ceux qui n'ont pas accès à la « voie royale scientifique » et où n'ont plus cours les mêmes valeurs. Faisant partie jusqu'alors des « bons élèves » qu'une école bienveillante reconnaît et encourage, elles ont été particulièrement surprises et choquées par le traitement réservé à leurs difficultés nouvelles au niveau du lycée : elles se sont trouvées soudain confrontées à la violence qu'exerce le monde scolaire sur les élèves les moins préparés à ses exigences.

Dans un département où a été maintenu le strict principe de la sectorisation, le lycée Verlaine, bâtiment en médiocre état, construit durant les années 50, se situe dans un district scolaire correspondant à deux villes plutôt ouvrières (avec cependant une progression des catégories « employés » et « professions intermédiaires » et du secteur tertiaire en général) dont l'une est proche de Paris. C'est le seul lycée d'enseignement général du district préparant aux baccalauréats scientifiques (C et D) et littéraires (A1, A2 et A3) ; il réunit les meilleurs élèves des 12 collèges du secteur à l'exception de ceux qui émigrent vers les lycées parisiens. Les élèves plus « moyens » se répartissent dans les deux lycées d'enseignement général et technique préparant à des baccalauréats technologiques, ainsi qu'aux baccalauréats B et E. Les enseignants et l'administration du lycée parviennent à limiter ces « fuites » en maintenant un niveau d'exigence élevé, surtout pour l'accès en terminale C (dont le taux de réussite au bac est un déterminant majeur de la réputation d'un lycée), et c'est donc surtout au niveau du premier cycle que s'observent les départs vers les établissements parisiens d'élèves d'origine sociale élevée.

C'est principalement au vu de leurs résultats en mathématiques et sciences physiques, déterminants pour l'orientation en première S, que la plupart des élèves découvrent les exigences très élevées du lycée : pour beaucoup d'entre eux, ces résultats sont nettement plus bas qu'ils n'espéraient, le « saut d'exigence » à l'arrivée au lycée y étant justement révélé par l'ampleur de la « chute des notes ». Et de fait, par rapport à d'autres lycées qui ne préparent pas comme le lycée Verlaine aux sections les plus nobles du baccalauréat, ce dernier présente le système d'exigences le plus élevé et les normes de notation les plus sévères, comme en témoigne la baisse des notes des élèves de seconde (en mathématiques et en français notamment) par rapport à leurs notes de troisième, beaucoup plus forte dans ce lycée que dans les deux autres lycées du secteur, bien que les classes soient officiellement les mêmes.

L'importance de cette « baisse des notes » est aussi fonction du collège d'origine, surtout depuis que les caractéristiques sociales et scolaires de la population de chaque collège sont moins « redressées » qu'auparavant par l'intensité de la sélection. La volonté du gouvernement de faire accéder 80 % d'une génération à une classe terminale, loin de produire une optimisation du système d'enseignement, se traduit par tout un ensemble de mesures (au niveau des capacités d'accueil des diverses filières) et de pressions administratives, obligeant en quelque sorte les personnels des collèges à laisser passer « à l'ancienneté » jusqu'en troisième des élèves qui n'y seraient jamais parvenus dans l'état antérieur du système et du même coup à abaisser leurs exigences en fonction de la population d'élèves avec qui ils doivent composer pendant (au moins) quatre ans. Les statistiques produites traditionnellement par les services de l'Éducation nationale ne font pas apparaître ces différences, qui se marqueront au niveau de la seconde où le devenir scolaire des élèves variera considérablement selon le collège d'origine (par exemple les taux de redoublements ou de réorientations en BEP varient de 8 % à 50 % au lycée Verlaine selon le collège d'origine). La relativité des notes obtenues au collège échappe en grande partie aux élèves qui se trouveront du même coup encore plus affectés par leur brusque déclin scolaire en seconde, aggravé par la présence dans les classes d'élèves bien meilleurs qu'au collège.

J'ai rencontré Claire, Muriel et Nadine, trois élèves du lycée Verlaine, dans le cadre d'un travail que je mène depuis plusieurs années sur l'enseignement secondaire dans le district scolaire de ce lycée et au cours duquel j'ai pu nouer de multiples contacts tant avec le personnel de l'Éducation nationale qu'avec les parents d'élèves et les élèves. Elles ont, toutes trois, répondu avec empressement à ma demande de m'entretenir avec elles des problèmes rencontrés au lycée ; elles étaient également disposées à me présenter à d'autres élèves volontaires, proches d'elles par leur situation, par leur histoire scolaire et aussi par leur engagement politique aux jeunesses communistes. Après avoir observé, au cours d'un premier entretien collectif, la façon dont elles s'encourageaient à témoigner de ce qui les avait le plus affectées au lycée (notamment les réponses dévalorisantes ou culpabilisantes de l'institution à leurs difficultés), j'ai décidé de leur proposer un second entretien également collectif qui, sans doute parce qu'il se déroulait dans une salle du lycée moins « officielle » et mieux isolée, a permis l'expression de propos moins censurés concernant l'administration ou les professeurs.

Dès les premières évocations de leur désarroi et de l'impossibilité d'aborder leurs difficultés avec les adultes du lycée, elles ont insisté sur le risque d'être considérées comme des « petites rigolotes » cherchant des excuses à leurs insuffisances. D'où ma tendance à dire « on » au lieu de « vous », quand je reprenais leurs propos, comme pour marquer mon adhésion à leur point de vue et atténuer leurs inhibitions.

Claire R. : « complètement dévalorisées »

Claire a 15 ans. Au Lycée Verlaine seulement depuis trois mois en seconde, elle sera la moins loquace durant les entretiens. Fille d'un ouvrier et d'un agent hospitalier, elle a pu bénéficier durant sa scolarité de l'aide de sa sœur aînée, titulaire du bac A1 avec mention, qui, elle-même, avait reçu un soutien scolaire comparable d'une tante, surveillante générale dans un hôpital.

Contrairement à Muriel et Nadine qui appartiennent à des familles socialement et culturellement plus privilégiées et qui osent affirmer des projets (journalisme, photographie) en fonction de leurs goûts et de centres d'intérêts extra-scolaires, Claire évoque timidement un but – le commerce international – déterminé en fonction de chances raisonnables d'insertion (« on m'a dit qu'il y avait des débouchés dans ce secteur ») et de son profil scolaire (« je suis surtout bonne en langues »). Aussi « bonne » élève au collège, semble-t-il, que Muriel et Nadine (ce qualificatif revient sept fois dans son bulletin trimestriel de fin de troisième), elle est pourtant la seule à avoir nettement exclu par avance l'orientation vers un baccalauréat scientifique, bien qu'elle n'ignore pas le caractère négatif de ce choix : à peu près à chacune de ses rares interventions elle parle du « bac C » qui lui apparaît comme la seule valeur sûre en cette période de généralisation de l'accès au baccalauréat et d'incertitude de l'emploi et elle déplore à plusieurs reprises que les autres sections auxquelles la vouent ses résultats scolaires en baisse soient « complètement dévalorisées ». L'inquiétude qu'elle ressent à propos de son avenir trouve sa meilleure expression dans l'évocation d'une image de magazine montrée par un de ses professeur de troisième et représentant un « petit monsieur qui balayait » à côté du bac A, tandis que « le bac C c'était le directeur d'entreprise ». Elle, dont le père sans qualification professionnelle a longtemps travaillé dans un « service entretien », est particulièrement sensible à cette image.

Claire, qui a toujours « assuré » une bonne réussite dans toutes les disciplines plutôt que de chercher à être la meilleure dans certaines d'entre elles, ne parvient, en début de seconde, à maintenir de bons résultats qu'en langues ; ailleurs, ses notes baissent de deux à sept points selon les disciplines, conformément à l'évolution moyenne des élèves issus du même collège qu'elle. Dans ce collège au recrutement social assez bas, de plus en plus délaissé par les meilleurs élèves du secteur (au fur et à mesure que la politique d'affaiblissement de la sélection s'y trouve régulièrement appliquée), Claire demeurait une des rares à pouvoir répondre aux attentes des enseignants et à entrer avec eux dans un jeu de gratifications mutuelles. Le discours nostalgique que ces ex-bonnes élèves – généralement des filles – expriment à propos du collège, lorsqu'elles se trouvent soudain perdues dans la masse des élèves jugés « médiocres » au lycée, ne prend tout son sens que référé à l'ensemble des marques d'attention qui se portaient sur elles auparavant : dans des collèges où tant d'élèves ont « décroché » dans certaines matières et rendent difficile le travail des enseignants, ceux-ci apprécient et valorisent particulièrement les « oiseaux rares » comme Claire qu'ils souhaitent pouvoir garder dans l'établissement tout en reconnaissant leur mérite particulier de parvenir à bien travailler dans un environnement scolaire aussi peu favorable. En toute occasion, ils prodiguent des encouragements ou des compliments personnalisés qui rapprochent la relation enseignant-élève d'une relation parent-enfant, et font dire après coup à Claire : « Au collège, c'était comme une petite famille… On avait toujours un prof derrière soi », tandis qu'au lycée, « j'ai pas l'impression qu'on puisse aller voir un prof ».

Muriel F. : « ça devient complètement incohérent »

Dès qu'il avait été question d'un entretien sur le malaise lycéen, Claire, comme d'autres personnes contactées, m'avait parlé de Muriel. « Muriel aura sûrement beaucoup de choses à dire. Et puis, elle a le temps, elle est en A1... » Ainsi s'exprimait une collègue du père de Muriel (professeur d'EPS), marquant implicitement une opposition entre sa propre fille – qui avait « bûché » pour obtenir un baccalauréat scientifique – et Muriel qui avait en quelque sorte choisi la facilité alors qu'elle était une brillante élève et avait même un an d'avance (qu'elle a conservé) en arrivant en seconde. Muriel doit cette désignation unanime à son statut de représentante élue du lycée et de participante à une coordination nationale de lycéens (tendance jeunesses communistes). Elle a bien accepté, lors de l'entretien, de ne pas se retrancher derrière une position de « porte-parole » (comme on aurait pu le craindre), mais de parler simplement de sa propre histoire.

Elle évoque deux cassures dans sa scolarité : d'abord le passage d'une école primaire aux faibles effectifs et proche de chez elle – où le sentiment d'« une espèce de famille » était renforcé par la familiarité entre sa mère institutrice et les adultes de l'école – au grand collège « gris et froid » de 600 élèves, ex-premier cycle du lycée Verlaine. Ensuite le passage au lycée, où le primat des disciplines scientifiques (où elle est le moins à l'aise) bouleverse l'image de bonne élève qui l'avait toujours accompagnée.

Le collège Verlaine représente le collège le plus proche du lycée par son recrutement social – le plus élevé du district –, et par le niveau d'exigence scolaire (la baisse des notes à l'arrivée en seconde est la moins forte pour les élèves qui en viennent). Par rapport à la moyenne des élèves de son collège, Muriel est à contre-courant : si elle a plutôt mieux évolué dans l'ensemble des disciplines, c'est l'inverse qui se produit pour les mathématiques et les sciences physiques (ses notes y sont passées en moyenne de 12 à 7). Tout en s'efforçant de présenter son orientation en A1 comme le résultat d'un libre choix, elle reconnaît parfois que son penchant littéraire est relativement récent et n'est pas étranger à ses difficultés en maths et en physique en classe de seconde ainsi qu'à son aversion pour une orientation qui l'obligerait à « travailler comme une folle pour aller en S » avec des résultats incertains.

Consciente que ses « choix » ont eu un effet de déclassement, elle s'efforce de les relativiser en dénonçant l'arbitraire de la hiérarchie scientifique/littéraire et en militant en faveur du principe d'égale dignité des sections, et c'est avec une certaine forme d'assurance qu'elle critique un univers « complètement incohérent » où « pour entrer en prépa lettres, il vaut mieux avoir fait un bac C », où les professeurs de lettres eux-mêmes conseillent cette section à leurs meilleurs élèves. Mais ces critiques ne peuvent l'empêcher d'éprouver et d'exprimer, même avec de nombreuses dénégations, un sentiment d'échec lié au sentiment d'occuper désormais une position dévaluée dans la hiérarchie scolaire ; sentiment que réactive la comparaison avec certaines de ses anciennes camarades de collège qui « ont réussi » : « On était vraiment pareilles. On est arrivées en seconde, et – les maths c'est vachement plus dur en seconde – et euh, y avait des trucs où on lâchait toutes les deux. Et moi, chez moi, personne pouvait m'aider en maths (...). Et elle, elle travaillait tout le temps, tout le temps avec son père... Eh ben, elle a réussi. Enfin, elle a réussi... je dis pas qu'elle a réussi, mais disons qu'elle est en S, quoi. » Et elle ne peut s'empêcher d'évoquer avec insistance le rôle négatif du professeur qui, en seconde, l'a dégoûtée des mathématiques, elle et bien d'autres.

Nadine B. : « je suis descendue de mes rêves »

Nadine, 18 ans, est en terminale A1 au moment de l'entretien, mais pour elle il est clair que ses deux années en classe de seconde ont été les plus décisives et les plus éprouvantes. Venue d'un collège socialement et scolairement très proche de celui de Claire, elle a la même aversion pour le lycée et la même nostalgie de son collège, où elle était bonne élève, à l'exception des maths, se prenant en charge toute seule, sans rien demander à ses parents, permanent syndical à l'ANPE et technicienne-chimiste au CNRS, qui lui faisaient confiance.

Ayant le projet de devenir photographe, elle se renseigne durant sa dernière année au collège auprès d'une conseillère d'orientation et apprend que la plupart des écoles de photo post-bac demandent un bac scientifique : « soit tu pars sur un bac C ou D, soit tu abandonnes ton truc » lui aurait-on dit à cette occasion. Consciente de l'importance de la réussite dans les matières scientifiques, elle s'efforce d'améliorer considérablement ses résultats en mathématiques en fin de troisième et elle y parvient.

Mais, comme la plupart des élèves issus du même collège qu'elle, ses notes déclinent très nettement à l'arrivée en seconde : de quatre points en moyenne, et beaucoup plus en mathématiques où elles tombent à deux au premier trimestre avec l'appréciation : « des lacunes énormes ! » Grande désillusion : elle pense ne jamais pouvoir « tenir sur de grandes études », ni aller en C, et elle change d'avis. Sur le conseil de ses parents, et parce qu'il lui est difficile de renoncer à son projet, elle se raccroche cependant à l'espoir qu'en redoublant elle peut rétablir la situation. Durant cette année de redoublement, plus « stressante » encore que la précédente, ses résultats dans les disciplines scientifiques restent insuffisants et achèvent de la faire « descendre de ses rêves ».

Le récit de Nadine, l'émotion et le désarroi perceptibles dans sa voix font comprendre qu'en classe de seconde, elle n'a pas seulement subi la déconvenue d'un projet scolaire et professionnel contrarié, mais que sa vision d'elle-même, de l'école et des adultes s'est trouvée altérée par les désillusions et déceptions qui se succèdent : échec scolaire (impensable quelques mois auparavant), perte de considération et détérioration générale des relations contrastant avec l'harmonie antérieure. « Je m'étais toujours bien entendue avec eux », dit-elle en parlant aussi bien de ses parents que des enseignants, tandis qu'en seconde « je me suis accrochée avec tout le monde ».

Là où Claire et surtout Muriel ont pu se persuader qu'un baccalauréat scientifique ne les « intéressait pas » et qu'elles restaient de bonnes élèves au moins dans les disciplines qui leur plaisaient, Nadine, en redoublant, a plus complètement perdu son identité de « bonne élève » et subi l'échec de plein fouet parce que la première S était davantage pour elle un passage obligé qui l'a en quelque sorte empêchée d'ajuster à temps ses espérances à ses chances. En outre, Nadine réalise tardivement qu'elle a manqué de réalisme en refusant longtemps, au nom d'une définition idéale de l'école, les aides que ses parents lui proposaient, notamment en mathématiques. Habituée à réussir sans l'appui des adultes et ne comptant que sur ses professeurs, elle se sent en droit d'avancer cet argument : « Il y a des enfants qui ont pas de parents qui peuvent les aider, (…) c'est au prof de … de me faire réussir. (…) Je le pense toujours : c'est pas normal que les parents soient obligés d'intervenir. » Sans renier quant au fond ce principe, elle a fini par l'abandonner en pratique et a accepté de prendre des cours particuliers en admettant que « ça se fait » couramment pour surmonter certaines difficultés.

Claire, Muriel et Nadine ont une trajectoire semblable marquée par le passage d'une expérience scolaire heureuse au collège à l'expérience douloureuse du déclin scolaire au lycée. Ce parcours commun apparaît, dans leurs propos, sous la forme d'une histoire construite plus ou moins à l'aide des catégories politiques que leur fournit leur appartenance commune aux jeunesses communistes, celle de leur passage de l'univers du collège communautaire et chaleureux, fondé sur l'absence d'exclusion et la solidarité (dont elles ont la nostalgie), à l'univers froid et anonyme du lycée, fondé sur la violence de la ségrégation et de la concurrence (dont elles critiquent l'esprit, l'organisation et le fonctionnement). Toutes trois, conformément au modèle de la réussite scolaire qui domine chez les filles, manifestaient au collège moins d'aisance en mathématiques ou en sciences physiques que dans les autres disciplines. Toutes trois également ont manqué, lorsque leur légère faiblesse dans les disciplines scientifiques s'est transmuée, en seconde, en véritables difficultés scolaires, d'un soutien familial efficace (refusé par Nadine) qui aurait pu leur permettre d'opérer un rétablissement. A l'arrivée en seconde, ce même profil scolaire les a placées devant une même alternative (qui préfigure l'alternative post-bac : classe préparatoire/université) : peiner pour accéder à la « voie royale scientifique » et risquer d'y être en échec, ou assurer le passage dans une section littéraire « déconsidérée » et y retrouver leur aisance antérieure.

Le cas de Nadine montre bien le risque important de bouleversement de l'équilibre des relations et d'auto-dépréciation que comporte le premier terme de l'alternative en cas d'échec. De même, pour beaucoup d'élèves de seconde qui visaient en début d'année la première S, mais ont été éprouvés par des difficultés inattendues, c'est l'accès « de justesse » à la première S qui devient lui-même lourd de conséquences, comme en témoigne l'évocation assez courante d'élèves ayant « craqué » (dépression, anorexie, tentative de suicide) en classe de première.

Pour les ex-bons élèves qui n'arrivent pas, dès la seconde, à se faire à l'univers du lycée où ils sont confrontée à des normes d'exigence plus élevées et à une nouvelle hiérarchie des disciplines, la section A1 peut fonctionner comme un lieu de récupération parce qu'il reconstitue un monde qui, sur ces deux points, est très proche de l'ordre des choses antérieur : il est possible d'y retrouver une position plus élevée dans sa classe, et les disciplines devenues mineures en seconde y sont revalorisées. Son seul défaut, si l'on peut dire, est l'ombre que projette sur elle la section C, considérée unanimement comme celle des meilleurs élèves.

L'opposition que font les trois lycéennes entre l'enfer d'un lycée dominé par la « logique de la sélection » et les paradis communautaires antérieurs renvoie à des différences entre le collège et le lycée qu'elles ont objectivement éprouvées. D'abord l'absence de « ségrégation » dans les collèges où presque tous les élèves, surtout dans les « bonnes classes », passaient ensemble en classe supérieure, tandis qu'en fin de seconde, les élèves sont amenés à se répartir dans des sections nettement hiérarchisées. Puis le fait qu'elles étaient « connues » depuis quatre ans dans le collège qu'elles quittent, tandis qu'elles deviennent « inconnues » en arrivant au lycée, avec un sentiment d'anonymat renforcé par l'importance croissante des effectifs des classes. Enfin la quantité de travail exigé devient aussi nettement plus élevée au lycée. Mais ces différences n'expliquent pas tout et il semble bien que cette expérience enchantée et nostalgique de l'école primaire et du collège traduite dans la métaphore de la famille (perdue) et de la maison correspondent à l'expérience privilégiée d'une catégorie limitée de lycéens : ceux et surtout celles qui, dans des établissements scolaires populaires, faisaient partie du petit cercle des bons élèves, d'autant plus appréciés et entourés qu'ils y étaient rares, et qui ont perdu brusquement ces relations gratifiantes et la sérénité qu'elles engendraient, en arrivant dans un lycée aux exigences scolaires plus élevées. Autant du point de vue des élèves en mauvaise position, il est évident que les enseignants sont mieux disposés à l'égard des « meilleurs » (si bien que les « moins bons » auront tendance à s'auto-exclure de la relation avec les professeurs en chargeant, par exemple, les meilleurs de poser les questions à leur place), autant ceux qui bénéficient de ces bonnes relations (comme Claire, Muriel et Nadine avant leur arrivée au lycée) les attribuent à des affinités de personnes sans rapport direct avec le rang scolaire. Peut-être parce qu'elle a été plus nettement, et pendant deux ans, dans une position d'élève « en échec », Nadine semble être la plus consciente de cette dépendance des relations humaines vis-à-vis des classements scolaires : « mais qu'est-ce que je suis pour eux ? » se demandait-elle, non sans amertume, en remarquant que ses professeurs, mais aussi ses parents, ne la considéraient plus de la même façon durant cette période de déclin scolaire.

Claire, Muriel et Nadine remarquent qu'« on considère surtout les scientifiques » et que, « les meilleurs élèves, de toute façon, on les met seulement en scientifique ». Mais lorsqu'elles évoquent la dégradation de leurs relations avec les enseignants en classe de seconde, c'est à un changement de nature des univers et non au déclin de leur position dans les univers successifs du collège et du lycée qu'elles tendent à l'attribuer : au collège, il y avait davantage de « solidarité » et « on avait toujours un prof derrière soi », tandis qu'au lycée, elles découvrent la logique de sélection, ainsi que la « culpabilisation » et l'« isolement » qui, conjugués à l'échec, exposent au risque de « craquer ».

L'idée que ces problèmes avaient pu se poser à certains élèves de leur ancien collège ne les effleure pas (comme j'ai pu le constater en les interrogeant sur ce point hors entretien enregistré), et j'ai l'impression que cette référence possible à un bon univers scolaire antérieur est presque une condition nécessaire de leur aptitude à s'indigner et à critiquer l'univers lycéen. On observe en effet que la faculté d'indignation s'émousse assez vite : pour ne pas s'attirer trop d'ennuis à court terme, l'élève en mauvaise posture n'a généralement pas d'autre choix, dans l'état actuel des dispositifs scolaires, que d'adopter des comportements (cacher ses difficultés, copier sur les meilleurs) qui l'empêchent rapidement de se sentir en droit de critiquer le manque d'aide et de considération lié à sa position. Claire, Muriel et Nadine sont d'autant mieux placées pour juger révoltant le fait que « ceux qui suivent pas (c'est) tant pis pour eux » ou que « dès qu'on échoue quelque part on est coupable », qu'elles étaient considérées jusque-là comme des élèves exemplaires et croyaient en une école qui porte secours aux élèves en difficulté.

Claire, Muriel et Nadine se sont activement inscrites dans le mouvement lycéen de l'automne 1990, qui, sans toujours l'exprimer clairement, pointe cette contradiction d'un système qui permet à un nombre toujours plus grand d'élèves d'accéder au lycée, tout en orientant la plupart d'entre eux vers des sections dévaluées. Le système, en outre, justifie toutes ces orientations contraires aux vœux initiaux par l'insuffisance des performances scolaires, alors qu'il n'assure pas de bonnes « conditions de travail » et oblige beaucoup d'élèves à chercher en dehors du lycée l'aide que ne prévoient pas les dispositifs scolaires.

La politique nationale de retardement de la sélection, appliquée de façon accélérée depuis cinq ou six ans, semble engendrer, chez beaucoup d'élèves, une estimation de leur valeur et des espérances différentes de celles qu'induisait auparavant l'orientation par l'échec à partir de l'école primaire. Surtout dans les établissements à recrutement populaire où la sélection était la plus précoce et la plus intensive, des élèves qui auraient été amenés progressivement à convenir de leur « faiblesse » à la suite de l'élimination des moins bons dans les classements scolaires, se maintiennent de plus en plus longtemps en bonne ou moyenne position. Cette évolution résulte plus de mesures et de pressions administratives que d'une réelle égalisation des chances de satisfaire aux exigences scolaires du lycée, comme le révèlent la fréquence et l'importance des « chutes en seconde ». Mais habitués à s'estimer plus « moyens » que « faibles », ces lycéens deviennent moins disposés à endosser l'entière responsabilité d'un échec (par rapport à leurs espérances) qui touche bon nombre d'entre eux, à un âge où ils sont aussi plus à même de réagir de façon critique à la condition qui leur est faite.

La politique de généralisation de l'accès au niveau du baccalauréat n'en est même pas à mi-chemin entre les 30 % d'une génération au moment de son lancement, et les 80 % visés pour l'an 2000. Si son application reste fondée sur un abaissement du seuil d'exigence en début de scolarité dans les établissements à recrutement populaire et sur un déni des inégalités sociales que l'état actuel du système d'enseignement perpétue, on peut s'attendre à une intensification des contradictions évoquées. L'orientation par l'échec étant moins précoce et moins fractionnée, plus d'élèves deviennent ainsi, comme Claire, Muriel et Nadine, capables de dénoncer les conditions de leur échec●

avec trois lycéennes de la banlieue parisienne

— *entretien de Sylvain Broccolichi*

« Au lycée, on est tellement déconsidéré »

Muriel — Moi, je me rappelle d'un truc, c'est quand j'étais en primaire, dans une école, une école moderne, expérimentale… Ben vraiment, on était content d'aller à l'école. Quand il y avait pas école, le dimanche, on s'ennuyait (…). Je suis arrivée au collège…

— *Quel collège ?*

Muriel — Verlaine [*ex-premier cycle du lycée Verlaine*]. C'était grand, c'était gris, c'était gros, y avait rien quoi, c'était froid, c'était très très froid. Ça a été très dur, même… à tous points de vue… En primaire, on vivait tous ensemble, on se connaissait tous. C'était sympa, on tutoyait les profs, c'était vraiment comme une espèce de famille… Et on est arrivés là… Je sais pas, le lycée, c'est déjà deux fois plus grand que le collège ; mais le collège c'est genre 600 élèves [*en réalité plus de 1 000*]. Personne se connaît (…). On rentre, on ressort… C'est une usine, c'est plus une maison. Alors après, quand on arrive au lycée, c'est encore pire… On sort de cours, on a même pas le temps de discuter ; faut qu'on rentre dans l'autre… On est tellement bousculés que, pour rester discuter deux minutes, faut prendre du temps sur des cours des fois… Et puis on a des classes chargées, on est 35… Des fois on connaît pas le nom de tous ceux qui sont dans notre classe. C'est froid quoi !

Nadine — Moi, ça me l'a fait juste en arrivant au lycée ; au collège ça allait (…). Il y a le problème des classes surchargées, des locaux vétustes, mais ça c'est un autre problème… Je trouve que sur ce lycée, il y a un stress permanent, que j'avais pas du tout au collège. Autant je regrette le collège, autant je ne regretterai pas le lycée. Ce que j'ai envie, c'est d'en partir… C'est comme ça que j'ai ressenti mon arrivée : un stress permanent. C'est souvent qu'il m'arrive de devoir prendre des calmants avant d'aller à l'école, des trucs comme ça… ou le soir pour m'endormir… Enfin, à ma première seconde j'ai fait des insomnies pas possibles. Je sais pas, une ambiance générale, une certaine incommunication…

On a pas le droit à l'erreur

Muriel — Je crois qu'il y a aussi un jeu, un jeu, heu, c'est-à-dire que les adultes nous poussent à être stressés comme ça, parce que c'est vrai qu'en seconde, l'idée de tous, c'est d'aller dans la voie royale… C'est la voie scientifique. Et ils prennent comme but que tout le monde doit y aller et peut y aller… Et ceux qui suivent pas, tant pis pour eux… Ils doivent suivre quoi ! si ça les intéresse pas, ben tant pis pour eux. Ils doivent suivre comme les autres… Alors nous, on est stressés en permanence, on a du boulot à outrance, c'est infernal… On se couche à n' importe quelle heure pour travailler. Si un jour on est crevé et qu'on peut pas travailler, on peut tout rater, tout un trimestre. [*Nadine approuve.*] Parce que j'étais rien que malade… (j'ai eu la grippe l'an dernier. Je me la suis chopée deux fois de suite, à une semaine d'intervalle, en décembre), j'ai pas pu suivre le programme de physique jusqu'à la fin de l'année… Ils avaient commencé la chimie… J'en avais jamais fait, j'ai rien compris de toute l'année.
Nadine — Et puis, il y a aussi une culpabilisation… Dès qu'on échoue quelque part, on est coupable quoi. Dès qu'on sort des problèmes… Y a des réflexions des profs que je trouve affreuses des fois… Dès qu'on sort des problèmes… On a le droit d'être absent seulement si on est malade… Il y a une déconsidération de notre état psychologique… Je vois l'année dernière, y a une prof qui a perdu quelqu'un de sa famille, quelqu'un de proche, et donc elle était absente une semaine. Je trouve que c'est compréhensible. Et dans le même temps, quelque temps après, y a une élève qui a perdu un copain très proche aussi, qui s'est tué en mobylette… Et bon, elle a pas réussi à l'exprimer. Elle a séché pendant une bonne semaine, et la seule réaction de cette même prof ça a été, « oui, elle est même pas malade, je l'ai vue l'autre jour dans la rue… Elle sèche, elle est pas malade ». Des fois on a l'impression qu'on a pas le droit à l'erreur. On a pas le droit d'avoir nous aussi nos…
Muriel — Nos états d'âme. (…) Des fois, on aimerait bien essayer de leur dire, mais, on est tellement déconsidéré par rapport à… On a vraiment l'impression… Le prof il rentre, c'est le dieu quoi, on devrait l'écouter… Bien sûr, ils sont pas tous comme ça, mais il y en a beaucoup. Dès qu'il a fait son cours, il sort, et jamais il parlera à un élève en dehors de sa classe.
Nadine — A part certains qui viennent d'eux-mêmes, mais ils

sont rares… C'est difficile d'aller voir un prof et de lui dire : voilà, j'ai séché, mais c'est parce que j'étais pas bien… Il y a quelque chose dans ma tête qui n'allait pas… C'est très difficile…

— *C'est tellement difficile, qu'en fait on n'essaie même pas ?*

— Non [*unanime*].

Muriel — Mais en fait c'est comme si on avait peur d'échouer tout de suite, quoi. On a l'impression… On sait… On a l'impression de savoir d'avance que, de toute façon, ça marchera pas. Donc on essaie même pas, quoi. A la limite, on passerait pour des petits rigolos – « mais c'est une bonne raison pour pas aller en cours, quoi… » – comme si ça nous amusait de pas aller en cours.

Nadine — J'ai jamais compris pourquoi eux… Quand ça m'est arrivé de sécher et de me planter à beaucoup de devoirs, j'allais voir les conseillères d'éducation ou les profs, et je me faisais engueuler. J'avais vraiment l'impression que pour eux, j'étais une petite rigolote qu'en avait rien à faire de son avenir… Alors que c'est pas vrai. Quand je sèche un cours, je m'en rends compte, ça me fait peur… Je me rends compte que c'est mon avenir qui est en jeu. Ils ont pas besoin de me le dire. Quand je sèche un cours, j'ai une angoisse permanente jusqu'à ce que je réussisse à excuser cette heure ou à rattraper cette heure que j'ai manquée… Des fois on a l'impression qu'ils nous prennent pour des petits enfants qui n'ont pas conscience que c'est leur avenir qui est en jeu (…).

— *Et toi, Claire, tu ressens les choses un peu pareil ou pas ?*

Claire — Les rapports avec les profs sont pas… Enfin les profs sont… On va en cours, on travaille. Il n'y a pas de rapports…

— *Même en cas de problème exceptionnel, on n'a pas l'impression que c'est possible de faire comprendre ça ?*

Claire — Non, enfin… Je suis pas là depuis longtemps, mais j'ai pas l'impression qu'on puisse vraiment aller voir un prof.

— *Et au collège ?*

Claire — Au collège, c'était comme une petite famille… Tout le monde se connaissait. Les professeurs savaient qui on était. On avait toujours un prof derrière soi (…).

On considère surtout les scientifiques

— *En seconde les professeurs vous font sentir qu'il y a un seul but qui serait la première S, et en même temps pour y arriver vous*

vous rendez compte que ça demande un travail très important, donc là il y a une espèce de pression…

Muriel — C'est aussi des fois qu'on en a pas envie.

— Et quand vous n'en avez pas envie, on pourrait imaginer que ça vous stresse moins…

Muriel — Ah ben non justement !

Nadine — Il y a une telle déconsidération… On considère surtout les scientifiques. A ma deuxième seconde, j'étais fixée. Je voulais faire A, et dans les matières littéraires, ça allait très bien. Et ils m'ont mis des mauvaises appréciations générales, parce que les matières scientifiques ne suivaient pas. Moi, je m'en foutais… Enfin, moi j'aime bien les maths, la physique, sincèrement, et j'ai continué. Mais ce qui m'intéressait le plus, c'était les matières littéraires, j'avais des bonnes notes dans ces matières, et les appréciations n'ont pas suivi. Quand les appréciations suivent pas, ça fait un choc. Quand on considère pas vos efforts par rapport à ce que vous voulez faire… En plus on sait qu'ils sont capables de faire redoubler pour des trucs qui n'ont rien à voir.

— C'est surprenant que les profs non scientifiques entrent dans ce jeu…

Muriel — Ça c'est un problème parce que maintenant en S, ils mettent pas tellement des élèves qui sont seulement bons en maths, physique, sciences-nat… Ils peuvent être moyens dans ces matières-là. On considère quand même qu'en S ils bosseront et que les meilleurs élèves de toute façon on les met seulement en scientifique. Les meilleurs en français, on les fait bosser comme des malades en maths.

— On les pousse…

Muriel — Exactement. Parce que moi j'avais de très bonnes notes en français — en maths au premier trimestre, c'est parce que ça m'intéressait pas énormément que je bossais pas beaucoup, donc j'étais très moyenne, moyenne –, le prof de maths à la fin du premier trimestre, il est venu me voir et il m'a dit, « avec les notes que tu as dans les autres matières, il faudrait que tu aies deux points de plus en maths et je te fais passer en S ». Non, ça m'intéressait pas. Il m'a dit « oui m'enfin les meilleurs élèves vont en S »…, « non ça m'intéresse pas. J'ai pas envie de me galérer l'année prochaine pour travailler les maths, la physique, moi je préfère faire ce que j'ai envie ». Il a paru étonné quoi.

Nadine — Ah oui, quand on leur dit ça les profs, ils sont étonnés hein ! (…) Je sais que ma première seconde, on était la majorité des personnes qui voulaient passer en A1, A2, A3 ; et on avait des profs de sciences qu'étaient, qu'étaient pas nuls – c'étaient de très bons profs – mais ils se foutaient totalement de nous, et il y avait une agression permanente pendant l'année. Dès le premier jour ils nous ont dit, « vous avez pris trois langues, on vous aime pas… Vous nous aimez pas, on vous aime pas », en gros c'était leur discours. Par contre, du côté des profs, disons plus littéraires, ça allait mieux. Et à ma deuxième seconde, je suis tombée dans une classe où la majorité des élèves passaient en S, S' ; et le prof de français, il était reconnu par l'administration comme incapable d'enseigner (…).

Claire — Moi, au début de l'année, j'avais pris une troisième langue. Je voulais faire un bac A1, mais je voulais faire une troisième langue. Et ils m'ont carrément mise dans une classe A2-A3 [*considérée comme section-refuge pour les élèves faibles en mathématiques*]. Et au début de l'année, ils nous ont dit, « alors voilà, on sait que vous êtes pas bons en maths, que vous ferez rien pour vous en sortir, alors on va pas forcer sur les maths ». Alors ça m'a un peu choquée, quand on nous dit ça dès le premier jour…

— *Dès le premier jour…?*

Muriel — Ah oui, c'est d'entrée ! ils prennent pas de gants.

Claire — En principe, une seconde, c'est une seconde indéterminée. (…) Moi je sais pas, mais quand on dit, « vous êtes nuls en maths, on forcera pas »… [*A la suite de cela, Claire a pu changer de classe*.]

[*Nadine regrette l'affaiblissement de la solidarité entre les élèves, par rapport à ce qu'elle avait connu, au collège notamment*.]

Nadine — J'ai commencé à avoir des problèmes avec mes parents en arrivant en seconde, l'année où je me suis mise à régresser scolairement. A part mes deux secondes, j'ai vraiment jamais eu de problèmes avec ma famille ; et euh, je sais que cette année-là ils ont commencé à prendre en compte… J'étais pas du tout habituée à ce qu'ils s'occupent de… de mon travail. Comme j'ai toujours été bonne élève, j'étais pas du tout habituée à ce qu'ils s'occupent à ce point-là de mon travail, et en plus ça a créé des conflits dans la famille… mais réels quoi, vraiment !

Muriel — [*interrompant Nadine*] Et en plus on est tellement privée, on est tellement stressée toute la semaine, qu'on arrive au samedi, mais on a plus envie de rien faire. On a envie de dormir, de sortir, de s'amuser, d'aller voir des copains, de pas dormir de la nuit du samedi, de faire n'importe quoi… Et les parents ils flippent, quoi ! Et en même temps, ils peuvent pas nous l'interdire parce qu'ils savent très bien que quelque part, si on s'amuse pas un moment, ben… euh, on continuera pas. On pourra plus suivre nos cours, quoi. En même temps, si on s'amuse, on aura peut-être aussi du mal à suivre. Donc…

C'était l'école, l'école, l'école

Nadine — Y a un truc aussi, toujours dans ce conflit. A partir du moment où mes parents, ils se sont mis à s'intéresser justement, en seconde, à mon travail parce que je commençais à…, ils voyaient les notes descendre, et puis descendre bien ! Les discussions chez moi c'était que l'école ! On pouvait rien parler d'autre ! C'était l'école, l'école, l'école… Et cette matière ? Et cette matière ? Et ma mère – c'était lié à l'espoir quelque part que je fasse S – c'était en particulier les maths. Je lui disais : — « J'ai eu 15 en français. » — « Et les maths ?… Et les maths ? » Le 15 en français elle passait à côté. Et c'était ça, mais sans arrêt. Et… il y a des moments où je me souviens m'être dit, mais je suis quoi pour eux ? (…) Il y a eu des… des moments où ça a été vraiment dur, quoi. On s'est bien engueulés. Et depuis, on en a reparlé (…), et ma mère, c'est passé ; ça revient dans les moments où les notes descendent, mais c'est largement passé. Mais les deux secondes ça a été très dur !

— Il y a un moment où il y a la même pression de la part des profs et de la part des parents ?

Nadine — Oui. Mais je crois que mes parents, ils ont été aussi énormément stressés par ma scolarité, et puis par celle de mon frère. Énormément ! Enfin, ma mère surtout. Le stress c'est peut-être pas le même stress parce que c'est pas la même chose, mais je sais pas : un stress très fort.

Muriel — Les parents ils sont aussi vachement stressés parce que… Nous, autant on sait bien que ce qui se joue en ce moment c'est notre avenir, autant ils le savent aussi, quoi. Ils sont certainement autant intéressés par notre avenir que nous. Mais ils le voient peut-être pas de la même manière, parce que eux, ils y sont. Ils y sont dans leur avenir. Nous on y est pas encore et peut-être qu'on peut, enfin ils pensent qu'on peut éviter des choses, des fautes que eux ils ont faites. En même temps, pour eux, c'est difficile de nous conseiller, parce que nous, on les écoute pas [rire]. Enfin, on a pas tellement envie de les écouter quoi… [Nadine approuve]. Parce que, bon, on nous a assez fait la morale en cours.

[…]

Muriel — Moi je me disais que de toute façon, je savais ce que je voulais faire, et que ces pressions, ben il fallait que je fasse avec, et même, essayer de les laisser de côté. (…) Je me disais, ça sert à rien que je travaille comme une folle pour aller en S alors que j'ai pas envie d'y aller, quoi…

— *Parce que toi aussi, tes parents faisaient pression pour que t'ailles en S ?*

Muriel — Non non (…). Je pense que c'était clair d'avance. Même quand j'étais au collège, j'étais une bonne élève en maths hein, mais ça m'intéressait pas, quoi.

Nadine — Mais moi, mes parents, ils ont jamais fait pression directement sur moi… Ils m'ont jamais dit « tu feras S et pas autre chose » (…). C'est bizarre, parce que, l'année où j'ai été la pire (à ma première seconde), ils m'ont pas trop… tannée, quoi, disons. C'est surtout à ma deuxième seconde, l'année où mes résultats ont remonté. Et cette année-là, y a eu un stress ! Mais chez ma mère, c'était… c'était formidable ! Dès que je remontais un peu de moyenne en maths, elle disait, « tu vas peut-être pouvoir faire S, tu vas peut-être pouvoir faire D… ».

[…]

Faites C !

Claire — Il y a un truc aussi qui est fou, enfin… Ma sœur elle est entrée à Henri IV. [*Elle est en classe préparatoire à l'École des chartes.*] Elle a fait un bac A1, un bac littéraire et… je veux dire : ils font plus du tout de maths, physique, tout ça (…), et les trois quarts de la classe, ils ont fait bac C : c'est ceux qui ont été pris en premier. (…) Les autres bacs sont complètement dévalorisés. Et puis, je vois aussi nos profs, ils nous disent, « faites C, faites C ! ». Parce qu'ensuite, si on veut rentrer dans une école en priorité comme ça, faut faire bac C. Ils nous disent carrément ça, donc…

Muriel — Pour entrer en prépa lettres, il vaut mieux avoir fait un bac C, quoi ! ça devient complètement incohérent !

Nadine — On devrait faire qu'un seul bac !

[…]

— *En seconde, vous vous souvenez de la proportion d'élèves qui voulaient, essayaient d'aller en première S ?*

Muriel — Oh ! Nous, on était quatre ; sur 35, on était quatre à vouloir, dès le début de l'année, passer en A1, (...) tous les autres voulaient faire S.

Nadine — Au tout début, au tout début, quand je suis arrivée en seconde, je voulais faire S. Mais, je sais pas, je voulais faire école de photo. Et puis bon, maintenant je désillusionne. Je m'étais dit, pourquoi pas ? Je travaillais bien jusqu'ici, donc ça me semblait pas... Et puis bon, au bout de deux mois de seconde, je me suis dit, de toute façon je tiendrai jamais sur des grandes études, ni pour aller jusqu'en C, donc je change d'avis.

Claire — Il y a les trois quarts de la classe qui veulent faire S. (...) Moi de toute façon, je veux pas faire S, parce que j'ai vraiment horreur des maths.

[...]

Nadine — Toutes mes années de collège, je m'étais toujours bien entendue avec les profs. Cette année-là, en seconde, je me suis accrochée avec tout le monde, sans exception... Y avait un truc qu'était bizarre c'est que justement jusqu'en troisième, j'avais été une bonne élève. C'était un peu le truc dans le style : dans un sens, ça peut pas m'arriver... L'échec scolaire ça m'arrivera pas à moi. Et d'un autre côté, de toute façon, ma seconde, c'est normal que je la redouble. C'est vrai que la seconde, c'est une classe difficile. Mon frère l'avait redoublée. (...) Y a peut-être un truc, c'est que ma mère, sans le vouloir, quoi, vraiment sans le vouloir, mais je le ressens dans plusieurs... Souvent quand on parle, elle a pas un manque de confiance... mais euh, disons qu'elle fait plus confiance à mon frère qu'à moi. Et dès le début de la seconde, je me souviens qu'elle m'avait dit – mais c'était pas méchamment, au contraire, c'était pour me rassurer –, « de toute façon, si tu redoubles, c'est pas grave, ton frère l'a déjà redoublée ». (...) Enfin, quand j'y repense, (...) c'est vrai qu'il y avait un... un manque de confiance dans cette classe de seconde, quoi, une normalité dans le redoublement de la seconde... qui venait des professeurs, qui venait du collège, qui venait de mes parents, qui venait d'un peu partout. Et ça fait que ma première année de seconde, j'étais pas réellement stressée. Ma deuxième année de seconde, par contre, c'était le stress à fond !

— Mais est-ce que justement, il n'y a pas un peu l'idée que, bon, on va redoubler, et puis que presque automatiquement ça va aller mieux ? (...).
Nadine — (...) Pour moi, quasiment tout le monde redoublait la seconde... En fait y a plein de mes copains qui étaient passés. Je me suis retrouvée dans une classe où je connaissais absolument, mais personne, (...) où c'étaient des bûcheurs à fond, qui travaillaient très fort. J'ai eu des relations, dans cette classe, avec deux élèves seulement. Les autres, je leur ai jamais parlé, je m'entendais assez mal (...) Et en plus fallait que je m'accroche... Je m'apercevais que même en ayant redoublé, tout ce qu'on voyait, c'était nouveau. Fallait que je m'accroche au niveau travail. Fallait que je m'accroche au niveau relationnel. J'étais en train de perdre des amis qui avaient, soit eu leur bac, soit qui étaient passés en première. Donc, même si on se voyait en dehors des cours, ça crée une certaine distance. Et... enfin, disons que je suis descendue de mes rêves... Ma deuxième seconde, ça a été : qu'est-ce que je fais là ? Surtout qu'en fait, j'ai aussi pris conscience que ma première seconde, j'aurais très bien pu ne pas la redoubler (...).

Les premiers qui craquent, tant pis pour eux

Nadine — Souvent dans les classes, j'ai remarqué ça. C'est qu'il y a des groupes ; et y a des personnes isolées, et en général y en a beaucoup qui craquent...
— Les personnes isolées craquent ?
— Oui [*unanime*].
Nadine — Je l'ai ressenti (...) à ma deuxième seconde donc. Mais j'ai vu aussi des personnes qui étaient, soit toutes seules, soit à deux, qui ont craqué ; soit carrément en abandonnant l'école, soit dans les cas les plus graves, en faisant des tentatives de suicide. Parce qu'à ma connaissance, – ça fait quatre ans que je suis au lycée –, à ma connaissance, y a déjà cinq personnes qui ont fait des tentatives de suicide dans le lycée. Je trouve ça énorme. (...) Un truc important, c'est le nombre de maladies psychosomatiques. Y a une copine qui vient d'arrêter, qu'est pas revenue depuis un mois et demi. (...) Y a une copine, l'année dernière, qui a fait des tonnes de maladies qu'étaient dues au stress, littéralement (...), en première, avec l'appréhension du bac de français... Et euh, il y a

plein de petites maladies qui ne s'expliquent pas… Moi, c'est des poussées d'herpès…
[…]
— *On a l'impression que rien n'est prévu pour essayer d'aider quelqu'un qui à un moment donné rencontre des difficultés.*
[…]
Nadine — C'est un peu la loi du plus fort. C'est ceux qui craquent pas qui réussiront. C'est comme en fac, ceux qui craqueront pas, ils auront la chance d'être 200 par amphi au lieu d'être 500. Les premiers qui craquent, tant pis pour eux. C'est les plus forts qui arrivent…
— *A la limite, ça vous paraît presque normal qu'il n'y ait pas de choses prévues pour aider, de structures d'aide…*
Nadine — Ça me paraît pas normal, ça me paraît dans leur logique, quoi. Parce qu'il y a déjà la logique de sélection. Y a déjà une logique de sélection, de décourage… enfin de découragement, je ne sais pas si c'est vraiment dans leur logique, mais euh… étant donné qu'ils cherchent à tout prix à sélectionner, à faire un peu leur lycée d'élite, leur bac d'élite… Et puis euh… Je veux dire… Ils vont pas nous aider à faire réussir tout le monde ; ils essaient déjà de nous éliminer…
Muriel — Ils vont pas prendre les paramètres extérieurs… Il faut pas trop leur en demander quoi !…

décembre 1990

Sylvain Broccolichi, Françoise Œuvrard

L'engrenage

Depuis une trentaine d'années, les transformations les plus visibles de l'espace des établissements scolaires ont été dans le sens d'une unification formelle (collège unique, lycée d'enseignement général et technologique) qui a masqué en fait un profond processus de différenciation. Non seulement les anciennes différences qui étaient liées aux statuts ou à l'ancienneté des professeurs sont loin d'avoir disparu de l'enseignement secondaire, mais elles se sont conjuguées avec un ensemble de transformations concomitantes qui n'ont cessé d'accentuer les différences entre établissements, notamment sous le rapport de l'inégale concentration des élèves les plus démunis culturellement, donc les plus susceptibles de « poser problème » à l'école. Aujourd'hui, les conditions d'exercice du métier d'enseignant sont de plus en plus hétérogènes et varient fortement selon les établissements [1].

1. Les médias exploitant le filon de la « violence à l'école » ou du « malaise enseignant » peuvent proposer tantôt une vision indifférenciée du métier d'enseignant et de la condition des élèves, tantôt une interprétation manichéenne des différences les plus flagrantes opposant les « bons » et les « mauvais » (établissements, élèves, enseignants, directeurs...) ou les « barbares » et les « civilisés ».

Les professeurs, surtout ceux qui enseignent dans les établissements les plus touchés, vivent d'autant plus mal les difficultés qu'ils rencontrent que l'insuffisante connaissance des causes de ces difficultés laisse la possibilité de leur en attribuer la responsabilité et les culpabilise. L'école, qui est censée transmettre des connaissances dans des conditions optimales d'équité, semble elle-même faiblement éclairée sur ce qui la détourne de ses missions, au point d'occulter ce qui rend le métier « impossible » dans certains établissements.

Pression de la demande et choix démagogique

C'est surtout à partir du milieu des années 1980 que s'est intensifié le processus de différenciation, qui a pour conséquence de concentrer les problèmes dans certains établissements [2]. L'allongement des scolarités qui s'observe à partir du milieu des années 80 fait suite à une décennie de faible évolution des flux d'élèves dans l'enseignement secondaire, notamment en ce qui concerne l'accès en classe de seconde et l'obtention d'un baccalauréat général. Comparant les panels d'élèves entrés en sixième en 1973 et en 1980, les

2. Aussi bien à l'échelle nationale qu'à un échelon géographique plus fin (département, ville), on observe une accentuation des différences entre établissements scolaires du point de vue de leurs populations d'élèves. Par exemple, les écarts entre collèges au niveau de la proportion d'élèves d'origine populaire, d'élèves âgés ou d'élèves étrangers, s'accentuent. On observe aussi le même type d'évolution sur dix ans, entre les collèges classés en ZEP et les autres collèges, accompagnée d'une concentration plus forte – bien qu'à un moindre degré – des enseignants jeunes et non titulaires dans les établissements les plus défavorisés.

autorités administratives constatent l'absence d'« amélioration réelle des cursus pour chacune des catégories considérées » (si l'on tient compte de l'origine sociale et de l'âge d'entrée en sixième). « Si le taux (d'accès en seconde) passe en sept ans de 41 à 46 %, c'est parce que les catégories favorisées, enfants de cadres et professions libérales, entrant à 11 ans sont mieux représentées en 1980 qu'en 1973 » [3]. Alors que la demande d'accès à des études plus longues était déjà très forte et très générale, le fonctionnement du système scolaire continuait à produire les mêmes inégalités sociales de réussite scolaire sanctionnées par les mêmes orientations sélectives.

Face à cela, l'objectif des « 80 % d'une classe d'âge en l'an 2000 au niveau du baccalauréat » et la politique des 80 % menée à partir de 1985 peuvent se comprendre comme le désir de donner une satisfaction apparente à la forte demande sociale d'accès à des niveaux d'étude plus élevés, en tenant de moins en moins compte de l'avis des enseignants. Les décisions d'orientation se trouvent de plus en plus disjointes de l'évaluation effectuée par les équipes éducatives tandis que s'accroît la pression des parents qui, malgré l'avis des conseils de classe, obtiennent des passages en classe supérieure. Et c'est ainsi que le taux d'accès à une classe terminale (d'enseignement général, technologique ou professionnel) est passé de 36 % d'une classe d'âge en 1985 à 58 % en 1991, soit 22 points d'augmentation en six ans, contre 10 points d'augmentation durant les 15 années précédentes.

3. Cf. Annexe du Plan pour l'avenir de l'Éducation nationale, publié dans *Éducation et formations*, avril-juin 1988.

Désordre et tensions

Dans sa brutalité discriminatoire, l'ancien système avait au moins une certaine cohérence. Il amplifiait et sanctionnait des différences (notamment dans la maîtrise des connaissances et dans le goût pour l'école) en séparant plus ou moins précocement les élèves capables de « poursuivre des études longues » de ceux dont les performances scolaires et le comportement « prouvaient » aux enseignants qu'ils n'avaient plus leur place au collège ou au lycée : ceux-ci étaient orientés vers « le technique » ou vers « la vie active » dès l'âge de 16 ans.

La pression des parents

Les procédures actuelles de passage font qu'en ce moment, c'est le défilé chez le Principal. C'est les souks de Constantinople, comme il dit, pour les parents qui font pression pour que les élèves passent en seconde. (...) Ils font pression, pression, pression, et bon, il en a marre. Il dit, « OK pour le passage ». (...) Déjà nous au collège on est obligé. On peut encore varier un petit peu pour le passage troisième-seconde, mais de toute façon, de plus en plus et à tous les niveaux, on se retrouve avec des élèves qui n'ont pas le niveau de la classe. Donc en fait, on a le choix entre – et là c'est complètement à l'affectif que ça marche – soit l'élève, on se remue, on le tire, etc., soit on décrète que ras le bol, on le laisse dans son coin et tranquille, du moment qu'il ne nous emmerde pas trop ; s'il nous emmerde un peu trop, on tape très fort dessus jusqu'à ce qu'il nous emmerde plus et puis voilà. Et l'élève il est là, il attend et puis les années passent (...).

Les parents sont plus habitués, maintenant à rencontrer le chef d'établissement et à se rendre compte que c'est quelqu'un qui peut fléchir. Donc la constitution des classes par exemple, c'était l'institution scolaire. Ce qu'elle avait décidé, on l'acceptait. Maintenant où les parents sentent de plus en plus que la pression peut faire bouger des choses pour l'orientation, probablement ils se disent aussi, « pourquoi ne pas essayer non plus pour ça... » (...)

Comme on est un recrutement moitié sur un truc pavillonnaire, moitié sur une cité, le collège tient parce que justement on a des repères avec des gamins qui travaillent. (...) A la fois pour nous et pour les autres gamins, c'est comme ça qu'on fonctionne normalement. Si on n'a plus ces gamins-là, le collège n'existe plus, c'est évident. (...) Leurs parents, évidemment, c'est ceux-là qui font pression sans arrêt, et c'est pour ça qu'on cède aux pressions, par exemple pour faire de bonnes classes, etc. (...). Les parents qui disent, « si ma fille elle passe dans telle classe avec tel prof, elle part dans le privé » (...), tant que c'était des éléments isolés, on pouvait le faire. Maintenant que la pression est de plus en plus forte, c'est des parents d'élèves tout à fait moyens, qui plus ou moins se foutent du monde, qui veulent que le petit chéri soit dans une bonne classe.

(...) Alors d'un côté on parle de nécessité du travail d'équipe, et d'un autre côté les collègues sont complètement écœurés parce que, « c'est plus la peine que je participe à une réunion puisqu'en dernier ressort, c'est le principal qui va décider après s'être dépatouillé dans les multiples pressions auxquelles il a droit ». Donc le conseil de classe a plus du tout le sentiment de son utilité. (...)

De plus en plus maintenant il n'y a plus de lois ; c'est n'importe quoi, n'importe comment. On passe pour des raisons abracadabrantes, parce que de toute façon il n'y a pas d'autre endroit où aller... •

Extrait d'un entretien avec un professeur de mathématiques enseignant dans un collège de la banlieue parisienne.

Avec le nouveau mode de gestion des flux scolaires, c'est tout l'équilibre entre pratiques d'enseignement et pratiques d'orientation des élèves qui s'est trouvé rompu. Pour comprendre les effets qu'il exerce sur les élèves et les réactions qu'il suscite souvent chez les enseignants, il faut tenir compte d'un point décisif : l'organisation actuelle du système d'enseignement ne permet pas aux enseignants d'apporter aux élèves une assistance intensive et différenciée ; or celle-ci devient indispensable à mesure que s'accroît la part des élèves peu pourvus en capital culturel, et ayant pour cela plus à apprendre de l'école. Ainsi maintenir à l'école ceux qui en auraient été « exclus » autrefois sans créer les conditions d'une action éducative efficace à l'intention d'élèves qui dépendent davantage de l'École pour acquérir tout ce qu'elle exige, c'est faire surgir des difficultés de tous ordres propres à détériorer les conditions de travail des enseignants sans améliorer réellement le sort des élèves. On comprend ainsi que les effets incontrôlés de la politique proprement démagogique des 80 % conduisent de nombreux enseignants à regretter l'ordre ancien. « Je fais mon travail, mais je ne suis pas là pour m'échiner à récupérer des élèves qui ne devraient pas être là » tend à devenir un propos courant dans les salles de professeurs de collèges et lycées. Comme on pouvait le prévoir, les problèmes attachés à la communication pédagogique et aux relations entre élèves et enseignants, se sont principalement aggravés là où ils étaient déjà les plus importants, c'est-à-dire dans les collèges à recrutement populaire où l'orientation sélective était jusque-là utilisée pour réduire les tensions et les difficultés liées à l'inadaptation scolaire, et dans les lycées professionnels qui reçoivent à un âge plus avancé les élèves les moins adaptés.

Au collège, le maintien jusqu'en troisième de ces élèves « difficiles » dans des conditions où la régulation des difficultés est d'autant moins assurée qu'elles se multiplient, a été obtenu en adressant des consignes en ce sens aux principaux de collèges et en supprimant progressivement les classes préparant au CAP, les CPPN et les CPA [4]. Ce qui déconcerte, décourage ou

4. Les statistiques d'orientation par établissement indiquent qu'au milieu des années 80, dans la plupart des collèges urbains et ruraux à recrutement populaire, plus du tiers des élèves n'atteignaient pas la quatrième. On retrouve une proportion proche de 40 % de non-accès en quatrième au niveau national pour les élèves d'origine populaire, tandis qu'environ 3 % seulement des enfants d'enseignants ou de cadres supérieurs étaient dans ce cas.

désespère les enseignants, ce n'est pas seulement l'obligation de supporter jusqu'à un âge où ils peuvent apparaître comme beaucoup plus dangereux les élèves que leur « comportement infernal », leur « absence de motivation » ou leur « totale incompréhension » des activité scolaires font apparaître comme « insupportables », « désespérants » voire « irrécupérables ». C'est aussi l'affaiblissement du pouvoir de sanctionner le travail des élèves, de les inciter à l'activité scolaire et d'obtenir un minimum de respect des prescriptions professorales, même de la part des plus réfractaires. Le passage en classe supérieure devenant moins nettement dépendant du travail des élèves, les enseignants ont le sentiment de perdre un des fondements majeurs de leur autorité auprès de certains élèves, et se sentent de plus en plus « impuissants » face aux moins disposés à s'intéresser aux activités scolaires proposées à un moment où le poids relatif de ce type d'élève s'accroît dans beaucoup de collèges.

L'école des pauvres

— *On a tellement l'impression que ça va de plus en plus mal, qu'ils sont tellement plus durs les gamins (...). Quand je dis de plus en plus durs, c'est surtout de plus en plus dur pour les faire travailler, c'est un manque de motivation, je trouve. On a l'impression qu'ils s'ennuient beaucoup.*
— Qu'ils s'ennuient, qu'ils sont plus passifs ?
— *C'est pas forcément plus passifs, non, ça peut se traduire autrement... par de l'agressivité... (...). Je pense que la population a changé... je pense qu'il y a de plus en plus d'enfants de travailleurs immigrés. Et que les bons élèves s'en vont de plus en plus aussi. Donc on est le collège des pauvres. Et ce qui me fait le plus peur, c'est que je crois que bientôt l'enseignement public sera l'école des pauvres.*

Et puis regarde, moi-même je les ai pas mis à V. mes enfants (...). L'année où Éric était en CM2, moi j'avais une sixième avec sept caractériels. On les avait regroupés pour pas gêner les autres classes (on le fait toujours un peu). Alors ça m'avait vaccinée et j'avais dit qu'Éric irait à Paris. Il n'y a pas que moi sur V. qui fais ça, et c'est ce qui explique qu'on n'a plus que les queues de classes. (...)

Enfin, cette année, j'ai une bonne classe de sixième et c'est le jour et la nuit avec l'année dernière. (...) Dans une bonne classe si tu veux, la vie s'écoule bien. C'est un vrai plaisir : tu es là, tu sens vivre ta classe ; c'est eux qui t'apportent... Enfin je sais pas, tu dis des choses, et hop ça y est, ça part tout seul ! Bon, en sixième ça se passe comme ça et je trouve ça absolument merveilleux. En troisième, j'ai pas de problèmes de discipline, mais ils sont lourds. Il faut essayer... essayer de les motiver, mais on ne peut même pas les motiver, je sais pas, c'est... Il faut essayer de pas les emmerder. Voilà. Je ne suis même plus une enseignante, j'essaie de ne pas les emmerder. (...) C'est dur parce qu'à un moment je me demande ce qu'ils peuvent faire, et ce que je peux pour eux... (...)

C'est-à-dire que je ne demande pas un niveau de troisième. J'ai vraiment baissé mes exigences. (...) je sais qu'il y en aura quand même quelques-uns qui passeront en seconde, alors ceux-là j'essaye de les pousser davantage, mais de toute façon il y en a plein qui ne veulent pas, depuis le début, qui en ont marre de l'école et qui savent qu'ils feront un BEP et donc qui attendent que ça se passe... •

Extrait d'un entretien avec un professeur d'anglais certifié enseignant depuis une douzaine d'années dans le collège (classé ZEP depuis deux ans) proche de son domicile, en banlieue parisienne.

De l'épreuve scolaire à l'épreuve de force

C'est sans doute dans les lycées professionnels que les conséquences de ces transformations sont les plus sensibles. La fraction des élèves qui, dans l'état antérieur du système, préparait un BEP, va désormais majoritairement au lycée ; les élèves entraient autrefois au lycée professionnel à 14 ou 15 ans, ils y entrent aujourd'hui à 17 ou 18 ans avec un passé scolaire plus lourd et ont donc des « comptes à régler » avec l'école. Ces élèves, maintenus plus longtemps au collège dans une position d'échec génératrice de passivité ou de violence, ont acquis des traits qui rendent le travail des enseignants de lycée professionnel beaucoup plus difficile et éprouvant [5]. Les conditions d'encadrement ne permettant pas d'assurer un rôle éducatif réel, on voit s'affirmer de plus en plus fréquemment des « chefs de bande » qui tendent à défier ouvertement les enseignants, multipliant les épreuves de force qui tiennent lieu de revanche sur l'école pour ces élèves mis en échec par l'école.

La loi du marché

Mais ce processus de différenciation des établissements et de concentration de difficultés qui est lié au maintien des élèves dans les collèges puis les lycées, s'est trouvé renforcé par des mesures de « décentralisation » et de mise en concurrence entre les établissements qui engendrent de nouveaux cercles vicieux. Les établissements, en effet, disposent d'une marge de manœuvre accrue dans l'utilisation de leurs moyens. S'ils doivent s'adapter à leur public, ils se préoccupent aussi de leur image sur le marché local et des effets qu'elle exerce sur la clientèle qu'ils sont susceptibles d'attirer ou de faire fuir. Les moyens dont ils disposent

---

5. Malgré l'ambiguïté liée à leurs usages multiples, les termes d'« échec » ou d'inadaptation scolaire servent à rappeler que, dans l'état actuel des dispositifs scolaires, les élèves les moins bien classés sont régulièrement mis en position « d'inintelligence » des activités scolaires (dont ils se désintéressent de plus en plus) : cette situation tend à les placer devant l'alternative entre une position passive d'acceptation de leur infériorité (vis-à-vis de ceux qu'ils appellent les « têtes ») et une recherche d'affirmation sur d'autres terrains comme celui de la violence physique (être un « dur » plutôt qu'un élève « faible » par exemple).

« librement », étant limités, ils doivent trancher. Choisir, par exemple, entre une option prestigieuse, tel le grec, pour éviter le départ des bons élèves vers des établissements concurrents, et une mesure d'aide aux élèves en difficulté. C'est ainsi que peuvent se créer ou se renforcer des hiérarchies entre les établissements qui parviennent à se définir comme des « pôles d'excellence », et ceux qui n'ont d'autre spécialisation possible (peu valorisée et peu enviée) que le traitement des élèves en difficulté.

Alors que l'autonomie était censée favoriser l'adaptation des établissements à leur public, les contraintes de la concurrence incitent au contraire les établissements à composer avec la demande en essayant prioritairement d'empêcher le mouvement de « fuite des bons élèves » qui accompagne généralement l'élévation de la proportion d'élèves « difficiles » (jugés toujours trop nombreux en cette période d'affaiblissement de la sélection). Et comme les familles des élèves les mieux dotés socialement et scolairement sont également les plus en mesure de choisir en connaissance de cause et d'obtenir satisfaction, la nécessité de « remplir » les établissements les plus « fuis » produit, plus sûrement encore que par le passé, des lieux de relégation où sont concentrés les problèmes.

Même dans les départements encore sectorisés, comme le Val-de-Marne, on peut observer, dans la plupart des villes, une différenciation croissante des populations d'élèves des collèges liée à de telles fuites. Mais c'est surtout dans les zones urbaines désectorisées que le jeu des migrations et différenciations est le plus intense et dépendant des arguments « publicitaires » ou des comparaisons incertaines entre proches concurrents auxquelles se raccrochent les parents d'élèves[6].

Fuir les établissements les plus fuis et demander les plus demandés (par les parents d'un même groupe social), paraissant généralement le plus sûr, les croyances majoritaires en des hiérarchies initialement incertaines redoublent les différences et renforcent les hiérarchies initiales. Liée, comme on sait, à l'origine sociale, la qualité du dossier scolaire est un élément déterminant des chances d'acceptation dans un établissement public ou privé. Dans les zones désectorisées, c'est cette qualité du dossier qui rend la liberté de choisir un établissement scolaire, réelle ou fictive (fictive quand elle se réduit à formuler des demandes non satisfaites avant d'être affecté autoritairement dans les établissements les moins demandés).

Ce processus circulaire qui transforme progressivement les soupçons en preuves en concentrant dans des établissements stigmatisés les populations d'élèves « à problèmes » rejetés des établissements les plus demandés, produit en fait l'équivalent de ce qui est unanimement dénoncé au niveau des « cités-ghettos »[7]. C'est ainsi qu'à Paris, ces mouvements de panique – dont les effets sont plus meurtriers que l'incertain motif initial de

---

6. Les bilans des expériences de désectorisation (en 1985 et 1987) font apparaître les dangers d'accentuation des inégalités sociales qu'entraînent ces mesures. Or, cela n'a pas empêché de les étendre, sans aucune évaluation des conséquences, à la moitié environ des collèges.

7. L'établissement scolaire et le lieu de résidence ont en commun d'être définis partiellement par leur population-cliente. Les évolutions récentes accentuent ce phénomène au niveau de la populations des établissements scolaires : les différences déjà importantes correspondant aux populations du quartier, se trouvent accrues par les nouvelles conditions de « choix » d'établissement.

la panique – ont touché de nombreux collèges, et même trois lycées à l'honorable passé qui ont été déclarés presque officiellement « sinistrés » au vu de la « fuite des bons élèves » qui les affecte et de la chute de leurs résultats aux examens liés à ces fuites, chute qui semble justifier le bien-fondé de nouvelles fuites [8]...

Culpabilisation et démoralisation

La concentration des élèves scolairement inadaptés est d'autant plus éprouvante pour les professeurs qu'elle rend leur travail plus ingrat : « on n'arrête pas de démissionner (...) ; on y met une telle énergie pour des fois rien ou des fois un tout petit peu, on se dit : non ceux-là je ne peux rien y faire, quoi. (...) Il y en a, je sais que je les abandonne. » Au lieu de s'interroger sur ce fonctionnement de l'école qui rend le métier d'enseignant impossible à exercer de façon satisfaisante, on tend au contraire à imputer aux enseignants les difficultés des élèves qui vont en s'accroissant au fur et à mesure qu'ils sont moins sélectionnés et donc moins dotés des propriétés sociales qui « facilitaient » auparavant leur travail. Au niveau des instructions d'abord, l'affirmation que « tous les élèves sont appelés à réussir » (peu après la généralisation de l'accès en sixième) a coïncidé avec l'injonction adressée aux enseignants (notamment en 1985, dans les instructions aux enseignants des collèges) d'« assurer une diversification et une individualisation de l'enseignement » fai-

8. Leur malheur semble lié d'abord au fait d'être « mal situés » géographiquement dans l'espace concurrentiel parisien, puisqu'ils se situent tous les trois entre le boulevard extérieur et le boulevard périphérique.

sant abstraction des conditions d'un tel changement. Et c'est aussi, depuis quelques années, la référence à « l'autonomie des établissements » qui met en demeure les équipes éducatives locales de résoudre elles-mêmes les problèmes en grande partie produits par la politique centrale « des 80 % ». Que les professeurs, qui éprouvent des difficultés bien supérieures à ce qui est légitimement prévu par ces différentes « instructions », s'en attribuent la responsabilité ou qu'ils voient là une méconnaissance réelle ou feinte de ceux qui devraient les éclairer, c'est dans tous les cas « l'écart à l'idéal » que ces textes font douloureusement mesurer.

Alors que l'école et la formation sont régulièrement présentées comme des priorités nationales, les contradictions entre la vision officielle d'un système scolaire assurant « la réussite de tous » (ou « l'égalité des chances ») et son fonctionnement réel se perpétuent d'autant plus facilement qu'elles demeurent en grande partie méconnues. Les enquêtes statistiques spécialisées dans le repérage des flux d'élèves ou des différences entre académies ou établissements coexistent, sans communiquer, avec des enquêtes pseudo-ethnologiques qui négligent d'objectiver les conditions régulièrement associées à l'émergence des divers types de problèmes, l'absence d'une telle objectivation conduisant immanquablement à blâmer les victimes en privilégiant par exemple « les capacités et les engagements des acteurs concernés » [9]. Ainsi se trouvent opposés de

9. Cette citation et les suivantes sont extraites de l'article d'Olivier Cousin et Jean-Philippe Guillemet, « Variations des performances scolaires et effets d'établissement » (paru en 1992 dans le numéro 31 de la revue *Éducation et formations*) centré sur une grossière opposition entre des lycées « en baisse » et des lycées « en hausse ».

façon manichéenne des établissements où existe « une volonté d'aller de l'avant » et où les changements sont même « interprétés comme une chance » (« les acteurs ne sont pas tentés par un repli sur le passé ») et les établissements où « les enseignants et l'administration ont à la fois une vision négative des élèves et des points de vue divergents sur les solutions à apporter ». Minimiser les difficultés ou les imputer ainsi à ceux qui les vivent, c'est faire obstacle à la connaissance rigoureuse des problèmes des établissements scolaires. C'est contribuer à la démoralisation de ceux dont les conditions d'exercice du métier se sont le plus dégradées. La polarisation sur l'allongement des scolarités au détriment des conditions d'enseignement, et la mise en concurrence inconsidérée d'établissements scolaires affrontés à de très inégales difficultés, semblent avoir grandement contribué à concentrer et aggraver les problèmes là où sont de plus en plus relégués les plus déshérités. L'absence de mesure visant à contrecarrer les effets de ces politiques démagogiques et incontrôlées a jeté le système d'enseignement dans une profonde crise dont la démoralisation des professeurs est à la fois un effet et une composante•

Rosine Christin

Une double vie

D'elle nous pensions tout savoir : l'origine provinciale, le grand-père paysan et les parents ouvriers rapidement évoqués, les prix d'excellence au lycée, puis les études de lettres à Toulouse, la montée à Paris, enfin le collège du Val-d'Oise, et 25 ans d'une vie d'enseignante dans la banlieue parisienne.

Dans un premier entretien mené en janvier 1991, elle avait raconté l'enthousiasme de ses débuts, son militantisme de jeune professeur, les attentes souvent démesurées des élèves, la violence aussi parfois, le club vidéo, les collègues, ceux qui craquent, sa propre lassitude ; elle avait parlé d'elle, ni « petit fonctionnaire relax » ni « mère Teresa », et de l'impression tenace de « faire un boulot de merde ».

A ce premier rendez-vous, elle était venue accompagnée d'une amie, ancienne adjointe au principal de son établissement. La manière d'être et de s'habiller, les longs cheveux blonds frisés, le large pull en jacquard, le langage un peu exalté, la vivacité, nous faisaient penser plus à une étudiante qu'à une femme de 48 ans. L'entretien, préparé de part et d'autre, s'était déroulé un mercredi, son seul jour de congé, dans un bureau de la Maison des sciences de l'homme. Au cours des nombreuses conversations préalables, Fanny, d'un tempérament inquiet et scrupuleux, s'était à plusieurs reprises informée de notre travail avant d'accepter de répondre à nos questions. Certes, nous connaissions de nombreux enseignants atteints de ce « malaise des profs » et nous les avions déjà interrogés, mais Fanny parlait avec intensité et sensibilité de son collège du Val-d'Oise, qui rassemble 700 élèves, enfants d'employés et de cadres, en accession à la propriété de petits pavillons, et dans lequel elle enseigne depuis une dizaine d'années. A plusieurs reprises, ce jour-là, elle avait su faire vivre pour nous, au quotidien, ce collège parmi d'autres, le principal qui « veut se faire mousser », les collègues qui accumulent dépressions et congés-maladie ou « les gamins qui (la) harcèlent » pour faire de la vidéo.

Elle avait su aussi exprimer son découragement sans pour autant se renier ni dénigrer. C'était un portrait exemplaire et qui, nous semblait-il, allait au fond des choses. Pourtant autour du magnétophone, seule la vie professionnelle de Fanny avait été évoquée, comme si le décor impersonnel et la situation officielle d'entretien avaient occulté une sorte d'intimité naissante, assez naturelle entre des femmes d'âge voisin, ayant en commun, sinon un genre de vie, du moins un certain nombre de références et de convictions.

Plus tard, à la relecture de la transcription, dépouillée de ce que nous avions appris « hors entretien », Fanny disparaissait, trop représentative peut-être d'un malaise si répandu et divulgué qu'il en perdait sa réalité, cachée derrière ses phrases banales de s'appliquer à tant d'autres, à toute une profession. Sans nous l'avouer tout d'abord, puis plus ouvertement, nous avons découvert peu à peu que, trop contentes de tenir un beau portrait, nous nous étions flouées nous-mêmes en quelque sorte, nous arrêtant à la surface des choses. Pourtant, entre les lignes, et comme en filigrane, jaillissaient de petites notations, à peine entrevues, comme des appels à questions : pourquoi ces journées de plus de dix heures, ce manque de disponibilité dont son mari se plaignait tant, cet acharnement au travail, au détriment de toute vie familiale que « ses filles lui reprochent maintenant » et ce divorce dont elle parle à peine ? « Elle ne connaît pas de couple où il y a un enseignant qui n'ait pas eu des problèmes de ce type » : simple effet du dévouement à un métier-sacerdoce réclamant un investissement de tous les instants, adhésion irrésistible au personnage qu'il faut jouer, pour les autres et pour soi-même, et jusque dans la vie familiale ?

Il fallait pousser plus loin notre conversation avec elle, en savoir plus pour comprendre ce que tant d'indices laissaient pressentir, cette sorte d'interpénétration destructrice de la vie professionnelle et de la vie privée, dans ce cas particulier et, peut-être dans la vie de nombre d'enseignants.

En avril, après quelques échanges téléphoniques, un autre rendez-vous est pris. L'entretien sera mené chez elle, cette fois, et filmé avec une petite caméra vidéo ; l'idée amuse plutôt Fanny qui, pour une fois, sera de l'autre côté de la caméra. Nous espérons que le document nous permettra de saisir et d'analyser à loisir des gestes, des expressions ou des regards que la vivacité même de Fanny nous a fait manquer.

A 30 minutes de la porte de la Chapelle, une longue avenue, ni triste ni gaie, éloignée du centre, déserte à cette heure de l'après-midi, bordée de petits immeubles de quatre étages, convenables, groupés en « résidences » et entourés d'une maigre végétation. Elle vit là, avec ses deux filles jumelles âgées de 23 ans. Deux chambres, un petit séjour ; c'est l'appartement qu'elle a occupé avec son mari pendant plus de 15 ans. Ils l'avaient installé ensemble, rien n'a bougé et tout est à refaire, la tapisserie se décolle, il faudrait la changer, les meubles ont besoin d'être réparés, elle le sait bien et elle en souffre un peu mais elle a eu trop à faire, depuis le départ de son mari, en 85, pour « recoller les morceaux » avec ses filles. L'une prépare un diplôme d'éducatrice, l'autre est horticultrice.

La vie de Fanny est jalonnée de déracinements, de renoncements, de ruptures. Elle est fille d'un ouvrier tisserand, lui-même fils d'un paysan de l'Ariège. De ses origines, elle a gardé un fort accent qui, bien qu'on s'en défende, donne un air d'étrangeté à certains de ses propos, les plus « intellectuels ». Son père à quitté son village alors qu'elle était encore toute petite pour « apprendre son métier » dans un bourg voisin et « travailler dur en usine ». Elle était encore « toute môme » mais aujourd'hui, elle se souvient encore de ce premier déracinement, si dur qu'elle n'a pas quitté la maison pendant plus d'un mois. Plus tard, il y a eu les années de pensionnat, puis Toulouse, Paris, Avignon aussi, brève tentative de retour vers un autre Midi, « puis finalement on sait plus où on en est ». Si elle était restée en province avec son mari, elle aurait eu une vie plus calme, plus tranquille, « pépère » mais éloignés de leur pays et de leur famille, ces deux transfuges, ces immigrés, « ont été livrés à (eux-mêmes) et malmenés ».

Sa mère, fille d'un émigré espagnol et de la « putain du village », avait été prise en charge, dans sa jeunesse, par un oncle, représentant de commerce qui « avait fait son chemin » et « avait des sous » ; elle est allée jusqu'au brevet supérieur avant de se marier et de travailler en usine, elle aussi ; elle a rêvé pour sa fille des études qu'elle n'avait pas pu poursuivre, d'une carrière d'enseignante, d'un bon mariage, d'une autre vie. Au collège de Pavie, en classe de philo, Fanny est une très bonne élève, elle veut « être toubib », les parents s'y opposent ; ce n'est pas un métier pour une femme – la mère de Fanny connaît même une femme médecin qui n'exerce pas –, les études sont chères. Surtout, la carrière d'enseignant, qui réunit le « pouvoir et la tranquillité », a beaucoup de prestige dans la famille. Fanny est très amère. Aujourd'hui, elle « leur a pardonné, ils en rigolent même un peu ensemble », mais, à 18 ans, c'est une première rupture avec sa famille. Elle choisit la philo et s'inscrit en classe préparatoire au lycée Pierre-de-Fermat à Toulouse, ce qui lui permet de bénéficier d'une bourse. Elle oublie vite la médecine et découvre la fac, la grande ville, les discussions intellectuelles, « s'amuse beaucoup » et rate le concours d'entrée à l'École normale supérieure, sans trop de regrets. Elle passe une licence de lettres « comme tout le monde », s'intéresse au théâtre, à la musique : comme si elle n'osait pas effacer ses origines, l'intérêt pour la culture est, pour elle, une sorte d'accomplissement individuel ou de prouesse singulière mais non un gage sérieux et nécessaire de l'entrée dans une vie jugée de toute façon inaccessible.

C'est à Toulouse qu'elle fait la connaissance de son futur mari, de trois ans plus jeune : ce n'est pas un étudiant. Là encore, elle n'envisage pas, à la manière des autres étudiantes, d'épouser un futur professeur, par exemple, ou de s'élever par le jeu de l'alliance et de la séduction, l'amour faisant sans doute aussi leur place, peut-être à son insu, aux raisons obscures du réalisme et de l'humilité. Il faut compter sur ses seules forces et sur ceux qui vous ressemblent. Et Bernard est d'un « milieu très, très modeste » ; élève au lycée aéronautique, il rêve de devenir pilote. Ils veulent se marier pour monter à Paris où ils auront toutes leurs chances et toute leur liberté (« à l'époque il fallait faire ça pour vivre ensemble »). Ils pensent qu'un bel avenir est possible, la période est à l'expansion, on ne parle pas de chômage des jeunes et il n'est pas trop difficile de trouver du travail, un appartement. Ils ont des ambitions mais il faut savoir faire des sacrifices.

Le jeune homme abandonne tout, il passe le concours des PTT, et il est tout de suite nommé agent d'exploitation à Paris : « Alors là aussi, les grands rêves… » Elle résume ainsi cet épisode : « J'ai eu ma licence en 66 ; je me suis mariée et j'ai suivi mon époux à Paris. Voilà. » Se donnant ainsi l'image romanesque de la jeune mariée soumise à un jeune cadre tôt promu. Et pourtant elle pense que ses « problèmes de couple ont peut-être commencé là ».

En octobre, elle est en stage au lycée Charlemagne ; ils ont 19 et 22 ans et leurs filles jumelles naissent aussitôt (à cette époque encore, la contraception, déjà répandue chez les plus averties, n'est pas légalisée, inaccessible donc à beaucoup de jeunes femmes) ; il y a des fatalités, c'est tout. Et si (étant donné ses origines) les études, le travail lui apparaissent comme des conquêtes, le fait de mener de front activité professionnelle et vie familiale n'est pas encore perçu comme une prouesse, on n'en parle pas. La vie ordinaire est simplement parfois décevante.

Fanny s'est mariée contre la volonté de sa mère et, jusqu'au départ de son mari, par fierté, elle lui cachera ses difficultés : « Paris, c'était très bien (...) on voulait avoir l'air de vivre correctement ; en fait, on frimait quand on descendait, comme on dit, dans le Midi. » Mais sans doute se cachait-elle, autant qu'à ses parents, les premiers signes du désastre, si impatiente de cette nouvelle vie d'intellectuelle qui semblait s'offrir.

« Les gamines (...) elles ont été trimballées » ; quand elle était au lycée, elle les confiait à « des gardiennes d'immeuble qu'on trouvait comme ça, au petit bonheur, au hasard (...) c'était n'importe quoi, souvent on entendait crier les gosses parce qu'elles étaient seules dans l'appart, elles étaient deux dans un parc, alors... » Elle s'est « beaucoup donnée à son boulot », elle aime ses élèves avec lesquels elle est d'une patience « inouïe » mais quand ses filles étaient petites, elle rentrait le soir chez elle, agacée, « elle avait dépensé toute sa patience pendant la journée », il y avait encore des cours à préparer, des copies à corriger. A la maison « elle ne supportait plus rien », les devoirs de ses filles, « c'était une catastrophe ». Il fallait aller vite, vite, elle n'avait jamais le temps. Elle devait être « odieuse ». Ses filles lui disent, mais seulement maintenant, après tant d'années, que « ça a été la galère ». Elle avait ignoré leur désarroi, se persuadant qu'il suffisait de les aimer.

Son mari ne fait pas carrière ; en renonçant aux études il s'est condamné à rester dans les PTT ; « brigadier », il remplace les inspecteurs ou les receveurs absents ; ils n'en n'ont jamais parlé, mais elle sait qu'il souffre d'avoir abandonné ses propres études. Fanny se désintéresse ostensiblement de son travail, elle n'aime pas ses amis des PTT, trop différents de ses propres collègues, le plus souvent méprisants pour le « mari de madame », comme il se nomme lui-même. Elle se reproche d'avoir laissé ses copains, de « vrais intellos », malmener cet homme qui en quelque sorte lui ressemble. Elle avoue avoir parfois eu honte de lui, comme jadis de ses « parents ouvriers qui étaient un peu pauvres », face à ses copines de classe « qui avaient de tout ». C'est à ce prix qu'elle s'était fait une vie « pépère » comme elle aime à dire, la vie rêvée dont sa mère rêvait pour elle : elle cultivait « ce côté intello », elle faisait de la peinture, elle écrivait de la poésie.

La réalité se rappelle à elle en 85, le jour du départ de son mari, « qu'elle n'avait pas vu venir » ; ils ont divorcé depuis, mais elle porte toujours l'alliance et elle avoue espérer son retour. Ce même jour, une de ses filles quitte le lycée ; commence alors, pour l'une et l'autre des jumelles, une errance douloureuse qui, aujourd'hui encore, n'est pas terminée : drogue, fugues, échecs, « de grosses, grosses histoires »... Fanny ne veut pas trop en parler, les larmes lui montent aux yeux.

Elle n'avait sans doute pas su prévoir ni prévenir cet effondrement ; il aurait fallu s'avouer trop de choses, la vie trop dure, le déracinement, les petites ballotées, le mari bafoué, les ruptures, tant de sacrifices consentis pour une ascension incertaine et le mirage d'une participation tout aussi incertaine à la culture. Elle a aujourd'hui l'impression d'avoir été flouée, elle se méfie de « tout ce qui est intello », elle ne s'achète plus de disques, elle n'a « pas les sous » ni même « un bon truc pour les écouter ». Tout ça est fini.

Dans sa profession aussi, l'allant et l'enthousiasme du jeune professeur ont fait place au découragement et, peu à peu, au sentiment d'avoir beaucoup donné de son temps, de son énergie, « de sa propre vie », sans rien recevoir en retour. Méprisée par les parents d'élèves, lâchée par l'administration du lycée, ignorée du Ministère, incomprise de ses élèves, plus attirés par la réussite matérielle (« le pognon, le pognon ») que par les choses intellectuelles, elle ne reconnaît plus le métier qu'elle a choisi et qui n'a plus rien, 25 ans après, des espérances de la jeune étudiante de Toulouse et de ses premières expériences. S'il lui arrive encore d'évoquer, avec ses collègues, la noble mission de l'« éducateur », elle se voit souvent, au moins dans les moments de découragements, comme une infirmière ou une assistante sociale, bref, comme une espèce particulière de « travailleur social ».

Si désarmée soit-elle devant la situation improbable, imprévue, que crée la transformation radicale du rôle de professeur, elle l'est sans doute moins que d'autres. Ses origines, son destin de transfuge, la préparent à comprendre les difficultés et les angoisses de ces nouveaux venus, que sont aussi nombre des élèves qui lui sont confiés. Son expérience de la vie et son extraordinaire enthousiasme, outre qu'ils la prémunissent contre la peur de la violence adolescente qui conduit tant de ses collègues à la fuite dans l'absentéisme, lui permettent de faire face en déployant toutes les ressources de son prosélytisme culturel de nouveau converti et en « donnant de l'amour » à ses élèves qui, en échange, la « reconnaissent ».

Mais, paradoxalement, les dispositions généreuses qui lui valent d'être moins mal adaptée que d'autres à la nouvelle situation faite aux enseignants sont aussi ce qui fait que cette situation fonctionne pour elle comme un piège, celui du dévouement aux élèves : elle ne peut manquer en effet de se dire que c'est pour la reconnaissance qu'ils sont les seuls à lui accorder qu'elle a tant donné ou tant perdu.

avec un professeur de lettres d'un collège

— entretiens de Gabrielle Balazs et Rosine Christin

« Un boulot de merde »

— *Tout à l'heure on disait que, dans ce collège, beaucoup d'enseignants veulent partir.*

Fanny — Oui, il y en a beaucoup, dont moi. D'autres se sentent un petit peu coincés et auraient envie de partir ; je pense à (...) un collègue de musique ; il y a déjà un malaise qui tient, je crois, au changement de directeur. Depuis l'année dernière on a un nouveau directeur qui n'a pas fait l'unanimité du tout, du tout, que les gens jugent donc sévèrement (...). Il y a un malaise à cause de ça et puis il y a un malaise qui est propre à la situation enseignante. Je crois que les gens ont l'impression, moi en tout cas je dis la mienne, l'impression vraiment d'avoir été pressés comme des citrons et de ne pas être reconnus. Quand je discute avec mes collègues de français, c'est ça, l'impression que vraiment on est des riens du tout, qu'on fait un boulot – passez-moi l'expression – un boulot de merde, et voilà ! Moi j'ai entendu ça. Alors on a l'impression de s'être battus pour rien. D'avoir été floués. Et quand on arrive à un certain moment de sa carrière, je suis à quel échelon, je ne sais même pas, le dixième ? J'ai 48 ans. On a l'impression à tort ou à raison, je sais pas, que tout ce qu'on a fait, ça n'a servi à rien, à rien. On arrive à un moment où les jeunes ont envie de faire autre chose. Mon collègue de musique, il dit qu'il s'éclate dans les concerts, il a du bol, il a autre chose mais ceux qui n'ont rien d'autre à côté (...). Un collègue communiste, il a sa lutte...et encore il n'y croit pas trop, il a repris des études, lui, bon, alors, il trouve un sens à sa vie comme ça.

— *Chacun fuit d'un côté ou de l'autre...*

Fanny — Oui, ça c'est sûr, il y a une fuite, alors le fait de changer d'établissement, c'est aussi une fuite, mais c'est fuir l'établissement peut-être . C'est vrai que j'en ai ras le bol, moi, de l'établissement, mais je ne sais pas ce que je vais trouver ailleurs. J'ai envie d'enseigner en lycée parce que j'ai envie, moi, de m'éclater, comme disent les jeunes, de prendre mon pied un peu, alors que jusqu'à présent j'ai donné, j'ai donné et, j'ai l'impression, pour rien. Voilà !

Fanny — Les gens ont envie de vivre. Et les collèges ou les lycées ne sont pas devenus des lieux de vie. Quand on discute avec les gamins, j'ai des trucs pleins de fautes d'orthographe, il y a un désir de parler avec les adultes qui est peut-être ça, aussi. Qui est cette envie de vivre réellement et je pense que les jeunes traduisent le malaise de leurs profs d'une certaine façon, même le malaise de la société. Je ne sais pas s'ils s'en rendent bien compte, je ne sais pas si ça a été dit, mais il y a de ça.

— Ils sentent qu'ils ne sont pas bien dans leur peau.

Fanny — Voilà, je crois. Avec mes élèves, c'est moi, hein, je ne peux pas dire que ça se passe comme ça avec tout le monde, ils sont chouettes, les mômes, parce qu'il y a un désir même, je le vois avec mes troisièmes, un désir vraiment de nous aider, de nous aimer même. Alors quand j'entends des collègues, qui disent, « oh ! on n'est pas là pour ça, on n'est pas là pour aimer les enfants », alors là, je trouve que c'est absolument faux, ils ont besoin de ça, et le prof a besoin de ça. Moi, j'en ai besoin en tout cas. J'ai besoin d'être bien avec eux, bien à tous les points de vue, si je veux faire du bon travail. Et ça, ça fait partie de cet ensemble, les gens ont envie de vivre. Et dans la société actuelle, les mômes le vivent, on présente des modèles où le fric est roi et, bon, ça je crois que c'est aussi un problème. (…) Ils ont l'impression qu'on les entraîne dans des choses malsaines, voilà.

— Et quand vous dites que les profs sont pas reconnus, que vous, vous vous sentez pas reconnue, par qui, comment ?

Fanny — Déjà par l'autorité supérieure, qui… j'ai souvent remarqué que les chefs d'établissement – pas tous, parce que j'entends aussi d'autres personnes qui me parlent d'Untel qui est chouette, etc. –, que ce sont souvent des chefs d'entreprise qui travaillent, j'allais dire… le bâtiment, en tout cas l'institution n'est pas pour les humains qui sont là, aussi bien les profs que les élèves. Ils sont là à vous titiller, à vous demander de faire des choses en plus de votre boulot, mais on sent que c'est pas du tout dans l'intérêt de l'enfant, c'est plutôt dans l'intérêt de la promotion ou des choses comme ça, et ça, alors là, ça peut marcher un temps, si le prof éprouve du plaisir à faire telle ou telle chose, il y en a beaucoup qui sont comme ça. Et puis reconnus aussi par les parents, et par l'ensemble de la population.

— Par l'ensemble de la population, oui.

Fanny — Parce que franchement, quand on entend des discours sur les profs (...), c'est vieux comme le monde... ou l'opinion de ma propre famille, on fait un boulot vraiment relax. On met toujours encore en avant les vacances..., etc.

— *Ah oui... les vacances, (...) qu'est-ce qu'ils faisaient votre famille ?*

Fanny — Mon père était ouvrier, ouvrier dans le textile. Il en a bavé, c'est vrai que sa journée de boulot c'était dur. Et pour lui – moi je voulais faire la médecine, c'est vrai – mais il a pas voulu parce que, bon, il n'avait pas de sous, ils m'ont dit, « na, na, na... », mais pour eux l'enseignant c'était le gars qui a la sécurité de l'emploi, qui est bien tranquille, qui fait son petit boulot, il voyait le fonctionnaire.

J'avais signé « Sœur Teresa »

Fanny — Voilà. Il voyait le fonctionnaire, l'enseignant bien dans sa peau ou mal dans sa peau, je sais pas. Peut-être que l'enseignant fonctionnaire est bien dans sa peau, parce que justement il se pose pas... il y en a, hein. Il y en a, ils se posent pas trop de questions. Mais l'enseignant qui a envie d'être enseignant et un éducateur parce que – j'en reviens à mon grand dada – je pense que maintenant, ce qui fait peur aux enseignants c'est qu'on a un rôle vraiment d'éducateur. Je me suis disputée avec des collègues l'année dernière, parce que je le conçois comme ça, un bien grand mot, je veux pas trop jouer sur les termes, mais c'est pas uniquement transmettre un savoir, l'enseignant d'aujourd'hui, on est quand même l'Éducation nationale et les enfants le demandent. Ils demandent qu'on soit... pas qu'on remplace les parents mais qu'on soit un adulte de référence avec qui on peut parler et quand on accepte ce rôle, ça marche. Il y a des enseignants qui le refusent. L'an dernier j'avais une classe difficile, des gosses vraiment à problèmes et pour plaisanter, pour plaisanter vraiment, peut-être que mes plaisanteries sont vaseuses, j'avais convoqué les gens à un pré-conseil, puisque la classe posait des problèmes et j'avais signé « Sœur Teresa ». Pourquoi j'avais fait ça ? Je sais pas, une inspiration divine. Mon Dieu... ça a fait un tollé général.
Je pense qu'un enseignant aujourd'hui et ça c'est écrasant, ça c'est épuisant puisque on donne de ses tripes pour les mômes, mais je ne crois pas qu'on peut s'en sortir sans ça, mais en même temps, quand moi je dis que j'éprouve un sentiment de ne pas être recon-

nue, j'ai un très bon rapport avec mes élèves et c'est ce qui me retient encore là-dedans. Parce que avec mes élèves, même quand j'ai des classes difficiles et même quand il y a du bruit, ou quand on s'énerve, etc., il y a quelque chose qui se passe, je les aime et ils m'aiment et ils me retiennent à l'enseignement. Si j'avais pas ça, je ferais n'importe quoi. Je sais pas, mais j'accepterais n'importe quel boulot ! Parce que les élèves, quand il y a ça, ils vous reconnaissent, cette reconnaissance on l'a auprès des enfants. (…)

— Et par rapport à votre famille vous disiez qu'à juste titre comme ils travaillaient dur… votre mère travaillait ?

Fanny — Ma mère, elle ne travaillait plus. Elle a travaillé, lorsque j'étais toute petite, elle a travaillé, elle était ouvrière aussi, un peu frustrée parce qu'elle avait fait des études jusqu'au brevet supérieur à l'époque. Sa mère, elle voulait que ma mère travaille pour gagner des sous. Et bon, il fallait aller à l'usine. Donc ma mère est allée à l'usine et je pense que, comme la plupart des enfants de cette époque, moi, j'ai suivi la voie qu'elle voulait, elle… (…), ou qu'elle aurait voulu suivre, elle, voilà. Quand on en discutait, bon, je pense qu'elle, elle voyait ça comme quelque chose de – comment dire… – pour elle, l'instituteur, l'enseignant c'était le summum. Elle avait encore cette mentalité des gens de la campagne ; chez moi ils disaient « le régent », mon grand-père aussi, il était très respectueux de celui qui transmettait le savoir. Il était illettré, et alors le régent, on disait en patois, c'était quelque chose, ma mère avait ça, mon père moins…

[…]

Ma mère, elle a déchanté

— Et votre famille considérait pas que vous aviez réussi par rapport à… ces objectifs d'être instit, etc. ?

Fanny — Si, si, bien sûr. Elle considérait que j'avais réussi, mais maintenant ma mère elle a déchanté, elle a déchanté…

— Ah bon, ça c'était à une époque alors ?

Fanny — Oui, au début… Pour elle, bon, le fait que… je travaillais bien à l'école, que je réussissais mes examens, bon j'avais réussi. Et maintenant quand elle voit comment je vis, c'est peut-être dû aussi à la manière dont je vis, mais les soucis que j'ai, elle me dit, « mais quand même, finalement… », alors elle ne veut pas trop… c'est tout, il y a du non-dit là-dedans, elle a l'impression que quelque chose, elle ne l'analyse pas, je n'en parle pas avec elle parce que déjà qu'elle se culpabilise, je n'en parle pas trop mais… elle a l'impression qu'il y a quelque chose de pourri même au royaume de l'Éducation nationale, c'est confus, je n'en parle pas, mais bon, je le sens. Elle me dit, quand j'y suis allée à la Toussaint, je l'ai vue, j'avais amené du travail, elle me dit, « comme ça, finalement, tu n'es jamais tranquille », elle ne voit que ça, ou bien quand elle me voit déprimée, elle me dit, « finalement ta sœur est plus heureuse que toi ».

— *Oui, donc elle pense que… c'est pas ce qu'elle attendait,*

Fanny — Non. Elle pense… je ne sais même pas si on peut dire pense mais… vous voyez, quoi, c'est diffus… C'est pas exprimé mais, non. Si on parle de choses personnelles, j'ai été mariée, j'ai divorcé en 85, mon mari me reprochait en permanence d'être trop occupée par mon boulot. Et combien de collègues, j'entends, qui ont des problèmes de couple à cause de ça, de profs. Vraiment, hein… Tiens celle à qui j'ai parlé hier soir au téléphone, une instit de maternelle qui est malade, elle est malade, elle est arrêtée jusqu'au 15, le toubib voulait l'arrêter jusqu'au 22 et elle lui a dit, elle a vu un psychiatre de la MGEN qui lui a dit, « votre problème c'est ça ». C'est un refus. Un refus. Elle me dit, « je ne supporte plus le bruit », bon. Elle fait une déprime…

[…]

— *Souvent le conjoint trouve que le prof travaille trop, quoi ? Est trop occupé…*

Fanny — Oui, oui… trop occupé. Des gens de partout, l'autre jour des copains au téléphone, lui c'est un inspecteur des impôts, toujours libre, alors il disait, « à Noël on va en Pologne », il voulait rencontrer des Polonais, et Monique, elle lui dit au téléphone, « et ta femme, qu'est-ce qu'elle fait ? », « mais tu le demandes ! », il lui dit, « dans ses copies, y'en a marre ! ». Bon, c'est des boutades, bon…

— *Oui, oui, mais qui comptent ! Et votre mari il faisait quoi ?*

Fanny — Mon mari il était dans les PTT, il est toujours dans les PTT, il est tranquille, (…) il est receveur. (…) Il lui arrivait quand il avait des remplacements à faire assez loin, qu'il fallait qu'il soit sur place à l'arrivée du courrier pour réceptionner les camions, il lui arrivait de se lever très tôt. Mais par rapport, je crois – là c'est toujours le problème de l'enseignant – par rapport à l'enseignant, ce qui me tue et ça m'empêche d'être créative, c'est qu'on n'a

jamais fini. Quand on arrive à la maison, bon, il y a des préparations de cours, alors là, cette année, on pourra en parler, parce que ça, ça vient aussi du fait que les horaires de français ayant été diminués, on est obligé maintenant d'avoir quatre classes pour pouvoir faire nos 18 heures. Quatre classes en français dans un collège, dont trois à 30, ça fait un nombre incalculable de copies, en collège il faut tout vérifier ; moi je relève les explications de texte, sinon les gosses ne les font pas et j'ai des copies en permanence… alors après la journée…
Ah ! tous les jours, j'ai des copies. Tous les jours. Parce que je me suis aperçue, au début je relevais quelques explications de texte, je me suis aperçue que la plupart des gamins quand ils étaient passés une fois, ils ne les faisaient plus, alors que je centre tout mon enseignement là-dessus, sur les textes, sur l'écrit, sur la réflexion sur un texte, la transmission après la communication, donc pour eux c'était pas… Maintenant, ils ont compris ; ils ont compris et ça marche, mais au début ils ne le faisaient pas, donc je relevais tout. Les autres collègues ne vous diront pas la même chose, parce que en musique, mon copain que je connais, là, il n'a pas le même boulot que moi. C'est vraiment particulier, j'en ai tous les jours. Et j'ai toujours l'impression de… de m'user à ça. Ça, ça m'use vraiment.

— Et c'est ce qu'on vous reprochait aussi, enfin c'est ce que votre mari vous reprochait finalement ? De ne pas être disponible…

Fanny — Ah oui, voilà. Et moi, pour mes gosses, maintenant que je vois ça avec du recul, j'avoue que moi, je me suis investie vraiment bien mal, je me suis vraiment investie dans le boulot. Et j'ai négligé mes gamines à un moment où elles avaient besoin de moi, vraiment je les ai…

— Vous avez deux filles ?

Fanny — J'ai des jumelles. Deux filles, et elles me le disent, elles me le disent ! Au moment où elles avaient besoin de moi, bon, moi, je… bon, ça, c'est un parcours personnel. Pendant toute une période c'est vrai que je m'investissais énormément et je m'épanouissais dans mon travail, je ne peux pas dire non plus qu'il ne m'ait pas apporté des satisfactions, hein, c'est vrai. Alors c'est vrai que je donnais beaucoup, j'avais du plaisir à être avec les enfants, mais à côté de ça, je donnais tellement de moi que quand j'arrivais à la maison, ma patience était à bout. Mais c'est vrai, mes gamines me le disent maintenant et quand j'étais au milieu de…

— *Elles ont quel âge maintenant ?*
Fanny — Elles ont 20… mes gamines, elles ont 23 ans, 23.
— *Oui, c'est plus tout à fait des gamines, oui…*
Fanny — Non, mais je dis toujours ça… non, mais c'est parce qu'on est en train de revivre des choses qu'on n'a pas vécues justement à ce moment-là, alors je dis mes gamines, c'est vrai qu'on s'est un peu retrouvées maintenant ; elles sont en train de revivre des morceaux de leur enfance à 23 ans. On fait de la psychanalyse comme on peut. Non, mais bon, c'est vrai. Voilà. Qu'est-ce qu'on disait ? Je ne me souviens plus…
Je ne connais pas un couple d'enseignants, ou même, sans être enseignants tous les deux… mais je ne connais pas de couple où il y a un enseignant qui n'ait pas eu des problèmes de ce type, alors certains arrivent à les dominer, mais ça, ça doit jouer aussi quelque part, et alors aussi toujours cette impression à tort ou à raison…. de donner, de donner de soi, de sa propre vie et sans rien. Et ça comme les infirmières, l'impression qu'on n'est rien du tout aux yeux des autres, et les autres qu'est-ce que c'est… les gosses me disent ça, ils me disent, « c'est chouette ce boulot que vous faites madame, mais vous voyez, on n'a pas envie », ils se demandent pourquoi ; ben, parce que on donne des modèles du type jeunes loups, qui réussissent, etc., costard, cravate, le pognon, le pognon, le pognon…

Je lis des bribes de bouquins

Fanny — Voilà, je pense que cette revendication de vie meilleure qu'on retrouve partout, chez toutes les professions, le désir aussi d'être reconnu, j'ai vu aussi, les assistantes sociales demandent la même chose, le désir mais vraiment qu'on les prenne pour des gens utiles, et pas des gens qui font ça comme ça, des petits fonctionnaires. Un jour, j'ai été révoltée au moment des révoltes lycéennes, là, j'écoutais France Inter, dans ma voiture – sinon je n'ai pas le temps – j'écoute, alors c'est une culture, je n'ai pas le temps de lire pendant la période scolaire (…), je lis des bribes de bouquins, des bribes… !
— *Et vous êtes prof de lettres !*
Fanny — Eh oui, moi quand je lis, il faut que je sois plongée dans ma lecture ; j'ai toujours la tête prise, c'est ça que je vous disais, l'impression de ne jamais avoir fini, j'ai toujours la tête prise par quelque chose, je ne peux pas jouir d'un livre. En vacances, si.

Mais pendant l'année scolaire, je ne peux pas prendre du plaisir à lire parce que tout d'un coup, hop ! Je me dis, tiens, il y a ça, alors je vais trafiquer, chercher quelque chose. Et même j'avoue que, il y a peut-être l'âge qui joue, j'ai 48 ans, il y a la fatigue... non, mais si, c'est vrai, je sens que je n'ai pas la pêche comme autrefois, mais avant j'avais toujours des idées pour faire ceci en classe, pour rendre le cours plus intéressant ; quand je m'apercevais qu'il y avait une petite fatigue, je me disais, ça, on va l'arranger ; maintenant quand j'ai fait mes journées de cours, les parents qui viennent vous voir ... moi j'ai des parents tous les jours, quasiment, qui viennent me voir...

— *Vous avez rendez-vous ou ils viennent comme ça ?*

Fanny — Rendez-vous, non, j'en ai quasiment tous les jours, pas tous les jours. Souvent, ces temps-ci il va y avoir les conseils de classe, on s'affole un petit peu, certains c'est par honnêteté, d'autres c'est pour pouvoir...

— *... oui, magouiller...*

Fanny — Voilà ! Bon c'est vrai, c'est normal, mais une fois quand on compte les heures passées à faire des choses qui ne sont pas comptabilisées, et ça, les gens en ont marre ; moi encore, j'ai un esprit... j'ai l'air de m'envoyer des fleurs, je suis sincère, je ne veux pas être fonctionnaire, alors je ne veux pas compter toutes les heures que je passe, je voudrais pas ; mais j'ai des collègues qui me disent, « tu te défonces trop et à cause de gens comme toi, on donne l'impression... », comme il y en a encore un peu partout « tu donnes l'impression que la machine tourne », il faudrait tout arrêter en dehors des cours pour montrer aux gens que ça ne fonctionne plus. Je ne peux pas, sinon .... j'ai pas d'autres trucs par ailleurs. C'est vrai qu'on y passe énormément de temps, je crois que les gens ne le savent pas.

— *Vous avez estimé à combien d'heures, votre travail par semaine ? C'est inestimable ?*

Fanny — Écoutez, cette année, pour l'instant je n'ai rien fait à part peut-être m'occuper d'orientation le mardi, je ne fais rien en dehors de mon... pour l'instant, parce que, là, ça va commencer, je suis dans deux projets d'établissement – un sur la presse et un sur le patrimoine – donc des heures en plus, des films, des montages et des trucs comme ça et cette année, je ne travaille... je travaille à peu près dix heures par jour.

[*Elle évoque l'assimilation, fréquente dans les médias et négative-*

ment connotée, des professeurs aux « fonctionnaires », en citant une émission de l'acteur Philippe Léotard sur France Inter, dans laquelle il parle avec mépris des revendications salariales des professeurs tout en brossant un portrait peu flatteur de leur « mentalité de fonctionnaire ».]

Une gabegie d'argent et d'énergie

— Je voulais reprendre un peu sur ce que vous disiez parce que, au début, vous avez dit : « On a l'impression qu'on s'est beaucoup battus et qu'on a été floués » ; et vous dites effectivement que vous vous êtes battue, y compris sur le plan privé, enfin que vous l'avez payé cher d'un point de vue de la vie privée puisque finalement vous avez divorcé, vous avez l'impression que, entre autres, c'est dû aussi à ça…

Fanny — Entre autres, mais c'est vrai que ça faisait partie des reproches…

— Vous dites : « On s'est beaucoup battus… », alors « beaucoup battus » ça veut dire quoi ? Que vous vous êtes énormément investie dans le boulot, que vous avez milité, que…

Fanny — Moi, j'ai milité, oui, au début de ma carrière, j'ai milité, j'ai rédigé rapport sur rapport, quand j'étais au lycée de St-Germain-en-Laye, le lycée Claude-Debussy, qui était considéré à cette époque comme un lycée pilote, je faisais partie d'un groupe de travail sur l'échec scolaire, déjà, on faisait des expériences, on travaillait… donc j'ai rédigé des rapports là-dessus. On a l'impression qu'en haut lieu aussi tout ce qu'on peut avoir dit, ça met un temps tellement fou à arriver que les choses entre temps ont changé, parce que la matière scolaire c'est de la matière vivante, ça vit, ça change ; alors quand la réforme qu'on avait souhaitée il y a dix ans, elle arrive, c'est trop tard ! L'année dernière, cette consultation nationale (…) moi j'ai gardé une petite cassette ; on a rigolé dans la cassette, on a fait une cassette vidéo, et Mariette a parlé de ces fameux « modules », d'un enseignement modulaire (…) ; il y avait un moment qu'on en parlait de ça et maintenant j'entends que ça devient à la mode. (…) C'est une machine tellement lourde, tellement lourde à bouger… qu'on a l'impression que tout arrive trop tard.

— Oui, que vous avez fait plein de choses et puis le retour est tellement lent que… oui…

Fanny — Oui, et puis je ne veux pas accuser l'Éducation nationale, je sais pas trop comment tout marche, j'ai l'impression aussi que, à l'intérieur de cette machine énorme, il y a vraiment une gabegie énorme, il y a vraiment une gabegie d'argent et d'énergie ; (...) je vois le danger aussi de ce que je peux dire, parce qu'on parlait tout à l'heure de régionalisation, parce que c'est vrai que si sur un plan national c'est quelque chose de lourd, lourd à bouger, je vois d'ici tout ce qui peut se faire jour. (...) Quand on parle de revendications, de moyens, de trucs comme ça, très souvent dans les collèges il y a des choses qui se passent qui sont de l'argent gaspillé. Gaspillé ! Moi par exemple, je m'occupe de vidéo, alors là, j'en ai un peu marre, c'est vrai, parce que j'ai des problèmes de vue, aussi, il y a ma vie. Je revendique le droit de pouvoir m'arrêter de faire des trucs que j'avais faits avant parce que je pouvais, parce que j'avais envie, eh bien, non, on est tout le temps harcelé, parce qu'on l'a fait, il faut continuer. Je faisais de la vidéo avec une équipe. Depuis déjà... on avait fait un film, notre premier film...
[*Fanny évoque ses activités de l'an passé au sein de l'atelier vidéo qu'elle anime.*]

— *Comment sont les élèves, comment vous les définiriez... ?*

Fanny — En gros, dans notre collège, il y a deux types d'élèves, c'est un collège de campagne, même pas de banlieue, c'est au bord des étangs, on pourrait imaginer que c'est un petit... alors je ne me plains pas, on n'a pas les énormes problèmes comme dans la banlieue nord, c'est pas ça du tout ; mais il y a deux types d'élèves, des élèves d'un milieu favorisé, il y a deux grosses entreprises, donc il y a beaucoup de gamins d'ingénieurs, ces gamins-là s'en sortent et puis un milieu rural, petits employés, petits ouvriers avec un niveau assez bas, c'est vrai, des enfants... qui n'ont pas terriblement d'ambitions ; il y a ces deux types d'élèves en gros... (...) Et donc on a quand même, comme partout, des élèves difficiles, en échec, et bon...

— *Ça se manifeste comment dans la classe ? Le fait que c'est difficile.*

Fanny — Bon, cette année par exemple ; j'ai une classe de cinquième, ils ne sont que 24 ; l'ensemble n'est pas..., le niveau n'est pas très très élevé et il y a trois gamins là-dedans qui posent des problèmes énormes de comportement, d'ailleurs la semaine dernière, il y en a deux, non trois, donc (...), celui qui vient de l'extérieur, qui s'est fait virer de trois collèges et qui est instable au dernier degré, un autre qui ne fait strictement rien, qui se sont fait piquer en train de voler.

(...) Bon, donc c'est à la suite de ça que les flics les ont ramenés à la maison, parce que (...) c'est pas la première fois qu'ils volent, ces gamins-là, ils sont tous les trois, ils font bloc. Alors avec une classe qui a déjà des difficultés, eux jouent les vedettes ; d'abord ils sont plus grands que les autres et ces gamins-là...

— Plus âgés ?

Fanny — Plus âgés, non, ils ont à peu près 14 ans, 13 ans et demi, 14 ans en cinquième ; tu vois, certains ont 14 ans révolus, ils sont grands, baraqués et si tu veux, eux alors, je sais pas, j'ai du mal à situer (...), ils n'ont aucun point de référence, ils n'ont peur de rien, de rien. La sanction du collège, averto [avertissement], exclusion, l'exclusion, même ça leur fait plaisir, quand on les exclut du collège, ils sont contents ; moi j'évite ça, les parents aussi sont démunis, pendant trois jours on va les exclure ces gamins-là ; au contraire, ils vont aller traîner, c'est pas... donc ils savent très bien qu'on ne va rien en faire, alors ils provoquent, ils provoquent au maximum, alors ça aussi c'est un appel, eux aussi ils ont besoin qu'on s'occupe d'eux et c'est ce qu'ils veulent en permanence et au bout d'un moment c'est tuant. C'est tuant !

Il y a un prof de la classe, le jour du conseil de cette classe, il est arrivé, il était malade, d'abord. Avec une feuille de maladie. Il est arrivé, il a dit, « je ne peux pas rester au conseil », il tenait sa feuille comme une excuse, ça m'a même fait mal, tu vois, parce que les profs, les gamins et les parents d'élèves délégués en avaient contre lui ; alors on aurait presque dit que c'était une façon de se débiner ; il est arrivé avec une feuille de maladie en disant, « c'est une classe épouvantable, on se tue au travail ! Pour eux, on se tue pour rien ! Pour rien, ils sont infects, ils sont infernaux, moi je n'en peux plus, je n'en peux plus ! », voilà. Et il est reparti, la mère lui a dit, « meilleure santé, monsieur », l'affaire en est restée là. Il n'y arrive pas, avec ses gamins, il n'y arrive pas, il voudrait être le prof qui transmet un savoir, il en est resté là, il est le prof, c'est son rôle et... Et ça se passe mal... voilà. Et c'est un type éminemment cultivé. Je crois que c'est le prof d'histoire qui me le disait au téléphone, parce qu'ils en ont parlé à la réunion des parents, c'est un type qui est doué s'il y a des bons élèves, clac ! Voilà, mais seulement il n'y a pas que des bons !

— Il faudrait que tous les profs aient des classes avec des bons élèves [*rire*].

Fanny — (...) Parfois je suis obligée de faire la police ; il y a deux jours, le fameux A., viré de trois bahuts, pour vous le situer celui-là, il avait envie de bouger. Il a fait l'intéressant, en fait il cherche le contact. Mais c'est difficile d'être à la fois prof et éducateur. (...) Quand on a un gosse comme ça dans une classe avec des gamins déjà en difficulté scolaire, qui sont toujours attirés par une mouche qui vole, un gamin qui fait du cinéma en permanence, qui provoque, etc., ça tire la classe vers le bas, il suffit de deux gosses comme ça ; hier après-midi, par exemple, ils ont séché les cours (...) ils vont faire des âneries, ce sont des gosses en danger. Moi ça, ça me tord les tripes. Je me sens parfois démunie avec ces gamins et la seule chose qui reste, c'est de parler, de parler...

— Est-ce que c'était comme ça dans les établissements où vous êtes passée, avant, dans les lycées ?

Fanny — Non, non, non. Moi quand j'étais jeune prof, que j'ai débuté, jamais je n'ai eu de problèmes comme ça à régler, non jamais, jamais, j'ai été prof en lycée avant 68, bon, j'étais prof comme mes profs à moi. Je n'avais pas de contacts comme ça, personnels avec les enfants. Mais c'est là, le changement dans notre boulot, il est là. Pour moi il est là et je crois que beaucoup de profs le refusent totalement, ce rôle.

Elle a craqué

— C'est pas le même public, c'est pas le même...

Fanny — Voilà. C'est pas le même public et les gens disent, « mais on n'a pas à jouer ce rôle... », l'année dernière c'était une discussion qu'on avait à propos de cette classe difficile, qui avait été faite, celle-là exprès, je les ai eus deux ans, je les ai eus en quatrième, des gamins dont les profs ne voulaient plus. Là aussi, il y a un discours hypocrite, je n'en connaissais aucun de ces gamins, j'ai été volontaire, on a demandé des profs volontaires pour travailler avec des enfants, tous en échec, tous instables, souvent asociaux, à la limite de la délinquance et, en fin de cinquième, les profs n'en voulaient plus. Il y a des gens qui ne le disent pas comme ça, clairement, « ah non, non, celui-là ne me le mettez pas dans ma classe...... Ah non, non, j'en ai marre, je me le suis déjà farci un an, non c'est fini ».

L'autre jour, je me suis énervée avec les parents, à propos de ces trois dont je vous parle, « qu'est-ce qu'on en fait ? », j'ai dit à un parent qui disait, « foutez-le à la porte ! », le père d'élève des autres disait « si vous voulez on va venir dans vos classes, faire la police », j'ai dit, « mais non, mais dites donc, on va les mettre au four crématoire ces gosses ? Qu'est-ce qu'on en fait ? Si vous étiez les parents de ces enfants, vous aimeriez peut-être qu'on vous aide ? », ils en sont quand même revenus. Moi je me suis énervée, c'est ça qui a mis le feu aux poudres, mais… mais d'un autre côté, là je me sens démunie par rapport à l'institution Éducation nationale, établissement scolaire, directeur comme ceci, comme cela, quand on a des gamins comme ça, on ne sait plus quoi faire. Parce que d'un côté on est critiqué parce qu'on s'occupe d'eux, alors on dit, « oh ! celui-là, il fait de la démagogie », moi je peux plus le supporter, ça. Parce que c'est là que je dis « pas reconnue… »
On veut s'occuper d'eux, mais humainement. On aide des gens en Afrique, etc., je suis aussi au Club UNESCO, on aide d'autres personnes, matériellement ça mange pas de pain, c'est facile de donner des sous, un bouquin, des trucs comme ça, et là où vraiment on a un individu, une responsabilité face à un enfant, il y en a les trois quarts qui se débinent, alors voilà, il y a des… et puis un dégoût de tout. C'est le gros problème : que faire quand on est face à ces gosses ? Les institutions ne nous aident pas, je ne sais pas si ça va bouger, ça, on en a de plus en plus, de plus en plus des gamins comme ça, tout le monde rentrant en sixième, la vie étant ce qu'elle est, famille dispersée, des gosses à problèmes de ce type, il y en a énormément ; ça, c'était pour expliquer des classes difficiles. (…)

— *Et est-ce que ça vous est arrivé, parce que vous parliez tout à l'heure d'une instit qui est malade, est-ce qu'au collège, il y a des gens déprimés, malades ?*

Fanny — Oh oui ! Il y en a, oui. Il y en a et déjà depuis longtemps. G. qui avait eu ma fille, c'était pas à piquer des hannetons, quand elle a eu Valérie, elle a craqué comme on dit, bon, c'est un terme facile aussi, craquer. Bon, avec cette classe-là, les trois-là, la collègue, elle a tort, là on peut le dire, j'espère qu'il n'y a pas de noms cités, mais elle a des torts énormes, cette femme vis-à-vis de ces gosses. Elle les insulte, ils me le disent, moi je vais pas aller lui donner des leçons. Là aussi, on a toujours en tant que prof, on va pas casser du sucre sur le dos d'un collègue ou aller lui donner de leçons, mais elle, elle… comment dire ? Elle règle peut-être ses problèmes personnels avec eux, elle a beaucoup de mal, parce qu'ils sont difficiles, mais elle craque, elle les insulte et à la réunion de parents, enfin au conseil de classe, on a évoqué ces problèmes de discipline, elle a dit, « moi j'en peux plus, j'en peux plus ! Mais si ça continue je vais me faire arrêter trois mois ! », ça aussi c'est une fuite, et il y en a…

— Il y en a beaucoup ?

Fanny — Je peux pas toujours savoir si c'est pour cause d'élèves, je sais pas, quoi…

— C'est pour cause de malaise…

Fanny — C'est sûr, quand l'année dernière, on a une collègue qui a pleuré un jour à une réunion…, ses gamins quand ils… quand ils sentent… quand ils sentent chez un prof du mépris ou de… ou même de la haine, parce qu'il y a des profs qui n'aiment pas – ils aiment l'école parce qu'ils n'en sont jamais sortis – mais qui n'aiment pas les enfants, et les enfants les agacent et quand les gamins sentent ça, c'est qu'ils peuvent être méchants ! Un gosse discipliné, bien dans le moule, suit son train, en fait il aurait même pas besoin de prof, celui-là, non, c'est vrai… mais le gosse difficile, quand il sent ça, il peut être méchant (…) je donne pas tous les torts aux profs non plus, mais il y a de ça. La prof, l'année dernière, ils la menaçaient, je sais plus ce qu'ils lui avaient dit, je ne sais plus… qu'ils allaient lui faire sauter sa bagnole…

— C'est déjà arrivé ou c'était que des menaces ?

Fanny — C'était des menaces et un jour à une réunion, on évoquait ces problèmes en réunion générale, il y avait tous les profs du bahut, elle s'est mise à pleurer, je veux dire nerveusement… ah oui, il y a des gens qui n'en peuvent plus et moi j'arrive à les comprendre, c'est pour ça que c'est, il faut être… je crois que quand on a des gosses comme ça, c'est vrai qu'il faut être costaud, nerveusement costaud. Ou les aimer.

GB, janvier 1991

« Moi, j'étais ailleurs »

Fanny — Mon mari – bon, déjà, on en a parlé, ça c'est vrai que c'est un éternel problème – je crois qu'il avait un complexe vis-à-vis de moi parce que j'avais fait plus d'études que lui… pour toutes ces raisons ; moi, je le sais maintenant tout ça, à l'époque quand on est jeune, on se dit : ça n'a aucune importance, c'est vrai.

— *Et ça n'en avait aucune au bout de trois ans, quatre ans de mariage ?*

Fanny — Pour moi, ça n'en avait pas, mais pour lui, oui. Il me l'a dit après, il se sentait souvent le mari de madame. Les amis qu'on a eus par exemple, c'étaient des amis qui étaient les miens, nos amis c'étaient les miens. Et chaque fois qu'on a fréquenté… là, moi, j'ai eu des torts inouïs, si vous voulez que je vous parle du couple comme chez le psy, moi, j'ai eu des torts vraiment inouïs que je connais maintenant. Mais quand on le vit, par exemple la période Avignon, moi, j'étais nouvelle comme lui…

— *Qu'est-ce que c'est la période Avignon ?*

Fanny — Après dix ans à Marly-le-Roi, dans la région parisienne, on a voulu repartir dans le Midi. Et on a été nommés, lui à Nîmes…

[…]

On est partis dans la région d'Avignon – qu'est-ce que je voulais dire, là… ?

— *La période d'Avignon…*

Fanny — Oui, voilà, je me rappelle, on était nouveaux là-dedans et en fait dans l'immeuble où on habitait, on a connu une instit qui était dans le même collège que moi, on a été amies, le mari était pharmacien, enfin à l'époque il était dans l'armée, maintenant il a une pharmacie à Berre-L'étang, et mon mari a connu des gens à Nîmes, des gens des PTT, mais, moi, j'ai eu du mal à les supporter. Je me rappelle d'une scène effrayante – j'en ai honte, maintenant – c'est vrai, je me dis…

— *Mais pourquoi ? Parce que…*

Fanny — Mais pourquoi, d'abord c'étaient des gens, comment vous dire ? D'abord c'étaient des Nîmois qui adoraient la corrida…

— *Oui, d'accord. Non, mais ça c'est…*

Fanny — Mais si, mais si, parce que… Et alors, bon, moi, je ne supportais pas. Je n'ai pas supporté. Et j'ai fait des esclandres pas possibles. (…) Je sais que je ne les supportais pas. Par contre avant qu'on divorce, il m'a présenté des gens qui sont dans les PTT, que j'ai trouvés charmants, que je revois encore, alors je me dis… je me pose de toute façon pas tous les torts, c'est pas le mot PTT qui m'affolait, mais… Je sais que je le lui ai reproché très souvent. Non, ça a créé beaucoup, beaucoup de problèmes. Qui ne venaient pas de là, mais, bon, qui se cristallisaient autour de tout ça et mon mari, c'est vrai qu'il avait des complexes inouïs… moi je ne l'ai pas traité très tendre, j'ai un assez franc-parler, alors des fois je devais balancer des choses qui n'étaient pas très gentilles.

— *Qu'est-ce qu'ils faisaient ses parents à lui ?*

C'est moi qui l'ai étouffé

Fanny — Mais c'est des gens, alors tout à fait simples, des ouvriers, mon beau-père, il était chaudronnier, il travaillait dans une petite entreprise de mécanique, pour vous dire exactement ce qu'il faisait… Je sais qu'il allait à son boulot, qui était à peu près à dix bornes de la maison à mobylette ; et ma belle-mère, elle a longtemps travaillé dans le textile puisqu'on est d'une région de textile, mais sans aucune qualification ; je sais qu'elle était – non je veux pas dire que ma belle-mère était illettrée – elle savait écrire mais bon… avec énormément de fautes ; moi, ils m'ont écrit où ils faisaient des fautes plus que ma mère quand même, tous les deux.

Non, ce sont vraiment des ouvriers, et le frère de mon mari, il est ouvrier aussi, ouvrier spécialisé, il travaille dans une entreprise de mécanique ; ma belle-sœur, là, elle a arrêté de travailler parce que dans l'industrie textile – on l'avait dit – ils ont beaucoup licencié, donc elle est à la maison, ils ont trois gosses, ce sont des ouvriers aussi, eh ben, leurs gosses réussissent à l'école. L'aîné, j'en ai parlé hier avec ma belle-mère, l'aîné est en terminale C, il veut être ingénieur et réussit. Vous voyez, c'est pas, je sais pas si c'est le milieu ; moi je pense qu'il y a une entente familiale qui fait que les gosses après se débrouillent mieux. Parce que chez eux, on peut dire que c'est vraiment un milieu tout à fait… mon beau-frère, par exemple, il ne m'écrit jamais parce qu'il ne sait pas écrire. Il fait des fautes à tous les mots.

[…] Je ne m'étais jamais posé la question de l'égalité des sexes ; moi, quand j'ai connu mon mari, je l'ai épousé sans me poser toutes ces questions et puis en fait… je crois que c'est moi qui l'ai étouffé, c'est ce qu'on me dit, je n'en sais rien, je le sais pas, je pense que oui. Parce que, bon, c'est lié à mon caractère. Je suis très orgueilleuse, j'aime m'imposer quelque part; là vraiment, on fait de la psychanalyse à six sous, mais c'est vrai; ça c'est mon caractère.

— *Mais en quoi votre profession le gênait… en quoi ?*

Fanny — Mais alors là, là…

— *Un professeur a beaucoup de temps, quand même ?*

Fanny — Non, non, franchement les vacances c'est très bien, mais à la maison, contrairement à ce qu'on croit, un prof de français n'a pas beaucoup de temps. Moi, la première année que je travaillais à Paris, j'arrivais, il était sept heures, sept heures et demie, tout de suite après il fallait que je me remette à mes corrections, à mes préparations de cours. Non, et puis je pense que c'est un métier qui vous occupe beaucoup et alors comme mes amis étaient des collègues, des profs, quand on se voyait, on parlait beaucoup boulot; ça gêne énormément les maris. Et c'est insupportable, maintenant je le sais. Mais à cette époque-là, on continuait. Ça arrive; moi, j'ai un couple d'amis, bon, lui, il est toubib, elle, elle est enseignante, on est obligés quand on mange ensemble d'arrêter de parler boulot. Parce qu'on voit… qu'il en a jusque-là. Non, je sais pas si ça… bon, ça l'agaçait, ça le gênait. Je pense que je parlais trop, ça aussi ça le gênait beaucoup, mon mari. Mais qu'est-ce qui l'a le plus gêné dans notre… Non, moi il m'a dit souvent, « j'étais le mari de madame », je pense que c'est pas dû tout à fait, tout à fait – mon boulot a joué – mais c'est dû aussi à moi, là vraiment, mon caractère.

— *Oui, vous disiez quand même que vous étiez peu disponible… peu disponible pour lui finalement…*

Fanny — Oui, mais même, peu disponible, oui, et peu disponible pour les gosses, c'est vrai; ça c'est vrai et ça s'est ajouté, ça s'est ajouté à ce que j'étais, moi, et ça n'a rien arrangé. Je pense que si j'avais été une femme à la maison, je veux pas… on aurait eu une vie différente.

— *Mais c'est un peu comme si, moi je le sens comme ça, peut-être je me trompe, c'est un peu comme s'il avait senti que vous, vous preniez le chemin d'être une intellectuelle et que lui prend un autre chemin, alors qu'il avait des projets, à l'origine des projets d'études…*

Fanny — Oui, je pense que c'est ça aussi, quelque part il y a de ça et c'est peut-être la raison pour laquelle moi, maintenant, je déteste autant les intellos. Je me suis arrêtée en chemin. C'est vrai, je pense que l'échec de ma vie de femme fait que je me méfie beaucoup de tout ce qui est… parce qu'à l'époque, c'est tellement loin, c'est vrai que j'aimais sortir, j'aimais aller au théâtre. Maintenant je n'achète plus aucun disque, si, de temps en temps ; non, et puis j'ai pas d'appareil pour écouter de bons trucs, j'ai pas les sous pour me payer une bonne chaîne, donc j'écoute plus. A l'époque j'étais avide de tout savoir, de tout connaître, de faire ceci, de faire cela, ça alors, ça m'est passé, depuis mon divorce complètement. Pourquoi alors, allez savoir pourquoi ? Mais c'est vrai qu'au début j'étais comme ça, mais il aimait bien, il aimait bien tout ce qui était sorties et puis certainement que, il me dit, il m'a répété souvent, « je n'étais que ça, que le mari de madame ». C'est moi qui menais la barque, j'ai l'impression.

Le gros, gros échec de ma vie

— Mais les enfants, vous n'avez pas eu beaucoup de temps pour les enfants ?

Fanny — Non, les enfants je crois qu'elles ont énormément souffert de tout ça, déjà de notre mésentente au départ. Et puis non, c'est vrai que j'avais pas trop de temps pour elles.

[…]

— Qu'est-ce qu'elles font les filles maintenant ?

Fanny — Ben, les filles, elles ont eu des parcours, alors elles, tout à fait… Laurence, celle qui me cause des soucis, là, elle est éducatrice spécialisée, elle doit passer son diplôme, là, récemment. Je sais pas ce qu'elle fait parce que depuis février, je l'ai pas beaucoup vue, donc ça aussi, c'est pas un hasard. Je pense qu'elle a tellement souffert de manque dans son… on en parle, on arrive à en parler maintenant, dans sa jeunesse, dans son enfance que elle, elle s'occupe de gosses à problèmes. Elle travaille dans un centre, elle s'occupe de cas sociaux, de petits gamins de cinquième, et Valérie, elle a quitté le lycée le jour du départ de son père, elle n'a plus voulu remettre les pieds à l'école, elle a considéré alors, elle aussi, que les profs c'étaient tous des nullards, des pauvres types, des pauvres mecs, moi y compris. Qu'on n'était pas fichu de comprendre quoi que ce soit aux jeunes et puis comme depuis – je ris, mais c'est un peu nerveux, pendant des années ça a été la galère, comme ils disent les jeunes, la galère, des grosses, grosses histoires.

— *Elle avait quel âge quand elle a quitté le lycée ?*

Fanny — Eh ben, elle était en première, quel âge elle avait ?

— *16 ans, 17 ans ? Et maintenant… ?*

Fanny — Oui. Et maintenant elle fait de l'horticulture mais ça lui plaît parce qu'elle est dehors, c'est une fille qui est totalement marginale, Valérie, et l'autre… elles sont jumelles, mes filles ; je crois qu'elle a du mal à supporter des contraintes, elle a tout essayé un petit peu, elle a essayé le travail de bureau, elle a fait des stages, maintenant elle est dehors, malgré… je suis étonnée d'ailleurs qu'elle soit si assidue, malgré le froid ou malgré la chaleur, elle continue à s'intéresser aux fleurs. Après deux années, deux années, non, mon mari est parti en 85, avec elle j'ai vu le bout du tunnel, disons, l'année dernière. Mais vraiment, là, c'est le gros, gros échec de ma vie.

— *Pourquoi, si elle est retombée sur ses pieds ?*

Fanny — Je sais pas, parce que je pense qu'elles ont été malheureuses. Je vais pleurer si je vous dis des trucs comme ça. C'est vrai, c'est un truc dont j'ai du mal à parler.

— *Oui, mais maintenant, elles ont chacune leur voie et elles ont… elles ont quel âge ?*

Fanny — Elles ont 23 ans, je pense qu'elles sont… comment vous dire ? Irrémédiablement blessées, ces deux filles, par la vie de leurs parents.

— *Vous avez vécu longtemps avec votre mari ?*

Fanny — Oui, 20 ans. Mais je crois qu'on a fait des tas d'âneries, tous les deux, parce qu'on n'était pas mûrs pour le mariage ; parce que moi, j'étais ailleurs ; parce qu'on n'était pas prêts à avoir des gosses ; et le métier de prof là-dedans, ça n'arrange rien du tout. Ça m'a pas arrangée du tout, moi, dans mes rapports avec les gamines. Du tout, du tout.

— *Vous pensez qu'un autre métier aurait été plus facile ?*

Fanny — Je ne sais pas. Non, ça je ne peux pas vous dire parce que j'ai d'autres exemples où je vous dis,… là, mes amis, la dame, mon amie – je dis la dame, c'est idiot – mon amie est enseignante, le mari est toubib, c'est un autre milieu, ils avaient plus d'argent que nous ; il y avait aussi des problèmes de couple parce qu'elle… elle, par contre, c'était elle qui était méprisée par le mari, et même encore, quand ils discutent, il est toujours en train de lui dire, « les enseignants, vous êtes tous des nuls, etc., etc., moi (il est médecin du travail), je vois des gamins qui viennent chez moi pour être maçon ou travailler dans le bâtiment, qui sont illettrés, etc., qu'est-ce que vous foutez à l'école ? », enfin bref, tous leurs problèmes, ils ont des problèmes. Ils ont des problèmes de couple – c'est difficile de parler de quelqu'un d'autre – mais il y a des problèmes, bon. Ils ont des gamins adorables qui n'ont pas trop souffert de tout ça, qui ont été pourtant au courant de leurs problèmes, qui entendent tout. Et ça marche quand même. L'un est en prépa, donc à Savigny, l'autre, il est en troisième, donc ce sont des gamins qui sont parfaitement équilibrés, qui n'ont pas de problèmes scolaires, pas du tout ; et pourtant des problèmes de couple, là aussi, il y en a, et ça continue. Parce qu'elle – moi je la compare un peu à mon mari, si vous voulez – dans la mesure où elle avait des rapports difficiles avec son mari, elle allait chercher ailleurs des compensations, de même que le mien, il cherchait ailleurs des compensations, voilà. Mais est-ce que c'est dû vraiment au métier, je sais pas.

— Mais ce que vous disiez quand même aussi l'autre jour, c'est que presque tous les collègues, là où il y a un enseignant dans le couple ou les deux, enfin, bon, parmi vos collègues, il y en a beaucoup qui se sont mariés entre profs et tout ça. Et les autres aussi. Vous disiez que presque tous à un moment donné, ça marche mal, quoi ?

Fanny — Oh oui, si, ça marche mal, mais certains résistent, dans les couples, il y en a qui résistent au « ça marche mal » ; il y a des tas de couples qui marchent mal et qui restent ensemble. Bon, mais ça… Moi, mon gros problème, c'est l'effet que ça peut avoir sur les enfants. Dans le mien ça a très mal marché. Moi, je connais des couples qui marchent mal, j'entends des réflexions mais malgré tout…

— Ça suit son bonhomme de chemin ? Pour les gosses ?

Fanny — Ça suit, voilà. Il y a des tromperies de part et d'autre, je suis pas dans l'intimité des gens, par exemple, j'ai des amis en Bretagne, le mari est inspecteur des impôts, elle, elle est prof d'anglais, quand il parle de sa femme, il dit, « oh ! qu'est-ce que tu crois qu'elle fait ? Elle est dans ses copies, j'en ai marre, etc. ». Maintenant il fout le camp tout seul en vacances, il a des copains en Pologne, ils ont reçu des Polonais, alors il s'en va. Qu'est-ce qui se passe, je ne sais pas. Si on résiste à tout ça, c'est bien, mais ça pose des problèmes, c'est sûr. (…)

J'étais très fleur bleue

— *Et est-ce que vos deux carrières, votre mari et vous, se sont petit à petit éloignées ? Vous avez dit qu'il était brigadier au début et qu' après il était receveur. Bon, je ne me rends pas très bien compte de ce que ça représente dans une carrière.*

Fanny — Maintenant il est receveur. Quand il m'a quittée, moi, il était toujours brigadier. Éloignées… non, moi ça m'intéressait pas trop ce qu'il faisait. J'ai jamais trouvé de l'intérêt à ce qu'il faisait.

— *Et votre intérêt ensemble, c'était quoi ? Parce que vous êtes restés vingt ans ensemble, il devait y avoir de bons moments ?*

Fanny — Oui, mais notre intérêt ensemble – mais comment vous dire ? — pour moi, c'est idiot ce que je vais vous dire, pour moi c'était un amour de jeunesse, pour moi j'étais très fleur bleue, après je me suis mariée, je croyais que ça allait durer tout le temps. C'est tout. Et notre intérêt, bon, on était ensemble, on sortait quand même beaucoup. Il y avait ça ; ça, c'étaient de bons moments. Mais c'est vrai que… si, il y a eu de bons moments. On allait au théâtre, je vous dis, en vacances avec la famille, moi, c'était une petite vie pépère, moi je suis pas très ambitieuse et je m'étais contentée de tout ça. Sans savoir véritablement où était la faille ; et puis quand il a commencé à aller voir ailleurs pour certainement retrouver une autre image de lui que celle que je lui renvoyais, moi, c'était déjà trop tard, c'est tout. Mais moi, je m'étais pas rendu compte jusque-là ; et même ça a duré longtemps ; mais c'est vrai que son boulot, moi, ça ne m'a jamais intéressée. C'est vrai, j'avais ce côté, comment dire ? Intello, c'est intello, je sais pas, si, sans doute, je m'intéressais à plein d'autres choses et le sien, ça me paraissait un peu… Je me disais : taper sur des trucs, etc., c'est pas passionnant, ça m'intéressait pas. Bon, de temps en temps, comme je lisais dans les magazines féminins qu'il fallait s'intéresser à l'autre, ben, je faisais un effort. Non, mais c'est vrai ! Moi, j'ai énormément de torts là-dedans, ça m'intéressait pas du tout, et maintenant je me suis coupée de tout ça. Vraiment.

— *Oui, vous aviez assez avec votre vie professionnelle ? En somme, ça vous remplissait votre vie ?*

Fanny — Oui, moi, mes amis qui me voyaient vivre m'ont dit,

« ton boulot c'était tout », alors je m'en défends, moi, de ça, parce que moi, je ne le ressentais pas comme ça.

— *Oui, mais le boulot, les collègues et tout ça, avec tout ce qu'il y a autour ? Pas uniquement les copies, il n'y avait pas que les copies ?*

Fanny — Oui, voilà, le boulot, les élèves, les collègues, ça remplissait ma vie.

— *C'était important, les collègues ?*

Fanny — Oui aussi. Oui, oui, ce sont des amis. Les collègues, certaines sont devenues des amies. Ça remplissait ma vie. Alors mon mari, j'ai l'impression qu'il était à côté. Et puis je crois qu'il l'a ressenti comme ça. Quand il me dit, « j'étais le mari de madame », c'était ça, mais…

— *Est-ce que vous aviez des activités, à part votre vie au lycée ?*

Fanny — Comment des activités ?

— *Vous m'avez dit que vous n'étiez pas militante, mais animer… ?*

Fanny — Oh ! militante (…) j'ai eu une période ; quand j'étais à Avignon, j'étais secrétaire de cellule, on était au PC, tous les deux, mon mari et moi, lui plus militant que moi et moi pendant un moment j'ai été secrétaire de cellule. Est-ce que j'étais secrétaire de cellule avec conviction ? Je sais pas.

— *Pendant combien de temps, ça ?*

Fanny — Deux ans. C'était une époque où je croyais à plein de choses, maintenant alors, là-dessus… je suis refroidie, littéralement. Qu'est-ce que je faisais ? Je faisais du sport, je faisais de la peinture.

— *C'est beaucoup avec deux enfants, un mari, le lycée ?*

Fanny — Pas tous les jours quand même ; qu'est-ce que je faisais encore ? J'écrivais des poèmes, des trucs. Non, moi j'avais une petite vie pépère, non, quand j'y pense. Pépère, non, j'étais bien, moi, comme ça, je ne me rendais compte de rien. Ça suffisait…

— *Pas du tout ? Si, un peu, quand même ? Vous vous rendiez compte un petit peu ?*

Fanny — Non, non, non. Non, non, non, je me suis rendu compte véritablement, quand mon mari m'a dit – mais il me trompait, je le savais, il avait des aventures – quand il m'a dit qu'il en avait vraiment assez d'être à côté de moi. Et moi, j'ai jamais eu l'impression de ce truc-là. Je pensais que, bon… je sais pas…

— *Vous n'avez pas vu venir ?*

Fanny — Non. Et maintenant, est-ce que… je me demande si c'est vraiment dû au boulot, ça, au boulot que je faisais, je sais pas, ou peut-être à des choses plus profondes qui venaient de moi, de mon enfance, de ma mère, de son désir de me voir comme ceci, comme cela. Je ne sais pas, j'ai quand même voulu être autre chose que mes parents qui étaient ouvriers.

— *Oui alors, votre mari c'était un peu comme eux ? Par certains côtés…*

Nos amis, c'étaient les miens

Fanny — Voilà. Oui, enfin… Moi je pense qu'il a beaucoup souffert de réflexions, là je pense à des choses toutes bêtes. Nos amis, c'étaient les miens, et bon, alors, des profs. Il y en a un, une fois, je ne sais plus à quel propos, au cours d'une bouffe quelconque, il a dit en parlant de mon mari, mais tout fort, il a dit, « mais il a pas inventé le fil à couper le beurre ». Et je pense que ça, ça lui a fait beaucoup de mal. On a pris ça à la rigolade, et puis des trucs comme ça ; je pense que dans le milieu enseignant aussi, moi, j'avais des copains qui étaient… surtout les copains de la région parisienne, quand on est venus par là, qui étaient vraiment des intellos. Des intellos au vrai sens du terme, qui plaçaient au-dessus de tout les discussions philosophiques, etc. Il y en a un, je sais plus ce qu'il fait d'ailleurs, j'ai lu son nom quelque part, un jour au cours d'un colloque, il doit avoir monté, (…) et c'étaient des fils de bourgeois, c'était pas du tout le même milieu que le nôtre, c'étaient des fils, vraiment, de bourgeois, ce que j'appelle, moi, des intellos. Et ils étaient très méprisants. Je crois… si, cette réflexion le montre ; moi, je ne voulais pas l'accepter, je ne voulais pas l'admettre. Alors, moi, devant eux j'étais à l'aise, avec eux j'étais à l'aise, mon mari ne l'était pas et moi, je ne le voyais pas. Je ne voulais pas le voir. Je crois que tout ça, ça lui a fait beaucoup de mal, alors que c'était quelqu'un qui n'était pas idiot mais qui dans ce milieu intello bourgeois n'a pas su se défendre. Moi, j'ai coupé les ponts avec tous ces gens, complètement. (…) Mes filles aussi ont une sainte horreur des enseignants.

— *Ah bon ?*

Fanny — Ah oui. Sauf Laurence qui en a rencontré une de chouette, si vous entendiez ce qu'elles disent des enseignants, mais c'est à cause de moi.

— *Qu'est-ce qu'elles disent ?*

Fanny — La plupart des enseignants qu'elles ont rencontrés, c'étaient des types égoïstes, enfermés sur eux-mêmes, avec qui elles ne pouvaient pas parler, etc. Bon, et c'est vrai que, moi, j'en ai rencontré comme ça aussi.

— *Avec qui on ne peut pas parler ?*

Fanny — Ah oui ! Valérie quand elle a fait ses fugues, moi, j'étais en pleine déprime, c'est le jour où le père est parti, c'est le jour de la rentrée de vacances de Pâques en 85, Valérie a quitté l'école. Moi, pendant un moment je l'ai pas su, parce qu'elle prenait son sac le matin, elle allait au lycée. Et quand j'ai voulu parler à des profs, ils se sont réfugiés derrière la loi, moi, je veux bien, je suis enseignante aussi, je connais la règle, mais il n'y a eu personne pour l'aider, elle, véritablement et moi, moi, à ce moment-là, j'étais pas assez ouverte à elle, je m'occupais de mon problème, alors je lui disais, « faut aller au lycée », on en parlait un petit peu, etc., mais je n'ai trouvé personne pour l'aider. J'y suis allée plusieurs fois au lycée. Alors elle, elle les (...).

— *Elle a décroché complètement du lycée, personne l'a aidée à se raccrocher, quoi ?*

Fanny — Oui, alors que je pense, elle aurait rencontré quelqu'un... par exemple je l'avais mise avec moi à l'école, forcément le père a été absent pendant... c'est ce qu'elles disent, elles n'ont pas eu de père, soi-disant. Alors donc, elles étaient toujours attachées à des profs masculins ; et dans mon collège où j'avais mis Valérie, il y avait un prof d'histoire et géo qui ressemblait vaguement à mon mari avec sa barbe et il a fait des miracles avec Valérie, il est arrivé à la réintégrer, alors que c'était une gosse difficile. Elles, elles ont une sainte horreur des enseignants. Moi, je culpabilise maintenant, je suis pas fière quand je dis... alors j'essaie d'être, à cause d'elles sans doute, j'essaie d'être une enseignante très à l'écoute de mes élèves.

[...]

— *Est-ce que ça n'aurait pas été plus facile de rester dans le Midi, non ?*

Fanny — Mais moi, je n'ai pas voulu rester dans le Midi, encore moins. C'est moi qui ai pris la décision. Moi, je me suis beaucoup ennuyée dans le Midi. En fait, ça, c'est le problème de... moi, je l'analyse comme ça, maintenant... Je suis partie très tôt de mon village natal que j'adorais pour aller à la ville parce que mes parents allaient travailler à la « ville » — à la ville entre guillemets, c'est un gros, gros bourg ; ça a été mon premier déracinement, j'étais toute môme, j'étais pas encore au lycée mais je me suis enfermée dans la maison pendant un mois ; ça, ça a été le premier déracinement. Après, mais j'en ai un souvenir… mais… cuisant de ce départ. Et puis, bon, il y a eu les années de pensionnat et puis Toulouse, et puis Paris et puis finalement on sait plus où on en est. Et je pense, moi, que si on était restés en province, on aurait eu une vie plus calme, à l'image de celle de mon beau-frère, plus pépère, plus tranquille. Et le fait de ne pas avoir sa famille près de soi, je crois que c'est un handicap quand on débute. Moi, je suis pour les familles, j'y reviens à ces valeurs d'autrefois, je crois que c'est important le nœud familial, tout ce tissu familial, les parents qui sont là, etc., qui obligent les gens à… comment dire, à faire attention à eux-mêmes, à faire attention aux autres. Là, nous, on a été un peu livrés à nous-mêmes, comme ça, on a été malmenés, là.

[…]

— *Ah ! il est retourné dans le Midi, alors ? Après ?*

Fanny — Oui, oui, lui, il est retourné dans le Midi en 85, voilà. Maintenant il est receveur dans un petit bureau et, lui aussi, je pense qu'il a abandonné…, il doit avoir une vie très, très difficile, il a abandonné un petit peu toute ambition. Ce qu'il veut, c'est comme moi, c'est être tranquille dans son bureau. Alors là, je sais pas trop où il en est, mais en tout cas, les filles ne le voient jamais.

— *Du jour où il est parti ?*

Fanny — Oui. Mais même avant, avant de partir de la région parisienne, il lui arrivait de venir à la maison, il ne s'est vraiment jamais intéressé à elles. Ça aussi, ça joue, ça n'a rien à voir ni avec son boulot, ni avec le mien, je pense que c'est peut-être parce qu'il était trop jeune quand on les a eues, 19 ans, il a fallu assumer ces deux gamines ; il ne s'est vraiment jamais intéressé à ses mômes. C'est ce qu'elles disent maintenant, et ça non plus, moi je ne le voyais pas. Une fois pour toutes, la grande erreur de ma psychologie, c'est que je crois – maintenant je ne le crois plus – c'est que je crois toujours que les gens sont comme moi, qu'ils réagissent comme moi. Je fais les choses, je vois les choses à ma façon, j'ai envie de les faire rentrer dans… j'ai envie, je ne sais pas maintenant, je sais que je suis comme ça et que c'est un défaut. Mais je fais rentrer tout dans ma vision. Alors il faut que ce soit comme, moi, j'ai envie que ce soit. Et je le vois comme ça, je ne me rendais pas compte de tous ces problèmes. Des fois, il y avait des heurts, des… non, alors j'assumais, ça marchait.

— Parce que la maison devait fonctionner ? Vous étiez quatre quand même, c'est vous qui la faisiez marcher ?

Fanny — Oui, ça fonctionnait, ça fonctionnait. Oui, effectivement ça fonctionnait.

— C'est pas rien, ça déjà.

Moi je les aime, ça suffit

Fanny — Voilà. Et donc tous les problèmes intérieurs aux gens, je ne les voyais pas ou alors je me disais, « c'est pas grave, moi je les aime, ça suffit ». Alors, qu'est-ce qu'on dit encore ? Je ne sais pas, moi, je vous parle de moi, je ne sais pas si c'est dans la direction que vous voulez ?

— Si, si, tout à fait..

Fanny — C'est comme si j'étais chez le psy, là.

— Ah non ! Quand même pas !

Fanny — Ah ! mais j'y suis déjà allée ! Quand même.

— Ah bon, vous y êtes déjà allée ?

Fanny — Oui. Non, pas pour moi, mais quand Valérie s'est droguée, je suis allée chez le psy.

— Elle se drogue plus maintenant ?

Fanny — Non, elle prend encore quelques cachets. J'ai lu dans les bouquins médicaux que c'était pas bien grave ; de toute façon, ils s'achètent en pharmacie, comme ça. Non, mais elle s'est droguée pendant deux ans à l'héroïne, pas régulièrement ; quand je m'en suis aperçue, c'est qu'elle l'a bien voulu, enfin, je savais qu'elle menait une vie de patachon mais heureusement, elle était avec moi. Quand elle a voulu que je le sache, elle a fait en sorte que je le sache.

— Et là, vous avez été voir le psy pour avoir de l'aide pour elle ? Avec elle ?

Fanny — Non. Toute seule. Quand je me suis aperçue au début de ce truc-là, je suis allée voir mon principal, l'ex-principal parce que maintenant il est principal à Trappes, il me connaissait bien, qui connaissait mes problèmes, je connaissais les siens, on n'était pas vraiment amis, mais on était quand même liés, qui m'a donné l'adresse d'un centre à Ivry qui s'appelle SOS-Accueil, qui s'occupe de jeunes comme ça, un peu à la dérive ; et le psy m'a dit, « on va commencer par vous », alors j'ai dit oui, je lui ai raconté tout ce que je vous dis là ; et lui, il m'a… les psy… ça s'est passé, je lui ai raconté, ça m'a pas fait avancer d'un pouce. Non. Et entre temps mon père est mort et après, ça me gênait un peu d'y retourner parce que je ne voyais plus ce que j'allais lui dire, je lui ai dit, « écoutez, je ne viendrai plus, mon père est mort », et j'étais en train de digérer cette mort, c'est vrai que, ça aussi, c'était un événement important dans ma vie. (…)

— *C'est récent, ça ?*

Fanny — 87. Vis-à-vis de mes filles aussi, j'ai vu les choses autrement. Parce que, pendant un moment, toujours avec mon côté prof, mes filles, j'admettais pas, moi, qu'elles n'aient pas suivi une voie droite et beaucoup de problèmes venaient de là. Et puis devant cet homme mort, je me suis dit que tout cela n'avait pas d'importance.

— *Mais au début, vous vouliez pas partir de votre coin et maintenant vous ne voulez plus y retourner.*

Ces gens qui font de l'esbroufe

Fanny — Non, c'est pas que je veux plus y retourner. Je pense que les amis que j'ai ici sont très importants, j'aurais du mal à les quitter. Parce que j'en ai déjà quitté à Avignon, non… là, j'ai vraiment du mal. Tous les ans je dis que je vais demander ma mutation. [*Propos sur la vidéo.*] Moi j'ai honte aussi, mais j'ai honte, pourquoi ? Pourtant moi, je ne renie pas du tout mes origines. Vous avez des gens qui arrivent de province, moi j'aurais pu perdre mon accent, faire des efforts. J'ai toujours des rapports avec mes beaux-parents. Elle me dit, « moi, Fanny, ce que j'aimais en vous, c'est que vous étiez simple ».

— *Vous « étiez »…*

Fanny — Vous étiez, parce que maintenant… pour elle le divorce c'est… je crois que ça a fait beaucoup de peine, à mes parents aussi, quand même ; mon père en a eu beaucoup de chagrin et mes beaux-parents aussi ; elle me dit, « vous étiez », parce que c'est fini, parce que je ne peux plus aller chez eux comme j'y allais autrefois, elle me dit, « vous étiez simple, vous ne faisiez pas de chichis », ils me percevaient comme ça, je pense que pour des gens qui sont des ouvriers, je leur… Ma sœur a des amis qui sont instits, qui sont profs et qui font ce que j'appellerais, moi, un peu d'esbroufe. Est-ce que c'est la réalité ou est-ce que c'est moi qui le ressens comme ça, je me méfie tellement de ces gens qui font de l'esbroufe, mais, bon, quand elles sont avec d'autres personnes, on le sent que ce sont des enseignantes, elles le montrent.

— On le sent ? C'est drôle ! Par contre vous disiez que votre mère était déçue de voir que vous aviez beaucoup de travail, que, quand elle vous voit arriver, elle pensait que le prof, c'est un fonctionnaire...

Fanny — Oui, je pense qu'elle s'est rendu compte de ça, quand elle, quand elle vient ici en période scolaire, elle s'est rendu compte que c'était quand même prenant. Je crois qu'elle a compris certaines choses parce que – même si elle ne sait pas tout – sur mes filles, elle sait assez pour voir que ça ne correspond pas à la norme, etc. Et donc elle a mis toute la responsabilité, et c'est vrai qu'elle est là, sur les problèmes de couple, sur mon caractère, etc., etc. Mais elle s'est aperçue quand même que c'était pas le boulot de tout repos qu'elle croyait : on n'a rien à faire, on rentre à la maison, il y a des vacances, c'est super, etc., etc., elle voyait ça, ma mère. C'est vrai qu'elle voyait ce côté... à la fois le pouvoir et puis la tranquillité. Et quand elle est venue, elle est venue plusieurs fois avec mon père ici en période scolaire, elle s'est aperçue que moi, le soir, eh bien j'étais coincée !

Et puis même en vacances, il m'arrive de travailler, même... là je vais partir à Pâques, certainement, j'ai 90 copies, c'est le minimum, à corriger. Il faut bien que je le fasse, j'ai des trucs à préparer. Pendant les vacances, les grandes sont plus cools mais je travaille quand même pour l'école. (...) Mon grand rêve, c'est d'amener des mômes là-bas [en Ariège]. Mais je le ferai peut-être pas parce que je pense que je vais avoir ma nomination en lycée ; mais j'aurais aimé, quand même, leur faire connaître ma région avant qu'elle soit définitivement foutue, parce qu'ils mettent l'accent maintenant sur le tourisme en Ariège, je crois qu'un de ces quatre, ça sera plus comme avant.

— C'est quel coin de l'Ariège ?

Fanny — Moi, je suis née dans un tout petit village qui s'appelle Léran, alors maintenant ma mère habite à Lablanet, c'est le pays du textile et du rugby, enfin, maintenant leur équipe est un peu tombée. C'est tout petit l'Ariège, le chef-lieu c'est, c'est comment ? Foix. La Préfecture c'est Foix. Non c'est pas très grand.

Mais il y a un très joli château. Et c'est un joli coin, moi j'aime bien. Mais je ne m'y installerais pas, d'ailleurs je suis bien là, j'ai fait mon trou, c'est ma politique du caillou, je suis là, je n'ai qu'une trouille, on est en indivision avec mon mari, c'est d'être obligée de bouger, de changer plein de choses ; j'ai toujours peur de... j'en ai tellement bavé ces dernières années que j'ai toujours peur du changement. Alors, bon, ça arrivera, mais s'il fallait m'installer ailleurs, ça m'agacerait. Et en fait quand on est déraciné – moi je me sens déracinée véritablement – on est obligé de se chercher d'autres racines. Moi je les ai trouvées avec des amis que j'ai eus ici. Peut-être aussi, je suis attachée à ce coin parce que j'y ai vécu avec mon mari. Encore que c'est pas les meilleures périodes de ma vie.
Mais j'aurais du mal à vivre dans l'Ariège, j'aime Paris, moi. J'y vais de temps en temps, pas très souvent, mais j'aime Paris, j'ai aimé cette ville. Je sais pas pourquoi, j'aime les rues, j'aime me promener, je me promenais souvent quand j'étais prof à Charlemagne, j'avais tellement de trous dans mon emploi du temps et j'étais jeune prof, on m'avait soignée ! Des trous partout. Alors j'avais le temps de me promener et c'est vrai que j'aime cette ville. Quand je disais ça aux Méridionaux, ils me disaient que j'étais fada. Paris, pour eux, c'est dégoûtant. C'est tout noir.

RC, avril 1991

Rosine Christin

La classe de français

Aujourd'hui, Colette F. estime que sa « condition » n'est pas trop mauvaise puisque, dans le collège de Meaux où elle enseigne depuis sa réussite à l'agrégation, il y a deux ans, elle vient de se voir affecter « deux troisièmes et deux quatrièmes d'emblée », c'est-à-dire ce qu'elle avait demandé ; la dernière arrivée, maître-auxiliaire, aura ce qui reste, les classes les plus difficiles et les mauvais horaires : il n'est pas sûr qu'elle puisse tenir.

Après sa maîtrise et un premier échec au CAPES, Colette avait décidé de prendre un poste de maître-auxiliaire tout en poursuivant ses études. Elle avait déposé son dossier dans plusieurs académies proches de Paris et s'est trouvée affectée à Beauvais, pour un remplacement de longue durée. Elle gagnait un peu plus que le SMIG et au début « ça (lui) semblait fabuleux », parce qu'elle n'avait fait jusque-là que des petits boulots : finalement on gagne bien sa vie et les vacances arrivent assez vite. Elle a vite déchanté avec des classes « épouvantables ».

Deux ans plus tard, elle échouait à l'agreg mais était reçue au CAPES et choisissait le statut de titulaire académique, à la disposition de l'académie d'Amiens, qui lui permettait de ne pas quitter la région parisienne tout en enseignant une année scolaire complète dans un même établissement. Elle est alors nommée professeur de français dans un établissement situé sur une zone industrielle aux environs de Creil. Ce « collège Pailleron » banal, deux rectangles de béton et des « préfas » (bâtiments préfabriqués) chauffés par des poêles à fuel est fréquenté par des enfants d'ouvriers, en majorité immigrés, vivant en cité ou dans de petits immeubles HLM. Les bagarres, la violence verbale y sont quotidiennes, mais si certains des grands frères sont « connus de la police », les élèves sont encore proches de l'enfance, plus instables et agités que délinquants. Un certain ordre scolaire se maintient encore, et, à première vue, les règles communes y sont invoquées, sinon respectées : tel est, raconté par Colette F., ce collège ordinaire, comme il s'en trouve un peu partout en France. Dans certaines classes, même dans les plus petites, la drogue est présente et si, en apparence, aucun trafic ne se déroule, semble-t-il, à l'intérieur même de l'établissement, au grand soulagement des enseignants, malaises et pertes de conscience par overdose font parfois une tragique irruption.

Les années précédentes, elle avait enseigné à Château-Thierry, dans un lycée « sans problème, où elle n'avait jamais donné une heure de consigne, si ce n'est pour travail non rendu ». Rassurée par cette expérience d'un enseignement plus conforme, elle s'est fait « cueillir en beauté », comme elle dit : dès la Toussaint, ses nouveaux élèves avaient senti sa faiblesse et elle a dû lutter toute l'année pour éviter les pires débordements.

Elle doit assurer un service de 18 heures sur cinq jours ; les plus anciens dans l'établissement, les plus âgés aussi, les PEGC, bien installés dans la région et dans le collège, bien connus de l'administration, ont réclamé des horaires sur mesure. Les « titulaires académiques », qui tournent dans l'Académie, nommés pour un an seulement dans chaque établissement, plus jeunes, souvent à peine sortis du CAPES, sont moins bien servis. Dès sa réussite à l'examen, elle a quitté sa chambre d'étudiante pour s'installer dans un studio un peu plus confortable, dans le 18e arrondissement, proche de la gare du Nord qui dessert la région d'Amiens. Il y a peu de trains en milieu de journée et elle prend quatre fois par semaine celui de sept heures quatre ; elle se lève alors à six heures moins le quart et quitte son studio à six heures et demi. Elle aperçoit d'autres profs, sur le quai, assez nombreux certains jours. On se salue de loin et, comme par un accord tacite, chacun se cherche une place parmi des inconnus afin de terminer sa nuit tranquillement ou de corriger quelques dernières copies. Il n'y a pas de bus à l'arrivée du train et il faut se regrouper pour prendre des taxis : « ils acceptent trois personnes, pour la quatrième, il faut payer un supplément, pour un gros sac aussi. »

Dès ce moment-là, Colette se sent « nouée » ; elle pense aux classes difficiles ; comment faire aujourd'hui pour qu'ils se tiennent tranquilles. Trois heures de cours le matin, deux l'après-midi pour la journée la plus dure. Entre les cours, elle prend un peu de repos dans la salle des professeurs : une salle morne, meublée de quelques sièges en plastique moulé, deux plantes vertes et, surtout, le grand réconfort d'une cafetière électrique autour de laquelle on se réchauffe, on chuchote, on se plaint. L'ambiance n'y est pas très bonne et une sourde rivalité persiste toute l'année entre PEGC, les « anciens » et les plus jeunes.

Le collège est isolé dans une zone industrielle et il n'est pas question d'aller au café ni de « s'avancer dans ses courses ». Le soir, ceux qui ont des voitures « vont rapprocher les Parisiens d'une gare ou d'une station de bus : c'est le meilleur moment de la journée, dit Colette, on bavarde, on est plus détendus ».

Elle se souvient surtout d'une classe de cinquième, dont les élèves avaient entre 14 et 16 ans : « le jour où je les avais, j'étais assez nouée… j'avais pas bien dormi, à chaque fois je me disais "bon, cette fois-ci, comment je vais m'y prendre pour qu'ils se tiennent assis" ».

Dès la montée en cours, par des escaliers et des couloirs couverts de graffiti, lieu d'un va-et-vient permanent, d'un perpétuel bouillonnement (une « véritable Cocotte-minute »), « on sent que c'est fichu ». A chaque étage, de part et d'autre d'un couloir central, dix salles de classe, dont les cloisons vitrées à mi-hauteur, sont une grande source d'amusement puisqu'« il suffit de sauter un peu pour faire les idiots au-dessus et embêter le cours qui est en train de se dérouler ». A longueur de journée, les retardataires, les traînards croisent tous ceux qui « sont sortis de cours », envoyés chez le conseiller d'éducation dont le bureau est situé au premier étage d'un des bâtiments.

La première épreuve est la mise en rang à la porte de la classe : « Même ça, c'est pas possible, … il y en a 15 (sur 30) qui se mettent en rang mais il y en a un qui interpelle un copain d'une autre classe, c'est bisou-

bisou, après une engueulade quelconque à propos de je ne sais quoi…C'est sans cesse l'insulte (la plus fréquente : "ta mère !") et la violence verbale. Si, dans l'escalier, l'un marche sur le pied d'un autre, c'est une bordée d'injures, l'autre, évidemment croyant que son honneur est entaché, va vouloir jeter des gnons. »

L'entrée dans la salle prend parfois une dizaine de minutes. Ils ne sont pas encore assis, mais enfin, »ils sont dedans » ; à ce moment, « il y en a un qui arrive avec une histoire invraisemblable, il est passé par le conseiller d'éducation parce qu'il était pas là la veille ; le conseiller d'éducation lui a fait une remarque qui ne lui a pas plu : il arrive en pleine ébullition, voulant faire partager sa colère aux autres, les autres le soutenant. » Quelques minutes passent encore ainsi.

Ils ne sont jamais au complet ; certains viennent le matin, d'autres l'après-midi, ou encore disparaissent pendant plusieurs semaines. Au début de l'année, Colette avait mis au point un plan de classe, attribuant à chacun sa place pour l'année. Après quelques semaines le principe est assez bien respecté mais l'agitation reprend avec la chasse aux tables et aux chaises. Il y a quelques vieilles tables de bois, lacérées, couvertes de graffiti, dont les plus faibles doivent se contenter. « Le débile de la classe, celui qui a fait toute sa scolarité primaire en centre psycho-pédagogique, avait une de ces tables (…) et toute son heure, puisqu'il n'arrivait pas à écrire, – c'est bien simple il n'arrivait pas à écrire son nom –, toute son heure, il prenait soit son cutter soit son compas et il creusait. Un jour il était tout content, il avait réussi à faire le trou, il était arrivé de l'autre côté ». Les meilleures tables sont à deux places, en formica, adaptables à la taille de l'élève par un système d'encoches et de vis, « alors c'était le cirque… et je te la remonte, et je te la redescends… ». La plupart des sièges sont cassés, il faut encore procéder, avant le cours, à l'échange des chaises, les plus forts cédant aux plus faibles celles qui sont trouées, démantibulées, bancales, « parce que quand on est leader, quand on est chef, quand on se veut un peu… on a la bonne chaise, on a la bonne table ».

Vingt minutes sont passées, le cours peut commencer. Une dizaine d'élèves ont leur cahier de français, les autres n'ont rien, des feuilles, des stylos circulent. On passe à l'exercice de lecture d'un texte, lecture « silencieuse » – « il y en a dix qui l'effectuent vraiment et les autres font tout autre chose » –, puis lecture à haute voix, « ils veulent toujours lire, mais en même temps ils ne savent pas lire… » On passe à l'exercice de questionnaire : « Je leur fais copier la question et la réponse, de manière à ce qu'ils soient calmes, je cherche à faire beaucoup d'écrit pour que l'oral ne soit pas l'occasion de débordements ». L'exercice consiste à faire fonctionner la mémoire, à répondre à des questions sur la couleur d'un vêtement ou sur une autre caractéristique d'un héros ; il y a aussi des questions de compréhension, de logique, de syntaxe. Rares sont ceux qui font l'exercice ; la plupart abandonnent vite, se lèvent malgré les exhortations, pour aller voir chez le voisin . Rien ne les engage à participer, ni l'attrait de la note, ni l'intérêt intellectuel, ni le goût de la compétition. Leurs passions sont ailleurs. « Il y a la bande, ils ont des choses à se raconter… mais il y a des histoires horribles entre eux. C'est-à-dire qu'à la fois ils font corps dès qu'il s'agit de s'opposer au directeur ou au conseiller d'orientation, mais, entre eux, il y a aussi des insultes terribles. Par exemple, ils se prennent le carnet de correspondance, qui ne sert d'ailleurs pas beaucoup, et ils se notent des choses infamantes dessus, des grosses insultes, souvent entre garçons et filles. »

Comme c'est toujours le cas pour les lycéens de cet âge, la décontraction verbale et vestimentaire est la règle ; à la fois partagée et imposée, plus qu'un savoir-vivre, elle est aussi une affirmation individuelle et collective. La mode cette année est au survêtement trop grand, et aux baskets qu'il convient de porter délacées, languette pendante.

Parfois un walkman apparaît sur une table. Commence alors un marchandage pour le faire « rentrer dans le sac ». Inutile d'essayer de le confisquer : « De toute façon, ça mène à une confrontation tellement dure, des grands gamins qui nous dépassent, c'est pas la peine. Là on se raidit et c'est l'affrontement physique. » Il faut parlementer, essayer d'établir une relation d'autorité et de confiance un peu aléatoire mais il faut tout recommencer à la leçon suivante, « rien n'est jamais acquis ». Certains jours, mieux vaut éviter d'écrire au tableau pour ne pas leur tourner le dos et leur donner l'occasion « d'en mettre un coup ».

Pendant les exercices écrits, elle circule parfois dans les rangs et un des leaders, un de « ceux qui n'en ont rien à faire », commentera alors la marque de son jean, Liberto ou Levis, lui en demandera le prix, regardera de près ses chaussures, son blouson, pour lui parler d'elle et aussi de lui-même et tenter d'établir un improbable dialogue. « Oui, nous aussi on connaît, on ne porte pas mais on connaît, et puis mon frère, lui, il pique des Chevignon. »•

juin 1992

Sylvain Broccolichi

Un rapport de forces

Sa belle-sœur m'avait dit qu'Hélène semblait très préoccupée par l'évolution de la situation des lycées professionnels. Quand je lui ai demandé si elle accepterait d'en parler, elle m'a tout de suite dit oui, que c'était grave et qu'elle voulait essayer de témoigner. L'établissement où elle est professeur de secrétariat depuis 1985 se situe à Paris et a plutôt bonne réputation. Des collègues lui ont dit que dans des lycées professionnels « industriels » (le sien comporte des sections tertiaires et industrielles), c'était souvent pire, ce qu'elle a du mal à imaginer.

Elle voulait devenir professeur d'éducation physique, mais elle a dû accepter une orientation en seconde technique. Elle est ainsi devenue secrétaire, bien que, « dès les premières heures de formation », elle ait su que ce métier ne lui convenait pas, conviction qui s'est trouvée renforcée lors de ses débuts professionnels en entreprise. « Monitrice de colo », elle découvre son « goût d'apprendre à des enfants, à des jeunes », et lorsqu'elle entend parler des « stages-jeunes », en 1981, elle saisit aussitôt l'occasion. Elle a « plein d'idées » sur ce qu'il est possible de faire de ces nouvelles mesures en faveur des jeunes exclus du système scolaire et devient responsable de stages d'insertion, puis coordinatrice des actions-jeunes du secteur. Elle aime ce travail, mais comme rien ne garantissait la reconduction de ces mesures, elle obtient en 1985 sa titularisation dans l'Éducation nationale en tant que professeur de secrétariat.

Lorsqu'elle débute, elle voit le lycée professionnel comme une structure plutôt rassurante, accueillant des élèves « plus calmes » et ayant tout de même « moins de problèmes sociaux » que les jeunes dont elle s'était occupée précédemment. Elle y connaît de ces moments « fabuleux » où « des mômes s'aperçoivent qu'ils sont capables de comprendre quelque chose », et, même à 15 ou 16 ans, « pris au jeu » de l'activité, « ils vous appellent "maman", par mégarde..., des garçons comme des filles ».

Depuis quelque années, elle est de plus en plus « catastrophée » par la détérioration des conditions d'enseignement et par le type de relations qui tend à s'instaurer entre enseignants et élèves : « On est en état de manque... en manque de relations intelligentes. On a envie de les accueillir comme des amis et on devient des ennemis. On est transformé en garde-chiourme. »

Elle estime que son passé l'a particulièrement bien préparée à affronter des situations difficiles. Jusque-là, elle a su « faire face », mais elle commence à penser au jour où elle sera « vraiment fatiguée ». « Me bagarrer, faire le guignol pour m'imposer face aux élèves qui font de la provocation en les "cassant" devant leurs copains, ça ne me coûte pas encore trop. Mais dans quelques années j'en aurai marre... Si ça continue, peut-être il faudra que je me sauve. »

Le pire pour elle n'est pas l'épreuve nerveuse, ni l'impression qu'« on trompe tout le monde » en donnant aux élèves des diplômes dévalués. C'est le sentiment que la mission éducative qu'elle avait le sentiment d'assurer jusque-là est de plus en plus vouée à l'échec. L'insuffisance de l'encadrement et l'évolution des élèves sont responsables à ses yeux d'un affaiblissement de l'action éducative au profit de bandes dont les leaders parviennent à imposer leur loi jusqu'à l'intérieur de l'établissement en matraquant et en humiliant les élèves qui ne les suivent pas. « C'est la loi du plus fort. Les élèves apprennent à subir cette violence, à se taire, à s'écraser ».

avec une enseignante

— entretien de Sylvain Broccolichi

Hélène A. — On rentre dans une salle, on est seul en face de trente élèves qui ont en majorité un a priori – ne rien foutre ou en foutre le moins possible – et des comptes à régler avec leur orientation. Et comme leur seul interlocuteur, c'est le prof, donc ils commencent par essayer de voir ce que vaut le prof, s'ils vont pouvoir se défouler sur son dos ou non. (...) Des trucs simples d'abord : des élèves qui, quand vous rentrez en classe, vous tournent ostensiblement le dos et continuent à discuter, qui ne répondent pas aux demandes de se taire ou de se tenir tranquilles, des élèves qui poussent des cris, des hurlements, quand vous leur demandez quelque chose, ne serait-ce que de sortir un crayon ou un papier. Et ils essaient de voir comment va réagir le prof à la provocation, en fait, par exemple en démantibulant des machines à écrire ou du matériel de laboratoire. (...)

— Et qu'est-ce qu'on ressent devant cette réalité ?

Hélène A. — Moi ça m'a jamais fait peur : j'ai vu des gamins qui sortaient des cutters ou qui se bagarraient à coups de casques. J'ai jamais eu peur parce que... j'avais eu un circuit qui m'avait fait affronter la dure réalité (...) et être préparée à des situations d'humiliation où il faut se défendre, à des situations d'agressivité. Mais il y a des profs qui ont peur ; et puis il y a de quoi devant 30 élèves qui mesurent aux alentours d'un mètre 80 ; tu fais pas le poids. (...) Moi je me suis toujours dit que je trouverais la solution quelle que soit la situation (...), c'est peut-être ça, hein, la vocation d'enseignant maintenant ; mais c'est vrai qu'il y a des profs qui ont peur et qui n'arrivent pas à avoir le dessus par rapport à une classe qui les aborde comme ça. Et ce sont des gens qui sont en plus très renfermés sur eux-mêmes parce qu'ils ont une espèce de honte de pas arriver à dominer la situation, ils n'en parlent pas aux collègues et on ne les voit pas en salle des profs...

— Et il ne sont pas si minoritaires que ça ?

Hélène A. — Oh la la non ! Moi je dis qu'il y en a un sur deux.

— Dans les endroits où il y a des élèves difficiles...

Hélène A. — Même dans les endroits où on prétend qu'il n'y a pas beaucoup d'élèves difficiles, je pense qu'il y a un prof sur deux qui vit très douloureusement cette situation de « chahut ». Il y a des collègues qui sont passionnés par une matière, par le français, l'histoire-géo, et qui souffrent profondément, dans leur intégrité la plus profonde, de ça : de ne pas arriver à faire partager cette passion pour telle ou telle matière. Moi j'enseigne une matière qui ne peut pas poser ce problème-là. Au départ je voulais être prof de gym, mais le secrétariat ça n'est pas une matière passionnante. (...) J'ai une collègue qui est perpétuellement en déprime de ne pas pouvoir faire son métier comme elle le veut en faisant partager cet amour de la littérature. Ça la rend malade. (...)

— *Et est-ce qu'au niveau du BEP tu as constaté des changements ?*

Hélène A. — Maintenant, les CAP n'existent quasiment plus. N'existent que les BEP ; et même avec un BEP, on sait que depuis plusieurs années, les élèves ne seront pas embauchés. Alors il faut qu'ils essaient d'aller au-delà en passant un bac professionnel. Et ça tombe bien puisque les directives ministérielles prônent que 80 % de la classe d'âge arrive à ce niveau. Donc il faut qu'ils le décrochent ce BEP : et c'est là qu'on voit comment ça se passe. D'abord d'après le contenu des épreuves qui baisse d'une année sur l'autre de façon très nette. Sur des épreuves que j'ai eu à corriger et sur d'autres, si l'élève est capable de recopier, il a déjà la moitié de la note. (...) Les réponses sont dans le texte même du sujet, et il suffit de savoir lire pour avoir la réponse. En français, en compta, c'est partout pareil... Et puis, quand malgré tout ça, des profs qui corrigent veulent faire leur boulot et mettent des mauvaises notes à des élèves qui ne peuvent même pas faire ça, soit les notes sont réévaluées directement par les autorités administratives locales ou autres, pour qu'il y ait un certain pourcentage d'élèves qui aient leur diplôme, soit le responsable du centre de correction reçoit un coup de fil et passe en disant aux collègues : il semble que par rapport à d'autres centres de correction, on note trop sévèrement, etc... C'est quasiment systématique. Ils se retrouvent en bac pro comme ça, et comme il faut les 80 %, on fait pareil pour le bac pro.

[...]

Je suis pas élitiste, mais faire ça, c'est tromper tout le monde. C'est tromper les élèves parce qu'ils s'imaginent pouvoir s'en sortir comme ça dans l'existence alors qu'ils trouveront pas de boulot et qu'ils comprendront pas ce qui s'est passé. C'est pas bon pour les

profs parce que, c'est décourageant… On est pas là pour faire du gardiennage ; on a envie d'apprendre des choses aux élèves malgré tout. Il y en a marre de faire semblant ! (…) Dans la cour, les élèves passent leur temps à se raconter leurs exploits pour ne rien foutre, pour faire chier les profs, etc : « j'me suis fait virer », « on n'a pas amené le bouquin une seule fois de l'année » ; et puis paf, ils ont leur BEP. Alors après, ils se croient malins, ils s'imaginent qu'ils ont des grosses têtes et qu'ils ont bien « enculé » – c'est l'expression qu'ils emploient – tout le monde. (…) Je suis pas du tout réactionnaire, enfin je crois, mais avant, l'école c'était un lieu qui avait une valeur où on apprenait à respecter un peu les choses, les gens, les compagnons, où on apprenait à vivre ensemble, où il y avait des choses qui se mettaient en place. Or maintenant, j'irai jusqu'à dire que c'est le contraire. Ça devient un lieu de non-éducation ; c'est-à-dire que ceux qui rentrent là en n'ayant pas encore baissé les bras et qui croient en ce que peut leur apporter le lycée professionnel, ils sont en danger. Cette ambiance-là, cette violence et la peur qu'elle engendre chez ceux qui la subissent pendant des années, ça ne peut que laisser des traces sur l'individu, sur le futur parent irresponsable, sur le citoyen.
[…]
Maintenant il n'existe pour ainsi dire plus des pions, tout ça. Alors 40 profs pour 500 élèves et des classes souvent passées de 25 à 30 (…) le rapport de force joue en faveur des élèves, et surtout des leaders de classe, des leaders d'établissement, etc. On connaît des élèves qui s'inscrivent dans les bahuts par bandes. C'est des trucs auxquels on pourrait remédier si on tenait compte du fait que l'établissement n'est plus seulement ni même tellement un lieu de formation professionnelle, mais d'abord un lieu d'accueil des élèves éjectés des collèges et lycées : qui dit accueil, dit structures pour accueillir, et aussi encadrement adulte : documentaliste, assistante sociale, médecin scolaire, surveillants d'externat, personnel d'entretien… Que les jeunes puissent se sentir encadrés par les adultes, avec le soutien des adultes. Quand on fera ça, quand on créera des conditions d'accueil humaines, l'Éducation nationale retrouvera un rôle d'éducation.

— *Et actuellement quelles sont les évolutions les plus évidentes ?*

Hélène A. — Ce qui me paraît le plus évident, c'est déjà la baisse du niveau des élèves qui nous arrivent (…) quoi qu'en dise notre ministre. Et puis ce que je trouve très très grave… ça m'affole… Je ne sais pas comment expliquer ça. [*son visage et sa voix expriment une sorte d'accablement*]. On se retrouve avec un troupeau qui peut être très gentil, même à la limite plein de bonne volonté, mais où de plus en plus, on sent le poids de leaders qui, là, ont la possibilité de se trouver en tant que leaders, que chefs… et entraînent cette espèce de société très floue qu'est la population d'un établissement scolaire, à des trucs absolument invraisemblables. (…) Parce qu'il y a un décalage qui s'opère entre ce qu'ils sont physiquement et ce qu'ils ont dans la tête. Pour eux, de plus en plus, le recours c'est de s'imposer physiquement. (…) Il y a quelques jours, j'ai entendu des élèves raconter les exploits réalisés dans l'établissement où ils étaient avant : « avec le prof de secrétariat, qu'est-ce qu'on s'est fendu la gueule ! Tu te rappelles !… ». Un gamin s'était amusé à démonter la machine. Le prof vient pour lui dire d'arrêter. L'élève continue. Le prof se rapproche et fait un geste pour s'interposer entre l'élève et la machine. L'élève a alors balancé le prof sur un radiateur. Et quand le prof s'est relevé, il avait le cou en sang… « Alors qu'est-ce qu'on s'est marré ! » Parce que ce jour-là y a eu un rapport de forces en leur faveur. C'est vraiment très significatif de l'évolution actuelle… Je ne crois pas qu'il y ait un prof à l'abri de ça.

— *Ça te semble beaucoup plus important qu'avant ?*

Hélène A. — Oh oui, nettement. Parce qu'il y a dix ans, quand je faisais mes stages d'insertion, c'étaient des jeunes qui avaient été virés de l'Éducation nationale. j'allais les chercher des fois à la prison pour les aider à réintégrer le stage. Ils avaient fait des casses, des trucs comme ça, donc c'était des petits voyous. Mais c'était de la gnognote à côté de certains de maintenant. Je ne ressentais pas cette violence !

octobre 1992

Gabrielle Balazs, Abdelmalek Sayad

La violence de l'institution

Par ces temps de crise, l'entretien avec deux sociologues, présentés par un responsable des études de la ville, semblait aller de soi pour le principal de ce collège situé dans un « quartier difficile » classé « zone d'éducation prioritaire ». A presque 50 ans, cet ancien instituteur originaire de la région, pouvait espérer mieux. Les difficultés que rencontrent et suscitent dans l'enseignement secondaire les enfants de milieux socialement très éloignés de l'école, et qui se retraduisent dans les tensions apparues dans l'établissement depuis octobre 1990, ont peu à peu transformé sa fonction, l'obligeant à gérer, au jour le jour, les manifestations, majeures ou mineures, de la violence. Contraint à une vigilance permanente pour maintenir la propreté des bâtiments malgré le renouvellement rapide des graffiti et pour prévenir ce type de dégradations, il doit aussi se tenir à la porte de l'établissement à chaque entrée et sortie d'élèves afin d'éviter que professeurs et élèves ne soient agressés, et afin d'interdire les bagarres entre élèves dans l'enceinte du collège ; pour assurer l'efficacité de cette discipline permanente et tenter de créer des conditions propres à la rendre inutile, il est tenu d'habiter le collège et c'est seulement le week-end qu'il rejoint dans leur maison sa femme, professeur de physique dans un grand lycée de Lyon, et ses enfants ; il lui faut aussi entretenir des relations suivies avec l'ensemble des autorités de la ville ; il lui faut surtout s'adapter aux caractéristiques de son public et, grâce à la connaissance de ses élèves et à diverses astuces de discipline, assumer en quelque sorte la violence sans la dramatiser.

Du point de vue scolaire, contrairement aux idées reçues, les résultats du collège ne sont pas plus mauvais qu'ailleurs ; ils correspondent à la moyenne du département, notamment pour la réussite au brevet des collèges (même si le nombre d'élèves en retard en sixième est de 65 % contre 35 % dans le département). Du point de vue des caractéristiques sociales des élèves – en majorité d'origine populaire et, pour les trois quarts, issus de parents étrangers – il est de loin le collège le plus défavorisé du département. On n'y trouve, par exemple, aucun enfant d'enseignant. Une classe d'adaptation accueille les enfants qui viennent d'arriver d'Afrique, d'Asie ou d'Europe, mais, dans leur grande majorité, les élèves appartiennent à des familles algériennes qui sont installées en France depuis longtemps. La part des boursiers s'élève à 75 % alors qu'elle n'est que de 30 % dans le département. Ni l'intérêt d'appartenir, dès 1982, à un « collège expérimental pour la rénovation », ni le fait de compter 36 enseignants pour un effectif de 400 élèves seulement – contre plus de 600 dans les années 80 –, ni même la proximité de Lyon ne suffisent à retenir les professeurs qui sont toujours en attente de mutation. Un tutorat intensif et, plus généralement, un encadrement important n'empêchent pas que les élèves des quartiers pavillonnaires et de certains HLM fuient le collège. Leurs parents demandent des dérogations pour les autres établissements publics.

A travers le ton désenchanté de ses propos, l'ancien instituteur républicain d'origine populaire, qui dit avoir toujours été préoccupé par le souci de savoir « comment faire pour sauver le maximum d'élèves », trahit toute la tristesse que lui inspire son expérience : l'aversion contre la violence des élèves, mais aussi contre celle qu'exerce l'institution scolaire le dispute en lui au malaise qu'il éprouve de se voir ainsi contraint d'user de la violence contre la représentation qu'il s'était faite de l'école et de son métier d'éducateur. Il ne peut accepter que l'école soit aujourd'hui traitée comme un commissariat et se résigner à se penser comme un simple agent du maintien de l'ordre, obligé de « faire le coup de poing ». Entré dans l'Éducation nationale à 16 ans, comme normalien, ayant commencé sa carrière d'instituteur dans une banlieue déshéritée, puis enseigné pendant 13 ans dans des quartiers peu fortunés, ayant donc tout fait pour incarner dignement la mission de l'institution scolaire telle qu'il la conçoit, apporter dans les quartiers dits « difficiles » « ce qui est peut-être le plus utile, le plus indispensable aux enfants qui y sont captifs, le respect absolu que leur témoignent les professeurs et les quelques moyens pour les aider à s'en sortir, à être peut-être autonomes un jour », il a peine à pardonner à l'institution de placer ses serviteurs les plus dévoués dans des conditions qui leur interdisent en fait de remplir véritablement cette mission, quand elles ne les condamnent pas à renier, purement et simplement, ce qu'elle leur a enseigné, les croyances et les valeurs mêmes pour lesquelles, à 20 ans, ils avaient choisi d'épouser, comme on dit, la « vocation » d'enseignant.

avec un principal de collège d'une ZEP

— entretien de Gabrielle Balazs et Abdelmalek Sayad

« On en a beaucoup bavé cette année »

M. Ramus — Il y a des périodes de grandes tensions et puis des périodes où c'est un peu plus calme. Alors cette année, à la rentrée, ça allait à peu près, il y a eu ces manifestations. Et nos élèves, certains, tout au moins, ont participé activement ; d'autres ont participé à travers leur famille, leurs grands frères, les grandes sœurs. Il y a eu deux réactions de parents très différentes, mais les gamins vivaient dans un climat d'hystérie pendant 15 jours, trois semaines, un mois. Hystérie pro-manifestants ou hystérie anti-manifestants. Le collège a fonctionné régulièrement tous les jours, il n'y a pas eu la moindre interruption. Certains professeurs discutaient avec les élèves, parce que certains professeurs au début de leurs cours trouvaient que la tension était telle que ça servait strictement à rien, donc il fallait en parler, il fallait… Mais il est arrivé que même dans la première semaine des émeutes, il est arrivé que des professeurs disent à des élèves « vous voulez qu'on en parle ? », les élèves : « non, faites cours ». Donc si vous voulez c'était… c'était très variable d'une classe à l'autre, peut-être aussi d'une personnalité de professeur à l'autre.

— Il n'y a pas eu plus d'absences pendant les événements ?

M. Ramus — Non, non, pas plus. Les élèves venaient au collège et puis moi j'étais assez content parce que c'était à peu près le seul endroit où ils échappaient à l'hystérie familiale. De quelque bord qu'elle soit. On avait des tas de coups de téléphone…

— Des familles, des parents ?

M. Ramus — Des familles qui nous disaient, « mais enfin qu'est-ce qui se passe, on entend des bruits, le collège va être attaqué, est-ce que c'est dangereux ? », tout ça ; on a eu des gamins, il y a une famille, le père est venu me trouver en me disant, « c'est pas possible, je fous le camp », il est parti carrément une semaine dans la Drôme. Mais enfin ça reste quand même marginal. Il y a des parents qui sont venus me dire, « écoutez, on enlève les enfants, on peut pas les laisser, on peut pas courir le danger et tout ça », j'ai dit, « écoutez, le danger, regardez, vous avez vu, vous êtes venus, c'est pas une catastrophe », donc on a eu un ou deux retraits à cette occasion, liés à cette occasion, mais pas plus.

— *Des retraits définitifs ?*

M. Ramus — Oui, oui, des élèves qui sont partis définitivement.

L'agitation n'est pas retombée

M. Ramus — Ça, si vous voulez, c'était au mois d'octobre. Donc une effervescence quand même ; au mois de novembre il y a eu le grand mouvement des lycéens et on a eu un peu les retombées, donc ça a maintenu une certaine forme d'agitation. D'autant plus que si vous allez vous promener sur la commune, comme ça, vous verrez que l'agitation depuis le mois d'octobre n'est pas retombée complètement et que de manière endémique, il reste quand même pas mal de trucs. Des agressions à coups de pierre, les lapidations, c'est devenu un moyen d'expression y compris dans la frange de 10-14 ans, c'est vraiment pas marrant. Il y a deux lignes d'autobus qui passent devant le collège. En février dès que c'était l'heure d'entrer au collège, les autobus ne passaient pas, il y a eu... je sais pas, ça doit être de l'ordre de 50 millions de centimes de dégâts commis sur les bus, des vitres cassées, des sièges lacérés ; quand les bus s'arrêtent à l'arrêt du collège, les gamins rentrent dedans, ils cassent tout et puis ils s'en vont. Donc il y a eu des arrêts de fonctionnement des lignes à certaines heures. Donc c'était une période de tension. Après, au mois de décembre il y a eu la neige ; alors ça a l'air de rien la neige, mais c'est un problème...

— *Une occasion de faire des boules de neige.*

M. Ramus — Oui, des boules de neige, moi je me souviens avoir joué avec des boules de neige, c'est amusant mais comme je ne suis pas extrêmement, extrêmement répressif et quand même, que j'ai des souvenirs d'enfance avec la neige, moi j'ai pas pris de mesures d'interdiction de boules de neige ; alors que j'ai des collègues, d'autres collèges qui les ont prises. Mais j'ai dû appeler les pompiers et envoyer les élèves à l'hôpital. C'est pas des boules de neige qu'ils balancent, c'est des blocs de glace. Le plus dur, le plus pétri possible, donc j'ai eu des blessures du cuir chevelu, des choses comme ça, quoi. Et puis surtout des agressions à la sortie sur les gens du quartier.

— *Sur les gens du quartier ?*

M. Ramus — Oui, il y a des gens qui passaient en voiture, les

gamins, 50 boules de neige dans le pare-brise, le conducteur, la conductrice qui s'arrêtent, qui ouvrent la vitre et qui en ramassent plein la figure ; donc des blessés, tout ça. Des plaintes déposées. Donc l'image du collège dans le quartier, ça a pas remonté. Ça c'était au mois de décembre, au mois de janvier-février on a la guerre du Golfe, alors là je vous raconte pas. Donc on a eu… par exemple, ça se traduisait en cours d'EPS par des échauffements du type « Saddam Hussein, Saddam Hussein » et puis des inscriptions ; en février, enfin les vacances ici c'était le 21 février, il y a eu une très très grande tension. Au collège c'était vraiment très très dur. Il y a eu des profs qui se sont mis en congé-maladie ; il y a eu un moment où j'avais cinq profs en congé-maladie dont un seul remplacé, donc inutile de vous dire que les problèmes augmentaient et l'absentéisme des profs – justifié, il n'y a pas là le moindre mot de critique là-dessus – augmentait encore les problèmes ; donc on était très très fatigués, là.
Les vacances de février sont arrivées au bon moment. A la rentrée des vacances de février, période calme ; grand calme, le Ramadan n'a pas donné lieu à de l'agitation. Mais par exemple, le Ramadan chez nous, le jour de l'Aïd, la fête, le 16 avril dernier, il y avait 160 élèves présents sur 410 ou 420, avec des classes où il y avait quatre élèves sur 25. Donc si vous voulez, c'est un quartier qui est très marqué. Je me souviens de bagarres dans mon enfance, quand dans la cour il y avait deux élèves qui se battaient, bon, ben il y a deux élèves qui se battaient, il y en a peut-être trois ou quatre qui étaient là, qui regardaient ; ici on est extrêmement féroce, on ne peut pas tolérer le moindre début de bataille et les élèves qui prennent…

—*Parce que ça s'enchaîne ou quoi ?*

C'est assez rugueux et violent comme ambiance

M. Ramus — Oui parce que s'il y en a deux qui se battent, il y en a 200 qui sont autour, c'est que les gamins qui se battent ne peuvent pas régler leur querelle autrement que très très violemment parce qu'ils sont poussés, excités… et donc ça, si vous voulez, on peut plus contrôler, quoi. Résultat, moi, je peux vous garantir, je peux vous dire statistiquement j'ai supprimé 99,5 % des bagarres au collège, ça se passe maintenant dans la rue, devant le collège, je suis pas persuadé que pour l'image de marque du collège ça soit

nettement mieux. Donc si vous voulez, il m'arrive d'avoir des problèmes… disons que c'est assez rugueux et violent comme ambiance.
[…]
Alors on nous raconte des trucs, la drogue… Bon, le quartier ici, le quartier Saint-Jacques, les gens des HLM, sont absolument polarisés sur le problème de la drogue : chaque fois que je parle à des réunions sur le quartier, on me parle de la drogue. La drogue, la drogue, la drogue. Je suis allé voir, j'ai participé à des stages, j'ai une information sur la drogue ; j'ai vu du haschich et de l'héroïne pour la première fois de ma vie, il y a à peu près un mois, quand j'ai participé à un stage et c'est des flics qui me l'ont montré dans leur valise. (…) Moi j'ai l'impression que je peux, à toutes les réunions, dire que, premièrement, je n'ai jamais eu connaissance de drogues dures au collège. Quand je suis arrivé, j'étais tellement abasourdi par tout ce qui se racontait que j'ai demandé, je me suis tourné vers le Rectorat et on a nommé, on m'a prêté, des médecins vacataires qui étaient engagés par le gouvernement et qui étaient payés à la vacation précisément pour faire des actions de recherche sur la drogue, des trucs comme ça.
Donc pendant deux trimestres, un trimestre d'une année scolaire et un trimestre d'une autre année scolaire, deux médecins différents ont passé un trimestre entier au collège. Ils ont pu voir tous les élèves, ils ont vu systématiquement tous les élèves d'un niveau, le niveau de troisième. Et puis ils ont examiné tous les élèves pour lesquels on avait un début de commencement de suspicion… vous savez, ça me fait marrer, quand je vais à une réunion, les gens qui savent tout et qui disent« il suffit de regarder les gamins qui sont un peu atterrés ou un peu endormis le matin », j'en ai 80 % qui sont endormis le matin, parce qu'ils ont regardé la télévision jusqu'à deux heures du matin. Les médecins qui ont fait des observations sur le collège en 88 et en 89, dans les deux rapports, aucune suspicion de drogue. Ils ont trouvé des problèmes de malnutrition, de machin comme ça, mais aucune suspicion de drogue, de drogues dures, je pense. Les drogues du type hasch et tout ça, je dis que, comme j'ai supprimé 99 % des bagarres dans le collège, j'ai supprimé aussi 99 % des fumettes dans le collège ; j'ai fait installer des grillages parce qu'on pouvait pas surveiller les élèves partout. Alors j'ai fait installer, vous voyez le grillage qui limite la cour là-bas, ça empêche les gamins d'aller fumer là-

bas derrière les bâtiments ; donc la première année que j'étais ici, il fallait sans arrêt courir autour…

[…]

— Du coup tous les élèves restent sur une partie visible.

M. Ramus — Voilà, c'est ça. Comme on fume pas dans les bâtiments, le seul endroit où on fume éventuellement et encore pas beaucoup, c'est les cabinets ; c'est le haut lieu de la tradition de la fumette, c'est les cabinets, bon, mais c'est quand même très très limité. Cela dit, il y a des élèves qui arrivent au collège le matin, ostensiblement et puis quand ils sont à 45 centimètres de moi, pas un de plus pas un de moins, pour me montrer qu'ils fument bien, ils écrasent leur clope, bon, est-ce qu'il y n'a que du tabac dans la clope, j'ai aucun moyen de le vérifier ; voilà c'est tout, c'est tout ce que je peux dire sur la drogue. Mais les bagarres, je crains, je crains. On a eu une bagarre qu'on n'a pas pu juguler dans les trente secondes, ça s'est terminé par un mois d'hôpital pour un gamin qui avait pris un coup de couteau dans le ventre. C'était il y a deux ans. Alors voilà, depuis je suis un peu…

— …prudent ? Vous décrivez un peu le climat, les difficultés, l'agressivité ou la violence, mais c'est différent depuis les événements ? D'après ce que vous avez décrit mois par mois, il y a plein de choses qui se sont…

[…]

M. Ramus — Je pense que les événements, oui, d'autant plus que je vous dis, moi, les gars qui ont participé aux émeutes, tout ça, maintenant c'est pas eux spécialement qui sèment le plus la zizanie, c'est les 10-16 ans qui font des agressions, qui rendent la vie pénible sur le quartier. Pendant les événements, la voiture du collège a été volée et brûlée ; je sais pas si vous avez regardé les émissions de télévision… Je ne sais pas si vous vous souvenez, une 2CV-camionnette qui a fait plusieurs aller-retour entre les CRS et les manifestants, c'était…

— C'était celle du collège ?

M. Ramus — C'était feu la voiture du collège. Depuis il n'y a pas eu d'autres exactions, je sais pas, j'ai porté plainte deux fois cette année, donc une fois pour la voiture du collège et une autre fois pour un cambriolage dans le bureau de l'intendante. Mais c'est à peu près…

On tolère des choses qui sont intolérables ailleurs

— *On peut avoir des élèves débutants relativement âgés ?*
M. Ramus — Ah oui ! En sixième, moi, par le biais de la classe d'adaptation où on essaie de reverser le plus rapidement possible dans une classe de cycle normal, les gamins qui viennent d'une classe d'adaptation, en sixième ça va de 11 à 15, 16 ans. Je dois en avoir un ou deux en sixième qui ont 16 ans.

— *Et vous les tolérez parce que d'habitude on les envoie en SES...* [sections d'éducation spécialisée].
M. Ramus — C'est sûr. C'est sûr. Mais on tolère des choses qui sont intolérables ailleurs, c'est sûr. (...) Il y a eu une période troublée et puis les gens sont fatigués et puis on est un peu amer, un peu déçu parce qu'on en a beaucoup bavé cette année et on s'est beaucoup fatigué. Confidence personnelle, j'ai la chance de disposer d'une robuste santé et je pensais que des choses pareilles, ma brave dame, moi ça m'arriverait jamais d'aller voir un médecin pour lui dire,« j'en peux plus ; j'en peux plus », et prendre des somnifères, j'aurais jamais pensé que ça puisse m'arriver à moi. J'avais décrété que ça ne m'arriverait jamais. Eh bien, j'ai dû [en] prendre en février pour tenir les 15 derniers jours avant les vacances de février. Et ça m'a beaucoup affecté. Précisément parce que j'étais très orgueilleux et que je pensais que ces choses-là ne pouvaient arriver qu'aux autres, mais certainement pas à moi. (...) Et donc – je suis pas le seul à être dans ce cas – à être des fois un peu perdu et à être très fatigué. (...) J'espère que je vais pouvoir retrouver le sommeil pendant les vacances de Pâques. Et je ne me plains pas, je vous dis simplement...
Il y a eu des événements qui ont marqué les établissements, un regain d'agressivité contre les profs. J'ai mon collègue du collège qui a vu, juste après les événements de novembre, une tentative d'incendie très grave du collège. Il y a quinze jours sa voiture a été incendiée, il y a une semaine, il a fallu emmener à l'hôpital une pionne qui faisait l'entrée le matin parce qu'elle a ramassé une pierre dans la tête. Au collège B. et au collège de N., c'est aussi cette espèce de violence latente avec des agressions, tout ça. Pendant la fête de l'Aïd, il y a trois élèves du collège qui sont allés balancer des pierres sur le collège de N., sur la gardienne et sur son chien. Or il se trouve que les gens en ont marre maintenant, ils ne ferment plus forcément leur gueule, donc la gardienne

est allée porter plainte et les flics en ont marre, ils ont enregistré la plainte et puis ça a suivi et les élèves ont été convoqués au commissariat de police. Ils étaient convoqués aussi par un magistrat et les éducateurs de quartier semblent avoir dit aux parents,« ne vous laissez pas faire » et j'ai eu deux mères de famille qui sont venues m'engueuler parce que leur gamin… Alors si vous voulez, c'est assez amusant, les élèves fréquentent le collège, ils sont à l'extérieur du collège pendant un jour de fête religieuse où leur absence est acceptée ; ils vont foutre le bordel dans un collège à côté, les gens du collège à côté portent plainte et on vient m'engueuler, moi.
[…]
Donc les profs à la suite de l'incendie de la voiture du principal du collège V., les profs des quatre collèges du secteur, plus du lycée professionnel, ont fait une réunion mardi dernier à la suite d'une certaine effervescence, nous avons été trois principaux à y participer. Et ma foi, ça s'est terminé par une lettre qui était envoyée par les profs de tous ces établissements à l'inspecteur d'académie, au recteur, en disant, « on aimerait bien qu'on prenne enfin en compte nos conditions difficiles de travail et de vie » parce que effectivement on supporte beaucoup plus de choses qu'on n'en supporte ailleurs, on supporte beaucoup plus de la part des élèves.
Et j'ai été amené à dire que par exemple un moyen de nous aider c'est que, dans un établissement dit normal, quand un élève fait une bêtise, on le vide, eh ben, nous, quand il a fait la même bêtise, on le vide pas. On lui donne un premier ou un cinquantième avertissement. Et quand on est amené à vouloir renvoyer un élève, quand moi je téléphone à mes collègues et que je leur dis,« écoute, je vais envoyer un élève, il est sous obligation scolaire, je suis obligé, si je le renvoie du collège, de le caser quelque part » et qu'ils me disent, « écoute t'es bien gentil, on aimerait bien te rendre service mais si un élève de ton collège vient, les profs vont pas l'accepter, ils vont se mettre en grève, tout ça » ; donc résultat on est conduit à s'échanger des élèves entre nous mais ils quittent pas la zone, alors un des moyens c'est peut-être de demander à l'Inspection académique de nous aider. Quand vraiment, nous, on est amenés à se débarrasser d'un élève dans l'intérêt de l'élève en question et dans l'intérêt des autres, ça serait peut-être qu'on nous aide à trouver un point de chute, que

ce soit pas nous qui devions mendier… que ça soit… que l'inspecteur d'académie à titre décisionnaire dise, « tel élève, il sera mis dans tel établissement, point final ».
[…]
— *Ce dont vous parlez là, c'est très récent la pionne qui…*

L'école n'a pas été particulièrement épargnée

M. Ramus — Tout à fait, c'est la semaine dernière. Et à la suite… si vous voulez, il se trouve que le recteur de Lyon, le nouveau recteur de Lyon a été nommé il y a un mois. Le recteur venait juste d'arriver, il devait venir dans un des collèges de la zone, dans le cadre d'une action pédagogique, l'action de la presse à l'école ; il devait venir le vendredi et c'est le jeudi soir que la voiture de mon collègue a été incendiée. Donc on a demandé au recteur, bien poliment, s'il ne pouvait pas nous voir à l'occasion de sa venue, donc il nous a reçus et on lui a dit que ça n'allait pas très bien, que ça allait vraiment même pas bien du tout dans le secteur, sans faire de catastrophisme parce que on en a vu d'autres, quoi. Et on lui a demandé, et il a dit, « bon, il y a deux explications possibles, soit ça fait partie du mouvement sociologique et à ce moment-là c'est une situation générale et il faudra peut-être des solutions générales, soit ça fait partie d'une tentative de déstabilisation de l'Éducation nationale ; l'Éducation nationale serait la cible de… », donc il a dit, « moi j'arrive juste ici », vous savez, ce qui induit… parce que là je suis très schématique, c'est qu'il y a des observateurs de l'Éducation nationale qui ont constaté ou qui ont cru bon de constater que, pendant les événements, les centres scolaires, culturels n'ont pas été touchés par les événements, c'est-à-dire que les incendies, les exactions, ça portait sur les centres commerciaux, mais les équipements culturels et scolaires n'ont pas été touchés, bon, et à partir de ce truc-là ils ont beaucoup théorisé, bon. Or je suis pas convaincu… […]
Le jour même des événements, l'école primaire qui est juste en face du collège, là derrière, c'est une école qui est (nous, on fait dans l'innovation, mais à côté d'eux, c'est vraiment de la rigolade ; c'est-à-dire les gars ils ont des profs qui sont formés en informatique, ils ont un centre informatique, ils ont je ne sais pas trop combien de dizaines de millions de centimes de matériel informatique là-dedans, c'est vraiment une école de pointe et tout)

bon, il y a une classe qui a été complètement incendiée pendant les émeutes et les ordinateurs servaient de projectiles pour casser les vitres. Donc, on ne peut pas dire que ça a été particulièrement épargné. Je dis pas que c'est cette école qui spécialement était visée…
Dans les jours qui ont suivi, il y a une école maternelle qui a brûlé, il a fallu la fermer pendant 15 jours, donc c'est quand même pas rien. Et je parle pas de la voiture du collège, je ne parle pas de début novembre, une classe et demie incendiée à P. et si l'alarme s'était pas déclenchée, ils ont trouvé 20 litres d'essence dans des bidons qui avaient pas été vidés quand ils sont arrivés ; or il y a peut-être cinq ou six litres qui avaient été vidés. Ça a brûlé une classe, si les 20 litres avaient été vidés, c'était vraiment un incendie assez important. C'est comme ça, donc moi je pense pas…
Mais si vous voulez, le recteur qui arrivait, qui lisait un rapport, l'Éducation nationale a été épargnée pendant les événements, nous, on lui présente une situation où il apparaissait qu'on n'était pas très épargné, donc sa réaction c'est de dire, « tiens il y aurait… pendant les événements l'Éducation nationale a bien résisté, est-ce qu'il y aurait maintenant une tentative de déstabilisation d'une institution qui avait bien résisté comme, nous a-t-il dit, il y a quelques années, il y a eu une tentative de déstabilisation de la police et autre ». Donc le recteur a demandé une entrevue au préfet de police et les dirigeants de la police nous ont reçus il y a une semaine, donc les cinq principaux, plus le directeur du LEP, on était à la Direction départementale des polices urbaines, il y a une semaine pour essayer de voir avec les policiers qu'est-ce qu'on peut faire, c'est pas marrant…

Je ne peux pas tolérer un graffiti

— Et contrairement à d'autres zones, les gens ici n'ont pas l'air de baisser les bras, ça m'a frappée, parce que d'ordinaire dans des cas comme ça, les gens, le corps enseignant, les principaux… enfin toutes sortes de personnels sont assez déprimés éventuellement, mais bon, c'est tout. Découragés et puis… ici, j'ai l'impression que… il y a des tas d'initiatives…

M. Ramus — Il faut survivre… oui, il faut survivre bien sûr, on ne peut pas… Moi je peux vous emmener visiter le collège, par exemple, je ne peux pas tolérer un graffiti ; c'est-à-dire que les agents de service – on va aller faire un tour dans le collège, pour vous montrer – il y a un graffiti, leur truc c'est prioritaire : vous voyez un graffiti, vous l'enlevez immédiatement, parce que si vous le laissez une heure, une heure après il y en a dix, deux heures après, il y en a 150, c'est tout. Moi je me fous totalement de la législation sur le temps de service des agents de service ; moi, les agents de service, je négocie directement avec eux. « Vous devez 41 heures 30, moi je m'en fous que vous fassiez 41 heures 30 de potiche dans l'établissement ; vous m'aidez à faire la surveillance des couloirs, quand les élèves bougent. Résultat, si vous êtes là, ils feront moins de conneries. Si ils font moins de conneries, vous aurez moins de travail. Et en contrepartie du travail que je vous demande qui est un travail de surveillance qui n'est pas dans votre statut, si vous m'aidez à faire ça, bon moi, je vous donne des jours de vacances supplémentaires, je vous donne, vous partez… »

— *C'est des arrangements, quoi…*

M. Ramus — C'est ça, bon, alors effectivement si il y a un inspecteur de l'administration qui vient et qui dit « comment, à telle heure, je devrais avoir tant de personnel là-dessus », ils ne trouveront pas, mais le bahut est propre, c'est sûr. (…) Je vais vous emmener faire un tour du collège. On y tient, c'est sur le plan physique la condition numéro un de la survie, si c'est dégradé, c'est fini.

— *Pour ramener des choses à leur juste proportion : avant, on prenait un couteau et on griffait des initiales sur les tables ; maintenant, il y a d'autres procédés, on bombe des trucs qu'on écrit sur les murs ; ce travail de discipline est nécessaire, c'est sûr, c'est vrai, mais, à la limite, sur les lieux publics, c'est vrai que ce sont des lieux publics, on n'est jamais parvenu à éliminer ces pratiques.*

M. Ramus — Dans les lieux publics ; mais sauf notre collège. Non, je suis très formel, là-dessus, parce que c'est un des points où je ne peux pas transiger.

— *Également ne pas accorder de signification …*

M. Ramus — Non je n'accorde pas de signification de délinquance mais je dis que si j'accepte le début de la dégradation, après…

— *J'ai eu l'occasion de faire une enquête à Marseille pour la mairie qui voulait nettoyer des quartiers. Je leur ai dit, si vous faites un effort ostentatoire de propreté, si les autres rues, vous*

les nettoyez une fois par jour, là vous les nettoyez deux fois par jour, la population finira par se conduire proprement.
M. Ramus — Tout à fait, c'est bien ce que je pense, c'est pour ça qu'à des moments ça me fait marrer quand je vois des gens qui viennent, des autorités qui viennent et puis qui disent aux collègues, « c'est pas mal, c'est propre ; de quoi vous vous plaignez ? », je me plains pas, je me bats pour que ça soit propre. Cela dit, moi j'ai… je sais pas, peut-être par atavisme familial, un respect très important pour le personnel de service. Donc si vous voulez, ils me le rendent. J'attache plus de prix à ce qu'aucun agent de service ne soit insulté par un élève ou un truc comme ça, je me sens capable d'être beaucoup plus féroce si c'était le cas que vis-à-vis d'un prof. Et moi je peux vous garantir qu'en quatre ans, j'ai eu deux insultes sur les agents de service, ben les gamins, ils l'ont senti passer. Alors que bon, sur les profs c'est quand même plus fréquent. Mais c'est peut-être parce que ma mère a pris sa retraite comme plongeuse dans un restaurant, hein, c'est peut-être ça aussi. C'est peut-être elle que je respecte quand je respecte les agents de service.

— *Vous avez combien d'hommes et de femmes dans le personnel ?*
M. Ramus — Ah ! beaucoup plus de femmes que d'hommes, c'est caractéristique de l'enseignement, mais, là, je suis prudent parce que, si vous voulez, quand j'essaie de négocier avec le Rectorat, je dis que en milieu maghrébin, une jeune femme a statistiquement plus de difficultés… (…) Voilà, c'est pas un jugement que je porte sur les femmes et tout ça, c'est une constatation statistique. Quand ils font un effort pour me nommer des garçons, c'est pas toujours évident ; l'an dernier ils ont nommé un surveillant ici qui était… qui était bien gentil, quoi. Mais il a tenu le coup un mois. C'était un garçon, après on m'a nommé une fille, qui est restée jusqu'à la fin de l'année, alors vous voyez c'est pas… Donc il faut aussi être très prudent.
Cette année, on m'a nommé un surveillant maghrébin, un garçon maghrébin, étudiant en mathématiques, futur prof de maths. Il a passé le CAPES. Je ne le connaissais pas. Quand j'ai vu sa fiche de nomination au mois d'août, ma première réaction, ça a été de dire,« tiens, peut-être qu'au Rectorat, ils ont pensé que c'était bien, que ça allait bien se passer », et j'attendais avec intérêt, c'est la première fois que j'avais un surveillant maghrébin. Eh ben, le

pauvre, il en a bavé, pourtant c'est pas un manque d'autorité, c'est je crois l'image du Maghrébin qui s'en sort, c'est le collaborateur et il a été insulté vraiment beaucoup plus que les autres ; j'ai dû intervenir beaucoup plus que les autres ; on en apprend tous les jours.
Ce qu'on disait, les chefs d'établissement, à l'inspecteur d'académie, au recteur, à la police, ce qui est très pénible dans ces établissements, c'est que c'est imprévisible. C'est au moment où on ne les attend pas qu'arrivent les catastrophes et puis on a toujours l'impression qu'on est sur le fil du rasoir, qu'il suffit d'un incident extrêmement minime pour dégénérer et puis après pour... C'est ça, il faut être vraiment (...) mon problème maintenant, si je fatigue c'est parce que... Bon, mais ça, c'est du domaine de ma vie privée, j'aimerais bien être principal de ce collège 12 heures par jour et puis pendant 12 heures par jour être... et ça, moi-même, j'arrive plus à faire cet équilibre.

C'est dur d'être humilié, quand on n'est pas préparé

— *Et quelles sont vos relations avec les parents ? Vous avez mentionné tout à l'heure qu'il y avait des familles qui s'étaient adressées à vous durant la période spéciale, mais en temps normal si j'ose dire, c'est...*

M. Ramus — Nous, le problème c'est d'avoir le plus de contacts possibles avec les familles parce qu'on constate...

— *Vous les sollicitez ?*

M. Ramus — Voilà. Donc on les oblige à venir au collège. Et obliger à venir au collège des gens qui n'ont pas l'habitude et qui... Donc bien avant que j'arrive, des trucs ont été mis en place. Nous n'envoyons aucun bulletin trimestriel dans les familles, on n'en envoie aucun. Les familles viennent chercher les bulletins au collège. Donc on organise, et on arrive à un taux de 90 %. Et trois fois par an – bon alors 90 % aux premier et deuxième trimestres, au troisième trimestre, un peu moins, on arrive à 65 %, 70 %, mais aux premier et deuxième trimestres 90 % des familles viennent au collège chercher le bulletin, c'est-à-dire que le professeur principal de la classe, qui est professeur tuteur, qui a les élèves en tutorat... C'est lui qui les reçoit. Donc trois soirs dans l'année en commençant à quatre heures pour certains, à cinq heures pour d'autres, jusqu'à huit heures et demie, neuf heures, jusqu'à épui-

sement et puis, là, on en reçoit 70 %, et les autres on les emmerde jusqu'à ce qu'ils viennent, c'est-à-dire on les force à prendre un rendez-vous, tout ça. Alors le nombre de réfractaires c'est dérisoire. Et malgré tout, ça suffit pas.
J'ai participé très activement à la constitution d'un conseil de parents d'élèves parce que dans d'autres bahuts, dans un bahut normal, les parents d'élèves, pour les chefs d'établissement, c'est des emmerdeurs. Ici, moi j'ai besoin d'eux. Si les gamins ont des problèmes, c'est parce que les parents sont complètement largués et je constate que tant que des parents, même dans la misère, ont un contact avec leurs gamins, les gamins ils font moins de bêtises, ils bossent mieux, alors j'essaie, on est en train d'essayer de lancer, on veut monter une action de sensibilisation de parents d'élèves, l'année prochaine pour les parents d'élèves qui vont rentrer en sixième, les inviter des journées entières au collège où ils rencontreront les professeurs, manger avec eux, faire des repas avec eux… Il faut qu'ils viennent au collège sans avoir peur, sans… pour la plus grande partie des parents, le collège, l'école pour ceux qui y sont allés, ça représente l'échec scolaire et puis il y en a encore beaucoup, notamment chez les femmes maghrébines de la génération des femmes de 40, 45 ans, qui sont jamais allées à l'école. Jamais. Donc elles sont analphabètes, elles ne savent ni lire ni écrire et à peine parler en français, mais elles parlent en arabe, mais elles savent ni lire ni écrire non plus, c'est comme ça. Il faut que l'école ça soit pas le lieu… moi, j'en ai ras le bol de voir des gens…

— *Elles viennent ?*

M. Ramus — Non, très peu, ça très peu, elles viennent chercher les bulletins, et moi j'en ai ras le bol et elles viennent quand je les convoque pour dire, « votre fils ça va pas » ou « votre fille ça va pas » et j'aimerais bien les voir, j'aimerais bien qu'elles viennent, qu'elles passent dire, « comment ça va ? » sans savoir et peut-être que je puisse un jour dire, « oui, ça va très bien »… j'aimerais bien. Parce que… je vous raconte une anecdote. Il y a une prof de gym qui a des rapports difficiles avec certaines de ses classes. Elle est là depuis 12 ans, elle est fatiguée… Et puis les élèves considèrent la gym comme le défoulement ; alors qu'elle, elle considère que la gym, c'est un cours comme un autre et elle a un niveau d'exigence qui est très important. Elle emmène les élèves à la piscine un jour, elle ressort de la piscine, les vitres de sa voiture cas-

sées. Elle pense, moi aussi, que ce sont des élèves de la classe qui ont cassé les vitres de la voiture ; ça se prouve pas. Donc elle est venue très en colère et elle m'a dit un certain nombre de trucs, et il y a six élèves dans la classe qui l'embêtaient profondément et elle me demandait des sanctions. J'ai dit, « avant de prendre la sanction d'exclusion temporaire, on va convoquer les familles ».
J'ai convoqué les familles un jour, elle était là avec moi, avec mon adjoint, il y avait six familles devant nous. J'en prendrai deux sur les six. Il y a un père de famille que j'ai dû virer physiquement de mon bureau parce qu'il l'a insultée, il l'a traitée de menteuse, de salope et tout ça, donc j'ai dû, avec mon adjoint, le prendre… parce que je lui demandais de sortir et il voulait pas, donc on l'a expulsé du bureau. Et sa fille qui était derrière, elle se marrait jusque-là, ravie. Son père disait exactement ce qu'elle disait à la prof, donc c'était très bien, donc… là, qu'est-ce que vous voulez qu'on fasse pour des gamins comme ça.
A l'autre bout, complètement, un père qui était là, il était assis là, son fils était derrière, il parlait en baissant la tête, je sais pas si il me parlait à moi ou à son fils, il disait, « ça fait 28 ans que je suis en France, ça fait 27 ans et demi que je suis dans la même boîte parce que moi je considère que le chef, il a toujours raison ; quand il dit, même si on n'est pas d'accord, on dit oui, on est humble, on accepte tout, on proteste pas, c'est comme ça. Et grâce à cette attitude, j'ai pu faire venir ma femme en France, j'ai pu élever mes enfants. » J'ai cru que le fils qui était debout derrière son père allait lui taper dessus à son père ; j'ai jamais vu de haine telle parce que ce que disait le père, c'était inadmissible.

— *Et il avait quel âge ?*

M. Ramus — 16 ans. Et les deux cas extrêmes d'humilité totale devant l'institution et d'agressivité totale, finalement pour les gamins ça revient exactement au même résultat. Je vous donne un autre exemple de situations qu'on a à affronter. Il y a, c'est l'année passée, il y a une grève des bus, il y a beaucoup de jeunes qui étaient sur le quartier où il n'y avait plus de bus, donc ils avaient pris l'habitude, l'après-midi notamment, de se balader et alors, ils sautaient par-dessus le portail, là, un mètre soixante c'est pas mal, et puis ils venaient, ils montaient dans les classes, ils ouvraient la porte des classes, ils crachaient sur les élèves et sur les profs, ils les insultaient et dès qu'on me prévenait, que je partais à la recherche, ils se barraient en courant. Un jour il y en a trois qui sont entrés et quelqu'un les a vus rentrer au moment où ils entraient. J'ai été prévenu, j'ai mis en place un dispositif de cueillette et j'ai pu en attraper un. Il avait 19 ans.

— *Un ancien élève ?*

M. Ramus — Non, celui que j'ai attrapé n'était pas un ancien élève. J'ai dû me battre parce qu'il prétendait me faire lâcher. Je l'avais attrapé et il m'a dit, « qu'est-ce que tu veux faire ? », j'ai dit, « je vais t'emmener dans mon bureau », il m'a dit, « non », et j'ai dit, « si », j'ai dit, « peut-être que je n'y arriverai pas si je reste sur le carreau, mais si tu ne me tues pas, si tu ne me blesses pas, je t'emmènerai dans mon bureau », et je l'ai emmené dans mon bureau. Dans mon bureau, il m'a dit, « tu veux que je te dise ce que tu vas faire ? Tu vas appeler les flics. Les flics vont venir, ils vont me tabasser. Ils vont m'emmener au commissariat, ils vont me tabasser, ils vont appeler mon père. Mon père va venir, il va pleurer et les flics vont me donner à mon père et il va me ramener. Ça va durer une heure et demie. Dans deux heures on revient, il reste plus rien au collège. Tu fais comme tu veux ».

Pendant qu'il était dans mon bureau et qu'il me disait ça, ils étaient entrés à trois. Les deux autres se sont tirés, ils sont allés en rameuter 50. Et les 50, ils étaient en arc de cercle dans la cour. Mon adjoint est allé chercher tout ce qu'il y avait de mâles chez les profs. Ce jour-là, il avait réussi à en amener six ou sept qui ont fait un arc de cercle devant mon bureau. C'était comme ça. Alors là-dessus, palabres. Je vais au milieu de la cour et il y a deux délégués qui entrent : « Qu'est-ce que tu vas faire, tu vas tout de même pas appeler les flics pour rien, tu parles, un petit machin comme ça. Qu'est-ce qu'il y a, il a craché, c'est tout de même pas grave, et puis tu vas pas nous emmerder et puis si tu nous emmerdes, notre copain tu le relâches, parce que si tu nous emmerdes, ça va mal se passer. » Les profs moitié-moitié, une moitié qui disent, « appelle les flics, on va quand même pas se laisser faire », et l'autre moitié qui disent, « je t'avertis, si t'appelles les flics, on peut plus venir travailler en voiture », eh ben... c'est dur d'être humilié quand on n'est pas préparé, quand on n'est pas préparé psychologiquement à être humilié, quand on est quelqu'un d'orgueilleux qui a un certain sens de l'honneur, c'est dur.

Je refuse d'exposer les surveillants aux insultes au portail, donc je fais moi-même avec mon adjoint, tous les matins et tous les après-midi, l'entrée des élèves ; et je ne suis pas physionomiste et il y a le gardien, là, l'ouvrier d'entretien qui, lui, est pied-noir d'origine et qui est très physionomiste et qui me dit, « il y en a trois, là, ils sont pas du collège », donc quand ils arrivent au portail, je leur dis,« messieurs vous êtes pas du collège, vous avez quelque chose à faire ? Si vous avez quelque chose à faire, vous me dites ce que vous venez faire, sinon vous n'entrez pas. Non, vous n'entrez pas ». Alors ils se reculent de trois mètres, ils se mettent au bord du grillage et ils commencent à parler entre eux. Et ils commencent à parler entre eux de manière à ce que j'entende que je suis un con : « regarde la gueule qu'il a » et tout, et tout en parlant ils se retournent, ils crachent. Ils crachent dans ma direction. Quand vous avez en dix minutes, sept ou huit crachats qui vous arrivent à 15 centimètres des pieds et que vous êtes quelqu'un d'orgueilleux, qui a un sens de l'honneur et tout ça, eh bien, c'est dur. C'est très dur. Bon et puis voilà. Alors il y a des jours où j'aimerais bien être ailleurs (...).

On est allé dialoguer jusqu'à la nausée

M. Ramus — Ils en veulent à mort à l'école, parce que l'école ne leur a pas permis de s'en sortir ; enfin bon, ça m'étonne pas tellement. Et puis l'école, c'est un milieu de contraintes. Pendant les événements, moi j'ai vécu... c'était ubuesque. Il y a eu à la rentrée scolaire dernière en septembre 90, dans les lycées professionnels du département du Rhône, 700 places vacantes, non occupées, il n'y avait pas de candidats. Il y avait 700 places vacantes tous les jours, pendant tout le mois de septembre et le début du mois d'octobre, on lit le minitel là, les messages minitel et il disait, « tel établissement il y a tant de places ; tel établissement il y a tant de places et tel établissement il y a tant de places ».
Quand il y a eu les événements, la grande interprétation c'était, oui, on a construit, on a repeint leurs façades, tout ça, mais on n'a pas dialogué avec eux, c'est parce qu'on a manqué le dialogue qu'ils se sont révoltés, alors dialoguons ; on est allé dialoguer mais vraiment jusqu'à la nausée dans les réunions de quartier, les trucs comme ça et on entendait dans les réunions de quartier, des jeunes qui disaient, « ouais, l'école n'a rien fait pour nous, on n'a rien, on n'a pas de formation », en même temps il y avait 700 places vacantes dans les lycées professionnels, seulement les places vacantes dans les lycées professionnels, c'est quoi ? C'est

32 heures de travail par semaine, rémunération zéro. Bon, ben ils sont pas d'accord pour y aller non plus ; à la limite, les jeunes paumés des banlieues ils demandent quoi, finalement ? Ils demandent de quoi vivre. Bon, éventuellement ils demandent un travail intéressant mais le pays n'est pas capable de leur donner un travail intéressant dans la mesure où ils ont pas de formation et puis moi, j'ai une formation, c'est pas tous les jours que mon travail est intéressant, alors… Moi je vois pas, enfin il n'y a pas de miracle, hein ! Alors bon, ils en veulent, ils en veulent à l'institution, ils sont prêts à casser tout ce qui est l'image, qui leur renvoie l'image d'un certain échec, mais moi je n'ai pas beaucoup de solutions.

— *Oui mais, ils ont des frères et sœurs qui vont encore à l'école… ?*

M. Ramus — Oui. Quand ils entendent des grands frères leur dire,« il faut bosser parce que, regarde, moi je suis en seconde, en première ou en terminale et puis je m'en sors »… J'ai la nièce d'un universitaire auteur [*d'un roman autobiographique sur sa scolarité d'enfant d'immigré dans un quartier populaire*] ici, son oncle il lui dit, « déconne pas » et elle déconne pas. Elle fait ce qu'elle peut, elle fera peut-être des études moins brillantes que celles de son tonton, mais je crois qu'elle va s'en sortir, elle est en seconde, bon après, ma foi… Il y a des familles, les grands frères, on a l'impression qu'ils se relayent pour qu'il y en ait toujours un dehors pendant que les autres sont en tôle, pour qu'ils soient pas en tôle tous en même temps. Il y a une famille, les trois frères aînés sont en tôle pour proxénétisme aggravé, c'est la mère qui fait tourner le bistrot qu'ils avaient parce que c'est la seule ressource de la famille ; elle part à six heures du matin, elle rentre à minuit ou une heure du matin et les gamins, j'en ai une en quatrième et l'autre en cinquième, ils sont livrés à eux-mêmes, ils font ce qu'ils veulent. C'est des emmerdeurs finis, il y a des moments j'ai envie de les… j'ai envie de les esquinter, mais je vois vraiment pas pourquoi ils seraient calmes, doux, patients, polis, gentils dans ces circonstances-là. Ça serait vraiment un miracle si ils l'étaient.

Je vous donne un autre exemple. Ça c'est un truc, c'est sûr que il y a des choses que je comprends pas et qui m'échappent. L'année passée, à huit heures et quart, j'entends gratter à la porte de mon bureau et personne ne bougeait, je vais voir et je vois une mère maghrébine complètement enturbannée qui vient et puis qui me dit dans un français assez approximatif, « ma fille qui est en troisième, elle est venue ce matin, moi je voulais pas qu'elle vienne, mais son père l'a encore battue toute la nuit, vous avez vu la tête qu'elle a ? », j'avais pas vu, j'avais pas vu parce que la fille s'était bien planquée. « Il lui prend la tête contre le lavabo et puis il lui tape la tête contre les coins de table ou contre les coins du lavabo. » Alors elle me racontait de ces trucs…

Je vais voir en classe la fille, je la regarde et effectivement, elle était toute tordue, pleine de… Je la descends, j'enferme la mère et la fille dans un bureau, j'appelle l'assistante sociale parce que ce sont des choses qui se règlent entre femmes, ça. L'assistante sociale, elle me dit, « il faut absolument faire un constat médical, sur la mère et sur la fille ». Le médecin scolaire ça n'existe pas, ça n'existait pas l'année passée, enfin j'ai tellement gueulé que j'en ai un qui fait une permanence une demi-journée tous les 15 jours. L'année passée il n'y en avait point. J'appelle un médecin traitant, qui est venu, qui les a examinées, qui a fait les certificats médicaux et qui est venu me voir et qui m'a dit, « ça fait 160 balles », moi j'ai pas de ligne au budget pour payer 160 balles ; j'ai payé 160 balles de ma poche, ça veut dire que pour que j'en sois pas de 160 balles de ma poche, le médecin a accepté de faire une fausse déclaration, c'est-à-dire qu'il a déclaré qu'il était venu me visiter, moi, et j'ai été remboursé 120 francs par la Sécurité sociale. Ça m'a coûté quand même 40 balles ; je me plains pas.

Et après avec les certificats médicaux, on a appelé le père, alors le père est venu, alors si vous voulez, moi j'étais derrière mon bureau directorial, bien protégé, le père était à votre place et l'assistante sociale était ici ; l'assistante sociale, c'est une minette qui a 30 ans et qui a parlé au père et qui lui a dit, « mais ça se fait pas des choses comme ça, vous vous rendez compte ? Et puis si vous continuez à le faire on va vous empêcher, on va porter plainte ; on a des certificats médicaux et tout ça ». Le père s'est levé, je l'ai dit à la petite, j'ai dit « écoute, le deuxième pain, il aurait pas pu te le mettre parce que je l'aurais assommé avant ; mais le premier je pouvais pas l'éviter parce que le temps que je saute par-dessus mon bureau… », bon il s'est arrêté au millimètre, hein ; et puis il s'est dirigé vers la porte en me lançant la malédiction d'Allah jusqu'à la… je ne sais pas quelle génération. Son truc c'était… et en plus vous me direz, quelle réponse vous lui auriez faite ?

Il habite dans la partie la plus déshéritée. Hein, vraiment, c'est vraiment déshérité complètement ; il dit, « mes voisins, là, dans l'allée... les gamins ils font de l'absentéisme, ils sont drogués, ils sont voleurs, ils sont délinquants, ils ont tout pour plaire, personne ne dira jamais rien. Moi, mes gamins, ils sont jamais absents », c'est vrai, « ils ont de bons résultats », c'est vrai, « ils sont polis », c'est vrai, pas délinquants, gentils, propres, tout « et vous m'emmerdez, moi ? Et vous voulez m'envoyer à la police, moi ? Vous faites rien contre les autres et... et moi ? », il est parti, vraiment il comprenait pas.

— Et le soir, je pense que la femme et la fille ont dû...

M. Ramus — Pas le soir même, pas le soir même, il a attendu quelques jours. Voilà, c'est la triste... Je sais pas, moi, si vous voulez, j'avais pas beaucoup de certitudes en venant ici... J'en ai encore moins, parce que je sais pas, j'ai l'impression...

— Vous arrivez quand même à ce qu'il n'y ait pas de violence à l'intérieur de l'établissement.

M. Ramus — Pas de violence physique, de bagarres. Les violences verbales... Là-dessus, il y a le téléphone au collège et le téléphone quand il n'y a pas de standardiste, par exemple maintenant, le téléphone sonne pas ici parce que si quelqu'un appelle le collège, ça sonne dans mon appartement ; il n'y a pas de standardiste, donc ça sonne dans mon appartement ; eh bien, quand ma femme est là, l'autre jour elle est venue, j'étais dans l'appartement de mon adjoint, on est allé prendre l'apéritif ensemble, ma femme est venue, de cinq heures à huit heures et demie on était en réunion au centre social avec mon adjoint ; et elle, elle était dans l'appartement de fonction. Et à huit heures et demie elle est montée boire l'apéritif avec nous. Mais elle m'a dit, « j'en ai marre, coupe le téléphone quand je suis là et que tu n'y es pas », toutes les dix minutes au téléphone des insultes.

— Des insultes ?

M. Ramus — Des insultes. Elle prend le téléphone, « est-ce que M. Ramus est là ? », « non il est pas là », « ah t'es sa femme, salope, putain, nique ta mère, nique ta mère... », mais 20 fois, 30 fois, elle me dit, « si je décroche pas, ça sonne, ça sonne, ça sonne », bon elle a compté une fois 27 coups de sonnerie, elle a pas décroché avant que ça s'arrête.

— Oui, c'est pour ça qu'on ne peut pas faire la séparation vie privée, vie publique...

M. Ramus — Non, c'est ça, et je n'ai pas fait installer de ligne personnelle, bon, parce que je me dis que si je faisais installer une ligne personnelle, il suffit de repérer mon nom, je ne vais pas me mettre sur la liste rouge, je ne veux pas me mettre sur des choses comme ça… Donc, quand le mercredi je m'enferme dans l'appartement en fin d'après-midi parce que j'ai du travail à faire ou parce que j'ai envie de lire ou d'écouter de la musique, un machin comme ça, si je débranche le téléphone ça veut dire que mes enfants, ma mère, ma femme ne peuvent pas m'appeler, c'est comme ça. Et vous m'avez dit que j'étais arrivé à empêcher la violence physique, oui ; la violence verbale, non. Et elle est très pénible. Et quel était le sens de votre question, vous vouliez arriver à me poser une question…

— *… sur les bagarres.*

M. Ramus — Oui, mais quand je dis les bagarres, c'est quand même des bagarres entre élèves que je suis arrivé à supprimer au collège mais pas dans la rue…

— *Pas à l'extérieur…*

M. Ramus — Et pas à l'extérieur ; parfois avec mon adjoint, c'est-à-dire que la gardienne, là, on a prolongé son service, quand les élèves sortent à midi, elle travaille jusqu'à midi et quart, quand ils sortent à cinq heures, elle travaille jusqu'à cinq heures et quart pour voir. Et dès qu'elle voit un attroupement, elle me téléphone tout de suite et alors, là, vous pourriez être dans mon bureau avec des discussions intéressantes, si elle me téléphone… je vous laisse, je pars, on arrive, dès qu'ils nous voient arriver, parce qu'on arrive en courant, on arrive en courant, en se faisant voir, c'est parce qu'on veut dissuader, donc les bagarres s'arrêtent. Une fois dans la rue on vire, peut-être que des fois la bagarre s'arrête là et puis c'est fini et puis des fois on sent qu'elle va… alors des fois on va jusqu'à, on fait deux virages et puis après on n'y va plus (…).
Quand moi je leur dis aux flics… ils nous font de grandes théories, les flics, ils disent, « il y a trois volets, il y a la répression et on sera répressif, il y a la dissuasion et puis il y a la prévention », bon mais moi je leur dis, « la dissuasion c'est d'être là », moi j'aimerais bien que la voiture des flics, elle passe simplement sans s'arrêter, aux heures de sortie du collège, comme ça. Mais les flics ils disent, « mais non, on peut pas surveiller tous les collèges, c'est pas notre boulot, tout ça » (…).

— *Et les bons élèves ?*

M. Ramus — Les bons élèves sont gênés parce qu'ils sont traités de fayots. Les profs de gym ont écrit un article dans la revue syndicale (…) ils disent que les bons élèves sont gênés [*il lit un extrait de l'article*]. Bon il y a une maîtresse auxiliaire qui est arrivée cette année, qui enseigne l'espagnol, deuxième langue, qui est jeune, qui habite à R., qui travaille dans des conditions pas marrantes parce qu'elle n'a pas de voiture, elle a une petite fille, elle a une heure et demie de transport quand il y a des profs qui l'emmènent pas et tout ça, mais c'est une fille extraordinaire. Mais elle en a vraiment bavé au début.

Et on est bien conscient de ce qui arrive, c'est-à-dire qu'on l'a soutenue mordicus et tout, on l'a beaucoup aidée à tenir le coup, bon, il m'est arrivé de l'accueillir quand elle pleurait et de la consoler en tout bien tout honneur, et la fille elle m'a dit l'autre jour parce qu'en assemblée générale j'ai fait une réflexion parfaitement misogyne parce que les bonnes femmes s'engueulaient entre elles et j'ai dit, « bon Dieu, je rêve d'un établissement où il n'y aurait que des mecs et où on réglerait ça en une heure autour… on réglerait ça en une heure au bistrot », je disais ça au deuxième degré, puis elle est venue me chambrer à la fin et elle m'a dit, « quand même ce collège, j'en ai bavé mais je le regretterai parce qu'il y a une chaleur humaine telle que… », je pense qu'il y a plus de relations affectives et c'est un… c'est un des éléments pénibles, moi je crois que c'est un des éléments qui me perturbent, c'est qu'on ne peut pas ne pas s'investir affectivement dans ce collège ; c'est-à-dire que quand ça va bien, ça va bien et quand ça va pas, on est bouleversé affectivement, c'est une erreur, mais en plus je ne vois pas comment on peut l'éviter ; et les relations entre profs…

— *On peut pas garder des distances…*

M. Ramus — C'est ça, les relations entre profs elles sont ou affectives ou conflictuelles parce que… de toute façon c'est de l'affectivité, quoi ; ou ils sont très copains ; ou ils sont ennemis et je disais encore à midi un truc… il y a des profs qui ne peuvent plus prendre la parole ensemble dans une assemblée générale de profs ; et je dis, si c'était à régler des conflits ou des divergences politiques, syndicales, pédagogiques, j'aurais des chances, mais, là, c'est des divergences viscérales, c'est physique. Alors, si vous voulez, il y a des aspects très attachants, quoi.

— *Votre collègue du lycée, qu'est-ce qu'il dit de tout cela, il a les mêmes élèves (…)*

M. Ramus — C'est pas les mêmes élèves ; c'est pas les mêmes élèves ; il n'a que la bonne moitié des élèves.

— Oui, disons qu'il y a une sélection (...)

M. Ramus — C'est pas les mêmes élèves, c'est pas les mêmes âges et il n'a pas les mêmes contraintes. Et lui, par exemple, il me reprocherait carrément de faire trop de couveuse, trop d'assistanat, ce qui fait que les gamins, ils n'ont pas d'autonomie et ils travaillent moins bien au lycée, quoi. Ils perdent leur temps au lycée, pour certains.

— Il y a moins de problèmes de discipline...

M. Ramus — Oh ! c'est pas du tout la même chose ; ma femme, dans le lycée où elle est, elle sait pas ce que c'est les problèmes de discipline ; il y en a quand même à F., tout ça ; il y a eu l'année passée au lycée F. des agressions contre des voitures de profs, qui ont été complètement esquintées, donc ça arrive. Au lycée B., aussi l'année passée, il y a une prof qui s'est fait tabasser à la sortie d'un conseil de classe par un élève maghrébin originaire de la commune. Bon, c'est comme ça. Mais enfin, ça n'a rien à voir avec... ; ça n'a rien à voir avec le quotidien des collèges : dans les collèges, on a vraiment tous les élèves. (...) Vous êtes en train de me dire que si c'était des Français, enfin d'origine, mais qui sont pauvres, ça serait les mêmes problèmes ? Si c'est ça, ma réponse c'est oui. Oui, mais ça tout à fait, ça j'en suis bien conscient, le problème vient de l'entassement de familles à problèmes quelle que soit l'origine sociale, enfin quelle que soit l'origine raciale ; ça, on est bien d'accord là-dessus.

— Je doute qu'on trouve une solution, précisément d'ordre social...

M. Ramus — Mais par exemple une des façons d'améliorer ce qui peut se passer : à Vénissieux, aux Minguettes en 81, bon, depuis les problèmes ont diminué parce que l'entassement des populations a diminué, ils ont vidé des appartements, vidé des tours et démoli des tours quand elles étaient vides. Moi, je suis originaire de Vénissieux, toute ma famille est originaire de Vénissieux, mon père était né natif de Vénissieux, tous mes oncles, mes tantes, mes cousins sont tous à Vénissieux. En 81, effectivement à la grande époque des Minguettes c'était vraiment affreux ; maintenant c'est à peu près le même type de population mais déjà bien moins entassée. Il y a plus d'espace, bon. On commence à rerespirer. Alors déjà il y a la catégorie sociale, mais il y a aussi probablement l'effet d'entassement, je crois.

avril 1991

Gabrielle Balazs

Première génération

Emmanuel, étudiant d'histoire en deuxième année de DEUG à Paris-IV Clignancourt, et sa sœur aînée sont les premiers de la famille à faire des études supérieures ; ils en sont très conscients et en tirent une certaine fierté. Leur père, ouvrier dans une petite entreprise d'alimentation de la banlieue est de Paris (il gagne 8 000 francs par mois), a été à l'école « jusqu'à l'entrée au collège ». Leur mère est secrétaire dans la fonction publique ; elle aurait voulu être sage-femme et n'a pas pu faire d'études ; elle n'a pas le bac, mais elle suit activement la scolarité de ses enfants. La sœur a un BTS de bureautique et prépare un concours pour être enseignante. Pour le moment, elle gagne sa vie comme « pionne ». La famille d'Emmanuel, originaire de l'Aisne, est composée essentiellement de paysans et d'ouvriers. « Il y en a qui s'en sont tirés, disons manuellement, mais ils n'ont pas fait d'études, ils sont routiers, ils tiennent des restaurants, ils vivent à la campagne. »

Après avoir redoublé sa terminale dans un lycée de grande banlieue « à mauvaise réputation » et obtenu son bac B à l'oral de « rattrapage », Emmanuel réussit, sur la recommandation d'un chef de service du ministère de l'Éducation nationale, où travaille sa mère, à se faire inscrire à Paris-IV. Là, il se sent « paumé », notamment par rapport à l'univers familier du lycée : la faculté lui apparaît comme le lieu de l'arbitraire, comme une immense loterie. Il a le sentiment de n'être pas à sa place dans ce lieu où il s'est introduit grâce au « piston » et où il est doublement isolé, coupé d'abord de ses anciens copains de lycée qui se retrouvent à la Faculté de Saint-Denis, et incapable de créer de nouveaux liens avec les autres étudiants (« on est d'accord sur rien parce qu'ils viennent pas du même milieu, à partir de là, les idées sont pas les mêmes, c'est obligatoire »).

Comme beaucoup d'étudiants (près de la moitié), Emmanuel ne sait pas bien pourquoi, après avoir été refusé à l'inscription pour un BTS d'action commerciale, il a choisi l'histoire plutôt que l'économie, même s'il se rappelle avoir obtenu de bonnes notes en histoire au bac. S'il connaît les études auxquelles l'histoire l'engage, il ne sait absolument pas à quoi elles vont le mener. Il redoute de devenir professeur mais aurait éventuellement voulu être instituteur, sans passer par une école normale. Dès la période des inscriptions à la faculté, il a failli renoncer parce que c'était « tiré au sort », et qu'il est « tombé » le dernier jour, et que le « dernier jour il n'y a plus rien », que la Sorbonne « c'est un labyrinthe (...) qu'il faut connaître », qu'il « ne savait pas du tout où il fallait aller » et que « la première fois où il est allé pour demander un renseignement, là il s'est fait vraiment jeter ». Que tout est complet et que « ça [le] dégoûtait d'arriver comme ça et de voir que c'était complet ». Mais la résignation l'a emporté et il explique à un professeur qui lui demande ce qu'il fait en histoire : « Comme je lui ai dit, si on m'accepte pas en BTS, si en histoire on m'accepte pas non plus, il n'y a plus rien à faire dans ces cas-là. » N'ayant passé que deux unités de valeur la première année, alors qu'il faut en passer six pour espérer obtenir le DEUG en deux ans, il met presque un an à comprendre l'organisation des études, et il devra faire le DEUG en trois ans, ou s'arrêter. Il est dans le cas de beaucoup d'étudiants qui, se rendant compte au bout de deux mois de leur mauvaise orientation, doivent attendre la fin de l'année pour recommencer faute de pouvoir changer en cours d'année. Son avenir est très incertain : « Si je ne réussis pas cette année, faut que j'arrête », à moins de passer des concours administratifs. Méfiant à l'égard des « facs politisées », critique à l'égard des professeurs qui sont là « pour casser, pour éliminer », il est également méfiant à l'égard des examens que la rumeur dépeint comme une sorte de loterie. Il va jusqu'à juger néfaste la formation d'historien de ses professeurs qui, selon lui, contribue à accroître l'écart entre les exigences de l'institution et ses propres capacités : « Je suis pas historien ! Je suis là pour apprendre. »

Sa description de la vie quotidienne en faculté est très éloignée des récits enchantés de la vie de l'étudiant, dont, finalement, il n'a que la carte. Pour être dilettante ou amateur, il faut savoir jouer avec les règles, mais il ne connaît pas les usages de l'univers étudiant. « Quand on arrive en DEUG la première année, on sait pas ce que c'est, on sait pas ce qu'il faut faire, on sait pas comment il faut travailler. » Clignancourt, sa faculté, ne ressemble en rien aux anciennes facultés : « C'est pas très beau, il y a rien, c'est vraiment catastrophique. Il y a quelques cafés où on essaie de s'aventurer des fois mais qui sont vraiment sales, donc si on veut faire quelque chose, il faut prendre le métro. » Au contraire, la Sorbonne, où les étudiants d'histoire ont accès pour la licence, lui paraît « idéale », « le site est beau, on a envie d'y être, déjà, dedans ; je trouve que quand on arrive dedans, c'est une certaine réussite, presque ». L'ensemble des équipements de travail d'un étudiant ordinaire lui semblent inaccessibles ou d'un usage impossible : la bibliothèque est le seul lieu pour s'asseoir, la lecture conseillée est souvent en anglais – qu'il ne lit pas –, l'achat de livres rares ou épuisés lui semble impossible, l'accès au restaurant universitaire ou à des équipements sportifs nécessite une grande patience.

A plusieurs reprises, il dira qu'il se sent « bloqué », parce qu'il manque d'argent pour sortir, parce qu'il n'a pas le permis de conduire ou parce qu'il habite en banlieue, et qu'il est difficile d'y faire venir des amis. Sa vision de la politique, constituée dans des confrontations difficiles avec un père militant communiste (« à table ça dégénérait »), est résignée ; toutes les discussions, les réunions, notamment politiques, qui furent en d'autres temps une dimension essentielle de la manière d'être et de se faire étudiant, lui paraissent du temps perdu. Pourtant nouveau venu à la condition étudiante, Emmanuel est déjà un étudiant « rangé » et désenchanté.

Victime du minuscule passe-droit qui lui a permis d'accéder à une université dont il découvre, à travers la solitude et le sentiment permanent de ne pas avoir réellement accès à ce qui lui est apparemment ouvert, qu'elle est au-dessus de ses moyens, socialement et scolairement, il essaie, tant bien que mal, de comprendre ce qui lui arrive. Tentant parfois de se situer sur le plan neutre des constats statistiques qui lui permettent de prendre une distance, ou de reprendre à son compte les discours sur les « nouveaux étudiants », que proposent la presse, les débats télévisés, etc., il explique ses échecs par des facteurs tels que l'augmentation du nombre d'étudiants, le manque d'information, l'orientation prématurée, l'insuffisance des locaux.

Parfois, au contraire, il impute son échec à son maintien sans redoublement dans l'enseignement secondaire alors qu'il était « mauvais ». « En seconde, je suis passé en première mais en étant mauvais. Le problème, c'est que tous les gens qui voulaient passer étaient encore plus mauvais que moi. (...) Quand j'y repense maintenant, je pense que j'aurais pas dû passer en première. Et je me dis que si j'étais pas passé, peut-être que j'aurais eu de meilleurs résultats après. » Conscient d'avoir été renvoyé dans les études d'histoire par toute une série de refus, Emmanuel se sent comme en sursis dans un enseignement supérieur qui n'est pas fait pour lui et pour lequel il n'est pas fait.

avec un étudiant en histoire

— entretien de Gabrielle Balazs

« Quand ça commence comme ça… »

— En quel cycle êtes-vous ?

Emmanuel — DEUG histoire, on va essayer de faire le DEUG histoire, mais ça me paraît dur, la première année, vu qu'il faut qu'il reste un nombre d'élèves peu nombreux. En fait ils éliminent, et la manière d'éliminer, c'est les examens, donc on élimine, je peux pas vous donner d'exemples précis, mais il suffit de voir le nombre d'inscrits par rapport au nombre de reçus, et là c'est plutôt dramatique. Ils veulent mettre 80 % d'une tranche d'âge au bac, mais qu'est-ce qu'ils vont en faire après, parce que même cette année les effectifs ont baissé pour l'histoire. On est 22 000 étudiants toutes séries confondues à Clignancourt, en histoire, je ne sais pas combien. L'année dernière plus de 300, cette année, ils ont réduit à 250. Ça fait beaucoup en fait.

— Vous venez de terminer la première année ?

Emmanuel — Qui n'a pas été brillante d'ailleurs.

— Pourquoi ?

Emmanuel — Ben, je crois qu'on n'est pas préparé déjà. Bon l'histoire, c'est un peu spécial par rapport aux autres sections, on n'est jamais avec les mêmes personnes. En fait il y a plusieurs UV [unités de valeur]. Voilà comment se décompose le DEUG d'histoire. On peut avoir son DEUG avec quatre UV, faut en avoir une dans chaque période d'histoire, ancienne, médiévale, moderne et contemporaine. Après il y a les UV obligatoires de géographie ou histoire de l'art. J'ai fait mon premier cours de géo la semaine dernière et le professeur nous dit, ce que je vais vous enseigner cette année ne sert à rien, en 24 heures de cours, on ne peut pas espérer vous donner beaucoup de connaissances ». Donc, quand ça commence comme ça… Moi je veux bien, mais… Il y a une UV de langue, c'est assez marrant, il y a une heure (moi j'ai pris espagnol), il y a 100 inscrits, ils sont dans une salle de 50 places. Aux examens on était sûrement plus de 100 inscrits et au mois de juin il y avait 15 reçus. Donc, ça ne fait pas beaucoup. C'est une manière de sélection pas reconnue.

— *Vous en avez eu deux ?*

Emmanuel — Oui deux, alors qu'il faut 12 UV en tout pour avoir le DEUG. Il faut en avoir six et six normalement pour avoir le DEUG en deux ans. Il paraît qu'il y en a plus de 75 % qui le font en trois ans. J'en ai deux, il faudrait que j'en aie huit cette année pour essayer d'avoir une licence conditionnelle. Mais je ne sais pas si la licence conditionnelle c'est très bien. Faire la licence et en même temps continuer à faire le DEUG, ça me paraît un peu compliqué en fait. Donc, (...) je suis obligé de le faire en trois ans.

— *C'est difficile de rattraper ?*

Emmanuel — De toute façon, je pense en passer que huit, donc je peux avoir la licence conditionnelle. C'est cinq minimum et huit maximum. En trois ans de toute façon.

— *Vous avez des réunions d'information ?*

Emmanuel — Il paraît que ça ne sert à rien, je n'ai jamais pu y assister. En fait, ça s'est passé comme ça : quand je me suis inscrit je voulais aller à Nanterre (c'est M. X qui est intervenu pour que je puisse aller en faculté).

— *Pourquoi il est intervenu, pour le choix de Nanterre ?*

Emmanuel — Ben, aller en fac, tout simplement. Parce que moi, j'ai eu mon bac au rattrapage, donc les inscriptions étaient passées. Les inscriptions sont le jour du résultat du bac, et moi le jour du bac, j'ai appris que je n'étais pas reçu. (...) Il était trop tard pour une inscription. J'ai attendu le mois de septembre pour savoir si vraiment j'allais être inscrit en fac ou pas. Un jour j'ai reçu un papier qui me demandait de me présenter à Paris-IV. Je me suis retrouvé à la Sorbonne avec mon papier. On me regardait avec un drôle d'air, en fait, c'est un piston. C'était un papier à en-tête du cabinet du ministre, donc. Je me rappelle, je suis allé voir au secrétariat avec ce papier-là. Elle est partie avec mon papier, d'ailleurs je faisais un bouchon, tout le monde attendait pour autre chose. Elle est partie avec mon papier, voir, je suppose, le directeur, pour savoir ce que c'était exactement.

— *C'était une recommandation d'un professeur ?*

Emmanuel — Je ne crois pas, non, je sais pas s'il travaille pas à Paris-I.

— *Vous le connaissiez comment ?*

Emmanuel — C'est ma mère qui avait travaillé pour lui.

La Sorbonne, c'est un labyrinthe

— *Vous avez pu vous inscrire à Paris-IV ?*

Emmanuel — J'ai eu d'ailleurs le dossier d'inscription sur lequel il y avait marqué « inscription à titre exceptionnel », parce que c'était complet. C'était totalement fini. A partir de là, j'ai commencé à me promener à la Sorbonne. Une fois pour aller chercher mon dossier, une fois pour aller le rapporter. Et après on y va à chaque fois parce qu'il y a des réunions de pré-rentrée pour savoir comment ça se passe. J'ai jamais pu y aller parce qu'on va tel jour à la fac on regarde les panneaux, il y a rien marqué, il suffit que ça soit marqué le lendemain et que vous reveniez deux jours plus tard, eh ben, la réunion elle est passée. En plus, on sait pas comment ça se passe, il y a les inscriptions pédagogiques et les inscriptions pour les UV, administratives. Donc j'ai fait l'inscription administrative et après il reste l'inscription pédagogique, et je savais pas du tout comment ça se passait. Donc j'arrive là-dedans, en plus je ne sais pas si vous connaissez la Sorbonne mais c'est un labyrinthe et en fait il fallait monter deux étages, et quand on arrive en haut, il y a un tout petit escalier qui vous amène au bureau du... comment ça s'appelle... d'histoire. Donc en fait il faut connaître, moi quand je suis arrivé, je connaissais pas, je savais pas du tout où il fallait aller, alors on me disait d'aller au deuxième étage, j'allais au deuxième étage, mais je trouvais pas, et puis la première fois où je suis allé pour demander un renseignement, là je me suis fait vraiment jeter. C'était la dame qui s'occupait du secrétariat (...). Quand ma mère a appris ça, elle leur a téléphoné et elle les a engueulés. Du coup, elle a dit à ma mère que j'y retourne, et là, elle m'a bien expliqué, elle m'a bien donné tous les papiers qu'il fallait. En fait, j'ai dû aller une dizaine de fois à l'université pour être inscrit, pour que tout soit fait. Ça fait un petit peu beaucoup. Rien que ça, j'ai failli arrêter à cause de ça. Dès le début, quand je voyais que ça commençait comme ça, je me suis dit, ça commence mal. Ça me décourageait déjà. On est déjà découragé par ça et après les premières fois où on arrive à la fac, on est découragé par l'ambiance. C'est vraiment chacun pour soi. Ça fait bizarre quand on arrive d'un lycée, on était dans une classe où on connaissait beaucoup de monde et où on était dans un groupe, là on se retrouve tout seul. Et j'ai mis quatre à cinq semaines à connaître quelqu'un. Je ne connaissais personne.

La région d'où je venais, il y avait personne qui venait de là. Ou si on connaît quelqu'un, comme on n'est pas une classe bien définie… Bon, il y a une UV par exemple, une heure de cours peut-être en commun avec quelqu'un, mais après il y a sept TD, donc pour se retrouver dans un TD, c'est difficile. On n'est jamais avec les mêmes personnes. Et même ce qui se voit beaucoup, c'est une différence sociale à la faculté. Je trouve que ça joue beaucoup plus qu'au lycée. Au lycée on fait pas attention à ça. Mais je pense que les gens font beaucoup attention à ça […].
Voilà, alors les inscriptions de cette année ont été assez originales aussi. Il fallait chercher un papier, une convocation pour les inscriptions pédagogiques, ça se passait entre le 8 et le 13. C'était tiré au sort, ils avaient mélangé des papiers avec une date, il y avait tant d'inscrits, tant de papiers, une date et l'heure et on tirait. Et moi je suis tombé le dernier jour. Mais le dernier jour, il n'y a plus rien. Je suis arrivé le dernier jour, mais j'étais seul à être en DEUG d'histoire. C'est-à-dire que tous ceux qui avaient été convoqués le 13 y avaient été avant. C'est-à-dire qu'en fait je me retrouve en examen final dans toutes les UV.

— *En examen final, c'est-à-dire ?*

Emmanuel — Ça se passe au mois de juin, il n'y a pas de partiel. Le contrôle continu, c'est plus divisé.

— *Tout le monde préfère cette solution-là ?*

Emmanuel — C'est pas la meilleure. Il y a des gens en examen final qui ont bien réussi. Ça veut pas dire grand-chose en fait, c'est d'être prêt au bon moment. Parce que là, il y a plusieurs notes, c'est autant de chances aussi de pas réussir. Là il y en a deux, et il faut réussir les deux. C'est vrai que un échec là et c'est fini pour ainsi dire.

— *Simplement là, on ne vous a pas laissé le choix.*

Je vais aller jusqu'à Noël, on verra bien

Emmanuel — Là, on m'a pas laissé le choix. Je suis arrivé au tableau, il y avait marqué toutes les UV au tableau et on disait, ça c'est complet. C'est-à-dire que là pendant un mois, six semaines, je vais rester en dehors du TD, je vais pas pouvoir rentrer, il y aura trop de monde. Il y a plusieurs TD, les gens vont s'y inscrire. Mettons, ils mettent 40 personnes pour un TD. Mais bien souvent, il y a 60 personnes qui veulent y rentrer. Donc il y a 20 personnes qui restent dehors. D'ailleurs ça m'avait fait bien rire l'année dernière, j'étais arrivé premier au TD, on rentre, la classe était pleine, il y en a qui étaient entre les chaises, et il y en a qui étaient dehors. Bon quand j'ai vu ça, j'ai dit, on peut pas travailler. On peut encore suivre un exposé, ou la prof qui fait un début de cours, mais c'est pas possible autrement. Et ça dure comme ça pendant six semaines à peu près et ça se vide après Noël. Ça dépend des UV si elles sont beaucoup demandées. Il y a des UV, je suis sûr que je rentrerai pas avant Noël. (...) C'est quelque chose aussi qui dégoûte. Moi, ça me dégoûtait d'arriver comme ça et de voir que c'était complet. Encore en amphi, ça va. Bien que j'aie vu des amphis où il y avait des gens par terre. Mais ça, c'était juste les deux premières semaines. Mais c'est vrai que les inscriptions après, voir le nombre d'inscrits pour le TD, qu'on peut pas y rentrer, c'est vraiment un truc, mais je sais que au début je voulais arrêter. En fait ma mère m'a dit d'aller puisque... Puis je me suis dit moi-même, je vais aller jusqu'à Noël, on verra bien, puisqu'il y a beaucoup de monde qui s'arrête là. On peut pas dire non plus en une semaine, ça nous plaît pas. (...) Le problème, en fait si on attend trop, on peut plus s'inscrire nulle part, parce qu'on aura pris du retard par rapport aux autres programmes. Je connais des gens comme ça, ils s'étaient inscrits dans une section, ils avaient pris droit, ça leur plaisait pas. Ils ont fait deux, trois semaines comme ça sans avoir envie de travailler, ils ont changé, et puis ils avaient pris trop de retard, ils suivaient plus du tout. Cette personne-là maintenant se retrouve au service militaire.

— *Et pourquoi vous vouliez Nanterre au début alors ?*

Emmanuel — Parce que c'est M. X qui avait dit que c'était la meilleure fac, la moins politisée, parce que l'histoire est politisée dans l'ensemble.

— *Ici, à Clignancourt, ça vous semble pas très bien ?*

Emmanuel — Ce que je trouve qui est pas très bien, j'ai vraiment l'impression que les profs sont là pour casser, moi c'est l'effet qu'ils me donnent. Ils sont là pour vraiment éliminer. Alors c'est souvent des discours de prérentrée qui sont pas réjouissants de la part des professeurs, quand vous arrivez, qu'on vous dit qu'il y en aura 60 % qui auront rien à la fin de l'année. Ils avaient donné les statistiques sur 100 élèves. Il y en avait 35 qu'ils ne voyaient pas aux examens. Il y en avait 15 % qui, sur les deux sessions, n'arrivaient pas à leur UV, qui avaient zéro UV; s'ils font une deuxième

année, ils recommencent le DEUG à zéro et il y en avait 10 % qui avaient une UV. C'est-à-dire que 60 élèves sur 100 n'avaient rien. Il paraît que cette année les résultats ne sont pas très bons. Enfin, c'est eux qui font les résultats aussi. Et moi j'ai eu vraiment des profs qui étaient là pour casser. J'ai fait une UV, d'ailleurs je l'ai pas passée parce que le bonhomme m'avait assez dégoûté. Il faisait des TD toute l'année. Une fille fait son exposé, et le prof lui a sorti, « votre exposé, c'est une longue marche funèbre ». Quand ça commence comme ça… Par contre je suis tombé sur des profs qui étaient super sympas et … les gens qui sont en doctorat, on leur donne des heures de cours à faire en faculté, et ces gens-là font passer les oraux, et avec ces gens souvent ça se passe super bien. Parce qu'eux ils vous disent qu'ils savent ce que c'est un examen, parce que ils les passent. Ils savent l'angoisse de l'étudiant. Il y en a un qui fait passer l'oral et qui dit, « vous avez pas de chance, aujourd'hui, je suis de mauvaise humeur ». Au mois de septembre, la première fille qui est entrée, il lui a dit ça. (…)
Ceux qui font les cours, c'est bien souvent des historiens. Quand on arrive avec notre feuille avec quelque chose écrit dessus – des fois c'est pas toujours bien d'ailleurs – par rapport à eux, à ce qu'ils savent, c'est sûr que nous, c'est pas terrible. Il y a des profs aussi qui renforcent le nombre de livres à lire par UV. Sur sa statistique, un prof a trouvé que les gens lisent à peu près deux livres et demi par an, et il trouve ça insuffisant. (…) J'aime pas trop le style de bibliothèque. En fait, on arrive, il y a un fichier, on cherche dans le fichier. On donne un papier avec le nom du livre, s'il est en rayon, on vous l'amène. On a pas le droit de voir les livres. En plus on a le droit de le garder une semaine. Si vous avez un problème cette semaine-là, vous pouvez pas le lire. Si on veut lire, faut s'acheter les bouquins. Mais le grave problème, c'est que souvent, c'est des livres qui ont été édités dans les années 20, 30, 50 et qui maintenant sont plus édités. Pour une UV, les îles Britanniques, ils présentent 110 livres et il y en a 89 qui sont en anglais. C'est peut-être bien mais je parle pas un mot d'anglais, donc déjà il y en a 89 que je peux pas lire.

— *Vous avez fait de l'anglais en première langue, espagnol en deuxième langue ?*

Emmanuel — Oui mais je suis incapable de comprendre un livre d'anglais. Et si vous voyez les dates de parution, c'est des livres qui sont plus édités maintenant.

— Comment faites-vous pour lire alors ?

Emmanuel — On regarde les bibliographies et avec les gens qu'on connaît, on essaie de s'échanger les livres.

— Vous avez quand même réussi à connaître des gens avec qui vous pouvez travailler ?

Emmanuel — Travailler… si on veut. On travaille pas ensemble, on peut s'échanger des livres, mais ça s'arrête là.

[…]

Je me retrouve un petit peu tout seul encore

— C'est quoi comme milieu qui est avec vous, comment vous les sentez les gens ?

Emmanuel — Le problème c'est que c'est une fac qui accueille beaucoup les quartiers des 4e, 16e [arrondissements de Paris], les quartiers comme ça. Donc c'est pas n'importe qui qui vient dans cette fac là.

— Vous pensez que le recrutement c'est une aire géographique ?

Emmanuel — J'ai l'impression que le recrutement, c'est surtout sur Paris. J'en connais beaucoup qui sont à Paris, ou dans le quartier de Clignancourt, au nord, mais sud et est je connais pas grand monde. Ça existe toujours celui qui met deux heures de train mais…

— Les gens que vous voyez, ceux que vous avez réussi à connaître, ils sont plutôt comment ?

Emmanuel — Ben, ça a pas trop marché à cause de ça. C'était des gens assez aisés. Donc, à partir de là. C'est aussi le problème de mes idées par rapport aux leurs et là, ça marchait pas du tout.

— Sur quoi vous accrochiez-vous, vous ne vous entendiez pas ?

Emmanuel — En fait, quand on va à la fac, avec les gens on parle de tout. Et puis, on arrive toujours au niveau politique parce que la fac c'est toujours politisé, d'ailleurs on a toujours des gens qui sont à la sortie avec… des tracts, et puis moi ça ne m'intéresse pas. La politique comme ça, à la sortie de la fac, moi ça m'intéresse pas. Les gens sont là en train de vendre leurs journaux. D'ailleurs des fois on a l'impression qu'ils vont se battre, les gens ça les intéresse pas du tout. Clignancourt comme c'est petit, il y a pas trop de politique. Si on va à Assas, là vraiment, des facultés où c'est la politique. Nous, la fac tous les ans, il y a des élections, je sais pas, pour des délégués, je sais pas, ça m'intéresse pas, donc j'ai pas regardé (...).

— *Les autres étudiants – genre 4e ou 16e arrondissements – ils étaient intéressés à la politique, puisque vous dites que vous étiez d'accord sur rien ?*

Emmanuel — On était d'accord sur rien parce qu'ils viennent pas du même milieu. A partir de là, les idées sont pas les mêmes, c'est obligatoire.

— *C'était quoi les professions de leurs parents à votre avis ?*

Emmanuel — Il y en a que je savais, il y en a un son père était maître de conférences, mais pour les entreprises, chargé des relations, je sais pas exactement, en fait la mère travaillait pas, ils habitaient le 4e, ils avaient un pavillon dans la proche banlieue huppée 78, donc... Ça fait une différence.

— *Et ils vous invitaient chez eux, ou vous... ?*

Emmanuel — J'y suis allé, mais c'était difficile.

— *Vous vous sentiez pas bien ?*

Emmanuel — Je me sentais pas à l'aise, et eux avaient du mal à faire venir des gens chez eux.

— *C'était pas naturel ?*

Emmanuel — Non, je trouvais pas ça vraiment naturel.

— *On va pas chez les autres, comme ça, sur simple coup de téléphone ?*

Emmanuel — Pas du tout. En fait, les relations de faculté, c'est des relations de fac. Voilà. On arrive à la fac, on se dit bonjour, on s'accompagne dans un cours, on parle un peu du prof, des cours, ça s'arrête là. C'est-à-dire que la personne qui ne connaît personne quand il sort du lycée, s'il essaye de se faire des amis à la faculté, il aura beaucoup de mal.

— *Et vous, vous les invitiez pas ?*

Emmanuel — Ils avaient pas trop envie de venir. Bon, donc on n'invite pas dans ces cas-là. On propose une fois, deux fois, ça suit pas, donc on essaye pas. On reste à... Il y a des gens avec qui je sors un peu, parce que je les connais un petit peu, avant. Les gens restent avec ceux avec qui ils étaient dès le départ. On reste avec les gens qu'on connaissait au lycée. Ça s'arrête là. Moi je trouve ça dommage. Je connais quelques personnes en dehors de la faculté. Donc heureusement, parce qu'autrement je serais tout seul. Cette année je reprends et je me retrouve un petit peu tout seul encore.

[*Il évoque le caractère décousu de la vie étudiante avec son « emploi du temps gruyère », la visite de Paris pendant les « trous », la rareté des repas à la cantine de la fac où c'est « la queue pour avoir un ticket et après la queue pour manger ».*]

Une orientation contrariée

— *Et il y avait déjà eu des problèmes de choix de section ?*

Emmanuel — En fait le choix on le fait pas... C'est ce que disait le prof de gym, le passage est basé sur l'échec en fait, c'est parce que je peux pas passer en D que je vais en B ou en A. Au début d'année, on dit, on va faire ça, et puis on se retrouve à la fin de l'année, bon, ben il faut aller là parce qu'on peut pas aller autre part. Que ça nous intéresse ou pas. Je sais que je suis passé en B, l'économie ça m'intéressait pas et puis à la force d'en faire, ça m'a plu.

— *Vous auriez pris quoi si vous aviez pu choisir ?*

Emmanuel — Ben, je pense qu'on aurait fait comme tout le monde, prendre mathématiques parce que c'est ce qu'il y a de mieux. On fait ça et après on a toutes les portes qui sont ouvertes. Même l'économie que font les B, c'est ceux qui ont fait mathématiques qui entrent en premier dans toutes les sections qui sont économiques.

— *Et vous vouliez faire histoire ?*

Emmanuel — Ben, c'est à partir du moment où je suis passé en B que l'histoire m'a plu. Et comme les deux fois où j'ai fait le bac, c'est là où ça a le mieux marché, je me suis dit, je vais aller en histoire.

— *Et avant vous aviez déjà des idées ?*

Emmanuel — L'histoire ça remonte quand même à pas mal de temps. Et en plus, j'avais fait des demandes pour BTS et j'avais été refusé. (...) Des BTS d'action commerciale. C'est ce qu'on fait en sortant de B. Et ça a pas marché, je me suis retrouvé à la fac. Et d'ailleurs il y a même des BTS où j'ai jamais reçu la réponse, ou alors on avait la réponse sans savoir pourquoi, puisque bien souvent on joignait un papier qui demandait le motif du refus, et bien souvent, ils disaient rien. (...)

— *Est-ce qu'on vous aidait à la maison ?*

Emmanuel — Non. Avec le retard que j'ai pris dans les cours préparatoires dans toutes les classes ça se ressent, même maintenant en histoire.

— Dans les difficultés à rédiger ?

Emmanuel — Dans les difficultés à rédiger. Je sais que j'ai un prof dans une UV que j'ai eue quand même, il m'a montré, il m'a fait lire ma copie, tout un paragraphe, et que quand je relis, je me dis, c'est vrai que c'est pas possible d'écrire comme ça quand on arrive en DEUG. C'est vrai que ça vient de loin. Et d'ailleurs le prof m'a demandé qu'est-ce que je faisais en histoire. Mais moi, comme je lui ai dit, si on m'accepte pas en BTS, si en histoire on m'accepte pas non plus, il y a plus rien à faire dans ces cas-là.

[...]

— Et vous savez maintenant ce que vous allez faire ?

Emmanuel — Non, moi je sais pas encore, je sais que je ferai le DEUG, après la licence, mais je sais absolument pas ce que je vais faire.

La sœur — [*Arrivée au milieu de l'entretien dans la salle à manger-salon de l'appartement familial, elle restera présente mais en retrait, corrigeant de-ci de-là le point de vue de son frère.*] Tu as des idées...

Emmanuel — Tu as des idées, obligatoire puisque avec histoire t'es obligé de faire ça ou ça. Mais précisément je pourrais pas dire.

— L'enseignement par exemple, vous y avez pensé ?

Emmanuel — J'aurais bien voulu mais en tant qu'instituteur, seulement faut passer par l'école normale, j'ai pas envie de passer par l'école normale. J'ai vu quelqu'un qui y est passé, j'ai vu comment ça se passait, non ça me branche pas du tout. (...)

— Autrement, vous aviez envie d'être instituteur ?

Emmanuel — J'aurais bien voulu être instituteur parce qu'en fait on n'enseigne pas une discipline pendant 30 ans, histoire et puis tout le temps la même chose.

— Histoire ça vous embêterait ?

Emmanuel — C'est pas que ça m'embêterait. Peut-être qu'au début ça serait bien, mais au bout d'un moment je pense que j'en aurais marre. Parce que même si on change, on passe de sixième à cinquième, à la fin, au bout du compte, à mon avis on fait toujours la même chose.

[...]

— Et vous avez jamais pensé à travailler directement ?

Emmanuel — Si, on y pense tous, à mon avis, on y pense tous. Même là, j'aimerais bien travailler un petit peu. Mais c'est difficile de trouver du travail. Quand on va à la fac, on aimerait bien

avoir un peu d'argent. Mais bon, on pourrait faire comme ma sœur, être pionne.
[...]
— *Vous êtes surchargé de travail dans la semaine en dehors des cours ?*
Emmanuel — Non, si vous voulez, on peut faire une semaine sans travailler. On va en cours. L'année dernière c'est ce que j'ai fait, pour ainsi dire. J'allais en cours, je notais les cours, ça s'arrêtait là. Parce que la première année, quand on arrive en DEUG, on sait pas ce que c'est, on sait pas ce qu'il faut faire, on sait pas comment il faut travailler, et on sait pas ce qu'il faut faire. On nous dit, « il faut lire ». Mais même il faut lire intelligemment. Il suffit pas de prendre une bibliographie, puis dire, « allez hop, je vais lire celui-là . » Bien souvent, c'est à la fin de l'année qu'on se rend compte de ce qu'il aurait fallu lire.
[...]

Une autre pédagogie

— *Vous pensez que maintenant vous sauriez pas vous organiser ?*
Emmanuel — Si là, j'essaie de m'organiser, il y a pas de problème pour ça, mais je sais pas si je travaillerai comme ça. Parce qu'en fait, il faut beaucoup de volonté parce qu'il y a personne qui suit derrière. Les profs, qu'on lise ou qu'on lise pas, eux ça les dérange pas. Il y a personne qui contrôle, les TD, qu'on y aille ou qu'on y aille pas, il y a personne qui dit quelque chose, les cours si on n'y est pas, c'est pareil, c'est pour ça qu'en fait..
La sœur — Ça manque d'encadrement.
Emmanuel — C'est pas une question d'encadrement, c'est qu'on fasse attention à toi, en fait.
— *Comme au lycée ?*
Emmanuel — Ouais un petit peu. Pas que ça soit style militaire, au lycée, au bout de deux heures où t'as pas donné un mot d'absence, ça y est, on vient te chercher. Non, non, pas comme ça. Pas à ce niveau-là, je sais pas. T'arrives, tu rentres dans le TD, le mec va faire son exposé, hop, il va se rasseoir, le prof va faire son commentaire et hop ça y est, on s'en va. Moi je veux bien, mais je trouve pas ça très bien.
— *Et les profs, en dehors des cours, vous les voyez jamais ?*

Emmanuel — Ah les profs, ah non, non. Ah ça c'est vraiment quelque chose et bien souvent c'est pas des profs qui sont sympas. Moi j'ai vu dans une UV, le prof a mis deux fois un.

— *Les profs, vous pouvez pas leur poser des questions à la fin du cours ?*

Emmanuel — Le problème c'est que le DEUG ça les intéresse pas. C'est des gens qui font les licences et les maîtrises. Et ça, ça les intéresse pas. Mais dans un sens faut pas qu'ils oublient que si eux, on les intéresse pas, c'est nous qui serons les futurs en licence et en maîtrise. On les intéresse pas.

— *Ils vous le disent ou ça se sent ?*

Emmanuel — Ça se sent. Aux examens, cette année on nous convoque à huit heures et demie (en principe on nous convoque à neuf heures, et celui qui est là un peu plus tôt passe). Là, ils avaient convoqué heure par heure, à huit heures et demie. La première prof arrive, il était neuf heures et quart, et elle sort devant tout le monde, « ah j'ai cru que j'étais en retard ». Il y en a qui étaient là depuis huit heures, ça faisait plus d'une heure qu'ils attendaient. Il y a rien de pire aux examens qu'attendre. Puis l'autre est arrivé à neuf heures et demie. Et une élève de licence conditionnelle a dit, « le prof sera pas là parce qu'il a une réunion avec les élèves de licence ». Le jour de l'examen du DEUG, il fait une réunion avec les gens de licence, donc ça veut dire que le DEUG ne l'intéresse pas, autrement il serait là. On peut pas interpréter ça autrement en fait.

— *Est-ce que vous avez essayé de travailler avec d'autres étudiants ?*

Emmanuel — On n'a jamais les mêmes emplois du temps, on n'est jamais libres aux mêmes heures, ça empêche de voir les gens. En fait, les gens qui font licence ou maîtrise connaissent bien tout ça, et c'est à eux, c'est eux qui devraient aider les élèves, en fait c'est eux qui sont le plus aptes à nous dire ce qu'il faut faire parce que les intitulés… La première personne que j'ai connue l'année dernière c'était quelqu'un qui faisait sa troisième année. Il m'a mis au courant de choses que, si on m'avait pas mis au courant, jamais j'aurais su. Pourtant c'est du B. A.-BA ce qu'il me disait. Je savais pas comment se passe l'examen à la fin de l'année, c'est lui qui m'a expliqué. Ils en parlent pas dans l'année. […]

— *Tout à l'heure vous avez dit que vous étiez tellement décou-*

ragé qu'un peu plus vous auriez abandonné. Qu'est-ce que vous auriez fait si vous aviez abandonné ?

Emmanuel — Je sais pas, parce que si j'avais arrêté, il aurait été un peu tard pour continuer en DEUG, mais il reste ce que font souvent les gens, c'est-à-dire les concours. Tous les concours administratifs.

La sœur — Et les chambres de commerce.

— *Vous auriez passé un concours ?*

Emmanuel — De toute façon faut envisager à ce moment-là. Si je réussis pas cette année étant donné que j'ai pas réussi la première, on nous donne que trois ans pour le faire. Si je réussis pas cette année, faut que j'arrête. Vaut mieux que j'arrête tout de suite, ça voudra dire qu'il y a un problème quelque part. Il y a une prof avec qui je suis passé qui m'a dit que je faisais partie d'un groupe d'étudiants où c'était toujours trop juste. Là j'ai fait une UV, j'ai eu neuf et neuf au mois de juin et neuf et neuf au mois de septembre. Il aurait fallu que j'aie dix. Comme j'ai dit à la prof, j'aurais préféré avoir quatre et quatre. Au moins je savais pourquoi je l'avais pas. Mais quand on met une copie double, une feuille simple en quatre heures, la prof elle dit : « c'est pas suffisant ». Je veux bien mais j'ai envie de dire « je suis pas historien ! Je suis là pour apprendre, en principe le DEUG c'est pour donner des connaissances générales sur toute la période ».

[*Il dit alors son désappointement d'être à Clignancourt, dans un « endroit pas très beau », avec des locaux tout petits et une cafétéria où l'on ne peut pas s'asseoir. Il explique par ailleurs qu'on ne peut pas non plus s'intégrer par le sport : il n'y a pas moyen de s'inscrire dans les UV sport qui sont toujours complètes.*]

— *Vous avez vu d'autres facs déjà ?*

Emmanuel — J'ai vu – comment ça s'appelle – la Sorbonne. Là ils sont tout le temps en train de… rénover tout le temps dedans, c'est sûr que c'est bien. Une fois c'est d'un côté, après c'est de l'autre, donc c'est fantastique la Sorbonne.

— *Ça vous semble bien pour travailler ?*

Emmanuel — Moi je trouve ça idéal. Déjà le site est beau, de la Sorbonne. Donc on a envie d'y être déjà, dedans. Je trouve que quand on arrive dedans, c'est une certaine réussite, presque.

octobre 1990

Pierre Bourdieu

Les contradictions de l'héritage

Selon Hérodote, tout alla bien chez les Perses aussi longtemps qu'ils purent se contenter d'enseigner aux enfants à monter à cheval, à tirer à l'arc et à ne pas mentir. Il est certain en effet que, dans les sociétés différenciées, la question, tout à fait fondamentale en toute société, de *l'ordre des successions*, c'est-à-dire de la gestion du rapport entre les parents et les enfants et, plus précisément, de la perpétuation de la lignée et de son héritage, au sens le plus large du terme, se pose de manière très particulière. En premier lieu, pour continuer celui qui, dans nos sociétés, incarne la lignée, c'est-à-dire le père, et ce qui constitue sans doute l'essentiel de l'héritage paternel, c'est-à-dire cette sorte de « tendance à persévérer dans l'être », à perpétuer la *position sociale*, qui l'habite, il faut souvent se distinguer de lui, le dépasser et, en un sens, le nier ; entreprise qui ne va pas sans problèmes, et pour le père, qui veut et ne veut pas ce dépassement meurtrier, et pour le fils (ou la fille) qui se trouve placé en face d'une mission déchirante et susceptible d'être vécue comme une sorte de transgression [1].

1. J'ai dû privilégier, tout au long de cette analyse, le cas du fils, réservant pour une autre occasion, l'examen des variations du rapport de succession selon le sexe des parents et des enfants.

En second lieu, la transmission de l'héritage dépend désormais, pour toutes les catégories sociales (mais à des degrés divers), des verdicts des institutions d'enseignement, qui fonctionnent comme un *principe de réalité* brutal et puissant, responsable, en raison de l'intensification de la concurrence, de beaucoup d'échecs et de déceptions. Jusque là impartie à la seule parole du père ou de la mère, dépositaires de la volonté et de l'autorité de tout le groupe familial, l'institution de l'héritier et l'effet de destin qu'elle exerce, incombent aujourd'hui aussi à l'École dont les jugements et les sanctions peuvent confirmer ceux de la famille, mais aussi les contrarier ou les contrecarrer, et contribuent de manière tout à fait décisive à la construction de l'identité. Ce qui explique sans doute que l'on retrouve si souvent l'École au principe de la souffrance des personnes interrogées, déçues ou dans leur propre projet ou dans les projets qu'elles avaient formés pour leurs descendants ou bien par les démentis infligés par le marché du travail aux promesses et aux garanties de l'École.

Matrice de la trajectoire sociale et du rapport à cette trajectoire, donc des contradictions et des doubles contraintes (*double binds*) qui naissent notamment des discordances entre les dispositions de l'héritier et le destin enfermé dans son héritage, la famille est génératrice de tensions et de contradictions génériques (observables dans toutes les familles, parce que liées à leur propension à se perpétuer) et spécifiques (variant, notamment, selon les caractéristiques de l'héritage). Le père est le lieu et l'instrument d'un « projet » [2] (ou,

2. Pour éviter la logique de l'intention consciente qu'évoque le mot de projet, on parlera de conatus, au risque de paraître sacrifier au jargon.

mieux, d'un *conatus*) qui, étant inscrit dans ses dispositions héritées, se transmet inconsciemment, dans et par sa manière d'être, et aussi, explicitement, par des actions éducatives orientées vers la perpétuation de la lignée (ce qu'en certaines traditions on appelle « la maison »). Hériter, c'est relayer ces dispositions immanentes, perpétuer ce *conatus*, accepter de se faire l'instrument docile de ce « projet » de reproduction. L'héritage réussi est un meurtre du père accompli sur l'injonction du père, un dépassement du père destiné à le conserver, à conserver son « projet » de dépassement, qui, en tant que tel est dans l'ordre, dans l'ordre des successions. L'identification du fils au désir du père comme désir d'être continué fait l'héritier sans histoire [3].

Les héritiers qui, acceptant d'hériter, donc d'être hérités par l'héritage, réussissent à se l'approprier (le polytechnicien fils de polytechnicien ou le métallo fils de métallo), échappent aux antinomies de la succession. Le père bourgeois qui veut pour son fils ce qu'il a et ce qu'il est lui-même, peut se reconnaître complètement dans cet alter ego qu'il a produit, reproduction à l'identique de ce qu'il est et ratification de l'excellence de sa propre identité sociale. Et il en va de même pour le fils.

De même, dans le cas du père en voie d'ascension à trajectoire interrompue, l'ascension qui amène son fils à le dépasser est en quelque sorte son propre accom-

3. L'identification au père et au désir du père comme désir d'être continué est une des médiations principales de l'entrée dans l'illusio masculine, c'est-à-dire de l'adhésion aux jeux et aux enjeux considérés comme intéressants dans un univers social déterminé.

plissement, la pleine réalisation d'un « projet » brisé qu'il peut ainsi achever par procuration. Quant au fils, refuser le père réel, c'est accepter, en le reprenant à son compte, l'idéal d'un père qui, lui aussi, se refuse et se nie en appelant son propre dépassement.

Mais, en ce cas, le désir du père, si réaliste soit-il au demeurant, s'amplifie parfois démesurément, au-delà des limites du réalisme : le fils ou la fille, constitués en substituts du père, sont chargés de réaliser à sa place et, en quelque sorte, par procuration, un moi idéal plus ou moins irréalisable : on rencontre ainsi beaucoup d'exemples de pères ou de mères qui, projetant sur leur fils des désirs et des projets compensatoires, lui demandent l'impossible. C'est là une des sources majeures de contradictions et de souffrances : nombre de personnes souffrent *durablement* du décalage entre leurs accomplissements et des attentes parentales qu'ils ne peuvent ni satisfaire ni répudier [4].

Si l'identification au père, et à son « projet », constitue sans doute une des conditions nécessaires de la bonne transmission de l'héritage (surtout peut-être quand il consiste en capital culturel), elle n'est pas

4. Il en va de même lorsque les attentes des parents, constituées en un état antérieur du monde social, sont en quelque sorte décalées et déphasées par rapport aux exigences du monde présent, auxquelles les attentes des enfants, constituées dans des conditions de socialisation différentes, sont mieux ajustées. Une autre source de souffrance est l'existence de décalages entre les attentes paternelles et les attentes maternelles, décalages qui sont souvent liés à des discordances sociales entre les deux parents ou entre leurs lignées qui cherchent à se prolonger en prolongeant leur héritage (ceci par contraste avec les cas où le désir de la mère est simplement redondant avec le désir du père). Une autre cause de contradictions, et de double contrainte, est l'existence de contradictions dans le projet paternel.

condition suffisante de la réussite de l'entreprise de succession qui, pour les détenteurs de capital culturel surtout, mais aussi, à un moindre degré, pour tous les autres, est aujourd'hui subordonnée aux verdicts de l'École et passe donc par la réussite scolaire. Ceux que l'on appelle communément les « ratés » sont essentiellement ceux qui ont raté le but qui leur était socialement assigné par le « projet » inscrit dans la trajectoire parentale et dans l'avenir qu'elle impliquait. Si leur révolte se retourne indistinctement contre l'école et contre la famille, c'est qu'ils ont toutes les raisons d'éprouver la complicité qui, malgré leur opposition apparente, unit ces deux institutions et qui se manifeste dans la *déception* dont ils sont la cause et l'objet. Ayant tué les attentes et les espérances du père, il n'ont pas d'autre choix que de s'abandonner au désespoir de soi, en reprenant à leur compte l'image totalement négative que leur renvoient les verdicts des deux institutions alliées, ou de tuer symboliquement, dans son principe même, le « projet » parental en prenant le contre-pied, en tout, du style de vie familial, à la façon de cet adolescent qui, fils d'un ingénieur de gauche, s'engage dans les plus basses besognes du militantisme d'extrême droite.

Il faudrait examiner plus complètement les différentes formes que peut prendre la relation entre les verdicts, souvent essentialistes et totaux, de l'institution scolaire et les verdicts parentaux, préalables et surtout consécutifs à ceux de l'École : cette relation dépend beaucoup de la représentation, très variable selon les catégories sociales, que les familles se font du « contrat pédagogique » et qui varie à la fois dans le degré de confiance accordé à l'École et aux maîtres et dans le degré de compréhension de leurs exigences explicites et surtout implicites. Enfermée dans une vision méritocratique qui la prépare mal à percevoir et à affronter la diversité des stratégies mentales des élèves, l'institution scolaire inflige souvent des traumatismes propres à réactiver des traumatismes initiaux : les jugements négatifs qui affectent l'image de soi trouvent un renforcement, sans doute très variable dans sa force et sa forme, chez les parents, qui redouble la souffrance et place l'enfant ou l'adolescent devant l'alternative de se soumettre ou de sortir du jeu par différentes formes de dénégation et de compensation ou de régression (l'affirmation de la virilité et l'instauration de rapports de force physique pouvant ainsi être comprises comme une façon de renverser individuellement ou collectivement les rapports de force culturelle et scolaire).

Un autre cas de figure, proche du précédent, mais, en un sens, plus dramatique, est celui du fils qui, pour « faire sa vie », comme on dit, doit nier celle du père en refusant, purement et simplement, d'hériter et d'être hérité et en annulant ainsi rétrospectivement toute l'entreprise paternelle, matérialisée dans l'héritage refusé. Épreuve particulièrement douloureuse, pour le père (et sans doute aussi pour le fils) lorsque, comme cet agriculteur que nous avons interrogé, il a fait lui-même, de fond en comble, cet héritage, cette « maison », qui s'arrêtera avec lui : c'est toute son œuvre, et, du même coup, toute son existence, qui se trouvent ainsi annulées, dépossédées de leur sens et de leur fin.

De tous les drames et les conflits, à la fois intérieurs et extérieurs, et liés autant à l'ascension qu'au déclin, qui résultent des contradictions de la succession, le plus inattendu est sans doute le *déchirement* qui naît de l'expérience de la réussite comme échec ou, mieux, comme transgression : plus tu réussis (c'est-à-dire plus tu accomplis la volonté paternelle de te voir réussir), plus tu échoues, plus tu tues ton père, plus tu te sépares de lui ; et inversement, plus tu échoues (faisant ainsi la volonté inconsciente du père qui ne peut vouloir totalement son propre reniement, au sens actif), plus tu réussis. Comme si la position du père incarnait une limite à ne pas dépasser, qui, intériorisée, est devenue une sorte d'interdit de différer, de se distinguer, de renier, de rompre.

Cet effet de limitation des ambitions peut s'exercer dans les cas où le père a connu une grande réussite (le cas des enfants de personnages célèbres méritant une analyse particulière). Mais il revêt toute sa force dans le cas où le père occupe une position dominée soit du point de vue économique et social (ouvrier, petit employé), soit du point de vue symbolique (membre d'un groupe stigmatisé) et se trouve ainsi incliné à l'ambivalence à l'égard de la réussite de son fils comme à l'égard de lui-même (partagé qu'il est entre la fierté et la honte de soi qu'implique l'intériorisation de la vision des autres). Il dit à la fois : sois comme moi, fais comme moi, et sois différent, va-t'en. Toute son existence enferme une double injonction : réussis, change, deviens un bourgeois, et reste simple, pas fier, près du peuple (de moi). Il ne peut pas vouloir l'identification de son fils à sa propre position et à ses dispositions et pourtant il travaille continûment à la produire par tout son comportement et, en particulier, par le langage du corps qui contribue si puissamment à façonner l'habitus. Il souhaite et craint que le fils devienne un alter ego, il craint et souhaite qu'il devienne un alter.

Le produit d'une telle injonction contradictoire est voué à l'ambivalence à l'égard de soi-même, et à la culpabilité, du fait que la réussite, en ce cas, est vraiment meurtre du père : coupable de trahir s'il réussit, il est coupable de décevoir s'il échoue. Le transfuge doit rendre (justice) au père : de là des fidélités à la cause du peuple qui sont fidélité à la cause du père (par exemple, comme l'attestent des témoignages que nous avons recueillis, certaines formes de l'adhésion au Parti communiste s'inspirent de la recherche d'une réconciliation avec un peuple imaginaire, fictivement retrouvé au sein du parti) ; et nombre de conduites, pas seulement politiques, peuvent se comprendre comme des tentatives pour neutraliser magiquement les effets du changement de position et de dispositions qui sépare pratiquement du père et des pairs (« tu ne peux plus nous sentir ») et pour compenser par la fidélité à ses prises de position l'impossibilité de s'identifier complètement à un père dominé [5].

De telles expériences tendent à produire des habitus déchirés, divisés contre eux-mêmes, en négociation permanente avec eux-mêmes et avec leur propre ambivalence, donc voués à une forme de dédoublement, à une double perception de soi et aussi aux sincérités successives et à la pluralité des identités.

Ainsi, bien qu'elle n'ait pas le monopole de la production des dilemmes sociaux et que le monde social

5. On pense ici à ce jeune beur qui, coincé entre deux univers inconciliables, ne peut ni s'identifier à l'école qui le refuse ni à son père qu'il doit protéger, et dont la tension semble rencontrer un commencement de solution lorsqu'il trouve une famille d'adoption dans les parents de sa petite amie et, à travers elle, la possibilité de se reconnaître dans l'école.

multiplie les positions qui produisent des effets tout à fait semblables, la famille impose très souvent des injonctions contradictoires, soit en elles-mêmes, soit en relation avec les conditions offertes à leur réalisation. Elle est au principe de la part la plus universelle de la souffrance sociale, y compris de cette forme paradoxale de souffrance qui s'enracine dans le privilège. C'est elle qui rend possibles ces privilèges-pièges qui entraînent souvent les bénéficiaires des cadeaux empoisonnés de la consécration sociale (on pense au « noblesse oblige » de tous les bénéficiaires-victimes d'une forme quelconque de consécration ou d'élection, nobles, hommes, aînés, détenteurs de titres scolaires rares), dans les différentes espèces d'*impasses royale*s, voies royales qui se révèlent être des voies de garage. Elle est sans doute le principal responsable de cette part de la souffrance sociale qui a pour sujet les victimes elles-mêmes (ou, plus exactement, les conditions sociales dont leurs dispositions sont le produit).

Cela dit, il faut se garder de faire de la famille la cause ultime des malaises qu'elle semble déterminer. En fait, comme on le voit bien dans le cas de la famille paysanne, où c'est à travers le célibat ou le départ du fils aîné que survient l'arrêt de mort de l'entreprise, les facteurs structuraux les plus fondamentaux (comme l'unification du marché des biens économiques et surtout symboliques) sont présents dans les facteurs inscrits au cœur du groupe familial. C'est ce qui fait que, à travers le récit des difficultés les plus « personnelles », des tensions et des contradictions les plus strictement subjectives en apparence, s'expriment souvent les structures les plus profondes du monde social et leurs contradictions. Cela n'est jamais aussi visible que dans le cas des occupants de positions en porte-à-faux qui sont d'extraordinaires « analyseurs pratiques » : situés en des points où les structures sociales « travaillent » et travaillés de ce fait par les contradictions de ces structures, ils sont contraints, pour vivre ou pour survivre, de pratiquer une forme d'auto-analyse qui donne accès, bien souvent, aux contradictions objectives qui les possèdent et aux structures objectives qui s'expriment à travers elles [6].

Ce n'est pas le lieu ici de poser la question de la relation entre le mode d'exploration de la subjectivité que nous proposons et celui que pratique la psychanalyse. Mais il faut au moins mettre en garde contre la tentation de penser leurs rapports en termes d'alternative. La sociologie ne prétend pas substituer son mode d'explication à celui de la psychanalyse ; elle entend seulement construire autrement certaines des données que celle-ci prend aussi pour objet, en s'arrêtant à des aspects de la réalité que la psychanalyse écarte comme secondaires ou insignifiants, ou qu'elle traite comme des écrans qu'il faut traverser pour aller à l'essentiel (par exemple les déceptions scolaires ou professionnelles, les conflits de travail, etc.) et qui peuvent enfermer des informations pertinentes à propos de choses que considère aussi la psychanalyse.

Une véritable sociogenèse des dispositions constitutives de l'habitus devrait s'attacher à comprendre comment l'ordre social capte, canalise, renforce ou contre-

6. C'est le cas, bien souvent, des travailleurs sociaux que nous pensions interroger, initialement, comme des informateurs, et qui sont devenus des objets provilégiés d'une analyse d'autant plus riche en révélations objectives qu'elle allait plus loin dans l'exploration des expériences subjectives.

carre des processus psychiques selon qu'il y a homologie, redondance et renforcement entre les deux logiques ou au contraire contradiction, tension. Il va de soi que les structures mentales ne sont pas le simple reflet des structures sociales. L'habitus entretient avec le champ un rapport de sollicitation mutuelle et l'illusio est déterminée de l'intérieur à partir des pulsions qui poussent à s'investir dans l'objet ; mais aussi de l'extérieur, à partir d'un univers particulier d'objets socialement offerts à l'investissement. L'espace des possibles caractéristique de chaque champ, religieux, politique ou scientifique, etc., fonctionne, en vertu du principe de division (*nomos*) spécifique qui le caractérise, comme un ensemble structuré de licitations et de sollicitations, et aussi d'interdits ; il agit à la façon d'une langue, comme système de possibilités et d'impossibilités d'expression qui interdit ou encourage des processus psychiques différents entre eux et différents en tout cas de ceux du monde ordinaire ; à travers le système de satisfactions réglées qu'il propose, il impose un régime particulier au désir, ainsi converti en illusio spécifique. Par exemple, comme le remarque Jacques Maître, le champ religieux capte et légitime des processus psychiques qui apparaîtraient aux instances régissant l'existence ordinaire comme des refus pathologiques de la réalité : les personnages célestes, objets imaginaires inscrits dans un symbolisme socialement accepté, validé, valorisé, et les modèles empruntés, plus ou moins consciemment, à une tradition mystique autonome, permettent la projection de fantasmes reconnus de l'entourage et assurent une « régulation religieuse de l'illusion » (tout à fait analogue à celle qu'assurent les personnages et les modèles littéraires en matière d'amour) [7]. Et l'on pourrait montrer de la même façon comment le désir se spécifie et se sublime, en chacun des univers proposés à son expression, pour revêtir des formes socialement approuvées et reconnues, celles de la *libido dominandi* ici ou celles de la *libido sciendi* ailleurs.

Dans son analyse du « roman familial des névrosés », Freud faisait observer que les rêves diurnes de l'époque pré-pubertaire s'emparent souvent du « thème des relations familiales » dans une activité fantasmatique visant à rejeter les parents, désormais dédaignés, pour leur en substituer d'autres, « d'un rang social plus élevé » et, en un mot, « plus distingués ». Et il remarquait au passage que ces rêves « servent à accomplir des désirs, à corriger l'existence telle qu'elle est, et qu'ils visent principalement deux buts, érotique et ambitieux ». Ajoutant aussitôt entre parenthèses : « mais derrière celui-ci (le but ambitieux) se cache

---

7. Cf J. Maître, « Sociologie de l'idéologie et entretien non directif », *Revue française de sociologie*, XVI, 1975, p. 248-256. Tous ceux qui se sont essayés à concilier la sociologie et la psychanalyse n'ont pas manifesté la même rigueur et la même prudence que Jacques Maître dans ses travaux sur les mystiques et l'on peut tirer des incitations à la plus grande vigilance de certaines tentatives récentes pour avancer dans cette direction. Si l'on veut que la socioanalyse soit autre chose qu'une sorte d'intersection vide, comme il arrive souvent avec les disciplines intermédiaires, échappant aux exigences des deux disciplines concernées, il faut en effet se garder à tout prix des conciliations éclectiques d'une « psychanalyse » de magazine qui se contente de rebaptiser les notions les plus naïves de la psychologie spontanée, l'ambition devenant idéal du moi, ou désir narcissique de toute-puissance, l'échec perte d'objet, et d'une sociologie molle qui, au nom de la « complexité » et de la « postmodernité », manipule les idées vides, sans référent objectif, d'une mythologie fondée sur des oppositions de termes antagonistes et orchestrant une fois de plus la vieille rengaine bergsonienne du clos et de l'ouvert.

aussi, le plus souvent, le but érotique » [8]. Il ne m'appartient pas de confirmer ou d'infirmer cette affirmation. Mais je voudrais seulement rappeler l'affirmation complémentaire que le psychanalyste passe sous silence : le désir se manifeste seulement, en chaque champ (on en vu un exemple avec le champ religieux), sous la forme spécifique que ce champ lui assigne à un moment donné du temps et qui est, en plus d'un cas, celle de l'ambition.

8. S. Freud, *Névrose, psychose et perversion*, Paris, PUF, 1973, p. 158-159.

[...]

éritier

réussir

non fils

Alain Accardo

Le destin scolaire

Sébastien K. est journaliste politique dans une radio dont l'audience dépasse le cadre régional. En 1981, il avait suivi assez tardivement – il avait alors 28 ans – les cours d'une école de journalisme réputée, au terme d'un parcours scolaire et professionnel assez accidenté. L'entretien a eu lieu dans son nouveau domicile, un immeuble bourgeois ancien mais restauré, situé au centre d'une grande ville de province, et dont le standing est plus en rapport avec l'évolution récente de sa situation professionnelle. Malgré la réussite qu'il affiche, Sébastien K. semble habité par une souffrance que le travail de deuil social peut atténuer à la longue (« la révolte, ça s'émousse… » concède-t-il) sans jamais toutefois la faire disparaître totalement.

Sébastien est l'aîné d'une famille de la toute petite bourgeoisie qui avait acquis et développé une disposition à se promouvoir, à force de sacrifices vertueux, et qui, à défaut de parvenir immédiatement et pleinement à changer de condition, a reporté sur ses enfants ses espérances d'un véritable accomplissement par la voie d'un surinvestissement dans le système scolaire. Originaire d'une famille espagnole émigrée au Maroc, son père était fils de cheminot. Après le certificat d'études, il avait entrepris une formation qu'il dut abandonner pour entrer comme manœuvre aux chemins de fer marocains mais devint chef d'équipe grâce aux cours du soir et aux nombreuses dictées qu'il s'imposa de faire avec l'aide de sa femme, plus instruite que lui. Celle-ci, en effet, avait été au collège jusqu'en quatrième avant de devoir abandonner, elle aussi, ses études, faute de ressources, dans une sorte de répétition malheureuse de l'histoire familiale puisque, des années auparavant, son propre père, bachelier qui se destinait au notariat, avait déjà vu ses projets anéantis par la mort soudaine de ses parents. Dès son plus jeune âge, Sébastien s'est ainsi trouvé voué, par verdict parental, à la promotion du groupe familial tout entier grâce à la réussite scolaire escomptée.

C'est l'énormité même du fardeau moral qui a été posé sur les épaules de l'enfant – même s'il n'a eu que confusément conscience de l'importance d'un enjeu dépassant sa propre personne – qui a sans doute contribué à donner un tour dramatique aux difficultés qu'il a rencontrées à l'école. Pourtant, les parents de Sébastien, habités par une « frustration immense » et par une « véritable obsession » des études, pensaient pouvoir enfin rompre avec la malchance que connaissait jusque-là la famille lorsque, à l'école primaire, leur fils aîné a paru leur « donner des espérances ». Ses parents portent toute leur attention sur sa scolarité ainsi que sur celle de son frère, plus jeune de cinq ans, renonçant même, par exemple, à acquérir la télévision afin de ne pas gêner le travail scolaire des enfants. La mère fait des ménages pour payer leurs études (notamment des cours particuliers de mathématiques) tandis que le père, dont les ambitions vont « s'emballer » dès les premiers succès de Sébastien, s'occupe très activement de sa scolarité : il ne manque aucun conseil de parents d'élèves et multiplie les entrevues avec les professeurs bien que celles-ci, précise Sébastien, soient pour lui, « qui ne parle pas très bien », autant d'occasions de « prendre les gifles du milieu enseignant ».

Malgré l'importance de cette mobilisation familiale, Sébastien, victime sans doute de l'espèce de « forcing » scolaire auquel il est soumis, voit sa réussite, si prometteuse à ses débuts (il est en avance), marquer rapidement le pas (dès le CM2, précise-t-il). Si, par un sentiment mêlé de reconnaissance et de culpabilité envers ses parents, Sébastien raconte son histoire scolaire en se réservant rétrospectivement le mauvais rôle (« j'étais pas une lumière », « c'est mes parents qui m'ont vraiment porté, c'est sous perfusion tout le temps, s'ils avaient pas été là (...), je ne serais pas arrivé au bout »), il ne dissimule pas le fait qu'il était difficile de supporter cette tension anxieuse qui l'habitait et qui accompagne souvent les projets d'ascension sociale.

Nombre d'anecdotes trahissent la relation conflictuelle que son père entretient avec l'institution scolaire, objet quasi exclusif de tous les investissements, et donc de tous les reproches. Ainsi, par exemple, en deuxième année de cours élémentaire, il se querelle avec l'institutrice qu'il soupçonne d'avoir délibérément dépouillé son fils de la place de premier de la classe au profit de la fille du pharmacien : « une sombre histoire », commente sobrement Sébastien, « il s'était trompé dans le calcul des points ! ». Ancien cégétiste bagarreur, le père, qui « a toujours été plus ou moins révolté par sa condition », importe maladroitement cette disposition revendicative jusque dans son rapport à l'institution scolaire : culturellement démuni, n'ayant d'autre arme à opposer à l'école que celle du refus et de l'obstination méfiante, il pense, au moins dans les débuts de la scolarité de Sébastien, pouvoir servir au mieux les intérêts de son fils en prenant le parti d'ignorer les verdicts scolaires lorsqu'ils sont contraires à ses ambitions. C'est ainsi que, au tout début des années 60, il refuse de faire entrer son fils, pourtant admis de justesse en sixième, dans le CEG le plus proche du domicile familial, qui est situé à la périphérie de la ville, pour le faire admettre, « contre l'avis des instituteurs de l'époque », dans le plus grand lycée du centre ville, un établissement de réputation plutôt élitiste, auquel la sectorisation imposait de recevoir des élèves de certaines communes limitrophes et qui préparait au baccalauréat et aux grandes écoles des élèves issus pour la plupart de milieux bourgeois.

En s'obstinant ainsi à vouloir « ce qu'il y a de mieux pour son fils », il commet une « erreur par excès » qui est lourde de conséquence et qu'il ne renouvellera pas avec le jeune frère. Brutalement plongé à neuf ans et demi dans l'univers étrange et étranger du lycée, Sébastien éprouve un « choc » qui produit sur lui une sorte de paralysie scolaire : dès la classe de sixième, c'est « la catastrophe tout de suite », une débâcle telle qu'il « a du mal à comprendre ce qui se passe ». Au lycée, Sébastien fait l'expérience du dépaysement total, du déracinement le plus complet, à la fois géographique, scolaire et social : l'arrachement à la famille et à l'univers familier de ses copains d'école, les trajets en bus très tôt le matin, la demi-pension et les journées entières passées en dehors de chez lui ; le changement du niveau des exigences scolaires – par exemple, il découvre en sixième sa « complète nullité en orthographe » –, l'étrangeté d'un univers scolaire où l'on « fait des dictées de solfège », où les « professeurs qui font français-latin-grec » lui paraissent des sortes de « monstres », des « demi-dieux », des « étrangers », bref des gens qui ne sont « pas du même monde » que lui ; il ressent aussi la singularité de sa condition sociale qui lui est en permanence rappelée par les regards, les réflexions de ses camarades, de leurs parents et des professeurs du lycée ; il éprouve le sentiment de ne pas être à sa place, sentiment qui est renforcé par les rencontres et les confrontations douloureuses entre son père et le milieu enseignant, « pas toujours très tendre avec les gens qui n'ont pas leurs critères ». Ce sont trois années noires, trois années de souffrance et d'échecs croissants. Il ne pourra jamais, dit-il, « entrer à l'école sans avoir la trouille », sa terreur grandissante en classe, face à des professeurs prompts au « sadisme » ou à l'ignorance méprisante, ne trouvant pas toujours un apaisement à la maison, également théâtre de « scènes », parfois violentes, auxquelles s'abandonne son père, « malade » des échecs de son fils (« je vous passe les scènes de famille et les branlées »). Au terme d'une classe de cinquième si « épouvantable » que sa simple évocation lui donne encore « des sueurs froides », il est « orienté vers une classe de transition », c'est-à-dire en fait expulsé du lycée, et promis par ses professeurs à « un avenir sombre », jugement qui constitue un démenti brutal aux ambitions socialement « déplacées », parce que excessives, de son père.

Meurtri par cette expérience qui le laisse « profondément complexé » et humilié, Sébastien ne pourra pas, pendant très longtemps, même lorsque les exigences scolaires deviendront moins fortes, rompre l'engrenage de l'échec. S'il parvient à échapper de justesse à la filière technique courte, c'est encore grâce à l'opposition farouche de son père. Après plusieurs redoublements, il finit par obtenir un bac technique dans la section la plus basse. Durant ce parcours scolaire difficile, Sébastien réussit à avoir des relations plus personnelles et moins conflictuelles avec des enseignants des disciplines littéraires, obtenant, au CEG et au lycée technique – peut-être parce qu'il était précisément ancien élève d'un lycée prestigieux –, l'attention que lui avaient auparavant refusée les professeurs de ce lycée. C'est surtout la découverte des mouvements lycéens et du militantisme actif, en 1971-72, en classe de seconde, qui lui permet de s'affirmer en fournissant un moyen d'expression et un support à sa révolte confuse. Notamment, l'apprentissage de la fonction de porte-parole l'aide à vaincre sa « timidité », ses « complexes » et ses inhibitions de langage et lui apporte progressivement une compétence et une aisance qui lui permettent de poursuivre ses études et de prolonger son militantisme dans la participation à des mouvements politiques. Mais l'aversion « viscérale » pour toute forme d'autorité institutionnelle qu'a fait naître sa première expérience du milieu enseignant l'amène à se définir plutôt comme un « libertaro-écolo-gaucho-anar » et à revendiquer son inaptitude à demeurer longtemps dans une organisation politique ou syndicale.

On comprend l'attrait qu'a pu exercer sur Sébastien le métier de journaliste, ou du moins la représentation prestigieuse que peuvent s'en faire certains adolescents au cursus scolaire en partie « raté », mais qui gardent une grande ambition sociale et sont prédisposés à la révolte et à la dénonciation des injustices, à commencer par celles qui les frappent. Il hésite pourtant avant de se lancer, sans doute parce qu'il manque alors des relations sociales qui passent pour indispensables dans ce métier, mais aussi parce que le rapport qu'il entretient avec les journalistes, qui sont aussi pour lui les porte-parole des dominants, est fondamentalement ambigu. C'est pourquoi, avant de faire l'École de journalisme, il prépare d'abord un BTS technico-commercial qu'il obtient facilement, et fait divers « petits boulots », envisageant même un moment de préparer un « CAP de cuistot ».

Si Sébastien a pu opérer un rétablissement qui l'a hissé à une position sociale relativement importante, il reste que ce type de cheminement doit beaucoup au hasard des rencontres et des événements qui peuvent venir infléchir la trajectoire de ces « parvenus » du système scolaire. Ces coups de pouce donnés par le destin – ici l'intervention d'un ancien professeur de CEG, membre du jury de baccalauréat qu'il rencontre fortuitement un peu avant les délibérations – ont pour effet, par les demi-succès qu'ils rendent possibles, sinon toujours d'enclencher une logique de la réussite, du moins d'enrayer la spirale de l'échec et de réactiver les aspirations produites par l'éducation familiale et que les échecs successifs avaient fini par mettre en veilleuse.

Aujourd'hui, bien que professionnel installé et reconnu, Sébastien ne peut pas – ou ne veut pas – s'intégrer au milieu des journalistes : il ne se reconnaît aucun « pote journaliste », et refuse d'occuper une position plus élevée dans la hiérarchie, déclinant par exemple l'offre d'un poste de rédacteur en chef adjoint. Cette distance affichée est sans doute l'expression d'un refus plus général de s'intégrer au monde des dominants qui se lit chez lui notamment à travers l'emploi d'un langage qui a vaguement conservé certaines tournures populaires (« j'ai fait premier », « j'ai fait magasinier ») ; mais c'est aussi le rejet plus spécifique du milieu des journalistes de radio qui s'y exprime. Il porte en effet un regard sans complaisance et sans illusion sur ce milieu où rien ne le satisfait : le travail toujours pressé, toujours « bâclé », le temps d'antenne insuffisant, l'information à sensation, et ses collègues, plutôt résignés, voire satisfaits de leur sort, installés dans la routine professionnelle et la médiocrité intellectuelle. Poussé par la situation d'interview qu'il veut être pour lui une occasion de « réfléchir un peu sur (lui)-même », il va jusqu'à s'inclure, de manière un peu auto-destructrice, dans le jugement négatif qu'il porte sur la profession dans son ensemble, déclarant même, de façon un peu excessive, avoir choisi le journalisme parce que « c'est un métier où il ne faut pas savoir faire grand-chose, où il faut avoir du baratin et puis un peu d'esbroufe ».

En fait, aujourd'hui encore, Sébastien n'a pas encore fini de « digérer » une expérience scolaire qu'il a vécue comme un désastre infamant. C'est l'École qui, en lui refusant sa reconnaissance, a puissamment contribué à façonner sa sensibilité exacerbée à toutes les manifestations du mépris de classe. Réponse ambivalente du dépit amoureux, qui est l'envers d'une fascination et d'un désir floué de reconnaissance, en même temps qu'une réaction aux humiliations scolaires (la réflexion d'un parent d'élève ou d'un professeur, la seule atmosphère d'un lycée élitiste) et, plus généralement, à tous ces comportements par lesquels les aristocraties sociales remettent les intrus à leur place, le ressentiment de Sébastien est aussi l'expression d'une haine de soi-même, comme si, souscrivant à sa propre dépréciation et se faisant « le bourreau de soi-même », le jeune journaliste en était venu à exécrer en lui ce que les verdicts sociaux ont stigmatisé comme haïssable.

On comprend aussi que Sébastien ne soit pas complètement insensible aux profits et aux privilèges associés à la position de journaliste, surtout lorsqu'ils lui donnent une occasion de revanche sociale, en particulier lorsqu'il interviewe des dominants, et plus précisément des professeurs, cause de tant de souffrance, de peur et de haine qu'il ne peut s'empêcher, au spectacle de leur trouble et de leur brusque timidité face au micro, de leur rappeler ses propres terreurs d'écolier face au tableau noir. S'il lui arrive de croire possible de faire, dans le cadre de la radio qui l'emploie, un journalisme plus militant et plus engagé dans les luttes sociales, il ne perd jamais cette lucidité qui l'empêche désormais de s'abandonner aux illusions, refoulant notamment sa véritable ambition qui est de pratiquer un jour un journalisme de haut niveau dont il voit le modèle accompli dans les articles du *Monde diplomatique*. Et sans doute parce qu'il a appris très tôt à se méfier des projets trop ambitieux, il semble désormais ne pouvoir envisager l'avenir que comme la simple projection indéfiniment répétée d'un morne présent : il « se voit [dans la même ville], journaliste au même niveau, au même grade, d'ici 20 ans ».

avec un journaliste

— *entretien de Alain Accardo*

« Que je continue mes études, c'était leur obsession à mes parents »

[…]

Sébastien — J'ai commencé l'école à quatre ans et demi, je suis rentré en primaire – parce qu'il n'y avait pas de maternelle à l'époque –, cours préparatoire, donc j'ai refait un autre cours préparatoire, donc j'ai redoublé mais ce n'est pas vraiment redoubler puisque quatre ans et demi c'était vraiment très très jeune; ensuite, bon, cours élémentaire première année, cours élémentaire deuxième année, là ça a bien marché, j'avais une bonne scolarité. Juste une anecdote : mon père s'était enguirlandé avec l'institutrice en cours élémentaire deuxième année parce que j'avais été deuxième alors que j'aurais dû être premier, mais la première c'était la fille de la pharmacienne et déjà mon père avait commencé à râler parce que oui, c'est le pharmacien, voilà… il s'était trompé dans le calcul des points, voilà, une sombre histoire ! Ensuite, bon, je suis passé en cours… je suis… mes parents sont venus, ont fait construire une petite maison ; ils sont venus à V., et donc là, j'ai suivi, à V., cours moyen première année ; là j'étais assez… j'étais très bon, je crois que j'ai fait premier tout le temps. Après, cours moyen deuxième année ; là ça s'est un peu gâté, je sais pas pourquoi, enfin, je suis passé quand même en sixième et alors là, mes parents qui tous les deux ont beaucoup regretté – c'est important, je crois, dans mon cursus – ont regretté d'avoir abandonné l'école, il y avait une frustration immense, et donc leur obsession, mais vraiment leur obsession, donc c'est que leur fils continue et fasse des études et je crois que sur ce point-là je leur dois beaucoup, même si ça a été laborieux.

— *Vous étiez combien d'enfants ?*

Sébastien — Deux, mon frère, cinq ans de moins que moi, il est né en France, en métropole.

— *Vos parents ont donc reporté leurs espérances sur vous ?*

Sébastien — Voilà absolument, absolument, ce qui est difficile à vivre, mais qui explique que je sois arrivé à peu près au bout, quoi, parce qu'autrement je ne serais pas arrivé au bout, alors ça j'en suis quasiment persuadé ! donc là, je suis passé en sixième, mes parents… aussi vision de grandeur, etc., lycée M., contre l'avis des instituteurs de l'époque, etc. Bon ! Lycée M. : là ça a été la catastrophe ! Ça a été, tout de suite, la catastrophe. La mémoire, le souvenir que j'en ai, c'est les profs ; bon, j'étais sûrement très petit, il fallait que je parte toute la journée, etc., mais des profs qui faisaient français-latin-grec, je sais pas si… c'était des monstres, quoi ! A l'époque c'était des demi-dieux. Donc sixième, j'ai rien compris, là ; avant je… j'étais pas trop mauvais en orthographe, [*et là*] je me retrouvais complètement nul en orthographe, complètement nul, avec des fautes en pagaille, etc.

Un « avenir sombre », c'était l'appréciation du proviseur

Sébastien — Donc complètement perdu, je redouble ma sixième ; je passe en cinquième ; une année catastrophique, mais alors catastrophique ! j'en ai des sueurs froides quand je pense à cette année-là, j'avais en fin… en milieu de… comme appréciation du proviseur « avenir sombre », donc là, voilà, je suis passé en conseil de discipline parce que, bon, on avait échangé nos copies avec un collègue ; enfin, ça a été une année épouvantable et en fin d'année j'ai été orienté en CPPN classe de transition. Donc voilà alors mon père malade, je vous passe les scènes de famille et au quotidien et les branlées [*rire*].

— *Vous étiez chahuteur ?*

Sébastien — Non, non, j'étais pas chahuteur, je devenais peut-être même de plus en plus complexé, quoi, bon, quelque chose qui vous tombe dessus.

— *Et les rapports avec vos camarades ?*

Sébastien — Ah ils étaient bons.

— *Le recrutement de M. à cette époque-là ?*

Sébastien — Oui écoutez, mon père qui s'occupait beaucoup de moi, allait voir… et dans la salle d'attente il y avait des parents, et il se souvient de la réflexion qu'un parent lui a fait, heu, c'est : « Votre fils a pas trop sa place à M. », quoi, c'est-à-dire, voilà c'est un peu la réflexion, et moi je me souviens avoir un camarade de classe à M., que j'ai revu ensuite au lycée technique de garçons, il était en E et il était déjà en terminale, alors que j'arrivais en seconde : « C'est étonnant, je suis très étonné de te voir là, je pensais pas que t'arriverais jusque-là, quoi. » Donc, bon, voilà. Donc je suis allé à S., au CEG ; c'était plus dans mes cordes, je suis allé en quatrième à S. Là ça a été à peu près correctement, si ce n'est que mon père m'a... mes parents ont dû me payer des cours de maths avec le prof, qui me faisait les maths ; donc ça m'a bien aidé quand même, pour rentrer en troisième. En troisième, alors là aussi ça a bien marché, à peu près le premier trimestre, et puis après, ça s'est... très très fortement dégradé et c'était 68. Donc il y a eu une perturbation en fin d'année ; bon, moi j'ai vu ça un peu de loin, quoi hein – j'avais 14 ans – une perturbation donc, ce qui fait que je ne pouvais pas passer en seconde, je passais en CAP électronique. Mon père, niet ! il ne voulait pas. Donc j'ai redoublé, j'ai fait ce qui s'appelait là-bas une troisième spéciale ; c'est-à-dire qu'on mettait un peu tous les redoublants et puis on leur donnait un enseignement un peu plus poussé, etc., c'était pas un vrai redoublement, bon, enfin. Et puis, donc, après je suis rentré en technique. Pourquoi en technique ? Toujours mes parents, surtout mon père, me disaient que, bon, si j'y arrivais pas, si j'arrivais pas jusqu'en terminale, je pourrais toujours obliquer en CAP pour avoir un métier alors qu'en littéraire... puis je savais pas du tout quoi faire, puis quand je suis arrivé en seconde technique, ce qui m'a intéressé c'était le français, l'histoire-géographie, c'était raté, bon, mais j'étais dans une voie. Donc la seconde, c'est une seconde très très moyenne, je suis rentré tout juste en F1. C'était pas par choix, non, c'était parce qu'on faisait... les meilleurs allaient en E, après F3, F2, puis les plus mauvais allaient en F1. Et puis c'était, enfin le lycée technique c'était assez dur à cette époque-là, et puis, donc après, je suis entré en première. En première ça a été à peu près, mais en terminale, bon ça allait moyennement. Puis j'ai raté mon bac la première année, donc je voulais repiquer parce que de toute façon, pour vous dire, je détestais l'atelier. On avait douze heures d'atelier par semaine et j'étais totalement nul en dessin industriel et le dessin industriel était au bac, coefficient 6 et j'ai eu la première année 4 et la seconde année 5. Alors quand vous avez ça au bac, pour rattraper c'est mal barré ! Voilà. Donc la seconde année j'ai redoublé à P. et donc j'ai eu mon bac, mais alors d'un point, vraiment d'un point, parce que j'ai rencontré par hasard mon ancien prof de math du CEG qui m'a donné, je crois, un coup de main extraordinaire, je crois qu'il a vraiment supplié les professeurs de mettre un ou deux points de plus et j'ai eu le bac ! Voilà, il faisait partie du jury et, par hasard, au moment où il allait... je l'ai rencontré, je savais pas qu'il faisait partie, voilà, il me manquait, je crois, huit points et j'ai eu un point de plus, il a mis un point par-ci, un point par-là mais avec les coefficients ça fait le compte. Bon alors j'étais... voilà, j'ai eu le bac. Alors je voulais absolument sortir de ce technique qui me... et puis là j'avais fait une demande pour être journaliste ; j'étais allé à l'orientation scolaire et on m'avait dit, heu, est-ce que vous avez des relations ? J'avais dit non. On m'a dit, « bon, il vaut mieux pas faire ce métier si vous n'avez pas de relations ». Donc, moi, pas de relations, un peu le complexe du technique, bon, j'ai dit bon, j'ai choisi, donc, qu'est-ce que j'ai fait, j'ai cherché quelque chose, l'économie m'intéressait un peu parce que c'était... un peu le militant, bon, etc., donc tout ce qui était économie m'intéressait. Donc j'ai choisi un BTS technico-commercial qui se faisait à T. Alors là, bon, ça a marché très très bien là, bon, là j'étais dans mon élément. Bon ça a bien marché, j'ai eu mon BTS très facilement, je crois même avec mention, enfin, bon, et puis voilà, et puis j'ai cherché du boulot.

J'avais hésité ensuite entre CAP cuistot et l'École de journalisme

Sébastien — J'ai fait magasinier quelques mois et ensuite j'ai fait un peu d'assurance-vie et puis après je suis rentré chez W. [entreprise industrielle multinationale], des petits boulots qui correspondaient pas à ma qualification mais c'était magasinier au service après-vente de Singer, ils avaient pris un BTS. C'était déjà à l'époque... on aimait bien avoir quelqu'un de... pour faire un boulot de même pas du bac, quelqu'un de diplômé, voilà et puis donc ils m'avaient embauché, alors, c'était pas vraiment ma qualification mais c'était la gestion, un magasin c'est quand même la gestion des stocks, un peu, donc j'étais un peu sur-diplômé, mais bon, voilà, je suis resté trois ans, j'en ai eu assez au bout d'un moment, donc j'ai arrêté et puis trois ans c'est pas par hasard, parce que je savais que au bout de trois ans on pouvait avoir une formation payée, donc, à l'époque ça existait encore, donc j'ai fait ça et puis je suis parti, j'ai travaillé dans un restaurant, c'était une opération autogérée à X., donc... et puis la cuisine m'intéresse, j'avais hésité ensuite entre CAP cuistot et l'École de journalisme, et puis au bout d'un moment ça s'est arrêté cette expérience, j'avais envie d'aller un peu m'oxygéner, je suis allé à la campagne. Là j'ai fait des travaux de campagne, un peu comme ça pour… pour vivre, j'avais un peu le chômage, voilà, et puis au bout d'un moment je me suis dit, « il faut quand même faire quelque chose, tu peux pas rester tout le temps comme ça ! » et puis j'ai passé l'École de journalisme parce qu'un copain qui était avec moi chez W., qui avait été licencié, avait fait l'École de journalisme juste avant moi. Donc ça m'a redonné le goût à faire ça et puis voilà, voilà un peu le cheminement. Alors qu'est-ce qui a fait ça ? Bon, l'explication c'est mes parents qui m'ont vraiment porté sous perfusion tout le temps. S'ils avaient pas été là, je veux dire que dans le quartier où j'habitais, y a pas un jeune qui a le bac !…

— *C'était une cité ?*

Sébastien — Vous savez des cités, des maisons avec un petit jardin, cité pavillonnaire, quoi, que mes parents avaient payée pas très cher à l'époque, à crédit, tout au début de V. Bon, c'était une cité d'ouvriers, petits fonctionnaires quoi, en gros c'est ça. Les trois quarts ils sont à la SNCF.

— *Vous étiez sans doute un des rares enfants à être au Lycée M. ?*

Sébastien — Ah oui, oui ! Personne n'est allé à M., personne n'est allé à M. et mes parents n'ont pas fait la même erreur avec mon frère qui est allé, lui, au collège de V. Donc la transition a été beaucoup plus facile et y a pas eu de choc parce que là encore, j'ai du mal à comprendre ce qui s'est passé, j'ai du mal à comprendre.

— *Vous aviez le sentiment d'entrer dans un univers étranger ?*

Sébastien — Oui totalement ! Alors c'est vrai que j'étais petit, bon, j'avais… parce que je suis rentré très tôt à l'école, malgré tous mes redoublements, moi j'avais neuf ans et demi, j'étais tout petit, j'arrivais pas aux poignées des bus, il fallait que je me lève à six heures et demie le matin, que je parte, que je reste la journée ; j'étais devenu demi-pensionnaire enfin, enfin, bon, tout un tas de trucs de… bon, des jeunes s'adaptent à ça, je veux dire, y a pas de problème, c'est pas extraordinaire, mais enfin, moi, ça a dû être un choc, voilà et puis M. ! A l'époque M., c'était « le » bahut, mes parents avaient choisi le mieux, pour leur fils c'était le mieux. C'est vrai qu'à l'école primaire je donnais des espérances, ça c'est sûr, ça s'est dégradé au CM2, mais pas vraiment, pas vraiment, j'étais pas aussi brillant, mais faut voir aussi ce qu'était l'école à C., et à V., à cette époque-là ça devait pas être… tous mes copains, j'en ai presque pas vus en… après, quoi. C'était l'époque où on allait au certificat, hein, c'est-à-dire le bâton de maréchal, c'était le certificat d'études encore et je crois que beaucoup de camarades d'école à cette époque, ils sont arrivés là au BEPC, peut-être, oui, sûrement, puis voilà. C., dans les années 60, c'était… même V., c'était le trou. Donc, voilà, de passer à M. avec des gens, je veux dire que bon, on avait des cours de musique. Bon, la musique je ne savais pas ce que… on faisait des dictées de solfège et il y avait des gens qui maniaient ça d'une manière, qui apprenaient des instruments, des dictées de solfège ! Il y avait une note…

— Vous lisiez beaucoup ? Vous aimiez lire ?

Sébastien — Non, j'ai lu, j'ai lu, oui ensuite, j'ai lu quand même, j'ai lu, bon, les classiques, tous les auteurs classiques, j'ai lu, quoi, quand même.

— Quand vous étiez à M. ?

Sébastien — Ensuite aussi, j'ai toujours, j'ai quand même lu, bon, les classiques. Je lisais Balzac, Zola, enfin, bon.

— Pour le plaisir ?

Sébastien — Par plaisir et par obligation, par plaisir aussi, oui, mais peut-être avec un décalage de retard ; tout jeune je… oui je devais lire, moi j'avais pas la télé. J'ai eu la télé très très tard. Mes parents ont eu la télé très tard. A 18 ans, parce que ils voulaient pas la télé. Pendant toute une période ils pouvaient pas l'acheter, mon père a eu sa première voiture à 40 ans ; il a passé son permis à 40 ans, bon, donc on se déplaçait à mobylette, quoi, en mobylette ou à vélo, et donc, voilà, on avait pas la télé et ensuite ils n'ont pas acheté la télé parce que ça m'aurait empêché de travailler, donc ils ne voulaient pas.

Moi j'étais un étudiant libertaro-écolo-gaucho

— Vous avez fait allusion, il y a un moment, à des activités militantes ?

Sébastien — Bon là, mai 68, moi j'y ai vraiment rien pigé. J'avais 14-15 ans, bon, à cette époque, en plus à cette époque-là on était un peu attardé, bon, quand même, il faut dire ce qui est, entre mon frère et moi, je veux dire que vraiment il a presque vécu en même temps, même s'il avait cinq ans de différence, ce que je vivais, bon. Ce qui fait que lui a été beaucoup plus facile au niveau études, bon, et puis ça, mes parents étaient… bon, faut juste expliquer ça ; ça n'a pas grand-chose à voir, mais il faut juste l'expliquer : mon père était à la CGT au Maroc ; quand il est rentré en France, les gens du parti communiste l'ont traité de colon. Donc il a déchiré sa carte de la CGT et il a plus du tout été syndiqué, voilà.

— *Il est rentré en quelle année ?*

Sébastien — Il est rentré entre 53-56, les événements avant l'Algérie, les esprits étaient… ça commençait en Algérie.

— *En Algérie ça a commencé en 54.*

Sébastien — Voilà et au Maroc il y avait eu aussi quelques événements, donc, voilà, ils étaient revenus gaullistes comme beaucoup de gens du peuple, et moi j'étais un peu comme mes parents, gaulliste quoi. Après j'ai vu un peu la différence. J'ai vu, c'est vrai, dans les établissements scolaires, il y a eu quand même une différence. J'ai eu une prof de français, quand j'ai redoublé ma troisième, qui a été assez importante ; on discutait, y avait un travail intéressant avec cette prof et puis, là bon, voilà, je suis passé en seconde, et puis là en seconde, bon, je sais pas ce qui s'est passé, j'ai rencontré des gens qui étaient pas très politisés, mais bon, voilà, et puis en première, je me suis dit, je vais devenir délégué des élèves, bon, j'étais assez complexé, une volonté de me dépasser, quoi, et de secouer un peu tout ça, c'était en 71-72, et là y commençait… il y a eu les mouvements lycéens un petit peu après. Donc, c'est un peu une stratégie que j'avais comme ça inconsciemment, et puis après je me suis bien engagé dans le mouvement de révolte, mais pas encarté quoi ; j'étais pas encarté.

— *Vous n'avez jamais appartenu à une organisation précisément ?*

Sébastien — Non, en première année de BTS j'étais aux étudiants socialistes, mais alors ça s'est fait… j'ai cherché à joindre les gens qui montaient *Libération*, je me suis trompé de réunion, je suis allé aux étudiants socialistes [*rire*] et puis, moi, dans ma tête j'avais pas du tout ce côté « parti politique » ; moi, y avait des gens qui luttaient et puis des gens qui acceptaient et puis voilà, je faisais pas la… bon, je suis resté peu de temps, parce qu'en fait je me sentais pas bien là-dedans. Je suis resté pendant la période de 74, l'élection de Mitterrand-Giscard, le premier duel Mitterrand-Giscard, l'élection présidentielle voilà, c'était à peu près cette période-là, voilà, autrement moi j'étais… qu'est-ce qu'on pourrait dire ? Libertaro-écolo-gaucho, voilà, tout ce qui était à l'époque…

— Contre l'ordre établi ?
Sébastien — Voilà. Mais faut voir un truc, mon père a toujours été plus ou moins révolté par… par sa condition, d'une certaine façon. Il était syndiqué à la CGT pendant très longtemps, hein, donc il avait des fibres ; il avait fait des grandes grèves, etc., et puis, il a toujours eu une opposition avec la hiérarchie, très importante, mais de manière… un peu individualiste quoi, c'est-à-dire pas carriériste, mais un peu, et puis c'est vrai que cette confrontation avec tout le milieu enseignant, il a dû prendre des gifles ! Je me mets un peu à sa place, lui, qui parle pas très très bien, qui écrit très mal, etc., il a dû souffrir beaucoup. Bon, le milieu enseignant n'est pas toujours très tendre avec les gens qui n'ont pas leurs critères, quoi, enseignants, proviseurs, directeurs, etc., donc il a dû beaucoup souffrir, quoi.

J'ai mis très, très longtemps à imaginer que les enseignants pouvaient être majoritairement de gauche

— Les enseignants pourquoi ? Pour vous suivre ?
Sébastien — Ah oui, pour me suivre. Dès qu'il y avait une rencontre avec les professeurs, il y allait, dès qu'il y avait un conseil – il était aux parents d'élèves. Bon, mais dans un seul but, quoi, il cherchait tous les moyens de m'aider, c'était pareil avec mon frère. Donc, bon, peut-être, ça a fait… et puis de ce côté, je veux dire que… tous ces échecs, je veux dire que quand on est môme et qu'on vous dit « avenir sombre » bon, moi, ça a entraîné un complexe très grand, moi, j'étais timide, etc., bon, je veux dire, soit on est complètement écrasé, soit il vous reste quelque chose où… bon, et puis de rencontrer quelques gens, bon, moi en première j'ai rencontré un prof d'histoire-géo qui était très très bien et qui nous a fait beaucoup réfléchir à l'histoire, j'avais un prof de français aussi, bon, ça a été une année assez déterminante pour moi, c'était une époque aussi, si on voulait, y avait un débat d'idées, c'était pas très difficile de… d'avoir, quoi, les idées fusaient là, partout.
— Vous vous sentiez donc du côté de ceux qui contestaient, même confusément ?
Sébastien — Voilà, même confusément, je vous dis, c'était très manichéen : y avait les blancs et y avait les noirs ; ceux qui étaient à gauche et ceux qui étaient à droite, voilà, pendant des années ça a été ça, quoi ; c'est qu'après que j'ai compris un peu les subtilités,

mais autrement, pour moi c'était ça. Donc, voilà, mais pour vous dire, moi, à une période – mais ça arrive assez souvent – on n'ose pas prendre la parole en public, etc., mais j'étais un peu curieux quand même, et je me souviens être allé à des réunions, des meetings, des choses comme ça et à m'obliger à chaque fois à prendre la parole, pour dire n'importe quoi, même la plus grosse connerie du monde, il fallait que je m'oblige pour dominer, pour prendre la parole, pour apprendre à parler, etc., ça a été un martyr, c'était horrible !

— *Mais vous preniez la parole en votre propre nom, puisque vous n'apparteniez à aucune organisation ?*

Sébastien — Oui [*rire*] au nom de moi, j'ai toujours eu du mal à être dans une organisation. J'avais quitté la CGT assez vite.

— *Vous aviez donc pris votre carte ?*

Sébastien — Oui, à la CGT. Un mois après mon arrivée.

— *Et vous y êtes resté combien de temps ?*

Sébastien — Je suis resté peut-être un an, mais d'une manière… je m'adaptais très, très mal parce que, bon…

— *Et vous avez quitté sur un problème grave ou bien ça c'est distendu ?*

Sébastien — C'était une période, je veux pas dire d'ultra-gauche, mais de rejet viscéral de tout ce qui était le pouvoir, le fonctionnement des partis, des syndicats, etc., de la bureaucratie, et puis de tout ça, c'était un rejet.

— *L'anti-institutionnalisme soixante-huitard ?*

Sébastien — Voilà ! Primaire, mais vraiment primaire et que j'ai gardé encore, c'est peut-être devenu secondaire, j'ai l'outrecuidance de croire que c'est secondaire, mais très viscéral et moi j'ai eu par exemple une opposition, une haine des profs ! Je détestais les profs.

— *Dont vous parlez parfois avec gratitude.*

Sébastien — Oui, mais pas beaucoup ! S'il y en a trois ou quatre, mais les autres, je les hais, je les hais ! C'est horrible, quoi, quand vous êtes en cinquième, que vous oubliez trois cahiers du même cours, et que vous avez trois zéros dans la matinée, quand vous êtes obligé de vous faire raser les cheveux, à ras, parce que le prof vous les prend et puis vous soulève comme ça, quand vous avez des coups de règle sur les fesses parce que vous avez pas fait, bon, je veux dire, c'est du sadisme. Moi, les enseignants, j'ai mis très longtemps, très longtemps à imaginer que les enseignants pouvaient être majoritairement de gauche, très très longtemps. On était pas du même monde, voilà, inconsciemment ça c'est sûr, c'était autre chose, les professeurs, bon. La caricature c'était français-latin-grec, pour moi c'était la lune, c'était ailleurs, étrangers, ils étaient sur une autre planète ; et moi, ça aussi j'ai mis du temps à savoir qu'il y avait des jeunes qui n'avaient pas de problème avec l'école, qui allaient à l'école normalement, tranquillement, moi j'avais toujours la trouille, je me souviens pas d'être entré à l'école sans avoir la trouille.

— A l'école primaire aussi ?

Sébastien — Non, non, le collège je veux dire ; non, primaire, j'ai pas de, pas trop de… mais le collège, là ! Bon, après dans la seconde partie, seconde-première-terminale, bon là le côté engagement m'avait fait prendre du recul, et puis une maîtrise quand même d'un certain nombre de choses, et d'une certaine façon une reconnaissance de la part d'un certain nombre d'enseignants, quoi, qui me reconnaissaient, non pas tellement pour mon travail – parce que j'étais pas une lumière – mais qui, bon, y avait un rapport de forces qui s'était établi, une reconnaissance d'un statut, d'un rôle, etc., quoi, c'était ma façon à moi peut-être aussi d'exister, quoi, puisque je pouvais pas exister avec les résultats scolaires, j'existais en résistant.

J'ai fait l'École de journalisme en haïssant le métier

— Pourquoi l'École de journalisme ?

Sébastien — Le journalisme je voulais le faire après le bac, bon, le côté engagement a fait que j'étais intéressé par l'actualité, bon, internationale, elle était riche à l'époque, nationale, politique et sociale. Donc, grand consommateur de journaux, révolté, par la télé, la radio, par la presse écrite, bon, moi j'ai jamais été communiste, donc il n'y avait pas *L'Huma*, c'était pas ma culture, y a eu, après, les débuts de *Libération* que nous, on a vécu ça comme une bouffée d'air, y a eu des journaux comme, bon, à l'époque *Charlie-hebdo, La Gueule ouverte*, etc., bon ça a été ça donc, et en première je me souviens avoir fait des revues de presse dans le cadre d'histoire-géographie, sur l'histoire, etc., donc grand consommateur de journaux, voilà très intéressé par l'actualité, pas beaucoup de compétence quand même [*rire*], je veux dire, j'étais pas très doué, tout ce qui était mathématiques, c'était hors de question, français c'était hors de question. Le seul talent que j'avais un peu, c'était celui du baratin, de parler, de m'exprimer, parce que là j'avais fait un effort là-dessus, et j'y arrivais un peu, quoi. Donc je me suis dit, un métier où il ne faut pas savoir faire grand-chose, où il faut avoir du baratin et puis un peu d'esbroufe, eh ben c'est journaliste. Donc, j'ai pas pu le faire à la sortie. Après j'ai eu une période viscéralement, une période... oh la haine ! [*rire*], je haïssais aussi les journalistes comme... et ça, ça m'est toujours resté, quoi, c'est un peu secondaire, bon, et j'ai fait l'École de journalisme en haïssant le métier, alors là, vraiment j'avais une haine contre le... et je ne lisais plus après, à cette époque, c'est-à-dire y avait même un côté un peu provocateur : Ah ! moi, la presse je lis rien ! Je me souviens d'avoir dit à un des enseignants qui était complètement horrifié : « Ah non je lis plus rien, ça ne m'intéresse pas » [*rire*].

— *Vous êtes passé directement de l'École à Radio-Z ?*

Sébastien — Oui. Alors là ça s'est fait aussi, là j'ai eu beaucoup de chance parce que le rédacteur en chef est venu faire son marché, c'est-à-dire faire passer des auditions, et puis dans les auditions j'étais pas retenu, j'ai pas une voix extraordinaire et puis c'était ce qui était retenu, quoi, en gros, et puis un enseignant a dit au rédacteur en chef, « lui, tu lui mets un magnéto entre les mains, il te ramène un reportage », quoi. Donc on a été pris en piges, six de l'École, on a tourné, et puis, bon, je me suis accroché, quoi, et puis, bon, j'avais une expérience professionnelle, tous les gens qui avaient travaillé avant connaissaient le monde du travail et savaient en gros ce qu'il fallait faire pour être embauché et j'ai eu de grosses difficultés parce qu'ils ne voulaient pas embaucher un mouton noir, quoi ; ils s'étaient un peu renseignés sur W. et donc ils voulaient pas m'embaucher, et le gag c'est que j'ai appris que j'étais retenu dans les pigistes de Radio-Z en visitant W. avec un journaliste de NQ [*grand quotidien régional*] !

— *Et maintenant vous êtes titulaire ?*

Sébastien — Je suis titulaire oui, et bon, je suis passé spécialisé en politique, journaliste spécialisé, c'est en gros le premier échelon décentralisé, et là ils voulaient que je passe rédacteur en chef adjoint, mais moi je ne veux pas monter dans la hiérarchie, je veux bien monter, un peu pour les capacités, un peu pour les connaissances du métier, mais je veux pas monter à des places où j'aurais un pouvoir hiérarchique. Donc, j'ai refusé, enfin j'ai refusé, je refuse, et là puisque ça vient de paraître, je me suis… la CNT m'avait proposé rédacteur adjoint pour… là aussi, par provocation, parce qu'on voulait savoir ce qu'ils pensaient exactement de mon cas et ils m'ont reproché de vouvoyer mon directeur que je tutoyais quand il était animateur, des subtilités…

— *Est-ce que vous « haïssez » toujours les journalistes ?*

Sébastien — Oui [*rire*] j'ai pas… je veux dire à part, marginalement, deux ou trois personnes que je fréquente en dehors de mon boulot, je ne fréquente personne, je ne fréquente pas de journaliste, j'ai pas un pote journaliste. Si, j'en ai trois ou quatre, des gens qui sont… bon, mais là aussi, c'est « malgré » qu'ils soient journalistes. Il y en a une qui a démissionné de Radio-Z, Colette D., qui a eu des problèmes avec la justice, je veux dire, c'est un parcours là aussi. Fanny R., qui a été infirmière psychiatrique et qui, maintenant, cherche à faire autre chose et puis Germinal G. qui, lui, a un passé assez extraordinaire, un père réfugié espagnol qui a fait la Résistance, la Guerre civile, qui a poussé son fils à faire des études, il a une maîtrise de lettres et il est devenu journaliste mais il est… voilà. C'est pas des petits jeunes qui sortent de l'École, quoi, voilà.

On est un peu le poil à gratter de la machine

Sébastien — Bon, c'est pas la haine des individus ! C'est la haine du travail qui est fait et, bon, et c'est vrai, notre capacité de faire autre chose, d'être… nous sommes… ceux qui sont, enfin, des gens comme moi, on est un peu le poil à gratter de la machine, la machine elle est plus forte que nous, et puis on fait 99 % de « caca », quoi. Il ne faut pas non plus se faire trop d'illusion, mais il y a un certain nombre de débats, quoi, même au quotidien, je veux dire, ce sont des minutages d'interview par exemple. Dans certaines radios ils sont à 35 secondes d'interview à l'antenne, 35 secondes ! Et notre combat, mais combat ! C'est une minute, il faut se battre ! Et quand ça dépasse une minute, quand vous faites une interview d' 1 minute 10 – 1 minute 15 il faut, il faut… c'est une affaire d'État, quoi ! C'est ridicule. Pour quelqu'un en dehors de notre champ, c'est un combat ridicule, mais c'est un combat de contenu, de… et puis il faut essayer de faire passer des idées. Moi, mon militantisme actuellement, principal, c'est le journalisme, quoi, c'est le journalisme, mais c'est excessivement difficile, mais bon, c'est comme dans tous les milieux. Vous, dans l'enseignement, vous devez, bon, vous battre contre des montagnes, et puis, bon, le système il est fait de telle façon que ça se saurait si on avait le dessus.

— *Vous critiquez le système, pas les individus ?*

Sébastien — Je veux dire, ils sont à la fois responsables et pas responsables, un journaliste c'est aussi quelqu'un qui doit transcrire ce qu'il voit. C'est vrai que ceux qui ont le pouvoir sont des gens qui savent le plus utiliser les médias et qui ont le plus la parole. Bon, un exemple : le député-maire a fait hier soir un banquet sur « la ville de X. et la mer » et ce matin une conférence de presse sur les « grands travaux de la ville de X. ». Il n'a rien dit. Ça on ne l'accepterait de personne d'autre ; on reviendrait, on serait furieux, on ferait un papier d'humeur, bon, là, ça va passer. Le député-maire a mobilisé la presse tout hier soir, jusqu'à une heure du matin et ce matin un petit déjeuner de presse pour ne rien dire ! Bon, et je veux dire : toute la presse est ventre à terre. Voilà, c'est un exemple, mais il y en a ; ce qu'il faut savoir, c'est que la société fonctionne, il y a une chape de plomb sur la société ! Essayez de faire parler des gens de la DASS qui recouvre tout le champ social. Impossible ! Les salariés peuvent pas parler sur leur pratique ; une assistante sociale, elle pourrait dire cinquante… bon, sur les grands domaines de la région qui traitent leur personnel en bouteilles de vin et dans des endroits, dans des taudis, illettrisme important, les mecs sont dans des maisons, avec la terre battue ; jamais vous entendez un reportage là-dessus. Parce que les assistantes sociales qui y vont, elles peuvent pas parler, elles sont tenues par le secret ; les ouvriers agricoles, bien sûr, ils ne peuvent pas parler, voilà ! Et puis vous pouvez pas y rentrer ; ce que vous pouvez faire en long, en large, en travers, c'est le plaisir de déguster un grand cru classé, un Machin, etc. Mais sur la réalité du pays, jamais vous faites un reportage.

— *Et vous, si vous, journaliste, vous proposez un reportage ?*

Sébastien — Mais je peux, bon, je peux le proposer. C'est un reportage compliqué ! Nous, on est pris par le temps : il faut qu'on fasse trois – on a une production journalière – donc, trois, quatre, cinq reportages par jour. Donc plus on a de reportages, moins on peut voir le dessous des choses, la complexité des mécanismes de fonctionnement, etc. Une enquête comme ça, il faudrait que j'y reste, le journalisme d'investigation c'est du temps ! Il faut arriver à débloquer. Tout le monde a peur dans cette société, il y a peu de gens qui vont dire le fond des choses, et à tous les niveaux. Vous allez voir les syndicats pour parler de l'école, des entreprises, etc., ils ne vont pas vous en parler parce qu'ils sont tenus à un rôle de défense des salariés, ils vont pas vous parler du fonctionnement réel de la société ; pour comprendre ce fonctionnement et pour en parler vraiment, il faut faire un travail de sociologue et on a pas le moyen d'être des sociologues, et on a beaucoup de difficultés à travailler avec le monde universitaire qui… il y a des lourdeurs et puis, bon, moi, dès que je vais prononcer le mot « prof d'université », « colloque », tout le monde va avoir le poil qui va… : « Oh encore ! Tu nous fais chier avec tes histoires, etc. »

— Il y a de l'anti-intellectualisme dans le monde journalistique ?

Sébastien — De l'anti-intellectualisme, le mot « ouvrier », on dit pas « ouvrier » ! Moi, je me vois enlever le mot « ouvrier » dans mes lancements ! Il faut que je dise, « mais alors, quoi, c'est un gros mot ? ».

— Qu'est-ce qu'il faut dire ?

Sébastien — Salarié, employé…

La censure, elle est à tous les niveaux

— Qui vous fait enlever le mot ?

Sébastien — Les journalistes. C'est pas forcément les chefs, ce sont les journalistes. C'est la censure ambiante. C'est la pression. Et elle est à tous les niveaux. Pendant la guerre du Golfe par exemple, à propos de Perrault, sur l'appel à la désertion, bon là, censure sur Radio-H – on avait fait une interview – bon, là, censurée sur Radio-H, elle passe pas. On fait un papier à la place, je fais une interview de réaction à la manif le lendemain. On me demande des gens ; je prends un jeune, je lui dis, « et vous, vous seriez prêt à déserter ? », il me dit « oui ». On m'enlève ça, quoi ! Bon, dans les cas de crise, la censure, elle y est ! Pendant la guerre du Golfe il fallait être pour la guerre du Golfe ; je veux dire, bon, les autres idées…

— C'est toujours une censure informelle ?

Sébastien — Là, le problème il est très simple, je m'en aperçois, moi, j'euphémise mon discours, mon langage, mes propos, parce que c'est vrai…

— *Mais ce n'est pas vous qui avez supprimé la réponse du jeune ?*

Sébastien — Ah là, c'est vrai ! Il a coupé, un coup de ciseaux ! C'est un coup de ciseaux là, et là on l'a dénoncé en tant que censure (...), la justice peut pas s'appliquer aux journalistes ; ça veut dire qu'on peut diffamer, machiner ce qu'on veut, on peut rien, la justice fait rien contre nous, et quand la justice fait quelque chose, c'est une levée de boucliers, « atteinte à la liberté de la presse, etc. ». Alors que c'est nous qui faisons une atteinte souvent à, je veux dire, là aussi les témoignages, par exemple, le sacro-saint « fait divers » : c'est toujours des histoires de gens, de petites gens, et ces gens-là, on se moque d'eux en leur faisant raconter des faits divers ; ils parlent mal, ils font des lapsus, et on se moque, ça, ça passe ! Alors le mépris du populaire ! Ça alors là...

— *C'est une caractéristique, selon vous, du milieu journalistique ?*

Sébastien — Ah ! oui, Ah ! oui. Mépris du peuple, c'est-à-dire « le peuple il aime le top 50 », point, c'est terminé. Mépris du peuple, c'est à la fois le mépris du peuple et le mépris... c'est-à-dire tout ce que n'est pas le journaliste, des classes supérieures intellectuelles.

— *Mais en même temps une certaine fascination par ces classes supérieures, peut-être ?*

Sébastien — Par le pouvoir. La classe intellectuelle a pas le pouvoir, tandis que tout ce qui est économique a le pouvoir. N'importe quel petit entrepreneur a droit, a voix au chapitre et peut s'exprimer, peut avoir des idées sur tout, quoi, et puis le pouvoir politique, mais le, oui, le pouvoir politique, et puis toute cette ambiance Tapie-and-Séguéla, machin, quoi.

— *Vous ne semblez pas être un journaliste heureux... Vous arrive-t-il d'éprouver un sentiment de revanche ?*

Sébastien — Oui, oui, mais, c'est vrai que moi, la plus grande révolte, c'est quand je vois... là je suis allé, dernièrement, faire un reportage dans un lieu qui est derrière, après le pont de la Gare, une cité de transit qui date de la dernière guerre. Bon, de pauvres gens, 4 700 francs par mois ils gagnent, ils se sont embarqués, le copain de leur fille a voulu acheter une moto, ils se sont portés caution. il y a eu un accident de moto, il a acheté une deuxième moto, ils se sont portés caution, le gars s'est barré et il paie plus le machin, et ils se retrouvent avec 30 000 francs de crédit, et rien ;

il y en a qui s'endettent pour payer une maison, mais là ; et 30 000 francs, ils sont au bout du rouleau. Et la mère qui a l'air d'une personne qui s'est toujours battue, qui est clouée à une bouteille d'oxygène parce qu'elle peut plus respirer. Bon, ils sont... des maisons, on se demande comment c'est possible d'habiter là ! Alors on va leur rénover, ça veut dire on va leur doubler le loyer. Bon, quand je reviens de là-dedans, là, c'est sûr, que je... c'est une haine, là c'est la haine, j'ai la haine vraiment. Mais une revanche ? C'est une boutade, mais la première fois que j'ai interviewé un prof, il me dit, « ouh ! Excusez-moi, j'ai pas l'habitude, je suis tout tremblant » et je lui ai dit « eh oui ! C'est comme quand j'allais au tableau, moi aussi, j'étais tout tremblant » [*rire*]. Là c'est sûr que... mais c'est vrai, souvent quand j'ai des gens en face de moi – du pouvoir, quoi – j'ai... c'est un combat, et mes questions c'est forcément pour les abattre, forcément. Bon, ce qui nous manque le plus, c'est les armes, la connaissance, quoi. C'est un métier où il faudrait avoir beaucoup plus de culture qu'on en a, on en a pas assez.

— *C'est un problème de formation ?*

Sébastien — Oui, mais, c'est là où je ne fais plus de complexes, parce que, c'est vrai, ce manque de culture scolaire, bon, je, c'est vrai, en partie par des, par une curiosité sociale, j'ai rattrapé ça aussi d'une certaine façon, c'est-à-dire que j'ai une connaissance de la société sur le terrain supérieure à des gens qui ont une connaissance scolaire ou universitaire, qui ont une culture plus importante que la mienne. Et c'est vrai que dans ce métier, ça sert de savoir comment fonctionnent les choses.

— *Du point de vue rémunération c'est satisfaisant ?*

Sébastien — C'est très... 11 000 francs nets, avec 30 % d'abattements sur les impôts, en payant pas le cinéma, les concerts, en ayant les bouquins quasiment gratos, 11 000. En plus, il m'arrive de donner deux ou trois cours. Là aussi ça m'intéresse, ça me permet d'avoir des retours sur le métier de journaliste, de réfléchir d'une manière différente, je veux dire, j'ai calculé, avec mes impôts, j'ai eu 13 000 francs nets l'an dernier. C'est largement, c'est à la limite trop payé par rapport à ce qui se fait, bac plus deux, c'est bac plus deux, les infirmières c'est bac plus trois, et elles sont à moitié salaire [*rires*] et quel boulot ! [*rires*].

Les trois quarts des journalistes, ils sont dans leurs bureaux avec une secrétaire

— *A l'heure actuelle on parle beaucoup de déontologie chez les journalistes.*
Sébastien — La déontologie c'est un problème économique aussi, c'est-à-dire ce qu'il faut toujours prendre en compte dans ce boulot, c'est la notion de temps. Comment voulez-vous que quelqu'un… Il se passe quelque chose n'importe où dans le monde, vous prenez un journaliste et vous l'envoyez sur cet événement. Au mieux c'est quelqu'un qui a étudié la question. Bon, il va y aller. Il n'y est pas allé depuis deux ans et il doit, deux heures, trois heures, après son arrivée, faire un papier ; comment voulez-vous qu'il fasse ? Comment voulez-vous qu'il retransmette ? Donc qu'est-ce qu'il va faire, il va voir les agences de presse, il va voir le gars qui y est, il va rencontrer un ou deux contacts, l'ambassadeur et puis voilà, il va faire un papier là-dessus, bon, au mieux, au pire, il n'y connaît rien, donc il va prendre trois… et puis il faut une accroche, un côté sympa, bon, etc., bon, et c'est vrai pour tout, il faut aller vite.
Pourquoi au *Monde diplomatique,* ils font des articles qui vous paraissent complètement différents ? Parce que d'abord ils ont un mois, et puis ce sont des gens qui ont passé des années sur une question ! Alors c'est vrai, c'est compliqué, passer des années sur une question ; c'est vrai qu'on est pas tout le temps sur le devant de la scène, c'est vrai tout ça. Mais ça fait du travail beaucoup plus sérieux, beaucoup plus en profondeur, où on explique vraiment les choses, et puis vous avez les trois quarts des journalistes, alors là c'est encore pire, qui commentent des images à partir d'AFP. Un exemple là : le présentateur de Radio-H, B., celui qui fait passer la formule avant l'information, parce qu'il faut que l'information passe par sa formule – il a une formule amusante ou spectaculaire – et il faut que l'information rentre dedans hein ! Et il envoie des journalistes et il dit « je veux ça ! ». Et moi j'ai une amie qui fait des faits divers, qui a recommencé l'autre jour quatre fois l'interview pour que le gars lui dise la phrase que le présentateur voulait avant qu'elle parte ! C'est ça ! Et puis ce sont des gens qui depuis des lustres n'ont jamais mis les pieds dehors ! Ils sont dans leur bureaux, avec une secrétaire ; ils ont l'AFP et puis voilà ! Ces gens-là au mieux, ils vont faire des repas avec le pouvoir,

n'importe quel pouvoir mais enfin le pouvoir. Ils ne voient rien dans la société.

— *Vous avez des cas autour de vous ?*

Sébastien — Tous les présentateurs !

— *Vous parlez au plan national…*

Sébastien — Oui, mais autour de moi aussi. Autour de moi il y a un présentateur qui fait le « dix-huit heures », ça fait un moment qu'il est pas sorti. Il a une vision de la société qui est très… il a été à l'École, là il est dans un milieu d'avocats, de juges et puis voilà quoi, et puis le reste, il sait pas. Il savait pas ce que c'était le « veau-sous-la-mère », il savait pas si c'était une méthode d'accouchement des vaches [*rire*]. C'est sûr, c'est pas une blague que je vous raconte là ! Alors les jeunes qui sortent de l'École, ils vont directement comme présentateurs à France-Info. Directement. Ils ont rien vu de la réalité, ces gens-là ! Ils ne savent pas faire un reportage ! Le B. A.-BA de ce métier c'est de prendre un magnétophone ou un carnet et d'aller sur le terrain, et puis d'y rester un moment, d'être immergé, et ça, non, donc ça donne ça ! C'est un problème de formation, c'est un problème de curiosité, c'est un problème d'économie.

— *Et comment voyez-vous votre avenir dans la carrière ?*

Sébastien — J'avoue que la profession est pas tout pour moi, c'est-à-dire que, moi, bon, j'aime bien rencontrer des amis, boire un coup ensemble, voyager, aller à la mer, faire de la montagne, marcher, voilà. D'ailleurs pour moi c'est ça la vie, le boulot quand même est…

— *Ce qui veut dire que vous ne cherchez pas à faire carrière ?*

Sébastien — Non ! Mais je me vois à X., journaliste, au même niveau, au même grade, d'ici 20 ans.

octobre 1991

« Le père perd son temps
en pensant à son fils,
parce que le fils ne voit pas
du tout comme le père »

agriculteur

« Ce que tu as reçu en héritage
de la part de tes pères, acquiers-le
afin d'en prendre possession »

Sigmund Freud

Emmanuel Bourdieu

Dialogue sur la violence

On ne peut, en un sens, rêver meilleure éducation que celle qu'a reçue Antoine. Son père, un voyageur de commerce, qui l'avait toujours suivi avec soin dans ses études, le retire des lycées « mal fréquentés » du XIIIe arrondissement et le fait entrer en troisième au collège Sévigné, emblème de la bourgeoisie intellectuelle du Ve, alliant les bonnes manières du privé au progressisme de l'éducation laïque ; inquiet de ses échecs, il le place ensuite à l'Institut Charlemagne, sorte de « maison de redressement de luxe » pour les héritiers turbulents de la noblesse et de la grande bourgeoisie parisiennes. Pourtant, tout se passe comme si ses efforts pour le faire monter dans l'échelle sociale s'étaient retournés contre lui : Antoine se trouve soudain projeté dans un univers qui lui est entièrement étranger ; ne maîtrisant pas tout l'appareil symbolique (vêtements, goûts, références, etc.) que supposent ses nouvelles fréquentations, il découvre l'infériorité sociale de son milieu d'origine, à travers les petites humiliations, les plaisanteries sur ses vêtements bon marché et les traitements d'exception qui sont réservés à certains de ses camarades. Jusqu'au jour où, à l'étonnement de tous, il est amené à jouer de cette arme ultime qu'est la violence, dernier recours du plus démuni. Dans le même temps, au lieu d'adopter les mœurs et les manières de ceux qu'il côtoie, comme l'espéraient ses parents, il accentue, par réaction, ses traits les plus populaires, jusqu'à perdre le goût de s'habiller et ne trouve plus d'amis qu'à la salle de boxe ou de musculation.

Au terme d'une série de déconvenues scolaires (il redouble sa seconde) et d'expériences professionnelles hasardeuses, il devient « videur » professionnel. Mais l'« identité de prolo », qu'il dit lui-même s'être forgée, reste chargée de son histoire et il se sent aussi peu à sa place dans le monde de la nuit qu'il l'était parmi les fils de famille de l'Institut Charlemagne, où a commencé son déclin scolaire. Doublement déplacé, il se voit « prolétaire » parmi les « bourgeois », « bourgeois » parmi les « prolétaires ». Devenu un professionnel de la violence, il tient à marquer ses distances avec le client insouciant des boîtes de nuit, — toujours suspect, à ses yeux, de lâcheté, ou, au moins, d'incompétence quand il s'agit de passer aux choses sérieuses –, tout en condamnant la brutalité irréfléchie du bagarreur de rue, de « l'asmateur » des banlieues dures, mais aussi de certains de ses collègues qui ne connaissent ni règles, ni principes. Il se réclame d'une violence « noble », qui s'oppose, par son réalisme, à la violence arbitrée et abstraite que l'on pratique dans les salles de boxe, par sa froideur et sa lucidité, à la fureur désordonnée du bagarreur des samedis soir qui « devient tout rouge et ne sait pas s'arrêter », et enfin, par son adhésion à une éthique, à la violence « vile » des zonards et des casseurs, qui perdent toute leur arrogance et renient père et mère, pour peu qu'on les affronte d'homme à homme. De même, les films qu'il aime ont, certes, en commun de parler de violence, mais pas de n'importe laquelle : elle n'y est jamais représentée à l'état brut, comme dans un film de karaté, par exemple, mais toujours médiatisée soit par une esthétique de la révolte individuelle (*Sailor et Lula*, *A bout de souffle*), soit par des principes éthiques, qui peuvent relever aussi bien de valeurs traditionnelles (le repentir chrétien dans *Raging Bull*, l'héroïsme du juste face au crime dans *Taxi Driver*), que du paganisme esthète et désespéré, qu'incarne Marlon Brando dans *Apocalypse Now*.

La conception très stylisée de la violence qu'il développe ici doit sans doute aussi quelque chose à la situation d'entretien et, en particulier, au statut de l'enquêteur et du commanditaire de l'entretien dont il s'efforce d'anticiper les attentes : je lui ai donné des cours particuliers de philosophie, au moment où il devait passer son bac et cette relation de professeur à élève se rappelle dans les adresses ironiques (« cher professeur », « cher maître ») et, de manière plus générale, dans le ton un peu scolaire et philosophant de certaines digressions, où il cherche visiblement à démontrer sa capacité à tenir des raisonnements abstraits ; ou encore dans sa manière de traiter le magnétophone comme une incarnation de l'autorité intellectuelle qu'est, pour lui, le commanditaire.

Il ne faudrait pas en conclure, pour autant, que tout ce qu'il dit relève d'une mise en scène ad hoc, ou d'une sorte de discours de circonstance scolaire : la preuve en est que son argumentation a une logique, un dynamisme propre qui, par moments, dévie par rapport à ce qui lui semble être une ligne de pensée « avouable », comme lorsqu'il déclare sa fascination pour l'armée et la violence dans le droit qu'elle autorise. L'idée de violence « noble » reste celle d'une violence juste, c'est-à-dire justifiée, réglée, mais sa norme n'est plus morale, intellectuelle, ou même esthétique : elle relève du devoir civique, de la raison d'État. L'armée délivre le droit de tuer, c'est-à-dire la légitimation totale de la violence totale. De même, à la fin de l'interview, les valeurs conservatrices de la famille, bien qu'en partie censurées (« quand je dis ça, on me dit que je parle comme un vieux con »), prennent le pas sur celles de l'héroïsme individuel et de la maîtrise de soi.

De plus, là même où il semble le plus prévenir les attentes de l'enquêteur, il n'est pas certain qu'il se compose un personnage. Ainsi, son goût pour les « topos » philosophiques sur la violence en général et ses efforts pour donner une vision cohérente de son univers ne sont pas de purs effets de la situation d'entretien. Ce n'est pas seulement pour me faire plaisir, ou pour m'épater qu'il parle de « concept de la haine » et analyse le monde de la nuit comme « règne de l'illusion », c'est aussi parce que la supériorité intellectuelle et sociale qu'il s'accorde sur les autres videurs fait de lui une sorte de penseur, sinon de prophète des boîtes de nuit, apte à analyser et à justifier ce que les autres se contentent de vivre et de subir. Par sa manière de parler de la violence, il montre en quoi, plus qu'aucun autre, il a autorité pour le faire : intellectuel parmi les hommes de main, il est l'interprète d'un monde qui ne parle pas de lui-même ; homme de main parmi les intellectuels, il a aussi, devant eux, l'autorité de celui qui sait ce dont il parle, parce qu'il ne se contente pas d'en parler •

avec un videur

— entretien de Emmanuel Bourdieu

« J'étais pas du même monde »

Antoine — Voilà. Moi je te dis tout de suite… Déjà quand j'étais à Sévigné, je faisais une différence entre ceux qui y étaient et moi parce que je partais du principe que en fait j'étais pas du même monde, pas du même milieu qu'eux. Oui puis bon, y avait P., fils de l'ancien ministre et puis B. [autre fils de ministre] etc., etc. Tu vois c'était une caste à part pour moi. Et quand ils parlaient… Bon je me suis toujours bien entendu avec eux, avec certaines personnes parce qu'elles étaient assez ouvertes d'esprit et assez tolérantes. Mais ceux qui l'étaient moins et ceux qui transportaient par leur attitude leur condition sociale… ils l'exposaient, c'est-à-dire que c'était apparent. Pour moi c'était important à l'époque parce que j'arrivais d'une école qui était publique.

— C'était quoi ?

Antoine — … qui était dans le 13ᵉ en primaire. Et c'est là où j'ai commencé à me battre très régulièrement. Et donc là-dedans… Voilà parce que je me souviens d'une anecdote c'est-à-dire que y avait l'école des filles et l'école des garçons, bon là je te parle de mon école. C'est pareil dans plein d'autres écoles. Mais là comme tous les gens qui venaient dans cette école étaient des gens qui étaient relativement peu aisés. Moi je sais que tous mes copains etc., tous ceux qui étaient dans ma classe étaient des prolos moyens ou des prolos c'est-à-dire pas très très riches… enfin comment définir prolétaire, moi j'en sais rien… ou alors la petite famille moyenne. Moi je venais de la petite famille moyenne, j'étais pas le prolo total. Mes parents avaient l'appartement etc… Et moi finalement je me suis fondu, j'étais pas dans le moule mais je me suis pris une identité de prolo… et puis le mode de vie que j'avais était quand même assez modeste… C'était pas féerique quoi comme vie. C'était bien, j'avais jamais de problèmes, comme ça je ne peux pas dire que ma violence vient du fait que mes parents m'avaient fait subir certaines choses ou laisser comprendre qu'on n'avait pas d'argent etc. Jamais, jamais tu vois. Mais le fait d'être confronté tout de suite avec ces gens-là, j'étais à la maternelle dans le même quartier, c'est-à-dire en face pratiquement... Là j'ai commencé aussi déjà très dur très jeune. Et après je suis arrivé à Sévigné parce que mes parents justement ont vu que t'as un certain système scolaire qui en fait t'impose... [*en se tournant vers le micro* : bon c'est pas le sujet, mais je le dis quand même]... en sortant de l'école primaire publique certains lycées aux environs de ta résidence. Et y avait Claude Monet, Rodin, bon y a pas besoin de faire d'histoire. Rodin, Claude Monet, c'est des hauts lieux de racket et de drogue etc. Et mes parents, pour éviter ça, ont préféré dépenser de l'argent pour mon éducation et m'envoyer à Sévigné dans une école privée parce que ma mère pensait que privé égal « bonne éducation ». Sur ce, elle avait pas tellement tort parce que le fait d'être privé déjà ça restreint les effectifs... Ça sélectionne déjà dès le départ et puis c'est vrai qu'on s'occupe mieux de toi. C'est mieux. Enfin moi, je me souviens que j'avais beaucoup de problèmes avec ces gens qui venaient de milieux aisés, comme y avait un certain D. que je tapais régulièrement, qui était le fils d'un acteur et qui était pour moi la représentation, le représentant de cette caste de bourgeois... J'étais dans la grande lignée marxiste... dans ma tête... sans le prêcher parce que je voulais adhérer à rien puisque j'y connaissais rien. Tout ce que je connaissais c'était la castagne.

— *Tu es resté combien de temps à Sévigné ?*

Antoine — Je suis resté jusqu'à la troisième. Ensuite je suis monté de catégorie. Je suis monté à l'Institut Charlemagne c'est-à-dire le privé du privé. Alors là, là je me suis écrasé parce que là j'étais vraiment en petit nombre c'est-à-dire j'étais tout seul et là j'ai vraiment vu la différence. C'est ça tu vois, c'est pour ça que j'ai décidé de faire de la boxe. (...) Moi, j'ai toujours été éduqué sans jamais dire un seul mot à mes parents, c'est-à-dire une injure ou quoi que ce soit. Jamais. J'ai toujours été bien éduqué dans ce sens là. Ce qui n'empêche que en dehors, la violence... comment on appelle ça... la violence de mon vocabulaire était florissante. Et donc, je me suis retrouvé là-dedans le must du must et là j'ai vu vraiment la différence. C'est-à-dire que j'étais un petit peu comme Cosette. C'était le gars brimé. Mais je devenais encore plus violent au fond de moi-même c'est-à-dire que j'accumulais. J'accumulais. C'est-à-dire que bon on était collé... y avait plusieurs gars qui étaient collés... le gars arrivait avec un mot de son père et il disait, « bon ben voilà, il y a un concours à Fontainebleau... Signez... ».

— *T'as les noms ?*

Antoine — Oh, il y avait pas des noms connus mais c'était des hauts bourgeois.

— *Des grandes familles bourgeoises ?*

Antoine — Ouais, c'était des grandes familles bourgeoises. C'était Neuilly, Maisons-Alfort… Et donc : – bon très bien, colle etc. – on la retire mon cher Dubois ou mon cher je ne sais pas quoi. Et moi, j'arrivais et pour une fois je disais, « écoutez, c'est la pâque russe [*Antoine est d'origine russe*] moi j'aimerais la passer avec mes parents… ». Alors pas question. Et petit à petit j'ai commencé à accumuler. Alors je me suis fait toujours remarquer au point de vue discipline. C'est pour ça que mes parents ont toujours voulu justement, pensant à tort, mais ils le savaient pas, que ça allait me canaliser au niveau discipline. C'est-à-dire que comme c'était une boite à bac. Alors pour les gosses de riches qui en fait vivaient dans la dilettance etc. c'était peut-être bien parce que eux en avaient rien à foutre et puis les parents ont dit, « bon, on a les moyens de s'offrir ça et puis notre gosse va réussir comme ça, ce sera une boîte à bac, il sera obligé de le passer son bac etc. Il sera obligé de travailler… ». Très bien… Seulement moi quand je suis arrivé avec mes petites fringues de Pantashop etc. Alors que eux portaient des Weston et tout. C'est une différence idiote mais c'est marquant parce que moi, on se foutait de ma gueule. Ah, Pantashop etc. Le Pantashop c'est le Tati chez eux et eux évidemment ils s'achetaient… Ils comparaient leurs fringues : — « Et moi j'ai acheté mon "Schott" à 600 balles » ; alors que bon moi ma mère me payait le pantalon à 200 balles, ça suffisait largement. C'est pour ça que d'ailleurs ça m'est resté. Je dis ça m'est resté parce que j'ai toujours pas trop le goût à me fringuer. Je suis toujours resté assez simple dans mes vêtements et ça, ça m'a aidé…

Un équilibre dans le déséquilibre

Antoine — Jusqu'au jour où j'ai eu un petit truc ou j'ai traité… justement ben violence… [*hésitation*]… verbale et j'ai traité un gars de fils de pute. Alors là…

— *Un gars, c'était qui ?*

Antoine — C'était un, alors lui, vraiment tronche de petit bourgeois…

Je l'ai traité devant toute la classe. « Toi t'es qu'un gros fils de pute », parce que parfois ça sortait par intermittence… Mais le tout restait bien en dehors, en moi, et puis je me défoulais un peu plus à la boxe. Ce qui fait que le lendemain je revenais et j'étais bien. La journée commençait à passer et j'accumulais encore et c'était reparti pour l'entraînement, ce qui fait que c'était un équilibre que j'avais trouvé finalement. Un équilibre dans le déséquilibre en fait que moi je trouvais en fait là-dedans, parce que je me sentais pas du tout à ma place tu vois là-dedans.

— *T'avais des copains à Charlemagne…*

Antoine — Ah non, j'avais pas du tout de copains…

— *Alors à la boxe…*

Antoine — A la boxe, ouais, ça me plaisait mieux. C'était des types qui étaient hyper modestes… je veux dire financièrement. Et puis dans la vie etc… Donc j'étais beaucoup plus à l'aise avec eux mais alors par contre aux autres j'avais absolument rien à dire. Mais là-bas j'avais vraiment pas de copains. Ce qui me dérangeait pas trop vu que j'étais assez marginal dans l'âme, j'en avais rien à foutre. Mais ce qui est parfois gênant parce que parfois t'as un peu envie de rigoler quand même comme tout petit jeune. Et puis donc ce type là me dit on va se battre… Et finalement on s'est battu deux semaines après. Alors, c'était le duel organisé… (…) On allait près du Bon Marché, c'était un square. Alors eux ils ont fait un cercle etc. C'était très drôle. Et alors moi ils me faisaient marrer tous ces abrutis. Moi, pour moi c'était simple. Et puis finalement j'ai mis une trempe à l'autre. Et puis ils ont été très impressionnés parce qu'ils ne s'attendaient pas du tout à ça de moi. Puisque moi, j'étais très calme, très machin. Mais je leur ai montré une technique très forte c'est-à-dire grosse bagarre de rue et puis l'autre il a morflé et puis bon finalement, l'autre il s'est cassé, je lui ai cassé la main quand même, histoire de dire. Et puis finalement ensuite, j'étais pas le gars à respecter parce que bon j'étais quand même pas à ce point là, mais le type à battre. Il y en a un qui se prenait pour machin ou untel etc. Et ben il voulait se mesurer à moi… Tu vois le niveau. Ça c'était ma petite enfance.

— *Tu ne veux pas parler de la boxe ?*

Antoine — Je me suis entraîné pendant trois ans, à raison de trois fois par semaine, mais c'était assez poussé. C'était des entraînements de deux heures, c'est-à-dire six heures par semaine je m'entraînais. C'était fort. Là j'ai connu d'autres personnes. Par la suite je me suis retrouvé au Lycée machin à Saint-Michel de Picpus en ayant quitté Charlemagne, parce que je me suis fait virer.

— *C'est quoi ce lycée ?*

Antoine — C'est dans le 12e, c'est un lycée semi-privé, pas mal mais c'est un lycée à tendance un peu catholique, mais pour ceux qui le voulaient, mais moi je m'en foutais et bon je trouvais ça sympathique dans la mesure où j'étais le plus vieux de la classe et puisque je faisais de la boxe. Et puis tout le monde me respectait. Puis c'était tout à fait un autre… C'était beaucoup plus accessible pour moi. C'était plus famille moyenne plutôt que famille très riche.

— *T'étais en quelle classe ?*

Antoine — En seconde parce que j'ai redoublé ma seconde. Parce que je pouvais rentrer en 1re B mais ma mère voulait 1re S, alors j'ai redoublé ma seconde pour lui faire plaisir. Et c'est à ce moment là que j'ai commencé à rejeter tout le système. C'est-à-dire séchage des cours etc… Et c'est la première fois où je me suis engagé dans l'armée, ou j'ai voulu m'engager dans la marine, parce que moi je voulais le commando marine et là je voulais cogner fort. C'est-à-dire me défouler, avoir quelque chose de physique et puis, je te le cache pas, de la violence parce que j'en voulais. Et puis que même quand je frappais je ne m'énervais pas, j'étais très calme, j'étais posé dans mes actes, c'est-à-dire que l'autre je le cognais consciencieusement alors qu'il y en a qui deviennent tout rouge, qui piétinent partout, qui t'envoient des coups n'importe où. J'ai été très calme et j'ai toujours su canaliser ce que j'avais en moi. Seulement, petit à petit, en vieillissant, je me suis rendu compte que j'avais des idées meurtrières. C'est-à-dire que en abordant les boîtes de nuit… [*hésitation*]… bon déjà on m'a refusé à l'armée etc. bon ça m'a pas fait une grosse frustration.

— *Ils t'ont refusé pour quoi ?*

Antoine — Pour raisons psychologiques, parce que justement à l'époque… déjà la première fois, c'est parce que je devais passer mon bac d'abord. Et vu que j'avais des capacités en russe etc. ils voulaient utiliser ces capacités-là, moi j'étais pas du tout d'accord, ils voulaient les transmissions, moi je voulais les commandos, ce qui n'a absolument rien à voir.

Tuer parce que vous avez le droit de tuer

Antoine — Ce que je voulais c'était de la violence, c'était exprimer ce que j'avais en moi en ayant bonne conscience, parce qu'on me donnait le feu vert de le faire. C'est ça le principe de l'armée en fait, c'est tuer parce que vous avez le droit de tuer. Vous vous entraînez, on s'entraîne etc. et puis une fois qu'il y a la guerre et bien allez y les gars rasez moi ça, rasez moi ci, même si t'as ta conscience qui travaille, tu as toujours l'excuse qui est derrière oui mais bon…

— *Donc tu préférais faire çà plutôt que d'être dans les boîtes ?*

Antoine — Ben c'est-à-dire que depuis j'ai quitté l'école en fait, chaque geste que j'ai fait dans ma vie je l'ai choisi on me l'a pas imposé, je l'ai toujours choisi. Quand j'ai choisi de quitter l'école, j'ai choisi en même temps de connaître le monde du travail alors j'ai commencé par travailler par intérim j'ai fait des déménagements, des chantiers, des machins et tout, et j'ai connu le marché que moi je voulais connaître. C'est-à-dire le monde vraiment du boulot, l'ouvrier etc. et je me sentais bien avec ça, tu vois. Et petit à petit, j'ai voulu connaître autre chose encore et par hasard, je m'entraînais dans une salle et puis on m'a dit, ben voilà tiens et puis j'ai fait mes premiers concerts [*Antoine participe parfois à la surveillance de concerts de rock.*] et puis etc. puis après l'escalade.

— *On t'a présenté qui ?*

Antoine — Ouais, dans une salle de muscu, j'ai entendu parler, y a un copain qui m'a dit, t'as qu'à te présenter là-bas. J'avais que 17 ans, j'ai menti sur mon âge, j'ai dit que j'étais majeur et puis voilà c'est tout. On m'a engagé pour mon premier concert.

— *Et ton copain il bossait déjà là-bas ?*

Antoine — Non non, il était. On venait aussi de lui en parler à lui mais il était beaucoup plus vieux déjà. Et bon je me suis présenté et puis j'ai commencé à travailler en boîte de nuit qui était la Locomotive, la première boîte de nuit. La Locomotive ça brassait beaucoup de monde, et puis y avait quand même neuf portiers, c'est-à-dire que j'étais pas tout seul. Et j'étais un peu perdu là-dedans, c'est-à-dire que la première fois qu'il y a eu un drogué qui m'a sauté à la gorge parce que je voulais sortir sa nana, il m'a arraché mon sous-pull etc., et j'avais ordre surtout de ne pas taper et donc j'ai fait que le repousser. Il s'est explosé la gueule etc. enfin bref et puis finalement j'ai dû aller chercher du renfort etc.

Ça, ça été ma première bagarre en boîte de nuit bon c'était gentillet. (...) Puis après je suis passé au Club Kalimba. C'est-à-dire changement de mentalité. Mentalité campagnarde, 90 kilomètres de Paris. Les mentalités changent totalement, y a plus du tout les mêmes valeurs, plus du tout la même façon de s'amuser. Les gens arrivent, eux ont un travail plus ou moins astreignant dans la semaine alors ils sont là pour se défouler. Là je te parle par trop de violence mais bon.

— *C'est le même contexte ?*

Antoine — Oui, oui ils viennent là un peu pour se détendre etc. et puis en option pour se défouler, si jamais il y a quelque chose. En fait ils ne viennent pas dans l'optique de se battre, mais ils ont une certaine mentalité, à régler les choses un petit peu promptement. Donc, à toi de les freiner. C'est au Kalimba que j'ai commencé à faire mes premières armes véritablement, c'est là où j'ai vraiment été confronté à une violence assez forte. Parce que là-bas on travaillait en chemise blanche et plus d'un soir je me suis retrouvé avec ma chemise maculée de sang qui n'était pas le mien et obligé de terminer en tee-shirt. Tu vois c'était à ce niveau là. Donc, c'était vraiment du charriage, c'était...

— *C'était un peu différent comme violence, tu étais chargé de l'empêcher quand même ?*

Antoine — Au départ, t'es chargé de l'empêcher. Mais par exemple quand un type est parti pour se battre, ou a dans l'idée que, bon parce que untel a dragué sa femme etc., et puis que lui il a dans l'idée de corriger celui qui vient de fauter, euh, pour lui il veut pas s'arrêter même si toi t'es portier. Ou alors il devient raisonnable et il dit, bon effectivement on va régler ça dehors avec lui ou alors il a un petit coup de trop dans le nez et puis il se rend pas trop compte et il oublie un peu la réalité et il se lance sur sa première idée et puis finalement il se heurte à nous. Ou alors c'est le gars qui est franchement violent qui a pas peur de nous et qui veut nous rentrer dedans en même temps. Donc à toi de prendre en conséquence maintenant...

J'avais jamais cogné sur une fille

Antoine — C'était de la violence mais petit à petit je me suis bien adapté c'est-à-dire quand je suis arrivé ça m'a choqué, c'est-à-dire que le premier soir où je suis arrivé, j'ai sorti, on a du sortir trois filles. Alors on a du cogner dessus alors que j'avais jamais cogné sur une fille… Et puis on a eu trois autres gars à sortir donc ça faisait six bagarres dans la soirée. Donc ça faisait beaucoup pour un premier soir et puis moi je ne savais pas comment m'y prendre, j'étais un peu tétanisé devant tout ça. Je me disais, « Attend. Où sommes nous ? ». Tu vois, à chaque fois que j'allais bosser là-bas, tous les week-ends, j'avais un nœud à l'estomac, parce que je me demandais ce qui allait se passer.

— Et les autres comment ils font ? Ils t'apprennent ? Ils te préviennent avant ou tu suis simplement ?

Antoine — Non tu suis… Moi j'ai bossé avec l'ancien légionnaire. On s'est tout de suite bien entendu. Et puis bon au début il m'a dit comment il fallait faire.

— C'est-à-dire en gros, les conseils qu'on donne ?

Antoine — Pff. Les conseils qu'on donne. Qu'est-ce que t'as comme conseils, c'est d'être rapide et de pas hésiter c'est tout. C'est ça le conseil, une fois que t'es parti faut plus t'arrêter. Les gens arrivent, passent leur soirée, sont là dans un cadre de divertissement, toi t'es là, t'es dans le cadre de divertissement. Petit à petit, avec l'habitude, tu te fonds dans ce cadre c'est-à-dire que tu connais tout le monde, tu serres la main etc. Ça, ça peut mener à deux choses ou les gens petit à petit font copain copain avec toi et finalement s'il te tapent trop sur l'épaule ils prennent finalement ton bras petit à petit parce que ils se croient tout permis et donc là t'es obligé d'intervenir, ou alors t'as un gars qui vient de l'extérieur et qui fout sa merde… C'est-à-dire que le gars qui arrive et puis il y a une altercation, et puis, ça a commencé à cartonner, parce que là-bas c'était l'alcool. Moi je pars du principe que à la violence y a toujours une raison, c'est ou l'alcool ou la drogue qui aident. Alors toi t'arrives, t'arrives très calme, finalement ça t'apprend aussi à être aussi sûr de toi même, à avoir de l'assurance.

— Et en plus tu représentes la boîte ?

Antoine — Voilà tu représentes un peu, tu représentes l'ordre quoi. Si t'as un flic qui arrive près de toi, et puis qui te dit, « bon monsieur faut pas stationner là », tu lui dis « bon toi, va te faire foutre », et puis qu'il s'écrase, bon déjà il a rien compris à son rôle de flic. Si par contre il lui dit, « bon écoutez monsieur, voilà, y a outrage etc. » il te colle une amende et puis il hausse la voix et dit, « maintenant vous fermez votre gueule ». Là il a tout compris. Donc quand tu as des bagarres, toi t'arrives, t'es très calme, t'es payé pour, tu le sais, petit à petit tu te rodes, petit à petit tu prends de plus en plus d'assurance en toi, c'est-à-dire que t'en aies un ou dix en face de toi, si t'es un gars qui est relativement courageux, comme moi je le suis, comme les gens avec qui j'ai voulu bosser, le sont aussi…

La société de l'illusion et les rappels à la réalité

Antoine — La violence, les boîtes de nuit, pour moi, c'est le reflet du mal vivre des gens, pour moi. C'est-à-dire que… tu rentres dans une boîte de nuit, c'est noir, t'as les spots, les sunlights etc., t'as l'alcool. Et sous les spots, tout le monde il est beau. C'est-à-dire que, tu as remarqué, quand tu rentres dans une boîte de nuit, les traits s'adoucissent, t'as le teint un peu plus mat ça passe beaucoup mieux tu dis, ah tiens celui-là il est bien, il a l'air sympa et puis il est bien physiquement… Tu vois ce que je veux dire, ce que je veux illustrer c'est l'illusion en fait, tout est dans l'illusion, seulement de temps en temps t'as des rappels à la réalité… Et les rappels à la réalité, c'est la violence, c'est-à-dire t'es là avec ta femme, t'es avec tes amis, t'as de l'alcool, alors t'as deux bouteilles sur la table, tu commences, t'arroses bien ta soirée, tout va bien, tu discutes, t'es bien dans ta tête parce que t'as un petit peu picolé, si t'as un peu plus d'argent, si t'as des connaissances et bien qu'est-ce que tu fais, tu prends un petit peu de drogue, un petit peu de cocaïne etc., ça aide tellement mieux à passer. Et puis ça arrive totalement avec le cadre, c'est-à-dire musique à fond, t'en as plein les oreilles… et puis t'as remarqué en boîte les gens se rapprochent… alors y sont là pour se parler à l'oreille ce qui permet d'autres contacts, ce qui permet une approche… tu vois. Tout est lié finalement. C'est comme un petit monde… une boîte c'est un petit monde à part. C'est-à-dire t'es là, tu passes, tu vois une enseigne lumineuse, tu te dis tiens je vais rentrer dans un autre univers, tu ressors de la boîte tu vas dans une autre, c'est un autre truc, avec d'autres personnes, avec une autre personnalité, parce que chaque boîte à sa personnalité. Par exemple, tu dis, ah ben tiens ce soir j'aimerais rencontrer tel type de gens. Tu choisis la boîte en fonction. C'est-à-dire tu veux une boîte de vieux, plutôt vieux 35-40 ans, cadre dynamique qui a envie de se défouler, ou un petit peu plus riche tu vois, qui a un peu d'argent etc. « 5e avenue », avenue Foch. T'as envie de quelque chose de branché, un peu tendance homosexuel, avec une troupe de la dernière vogue etc. « Boy »... Et donc les gens, ils sont là, ils sont contents, ils voient les gens qu'ils ont envie de voir, tout va bien, jusqu'au moment où il se passe un petit truc. Il y a toujours un con. C'est-à-dire le gars qui voit pas les choses comme ça, ou alors qui se sent pas bien dans cette boîte. Alors parfois il le fait comprendre... par une agression ou un truc gratuit ou un prétexte etc., (...) ou alors carrément en s'extériorisant donc en mettant carrément le poing dans la gueule du voisin, ce qui est généralement assez mal vu. Alors toi t'arrives voilà et t'es là pour faire régner l'ordre, en fait t'es la police de cette petite société. Et moi je dirais c'est la société de l'illusion. Autant quand tu sors d'une boîte, t'es là au petit matin, et tu prends tout dans la gueule, c'est-à-dire que tu vois les gens avec leur attaché-case qui ont dormi toute la nuit et qui vont bosser etc. Et là tu te dis, merde c'est vrai que suis différent et là tu te rends compte de ta différence. Et là tu sors d'un milieu finalement qui est violent, qui est violent. (...) Le principe de la boîte de nuit normalement est d'éviter la violence, et de permettre aux gens d'oublier le monde extérieur, un peu comme si tu allais au cinéma et pendant deux heures t'oublies tout ce qu'il y a autour. Bon maintenant, une bonne boîte qui marche bien c'est là ou il y a rien, il ne se passe rien. Il n'y a pas de bagarre, y a rien. C'est là, là ils ont trouvé leur clientèle, et c'est bon. Mais bon, pour nous, à l'intérieur si ça va, c'est bien. Mais maintenant, y a l'extérieur. C'est-à-dire les gens qui se présentent et que tu dois refuser parce que justement il ne font pas partie de la clientèle. (...) Alors parfois c'est mal vu, parfois c'est mal accepté par ces gens-là qui ont déjà un petit coup dans le pif ou alors carrément qui sont un peu agressifs et puis qui acceptent pas de se faire refuser ; ils ont pas aimé, ils ont fait 20 kilomètres pour arriver à la boîte ou alors même ils ont pris le métro, ils arrivent, ils ont bien fait leur soirée. Ils ont dit, ben tiens aujourd'hui on va aller s'amuser là. Ils arrivent à la porte, un abruti qui leur dit non, « c'est pas possible, vous correspondez pas ». Effectivement c'est frustrant. Alors il y en a qui le prennent bien ou alors qui discutent un peu, qui essayent machin de dialoguer suivant les personnalités, puis il y en a qui rentrent carrément dedans. Et puis alors toi t'arrives.

— *Mais des fois c'est embêtant, si c'est des gens qui te sont sympathiques ?*

Antoine — Ben généralement ouais, mais bon, tu juges sur la gueule quoi, c'est le délit de sale gueule en fait. C'est-à-dire que tu vois un gars, tu le regardes. Les critères sont souvent des critères raciaux, c'est-à-dire arabe, noir, plus ou moins banlieue ou quoi que ce soit, bon, déjà ça, c'est refusé.

— *Un peu look banlieue ?*

Antoine — Tout le look banlieue, déjà ça, c'est refusé. Maintenant tout le look banlieue ça se retrouve dans des boîtes qui sont faites pour, c'est-à-dire le Métropolis à Orly. C'est-à-dire toutes les boîtes de la ceinture parisienne qui recueillent tous ces gars là. Bon je te dis pas que c'est forcément calme.

— *Est-ce que tu as continué à essayer d'aller à l'armée ?*

Antoine — Ouais j'ai continué. Parce que moi j'y croyais dur comme fer.

— *T'aimerais mieux être à l'armée que d'être videur ? A ce moment là t'aimais mieux non ?*

Antoine — Ben non, parce qu'en fait pour moi l'armée c'était pas un idéal, mais c'est vrai que je croyais avoir trouvé la façon d'extérioriser ce que je ressentais. Parce que bon pour te parler vraiment de violence. Là j'ai été voir *Sailor et Lula* et je m'y suis retrouvé dedans. Bon moi j'ai trouvé ce film fantastique parce que effectivement j'avais certains points communs avec le héros. C'est-à-dire que deux fois ça m'est arrivé et ça je m'en souviendrai c'est marqué dans ma mémoire. C'est-à-dire que au fond de moi même j'ai voulu tuer mais de mes mains, je te parle pas avec un… c'est-à-dire de la façon, je crois, la pire qui soit, c'est-à-dire avec ses mains, c'est-à-dire de la façon la plus consciencieuse…

— *Tu penses à quoi ?*

Antoine — Concrètement c'était une bagarre normale, un gars que j'avais sorti etc., qui s'est rué sur moi et d'un seul coup, c'est une impulsion, c'est une montée d'adrénaline, mais qui passe la montée d'adrénaline. C'est-à-dire que c'est après l'adrénaline, c'est autre chose, c'est au fond de toi-même. Ou tu contrôles, c'est-à-dire en frappant ce qui faut, ou alors tu contrôles plus et t'as les gestes qui tuent ou alors le gars qui continue à taper jusqu'à tant que l'autre bouge plus ce qui peut être énormément dangereux évidemment. Moi j'avais les gestes qui fallait. Je veux en arriver… [*hésitation*]… à la conclusion suivante, c'est qu'en moi il y a une violence, il y a quelque chose de meurtrier en moi. Et que parfois, j'ai du mal à refréner. Et moi je pensais qu'en allant à l'armée ça me permettrait d'extérioriser cette violence meurtrière si jamais par exemple j'étais confronté à une situation de guerre ou quelque chose dans ce genre.

— *Ouais, c'est une violence radicale, le droit de tuer ?*

Antoine — Voilà c'était le droit de tuer. Mais en même temps si tu veux, petit à petit j'ai vieilli, petit à petit je me suis rendu compte que ma conscience ne me le permettait pas.

[...]

— *Et il y a certains trucs en boîte qui te donnent mauvaise conscience ?*

Antoine — Parfois effectivement je suis rentré le matin en me disant pourquoi. Mais pourquoi tel type a réagi comme ça. Pourquoi il m'a poussé à telle extrémité alors que c'était pas la peine. Et j'avais vraiment du mal à m'endormir, moi je me posais des questions. Maintenant il y en a qui rentrent chez eux qui en ont rien à foutre, qui se couchent... Comme t'as certains types qui sont dans l'armée, tu leur dis, « ça vous dérange pas de tuer ? » — Non, non moi je peux même en tuer 15 000 ça me dérangera pas.

— *En même temps tu peux dire que tu défends la boîte et que tu fais ton métier ?*

Antoine — Oui mais bon. Quand t'as des bagarres en boîtes petit à petit t'as vite oublié la boîte en fait, c'est à ta personne qu'on en veut. Donc tu te défends plutôt toi, que la boîte.

[...]

Le sens du devoir

— *Ça arrive souvent que t'aies l'impression que c'est ta propre sécurité qui est mise en cause ? Ça arrive assez souvent que ça devient personnel ?*

Antoine — Nous on pense à nous d'abord. Même si on est payé par la boîte pour défendre la boîte. On défend la boîte mais quand même on défend notre peau à nous. Parce que arrivé à un certain stade de la violence tu ne peux plus faire marche arrière. Moi si tu veux, bon tu peux appeler ça du courage, moi j'ai appelé ça de l'inconscience sur le moment parce que tu réfléchis pas. Dans la mesure où tu as la tête froide et où tu réfléchis pas, là tu peux être taxé de courage. C'est-à-dire que tu peux te lancer dans n'importe quelle situation et si t'as un sens de l'amitié ou un sens du moins... parce que moi je partais du principe que si je bossais avec des gars, qu'importe le type, même si tu l'aimes ou tu l'aimes pas..., finalement, c'est le même principe qu'à l'armée ; c'est pour ça que moi je voulais retrouver quelque chose à un niveau supérieur à l'armée. Tu vois çe que je veux dire. C'est-à-dire qu'à l'armée t'as une section de garde. Même s'ils s'aiment pas entre eux, même si il y a certains différents entre eux, si ils sont dans un conflit ils sont obligés, parce que t'as un code de l'honneur, de défendre l'autre, de couvrir ses arrières etc. C'est-à-dire y en a un qui est dans la merde, même si tu l'aimes pas... Normalement si t'as le sens du devoir ou quoi que ce soit, tu vas le chercher et tu le ramènes au risque de toi d'y rester. C'est le même principe à la porte d'une boîte.

— Mais toi t'as l'air de dire que c'est mieux à l'armée, pourquoi ?

Antoine — C'est pas que c'est mieux, c'est que moi je pensais que c'était mieux parce que c'était à un niveau supérieur. C'est-à-dire que à la porte d'une boîte, t'es dans le civil, c'est-à-dire que c'est régi, t'es quand même dans la société et que tu dois respecter les lois de cette société, c'est-à-dire que t'as pas le droit de tuer. Mais par contre à l'armée, la société, c'est elle même qui te donne le droit de tuer. C'est-à-dire que si Mitterrand décide de faire la guerre aux Allemands, t'es envoyé là-bas. Et si le Président de la République a dit, « vous pouvez tuer », tu tueras. Ce qui te permet pour toi d'extérioriser ta violence... Alors maintenant pour en revenir à cette violence meurtrière c'est là où tu sombres dans cette violence, comme ça été illustré par des films comme *Apocalypse Now*. C'est-à-dire le gars qui est violent par lui-même comme tu vois Marlon Brando dans *Apocalypse Now*, il illustre fantastiquement bien. Moi, je me suis bien identifié à ce type-là. C'est-à-dire que c'est le gars qui rentre, qui a d'énormes possibilités intellectuelles etc. Mais qui en même temps a un conflit en lui même, qui est violent, mais qui en même temps à d'énormes possibilités intellectuelles. Et généralement, tu regardes les grands tueurs de l'histoire, c'étaient des gens très intelligents.

— Et ça, t'as l'impression de le sentir plus que les autres videurs ?

Antoine — Ben oui, parce que moi je me sentais, bon, prends pas ça comme une prétention quelconque, mais je me sentais plus intelligent si tu veux. Plus conscient de ce que je faisais. Je savais que je pouvais être plus dangereux, si je le veux, mais simplement si j'appuie sur un bouton, si il y a un mécanisme qui s'enclenche. Tant que moi je ne l'ai pas décidé ce mécanisme ne s'enclenchera pas. Alors que certaines personnes n'arrivent pas à contrôler leur propre violence et c'est ça qui est dangereux. (...) Moi ce que je ressens c'est à la fois... je suis conscient d'avoir en moi cette violence, mais c'est comme une arme que je peux dégainer et que je peux utiliser comme moi je l'entends. Et c'est-à-dire si un jour même je sors cette arme là, c'est-à-dire si je deviens violent... et je suis tenté d'appuyer sur la gâchette ma raison reprendra immédiatement le dessus, parce que je le sais, et me dira, retire ton doigt de la gâchette et je penserai tout de suite à l'autre d'en face. C'est-à-dire parce que j'ai conscience en fait que j'ai pas un morceau de viande en face de moi, j'ai quelqu'un... Y a un caractère, une personnalité, une personne en face de moi.

— C'est pour ça, tu sais au début on parlait des casseurs [*allusion aux incidents d'octobre 90, où les services d'ordre d'une manifestation étudiante avaient été débordés par des groupes de casseurs*] *c'est pour ça que tu te sens différent, que t'es pas d'accord avec les casseurs, que t'es pas d'accord avec l'idée...?*

Antoine — Les casseurs c'est encore autre chose. Ça c'est pas la même violence, c'est pas du tout pareil. C'est-à-dire moi je vais t'expliquer le cas des casseurs. Un bon portier, des bons portiers, il y en a. C'est-à-dire des gars qui devant n'importe quelle situation, ils iront. C'est-à-dire qu'ils soient 15, qu'ils soient 20, si son collègue ou coéquipier comme tu veux, il y va, il le suivra les yeux fermés. Et il rentrera dedans sans penser à lui-même parce qu'il pensera d'abord à lui, à protéger celui avec qui il travaille.

— Ça c'est en ça que ça se rapproche de l'armée ?

Antoine — Voilà. C'est en fait une sorte de camaraderie... de... plus qu'une camaraderie. Si un type travaille bien ça va jusqu'à la complicité. Si l'autre a commencé, l'autre suit. C'est-à-dire que moi je bossais avec Luc, Luc avait pas besoin de se retourner et moi j'avais pas besoin de me retourner, je savais qu'il était derrière moi dès que je partais. (...) Si moi je partais le premier, lui il était tout de suite derrière moi, il me collait, et je risquais rien, et j'avais qu'à m'occuper juste de ce qu'il me fallait moi et lui s'occupait du reste tout autour. Et moi c'était pareil. Tu vois ce que je veux dire. Donc ça va jusqu'à la complicité et finalement t'en oublies la violence. C'est vrai que finalement la violence devient naturelle, puisque c'est ton métier, t'es payé pour. C'est-à-dire qu'un CRS, il est là il attend, des gars leur balancent des machins etc., comme les casseurs si tu veux, on ne lui dit pas d'intervenir, il interviendra pas [*allusion aux mêmes incidents, où les CRS n'avaient pas bougé*]. Mais c'est vrai que…

— *Et toi, tu as trouvé ça bien…*

La violence vile

Antoine — Moi j'ai trouvé ça bien. J'ai pensé que c'était inutile parce que effectivement… je trouve que la violence utilisée par les casseurs c'est une violence qui est vile, c'est-à-dire que si tu veux même dans la violence, je pense que t'as des…

— *Des lois ?*

Antoine — Ouais des lois, t'as des règles. Même dans la violence c'est… t'as des règles à respecter. C'est-à-dire t'as la violence vile, t'as la violence qui est intelligente, t'as la violence posée. (…) Parce que bon ces casseurs, comme t'as l'air de vouloir insister là-dessus, en fait les casseurs moi je peux t'en parler. Tous les cas qu'on a vu à la télé c'est tout ce qui est en banlieue qui évidemment reflète un mal de vivre, qui évidemment, ces gosses sont paumés dans la rue et ne vont pas à l'école, parce que finalement, ils ont leurs potes qui vont dehors et qui suivent leurs potes, et puis qui trouvent beaucoup mieux… Ce qui se trouve dehors c'est beaucoup plus l'aventure et puis la galère comme ils disent, c'est quelque chose qui leur convient mieux, parce qu'ils ont l'impression d'être libres et d'appartenir justement à aucun système… (…) ils ont l'impression d'être marginal mais en fait ils ne le sont pas.

— *Mais quand même eux ils ont aussi leur code de l'honneur ?*

Antoine — Oui ils ont un certain code mais attention… ça fluctue leur code de l'honneur moi je peux te le dire. Bon par exemple, anecdote, la dernière fois quand j'ai eu un problème avec eux, avec des zoulous[*bandes ennemies de l'extrême-droite activiste (les skins)*] des Halles, quand j'étais à mon bar d'homosexuels là. (…) On en a chopé deux parce qu'on pouvait pas choper les 25 à quatre. Et leurs copains en ont profité pour se barrer et laisser ces deux derrière en train de se faire asmater sauvagement par quatre types de notre trempe. Par contre après ils sont revenus. Ils sont revenus pour discuter, exemple : « Ouais, Hasma, on va discuter entre types qu'a des couilles, etc. » Voilà ça c'est le langage… En fait… [*hésitation*]… ils ne savent pas où ils en sont. De toute façon, à n'importe quelle époque, toutes ces bandes... ça reflétait la partie d'une population qui savait pas où elle en était, qui est paumée. C'est pas nouveau de toute façon. Ces jeunes qui sont là, qui savent pas où ils en sont, immigrés de je ne sais où, Arabes, Français (...) ils sont livrés à eux-mêmes parce que leurs parents n'ont pas le temps de s'occuper d'eux. Enfin bon, bref, c'est la débandade totale, et puis (...) c'est la loi de la rue. Ils se démerdent. Mais ils sont forts en bande. C'est-à-dire qu'ils s'exhortent les uns les autres lorsqu'il y a quelque chose. T'as bien vu avec les casseurs, ils auraient été une vingtaine, ils auraient rien dit parce que une vingtaine, tout de suite les étudiants leur seraient tombés dessus, les services d'ordre et puis cela aurait été la bagarre. Mais là, ils étaient des centaines alors ils se sont... y avait une émulation parce que l'union fait la force. Et eux... si tu peux rapprocher les attitudes humaines des attitudes animalières... tu vois ce que je veux dire... Tu peux considérer que eux c'est les loups, mais des loups un peu ratés. C'est-à-dire qu'ils se déplacent en horde mais quand ils sont tous seuls ils en mènent pas trop large quoi.

— *Ouais ils n'ont pas d'individualité ?*

Antoine — Ouais ils n'ont pas d'individualité, c'est un groupe, sans leur groupe, ils sont rien.

— *En fait ce que tu n'aimes pas chez les casseurs c'est une violence totalement incontrôlée ?*

Antoine — Oui c'est ça, c'est lâche... C'est-à-dire que sans un groupe, sans une certaine... Si tu veux, leur assurance n'est pas personnelle. Ils ont une assurance que lorsqu'ils sont plusieurs. Alors que moi ou des gars comme nous, il y en a très peu, nous sommes uniques [*rires*]. Nous, on a notre propre assurance et c'est tout à fait le contraire. Eux, par exemple ils sont dix, ils entourent un gars et puis ils le lynchent. Moi je suis tout seul, dix gars veulent m'attaquer, c'est pas grave, je ne pense pas aux conséquences, je ne me dégonfle pas. Tu vois ce que je veux dire.

— *Ouais, donc c'est bien l'idée. Tu m'as dit tout à l'heure : je tape sur un mec...* [rires]. *Tu dis il y a un type qui est en face de moi et puis je sais que c'est un zonard je sais que c'est un type qui a du mal et un type qui a des raisons d'être comme il est et n'empêche qu'à un moment donné...*

Antoine — Oui, on a un moment donné, c'est ou toi ou lui, c'est comme sur un ring c'est pareil. Le type il peut très bien respecter son adversaire. C'est ça le paradoxe en fait d'un sport de combat,

c'est que tu respectes ton adversaire mais tu lui cognes tout de même dessus. Alors c'est pour ça qu'il y a beaucoup de gens qui disent mais c'est totalement idiot. Or c'est une autre vision de la vie, c'est autre chose. C'est vrai que ça peut être totalement idiot quand tu le comprends pas. Mais lorsque t'as compris que de respecter quelqu'un ça ne voulait pas dire « Bonjour monsieur machin etc ». Et que dans un certain contexte le respect peut prendre d'autres proportions... Et que tu peux très bien par exemple lui cogner dessus sans que ça n'affecte justement ce respect.
[...]

L'important c'est de gagner

— *Justement il y avait une question. Je crois qu'on en a parlé au début. Les rapports entre le milieu de la boxe et le milieu des videurs. Est-ce que, pour toi, c'est exactement la même chose ?*
Antoine — Non, Moi j'ai vu de très bons boxeurs être des poules mouillées dans la rue. C'est là où ça diffère. Parce que, les choses sont totalement différentes entre la rue et le sport.
— *Mais pourquoi est-ce qu'ils sont totalement affaiblis comme ça quand ils se retrouvent dans la rue ?*
Antoine — Parce que il n'y a plus de règles. Parce que quand t'es dans un ring ou sur un tatami, t'as des règles. C'est-à-dire que t'as pas le droit de taper là, en dessous de la ceinture, t'as pas le droit de faire ci, t'as pas le droit de faire ça. Et tu te sens protégé en fait. Tu te sens protégé d'une certaine façon parce que t'as pas à faire attention à ce genre de choses. Et dans la rue tout est permis. C'est ça le problème. Et c'est là où au début certains se disent, « ah effectivement j'ai une certaine assurance grâce à un sport de combat » et finalement se rendent compte que même leur sport de combat ne leur permet pas de dépasser certaines limites dans la rue. Parce que dans la rue tout est permis. Le type te tourne le dos tu peux très bien lui mettre un couteau dans le dos, c'est pas grave ça. Dans la rue l'important c'est de gagner. C'est ce que certaines personnes n'arrivent pas à comprendre.
— *Et de la même manière dans une boîte ?*
Antoine — Et de la même manière, oui, dans une boîte, c'est pareil. T'abordes quelqu'un qui est en train de perturber la soirée ou quelqu'un qui te fait une queue de poisson ou je sais pas moi

enfin, tu vois ce que je veux dire, des exemples bêtes… tu peux très bien t'approcher lui dire bon bon très bien vous avez raison et paf lui décocher un coup. Pas grave, du moment qu'il est par terre. Du moment que toi tu as gagné. Du moment que si toi tu as choisi l'affrontement physique, du moment que tu t'en sortes indemne. C'est tout ce qui compte.

— *Mais c'est un peu en conflit avec le code de l'honneur tout de même. Il y a quand même encore des limites non ?*

Antoine — Oui, oui, mais c'est un code de l'honneur entre les personnes qui sont ensemble, qui sont… [*hésitation*]… qui travaillent. Mais code de l'honneur entre guillemets, attention, il ne faut pas exagérer la chose.

— *Pourquoi ?*

Antoine — C'est plus un respect mutuel avec les gens avec qui tu travailles. Mais c'est valable dans n'importe quelle catégorie socioprofessionnelle. Même dans l'administration, si t'as le gars d'à côté au guichet D qui a rempli tel formulaire tu ne vas pas faire une rature sur son formulaire si tu passes après. Si ton travail est de passer après le gars, tu ne vas pas lui gâcher son travail à lui. Tu vas l'aider au contraire, c'est ça, normalement.

Il y a quand même autre chose derrière le pochetron

— *Mais tu disais que vis à vis de quelqu'un t'as quand même un certain respect même pour les personnes contre qui tu te bats.*

Antoine — Attention ça c'est une notion purement personnelle : j'estime que maintenant, il y a quand même autre chose derrière le pochetron, ou derrière l'abruti moyen qui veut bien se montrer en spectacle devant toi, ou qui s'extériorise devant toi. Il y a quelque chose peut-être derrière. Et c'est parce qu'il y a un « peut-être » que parfois t'es obligé de recourir à la violence. Si j'étais sûr qu'il y avait quelque chose derrière. Si je savais quelle était la raison, j'essaierais de comprendre mais c'est pour en arriver au point (une conclusion magnifique qui vient de germer… approchez le micro !). C'est que en fait c'est l'ignorance qui te pousse à la violence (c'est fort !). Moi à mon avis l'ignorance c'est parce que tu ne veux pas comprendre [*sur un ton pontifiant*] T'as deux formes d'ignorance, donc t'as deux formes de violence. Enfin moi c'est ce que je pense… je pense [*rires*]. Et moi, je te dis donc, si je savais moi par exemple, si je connaissais le gars, si je connaissais les raisons qui le poussent à être comme ça, je ne recourrais pas à la violence. Mais dans la mesure où je l'ignore et dans la mesure où je ne sais pas jusqu'où lui il peut aller, plutôt que d'éviter passivement un coup qu'il va me donner parce que bon il peut arriver à ces extrémités là, et ne pas lui en donner un, et plutôt continuer à le raisonner, et bien je préfère me protéger moi-même en partant du principe que une trempe ça n'a jamais fait de mal à personne. Ça c'est un peu trivial comme conclusion mais c'est ça tu vois. Maintenant que j'aborde une certaine forme de philosophie qui est entre autres le bouddhisme, je m'aperçois que le fait qu'une certaine trempe n'a jamais fait de mal à personne peut quand même porter à conséquences. Tes actes violents qu'ils soient « verbals » ou physiques influent sur la personne envers qui c'est dirigé. Moi je pense mais enfin bon, je n'en suis pas persuadé je suis en train d'étudier la chose mais le fait de traiter quelqu'un de con, déjà on envoie une certaine… – pas des ondes, tu sais, parce que ça fait un peu guérisseur –, mais c'est néfaste tu vois pour lui. Et ça le confortera tu vois dans son idée que… Ça l'aidera pas… Moi, maintenant, je me suis souvent confronté par exemple à Valérie qui a vécu avec moi pendant deux ans et qui, elle, prônait évidemment toutes ces idées pacifistes. Moi j'étais beaucoup plus radical dans mes rapports avec les gens. C'est-à-dire que l'autre, il porte la main sur moi, c'est bon, je l'asmate par terre [*vers le micro*] – asmater égale frapper – alors que, Valérie, elle prônait le pacifisme. Maintenant on s'est souvent heurtés dans nos discussions parce que justement on abordait certaines anecdotes qui se passaient durant mon travail et sur la façon de les résoudre. (…) Si quelqu'un propose une solution pacifique à un problème, à un type, par exemple, qui m'agresse je suis prêt à l'adopter, si elle fonctionne. Moi, maintenant j'en suis arrivé au point que, si je peux éviter la violence, autant l'éviter le plus possible, puisque de toute façon, ça c'est pas nouveau, le proverbe qui dit, « la violence appelle la violence ». C'est-à-dire que si tu prends l'exemple des extrémistes de droite, eh ben, ils descendent dans la rue et ils vont casser du nègre. Qu'est-ce qu'ils font « les nègres », comme ils disent, eh ben ils vont se venger. Et moi c'est le problème que j'ai eu. C'est-à-dire que moi j'étais dans un bar pédé où certains homosexuels ont un look plus ou moins extrémistes de droite, c'est-à-dire skin, crâne rasé, bombers, rangers et tout, mais qui en fait totalement n'ont rien à voir, finalement, puisque il est rare qu'on soit homosexuel et extrémiste de droite, n'est-ce pas. Bien que ça arrive ! j'ai les noms ! Et donc, eux étaient venus dans mon bar pour casser ce genre de gaillards parce que 15 jours avant il y avait plusieurs skins qui étaient descendus qui avaient tué deux des leurs. Alors effectivement, tu t'aperçois que ça n'en finit plus. Et que finalement un pauvre gars comme moi qui n'a absolument rien à voir avec leurs histoires et qui se trouve au milieu de tous leurs démêlés, finalement peut se fâcher très fort et puis prendre ça mal. Et finalement la violence se répercute automatiquement sur quelqu'un mais pas forcément sur ceux qui l'ont provoquée. Alors c'est là le boxon, tu vois, finalement. C'est-à-dire que toi tu passes, t'es tranquillement dans la rue, t'as les cheveux un petit peu courts. Sous prétexte qu'il y a un noir qui s'est fait agresser par des types aux crânes rasés, t'en as dix qui passent, t'es sur le trottoir tranquillement, en train de rentrer de l'école, et puis tu te fais agresser par dix noirs qui te traitent de sale facho alors que toi t'as absolument rien à voir avec tout ça.

— *Tu dis souvent en fait que les gens qui ne savent pas ou…*

Antoine — Je dis souvent « nègre » [*rires*].

— *Tu dis souvent « bordel » aussi.*

Antoine — Ouais [*rires*].

— *Non mais tu dis souvent qu'ils ne savent pas ou qu'ils ne veulent pas, parce que tu aimes mieux pas trancher, c'est ça ?*

Antoine — Non ce n'est pas que je ne veux pas trancher, c'est que je sais pas. C'est que les personnalités sont tellement différentes que je ne me hasarderai pas à faire une généralité sur un fait. Sur le fait que t'as deux types, par exemple, qui sont l'un à côté de l'autre. T'as deux gars différents, deux gars qui viennent les emmerder et bien t'as deux coups de poings qui partent, des deux gars, tu vois… (C'est assez compliqué comme exemple ça, faut suivre !) [*rires*] Ça fume !… Enfin bon, t'as deux bagarres qui se déclenchent t'en as un qui aura une autre raison que l'autre, à la fin de la bagarre tu les interviewes, t'en a un qui te donnera une autre raison que l'autre tu vois. Pourquoi il a déclenché cette bagarre là, pourquoi il a commencé. Il te dira, oh ben, je sais pas parce que l'autre puait, et puis parce que l'autre m'a injurié, tu vois, je sais pas, des conneries comme ça.

— *En fait pour finir… maintenant tu vas arrêter d'être videur ou pas ?*

Antoine — Oui, oui.

— *En fait tu vas arrêter et tu vas faire quoi comme boulot ?*
Antoine — Je vais me lancer dans la mode.
— *Tu vas travailler avec Jean-Paul Gauthier...*
Antoine — [*rires*] Oui, j'aimerai bien oui [*rires*].
— *Tù veux faire ton boulot et laisser tomber videur ?*
Antoine — Petit à petit oui. Par étapes. Là j'en ai encore besoin ; financièrement parlant. Mais une fois que je serai bien lancé sur une autre voie. Maintenant je suis assez raisonnable pour ne pas lâcher un travail et en attendre un autre pendant six mois ou en chercher un autre.
— *Pourquoi tu dis « maintenant » ?*
Antoine — Parce que avant sur impulsion, par fierté, tu vois ce que je veux dire, j'ai lâché certains boulots, ce qui m'a mis dans la merde.
— *Et pourquoi ? parce que les gens étaient désagréables ?*
Antoine — Parce que j'estimais que les gens étaient pas corrects, parce qu'ils ne correspondaient pas du tout à mes convictions, à ma façon de travailler, parce qu'ils n'avaient pas du tout les mêmes principes que moi.

Ces valeurs qui se perdent

— *Par exemple ?*
Antoine — Ben disons que moi je marche surtout avec des principes, des principes moraux je trouve que c'est important les valeurs et principes, ce qui se perd totalement avec la société moderne. Comme je te disais l'autre fois, je ne sais pas, cher maître, si tu te souviens, mais... moi, je vois que la principale perte de ces valeurs et de ces principes, c'est le matérialisme, l'argent. Et justement c'est... c'est la perte de ces valeurs et de ces principes, me répétais-je...
— *C'est ça qui te choque...*
Antoine — Ça influe souvent sur certaines réactions et ça implique une certaine violence. Par exemple des gens pour de l'argent iraient tuer. Tu leur demandes. T'as qu'à te promener avec un micro dans la rue. Il y en a qui vendraient leur mère pour de l'argent.
— *Mais, par exemple, dans les boulots, qu'est-ce qui est arrivé, des trucs qui t'ont choqué qui t'ont poussé à partir ?*
Antoine — Oh c'était simplement, c'était plus des trucs personnels entre moi et des patrons... Certaines...

— *Oui, même leur façon de te parler ?*

Antoine — Le non respect, voilà c'est ça. Le non respect de l'employé. On te considère comme de la merde. Je trouve que c'est quand même important même si tu ne travailles pas avec… Mais même le respect tu vois ça fait partie de ces valeurs qui se perdent. Bon évidemment, quand tu entends parler comme ça on te dis, ouais, tu réagis comme un vieux con. Tu vois c'est ça maintenant. C'est parce que vieux con, ça veut dire dépassé, ça veut dire plus dans le coup. Ça veut dire ce que ça veut dire. C'est-à-dire maintenant c'est la dérive quoi, on a perdu tout ça. Alors qu'avant c'est vrai qu'il y avait certaines valeurs qui, des principes qui étaient beaucoup trop stricts. Comme ne pas consommer avant le mariage, comme tu vois des choses comme ça, je prends des exemples qui me viennent comme ça. Mais bon, ça c'est adouci. Mais on les a tellement adoucis que finalement on les a perdus. Maintenant t'as qu'à voir certaines personnes, leur comportement est simplement… est influencé simplement par l'appât du gain.

novembre 1991

Charles Soulié

Un succès compromettant

Cheveux en brosse, petit sac à dos violet, une certaine tristesse sur le visage, telle m'est apparue Corinne, dans le café, proche de la gare Montparnasse, où s'est déroulé l'entretien. Agée de 32 ans, elle est institutrice dans un des quartiers les plus déshérités de la périphérie de Z., une petite ville de province de 50 000 habitants. La rapidité surprenante avec laquelle elle s'est confiée est sans doute due au fait que j'avais été introduit par sa sœur et que j'étais dans une situation sociale semblable à la sienne, ce qui a pu favoriser une forme de transfert. J'ai d'ailleurs moi-même été rapidement pris de sympathie pour elle.

Ses parents sont fermiers sur une exploitation de 75 hectares, taille relativement modeste pour la région, située aux confins de la Beauce et du Perche. A la suite d'une longue série de revers, ils se sont retrouvés surendettés, placés sous la tutelle d'un comptable, et obligés d'exercer une activité supplémentaire pour vivre « décemment » (le père de Corinne, depuis quatre ans, conduit un car de ramassage scolaire). Selon une des sœurs de Corinne, avec qui j'ai longuement parlé, ils ont le sentiment d'avoir été « floués », d'être « dépossédés » et de ne plus pouvoir, comme auparavant, exhiber cette « fierté d'être paysans » qu'ils avaient héritée des générations précédentes. Leur malaise est encore accentué par une crise familiale survenue à l'occasion de la succession des grands-parents : second fils d'une famille de dix enfants, le père de Corinne est resté dans l'agriculture comme quatre de ses frères et sœurs, mais il s'est trouvé le plus mal loti de tous dans l'héritage. Et surtout, alors qu'il était bon élève, il a dû quitter très tôt l'école pour travailler sur l'exploitation paternelle et il ne peut se défaire du sentiment d'avoir été sacrifié pour permettre à son père de faire prospérer son exploitation et aux cadets de faire des études ; sentiment attisé en permanence par la comparaison entre sa propre situation d'agriculteur en difficulté et celle de ses frères et sœurs plus jeunes (deux de ses frères cadets sont devenus médecins, un troisième est pilote d'avion à réaction et instructeur dans l'armée de l'air, une de ses sœurs est assistante sociale) et surtout par leur attitude à son égard qui ne manifeste ni gratitude ni solidarité.

Corinne et ses deux sœurs ont fait des études bien que leurs parents, déçus de n'avoir pas eu de fils, ne les y aient guère poussées. Corinne a intégré sans enthousiasme une école normale d'instituteurs après son baccalauréat, une de ses sœurs, après un bac G, puis des études d'infirmière abandonnées, fait à présent « des petits boulots » mal payés ; seule la dernière semble n'avoir pas connu dans ses études les mêmes hésitations et les mêmes difficultés matérielles et psychologiques que ses deux aînées : après une licence de sociologie, elle prépare actuellement une thèse de 3e cycle qui lui permet de réfléchir sur les difficultés du monde agricole exprimées par les manifestations paysannes.

Au moment de l'entretien, Corinne bénéficie d'un congé annuel de formation qui lui permet de préparer une licence de psychologie, afin de « faire autre chose » (elle rêverait de devenir psychanalyste) : malgré ou peut-être à cause de l'investissement total qu'il exige d'elle, elle se sent finalement mal à l'aise dans ce métier d'institutrice, qu'elle exerce dans une école accueillant des enfants de familles très déshéritées.

Le quartier où se trouve son école sur un site que contournent les grandes voies de communication, était à l'origine une cité d'urgence destinée à reloger « provisoirement » les habitants de la basse ville expulsés du centre historique vers la périphérie à la suite d'une opération de rénovation urbaine. Devenu zone de relégation dans laquelle l'office de HLM qui gère la cité de transit transfère tous ses mauvais payeurs et toutes les familles « au bout du rouleau », ce quartier exerce, selon bon nombre d'informateurs, un « effet délétère » sur tous les nouveaux arrivants, « des gens [*qu'on a vu*] tomber, qu'on a connus ailleurs vivant normalement, mariés, avec des enfants ». La majorité des habitants, français pour les trois quarts, est sans travail et vit du RMI, du chômage, des allocations familiales (les familles nombreuses sont courantes) ou parfois même de vols. Corinne évoque d'ailleurs ces familles qui ont toujours un des leurs en prison et qu'on remarque à leur aisance matérielle exceptionnelle, des enfants portant « des joggings de marque », des « chaussures toujours du dernier cri, pas ce qui s'achète en grande surface ». Familles aux relations de parenté souvent compliquées, « déstructurées » par des « séparations successives », dont les enfants peuvent être « à la fois cousins et frères ».

Les problèmes économiques et familiaux qui sont ainsi concentrés dans le même espace se répercutent au niveau de l'école où Corinne s'est trouvée affrontée à des réactions de rejet de la part des familles : « C'est très difficile les rapports avec la famille… Par exemple, quand je suis arrivée dans l'école, à la limite, l'école représentait tout ce que eux rejetaient. Les familles rejetaient l'école, les enfants rejetaient l'école, il y avait des graffiti partout. La façon dont ils parlaient des enseignants, l'école c'était de la merde, enfin. C'était comme si l'école ne faisait pas partie de leur monde… »

Avec une partie de ses collègues, jeunes enseignants comme elle, Corinne a tenté de faire face à cette situation. Diverses actions ont été entreprises : soutien scolaire renforcé qui incombe plus particulièrement à Corinne, institutrice spécialisée dans cette école classée en Zone d'éducation prioritaire (ZEP), participation de l'école à l'opération de rénovation urbaine du quartier : les enfants ont fabriqué des petits tableaux en céramique peinte qui ont été apposés dans toutes les cages d'escalier de la cité, une salle de judo a été créée et surtout les enseignants ont tenté d'ouvrir l'école sur le quartier afin de permettre aux parents d'y entrer et de commencer à s'intéresser à ce qu'y font leurs enfants. L'effet le plus tangible de ces actions a été que les enseignants peuvent désormais garer leurs voitures dans la cité sans crainte de les retrouver fracturées, mais les résultats scolaires des enfants restent très décevants (des 12 enfants passés en sixième l'an dernier, aucun, à l'exception d'une fille, n'a réussi à être admis en classe de cinquième). Corinne met en cause, pour expliquer cet échec, le manque de motivation de certains des membres de l'équipe enseignante plutôt que le milieu social et culturel particulièrement défavorisé des élèves.

L'inertie de certains de ses collègues lui pèse (« si ça évolue pas dans la tête de l'enseignant, ça peut pas évoluer dans la tête des gamins »), et elle s'en prend tout particulièrement à l'attitude de l'un d'entre eux, une femme manifestement issue d'un milieu favorisé, qui n'est pas passée par l'école normale comme les autres et ne partage ni leur conception du rôle professionnel de l'instituteur, ni leur dévouement aux enfants ni leur investissement de tous les instants dans l'école, indispensable, selon Corinne, pour réussir avec des enfants culturellement si démunis. L'expérience personnelle de Corinne, celle d'une forme de privation culturelle, la prédispose à s'identifier à ces enfants en situation d'échec et elle ne peut se résigner à l'idée que les enfants de ces déshérités échouent à l'école, dans son école, et connaissent le même destin que leurs parents simplement parce qu'ils sont « nés quelque part », qu'« ils se sentent complètement en dehors et en marge » et que, comme elle dit encore, « ils n'ont aucun avenir dans leur tête » ; contrairement à beaucoup d'enseignants résignés, elle accepte mal que « l'école fonctionne bien pour les gamins qui n'ont pas de problèmes » et se désintéresse des autres, « les 20 % tolérés d'échec au bac ». Elle veut croire en l'efficacité d'une pédagogie spécialement destinée à ces enfants, bien qu'elle perçoive les risques d'une prise en charge éducative poussée qui, tout comme pour les assistantes sociales, parfois perçues dans les milieux populaires comme de véritables « voleuses d'enfants », aurait pour effet de transférer de la famille à l'école les responsabilités éducatives et d'en déposséder les familles.

Corinne ne ressentirait pas de manière aussi aiguë toutes les difficultés et les contradictions inhérentes à son activité professionnelle si le malaise que lui renvoie l'institution scolaire ne lui rappelait continuellement son propre malaise, d'origine familiale : elle supporte mal la rupture qui s'est objectivement installée, malgré elle, entre elle et ses parents ; depuis qu'elle s'est socialement éloignée d'eux, elle sent qu'une « différence se creuse » entre eux, douloureuse pour tous, qui agit sur elle comme un frein permanent : « j'ai l'impression qu'il faut que j'aille doucement, si on peut dire... pour...euh, pour réussir. » L'éventualité d'un reniement social lui est d'autant plus douloureuse qu'elle appartient déjà à l'histoire familiale du père de Corinne qui ne se remet pas d'avoir été en quelque sorte trahi et socialement rejeté par ses frères et sœurs. Ainsi s'explique, sans doute, qu'elle ait plus ou moins consciemment limité ses études à l'apprentissage du métier d'institutrice, acceptable pour ses parents : « J'avais très envie d'aller en fac, mais j'étais coincée déjà, euh (...) Et puis vu notre origine, si on peut dire paysanne, c'était pas déplaisant par rapport à la famille que je sois institutrice, c'était bien, symboliquement, pour mes parents, c'était important et matériellement aussi, je crois que ça a été important aussi, sinon je sais pas si j'aurais continué. »

Aujourd'hui, Corinne est convaincue de la nécessité pour elle de quitter un jour ce métier décevant où l'« on se sent un grain de sable » et qui est frappé par une véritable crise collective (sur les cinq enseignants de son école, ils sont trois à avoir repris des études ou à songer le faire). Elle attend de la licence de psychologie qu'elle l'aide à analyser et à formuler son malaise, mais surtout qu'elle lui ouvre la possibilité, interdite à une simple institutrice dont le diplôme professionnel n'est « absolument pas reconnu au-dehors », de faire un jour autre chose. Mais sa résolution est comme retenue par le même frein, la même inhibition que jadis, lors de sa première période d'études : elle retrouve en faculté les problèmes qu'elle a connus alors, dans les relations avec les autres étudiants, et surtout dans le rapport avec la langue scolaire qu'elle comprend parfaitement mais ne parvient pas à réutiliser et à s'approprier personnellement, comme si elle ne pouvait passer outre à une sorte d'interdit paternel intériorisé, et qu'elle craignait, exactement comme autrefois, de trahir son père à son tour : « J'ai l'impression que si je m'approprie aussi le vocabulaire, je passe de l'autre côté, enfin je sais pas, je sais pas comment expliquer. » Cette forme de paralysie la maintient dans une position intenable, aux limites de deux mondes inconciliables : « j'arrive pas vraiment pour l'instant à me situer, bon, dans l'un et dans l'autre. Et à la fois je peux avoir des aspirations vers l'un sans pour autant rejeter l'autre, et je me sens pas vraiment à l'aise ni dans l'un, ni dans l'autre ».

avec une institutrice chargée d'enfants déshérités

— entretien de Charles Soulié

« J'ai l'impression qu'il faut que j'aille doucement »

[...]

— Vous vivez mal la situation où vous êtes et vous avez envie de changer, non ?

Corinne — Oui, en fait, moi j'arrive pas... Alors je sais pas si c'est lié à moi, parce que moi aussi je change personnellement, on arrive pas à obtenir des résultats comme on aimerait en avoir avec les enfants. Je me dis, pour l'instant je tiens le coup, mais il faut peut-être trop donner de soi et je serai peut-être pas toujours disponible pour donner aux autres. Et je me dis, le jour où j'en aurai plus envie, il faut que je fasse autre chose, il faut pas que je vienne sans avoir envie

— Vous ne voulez pas faire comme vos collègues ? [Rires.]

Corinne — Voilà. C'est-à-dire jusque-là, quand je me lève le matin, je suis à peu près contente d'aller à l'école. Je me dis que le jour où j'en aurai plus envie, il faut que je puisse faire autre chose. Et, en général, quand on est instit, on peut pas faire autre chose si on reprend pas les études, parce que c'est absolument pas reconnu en dehors, donc si on se présente en disant comme ça, je suis instit, je veux faire autre chose, on nous rit au nez et puis voilà quoi. [...]

On a l'impression d'être un grain de sable

— Mais pour en revenir à la démotivation de vos collègues, vous n'avez pas d'hypothèses ?

Corinne — Il y en a quand même qui sont déçus, c'est-à-dire déçus par rapport aux résultats qu'ils obtiennent avec les enfants d'une certaine façon.

— C'est leur impuissance plutôt ?

Corinne — Oui, moi je me sens impuissante... J'ai l'impression que, enfin je sais pas [*rires*]. Enfin il était temps que je sorte de l'école parce que... J'avais besoin de prendre du recul [*rires*]. Non, mais je sais pas, on a l'impression d'être un grain de sable, donc euh, de ne pas avoir un grand pouvoir. (...) Il y a tout à faire.

— *Et avec une véritable équipe, vous seriez plus efficaces ?*

Corinne — Ouais, même si il y a quand même... Après je pense plus efficaces pour certains enfants, mais il y en a d'autres pour qui...

— *Mais le problème ne réside-t-il pas avant tout dans la population que vous avez, dans ces familles ?*

Corinne — Mais c'est très difficile les rapports avec la famille parce que à la fois ils ont... Enfin par exemple quand je suis arrivée dans l'école, à la limite l'école représentait tout ce que eux rejetaient. Les familles rejetaient l'école, les enfants rejetaient l'école, il y avait des graffiti partout. La façon dont ils parlaient des enseignants, l'école c'était de la merde enfin. C'était comme si l'école ne faisait pas partie de leur monde... (...) Parce que pour eux, c'était une façon de marquer leur échec, enfin je sais pas, ça leur renvoyait. Enfin je sais pas, mais nous on l'a perçu comme ça. Ils sentent très bien qu'ils n'ont pas réussi, ils peuvent pas forcément aider l'enfant. Il y a plusieurs parents qui ne savent pas dans quelle classe est leur enfant, enfin ça peut paraître aberrant, ils savent que c'est avec tel maître, mais ils savent pas à quel niveau ça correspond. On a l'impression parfois que l'école est tellement éloignée de ces gens-là que, quand on en parle aux gens, ça paraît aberrant. Il y a plein de gens qui nous disent, « vous exagérez, vous grossissez les choses ». Mais non, c'est pas ça. Alors ce qu'on a essayé, c'était de leur permettre de revenir à l'école et d'avoir un autre regard sur l'école et de se situer par rapport à ça, qu'ils aient moins d'appréhensions. C'est plus un travail social, et je pense qu'à ce niveau-là on a réussi. Mais là où on est encore complètement, je dirais pas complètement hors-jeu, mais où on réussit pas vraiment, c'est que les gamins pour l'instant au niveau connaissance, au niveau acquisition scolaire proprement dit, euh bon, sont... sont encore relativement moyens, mais c'est vrai aussi qu'on peut pas changer ça en un an. Disons l'année dernière, on se disait qu'il y en aurait peut-être un peu plus qui réussiraient, bon, pour l'instant, sur une année, au niveau scolaire, ça n'a pas vraiment porté ses fruits. Par contre, on peut dire que ça a apporté dans d'autres domaines. C'est-à-dire par rapport au regard sur l'école, ça oui. A la limite, si ils vont nous croiser dans la rue, ils ne vont plus nous cracher dessus comme ils le faisaient avant quoi.

— *Pourtant ils aimeraient bien que leurs enfants réussissent non ? Ça veut dire quoi pour eux ?*
Corinne — Pour eux ? Ça veut dire qu'ils veulent que l'enfant travaille à l'école, donc euh… C'est très difficile, parce que en fait, à la fois ils ont envie et, à la fois, ils reproduisent. Ils reproduisent une attitude qui, à la limite, met l'enfant en échec. C'est-à-dire, ils vont avoir envie que l'enfant travaille, mais il va prendre des baffes s'il n'arrive pas à travailler. Euh, si l'enfant il n'arrive pas à travailler et si il prend des baffes, c'est plus difficile de travailler. […]

On vous les ramène meilleurs

Corinne — Je me demande parfois si c'est moi, ou si c'est l'institution qui pose problème par rapport à… Parce que, des fois, j'ai l'impression en fait que… que l'école fonctionne bien pour les gamins qui n'ont pas de problèmes quoi… Mais que pour les 20 % tolérés d'échec au bac, ben, ceux-là ils peuvent rester 20 % quoi, c'est pas grave. C'est-à-dire il faut 80 % de réussite et 20 % c'est pas grave, il y a 20 %…
— *Oui, c'est comme les accidents de la route…*
Corinne — Voilà oui, on se donne droit à 20 %, donc euh… Le problème c'est que quand on travaille que dans les 20 % [*voix tremblante et rires*], c'est assez euh…
— *Ça n'irait pas mieux avec des élèves d'origine favorisée ?*
Corinne — [*Silence*.] Oui, oui… Oui, mais je pense qu'on a pas les possibilités, ou les moyens, ou alors est-ce que c'est indépendant de l'école, je sais pas, mais d'aider ceux-là quoi. Il y a sûrement des carences au niveau du milieu, il y a aussi des carences au niveau de ce que l'école propose.
— *En ce sens, vous pensez que l'école peut mieux faire ?*
Corinne — Elle peut sûrement faire plus. Il faudrait changer pas mal de choses au niveau du fonctionnement [*silence*], enfin je sais pas. Moi, j'ai un collègue qui est parti trois semaines en classe de neige. Les enfants l'ont préparé, enfin ont préparé le séjour, ça a été pris en charge par les enfants, c'est pas la classe de neige plaquée, pendant trois semaines on part faire du ski. Et puis, pendant trois semaines, ça a été formidable, les enfants avaient fait un bond en avant. Ils sont revenus dans leur milieu, dans l'école, dans les murs, dans tout ce qu'on veut, trois jours après… Ça veut pas

dire qu'il faut enlever, sortir les enfants de leur milieu, mais, ce que je veux dire, c'est qu'il y a des possibilités. Lesquelles ? je sais pas. On va pas non plus être les bons, entre guillemets, qui enlèvent les enfants aux gens en difficulté pour dire, « on vous les ramène meilleurs ».

— *Faire du sauvetage malgré eux, quoi : vous savez pas vous occuper de vos enfants, donc on va vous les prendre et on vous les ramènera propres, bien, cultivés, etc.*

Corinne — C'est pas du tout ça, c'est pas du tout dans cette optique-là que… Et je le vois mais…

Moi, je sais que j'ai du mal

— *Mais si ils réussissent, ils vont se trouver dans une drôle de situation par rapport à leurs parents, non ?*

Corinne — Non mais je la connais bien cette situation [*rires*].

— *Vous même, personnellement, vous voulez dire ?*

Corinne — Oui c'est difficile, c'est très difficile…

— *Parce que c'est le problème du déclassement que vous évoquez là ?*

Corinne — Moi, je sais que j'ai du mal [*silence*].

— *Par rapport à vos parents ?*

Corinne — Oui.

— *Et vous pouvez décrire comment ça se passe concrètement ça ? Là vous imitiez une balance avec vos deux mains, ça veut dire quoi ça ?*

Corinne — [*Silence*.] Euh… J'ai l'impression qu'il faut que j'aille doucement, si on peut dire… Pour euh, pour réussir, euh. Par rapport aux gens qui sont à la fac, par exemple, j'ai beaucoup de problèmes d'élocution, je m'exprime mal, bon… A la limite je comprends, je n'ai pas de problèmes de compréhension, mais pour réutiliser euh… le vocabulaire, ça me pose problème. Des problèmes aussi bien dans ma relation avec les gens, qu'au niveau du contenu de la fac. Je vois, par exemple, ne serait-ce qu'au niveau du contenu des cours de psycho, j'ai vraiment aucun problème pour comprendre ce qui peut se passer au niveau du fonctionnement, mais c'est quand il faut que je le réutilise, j'ai l'impression que je résiste, que je bloque et que c'est quand même lié par rapport à mes parents et que, à la limite, il faudrait… Il y a une différence qui se creuse par rapport à eux et moi, et j'ai pas forcément envie de… de l'agrandir encore, donc je ne sais pas, c'est difficile à expliquer. Mais bon, et c'est flagrant, par exemple, avec Sylvie [*la benjamine qui fait une thèse*] et puis mon autre sœur [*qui est femme au foyer et qui n'a pas fait d'études*], c'est-à-dire euh, j'ai pas grand-chose à dire à mon autre sœur, celle qui est mariée, alors que je pourrais être plus proche d'elle puisqu'on a des gamins qui ont le même âge, enfin bon. Et alors qu'avec Sylvie ça se passe mieux, et puis, il y a des fois, Sylvie, je la sens très loin par rapport à moi à ce niveau-là, et je rejette un peu aussi.

— *Très loin par le côté intellectuel, vous voulez dire ?*

Corinne — Et je rejette aussi un peu ce côté intellectuel. J'arrive pas vraiment pour l'instant à me situer, bon, dans l'un et dans l'autre. Et, à la fois, je peux avoir des aspirations vers l'un, sans pour autant rejeter l'autre, et je me sens pas vraiment à l'aise ni avec l'un ni avec l'autre.

— *Et à l'Université ça se passe comment ? Vous avez du mal à reproduire la langue scolaire, c'est ça ?*

Corinne — Oui, à rentrer au niveau du langage en fait, au niveau du… [*silence*]. J'ai l'impression que si je m'approprie aussi le vocabulaire, je passe de l'autre côté, enfin je sais pas, je sais pas comment expliquer.

— *Et vos parents, ils perçoivent ça aussi, ou est-ce que ça vous concerne vous seulement ?*

Corinne — Non, je crois que eux s'en aperçoivent quand même. Je crois que, d'une certaine façon, ils doivent avoir l'impression de ne pas trop savoir ce qu'on vit entre guillemets et je sais qu'il n'y a pas très très longtemps ma mère m'a dit, « mais au fait, qu'est-ce que tu fais vraiment à la fac ? »

— *Qu'est-ce qu'elle voulait dire cette question ?*

Corinne — Elle savait pas vraiment ce que je faisais et je crois qu'elle a pas compris pourquoi j'ai envie de faire des études, elle trouve que j'ai un métier, que j'ai un logement que, bon à la limite, j'ai une situation… Elle savait pas le contenu de ce que je faisais et puis bon, elle a du mal à comprendre pourquoi j'ai envie de faire autre chose.

[…]

1991

Emmanuel Bourdieu

L'esprit de contradiction

Frédéric a 19 ans. Ses parents, qu'il qualifie de « petits-bourgeois », vivent à Neuilly : son père est ingénieur EDF, sa mère ne travaille pas. Ils sont abonnés au *Monde* et se situent, politiquement, à gauche : le père de Frédéric a même milité au parti socialiste. D'un caractère très froid, ombrageux à l'excès, Frédéric a toujours représenté pour ses parents un « cas », cause de multiples déboires familiaux. Au moment de l'interview, il entre en terminale B, après avoir redoublé sa quatrième et sa seconde. Il suit la classe d'un cours privé de Neuilly, où se trouvent beaucoup de fils de bonne famille, proches de l'extrême droite, royaliste ou Front national. Son redoublement en seconde coïncide avec son entrée au FNJ [Front National Jeunesse], section de Neuilly. Peu après, en pleine année scolaire, il est victime d'un accident de mobylette, dans lequel il est gravement blessé à l'œil gauche ; pendant deux ans, défiguré, il ne va plus en cours ; aujourd'hui, son œil gauche demeure handicapé et le gêne beaucoup. Il a de très fréquentes et violentes altercations avec son père. Ils ne se parlent presque plus.

Interrogé en tant que représentant de la jeunesse d'extrême droite, par le frère d'un ami certes, mais qu'il sait appartenir au monde *a priori* hostile de la culture universitaire de gauche, Frédéric ne peut qu'être sur la défensive et, pour ainsi dire, en représentation. De sorte que toute tentative d'analyse rencontre un problème méthodologique préalable : comment interpréter les propos d'un interlocuteur qui, de son propre aveu, conçoit le dialogue en termes de stratégie rhétorique ? Comment tirer une vérité sociologique quelconque d'un discours qui peut très bien n'être qu'une reconstruction fictive de la vérité, adaptée aux exigences et aux normes présumées de l'interviewer et enjolivée par la censure de positions inavouables et la dissimulation pudique de la souffrance personnelle ?

Quand on demande à Frédéric quels arguments il emploie pour obtenir de nouvelles adhésions, il répond : « Ça dépend des personnes avec qui je suis. » Par ailleurs, il semble identifier culture et rhétorique, formation et entraînement oratoire : à l'en croire, sa seule raison véritable d'adhérer au Front, était l'espoir de participer à une Université d'été, où il apprendrait, pour l'essentiel, à « parler aux médias » ; un grand homme, c'est un grand orateur ; Frédéric va jusqu'à développer une sorte d'esthétisme politique, inspiré des phrases incisives et « qui font mal » de Drieu La Rochelle, et fondé sur le « paradoxe » et la provocation.

Cela dit, d'une part, la rhétorique n'est pas sans faille, le discours de Frédéric échappe parfois à l'emprise de la censure et de la composition ; d'autre part, s'il est constamment en représentation, les personnages qu'il se donne ne sont jamais entièrement faux et, surtout, il leur arrive de se contredire de telle manière qu'ils reproduisent, dans la représentation même, les tensions et les contradictions réelles et profondes d'un adolescent en conflit avec son père, et partagé entre une adhésion à la fois provocatrice et enthousiaste au mouvement et une vision désenchantée de la vie politique : Frédéric se fait, tour à tour, militant exemplaire qui, d'un ton martial, répond comme il faut, et seulement quand il le faut, aux questions qu'on lui pose, dilettante, désabusé, qui ne croit plus trop à ce qu'il fait et se moque des illusions des « mythos », autant que de leur arrogance de petits soldats d'opérette « qui parlent des choses qu'ils ne font pas », simple colleur d'affiche, enfin, homme de terrain, se contentant modestement des tâches terre à terre du militant de base et allant jusqu'à contester sa propre représentativité et, par là, la légitimité même de l'entretien.

L'instabilité de la personnalité de Frédéric trouve son reflet dans les conflits qui opposent ces différents personnages : le désenchanté reproche aux deux autres leur adhésion irréfléchie, leur investissement total dans une vie politique livrée aux mains des arrivistes et aux tromperies des dirigeants (Le Pen lui-même a trahi sa base, en ne s'opposant pas à Saddam Hussein) ; il méprise la contribution purement technique du colleur du FNJ, une « corvée », dont « on a (...) vite fait le tour » et qui « est à la portée du premier venu » ; le militant de base est « bête », il ne se rend pas compte que les cadres du FN et les vrais militants « qui ne se montrent pas, jamais », le traitent comme « de la main-d'œuvre » (« dès qu'il faut des affiches, on nous appelle, sinon rien »).

Quant au militant loyal, idéologue au petit pied des permanences de quartier, enferré dans un « mouvement », un « appareil », une « cour », aveuglé par le

« culte » qu'il voue à Jean-Marie Le Pen, il ne fait que recenser de « petites informations », véhiculées par *National Hebdo* (« Madame Machin s'est fait agresser par Ahmed Machin truc »), ou, dans le meilleur des cas, rabâcher des « thèmes bateaux » dont il n'est pas l'auteur. A l'enthousiasme naïf des nouveaux venus, le désenchanté oppose le primat de la « formation » sur l'action immédiate : « Le militantisme c'est bien, mais on n'a pas de formation. » Enfin, le désenchanté a sa rhétorique propre : il cultive le paradoxe (« j'aime bien contredire ») et un refroidissement systématique de l'expression : à propos de l'Université d'été du FNJ, il se dit « très vivement intéressé », puis il rectifie : « Non, "très vivement", peut-être pas. "Intéressé" et, de nouveau, une phrase plus loin, il se reprend, en évoquant sa surprise et son enthousiasme : « j'avais encore jamais vu l'ampleur, l'"ampleur" je ne sais pas, mais… »

Mais, ailleurs, Frédéric semble se contredire : « ce n'est pas avec un seul collage d'affiches qu'on peut savoir ce que c'est ». La fascination de ses débuts pour le travail du militant de base, s'investissant corps et âme dans une action politique concrète et parfois risquée, n'est pas entièrement réprimée par le pessimisme qu'il affiche par ailleurs : il regrette l'esprit et la rigueur des premiers collages, ceux où, conciliant camaraderie et efficacité, après avoir bien ri dans la camionnette, on agissait, dans la rue, vite et en silence. Sortir coller la nuit, comme on va à l'aventure, reste, dans son esprit, le paradigme de l'engagement politique effectif, par opposition au pantouflage des permanents de parti, mais aussi des « mythos » qui déploient toute leur énergie dans des « parades » inutiles et grotesques : « Quand on est dans la camionnette, il faut dire qu'on rigole bien, c'est très enthousiasmant. »

Le personnage du colleur est à la fois romantique et modeste ; il s'efface devant l'arrogance de l'idéologue local, lui cède la parole, reconnaissant ses propres limites et son incompétence en matière d'idées : s'il écrit, c'est sur des questions techniques ou administratives, « la construction du local à Versailles », « le matériel qu'on a reçu » ; mais il avoue n'être « pas encore apte à faire des articles de fond » et « laiss(er) cela à d'autres qui sont plus forts que lui ». Cela dit, son rapport aux « théoriciens » est très ambivalent : il a son « (mot) à dire » et surtout il tend à considérer les débats idéologiques comme de simples prétextes servant aux arrivistes et aux « mythos » du parti à grimper dans la hiérarchie aux dépens les uns des autres, sans jamais descendre dans la rue. Bref, le paradigme de l'engagement effectif prend le pas sur celui de la réflexion et de la critique méfiante, voire désabusée.

Mais, dès qu'on aborde des questions répertoriées comme politiques, le discours ordinaire et contrôlé du militant exemplaire reprend le dessus : l'appel à la réclusion des sidaïques, « pour les faire réfléchir », la dénonciation « du grand soulèvement » à venir des Maghrébins en France sont défendus, chiffres formels à l'appui (« il va y avoir un trou dans la pyramide des âges ») et à coups d'arguments d'école (« les mettre dehors (...) pour supprimer les ghettos ») ; Frédéric annonce qu'il pourrait aussi bien développer n'importe quel autre « thème bateau », la sécurité, le mode de scrutin, comme pour exhiber une virtuosité oratoire peu ordinaire. Surtout, il s'en tient aux seuls sujets autorisés, exerçant sur lui-même la censure de l'appareil ; dès qu'on sort des chemins battus du débat politique habituel, les réponses de Frédéric se vident de tout contenu, il se borne à reprendre vaguement le contenu des questions, sur le mode de la tautologie.

Parfois, le discours publiable dérape dans l'impubliable, mais il est aussitôt rattrapé, atténué : « Les mettre dehors, c'est vrai, mais pas comme ça, bien sûr. Pour supprimer tous les ghettos. » Le militant exemplaire n'a ni l'enthousiasme modeste du colleur d'affiche, ni le détachement ironique du désenchanté, il n'est que pur représentant, simple échantillon représentatif du parti, sans plus.

Les considérations esthétiques semblent particulièrement propices aux lapsus et aux dérapages rhétoriques les moins contrôlés, comme si la logique propre de l'univers esthétique autorisait la levée des censures et des interdits idéologiques : « J'aime bien les uniformes (...) mais j'aime pas l'armée. » Frédéric a un petit « musée militaire », constitué de casques et de képis divers. Pourtant il ne reconnaît aucun lien entre ce goût pour les choses militaires et son adhésion au FN. De même, quand il parle de musique, il éprouve un besoin inhabituel de se situer par rapport à des goûts inhabituels : après avoir mentionné « Skyrock », référence culturelle anodine, il dresse un hit-parade des chants militaires d'extrême droite, qu'il qualifie d'abord de « chants traditionnels », pour admettre qu'en fin de compte, « chant nazi ou chant allemand, c'est quand même un peu pareil... », avec cette nouvelle clause de réserve : « Je comprends pas les paroles, alors... »

Au travers de cette constellation de personnages contradictoires, transparaissent les difficultés et les passions propres à Frédéric, qui ne s'expriment jamais, par ailleurs, que par dénégations : une première fois, il souligne, spontanément, que les problèmes qu'il a avec son père n'ont « rien à voir avec la politique », et quand, peu après, on lui demande, de nouveau, s'il y a une relation entre son adhésion au FNJ et ses difficultés familiales, il répond simplement : « Si, peut-être, sans plus » et enchaîne immédiatement sur des problèmes concrets d'argent, comme s'il voulait reprendre le contrôle de la conversation : « Pour en revenir à mes parents, ils ne me donnaient pas de fric ». De même, ses parents insistaient pour qu'il voie un psychologue : « Je le ferais si vraiment… Mais j'ai pas l'impression d'avoir besoin qu'on m'aide » ; et on ne peut s'empêcher d'entendre ici comme un appel à l'aide dénié. Frédéric semble avoir besoin de se convaincre lui-même que sa décision d'adhérer est un pur choix personnel, que sa mésentente avec ses parents ne doit pas être prise au tragique, « parce que qu' (il est) habitué » et, corrige-t-il, parce que « c'est pas grave » ; comme s'il s'efforçait d'exorciser le « mytho » qui est en lui, cet adolescent « mal dans sa peau », pour qui le Front, « c'est (sa) famille », qui « ne (vit) que de ça », un « paumé », retrouvant ainsi, paradoxalement, des valeurs héritées, sans doute, de son père : la « formation », « avoir son bac du premier coup », « faire une école d'ingénieur » (comme son père). Son rapport à son père, ce « petit-bourgeois » qu'il méprise, mais dont il semble avoir intériorisé la vision du monde, apparaît ainsi bien plus ambivalent qu'il n'y paraissait au premier abord. On peut donc faire l'hypothèse que le conflit premier qui habite Frédéric et qui est la racine des rôles de composition contradictoires qu'il se donne, est celui d'un adolescent en crise, complexé par son infirmité et par ses difficultés scolaires, dépendant financièrement de ses parents, fils d'ingénieur socialiste n'arrivant pas à avoir son bac, voulant rompre, pour s'affirmer, avec cet univers relativement cultivé et progressiste, sans vraiment parvenir à se détacher des valeurs et des prétentions intellectuelles qu'il implique.

Le destin semble avoir tranché en faveur de la rupture : quelques mois après l'entretien, Frédéric a réussi son bac B ; ses parents l'ont alors inscrit, à sa demande, dans un BTS commercial privé, établi dans le Sud-Est de la France, payant, pour lui, des frais de scolarité très élevés, ce qui accroissait encore sa dépendance financière. Mais, alors que tout semblait ainsi rentrer dans l'ordre, Frédéric, après s'être entraîné militairement dans des groupuscules d'extrême droite, est parti combattre aux côtés des Croates. Cet engagement inattendu de la part d'un militant désabusé vient confirmer l'hypothèse de lecture proposée : le discours que Frédéric m'a tenu est moins radical que ses positions réelles et ce n'est qu'au travers de ses contradictions internes qu'on peut déjouer la censure qui le domine•

avec un jeune militant du Front national

— entretien de Denis Podalydès

« J'avais aucune raison d'adhérer »

— Quand as-tu adhéré au FN ?

Frédéric — Ça fait deux ans et demi ?

— Tu avais quel âge ?

Frédéric — 17, 16 et demi-17. Je connaissais vaguement le mouvement, très peu en fait.

— Tu le connaissais par les médias, la télé, les journaux, ou des amis qui y étaient déjà ?

Frédéric — Je connaissais personne. Je voyais pas l'intérêt d'aller voir ce qu'il y avait là-dedans. Pour moi, c'était une bande de jeunes, des copains entre eux. Pour moi le FNJ, ça s'arrêtait là. Un soir, un ami qui était en moto, avec moi, du même âge, qui était dans ma classe, exactement comme moi – *a priori,* ça pouvait nous plaire, mais sans plus, on avait aucun intérêt à aller là-dedans –, et donc, il devait se faire couper les cheveux par un type qu'il connaissait et qui était du FNJ. Ce soir-là, il lui avait proposé de lui couper les cheveux ; on y est allé. Il n'y avait personne. J'ai vu qu'il y avait un peu de propagande, des tas de journaux, et compagnie…

— C'était où ça, chez le type en question qui devait couper les cheveux ?

Frédéric — Non c'était au local.

— C'est le local du Front national ou du FNJ ?

Frédéric — FNJ, FNJ, c'est une petite permanence du FNJ. J'ai discuté un peu avec lui, pendant qu'il coupait les cheveux. En fin de soirée, y en a deux, trois autres qui sont arrivés, et ils ont discuté. On a parlé un peu.

— Vous parliez de quoi ?

Frédéric — Moi j'ai pas parlé, hein, je les entendais parler. Pour moi, c'était quelque chose d'inconnu. J'avais jamais vu de colleur d'affiche dans la rue, j'avais jamais tracté, jamais rien vu de tout ça.

— Tes parents n'avaient jamais eu non plus d'activité politique ?

Frédéric — Oh ça… [*expression de mépris*]. Le soir où je suis rentré, je leur ai dit que j'étais allé là-dedans, ça leur a pas fait spécialement plaisir. Et bon, j'y suis revenu, j'ai essayé de voir un peu des gens, qui il y avait, je trouvais ça intéressant, le militantisme c'était quelque chose d'inconnu ; je pensais que c'était vraiment quelque chose, que c'était pas une bande de jeunes… ça m'a vraiment attiré.

— Mais dans les locaux du RPR ou du PS, ou du PC même, il y a du militantisme, des colleurs d'affiche, du tractage…

Frédéric — [*Il sourit en baissant les yeux*.] Oui, mais c'est pas là où mon copain allait se faire couper les cheveux, hein… Non, mais… ailleurs, ça m'aurait gonflé, et puis bon…

— Il savait où il allait se faire couper les cheveux ton copain ?

Frédéric — Ben… l'autre il était aussi coiffeur…

— C'était pour lui faire une coupe spécialisée ?

Frédéric — Non, non, il devait se faire couper au carré, c'est vraiment pas une coupe spéciale. Donc voilà, je suis arrivé là-dedans. J'ai vu le responsable FNJ, un type de 23 ans, secrétaire départemental des Hauts-de-Seine.

— Le premier soir, quand tu es rentré chez toi, tu pensais que tu allais adhérer ?

Frédéric — Non, j'ai adhéré un an après, mais pour une cause spéciale, parce que je voulais voir l'Université d'été FNJ. C'est la seule fois où j'ai pris ma carte. Ce soir-là, le premier, je les ai simplement écouté parler.

— Ils parlaient de quoi ?

Frédéric — Militantisme.

— C'est-à-dire ?

Frédéric — Ils disaient que le mercredi, ils allaient faire un collage. Il y en avait deux qui roulaient les affiches. Ça m'a vachement surpris.

— Ce qu'ils faisaient, ou ce qu'ils te disaient ? Ils essayaient de te convaincre ?

Frédéric — Non, ils m'ont dit bonjour. Ils se disaient, celui-là, on l'a jamais vu. Mais pas méfiants. Il y en avait un qui s'appelait Jocelyn et qui parlait d'une soirée avec des copines. Ils parlaient de choses et d'autres, quoi.

— Entre cette soirée et ton adhésion un an plus tard, tu les as revus ?

Frédéric — Si, je les ai revus, pour le collage du mercredi soir parce que je voulais savoir ce qu'ils faisaient, le soir, à la sortie des cours, ou d'usine. Il y en a quelques-uns qui sont à l'usine, même si à Neuilly, c'est quand même surtout des gens axés sur les études, des bourgeois, ou des petits-bourgeois comme moi. Je voulais donc savoir comment se passaient le collage, le tractage, c'est-à-dire la distribution des tracts, des journaux, sur la place du marché. Il y a aussi le boîtage.

— *Qu'est-ce que c'est le boîtage ?*

Frédéric — C'est mettre le tract dans la boîte aux lettres. Ça marche par quartier, surtout durant les élections. Quand je suis arrivé, c'était la campagne présidentielle donc il y avait beaucoup d'activités, pas mal de choses à faire. Donc, je suis allé à deux, trois collages, pour mieux me rendre compte au fur et à mesure. Parce que c'est pas avec un seul collage qu'on peut savoir ce que c'est.

— *Tout ça, avant d'adhérer ?*

Frédéric — Sinon j'aurais jamais adhéré au FNJ sans ça. Il fallait que j'en connaisse un peu plus sur le mouvement, tout le bazar, les idées, les positions du FN.

— *Tu as lu des livres sur la question...*

Frédéric — Ouais, je lisais les journaux. Enfin, ce que j'ai toujours lu, moi, ça a jamais été le..., c'est toujours, *Le Quotidien* et *Le Monde*, ça a toujours été ça. *Le Monde*, parce que mon père le ramène tous les soirs, et *Le Quotidien*, je l'achète en fait tous les deux jours. A cette époque-là, une fois par semaine, seulement. Bon, puis je lisais quand même le journal du Front, là, comment ça s'appelle... *National Hebdo* qui n'a absolument aucun intérêt à mon goût. Il y a rien dedans, pas de formation.

— *Mais tu donnes un peu l'impression d'avoir adhéré par hasard. Qu'est-ce qui a fait que tu as adhéré ?*

Frédéric — Moi, l'adhésion, j'avais aucune raison d'adhérer, je voyais pas pourquoi j'allais donner 120 francs à ce mouvement – je voyais pas l'intérêt d'avoir ma carte, ça me servait à rien. Mais il y a eu cette Université d'été.

L'Université d'été : « je me suis dit, ça peut pas faire de mal, on va aller là-bas ; on verra bien »

Frédéric — Donc, pour aller à l'Université d'été, pour un week-end de formation au château de « Nevis-en-Baronjean », qui dure trois jours, non, cinq, il fallait avoir sa carte. Je me suis dit, ça peut pas faire de mal, on va aller là-bas, on verra bien, il y aura des copains. C'était pas trop mal en effet, sauf quelques conférences un peu longues, mais il y avait des orateurs pas trop mal, bon forcément Le Pen à la fin, en clôture, il est venu qu'à la fin, parce que sinon il était surtout à l'Université d'été du Front, pas celle du FNJ. Il y avait donc Jean-Yves Le Gallou, Maître Wagner.

— *Ça se passait comment ?*

Frédéric — Le matin, on se levait vers sept-huit heures, petit-déj., après conférence, avec des questions jusqu'au déjeuner, l'après-midi pareil. Il y avait des séances pour apprendre à parler aux médias. Tout le monde devait parler devant une caméra, parce qu'on était noté à la fin. Il y avait un autre exercice où il fallait répondre à des questions.

— *Comment ça c'était passé pour toi ?*

Frédéric — Ben il y avait des sujets, on les tirait au hasard, moi il y en avait deux que je voulais pas avoir, l'économie et l'écologie, celui qui me branchait le moins. C'est les deux que j'ai tirés, et j'ai quasiment pas répondu. On a parlé d'écologie, et je me rappelais plus du nom de Frédéric Mistral, alors ça m'a agacé.

— *C'est eux qui t'ont demandé ?*

Frédéric — Non, c'est moi qui voulait en parler. C'est le premier écologiste de droite, je voulais le placer comme ça, en introduction sur l'écologie et j'arrivais pas à me rappeler son nom.

— *C'est quoi l'écologisme de droite ?*

Frédéric — Ah mais, c'était juste pour placer le nom ; c'est pas la question que c'est un écologisme de droite ou de gauche, c'est que actuellement c'est récupéré par la gauche. C'est ce que je voulais dire, enfin mettre en avant, à la caméra. Mais l'exercice ne durait que cinq minutes, c'était le matin et je venais juste de me réveiller.

— *En arrivant dans cette Université d'été, tu en attendais beaucoup, ou c'était simple curiosité, voire méfiance ?*

Frédéric — Plutôt l'enthousiasme. Très vivement intéressé. Non, « très vivement », peut-être pas. Intéressé. Ça faisait un an que j'étais dans le mouvement, mais j'avais encore jamais vu l'ampleur, l'« ampleur » je ne sais pas, mais, une activité de débats, discussions, cinq jours comme ça… Je voulais voir un peu autre chose du mouvement ; parce que, bon, il y a ceux que j'appelle les « mythos », c'est ceux qui sont toujours rasés et compagnie, qui parlent de n'importe quoi, de choses qu'ils ne font pas, et ça me tracassait, je voulais savoir si il y en avait beaucoup ou pas. Et à ma grande surprise, j'en ai pas vu un seul. Ils avaient les cheveux courts mais pas plus, comme moi actuellement.

Arrivistes et compagnie

— Les mythos, ce sont les fanatiques ?

Frédéric — Non, c'est même pas une question de fanatisme, c'est ceux qui sont réellement mal dans leur peau, et le Front, c'est leur famille, ils vivent que de ça, leur seule sortie sera pour le collage, c'est des paumés. Y en avait pas, j'étais content. Cela dit, il y en a toujours, hein, pas méchants, qui parlent que de Front, même pas de Front, parce que c'est pas ça parler du Front, des mecs BETES comme ça. Il y en a deux à Neuilly : Jean-Paul, qui à mon goût est un peu psychomoteur, carrément, je suis peut-être un peu méchant. Mais il doit avoir une petite tare, parce que ses parents sont assez âgés. On devrait pas garder des gens qui viennent comme ça. On les retient pas non plus. Donc, après, j'étais adhérent. Je recevais tous les mois la lettre de Jean-Marie Le Pen, que je lisais à peine, parce que ça a aussi peu d'intérêt que *National Hebdo*. C'est du rabâchage, ou alors des petites informations, pour savoir où est-ce qu'aura lieu la prochaine conférence du Front. Ça suit trop peu l'actualité, des annonces du genre « Madame machin s'est faite agresser par Ahmed Machintruc ». Aucun intérêt.

— Ce qui t'intéressait au Front, c'était pas spécialement les thèmes hyper-médiatisés, l'immigration, la sécurité, quel est le thème qui t'a fait adhérer ?

Frédéric — Mais j'ai jamais eu envie d'adhérer ! Dans aucun mouvement ! Ça m'intéresse pas.

— C'était vraiment par hasard, pour aller à cette Université d'été ?

Frédéric — Mais même quand j'étais le plus proche du Front, j'avais des hauts et des bas. Je me disais qu'on n'arriverait jamais à rien faire, ras-le-bol. C'est un truc que je reprochais toujours au Front : le militantisme c'est bien, mais on n'a pas de formation. Par exemple dans la Fédération 92, dans les Hauts-de-Seine, une fédération qui marche bien, on n'a pas de formation. Même si on a un bon chef d'équipe, des gens motivés, ça tiendra deux trois ans, mais pas plus. Les gens viennent, sont attirés, puis ils repartent après, parce qu'on ne les forme pas. On voit toujours les mêmes têtes, et on va coller ensemble, on en a vite fait le tour. Même si ça plaît au début.

— *Tu en as fait beaucoup ?*

Frédéric — Six mois toutes les semaines. Jamais de problème. Jamais d'agression. Mais pour les gens du Front, nous au FNJ, on sert surtout à ça : coller. Dès qu'il faut des affiches, on nous appelle, sinon rien.

— *Vous êtes de la main-d'œuvre ?*

Frédéric — Voilà, quasiment.

— *Tu disais que tu avais des hauts et des bas pendant la période où tu étais le plus proche du Front…*

Frédéric — Bon, je vais à un meeting, et je vois deux, trois abrutis et compagnie qui viennent me parler, n'importe quoi, pour me dire des conneries, ça m'agace : ou alors, je prépare un collage et je vois que quand je demande à un mec de m'apporter de la colle, ou de simplement m'en trouver [*il s'énerve*], il est incapable de m'en trouver, et à cause de lui, des personnes que j'avais contactées pour le collage, je suis obligé de leur dire de rentrer chez eux, parce que comment tu veux faire un collage sans colle ? Heureusement ce genre de mecs il n'y en a pas trop. Sur une vingtaine de collages, j'en ai raté deux.

— *Quelle responsabilité exerçais-tu au FNJ ?*

Frédéric — Ben m'occuper du collage.

— *Tu as eu une promotion ?*

Frédéric — Responsable du collage. Je considère pas vraiment ça comme une promotion. On me disait que je faisais ça bien, mais organiser un collage, on peut dire que c'est à la portée du premier venu. Ça consiste à appeler vingt personnes pour en avoir dix, trouver une camionnette, ce qui n'est pas difficile.

— *Tu avais des contacts avec les autres FNJ ?*

Frédéric — Oui, à Lille, Aix surtout. On avait un journal *Citadelle*. Je t'en donnerai des exemplaires. On écrivait nous-mêmes. Moi j'ai fait un petit article sur la construction du local à Neuilly, en expliquant le matériel qu'on a reçu. Je suis pas encore apte à faire des articles de fond. Tout ce qui est culturel, je laisse à d'autres qui sont plus forts que moi, encore que j'aie mon mot à dire.

— *Qu'est-ce que tu dis pour convaincre de venir au Front ?*

Frédéric — Les gens me posent des questions sur le Front, je leur réponds le mieux possible, et voilà.

— Justement, qu'est-ce que tu leur réponds ?

Frédéric — Ils me demandent : qu'est-ce que vous faites, qu'est-ce qu'il se passe ?

— Ce sont des gens qui étaient déjà d'accord, prêts à adhérer ?

Frédéric — Oui.

— Tu n'a pas convaincu des gens qui étaient hostiles au Front ?

Frédéric — Pas moi, mais il y a des anciens communistes, des personnes âgées surtout.

— A quoi ceux-là sont-ils le plus sensibles ?

Frédéric — Aucune idée.

— Et toi, à quoi as-tu été le plus sensible ? La personne de Le Pen ?

Frédéric — Pas seulement. Le Front, c'est un ensemble. Le Pen, c'est un orateur, un bon, oui. Mais moi j'ai pas le culte de la personnalité. En arrivant au Front, j'étais content, j'ai mis un poster de Le Pen dans ma chambre, et au bout de deux jours, je l'ai enlevé. Il y a pas beaucoup de monde au Front que j'estime. Ça devient surtout arrivistes et compagnie. C'est un appareil, il y a une cour autour de Le Pen, mais c'est des minables. Ils arriveront à rien. C'est comme si moi je rêvais de devenir député plus tard, en passant uniquement par le mouvement. Maintenant, je cherche plus trop à en ramener. Les gens sont fascinés par le mot « extrême droite » mais ça suffit pas. Ce qu'on voudrait faire, pour changer, c'est faire renaître un esprit de camaraderie, et de solidarité, quelque chose qui n'existe plus !

Forcément, puisque c'était à l'adolescence

Parce que maintenant je fais plus vraiment confiance aux mecs du FNJ, ils viennent là par crise, pendant un mois, et puis terminé. Les mythos aussi, dans les groupuscules, les troisièmes voies, ça mène à rien, les champions du GUD, ou les Sidos, Olivier Mathieu, Bad Skin, qui est un planqué, un fou, un abruti. Sa mère est magistrate. Lui, c'est un MNR, ou JNR, les skins du Paris-Saint-Germain, c'est pas du tout le FNJ. C'est des groupuscules de copinage, des ivrognes plus idiots que tout, en rangers, bombers, crânes rasés.

— Tu n'a jamais eu cette apparence-là, ce look ?

Frédéric — Chez nous, on ne tolérait pas les treillis. On met des bleus de travail, des jeans pourris pour la colle… C'est grotesque ces parades de petits fachos.

— *Avec tes parents, ça n'a pas posé de problèmes ?*
Frédéric — Mes parents, ils le toléraient pas, quand je partais au Front, la nuit, ils s'inquiétaient. Après, je leur disais plus que j'allais coller.

— *Quand elle a vu le portrait de Le Pen dans ta chambre ?*
Frédéric — Elle pensait que c'était une petite crise d'adolescence, qui allait pas durer longtemps. Mais on parle rarement politique, parce qu'*a priori*, ils ne sont pas tout à fait d'accord. Alors, forcément, ça crée des heurts.

— *Tu as cherché à leur en parler ?*
Frédéric — Oui, oui, j'ai cherché à les convaincre. J'étais bien plus au courant de l'actualité qu'eux, et je parlais mieux ; je les titillais là-dessus, avec des arguments. Mais ça durait cinq minutes, parce que mon père voulait pas que je parle de ça à la maison. On était jamais d'accord, on me disait, « t'es idiot, crétin, tu sais rien ». Au début, c'était normal que j'en parle, j'étais content, c'était nouveau, ça a été tout de suite : « tais-toi, tu sais pas de qui tu parles ». Ils ont pas cherché à m'écouter, jamais. Avec mon frère, pas de problème, mais je le vois très peu. La politique l'intéresse pas. Remarque, je le comprends. La politique, c'est pas très intéressant aujourd'hui ; c'est dommage. Ça devrait intéresser tout le monde. Mais j'ai tendance à être écœuré. Si les choses changent pas… De toute façon j'ai jamais voté, jamais. Même pas pour le Front. Ma mère me disait, « tu es là à coller une affiche, pour récolter une voix pour le Front, et tu ne votes même pas ! ».

— *C'est effectivement contradictoire, non ?*
Frédéric — Ah oui, tout à fait. Je suis même pas allé chercher ma carte du Front. Y en a deux autres au Front qui font pareil. Pourquoi ? Je peux pas répondre. Je ressens pas l'envie de voter.

— *C'est le système électoral qui te paraît déficient ?*
Frédéric — Non, non. Si un peu, bien sûr. Ça choque toujours ma mère. Mes parents ils votent, eux. Pas pour Le Pen, c'est sûr. Mais ils me disent pas pour qui ils votent, sinon je leur demanderais pourquoi, que ce soit pour Mitterrand ou Chirac, je les lâcherais pas. De toute façon qu'ils votent Chirac ou Mitterrand, il y a quasiment pas de différence. Et ce que je pense, c'est que Le Pen aussi, finit par les rejoindre. Il est récupéré par la classe politique.

— *Le FNJ, ça a posé des problèmes avec ta scolarité ?*
Frédéric — J'ai jamais séché pour aller au FNJ. Si j'ai séché, c'est

pour autre chose. Parce que j'avais pas envie d'aller en cours. Ce qui a joué le plus pour ma scolarité, c'est mon accident. En mobylette, à Neuilly. J'avais trop bu et j'ai glissé. J'ai été touché à l'œil. On m'a opéré, et j'avais l'œil de travers. J'ai eu trois opérations pour que mon œil revienne.
[...]
Pendant deux ans j'ai pensé qu'à mon œil. J'avais une tête pas possible. Après, j'avais perdu l'habitude d'aller en cours. Maintenant, j'ai vachement de mal à réintégrer le lycée. Je suis en Terminale B, il faut que je fasse tout pour avoir mon bac.

— *Est-ce que le FN t'a fait changer ?*

Frédéric — Forcément puisque c'était à l'adolescence...

— *Ou quelqu'un que tu y aurais rencontré...*

Frédéric — Mes meilleurs amis ne sont pas du Front, même relativement apolitiques. J'ai un copain métis, tendance anarchiste. De temps en temps, en fin de soirée, si on a trop bu, on s'engueule un peu, mais ça va pas loin. C'est même comme ça qu'on s'est connus.
[...]
Le fait que les gens sachent que je suis du Front, ça a pas toujours plu, alors j'ai aussi perdu des amis. Mais je m'en fous en fait. Les profs qui savaient que j'étais du Front, je les ignorais et eux aussi. Au début, je devais en parler trop souvent, j'étais hyper enthousiaste, ça me plaisait bien. Mais les copains que j'ai perdus, je les ai remplacés. Je reconnais que je devais en parler un peu trop. C'est normal.

— *Tu tenais des propos racistes ?*

Frédéric — On m'a dit, « t'es au Front, t'es raciste ! ». A la limite, je comprends, puisque c'est l'image qu'on a, c'est la désinformation... On peut me traiter de tout ce qu'on veut. Et puis les gens arrivent pas à faire de distinction entre racisme et ce qu'on dit vraiment. Il faut répéter trente-six mille fois, ça devient crispant. On perd son temps, ça devient longuet.

Il n'y a pas de formation

— *Est-ce qu'il y a une activité culturelle au FN, sortie au théâtre, au concert, un système d'achat de places pour des collectivités ?*

Frédéric — Non, et c'est ça qui est très dommage. C'est ce que je disais : il y a pas de formation. C'est exactement ça. Y a pas de bibliothèque. Ou une petite, où on a perdu les livres.

— *Qui étaient ?*

Frédéric — Daudet.

— *Léon ou Alphonse ?*

Frédéric — Je ne sais pas. Je connais pas trop. Mais ça m'a fait connaître Drieu La Rochelle. Ça j'aime bien. *Le Feu Follet*, *Le journal d'un homme trompé*, *État civil* et *l'homme à cheval*. Ce que j'aime bien, c'est le style haché, des petites phrases amères lancées comme ça, des comparaisons amusantes. Dans *Le journal d'un homme trompé* surtout. Il parle des bordels, et il disait que c'est un hommage à la Vierge. Ça me plaisait bien. Je l'ai ressorti plusieurs fois.

— *Pourquoi ça te plaisait bien ?*

Frédéric — Il parle du culte de la femme. C'est un peu un paradoxe et j'aime ça. Et j'adore *Le Feu Follet*. Il parle et décrit quelque chose, et tout à coup, il lance une petite réflexion l'air de rien qui fait mal. J'ai lu aussi Brasillach, mais ça m'a pas trop plu : *Comme le temps passe*. J'ai entendu parler des écrivains de droite, les théoriciens, mais j'ai pas lu.

— *Qui t'a fait découvrir Drieu ?*

Frédéric — Régis, un ami, qui est calé. Il m'avait décrit un peu le personnage. En musique, j'écoute Skyrock. Bon, j'aime bien la musique militaire, les chants, mais ça va bien un peu. J'aime pas du tout les chants du fascisme italien. Les chants allemands, j'ai un disque, mais j'écoute aussi bien de la musique classique. Mais c'est pas des chants nazis, c'est des chants traditionnels allemands, c'est pas pareil. Mais bon, chant nazi ou chant allemand, c'est quand même un peu pareil, je comprends pas les paroles, alors… je vois pas de différence. Maintenant, au FN, je ferai de temps en temps un collage, comme ça, mais pas beaucoup plus. Il y a pas mal de têtes nouvelles, j'irai discuter un peu avec eux comme ça.

Avec mon père c'est électrique

— *Avec tes parents, ça va mieux ?*

Frédéric — En ce moment, ça peut aller. De temps en temps, j'essaye de faire des efforts, eux aussi, mais c'est rarement en même temps. Mais avec mon père, ça date d'assez longtemps. La première fois que j'étais parti de chez moi, j'avais cinq ans. J'avais fugué. C'était au Maroc. Et il y a deux ans, mes parents m'avaient foutu dehors.

— *Pourquoi ?*

Frédéric — Pas de raison précise. Peut-être que j'avais tort, parce que je criais dès qu'on m'emmerdait un peu. Dès qu'il y avait quelque chose qui allait pas à la maison, c'était de ma faute. Après, à table, je faisais la tête, alors mon père se mettait à crier. Ma mère commençait aussi à gueuler parce que je mangeais pas. Ça a sauté, et je suis parti. Il suffira toujours d'une étincelle pour que ça recommence. Surtout avec mon père. Ma mère encore, ça va. Avec mon père, c'est électrique.

[…]

Mais tout ce que je vois, c'est pour montrer que les problèmes avec mon père c'est pas récent. Ça a rien à voir avec la politique, ou avec mon accident. C'est beaucoup plus vieux. Je me suis jamais entendu avec lui.

— *Mais l'entrée au FNJ, c'était pas un peu dirigé contre lui, pour lui faire peur ?*

Frédéric — Je sais pas au fond. En tout cas, ça lui a pas plu, ça c'est sûr. C'est des petits-bourgeois un peu trouillards, alors forcément, avec le FN, ils s'attendaient à tout. Ils croyaient que j'étais devenu un vrai voyou, sur le coup, quand je rentrais très tard d'un collage.

— *Ça te faisait plaisir de savoir qu'ils pensaient ça ?*

Frédéric — Non, parce que c'était pas vrai et que je voulais pas qu'ils pensent ça du tout. Mais ils voulaient pas comprendre, ils voulaient que je voie un psychologue. Ils insistaient. Mais je l'ai pas fait. Je le ferais si vraiment… Mais j'ai pas l'impression d'avoir besoin qu'on m'aide. Mais mon père, il me traite pas comme un fou, enfin un type à problèmes, non, simplement il me traite de « petit morpion », parce que je l'agace. Il ne pense pas du tout que je sois taré ni quoi que ce soit. Et moi je lui réponds la même chose.

— *Petit morpion ?*

Frédéric — Oui.

— *Et alors ?*

Frédéric — Mon sac vole par la fenêtre, comme ça, et je m'en vais, sans argent, sans rien. Ça durait trois jours, je revenais en douce prendre un livret de caisse d'épargne, et j'allais chez un ami.

— Tout ça a l'air de t'amuser, tu racontes ça avec légèreté…
Frédéric — Parce que je suis habitué, et c'est pas grave.
— Tu ne penses pas qu'il y a une relation évidente entre tes difficultés avec tes parents, et l'adhésion au FNJ ?
Frédéric — Si, peut-être, sans plus. Pour revenir à mes parents, ils me donnaient pas de fric. Alors, ce que j'ai fait, pour avoir du fric, c'est d'ailleurs grâce au FNJ, j'ai fait du service d'ordre : 900 francs, en deux soirs, pour la fête de la Tour Eiffel.
— Qu'est-ce que tu veux faire plus tard ?
Frédéric — J'espère avoir mon bac du premier coup, et après faire une école d'ingénieur. J'en trouverai sans trop de problème. Une école d'ingénieur aéronautique.
— Tu as des problèmes scolaires, cette année ?
Frédéric — Je sèche encore beaucoup.
[*J'annonce que nous allons sans doute arrêter là. Il me propose de trouver quelqu'un de plus intéressant que lui au FNJ pour l'interviewer. Je demande s'il ne verrait pas quelqu'un de très actif, de très engagé.*]

On risque d'aller vers un grand chaos

Frédéric — Je connais un type qui est très accroché, mais qui est idiot comme tout, qui ne fera jamais rien de sa vie. Alors, c'est peut-être pas la peine. Sinon les autres, ils font comme moi, ils décrochent tous. Notre Fédé, elle est en train de s'écrouler, et personne ne fait rien, ne lève le petit doigt ; c'est quand même assez écœurant. On a eu un local, on a rien fait dedans. Pendant un an et demi, on l'a attendu ce local, en se disant ça va être génial, et quand on l'a eu, on n'a rien fait. On avait fait un bar, au local, en vendant cinq francs le coca ou la bière ; alors ils venaient, ils s'avachissaient dans le fauteuil à rien foutre…
— Pourquoi cette mollesse alors que vous sembliez être déterminés, au début ?
Frédéric — Au sein de la Fédé, il n'y en avait que 10 sur 30 qui avaient leur carte à jour. Mais en fait, les vrais adhérents, ceux qui ont leur carte, on les voit pas. Ils ne se montrent pas, jamais. On essaye de les contacter. Mais ça, autre chose qui est écœurant ! On s'est dit qu'avec un local, il fallait le faire, joindre les adhérents, organiser, structurer : on a demandé à deux adhérents de le faire, ils ont appelé trois personnes, et terminé. Ils ont plus rien fait. Ils

devenaient tous mous ! On risque d'aller vers un grand chaos. Cette histoire d'Irak, ça va nous mener au bout, ça c'est sûr. Donc ce qu'a dit Le Pen, et ce qu'il a fait là-dessus, c'est difficile à comprendre, mais plus du tout, si on sait que c'est pour éviter la catastrophe qui nous attend, de toute façon, c'est ce que je pense.

— *Quel grand chaos ?*

Frédéric — Si la guerre se déclare, ça va faire un paquet de bordel, on sait pas comment ça va se tramer, en Israël, ça va être le bordel aussi, ça va plus ou moins se soulever partout, à droite à gauche, même en France.

— *Qui va se soulever ?*

Frédéric — Les populations immigrées, ça me paraît probable. Mais on ne peut pas chiffrer l'ampleur de leur soulèvement. Mais on en a des preuves. Il y a deux ans et demi, à Neuilly, on a découvert un café arabe, en faisant une descente, des mitraillettes, des bazookas, des explosifs. Si c'était ça il y a deux ans et demi, ils sont donc aujourd'hui dix fois plus forts. Et on a trouvé aussi un plan de je ne sais quoi. Ils sont très bien organisés. On a quelques informateurs, des gens du FN qui habitent dans les cités. Bien sûr, ils disent pas qu'ils sont du FN, sinon ils se font lyncher et compagnie ; si jamais ils en attrapent un, là, ça chauffe. On vient le lendemain pour un tractage, et même plus. On va tous. Si quelqu'un du Front est attaqué, on répond, c'est sûr. Mais les gens osent pas trop nous attaquer, parce qu'il y a le mythe de l'extrême droite et compagnie. Ça refroidit tout le monde. Comme moi, ça me viendrait pas à l'idée d'attaquer une manif de la CGT, parce qu'ils ont un service d'ordre ! Nous, on a le mythe des méchants et compagnie, skins, bière, rasoirs… qui joue pour nous.

— *Pour vous et contre vous ?*

Frédéric — Oui. Qui joue pour : ça nous évite d'avoir des blessés. Et contre, parce que ça donne une mauvaise image de marque. C'est évident que toute cette population des ghettos, elle est foutue, condamnée, il n'y a pas d'intégration possible, s'il y a des ghettos. Je connais deux Noirs qui comprennent très bien. Un qui s'appelle Mamadou, un autre Stéphane, qui est du Front, et qui même a été secrétaire départemental. Il y en a beaucoup plus qu'on ne le pense. C'est pas évident à comprendre. Il y a une Madame Medfetna, qui est noire, qui est aussi très active au Front. Ils comprennent bien qu'il faut inverser l'intégration. Les mettre dehors, c'est vrai, mais pas comme ça, bien sûr. Pour supprimer

tous les ghettos. L'immigration nous rapporte un milliard et quelques francs, j'ai lu les chiffres, et en coûte quatre milliards, en Sécurité sociale. Il y a des clandestins tous les jours. Pour les jeunes Beurs, ce qu'il faudra faire, parce que ça pose un problème, ils sont de culture française, il faudra leur donner envie de rentrer chez eux. Et il faut refaire le Code de la nationalité. C'est trop facile. Y a même pas besoin de savoir la langue. Et on donne le droit d'asile à tire-larigot, sous prétexte que leur personne est en danger chez eux. C'est sûr que c'est le problème le plus dur, et le plus important. Je pourrais parler aussi des sujets bateau, la sécurité, etc. Le problème c'est que le FN est un parti inapte à avoir le pouvoir, à mon avis ils l'auront pas, c'est pour ça que je vote même pas. Mais même si je sens qu'il aura pas le pouvoir, c'est un parti qui me plaît parce qu'il aborde ces sujets : et j'estime que je dois les défendre.
[...]
Le Sida, on va avoir des bombes humaines, qui vont le refiler partout... Il faut regrouper les sidaïques, pendant un certain temps et leur faire prendre conscience du danger qu'ils représentent. C'est pas parce qu'il l'ont qu'il faut aller tuer les autres... De toute façon, il va y avoir un trou dans la pyramide des âges... C'est peut-être bateau comme thème, mais il faut le rabâcher. C'est comme pour la drogue, c'est une question de fermeté vis-à-vis de ces problèmes, pareil dans la sécurité, mais je pense pas que Le Pen, qui n'aura jamais le pouvoir, puisse arriver à faire quoi que ce soit.

— *Est-ce le militarisme du FN qui t'a attiré ?*

Frédéric — Non, non. Cela dit j'aime bien les uniformes, parce que j'ai un musée militaire, mais j'aime pas l'armée. Je compte pas faire un service. C'est peut-être très paradoxal tout ça. Le côté militaire chez moi, c'est particulier. J'ai un petit musée militaire, depuis quatre ans : j'ai acheté au début un casque allemand, et ensuite des casques de poilus, j'en ai plusieurs, et j'ai pas mal de képis. J'ai même récupéré un uniforme complet de lieutenant-colonel de la légion. J'ai une baïonnette. Mais les armes me seraient interdites.

— *Et il n'y a pas de rapprochement possible entre le goût, disons, du paramilitaire, de l'uniforme, et la séduction qu'a exercé le Front national ? Ton adhésion semble passionnelle, ou plutôt pulsionnelle, et mitigée ?*

Frédéric — Oui, je suis pas toujours d'accord avec le Front, c'est sûr j'aime bien contredire. Quelquefois je m'oppose à quelqu'un du Front, par plaisir. Aussi parce qu'ils sont idiots souvent. Et ça, ça changera pas, et ça finit par dégoûter. Mais quand j'essaye d'en parler, personne ne se rend compte qu'il faut bouger.

Il faut que je passe mon bac, on verra après

— *Vous n'avez jamais de problèmes pendant les collages ?*
Frédéric — Non. Les collages, on les fait souvent le dimanche à quatre heures du matin, tout le monde est couché, on peut même aller dans les zones ouvrières. Une fois, il y a même un type qui s'est arrêté et qui nous a donné 500 francs, en nous félicitant. On les a mis dans la caisse du FN. Sinon on nous interroge à distance, on nous crie de loin « enculés » et la voiture démarre aussitôt, et ils nous laissent tranquillement coller. Mais bon, le collage, c'est pas tout dans la vie. Il faut que je passe mon bac, on verra après.

1991

Emmanuel Bourdieu, Denis Podalydès

L'impasse royale

Mal réveillée, en pyjama (elle m'attendait pour le lendemain), Martine me fait entrer, s'éclipse un court instant pour se recoiffer. La cuisine dans laquelle elle m'introduit est envahie de posters de cinéma américain, de photos-souvenir, surtout celles de son compagnon, un Américain de 52 ans, que l'on voit tenant Omar Sharif par l'épaule, ou, sur une autre photo, Lambert Wilson.

Très accueillante, pleine de bonne volonté, elle me met à l'aise très vite, m'offre des gâteaux, du café. Je lui explique qu'étant moi-même ancien du Conservatoire, j'enquête sur l'enseignement de l'art dramatique, et sur ce que sont devenus les élèves. La conversation commence avant même que l'on soit assis. Elle me présente son « book », album de ses photos d'actrice, portraits d'elle en « vamp », en « comique troupière », en « tragédienne », en « femme distinguée ». Sur certaines, elle est très forte, sur d'autres, plutôt mince. Elle me confiera qu'elle passe souvent de 45 à 110 kilos, selon ses accès de boulimie.

Pendant l'entretien, elle alterne avec virtuosité le jeu de « soubrette » (gaieté, rire généreux, énergie), et des effets pathétiques, modulant sa voix à loisir, selon les anecdotes qu'elle raconte, les conclusions qu'elle tire, les conseils qu'elle voudrait donner aux jeunes acteurs, etc. Elle marque souvent de très courtes pauses, avant de bifurquer totalement. Les ruptures et les sautes du discours s'accentuent au cours de l'entretien (notamment dans ce passage où elle évoque sa rencontre avec Omar Sharif). Elle me regarde très peu durant l'entretien, fixe souvent son verre, lève les yeux au plafond en se renversant en arrière lorsqu'elle tente d'ordonner ses idées, ou au commencement d'une anecdote, au rappel d'un souvenir. Elle balaye souvent la table de sa main, d'un grand geste, change de position sur sa chaise, lève les bras, indique souvent la fenêtre, « le monde du dehors », lorsqu'elle parle des « gens » en général. Elle ne fait pas du tout attention à mon attitude, et semble s'adresser au monde entier, aux acteurs dans leur totalité, plutôt qu'à moi.

Aujourd'hui âgée de 36 ans, elle n'a jamais été engagée comme actrice depuis sa sortie du Conservatoire national d'art dramatique, en 1976, si ce n'est, occasionnellement, au café-théâtre. Victime paradoxale d'un héritage trop grand pour elle, elle a le sentiment d'avoir été trahie : trahie par ses parents qui « avaient besoin qu'un de leurs enfants réussisse », mais qui n'ont pas su l'amener à choisir par elle-même ce qu'elle voulait faire ; trahie par son oncle, metteur en scène raté, mais consacré par l'enseignement canonique, qui lui a fait croire qu'elle était faite pour le théâtre et pour rien d'autre et l'a abandonnée à elle-même après lui avoir imposé le choix irréversible de cette voie et l'avoir dirigée vers une carrière ultra-classique, totalement dépourvue d'avenir ; trahie par Marcel Bluwal, le seul metteur en scène « moderne », avec Vitez peut-être, sur qui elle aurait pu transférer son admiration à contre-courant pour son oncle, le seul qui, en lui « appre[nant] à désapprendre Moreau (son oncle) », aurait pu la remettre dans le coup et la tirer de « l'armure », du « carcan » à la fois rigoriste et suranné où elle était enfermée, mais qui ne lui a jamais « donné sa chance ». Projetée trop jeune dans un univers où elle « n'avai[t] jamais rêvé entrer » et auquel « elle ne comprenait rien », poussée à s'y investir totalement, mais à contresens, elle a vu la voie royale du Conservatoire se transformer en impasse, « ressort[ant] par la toute petite porte », après « être rentrée par la grande ».

C'est pourquoi, elle se montre très ambivalente envers son oncle, sorte de Pygmalion volontariste et maladroit, qui lui a nui, pour l'avoir trop favorisée. Sans cesse partagée entre la reconnaissance et l'amertume, elle a confusément conscience que l'héritage qu'elle a reçu a été, pour elle, un cadeau empoisonné. D'un côté, sa révérence pour son oncle et la conception classique du théâtre qu'il incarne touche à la vénération : elle le décrit comme un personnage mythique, entouré d'une atmosphère magique et devant qui elle s'est toujours sentie « d'une stupidité énorme, tellement il [l]'impressionnait » ; le souvenir qu'elle a de leur première rencontre a tout d'une scène primitive, où se mêlent le psychologique et le social ; c'est une histoire pour biographe, qu'elle a sans doute déjà racontée, une histoire un peu convenue, mais qu'elle semble revivre comme un traumatisme lorsqu'elle la raconte et qui surtout s'infléchit à la fin de manière étrange par rapport au cours habituel des récits initiatiques : en suivant les premiers pas de l'enfant dans les couloirs et coulisses de ce théâtre d'ombres, magique et envoûtant, on s'attend à voir naître une vocation purement singulière et esthétique, quand, soudain, le champ se resserre autour d'un seul personnage ; tout ce qu'elle appelle, de manière un peu étrange et, en tout cas, fort théâtrale, « la présence de ça, la magie de ça », s'évanouit devant la présence et la magie de l'oncle ; et l'enchantement cède à la paralysie. Le théâtre, c'est l'oncle et rien d'autre. Martine adhère aux valeurs fondamentales d'un théâtre de professeur ; elle respecte le travail, la technique et les « vraies règles, les vraies bases » qu'enseignent les vieux maîtres, Louis Seigner, Robert Manuel et « Monsieur Meyer » ; elle déteste les « fumistes », les acteurs à la mode qui ont réussi dans le théâtre nouveau (bien plus que les acteurs de cinéma comme Depardieu qui ont d'autres enjeux), les metteurs en scène d'avant-garde et leur « soi-disant distanciation » et même les rôles de soubrettes de la comédie moliéresque auxquels elle préfère, conformément aux canons de la hiérarchie classique, les grands rôles d'« amoureuses ».

Elle a néanmoins certains éclairs de lucidité : elle regrette que Vitez, qui l'avait remarquée, ne l'ait pas engagée ; elle s'est accrochée à Bluwal comme à une planche de salut. Surtout, elle s'est rendu compte qu'enfermée dans le carcan du théâtre à l'ancienne, elle s'était coupée du théâtre vivant et que, croyant adhérer à une « famille de théâtre » parmi d'autres, elle s'était, en fait, retrouvée hors du jeu, pratiquement exclue de l'univers des courants légitimes. Elle prétend même avoir eu tort de négliger le café-théâtre ou le théâtre de boulevard, au profit des grands rôles tragiques ; cette idée, tout à fait sacrilège du point de vue de l'oncle, réapparaît, comme une obsession, sous la forme d'un lapsus significatif : elle dit « Sophie Desmarets » – une star pimpante de la comédie bourgeoise – celle qu'elle aurait pu ou voulu être (« ç'aurait été trop bien »), au lieu de « Lise Delamare », ancienne sociétaire du Français, professeur très rigide du Conservatoire, qui est une autre figure de l'oncle. Pourtant, la découverte et l'aveu de son sentiment profond d'échec restent difficiles et douloureux, non seulement parce qu'elle garde une grande admiration pour Moreau, mais aussi parce qu'elle ne dispose pas du système de références et de valeurs à partir duquel elle pourrait juger celui qui lui a été transmis. Sa vision du monde théâtral est offusquée par les principes esthétiques conservateurs et les exigences rigoristes que son oncle lui a imposés, à tel point qu'il ne lui a pas suffi de s'en être, en partie, libérée pour trouver sa propre « voie » : « on m'a libérée, on m'a dit : tu peux sortir de ce carcan mais pour en faire quoi ? Alors le théâtre n'avait plus de sens pour moi ». Son oncle l'avait si bien modelée à sa propre image (« Pour moi, le théâtre, c'était uniquement Moreau ») que, soustraite à son influence, loin d'être libre de choisir son théâtre, elle ne trouvait plus aucun sens au théâtre en général. De là, peut-être, son étrange aversion pour Molière et les rôles de soubrettes, qui auraient pu lui offrir une solution de compromis : plutôt le cabaret, plutôt le boulevard, que des seconds rôles de comédie ; plutôt du non-théâtre, que du sous-théâtre•

avec une actrice en chômage

— entretien de Denis Podalydès

« Un héritage qui fait mal »

[…]

Martine — Pourtant on était tous amis et tout ! enfin amis, c'était difficile. Mais il y avait une telle différence, moi, j'étais paumée, je ne comprenais pas. Moi, je n'ai jamais rêvé de rentrer au Conservatoire, c'est à cause de mon oncle. A 11 ans, j'ai commencé, pendant que je faisais mon lycée, j'ai commencé à aller au cours du soir, c'est-à-dire cinq soirs par semaine, plus après, il m'avait fait rentrer, admis dans le cours du samedi matin pour les professionnels qui voulaient se roder.

— C'est lui qui vous avait dit de venir à son cours ?

Martine — Oui, mais je me suis rendu compte que ce n'était pas la bonne voie. J'avais des parents qui étaient un peu des BOF, quoi, qui ne savaient pas s'occuper de leurs enfants comme la majorité de la génération précédente, de nos parents. Moi, j'estime qu'on peut les comprendre, on sait qui on est, on peut les comprendre, mais eux ont jamais pu nous comprendre sauf ceux qui ont eu la chance d'avoir des parents qui amenaient les enfants à goûter à un peu tout, à la musique, à l'art, à tout ça. Mais c'était pas le cas. Je me sentais très différente, je me demandais même si j'étais folle quand j'étais petite parce que je me sentais très différente. Et un jour, je suis allée au théâtre, au théâtre Montansier à Versailles, où mon oncle…

Ma voie était tout autre et c'était trop tard

Martine — Il avait monté une pièce, je pourrais pas vous redire les noms des gens très très connus qui étaient dedans, ni même le titre mais…, j'avais des fleurs pour mon oncle et ma mère m'a dit, « t'as qu'à aller lui donner » et je suis entrée dans le théâtre noir, c'est un peu le Fantôme de l'Opéra. J'avais le sentiment qu'il y avait un tas de présences, de personnages ou de comédiens et pourtant il y avait un silence complet mais j'ai senti la présence de ça, la magie de ça. J'étais dans le noir, dans la travée centrale et je sentais que tous les personnages qui avaient été joués, étaient là encore, présents. Tout d'un coup quelqu'un m'a fait sursauter. C'était mon oncle qui était derrière moi, et j'ai jamais su rien dire à mon oncle, j'ai toujours été stupide, d'une stupidité énorme quand j'étais avec lui tellement il m'impressionnait même quand j'étais beaucoup plus âgée. Je l'ai vu, je sais pas, je lui ai filé les fleurs et je suis partie comme ça. J'étais toute mouflette quand même ! et la pièce, la robe rouge-orangée…[*elle tente de se rappeler le titre : « La robe rouge de Valentine »*].

— *C'était avant le spectacle ?*

Martine — Oui, c'était avant le spectacle. J'avais vu très peu de pièces. C'est une première émotion très forte comme le premier jour où, n'étant pas préparée à ça, je me suis retrouvée sur une scène au café-théâtre à jouer. Ils m'ont pas écoutée et ils m'ont propulsée sur la scène. C'était incroyable pour moi, c'était impensable et puis voilà, la pièce a commencé et puis on a joué la pièce. Mais c'est un moment qu'on n'oublie jamais parce qu'on se dit, ça va pas, je peux pas avoir en plus le rôle principal, c'est pas possible. Faire des « panouilles » [*figurations*], bon, à l'Odéon ou au Français, OK ! C'est impensable et puis quand ça arrive, alors là, on est… C'était mon oncle, je suivais sa carrière, j'affichais sur le mur de ma chambre, bien sûr, les articles sur lui, ce qui fait que mes parents ont très vite compris. C'était le demi-frère de ma mère et de ma tante. Ma mère et ma tante, jeunes filles, ne portaient pas le même nom que lui. Ma mère déteste le théâtre mais mon père, je sentais qu'il voulait absolument que un de ses trois enfants réussisse et je crois qu'il a tout misé en moi. Au début c'était le sport quand j'étais toute mouflette. Il m'a fait faire tout. La première fois où je suis montée sur un cheval, le soir il me disait, « je vais t'acheter une cravache avec une tête en or de cheval ». Je lui disais, « écoute papa, arrête ! » Après il m'a fait faire du hockey sur gazon, j'ai fait du patin, j'ai fait un tas de trucs. Mais si c'était pas ça qui devait réussir, ça devait être autre chose mais je devais. Il avait besoin de la réussite d'un de ses enfants. Ma mère n'a rien dit et mon père a accepté quand un des amis de mon oncle, qui était au Conservatoire avec lui, lui a parlé [*à mon père*] de théâtre. [*Son oncle était alors très connu comme ex-sociétaire de la Comédie-Française, qu'il venait de quitter peu de temps auparavant. Il était également un des professeurs les plus autoritaires du Conservatoire, sans doute le plus « tradition-*

nel » opposé farouchement à Antoine Vitez qui représentait le clan des modernes : il y avait alors une distinction officielle entre classe traditionnelle et classe moderne.] Quand j'y allais, mon oncle me disait, « tiens tu devrais aller faire répéter un tel, prends le livre et va le faire répéter dans la deuxième cour ». J'étais comme ça ! j'avais une peur panique. Et puis un jour cet ami, comédien qui avait fait le Conservatoire, m'a parlé et puis m'a dit, « est-ce que tu acceptes que je parle, moi, pour toi ? » Et moi, je lui avais rien dit du tout. Et il a été voir mon oncle pour lui en parler et on a raccompagné mon oncle à un métro parce qu'ils étaient à Romainville, c'était loin de tout. Et dans la voiture, mon oncle a dit, « bon écoutez, moi, je vous propose une chose, est-ce que vous accepteriez que Martine vienne au cours, après la classe ? » Ma mère n'a rien dit, mon père avait les yeux exorbités.

— *Il était plutôt content, lui ?*

Martine — Oui, donc j'ai été au cours. Et un mois, deux mois, au bout de deux mois j'ai craqué et j'ai dit à mon oncle parce que je ne faisais que regarder et écouter, ce qui est normal. Si on veut être menuisier, on se met pas à faire une chaise, on regarde et on apprend. Et puis mon oncle devait être un peu comme ça, se demander, est-ce qu'elle a quelque chose, un soupçon de talent, comme tout le monde sait que c'est ma nièce, c'est un peu gênant. Alors je lui ai dit un jour, très craintivement, bon voilà, il jouait « Boudu sauvé des eaux » à l'époque, avec Odette Laure, c'est la première fois où Depardieu a eu un tout petit rôle mais vraiment une « panouille », il y avait Tisot, ces gens-là. Au théâtre des Capucines. Je lui ai dit, « voilà, est-ce que je peux savoir, je peux pas continuer à rester dans le cours si je sais pas si c'est pour moi ». Longtemps, longtemps, c'est-à-dire, il y a très peu de temps, je me suis rendu compte que j'avais fait une immense erreur parce que j'en avais fait un veau d'or et que ce n'était pas ma voie. Ça aurait pu m'aider à agrandir ma culture générale, à prendre confiance en moi mais ma voie était tout autre et c'était trop tard. La danse et le chant, c'était beaucoup trop tard pour moi, quand je me suis rendu compte. J'ai arrêté aussi à un moment parce que je ne voulais plus vivre dans l'angoisse. Alors il [*son oncle, Moreau*] m'a regardée et il m'a dit, « bon, écoute, travaille telle scène et telle scène et viens tel jour ». Je me souviens comment j'étais habillée. C'était l'époque des petits bérets, des machins. Et j'étais donc dans sa loge, au théâtre des Capucines, avant d'aller au cours. Ignoble, c'était Agnès, c'est pas du tout mon emploi.

[…]

Je m'excuse mais ma mémoire est pleine de trous, un vrai gruyère ! Il n'y a plus que les trous ! Et cet ignoble individu me donnait même pas la réplique ! Ce qui fait qu'il fallait que je joue, que je laisse le temps de la réplique comme ça, ça lui prouvait que j'avais bien travaillé toute la scène, pas seulement mon rôle, mais toute la scène. Parce que souvent, il y avait des gens qui venaient et qui n'avaient même pas lu toute la pièce. Il disait, « bon écoute, quand tu sauras faire ton métier, tu le respecteras, tu reviendras ». Non seulement ça mais il fallait vraiment écouter dans sa tête ce que disait l'autre personnage et la scène du « petit chat est mort », c'est pas évident parce que c'est pas vraiment, ça se répond pas vraiment, les sentiments qu'éprouve Agnès. J'ai donc dû jouer seule sans partenaire, il ne m'envoyait pas la réplique, donc il fallait qu'il y ait le temps de la réplique et que j'écoute cette réplique intérieurement et que je sorte ma réplique à moi. C'est pas évident, c'est un sacré boulot pour chaque scène parce que ça prouve qu'on connaît bien à fond la situation mais ça apprend à écouter l'autre quand il parle ! Ça c'est formidable ! Enfin comme première expérience, c'était un peu dur, c'était un peu sadique ! Je l'ai fait, j'ai donné une autre scène et il m'a dit, « arrête, voilà, je vais te donner une liste, lis ça, si tu veux le passer ce soir, tu le passes. Tu es une comédienne ; tu es née pour ça ». C'était fou, quoi. Et puis j'ai travaillé. Je me souviens qu'à certaines séances où il disait, « bon, qu'est-ce que vous avez travaillé pour telle séance ou pour telle entrée au Conservatoire ? » Et moi, je me levais et je sortais une liste comme ça ! Des fois il me descendait en flèche parce qu'il fallait faire la compensation pour que les élèves ne croient pas qu'il y ait [*du favoritisme*]… bon. Et puis des fois, je croulais sous des éloges. C'était mauvais parce que j'ai jamais su vraiment si c'était vraiment bien, si c'était vraiment très mauvais, si c'était bon sang ne saurait mentir, tu embrasseras ta mère, des trucs comme ça.

— *Tu ne le voyais pas beaucoup en famille alors ?*

Martine — Je le voyais au cours. Le dimanche souvent, mon père disait, « est-ce que vous voulez aller à Romainville ? ». Et moi, je n'avais qu'une envie, c'était voir ça. Il faisait deux apparitions, une pour dire bonjour et une pour dire au revoir et quand il m'appelait dans son antre qui était le salon qui était tout à lui, où il travaillait le piano, où il travaillait ses mises en scène et alors il les travaillait avec des petits personnages en plomb, et il écoutait des disques, il jouait beaucoup de piano. Au départ, il avait des petits personnages en plomb pour les placements, pour les mises en scène puis après il recopiait. C'était d'un perfectionnisme total. A chaque fois que je voulais lui dire quelque chose d'intelligent, je sortais une bêtise, donc j'étais muette ou alors je sortais une bêtise. Mais quand il me disait de venir dans son antre, je ne demandais que ça, et en même temps je me disais, « qu'est-ce que je vais lui dire ? Qu'est-ce qu'il va me dire ? Comment je vais lui parler ? ». Et ça a été ça toute ma vie, avec lui. Après on a eu des altercations beaucoup plus dures mais disons que c'était son truc, il est parti du Français où il était pensionnaire parce qu'il n'est pas passé directeur [*en réalité : sociétaire, il voulait être directeur*], il s'est fâché et il est parti. Chaque fois qu'il y avait des passations de direction au Français, il se présentait et je ne cessais de lui dire, « jamais les sociétaires ne t'accepteront comme directeur » [*le ton devient dramatique*]. Il était trop strict, trop imbu de lui-même, peut-être très intelligent, une conscience, une connaissance du théâtre fantastique mais trop mégalomane, donc les sociétaires n'auraient pas accepté d'être traités comme ça, et lui il y croyait toujours. Au bout de la troisième fois, où il a été débouté, ça a été l'horreur [*ton de rancœur très vive*]. Il n'a jamais eu non plus la direction du Conservatoire, donc il est parti. Il a fait son bout de chemin et je pense qu'il a complètement raté tout parce qu'il a pas su se servir de sa grande connaissance en mettant en avant une personnalité généreuse, il a jamais été vraiment reconnu comme étant quelqu'un de spécifique, il se cachait derrière les Guitry, les Molière mais c'était devenu de la mégalomanie totale. C'était même trop dangereux pour des gens très sensibles. Au début c'était fascinant ce qu'il disait. Il pouvait passer un cours entier sur quelqu'un qui débutait une scène et puis il arrêtait pour nous parler à tous pendant trois heures de l'époque, donc du style, donc des sentiments, donc de la façon dont on ne pouvait pas marcher puisqu'on était habillé de telle et telle manière. C'était fantastique et c'est pour ça que j'en avais fait un « veau d'or », que je me suis trompée très très longtemps de voie et qu'il m'a complètement abusée et que je n'ai pas pu avoir une vision personnelle de la situation. Donc, je suis rentrée complètement dans le Moreau à tout crin.

— *Même quand tu étais au Conservatoire ?*

Martine — Alors là, ça a changé ! J'ai eu une dérogation du Ministère de l'Éducation nationale pour pouvoir passer le concours. Malheureusement, on m'a pris. Moi, je préférais avoir soit M. Seigner, soit à la limite M. Robert Manuel qui n'est pas un grand exemple humain ou alors carrément mon oncle. Je ne comprenais pas pourquoi tout d'un coup, je l'avais plus. C'est vrai qu'il y en avait qui continuaient à aller à son cours privé mais là, j'ai pas continué à aller à son cours privé, c'était autre chose. Je ne comprenais pas pourquoi j'étais là et comme j'étais trop jeune, que je manquais trop de culture ou disons de vision d'où je voulais aller, donc je n'avais pas un but précis puisque le Conservatoire n'était plus l'antichambre du Français. Il y en a qui se sont accrochés pour passer à leurs concours des choses typiquement classiques, en costume d'époque, des Marivaux, des machins, des trucs. Il y a ceux que j'ai beaucoup connus à cause du cours de Moreau : Depardieu, Dussolier, il y en avait tellement ! et puis après ceux qui sont rentrés au Français, je mélange beaucoup ! Je trouve que pour Dussolier c'est une bonne chose et c'est normal mais attention, il avait un certain âge, il avait une maîtrise de lettres modernes et anciennes, c'était pas n'importe qui ! Il a beaucoup joué sur son charme mais quand même, il a su se soumettre à ses personnages alors que d'autres jamais. Je veux dire le gorille, Depardieu, qui a été le type le plus gentil, le plus doux, le plus adorable que j'ai connu au cours de Moreau, voulant le plus faire bien, est devenu le gorille qu'on sait. [*Avec agressivité*] ça ne sera jamais qu'un débardeur ou un camionneur ou un gorille ! Quand il a joué ce film [*le film de Marco Ferreri « Rêve de singe »*] avec ce gorille aux États-Unis, j'ai dit, « pourquoi est-ce qu'on lui a pas carrément… fait jouer le singe ? » Pour moi, personnellement, censure là [*elle fait un geste vers le magnétophone*], pour moi, il se met jamais derrière un personnage, il est toujours lui-même. C'est comme Giraudeau à qui j'ai jamais trouvé aucun charme et un jour, parce que j'ai eu des périodes très mince puis très forte puis très mince, je veux dire physiquement. Quand j'étais forte, je suis entrée chez Sophie Desmaret [*lapsus*], au Conservatoire, non ça aurait été trop bien, Lise Delamare.

... je haïssais, je déteste Molière...

Martine — Elle ne nous faisait travailler que les rôles qu'elle avait travaillés. L'horreur ! Ou alors quand c'était des choses qu'elle n'avait jamais faites et quand elle m'a montré ma liste, c'était que des soubrettes parce que j'étais forte à l'époque. [*Durcissement très soudain du ton*]. Et moi je haïssais, je déteste Molière. Je comprends pas qu'on aime et alors les soubrettes, non, non. Quand j'ai vu la liste, je me suis enfuie. Un type qui maintenant est plutôt connu, je me souviens pas du nom, dans ma promotion il m'a retrouvée dans la rue, il m'a dit, « mais qu'est-ce qu'il se passe ? » Je lui ai dit, « regarde, regarde ce qu'elle m'a donné » et quand je suis revenue, elle m'a dit, « bon qu'est-ce qui se passe ? » et je dis, « moi je veux jouer les grandes amoureuses, je veux jouer Dona Ines » [*La Reine Morte de Montherlant*]... Elle y croyait pas puis quand je lui ai passé ça, là il y a eu quelque chose de fantastique qui s'est passé [*elle s'émeut violemment*]. Le partenaire, j'avais aucune relation avec mes amis du Conservatoire puisqu'ils étaient tous beaucoup plus âgés que moi, mais je l'ai regardé à un moment et il pleurait ! Ça a été un des plus beaux moments de ma vie, [*elle s'emporte comme si je ne la croyais pas*] il pleurait vraiment et elle, elle a dit, « tu fais un régime et que les amoureuses ». Après je suis rentrée chez Bluwal [*metteur en scène de théâtre, réalisateur de télévision (le « Don Juan » avec Michel Piccoli et Claude Brasseur, etc.), professeur de classe moderne au Conservatoire de 72 à 81*], j'ai fait mettre mon oncle en lévitation, c'était génial ! On était passé de Touchard [*directeur du Conservatoire national d'art dramatique (CNAD) jusqu'en 1974*] à Rosner [*directeur du CNAD de 74 à 82, farouchement « moderne », a supprimé le concours de sortie (haï par Moreau)*], Rosner essayait de se servir de moi et ma mère pour me mettre entre Rosner et mon oncle. C'est à dire toute la catégorie... et qui s'accrochaient à leurs places ! Je veux dire Manuel [*professeur ultra-classique*] et tout ça, je veux dire qu'ils auraient rien fait pour partir, ils s'accrochaient.

— *Manuel, pour s'accrocher !*

Martine — Mais c'était pas un si mauvais professeur ! Maintenant je sais pas. Il était pas très sympa dans la vie mais assez prétentieux, imbu de lui-même. A l'époque il a donné à ceux qui n'avaient pas, comme moi, les vraies règles, les vraies bases techniques indispensables à toute personne qui veut devenir comédien professionnel. Moi, je l'ai eu avec Moreau, mais c'était trop ancré en moi, justement. Je savais, je travaillais, j'avais ma discipline technique. Mais ceux qui ne l'avaient pas, s'ils rentraient chez Manuel, ou chez Seigner encore plus, ils l'apprenaient chez eux. Il faut quand même leur rendre justice. Quand on travaillait avec Monsieur Meyer [*elle insiste sur la nuance de respect*], on pouvait en dire tout ce qu'on veut, qu'il était gâteux, qu'il était ceci, qu'il était cela. Mais quand on a monté les scènes des Feydeau avec lui, c'était en général des Feydeau, c'était formidable ! On était heureux, on s'amusait et on travaillait. Alors évidemment, la soi-disant distanciation, tout ça (...).

— On t'en parlait beaucoup ? Bluwal était de ce côté-là ?

Martine — Non, Bluwal disait, « oui, bon, on va pas s'arrêter au mot distanciation, je vais pas vous expliquer ce que c'est ». Il nous faisait faire des choses où on devait revenir à une réalité dans l'expression concrète mais, en même temps, on devait symboliser par une chose notre personnage. Il fallait toujours que notre personnage soit vrai, qu'on y croie sans accessoire, sans rien mais qu'il soit reconnaissable, qu'il soit symbolisé par quelque chose de spécifique. C'était très intéressant ça ! Tout ce que j'ai appris au Conservatoire, c'est à errer, à faire de l'escrime. J'adorais ça, c'était formidable et puis c'était avec les copains, on allait bouffer. J'étais intégrée sans l'être. Je travaillais pas autant qu'eux. Par exemple un jour, j'avais un Victor Hugo entre les mains, je lisais des scènes fantastiques et il y avait une fille qui était chez Vitez, petite et tout mais qui était une des reines du Conservatoire, tout le monde a pensé le nouveau génie. Elle n'est pas devenue très connue. C'était l'admiration du Conservatoire côté nouvelle vague, côté hyper-moderne, on montre ses fesses, on détourne tout. Ils cherchaient absolument à faire de la distanciation alors qu'ils savaient pas ce que ça voulait dire, ils faisaient un peu n'importe quoi. Lorsque Vitez leur expliquait la distanciation, ils y entravaient que dalle. J'étais sur un des petits bancs rouges, j'ai prêté à cette nana, qui était en troisième année, mon bouquin. Elle a pris une scène absolument inconnue, absolument pas une scène de concours, une scène que personne avait jouée parce que c'était pas apparemment intéressant à montrer, à jouer et à mettre en scène. Elle a passé son concours parce que moi je lui ai prêté mon bouquin sur Musset. Elle a extrait une scène complètement inconnue, apparemment inintéressante dont elle a fait quelque chose d'intéressant. J'étais verte de rage. C'était pour sa troisième année, elle devait être en deuxième année et moi, en première année, un truc comme ça. Peu importe. Le Conservatoire, quand on rentre pas au bon âge ou alors si on est vraiment persuadé, qu'on sait où on veut aller, qu'on a un but à la fois trop grand et en même temps on connaît ses limites et qu'on veut les dépasser grâce à un travail qu'on peut assumer soi-même, à une discipline qu'on sait qu'on va se tenir soi-même, une discipline qu'on va vous donner aussi, vous imposer dans cet endroit, à ce moment-là, je veux dire, il y a des gens qui ont gagné Roland-Garros à 17 ans, pourquoi pas ? Mais moi, j'ai jamais pensé à rentrer au Conservatoire, ça ne représentait pas grand-chose et puis j'ai été séparée de cette rigueur de Moreau et j'étais comme un poisson hors de l'eau, j'étais comme un Moreau dans du théâtre qui n'était pas du Moreau, quoi ! Ça a été assez difficile. Ce que Bluwal m'a appris, je n'ai absolument pas travaillé mon concours de sortie avec lui, je n'ai rien fait avec lui et je lui ai peut-être montré la dernière chose que j'avais faite.

Je ne supporte pas d'être spectateur

Martine — Alors on se demande pourquoi M. Bluwal nous a fait travailler pendant deux ans et a continué après et n'a jamais… Il nous trouvait vraiment mauvais et il n'osait pas nous le dire ou alors il n'avait pas confiance en lui ? [*Elle s'énerve, crie, s'époumone*] j'aimerais savoir, j'aimerais comprendre. Il n'a jamais donné sa chance à aucun des élèves de sa classe, jamais ! Ah ! j'aimerais comprendre. J'ai donc travaillé toute seule mon concours de sortie, j'ai pas voulu jouer l'antichambre du Français, d'ailleurs ça ne marchait plus à l'époque. C'était déjà dépassé, ça ! La Comédie-Française savait que c'était Rosner qui était directeur. Ils n'allaient pas cautionner ça, ils sont complètement à droite. Ils pouvaient pas imaginer que des élèves qui étaient sous la coupe de Rosner allaient pouvoir jouer des classiques. Et pourtant ! Il est très très bien à quatre pattes mais je vois pas ce qu'il fait au Français, Richard Fontana [*sociétaire de la Comédie-Française, qui avait, au moment de l'entretien, un statut de vedette à l'intérieur de la maison, il a fait le CNSAD, en même temps que Martine*]. C'est grâce à lui que j'ai commencé à travailler au café-théâtre.

J'étais pas tout à fait de sa promotion. Mais lui est rentré un jour au Français. [*Avec l'exaspération, elle devient très emphatique, théâtrale, comme pour masquer ou dépasser sa nervosité, son excitation qui la mène au bord des larmes*.] Je déteste être spectateur, je ne supporte pas d'être spectateur. D'ailleurs je n'allais jamais au théâtre. Je ne vais jamais à l'Opéra, je ne vais jamais voir des comiques parce que ça m'arrache le ventre, ma place n'est pas là ! Si je vais au théâtre ou si je vais à l'Opéra, il faut que je sois sur scène sinon non, je n'accepte pas.

— *Tu peux aller au cinéma ?*

Martine — Plus facilement, mais j'irai pas voir des films avec des gens que je connais ou que j'ai connus parce que je les connais trop et je connais leurs trucs et je les connais trop dans la vie pour y croire. [*Elle martèle les mots*.] Je trouve qu'il y a des injustices dans le cinéma français qui sont vraiment scandaleuses. Je vais pas aller me déchirer le ventre, me faire hara-kiri tout en étant spectateur alors que je ne le supporte pas.

— *Musique, chant, théâtre, tu ne supportes pas de le voir ?*

Martine — Non. Par exemple, un pianiste, je ne supporterais pas de le voir…[*Elle semble soudain très fatiguée*.]

— *Tu as fait du piano ?*

Martine — Un peu. Moi, ce qui m'intéresse c'était de jouer du piano, c'était pas de regarder quelqu'un en jouer. Donc je n'accepterais jamais, c'est rédhibitoire, je n'accepterais jamais d'être du côté du public. Je connais beaucoup de gens [d'acteurs] qui ont accepté d'être du côté du public, ça leur fait mal au cœur mais ils sont du côté du public, ils ont réussi à mettre leur mouchoir par-dessus. Moi, je ne pourrai jamais.

— *Qu'est-ce que ça veut dire « être du côté du public » ?*

Martine — Être passif et rentrer dans quelque chose alors que moi, je vois à la fois le bon, je vois toujours le bon même dans ce qui est mauvais. (…) Bon, j'avais vu un Molière, c'était génial parce que tout était dans le noir absolu, je n'ai rien vu de la pièce sauf à la fin quand ils sont venus saluer et là j'ai vu la rampe s'allumer et j'ai dit, « pourquoi il nous a privés de ces costumes-là ? Ils sont superbes, les comédiens sont beaux ! Pourquoi il nous a mis toute la pièce dans le noir ? » [*Théâtralisation de l'anecdote, elle crie en prononçant les mots « superbes » et « beaux »*.] Je ne comprenais pas. J'aime pas être spectatrice, je supporte pas. Ça dépendait l'implication que j'avais dans les pièces que j'allais voir. Si c'était vraiment très très léger. Mais quand même je me sentais pas à ma place sur une chaise, en tant que spectateur. Ce que Bluwal nous a dit un jour, ce qui est très vrai, il m'a appris à désapprendre Moreau, une espèce de carcan, d'armure. Ne jamais oublier la technique, il m'a appris à essayer d'être moi-même, à imposer mon point de vue, ma vision des choses tout en voulant rester derrière le personnage. Il m'a appris à casser cette armure dans laquelle j'étais enfermée. Il nous disait, « quand le théâtre devient de la thérapie, c'est très mauvais, il faut arrêter tout de suite. Ça peut être bon comme thérapie pour des gens qui ont des problèmes, qui sont postier, mère de famille, etc., quoique, hein, il dit, j'en doute parce que tout de suite ils se prennent la grosse tête, ils se disent, je vais aller dans un cours plus fort. Mais il dit, pour des professionnels, des gens qui sont là comme vous et qui veulent faire ce métier, si vous sentez un jour que c'est pour vous une thérapie, arrêtez tout, c'est une horreur ! Il faut jamais que ça soit une thérapie, c'est la pire des choses qui puisse vous arriver ». Moreau, par contre, nous disait, « vous êtes très très nombreux ici », quand c'était son premier cours privé, on était 120, c'était dément ! dans cette toute petite pièce, le nombre de personnes qu'il y avait au début. C'était magique ! Il nous disait, « vous êtes 120, 90... il y en a peut-être deux sur le tas qui feront ce métier, mais je vais vous apprendre des choses qui vous serviront pour toute votre existence ». Tant qu'il n'a pas étouffé la personnalité des gens, et à un moment, ils nous a étouffés, surtout les femmes, c'est un misanthrope, misogyne comme j'ai rarement vu. Il fallait atteindre la perfection, mais les femmes n'étant de toute façon pas des êtres parfaits, elles n'atteindraient jamais la perfection. Sauf des exceptions fantastiques. Quand j'ai été à son Conservatoire de Paris qui voulait faire concurrence au Conservatoire national ! [*Moreau a voulu fonder un Conservatoire des Conservatoires d'arrondissement, qui a fini par se faire*.]

— *C'est tombé à l'eau ?*

Martine — Oui, forcément ! C'était foutaise et compagnie ! Quand je suis arrivée à son cours, j'ai passé le concours. Je savais jamais si c'était à cause de lui ou malgré lui ou contre lui que j'étais prise quelque part. Donc j'essayais d'éviter cette carte de visite. Mais c'était difficile, ça se savait et puis on voyait tout de suite le style de Moreau que j'avais. Mais son bras droit nous disait, « vous savez, il faut que vous sachiez qu'en suivant les cours de notre grand maître, Moreau, vous avez toute les chances de ne jamais être engagés nulle part ». Dire ça à des élèves qui payent pour être dans un Conservatoire où il n'y a qu'un prof, Moreau, c'est un peu dur quand même ! Bon, aucune chance d'être pris dans un casting, c'est un peu dur ! Il fallait d'un côté être fier d'être chez Moreau et d'un côté, il aurait fallu le cacher. Un jour Moreau m'a fait croire dur comme fer que j'avais du talent et que c'était les planches, rien que les planches qui comptaient, et moi, j'étais en pleurs parce que je venais de voir un spectacle qu'il avait monté, une Poétique, j'étais en pleurs, je gênais les spectateurs, j'avais des mouchoirs partout. Alors je suis montée tout en haut au poulailler parce que c'était pas possible et après je leur ai offert un immense truc de fleurs et tout et je suis descendue en pleurs et je suis allée les remercier. Mon oncle m'a regardée et m'a dit, « alors maintenant j'espère que tu as compris, il n'y a que ça, les planches qui comptent, il n'y a rien que ça ». Je lui ai dit, « mais depuis toujours, je le sais ». [*Silence entre les phrases. Elle a du mal à garder calme et lucidité : regard embué, voix sèche, confusion dans les gestes ; elle fume beaucoup, se sert et se ressert de jus d'orange*.] Ça a détruit mon mariage.

— *Tu t'es mariée jeune ?*

Le théâtre je ne le voyais pas comme du narcissisme

Martine — Oui, j'étais encore au Conservatoire. Je ne me suis pas mariée, on vivait maritalement et puis ça a été officialisé après pour d'autres raisons. Je le savais, je m'étais trompée de branche et puis c'était trop tard et je savais que ma place était là. Pas par narcissisme, on est tous narcissiques, tous, tous. (…) Je ne m'intéressais pas au théâtre des autres. Je n'avais plus que Moreau. Et Moreau un jour, très longtemps après – il m'a toujours fait croire que j'étais de sa famille théâtrale, que je ne correspondais qu'à sa famille théâtrale puisque pour moi, le théâtre, c'était Moreau, uniquement Moreau Et puis un jour, je le raccompagnais au théâtre Hébertot, en voiture, il m'a dit, « tu sais, il faut que tu cherches partout et que tu trouves à t'intégrer à une famille de théâtre. »

— *Après le Conservatoire ?*

Martine — Oui.

— *Il n'était pas fâché que tu sois allée chez Bluwal ?*

Martine — Ouh ! [*très emphatique, violent*].

— Ça t'a dissuadée d'aller chez Vitez ?

Martine — Non pas du tout. (...) Il y avait pas la guerre du tout, mais on sentait ceux qui voulaient réussir, ceux donc qui se vouaient au classicisme. C'était cette comédienne qui travaille énormément maintenant qui était une élève de Bluwal... j'ai vraiment des trous. Elle était chez Robert Manuel, moi je la trouvais, ah ! je ne la [*dégoût violemment exprimé*] supportais pas. Je la trouvais vraiment à chier au début et elle n'arrête pas de travailler, elle !

— Christine Boisson ?

Martine — [*Changement de ton : grand respect un peu solennel*] Non, Boisson, c'est elle, personne ne la fera ni la défera. Moi, j'étais au Conservatoire avec elle, c'est quelqu'un ! Non, elle était chez Manuel et, elle n'a jamais arrêté depuis, elle fait téléfilm sur téléfilm, série sur série, c'est incroyable ! et au théâtre aussi ! Elle s'est bonifiée avec le temps, je l'avoue.

— Vous étiez assez solidaires entre élèves ?

Martine — C'est-à-dire que moi, je comprenais pas ce que je faisais là ; donc j'y ai perdu trois ans de ma vie. On m'a donné plein de fleurs et tout, Vitez est venu me voir. On s'est rencontrés parce qu'on se démaquillait dans les toilettes avec Christine [*Boisson : devenue star avec le film d'Antonioni* « *Identification d'une femme* »]. On s'est regardés et puis on a dit, « voilà, c'est fini, il faut attendre que le téléphone sonne ou pas ». Je crois qu'on s'est pas dit au revoir les uns, les autres. C'était un peu conscient entre nous. Mais moi, je savais que le téléphone ne sonnerait pas, j'aimais pas mon image du tout, du tout.

[...]

Attention le talent était de son côté, du côté de mon mari, ça me fait drôle de l'appeler « mon mari » d'ailleurs, le talent était de son côté, c'était évident. Il me disait que le théâtre était une langue morte comme le grec ancien. Il me disait « ça vaut rien, ça n'existe pas, c'est mort ». Et puis je me suis laissé influencer, peut-être un peu vite, un peu facilement parce que justement je ne voulais pas mettre en avant cette image que j'avais de moi, je ne voulais pas qu'on me donne des soubrettes et puis je crois que j'avais peur de me planter et pas confiance en moi. Et puis séparée de la soi-disant famille à laquelle j'appartenais, Moreau, je n'avais plus rien. Donc j'ai fait la carrière de mon mari, c'est-à-dire que c'est moi qui allais au front, il était mégalomane mais en même temps il était extrêmement introverti. Au bout d'un moment, ça a commencé à très très bien marcher, les sous tombaient comme une manne incroyable et moi, j'avais donné toutes mes forces là-dedans. [*S'exalte soudainement*] j'ai ressenti à nouveau l'angoisse. (...) Alors je me suis dit, autant souffrir pour moi, autant être angoissée pour moi. Et puis je me suis dit, c'est peut-être le seul moyen pour équilibrer notre couple parce que on se voyait du matin au soir, c'était musique tout le temps. Alors là, j'ai voulu retourner au théâtre et il a pas supporté. Il a pas supporté que je retourne chez Moreau

Je regrette tellement d'être passée à côté de ma vie

— *Tu t'étais un peu sortie du mythe obsédant.*

Martine — Non, ça m'a repris mais là j'ai vu sa folie, sa mégalomanie [de Moreau] qui était passée à la folie, à l'extrême. Et il m'a jamais vue en tant que tragédienne, et quand je lui ai passé des choses, il m'a dit, « mais qu'est-ce que tu... je sais pas, passe-moi ça ou ça » et puis je lui ai passé une tragédie, je ne sais pas si c'était Phèdre ou quoi. Il [Moreau] s'est levé et il m'a dit, « de la tragédie, de la tragédie ! plus que de la tragédie ! » Ça s'est tellement dégradé et puis Moreau m'a tellement enfoncée pour la troisième fois peut-être dans ma vie, mon mari m'a enfoncée aussi, ma famille de sang m'a enfoncée aussi, j'avais plus personne et j'avais plus rien. J'ai laissé tomber. Je crois que j'étais une dépressive chronique, donc qui n'avait pas assez confiance en elle et qu'on avait laissée trop tôt, je regrette maintenant qu'on m'ait pas poussée à pousser mes études, qu'on m'ait balancée et que j'aie accepté, que je me sois laissé faire en croyant que c'était bien de faire le Conservatoire, qu'on m'ait poussée à tout ça parce que je ne comprenais pas ce que je ratais. Maintenant je voudrais avoir mon bac, aller en faculté. Je voudrais faire du chant et de la danse. C'est encore un peu tôt, ça me fera trop mal mais je voudrais avoir une profession dont je sois fière, être quelqu'un, pas forcément à travers les spotlights parce que c'est plus possible, mais je voudrais m'en approcher quand même, même si ce n'est que pour moi.

Ensuite il y a eu la rupture, c'est mon mari qui m'a quittée d'une façon... alors que sans moi... Il ne pouvait pas vivre un instant sans que je sois dans la même pièce que lui et il m'a poussée à reprendre mes cours avec mon oncle. C'était déjà bizarroïde et de temps en temps quand je descendais pour aller au cours de mon oncle, il faisait semblant de passer par le balcon [*pour qu'elle reste auprès de lui, alors que c'est lui-même qui lui avait conseillé de reprendre les cours de Moreau*]. Alors, je remontais, je disais, « j'y vais pas ». Il me dit, « si, si, il faut que tu y ailles, c'est bien pour toi ». Je descendais, je prenais ma voiture et il refaisait semblant de passer par le balcon. Et puis quelqu'un lui a dit, « les scorpions avec les poissons, ça va pas, c'est pas bien ». Et hop ! comme ça. Alors tout ce qui était ma vie, qui était mauvais pour moi, qui n'était pas moi, j'ai toujours été manipulée, modelée, avec une personnalité profonde, on me l'a étouffée, une personnalité que je crois très forte. On me l'a étouffée toute ma vie, jusqu'à maintenant encore sous le modelage des autres et je me suis laissé faire sans m'en rendre compte. Et maintenant les autres me le reprochent, « pourquoi t'as fait ça au lieu de faire ça ? » Alors qu'on me poussait, on me disait, on m'y poussait pas mais on me disait, « fais-le » ou on me disait rien, on me laissait faire. Soit on a une volonté de rentrer dans ce Conservatoire que je ne connais plus maintenant, qui n'était pas le mien et qui, d'ailleurs, n'était pas pour moi. Et j'étais trop jeune. Il faut bien faire une différence entre mon cas personnel et puis j'avais été modelée par Moreau, c'est formidable au niveau de la technique, au niveau de la compréhension d'un texte ou d'un personnage ou l'humanité profonde du personnage et pourquoi il dit ce mot-là et pas ce mot-là, l'écoute de l'autre, c'est fantastique, mais il faut être plus âgé ou alors il faut être en béton et un surdoué. Sinon, on perd sa propre discipline et on n'est pas assez conscient qu'il faut se la donner tout seul et accrocher quelque part à une discipline au Conservatoire (...). Moi, c'est un cas très particulier. Je ne veux pas être citée en modèle, mais disons que je trouvais ça vraiment... on laissait des élèves aller ou alors on les poussait dans des choses très extrémistes qui leur correspondaient pas parce que soit ils ne les comprenaient pas, distanciation machin, ou alors, comme à moi, ça a été formidable, on m'a libérée, on m'a dit, « tu peux sortir de ce carcan, mais pour en faire quoi ? » Alors le théâtre n'avait plus de sens pour moi.

— *Qu'est-ce que tu fais maintenant ?*

Martine — [*Accablée, lasse, elle devient moins emphatique.*] Je regrette tellement d'être passée à côté de ma vie parce que

j'estime que je suis au milieu de ma vie, il y a une phrase très très connue de je ne sais plus qui, qui a dit, « à l'âge où l'homme se retourne et constate que sa vie est un échec accepté ». Eh ben moi, je ne l'accepterai jamais, donc je souffrirai toujours et je n'ai pas besoin de me retourner pour savoir que je l'ai ratée. Je crois que c'était ça ma boulimie aussi, je crois que j'étais dépressive chronique à cause de ma famille, à cause de tout ça, à cause de Moreau, à cause des gens qui m'ont manipulée et qui ont étouffé ma personnalité qui, je crois, était très forte et qui n'ont pas voulu essayer de la laisser sortir, la faire vivre et qui au contraire ont voulu me modeler à leurs personnalités et voir à travers leurs yeux et vivre à travers leur façon de vivre. Est-ce que c'est de ma faute ? est-ce que j'étais trop bête, trop jeune, je ne sais pas. Peut-être que j'étais trop fascinée, trop amoureuse ou trop idolâtre ? Mais c'est vrai que quand on joue au café-théâtre ou dans un grand théâtre, quand on joue au café-théâtre et qu'on a un premier rôle, c'est fantastique de sentir les gens, là. Quand ils vous échappent et que vous les reprenez. Ça, c'est la meilleure des écoles pour moi (...).
J'étais sur un plateau, j'aidais Alain [*Alain W., son ami, dont le métier consiste à établir les dialogues de doublage, les versions françaises que les acteurs doivent synchroniser. Elle lui sert parfois, comme pour cette anecdote, d'assistante*] pour doubler un film et c'était la première fois qu'Omar Sharif se doublait en anglais. Il fallait reconstituer complètement le doublage parce que ça passait pas. J'aidais Alain sur le plateau pour briefer les gens. Des gens comme Omar Sharif qui était entre tel endroit du bout du monde et qui devait repartir à tel endroit du bout du monde parce qu'il avait une partie de poker à faire là et là. Il fallait pas qu'on le laisse repartir sans qu'il ait tout post-synchronisé ou tout synchronisé. Quand je l'ai vu, il est encore plus beau que quand il était jeune. Quelqu'un lui a dit, « vous allez rencontrer sur le plateau monsieur Alain W. et son assistante pour briefer, pour être sûr qu'on ne rate aucune scène ». Et il est arrivé et il a serré la main à Alain en disant, « bonjour Alain, je suis ravi de travailler avec vous, j'espère que tout ira très bien » et il m'a baisé la main et il m'a dit, « bonjour Martine, je suis ravi de travailler avec vous, j'espère que tout va aller pour le mieux ». Vous savez, quand quelqu'un vous fait ça, ça fait quelque chose. J'étais sur ce plateau pour le film de Dostoïevski de Wajda, une merveille ! C'est

sublime [*dit violemment, sèchement*]. Quelqu'un l'a [*Omar Sharif*] fait rentrer, j'entendais dans le couloir : Monsieur Sharif, nous sommes très honorés et très émus [*c'est Alain qui parle*], c'est merveilleux, c'est formidable ! [*c'est Omar Sharif qui dit : « C'est merveilleux » en réponse à « nous sommes très émus »*]. Il est d'une gentillesse, d'une humilité, d'une simplicité [*insistance presque agressive dans la voix comme si la plupart des acteurs étaient le contraire*] et même quand il dit quelque chose de sec, il le dit très bien. J'ai une anecdote qui est merveilleuse là-dessus. A un moment il était là, pendant le doublage et dans le film disait, « je suis là incognito » et en anglais il dit, « I am incognito ». Alors là Peter dit : tsss [*ne semble pas d'accord*]. Omar Sharif a dit, « il y a un problème technique ou quelque chose que vous préféreriez ? Repassez-moi l'image si je ne suis pas synchrone ». Grande humilité, grande simplicité. Et Alain ne voulait rien dire, vraiment rien dire et Peter lui a parlé un peu dans toutes les langues et lui a dit, « je ne crois pas qu'en anglais on dise "incognito". C'est pour la Gaumont, elle va peut-être nous dire que c'est pas possible ». Quand Omar Sharif a répondu à ce type, tout le monde était caché sous les consoles. On riait, on se disait, quelqu'un lui a rendu la monnaie de sa pièce. Quand Peter est sorti, on a hurlé de rire. Il a dit, « effectivement, monsieur, dans le film je dis "incognito" ma voix est connue du monde entier. Si je dis, "incognito" en français ou en italien, je vais dire "incognito" en anglais. Pourquoi ? parce que, faites le tour du monde entier, Gaumont, personne ne connaît, par contre Omar Sharif et sa voix, tout le monde connaît et la reconnaît. On ne m'a jamais, sur aucun film, demandé de changer mon accent, ma façon de m'exprimer et j'ai tenté de faire du mieux que j'ai pu mais ma façon de m'exprimer, mon accent, c'est le mien, c'est ma voix, c'est mon choix et on ne me l'a jamais reproché, on ne m'a jamais demandé de faire autrement, je dirai donc "incognito". Mais gentil, super soft. Lambert Wilson, Delphine Leroy-Beaulieu. Philippine ! Leroy-Beaulieu, elle est extraordinaire, d'une gentillesse, d'une humilité ! Tous les trois, c'est extraordinaire ! On n'a jamais vu ça sur un plateau ! Quand on pense qu'il y a des Français ou des bilingues qui sont odieux, prétentieux, vaniteux et qui crachent dans la soupe tout le temps, vraiment c'est une grande leçon [*expression théâtrale de dégoût*]. Dans le film, au moment où il meurt, on entend le bruit des cochons, c'est la fin du monde, c'est superbe ! [*raccourci dont elle ne se rend pas compte, ponctué par un « superbe » très violent. Dans ce passage, tous les adjectifs sont fortement appuyés et détachés dans le débit de la voix*] ce film de Wajda, ne serait-ce que pour les couleurs, à part lui, même si les comédiens, non, il y a des comédiennes fantastiques ! Ce film est merveilleux, d'ailleurs ça n'a pas du tout marché. C'était pour Gaumont qu'on faisait la version américaine et ça n'a pas marché même en français. Le directeur de Gaumont a dit, « c'est le plus beau doublage et le plus beau film qu'on ait fait ». Ça n'a pas marché mais moi, j'en serai toujours fière. [*Toute cette anecdote est racontée de façon heurtée, maladive, qui tend simplement à montrer qu'elle a côtoyé des stars, qui l'ont appréciée, elle et son ami. Martine semble faire implicitement allusion à ses anciens camarades, qui, eux, ne sont, selon elle, que de grossiers arrivistes (Fontana, Berry, Giraudeau) ; plus de l'ordre du fantasme que du témoignage : l'idée quasi mystique et un peu enfantine qu'elle se fait de la star. Très émue par l'histoire de ce doublage qui semble être la seule expérience réussie et « prestigieuse » de sa carrière, elle la raconte de manière très confuse, en mélangeant plusieurs obsessions : le mythe de la star grand seigneur, le narcissisme et la grossièreté de la plupart des acteurs, l'échec (du film et de son travail), etc.*].

Ressortie par la toute petite porte

— *Qu'est-ce que tu fais aujourd'hui ?*

Martine — [*Découragée, fatiguée, elle parle très doucement et avec simplicité sauf, « ça jamais », très ponctué*.] Je ne fais rien malheureusement, c'est ça qui est le plus dur, c'est que je ne peux plus rien faire parce que je n'ai pas poursuivi des études, donc je ne peux rien donner sur un CV, pour une autre profession que celle d'artiste et celle d'artiste, j'en suis écœurée, il ne faut pas m'en parler. Ne me parlez jamais d'animation ou d'animer des groupes d'amateurs, ça jamais ! ou pour les enfants, je ne sais pas m'y prendre. J'ai besoin d'un metteur en scène qui me donne un texte et que j'exécute. Je ne veux plus le théâtre, on a trop mal au ventre [*elle voudrait rejouer, mais pas dans le même contexte : Moreau, ses camarades, etc.*].

— *Tu ne veux pas reprendre des études ?*

Martine — [*Ton un peu plus plaintif, affaibli*.] Non, parce que je n'ai pas le grade. Théoriquement, j'avais le grade à l'époque parce que j'ai pas passé le bac. J'avais le grade en faisant le Conservatoire, bac + 3.

— *Ah oui, donc quand tu t'es présentée en fac, on t'a dit : impossible sans le bac ?*

Martine — N'importe où. Je suis allée au Ministère de l'Éducation nationale. Je leur ai dit, « pourquoi vous m'avez laissée faire ça, pourquoi vous m'avez donné une dérogation, à l'époque c'était universitaire, bac+3, donc je pouvais me recycler, et maintenant vous me dites : non, maintenant à notre époque, c'est pas rétroactif ! » Donc j'ai pas mon bac, je le repasserai pas, il faut pas rêver. J'ai rien. Le fait de ne pas travailler, ça n'arrange pas des gens qui sont dépressifs chroniques et surtout dépressifs depuis sept ans quand tout les a abandonnés.

— *Tu es en période de transition ?*

Martine — Ça fait sept ans !

— *Tu touches le chômage ?*

Martine — Je n'ai rien ! si je voulais, je pourrais avoir le RMI. Ici, je suis soutenue financièrement mais je me sens pas chez moi. Je suis totalement comme les gens qui sont pris en charge par l'État, quoi ! C'est insupportable ! C'est une chose que je n'ai jamais supportée, j'ai toujours pensé qu'une femme est comme un homme mais un homme, c'est viscéral, c'est de l'atavisme, un homme ne va jamais se dire, je vais me faire entretenir par une femme. Depuis mes souvenirs de toute petite enfant, je ne me sens pas comme un homme, je suis une femme, ça c'est clair pour moi, mais je sais pas pourquoi, je ne sais pas d'où ça me venait, je me disais, tu es d'abord un être à part entière [*elle veut dire « unique », inaliénable*], il faudra que tu sois toujours un être à part entière avant d'être une femme, que tu aies un métier, que tu te maries jamais même si tu dois aimer quelqu'un très fort et que tu n'aies pas d'enfant…

— *Tu n'as jamais voulu d'enfant ?*

Martine — Non parce que je trouve que je ne suis pas assez mature, pas assez équilibrée, donc je ne peux pas être un exemple. Et c'est la seule éducation qu'on peut donner à un enfant. Il faut être assez cultivé pour éveiller dans les enfants un intérêt, sans les pousser à quoi que ce soit, sans les influencer, les pousser vers la littérature, la musique de toute sorte, il faut pas être sectaire. Les amener à choisir par eux-mêmes, questionner d'autres gens même que vous, et être assez fort pour dire : « écoutez les enfants, aujourd'hui, votre mère a été nulle [*insiste fortement sur le mot*]. Je me suis plantée sur toute la longueur, je suis nulle, voilà ce que j'ai fait ». Et que les enfants rient et disent, « bon et alors ? » Je ne me sens pas mature, je ne me sens pas capable et je veux réaliser quelque chose par moi-même, je veux me prouver que je peux être quelqu'un, ce quelqu'un que je rêvais d'être, quand j'avais quatre ans. A 36 ans, c'est dur ! Sans argent, sans beaucoup d'argent... J'ai jamais gagné... [*Les termes signifiant l'échec ne sont jamais éludés, mais au contraire, toujours mis en valeur dans la diction.*]

— *Ta famille ne t'a jamais aidée financièrement ?*

Martine — Je préfère ne pas parler de ça. Tout le monde n'a pas la chance de naître orphelin mais le problème n'est pas là. Je me dis que j'aurais dû renverser un jour la vapeur malgré tout le monde qui m'a fait aller dans une voie qui n'était pas la mienne, qui a été trop laxiste et qui m'a laissée faire les choses et me reproche maintenant de pas arriver à faire ce que je veux. Ils ont pas le droit. Quand je dis, « c'est ma faute », la troisième fois je dis, « non, c'est pas ma faute, c'est la leur ». Parce que j'ai pas compris que je me trompais et que je me laissais aller dans une voie qui n'était pas la mienne. Ce qu'il faudrait maintenant c'est que je gagne au loto, que je donne à ceux qui en ont besoin comme ça [*rire un peu excessif : c'est à la fois sérieux et dit comme une plaisanterie*].

— *Tu y joues ?*

Martine — Non, j'y ai travaillé, donc je sais le nombre de personnes qui y travaillent et qui y mettent leur paie entière. J'étais contrôleuse des fraudes, au loto, pendant un certain temps. J'ai fait plein de métiers. J'ai jamais été fière, si des fois, j'étais un peu fière de moi mais personne ne me reconnaissait. Je me dis que maintenant ça va être très difficile parce que l'argent est le nerf de la guerre ou alors vous avez beaucoup de talent et de chance. La « chance » compte énormément. Je crois que j'en ai pas beaucoup et j'ai peut-être pas tellement de talent, mais j'ai peut-être quelque chose en moi qui me permette de me réussir. Je suis trop blessée par le théâtre. Ça me ferait trop mal. Je veux pas y penser [*insiste sur les adverbes de négation*]. Je crois que le théâtre, c'est un peu de la poudre aux yeux. Si j'avais à faire du théâtre, à ce moment-là, je ferais du boulevard.

C'est comme Vitez qui m'a dit, alors que je savais pas du tout, qu'il avait monté du Tournier [*elle avait présenté aux journées de sortie du CNSAD des textes tirés de « Vendredi » de Tournier*] ; moi, j'avais fait un autre découpage que lui, moi, je savais pas que ça avait été monté une fois, il l'avait monté à Chaillot. Il est venu me voir et il m'a dit, « Martine (c'est peut-être la seule fois que Vitez m'a adressé la parole en toute ma scolarité au Conservatoire), Martine, je voulais te dire que je n'avais pas vu la chose comme toi mais que maintenant en y pensant, pourquoi pas et vraiment je voulais te dire bravo pour ça parce que moi, je l'ai pas vu comme ça, je l'ai monté différemment ». Et après Bluwal m'a cherchée dans les cafés parce que je voulais voir personne. C'était fini, j'avais arrêté tout et il est tombé sur moi, il m'a dit, « écoute, j'ai rien à te dire parce que t'as fait ce que tu as voulu et t'as réussi à faire le silence total, et pas parce qu'ils dormaient (on aurait entendu ronfler), on aurait entendu une mouche voler, t'as fait écouter des gens pendant une demi-heure, sur des textes tellement abscons, ésotériques, qu'ils ne pouvaient pas comprendre un mot de ce que tu leur racontais et ils ont fait le silence et t'as captivé leur attention », il me dit, « c'est le plus important. Maintenant il faudrait que tu penses à vivre de ton métier ». En contradiction totale avec lui, il disait, Bluwal et il avait raison, il faut tout accepter même des choses [*des rôles*] ignobles, laides et bêtes, connes, stupides. Alors que c'est un mec de gauche, un pseudo-intellectuel, quand même ! Moi je disais non, il faut refuser certaines choses. Alors on vend notre âme, notre conscience si on accepte certaines choses. Non, non, tu es une professionnelle. Vous êtes des professionnels, [*à travers moi, elle s'adresse à tous les acteurs comme à une tribune*] vous devez tout accepter de jouer. Vous ne devez pas faire de sectarisme, vous devez tout accepter de jouer même si ça vous met les tripes dehors. Vous devez le faire ! Vous devez vivre de votre métier.

— *Et si on te proposait un rôle maintenant ? Ça peut repartir.*

Martine — Je ne suis pas comme les autres, j'ai pas cette capacité. (…) [*A propos de l'interview, voulant donner un dernier conseil aux acteurs, une conclusion*] C'est trop trop spécial mon cas, il faut que les comédiens soient aptes à souffrir. Ça, c'est vrai. Moreau le disait, je ne sais pas s'il faut le croire, « tous les matins à partir du moment où vous choisissez ce métier, vous aurez mal au ventre et vous aurez le trac. Tous les matins même si vous jouez. Parce qu'on peut jouer une semaine, trois mois, six mois, un an parce que ça a du succès et à un moment ça s'arrête et alors là ! ».

décembre 1990

Pierre Bourdieu

Le rêve des familles

Henri a réussi tout ce qu'il a voulu ; mais il n'est pas sûr d'avoir voulu tout ce qu'il a réussi. Lorsqu'il se retourne sur sa carrière scolaire, extrêmement rapide et brillante, il a le sentiment que sa voie « était toute tracée, et depuis longtemps » et que, bien qu'il ait toujours choisi ce qui lui plaisait le plus, il a « été un peu programmé pour être chercheur ». Sa lucidité ne change rien à la chose : il envisage tous les possibles latéraux, mais comme par acquis de conscience et comme s'il savait qu'ils sont exclus d'avance et qu'il finira par faire le choix qui lui apparaît, au moins rétrospectivement, comme le plus mauvais ; cela, du point de vue de la réussite « sociale et financière », auquel il ne parvient pas à se situer vraiment.

Fils d'un père instituteur, ou, plus exactement, directeur d'école, dans une petite commune de 2 000 habitants, dans l'Est de la France, et d'une mère institutrice d'école maternelle, il a été d'emblée, et sans doute à tout jamais, immergé dans un monde de part en part scolaire : « c'est sûr, on baigne toujours là-dedans : l'école, les livres, la culture, c'est les valeurs… ». Son père, qui a été aussi son premier maître, avant l'entrée au lycée, est profondément investi dans son métier et aime à parler de problèmes d'école (politiquement proche du parti socialiste, il n'aime guère l'armée et l'élection récente d'un général aux municipales de son village l'a mis en fureur). Pourtant, il le décourage plutôt d'entrer dans l'enseignement : « l'enseignement ça attire et en même temps, c'est assez repoussé dans la famille : mes parents apprécieraient pas tellement que j'aille dans l'enseignement... Enfin, c'est pas qu'ils m'en dégoûtent, c'est que... ils se plaignent assez souvent et que... » Comme s'il reproduisait l'ambivalence paternelle, liée sans doute aux transformations des métiers d'enseignement, il manifeste, dans chacun de ses choix, une profonde ambiguïté, balançant toujours entre le désintéressement du choix le plus proche des valeurs scolaires et la nostalgie de carrières moins coûteuses scolairement et propres à lui assurer des profits plus substantiels : « c'est toujours en même temps un rapport de... je sais pas, d'attirance et puis de répulsion, mais un peu pour tout, c'est un peu la même chose qui se passe. » Mais il sait bien, et il est le premier à en rire, qu'il finira par revenir au choix le plus ascétique : « j'optimise pas ma démarche »...

Comme s'il obéissait à un « programme » (c'est sa métaphore), il fait, à chacun des carrefours de sa carrière, le choix de ce qu'il y a de mieux scolairement, mais qui n'est pas nécessairement ce qu'il y a de mieux « socialement » : lycée, première S, terminale C, bac avec mention très bien, Maths sup dans une grande « prépa » de province, tout cela, comme il dit, « sans réfléchir », parce que cela va de soi pour un brillant élève (« c'est la voie royale, alors on y va, un point c'est tout »), toujours premier de sa classe, présenté au Concours général, puis, après un bref détour par Polytechnique, l'École normale, la physique théorique. C'est sans doute au moment du choix entre l'École normale et l'École polytechnique qu'il éprouve le mieux les limites de la liberté qui lui est laissée par son « programme » ; c'est en tout cas à ce moment, qui est sans doute le tournant décisif de sa vie, qu'il ressent le plus dramatiquement le conflit entre deux principes de choix et les deux formes d'existence qu'ils ouvrent : « il y a toujours eu une bataille, qui existe encore, entre ce qui me semble le mieux et enfin... – je ne sais pas comment dire, c'est pas évident à formuler – ce qui m'apparaît comme le mieux, le plus satisfaisant au niveau intellectuel ou... et puis ce qui est mieux socialement ou ce qui ouvre le plus de possibilités professionnelles, des choses comme ça. » Admis aux deux concours, il décide, après beaucoup d'hésitations, de choisir l'X, obéissant aux suggestions de ses professeurs qui savent que le prestige d'un établissement scolaire se mesure au nombre de succès à cette école, et aussi de ses parents et de tout l'environnement social qui tient que « l'X, c'est plus prestigieux » ; mais aussi et surtout parce que sa docilité à l'égard de l'école et de ses verdicts le porte à lire dans les notes et les rangs qu'il a obtenus dans les deux concours des indications sur la voie à suivre (« A l'X, j'étais trentième, enfin 34, je crois, à Ulm, j'ai été reçu sur la liste supplémentaire. Donc (...), je me suis dit : "si j'étais moins bien reçu là, c'est que je suis moins fait pour ça" »). La période de préparation militaire qui lui est imposée au moment de l'entrée à l'X, école militaire, est pour lui une expérience profondément traumatisante : affronté aux propos stupides et « fascisants » de certains cadres militaires, choqué par la soumission résignée de ses condisciples, prêts à tout pour honorer leur titre de polytechnicien, il décide de donner sa démission au risque de retourner dans le rang, c'est-à-dire dans une faculté de province.

C'est sans doute à cette occasion qu'il découvre la force des dispositions qui lui interdisent certains choix : « mais bon, moi, non, je ne pouvais pas » ; « j'avais surtout l'impression de trahir tout ce qui était important pour moi » ; « j'allais pas être ensuite chef de section, aller dire à des appelés : "voilà, l'armée, c'est super, etc., faites comme moi", alors que j'en croyais pas un mot, c'était pas possible ». On pourrait dire que l'antimilitarisme latent qu'il avait hérité de son père, avait eu raison de la tentation, renforcée par son père, de s'éloigner de la voie paternelle pour aller vers les carrières, plus prestigieuses et mieux rémunérées, offertes par Polytechnique. Plus profondément, si l'on ne peut sans doute pas dire que c'est son père qui a choisi pour lui, bien qu'il n'ait jamais cessé de le consulter et de suivre ses conseils, et qu'il reste très proche de lui, il est certain que c'est son père qui a choisi en lui. Et l'on peut interpréter ses flottements au moment du choix entre l'X et Ulm, « lieu naturel », en un sens, pour ce fils d'instituteur provincial, comme le résultat d'un effort désordonné pour accomplir le désir contradictoire d'un père qui, comme on dit, ne sait pas vraiment ce qu'il veut : en effet, tout en appelant son fils à le nier en refusant sa position et en se détournant de la trajectoire normale, il l'incite de tout son être à simplement le continuer, et lui inculque, en grande partie à son insu et comme malgré lui, cette sorte d'élan hérité, qui est la forme socialement élaborée du désir du père, redoublé, de manière assez simple, en ce cas, par le désir de la mère.

Mais les possibles amputés continuent de le faire souffrir, comme un membre fantôme. Peut-être parce que, à mesure qu'on avance dans le temps, il peut mieux mesurer les conséquences de ses choix antérieurs et la disproportion entre les avantages obtenus et les possibles sacrifiés, Henri, bien qu'il s'en défende, « ne peut s'empêcher » (il emploie à plusieurs reprises l'expression) de comparer sa situation financière, présente et surtout future, à celle de condisciples moins consacrés par le système scolaire, et pourtant promis à des carrières beaucoup plus rémunératrices. Même si ce qu'il appelle « son petit côté corpsard [membre de grand corps] » n'ira jamais, il le sait, jusqu'à le pousser à quitter la recherche pour entrer dans un grand corps, il lui arrive souvent de penser qu'il a « choisi bêtement » et d'éprouver la contradiction, profondément inscrite au cœur de la vision scolaire du monde, entre l'hostilité à l'élitisme et l'indignation contre l'injustice faite à l'élite scolaire, contradiction qui est fondée, pour une grande part, dans le fait que l'institution scolaire elle-même n'est pas en mesure de récompenser véritablement les dispositions qu'elle valorise et favorise, comme le culte du désintéressement, de la gratuité, de la recherche pure, etc. Mais c'est surtout la nouvelle alternative qu'il devra sans doute affronter, qui l'oblige à se demander s'il n'a pas été victime de son élection : au terme d'une série de choix inspirés par le goût de ce qui est le plus valorisé scolairement, c'est-à-dire le plus sûr et le plus prestigieux à la fois, mais aussi par le refus de l'imprécision et de l'incertitude expérimentales (« j'aime bien les belles équations » ; « j'ai jamais tellement aimé les travaux pratiques, les expériences »), il est conduit à une spécialité pure et purement théorique qui se trouve avoir, paradoxalement, des applications militaires ; et il découvre ainsi qu'il ne pourrait trouver les conditions les plus favorables à sa recherche (en même temps que les rémunérations correspondant à sa rareté) que dans une grande entreprise privée tournée vers la production de matériel militaire très sophistiqué (un de ses amis, avec qui il a d'interminables discussions, à propos de la guerre du Golfe notamment et de la nécessité d'armements très perfectionnés, a fait le saut, et est entré dans cette firme). Par une étrange répétition de l'histoire, il se retrouve devant le choix entre une carrière difficile et risquée dans le cadre du CNRS (qui n'assure que des salaires très faibles, relativement, et surtout des moyens de recherche moins importants que le privé) et un laboratoire privé tourné vers des application militaires, c'est-à-dire devant l'alternative qu'il croyait avoir tranchée définitivement en choisissant Ulm contre Polytechnique : « je crois que je pourrais pas… Je crois que je pourrais essayer mais que je pourrais pas… C'est pareil que Polytechnique, je vais me sentir en décalage total… Avec des gens pour qui, identifier des chars, eh bien, ça ne leur pose aucun problème. Et moi ça m'en pose. »

Post-scriptum : Il faut citer la fin de la lettre que, après avoir lu ce texte, Henri écrit à l'ami qui l'avait interrogé : « Si “les possibles amputés continuent de faire souffrir” (et je suppose que c'est la même chose pour toi), je ne suis pas malheureux d'aller au CNRS ou en fac (peut-être n'est-ce pas explicitement écrit).

Disons simplement que, parfois, il est dur de ne pas penser à ce qu'aurait pu être socialement une carrière après l'X. Mais ne me dis pas que tu n'y penses jamais... ».

avec un physicien normalien

— entretien de Laurent Bourdieu

« C'est la voie royale »

— Alors déjà tu étais bon au lycée ?

Henri — Ben oui, oui, j'étais un bon élève, oui.

— T'étais le premier ?

Henri — Ben oui le premier, oui.

— Tout le temps.

Henri — Ouais. Mais ça vient aussi du fait que la concurrence, à la campagne, c'est pas celle à Paris.

— C'est vrai. Les gens étaient nuls dans ta classe, en général ?

Henri — Nuls, non pas nuls mais c'est vrai qu'on était trois ou quatre à bien marcher, mais le reste... (...)

— Et ils [tes parents] *te suivaient beaucoup pendant tes études ? Quand t'étais petit...*

Henri — C'est pas vraiment ça, disons que l'école ça a toujours été quelque chose de très favorisé, si tu veux, même un peu trop des fois, j'en avais ras le bol parce que... c'est pas qu'ils parlent beaucoup de ça à la maison, mais c'est sûr on baigne toujours là-dedans : l'école, les livres, la culture, c'est les valeurs... Maintenant il ne m'ont jamais suivi : qu'est-ce que t'as fait, quels sont tes devoirs... Sans réfléchir, quoi...

— Tu as dû choisir quand même en première, d'aller en première S, c'est un choix ou c'est venu de soi-même ?

Henri — Déjà le premier choix, c'était à la fin de la troisième, s'orienter entre une seconde indifférenciée ou une seconde technique. C'est la première chose. Alors ça j'avais choisi parce que, toujours, la constante de choix c'est toujours d'essayer de garder le maximum de possibilités.

— T'avais quand même un goût pour les sciences déjà ?

Henri — Oui, (...), la différence avec les lettres, c'est que je trouvais qu'il fallait travailler en français, alors qu'en maths...

— Oui, t'avais des facilités ?

Henri — Oui, c'était plus facile, les autres, il fallait lire les bouquins.

— *Donc la première S, ça se comprend, la terminale C aussi parce que tu étais premier.*
Henri — Oui, c'est… sans réfléchir quoi. […]
— *Par contre quand tu as dû aller en Sup., ça a dû être un choix ?*
Henri — [*Soupir.*] Pas beaucoup plus. Pas beaucoup plus. J'ai mon parrain quand même qui avait fait Maths sup dans la famille, c'était le premier qui a fait ça, bon il travaillait bien, il y était allé quoi… Je ne me suis pas posé tellement de questions, c'est vrai que ça marchait bien en maths et puis mes profs de maths me disaient…
— *Mais les sciences… je ne sais pas, est-ce qu'en dehors des travaux scolaires, tu faisais des trucs scientifiques, tu t'étais abonné à des revues… ?*
Henri — Bon. Je lisais c'est vrai, des choses… style *Ça m'intéresse* ou des choses comme ça, un petit peu plus évoluées, *Sciences et Avenir*, des trucs comme ça ; mais pas trop, disons que j'aimais bien mais ça restait un peu scolaire quand même.
— *Et donc l'info*[*rmatique*], *l'info tu m'as dit que t'adorais… ?*
Henri — Alors là, oui ! Ça l'info, oui c'était une passion. Jusqu'à la terminale.
— *Là ça s'est arrêté…*
Henri — Ça s'est arrêté, ensuite je n'ai plus eu le temps et puis ça ne me disait plus rien. Mais c'est vrai…
— *Quand même tu avais une passion pour les problèmes scientifiques ?*
Henri — Oui, mais c'est vrai que ça, j'y passais mes journées. Et puis les devoirs après.
— *Alors donc tu as choisi d'aller en Sup. de faire Maths sup., tu es allé la faire à X.* [nom de ville]. *(…) Pourquoi t'es pas allé à Paris tout de suite ?*
Henri — Parce que j'avais un peu peur d'aller à Paris. Pour deux raisons c'était beaucoup plus loin de chez moi. J'étais demi-pensionnaire, mais j'ai jamais été interne avant et puis aussi j'avais peur du niveau à Louis-le-Grand. Je pense qu'ils m'auraient pris. Puisque c'est ce que disaient les profs, mais je me disais, je vais être qu'avec des gens très très bons, ça sera plus dur que si je vais à X. [*nom de ville*].
[…]

— Les grandes écoles, tu connaissais quoi ?
Henri — Ben l'X. Centrale. Les Mines j'en avais peut-être entendu parler.

C'est vrai, l'X, c'est plus prestigieux

— Et tu savais un peu les différences qui existaient entre ces différentes écoles ?
Henri — Non… j'en savais pas plus que quelqu'un dans la rue.
— Tu savais qu'il y en avait qui étaient militaires, que d'autres étaient ingénieurs… des choses…
Henri — Non. Honnêtement non, je savais rien.
— Et donc t'avais pas… est-ce que par exemple, tu voulais faire l'X en arrivant en Sup. ou…
Henri — Non, honnêtement, non, parce que moi je pense que pour pouvoir faire l'X, en arrivant en Sup., faut déjà s'y connaître un peu.
— Oui, et toi donc tu l'avais fait sans trop savoir ?
Henri — Moi j'étais allé en Sup. parce que ça marchait bien en maths et en physique. Et puis que les grandes écoles, quand tu lis *L'Étudiant*, il n'y a rien de mieux, c'est la voie royale, alors on y va, un point c'est tout (…).
— C'étaient des études qui semblaient te plaire ?
Henri — Et puis ça semblait la continuation logique quand on marchait bien en maths et en physique après la T. C.
[…].
— Et sinon tu savais ce que c'était, à ce moment-là, l'X et Ulm, au moment où tu passais les concours ?
Henri — Ben, toute l'année, les profs me demandaient qu'est-ce que je préférais, et tout ça, mais moi j'osais jamais dire parce que je me disais, c'est prétentieux de dire qu'on veut faire l'un ou l'autre…
— Mais tu as dû en parler aux gens, avec tes parents, au…
Henri — Ouais mais bon l'information… non, c'est vrai que l'information circulait mal. Disons que le but c'était surtout d'avoir le concours, je savais pas trop ce qu'il y avait derrière.
[…]
— Tes copains ils disaient quoi ? Ils te disaient d'aller à l'X ?
Henri — Oui, oui, c'est vrai.
— C'était ce qu'il y avait de plus connu ?

Henri — C'était ce qu'il y avait de plus connu et puis les profs poussaient un peu vers l'X.

— *C'est ça et tes parents ils te…*

Henri — C'est pas seulement mes parents, je crois que c'est un peu un environnement familial, c'est vrai l'X, c'est plus prestigieux.

[…]

— *C'est-à-dire, c'étaient quoi tes classements ?*

Henri — A l'X, j'étais trentième, enfin 34 je crois, à Ulm j'ai été reçu sur la liste supplémentaire. Donc par une sorte, c'est pas seulement une sorte de fierté mais c'est vrai qu'il y avait un peu ça et puis il y avait la peur de… je me suis dit, si j'étais moins bien reçu là, c'est que je suis moins fait pour ça.

— *Mais là tu me laisses entendre que tu aurais aimé aller à Ulm, mais…*

Henri — Oui, le prestige intellectuel, c'est évident…

— *Toi, dès le début, tu préférais aller à Ulm et t'as eu peur.*

Henri — Oui, c'est vrai, quand je voyais le sujet des concours à Ulm, c'était vraiment plus dur qu'à l'X, c'est vrai, c'était… j'ai toujours un peu aimé la difficulté…

— *Donc toi au fond de toi, t'as toujours voulu aller à Ulm ? En tout cas à ce moment-là… ?*

Henri — Il y a toujours eu une bataille si tu veux, qui existe encore entre ce qui me semble mieux et enfin… je sais pas comment dire, c'est pas évident à formuler. Ce qui m'apparaît comme le mieux, le plus satisfaisant au niveau intellectuel ou… et puis ce qui est mieux socialement ou ce qui ouvre le plus de possibilités professionnelles, des choses comme ça (…).

J'avais l'impression de trahir tout ce qui était important pour moi

— *Et rapidement ton choix s'est porté sur l'X ?*

Henri — Non, ça a été dur quand j'ai su que j'étais reçu aux deux, il y a eu un été difficile…

— *Là t'as demandé aux gens autour de toi ? Ou c'est toi qui as choisi… ?*

Henri — J'ai choisi, oui. En parlant avec mes parents. Et puis j'ai démissionné de l'École Normale.

— *Donc t'es allé à l'X.*

Henri — Je suis allé à l'X.

— *Je sais que c'est un mauvais souvenir, mais raconte un peu ce que tu as fait là-bas.*

Henri — En fait l'X, moi j'ai pas vu les cours puisque j'y suis resté qu'un mois. La première semaine, c'est une semaine qui se passe à l'école à Palaiseau, qui est déjà dans l'ambiance militaire mais enfin pas trop encore. Et puis ensuite, il y a trois semaines, un petit peu plus, à La Courtine. Donc là, c'est purement militaire, puisqu'on fait une PMS et je ne me suis pas vraiment senti en phase avec les gens autour de moi. J'étais même complètement dégoûté.

— *Les gens autour de toi, c'est qui, c'est les élèves… ?*

Henri — Oui, les militaires c'est vrai, bon j'ai peut-être pas eu les conditions optimales, oh ! j'en sais rien !

— *Qu'est-ce que tu veux dire ?*

Henri — Je crois que j'étais tombé avec un lieutenant qui était quand même très bizarre.

— *Oui ? Il te faisait faire quoi ?*

Henri — Il faisait faire des trucs militaires, mais c'étaient surtout ses réflexions, c'étaient ses réflexions que je ne pouvais pas supporter.

— *Quel genre de réflexions ?*

Henri — Des réflexions que je trouvais… je sais pas… anti-républicaines, anti-démocratiques ! Et même… contre les communistes, contre les homosexuels, contre… enfin.

— *Dans le fascisme, quoi ?*

Henri — … Fascisant. Fascisant, sûrement. Ça je ne…

— *Ça, ça t'a…*

Henri — Ça m'a dégoûté. Et encore, si les autres élèves avaient… je dis pas protesté parce que tu peux pas protester quand tu es à l'armée ou tu t'en vas ; mais si au moins, quand ils étaient pas devant lui, on en avait parlé, j'aurais supporté. Mais là, non. D'ailleurs j'ai senti qu'il y avait un peu un changement d'attitude de la majorité des élèves.

— *Oui, ça, ça t'a choqué, tu me l'avais déjà dit…*

Henri — C'est ça, j'ai trouvé ça incroyable, quoi. C'est des gens qui étaient… on était tous pareils, en prépa., on était des étudiants et tout d'un coup on leur disait de devenir militaires et ils le devenaient. Ça j'ai trouvé ça incroyable.

— *Oui, ils étaient tellement contents d'arriver à l'X que ils auraient pu faire n'importe quoi.*

Henri — C'est ça. Puisqu'ils étaient à l'X, c'était forcément bien ce qu'on leur faisait faire (…).

— C'étaient quoi, c'étaient des brimades carrément ou simplement c'était une ambiance…

Henri — C'était une ambiance infernale. Mais disons, j'ai pas… quand quelque chose me tient vraiment à cœur, j'arrive pas à…

— C'est-à-dire il n'y a pas un événement particulier qui t'a vraiment dégoûté, c'est une somme de…

Henri — C'est une somme et je ne me sentais pas fait pour ça. Et bon on était noté, quoi, on avait un classement militaire. Bon j'avais chuté de 220 places, je me rappelle, je m'étais retrouvé quasiment le dernier, j'étais écœuré, quoi. Et surtout aussi par les autres qui se sentaient heureux là-dedans. Enfin, heureux, pas tous ! Pas tous, il faut pas… il y avait des gens antimilitaristes qui arrivaient à supporter ça. Mais moi je n'y arrivais pas. Ça m'énervait. Et surtout je ne comprends pas pourquoi je devais supporter ça, je ne pensais pas que l'X, c'était un avantage tel qu'il fallait tout supporter pour garder ça.

— Ouais d'accord. Donc à ce moment là, t'as choisi de démissionner ?

Henri — Voilà.

— Et tu savais pas du tout ce que tu allais faire ?

Henri — Non, moi je pensais aller en fac, quand j'ai appelé mes parents pour dire que je partais.

— Alors quelle a été la réaction de tes parents quand tu…

Henri — Eh bien ma mère a été plus que surprise.

— C'est-à-dire que tout d'un coup tu leur as annoncé ça ?

Henri — Ouais. Bon elle pensait que c'était un peu irréfléchi. Mais je lui ai dit que je n'y retournerais jamais, c'était à la fin de La Courtine, avant de rejoindre Coëtquidan. Et on avait cinq jours de permission.

[…]

— Mais donc quand même t'as fait un choix assez étonnant parce que t'as choisi quand même de quitter un endroit qui t'assurait une carrière ultra-brillante, de l'argent ; c'était un diplôme, au niveau diplôme français, on ne peut pas faire mieux…

Henri — Oui… oui… c'est vrai, ça c'est vrai.

— Et pour partir en fac… tu savais bien ce que c'était la fac ?

Henri — Oui, mais je me disais, bon je pourrais repasser le concours de l'École Normale ; je l'ai eu une fois, je l'aurais peut-

être eu quand même la deuxième fois… Oui je sais que c'est (…), mais c'était pas perdu !
[…]

— T'as vraiment à ce moment là, vraiment choisi de renoncer à quelque chose… d'énorme, avec peu de choses à gagner à un moment donné… ?

Henri — A gagner d'être plus heureux, quand même. Ça me semblait l'essentiel. C'est tout.

— C'est ça, oui.

Henri — Mais j'en connais qui n'étaient pas spécialement heureux, mais qui passaient là-dessus parce que, toujours, la fin justifie les moyens. C'est un peu ça. Ils le disent pas comme ça, mais c'est vrai pour avoir un beau métier, beau socialement, reconnu quoi. Mais bon, moi, non, je ne pouvais pas.

— Tu avais honte d'être polytechnicien ou de subir l'armée… ?

Henri — Oui, j'avais surtout l'impression de trahir tout ce qui était important pour moi, j'étais vraiment en décalage.

— C'est-à-dire quel genre de choses ?

Henri — Mais j'allais pas être ensuite chef de section, aller dire à des appelés, « voilà l'armée c'est super, etc., faites comme moi », alors que j'en croyais pas un mot, c'était pas possible.

[*Après sa démission de l'X., Henri a pu réintégrer directement l'École Normale, où il suit une scolarité de physique classique, puis entreprend une thèse.*]

J'ai l'impression d'avoir été programmé pour être chercheur

Henri — Oui alors, mais c'est vrai que c'est une thèse de physique théorique mais c'est quand même lié à des choses, à des applications pratiques quand même : c'est pas de la gravitation quantique ou de la physique des particules ou de l'astro-physique, c'est quand même quelque chose à but pratique. Moi ce que j'aime c'est toujours ça, c'est faire des choses théoriques, abstraites, mais qui peuvent servir, qui peuvent s'appliquer, c'est pour ça que l'informatique ça me plaît beaucoup. (…)

— C'est un travail très solitaire ?

Henri — Très solitaire, oui. (…)

— Et donc, là maintenant tu vas devoir choisir après ta thèse un peu…

Henri — Oui, ben il reste un an de thèse, un an et demi disons, ben oui les différents débouchés professionnels, quoi, parce que…

— *Qu'est-ce qui s'offre à toi ?*

Henri — Les différentes possibilités, c'est soit continuer la recherche pure, fondamentale, c'est-à-dire le CNRS ou bien recherche Enseignement supérieur – les universités – ou bien toujours faire de la recherche, plus ingénieur, ingénieur chercheur dans le privé, recherche appliquée ; ou bien d'autres débouchés spécifiques à l'École Normale comme les Corps…

— *Oui, c'est de l'administration…*

Henri — Oui, administration essentiellement, bon il y a quelques possibilités techniques comme les Télécom, les choses comme ça. Bon c'est les principales possibilités, c'est ça.

— *Alors tu en penses quoi ? Tu as déterminé ton choix ou pas ?*

Henri — Non. Non j'ai pas déterminé.

— *C'est quoi les enjeux, les problèmes ?*

Henri — Les enjeux, ils sont multiples, je ne suis même pas conscient de tous les cerner encore. Mais bon, parlons des choses les plus simples – je ne dis pas dans l'ordre d'importance, mais de simplicité – il y a déjà les enjeux financiers, par exemple. Il est clair que le CNRS ou l'Enseignement supérieur, c'est vraiment pas terrible, surtout si on veut rester à Paris, je veux dire, c'est assez dur…

— *Là il y a deux problèmes le salaire de base et le fait d'habiter à Paris ?*

Henri — Voilà, c'est ça, mais disons que il faut gagner plus quand on vit à Paris, c'est clair. Le salaire de base et puis aussi la progression. C'est quand même pas terrible. Conditions financières et variété aussi dans le métier. Je veux dire des chercheurs qui, au bout de dix ans, ne se plaisent plus dans ce qu'ils font, ça existe.

— *Mais toi t'as toujours fait tes choix pour avoir le plus de choix possible, là finalement tu te renfermes un peu…*

Henri — Oui, oui parce que j'ai toujours pensé que c'était la meilleure des choses à faire, quand on ne sait pas trop, il vaut mieux avoir des portes un peu diverses… mais enfin à partir d'un moment il faut bien choisir.

— *La direction qui serait toute tracée pour toi est, par excellence, une voie ultra-spécialisée ?*

Henri — Voilà et c'est ça qui m'énerve aussi, c'est que j'ai vraiment l'impression maintenant quand je regarde ce que j'ai fait, c'est qu'elle a été toute tracée depuis très longtemps.

— *Comment ça ?*

Henri — Eh bien que j'ai jamais vraiment… Si, j'ai toujours choisi un peu ce qui me plaisait le plus mais j'ai l'impression d'avoir été un peu programmé pour être chercheur. Et que le CNRS c'est la voie normale, mais que finalement j'ai l'impression de rentrer dans un truc, alors que j'ai jamais vu rien d'autre, fait rien d'autre, et ça c'est… un peu angoissant.

— *Oui tu n'as jamais fait de stages dans l'entreprise, t'as jamais… ?*

Henri — Oui, oui, c'est vrai. Mais c'est aussi de ma faute, j'ai jamais demandé à faire de stages dans les entreprises.

— *Oui, mais tes études t'ont pas encouragé à ça ?*

Henri — Non.

— *Parce qu'elles ont été ultra-rapides par exemple ?*

Henri — Oui.

— *T'as été trop brillant, quoi ?*

Henri — [*Soupir.*] Trop brillant… Disons qu'il y a une maturité qu'on acquiert, qui n'est pas forcément acquise, alors que les résultats scolaires allaient plus vite justement que l'acquisition de cette maturité (…).

— *Et donc tu me parles beaucoup de l'aspect financier, c'est vrai que… ?*

Henri — Ça c'est la chose la plus immédiate.

Une sorte de comparaison qui se fait

— *Pourquoi ça t'embête de gagner si peu, c'est une question débile mais…*

Henri — Ben [*soupir*] parce que ça change la vie quotidienne, de vivre dans une chambre de 20 mètres carrés, pour moi c'est pas l'idéal. Voilà, ça c'est vrai. Ou alors vivre au bout du RER parce qu'on ne peut pas faire autrement, c'est pas terrible. Ça, ça a un impact sur la vie quotidienne. Il y a aussi, c'est indéniable, une sorte de comparaison qui se fait avec les gens qui ont fait les mêmes études que moi, ou même pire, des études qui sont moins prestigieuses et qui vont gagner deux fois plus… je sais bien que le métier….

— *C'est-à-dire que tu compares avec tes copains par exemple ?*

Henri — Oui avec mes copains qui ont fait Centrale ou qui ont fait l'X, oui. C'était plus facile à avoir comme concours, Centrale je ne l'ai pas passé, mais je l'aurais eu, je pense et ils vont avoir plus d'argent… Je suis d'accord que leur métier, je ne le ferais pas forcément, donc c'est pas le seul critère, mais je ne peux pas m'empêcher d'y penser.

— *Oui, c'est normal. Et ça ça t'énerve…*

Henri — Ça m'énerve, oui.

— *Et ils se moquent de toi, un peu quand tu leur dis le salaire que tu vas gagner au CNRS ?*

Henri — Disons que, au mieux, au pire ils se moquent et au mieux, ils ne comprennent pas que je choisisse ça.

— *Oui parce que dans le privé, tu gagnerais combien de fois plus d'argent qu'au CNRS ?*

Henri — Je pense que c'est le double. C'est le double quand tu commences, à peu près. Ouais, avec les diplômes qu'on a, ouais. Grande école, le tarif c'est le double. Et puis la progression est beaucoup plus rapide dans le privé. Et bon, j'avais regardé les critères pour quelqu'un qui faisait une carrière disons très honorable au CNRS, qui finissait DR1, échelon maximal, il gagnait à 60 ans ce que gagne quelqu'un qui est normalement au Corps de Télécom à 35 ans à peu près, 35, 40. Donc c'est quand même énorme comme différence.

— *Donc le critère de l'argent, c'est un critère de nécessité, parce que ça te rend fou à Paris de vivre avec si peu d'argent…*

Henri — C'est difficile, oui… Parce que la réussite sociale, quoi qu'on en pense, se juge aussi avec l'argent.

— *Mais c'est aussi parce que tu trouves que tu n'as pas été récompensé de tes efforts peut-être ? Non c'est pas ça… ?*

Henri — Des fois, je me dis, c'est stupide de penser que à un niveau d'études doit correspondre une certaine somme d'argent, quoi. Mais c'est vrai que c'est quand même ce qui se passe le plus souvent et refuser ça, des fois, c'est dur… Je sais pas si je m'exprime très bien… Et puis là c'est vrai, c'est pas une pression familiale mais c'est vrai que mes parents, instituteurs, il y a une certaine frustration, au niveau social. Financière et sociale. Finalement, c'est quand même bas dans l'échelle et ils aimeraient mieux que je sois plus haut, quoi.

— *Et ils aimeraient que tu restes dans la fonction publique ou que tu ailles dans le privé… ?*

Henri — Oh ! je crois que c'est pas tellement important, ils aimeraient mieux la fonction publique peut-être, ce sont des goûts qui disparaissent en ce moment, ils sont pas très répandus mais c'est vrai que je pense qu'ils préféreraient la fonction publique.

— *Est-ce que les moyens dont tu disposeras, je veux dire, tes expériences, tes travaux seront plus importants dans le privé, tu penses...*

Henri — Ça c'est vrai aussi. Ça c'est un point important aussi. C'est vrai que les moyens, dans le privé, sont beaucoup plus importants à condition d'être... Mais là, il y a la contrepartie, c'est qu'au CNRS on est beaucoup plus libre de choisir son domaine, on a moins de comptes à rendre, alors que dans le privé on a quand même une direction de recherche beaucoup plus imposée. Mais, dans cette direction, des moyens plus importants pour y arriver, donc ça...

— *Mais par exemple, tu pourrais envisager de partir aux États-Unis à ce moment-là ?*

Henri — De toute façon je vais être obligé de le faire pour la Coopération.

— *Là tu aurais beaucoup plus de moyens, tu as des exemples de gens que tu connais qui ont fait ça...*

Henri — Oui.

— *Et ça ne te tente pas, ça ?*

Henri — Des fois j'y pense, mais je me dis... pour être un peu mieux, enfin pour la science c'est un peu ça, pour ce que j'aime, je vais sacrifier quand même... le pays, enfin c'est pas tellement le pays, mais c'est le pays où je suis le plus à l'aise, parce que c'est celui dont je parle la langue quand même. Ma famille, mes amis, tout ça pour de l'argent ou pour la physique et des fois je...

— *Oui, c'est ça, tu n'as pas assez de motivations pour faire ça ?*

Henri — Oui, je trouve que c'est cher payé.

— *C'est ça, oui.*

Henri — Je trouve ça anormal que...

— *Tu sois obligé d'émigrer...*

Henri — Oui, c'est ça pour vivre convenablement... (...). Bon, ben peut-être que finalement au fond de moi, j'ai un petit côté cossard, quoi. Mais je me dis, bon, moi j'ai vu mes copains quand ils étaient en fac, quand j'étais en prépa, moi j'ai travaillé dix fois plus qu'eux ! Non mais c'est vrai, j'ai eu plein d'efforts, alors qu'on me dise pas... alors, c'est vrai, c'était pas seulement pour la beauté des mathématiques ou de la physique ! C'est parce que, bon j'espérais un peu aussi en retirer quelque chose après, quoi, il faut pas... Je trouve que c'est de l'utopie de penser autre chose. Enfin ça serait faux de le prétendre. Et je me dis si j'en retire rien – mais c'est pas forcément un avantage matériel que je vais en retirer mais peut-être un peu de prestige, je sais pas – oui, bon j'aurai l'impression d'avoir raté quelque chose. J'aurais mieux fait d'aller...

— *Oui, c'est ça, par exemple, tu as des copains qui auront fait des matières comme l'électronique, l'informatique, qui auront une licence et qui auront le même titre que toi...*

Henri — Une licence, c'est peut-être un peu exagéré, mais c'est vrai, qui auront fait une thèse en tout cas un peu bidon comme ça existe, qui feront la même chose, et je me dis... non quand même.

— *Qui auront fait les même choses plus lentement... des choses moins difficiles, beaucoup moins difficiles... (...).*

J'optimise pas ma démarche

Henri — C'est vrai qu'en plus le CNRS c'est difficile d'y rentrer. C'est très difficile.

— *C'est-à-dire, tu m'avais dit les postes tout à l'heure...*

Henri — Non mais il y a plusieurs difficultés. Il y a une difficulté de conjoncture en ce moment, ce qui fait que c'est très difficile de rentrer sur Paris par rapport à la province ; bon c'est pas que Paris soit forcément fabuleux par rapport à la province, mais c'est vrai que quand même l'essentiel de la bonne recherche se fait quand même à Paris. Sauf sur quelques domaines ponctuels où on fait des bonnes choses en province. Il y a ça. Le deuxième problème, c'est, je dirais, c'est aussi un problème de discipline.

[...].

— *Tu rentres dans la commission peut-être la plus sélective de la physique ?*

Henri — Oui ! Et en plus ils veulent pas trop de moi parce que moi je ne veux pas faire de la physique classique, donc je les intéresse pas trop.

— *Tu rentres dans la commission physique mathématique, c'est la plus dure, quoi ? En plus ?*

Henri — Oui t'as tous les... Donc c'est pas... j'optimise pas ma démarche... [*rire*].

— *Donc finalement après tu vas postuler pour un poste dont tu sais qu'il n'est pas tellement bien reconnu, bien payé et puis en plus t'es pas du tout sûr de pouvoir y accéder ?*

Henri — Pas sûr, non, d'y accéder parce que je suis pas dans une discipline bien reconnue, bien établie.

— *Parce que c'est vrai que tous les meilleurs élèves de nos promotions se sont retrouvés aussi dans cette commission de physique théorique…*

Henri — Oui, il y en a beaucoup, oui. C'est vrai.

— *Il y en a pas mal par rapport au nombre de postes offerts… C'est là où il y a le plus de concurrence.*

Henri — Oui… bon de toute façon, d'un certain côté, à court terme je ne regrette pas d'avoir fait ça parce que ça me plaît quand même, j'aime bien ce que je fais. Mais ça pose, c'est vrai, des problèmes.

— *C'est-à-dire du point de vue d'un choix tactique ?*

Henri — Du point de vue tactique, ce que j'ai fait c'est nul, quoi [*rire*]. Non c'est clair. (…).

— *Tout à l'heure tu disais un truc intéressant, c'est que tu pourrais partir en province, par exemple, que ça faciliterait quand même un peu ton…*

Henri — Oui, c'est vrai mais alors le problème, c'est qu'en province dans cette discipline, il y a très peu de choses en ce moment, mais faut pas désespérer ; c'est vrai que la province ça peut être une solution.

[…].

Des fois, je me dis que je suis vraiment très stupide…

Henri — Ben oui, parce que c'est toujours en même temps un rapport de… je sais pas, d'attirance et puis de répulsion, mais un peu pour tout c'est un peu la même chose qui se passe, c'est que en même temps j'ai un peu, un tout petit peu envie de m'y intégrer parce que je me dis, c'est quand même, il y a quand même des choses intéressantes et puis en même temps, j'ai envie de partir des fois et de tout laisser tomber.

— *Ça te révulse quoi ?*

Henri — Oui mais ça, c'est valable un peu pour tout. J'ai un peu toujours la même attitude et finalement souvent j'ai choisi une voie moyenne, mais bon… (…).

— *Il y a une autre chose qui te fait réagir violemment, c'est X.* [nom d'une grande entreprise] *et la recherche…*

Henri — Je ne vais pas critiquer de futurs employeurs…

— Tu aurais la possibilité, toi, de travailler dans des... ?

Henri — Oui, ben oui bien sûr.

— Et ça en fin de compte tu ne le feras pas finalement ?

Henri — [*Soupir*.] Si je le faisais j'aurais... je tomberais bien bas. Non ça ne me plaît pas, ça ne me plaît pas parce que... Il y a plusieurs choses, bon on a déjà parlé un peu du privé avant, il y a des choses qui ne me plaisent pas trop, mais encore le privé ça pourrait être, je ne sais pas, faire quelque chose de purement civil, aller fabriquer des magnétophones, ça ne me dérangerait pas trop ça. Mais là X., c'est quand même, leur recherche est essentiellement basée sur le militaire ; enfin disons dans le domaine qui me concerne.

— Et ça, en fait, dans le privé, la possibilité essentielle que tu as, c'est d'aller chez X...

Henri — Oui, j'ai quelques autres possibilités...

— La grande possibilité, enfin ce qu'il y a de mieux en recherche c'est X., et finalement c'est l'application militaire ?

Henri — Essentiellement militaire, oui.

— Et ça finalement ça te coupe une possibilité ?

Henri — Ça ça me coupe une possibilité... oui. Ben oui, parce que...

— Et tu te dis pas parfois que t'as trop de principes qui t'empêchent de faire des choses ?

Henri — Si ! Des fois je me dis que je suis vraiment très stupide. Mais... je sais pas. Je sais pas. Ça m'énerve quoi.

— Tu pourrais pas supporter de travailler avec eux ?

Henri — Je crois que je pourrais pas... Je crois que je pourrais essayer mais que je pourrais pas... C'est pareil que Polytechnique, je vais me sentir en décalage total... Avec des gens pour qui, identifier des chars, eh bien, ça ne leur pose aucun problème. Et moi ça m'en pose.

— Tu dis souvent ça, que tu es en décalage, j'ai l'impression...

Henri — Ben oui ! Mais parce que j'ai l'impression d'être à l'aise un peu nulle part. Non, c'est vrai.

— Finalement d'aller faire de la recherche au CNRS, c'est là que tu serais le moins en décalage, ça serait en fait un choix comme ça ?

Henri — Alors est-ce que c'est forcément positif, tu me dis, est-ce que c'est pas parce que c'est le milieu que je connais le plus, parce que je n'ose pas aller ailleurs. Des fois je le pense. Mais j'ai quand même l'impression aussi, que si je tourne toujours autour de ça, c'est parce que ailleurs ça n'irait pas. Mais même si je sais, par exemple, on parlait du militaire, je sais très bien que même la recherche, même civile, les résultats sont utilisés en premier par les militaires, je le sais très bien. Tout ce qu'on peut faire, les premières applications sont militaires, ça je ne me fais pas d'illusion. Mais c'est pas pareil que d'aller travailler directement chez eux. Pour moi il y a quand même une énorme différence.

— *Oui, ça c'est quelque chose qui te tient à cœur quand même…*

Henri — Ah oui !

avril 1992

Jean-Pierre Faguer

Épouse et collaboratrice

Hélène D., monteuse de films pour la télévision et le cinéma (elle a eu la chance de travailler comme débutante, avec plusieurs réalisateurs importants de la *Nouvelle vague*) a exercé souvent son métier en collaboration avec son mari, réalisateur de films, dont le départ, après plus de 20 ans de vie commune, bouleverse à la fois sa vie affective et sa vie professionnelle.

Agée d'une cinquantaine d'années, elle habite, dans une résidence entourée d'un parc de la banlieue ouest de Paris, un appartement devenu trop grand depuis qu'elle y vit seule avec la plus jeune de ses filles, et dans lequel, apparemment, rien n'a changé depuis le départ de son mari (il vient, dit-elle, de temps à autre, téléphonant à l'avance pour être certain de ne pas la rencontrer, prendre des disques et des livres dans la bibliothèque du salon comme si son absence n'était que provisoire). Elle précise au cours de l'entretien, qui a lieu plus d'un an et demi après leur séparation, qu'elle n'a toujours pas engagé de procédure de divorce.

J'ai pu rencontrer Hélène D. par l'intermédiaire d'une de ses camarades de l'IDHEC où elle est entrée à la fin des années 50, à un moment où les femmes étaient encore très minoritaires dans les emplois qualifiés du cinéma. Même si, dans sa promotion, celles-ci ont été reçues en plus grand nombre que les hommes elles savaient qu'elles n'auraient pas les mêmes chances de carrière. Dans cette période d'expansion de la télévision, la demande de « techniciens du cinéma » était importante, et la plupart des femmes sorties de cette école se sont retrouvées dans des emplois techniques, plus sûrs mais aussi moins gratifiants que les emplois de réalisateurs auxquels se destinaient la majorité de leurs collègues masculins. Il est significatif, par exemple, que cette amie d'Hélène soit la seule femme de sa promotion qui ait réussi à devenir réalisatrice mais après avoir été elle-même monteuse pendant la première partie de sa vie professionnelle et avec un statut encore précaire. Durant toute l'interview, elle restera pour Hélène la « référence » à la fois positive et négative par rapport à laquelle se dessine le champ des possibles pour sa génération.

Rien ne la préparait à choisir un métier qu'elle présente comme le produit des « hasards » d'une réorientation scolaire. Étudiante de propédeutique à l'Institut catholique, elle a décidé, à 19 ans, d'abandonner des études de lettres qui l'intéressaient peu pour préparer l'IDHEC dont elle avait entendu parler fortuitement. Ses parents ont d'abord encouragé un changement d'orientation dont ils n'ont perçu, initialement, que le côté concours grande école, classes préparatoires dans un lycée à l'abri des sollicitations de la vie étudiante en faculté, diplôme d'État, etc., et gommé le côté artiste.

Enfant unique d'une famille de la petite-bourgeoisie catholique, son père était ingénieur, sa mère n'a jamais travaillé, elle a fait ses études dans le lycée de filles d'une petite ville, encore très provinciale dans les années 50, de la région parisienne. Elle a vécu chez ses parents jusqu'à 25 ans, moment où, inquiets qu'elle n'ait pas encore manifesté l'intention de se marier, ils lui ont acheté un studio à Paris. A 30 ans, elle a fait un mariage, pour l'époque relativement tardif, qui s'explique par le fait que les études cinématographiques qu'elle avait commencées « un peu par hasard », sans avoir « un désir fantastique de faire ce métier-là », l'avaient, pour ainsi dire, propulsée dans un milieu qu'elle connaissait mal, où les couples sont peu stables, ce qui lui rendait, au début, les contacts difficiles avec les hommes, même dans son travail.

Ainsi elle explique longuement dans la première partie de l'entretien que le dévouement, ou plutôt la dévotion dont elle a fait preuve dans sa vie conjugale (c'est le souci d'épouser non seulement l'homme mais aussi « le projet d'un homme » qui l'a liée le plus fortement à son mari alors qu'elle ne ressentait pas personnellement le désir de créer par elle-même), n'est que l'autre face de ce qu'on pourrait appeler l'attitude « oblative » qu'elle manifestait à l'égard des hommes dans son milieu de travail : ce qui pouvait apparaître comme un changement d'orientation scolaire mineur et qui correspondait en fait à un changement de milieu social (« l'IDHEC, un milieu, quand même, intellectuel »), l'a conduite à rencontrer des hommes différents de ceux de son milieu, des « êtres supérieurs », capables de « création » et auxquels elle doit, dans cette période marquée par la guerre d'Algérie, sa formation politique et culturelle (« à la maison, on ne parlait jamais politique ») même si elle reconnaît, la cinquantaine venue, qu'elle a « beaucoup déchanté depuis ». Peu à peu, ce que le choix de son métier lui avait ôté, avant tout la confiance en soi dans ses rapports avec les hommes, le métier le lui a redonné à mesure qu'elle s'est mieux intégrée à son milieu professionnel. Le mariage lui permettait enfin, après un long apprentissage de réajustements insensibles de ses rapports avec les hommes, de réaliser, presque magiquement, auprès d'un homme sensiblement plus jeune qu'elle, un désir d'accomplissement à la fois professionnel et personnel. « Au lieu de devenir admirative de ces garçons et de les idéaliser, j'ai pu enfin commencer à avoir des contacts avec des plus jeunes que moi, c'est-à-dire avec des garçons pour qui je pouvais déjà représenter quelque chose professionnellement d'existant. Je n'étais plus une jeune fille stupide pour eux mais j'étais déjà une personne qui connaissait bien son métier et avec laquelle ils pouvaient avoir un rapport professionnel intéressant, donc aller un peu plus loin dans une relation. »

La seconde partie de l'entretien décrit la transformation du regard qu'elle porte sur l'homme avec lequel elle a travaillé et vécu pendant plus de 20 ans. Ce qui l'a attirée avant tout chez ce réalisateur débutant, âgé seulement de 22 ans, mais jouissant déjà d'une réputation dans le métier, c'est précisément son « attitude de créateur » qui pouvait donner un sens plus satisfaisant, une certaine plénitude, à sa vie de technicienne sans « ambition spécifique ». Pendant au moins une quinzaine d'années, sa collaboration a été, semble-t-il, sans failles : à la fois technicienne et confidente, elle a été non seulement responsable du montage de ses premiers films, ce qui ne représentait pour elle qu'une partie mineure de son activité, mais surtout elle a rempli la fonction peut-être plus décisive d'encouragement et de réconfort moral qu'un « créateur » souhaite obtenir de sa compagne sans jamais oser ouvertement le lui demander. Mais, avec le temps, elle est devenue moins « admirative » d'un mari dont la carrière ne donnait pas tout ce qu'ils en avaient, ensemble, attendu. Peu à peu, tout en s'intéressant toujours aux films de son mari, elle s'est tenue un peu plus à l'écart de ses projets, lui reprochant de « se laisser aller à des facilités » ; insensiblement, leurs amis, au départ communs, se sont diversifiés ; elle a dû reprendre en main sa propre carrière professionnelle devenue plus difficile non seulement à cause de l'intensification de la concurrence mais aussi parce qu'elle l'avait un peu négligée durant les années qu'elle avait dû consacrer principalement à l'éducation de ses deux filles. Sa connaissance « technique » du milieu du cinéma a, par ailleurs, pu donner à son mari un éclairage désenchanteur, insupportable, sur une carrière dont elle ne pouvait pas ne pas voir les limites. Comme beaucoup de réalisateurs de sa génération, il a connu une quarantaine difficile, payant cher, au prix de longues périodes de dispersion de sa vie professionnelle sur des projets peu intéressants et même de chômage, son refus des « compromis » avec le cinéma commercial, ne supportant plus aussi facilement qu'à ses débuts l'obligation de faire continuellement ses preuves (« il disait : "j'en ai marre de repasser le bac à chaque film que je fais" »). Même si elle ne s'identifie pas au point de vue de ses parents qui auraient aimé qu'elle épouse « plutôt un fonctionnaire » et qu'elle choisisse une « vie plus banale mais plus sûre », elle en arrive, séparée d'un homme devenu différent depuis qu'il ne vit plus avec elle (« il a changé de personne (...) il n'a pas beaucoup de rapports ni avec ses enfants ni avec ses anciens amis »), à penser un peu comme eux : « quand on fait le bilan, 25 ans après, c'est pas forcément positif ».

Un amour partagé pour le cinéma a pu faciliter, dans un premier temps, complicité sentimentale et collaboration professionnelle entre ces deux anciens élèves, à quelques années de distance, de Jean-Louis Bory et Henri Agel. C'est ainsi qu'aux yeux de son mari, elle bénéficiait d'une expérience professionnelle déjà solide, confirmée par sa participation au montage de films considérés aujourd'hui parmi les plus importants des années 60. Mais si le cinéma a pu les unir, au début de leur vie commune, malgré leur différence d'origine sociale (il était fils d'un cadre commercial) et leur différence d'âge (il a six ans de moins), les intérêts contradictoires de leur carrière respective peuvent apparaître avec le temps comme un des facteurs essentiels de leur séparation.

La logique du travail apparaît en effet au centre de la vision rétrospective de sa vie ; c'est le choix de sa profession qui a retardé, semble-t-il, son mariage et ses projets de maternité (ne serait-ce qu'en la détournant des hommes qui lui étaient destinés par son éducation, par l'influence de son milieu familial) et qui l'a liée doublement à son mari en tant qu'épouse et collaboratrice, sa position de technicienne renforçant, dans son cas, l'aspect effacé, discret de l'épouse efficace qui s'est toujours arrangée pour mener de front son travail professionnel et la bonne marche de la maison malgré des horaires de travail peu compatibles avec une vie de famille régulière. On voit là tout ce qui fait la différence avec les couples d'enseignants, par exemple, pour lesquels les contraintes du métier, ne serait-ce que du fait qu'une partie des tâches professionnelles peuvent être effectuées à la maison, rendent plus facile un partage plus équitable, entre les conjoints, des obligations familiales. De ce point de vue, sa carrière s'apparente plutôt à celle de ces femmes, ingénieurs ou cadres du privé, souvent célibataires, qui sont parties, une génération plus tard, à la conquête de milieux professionnels dominés par les hommes.

On voit, à travers cette trajectoire exemplaire des conflits professionnels et sentimentaux rencontrés par les femmes qui n'ont connu le féminisme qu'à l'âge adulte, combien les conditions historiques qui définissent une expérience de génération séparent les individus d'âges différents malgré toutes les formes de solidarité familiale et, plus encore, de classe ou de sexe.

Née peu avant la guerre, elle appartient à une génération charnière entre celle qui a précédé l'expansion scolaire et celle de 68 (en 1968, elle avait déjà presque dix ans d'expérience professionnelle). Elle fait partie de ces femmes qui ont éprouvé dans leur vie personnelle les effets ambigus de l'apprentissage de « l'autonomie » que pouvait procurer l'accès à une profession qualifiée. Pour les femmes de son âge et de son milieu, un milieu marqué par l'influence des valeurs familiales du catholicisme, dans lequel, par exemple, il allait de soi que les épouses restent à la maison, « gagner sa vie » n'apportait pas, bien au contraire, une garantie de « négociation » plus égale avec les hommes. Cette génération, qui n'a précédé pourtant celle du féminisme que de quelques années, a dû affronter les mêmes conflits, mais avec le point de vue de ce qu'elle appelle « une éducation classique », un côté « fleur bleue », une représentation traditionnelle du mariage où, pour que la collaboration conjugale soit harmonieuse, l'un des deux, et ça ne peut être que l'épouse, devait savoir « rester assez humble ».

Paradoxalement, l'autonomie professionnelle qu'elle a su acquérir par ses études s'est retournée d'une certaine manière contre elle, et a permis, par exemple, à son mari de la quitter sans culpabilité, sans même se sentir obligé de fournir une aide financière à leurs deux filles encore étudiantes. Il ne lui reste que la satisfaction, il est vrai, non dénuée d'amertume, d'avoir compris après coup ce qui lui est arrivé, satisfaction qui peut aider à transformer un destin apparemment intolérable en liberté nouvelle, inattendue.

avec une monteuse de films

— entretien de Jean-Pierre Faguer

« En imaginant épouser le projet d'un homme, je me suis trompée complètement »

Hélène — (...) Je n'ai pas eu un désir fantastique de faire ce métier-là. J'avais fait une année de propédeutique, et pendant cette année, subitement, j'ai changé complètement de direction, sur un coup de tête, et finalement, j'en suis très contente. C'est un peu un hasard des rencontres. Quelqu'un m'a parlé de l'IDHEC, de ce métier, ça m'a fascinée et je me suis dit « pourquoi pas » sans savoir vraiment ce que c'était, sans connaître vraiment le cinéma (...). J'ai fait la préparation de Voltaire. Les filles ont été prises en grand nombre dans ma promotion parce qu'on savait que la télévision allait faire des offres d'emploi dans ces années-là : c'était le grand démarrage de l'ORTF. On savait que la télévision prendrait systématiquement des gens à la sortie. Effectivement, ça a été vrai : la moitié de ma génération, plus de la moitié peut-être, pas forcément sous contrat, ont travaillé pour la télévision (...). On était 12 filles sur une vingtaine de reçus (...) mais en fait il n'y avait pas de postes de réalisation pour les filles, il n'y avait que des postes techniques (...) ; parmi nous, sur 12, il y en avait deux ou trois qui voulaient faire de la réalisation et qui s'étaient dit, on va passer par le montage, on fera de la réalisation plus tard. Aucune d'entre elles, sauf une, n'ont pu faire de réalisation plus tard. Ce n'est qu'en 68 que les postes ont été ouverts aux filles. En tout cas, nous on ne s'imaginait que comme techniciennes et en sachant qu'on devrait entrer à la télévision. On avait été un peu choisies pour ça (...). Pour entrer dans le métier, à l'époque, il y avait une espèce de rejet des gens qui avaient fait cette formation, « ils sont sortis de l'IDHEC, ils sont prétentieux, des intellectuels, ils vont nous ennuyer » (...). Mais on avait la chance, ça a été mon cas, d'avoir des stages dans des films importants (...).

— Quels étaient vos projets quand vous étiez lycéenne ?

Hélène — Moi j'étais dans un lycée de filles, dans une petite ville, disons en grande banlieue, et j'avais l'idée d'être assistante sociale, vous voyez que ça n'a rien à voir (...). Parmi les filles qui étaient avec moi à l'IDHEC, il y en avait certaines qui avaient des vocations beaucoup plus avancées, beaucoup plus sûres, beaucoup plus précises (...). Moi j'étais une complète ignorante. Ce sont des hommes comme Henri Agel et Jean-Louis Bory qui m'ont ouvert l'esprit et appris à connaître et aimer le cinéma. C'est vrai qu'une classe comme Voltaire et deux années d'école nous permettaient d'avoir une petite culture cinématographique, mais surtout, ça nous a donné le virus du cinéma (...). A ma sortie de l'école, j'ai eu deux ou trois fois des propositions pour l'ORTF comme monteuse à l'année, et par deux fois j'ai refusé alors qu'en fait nous avions été choisies en grand nombre dans ce but-là ; mais j'ai refusé parce qu'il se trouve que dans les années 60, 65, la profession, ça marchait quand même pas mal et on était relativement pas très nombreuses et on a beaucoup travaillé, ça s'enchaînait, on travaillait beaucoup, et, au contraire, on s'est mis dans le cinéma, on a accompagné le mouvement de la *Nouvelle vague*, on n'avait pas envie de travailler pour la télévision.

Un homme c'était un être supérieur, j'ai un peu déchanté depuis

— *Quelle était la différence entre Propé, l'IDHEC et le lycée du point de vue des rapports entre garçons et filles ?*

Hélène — Propé, je peux vous dire que j'ai fait ça comme une suite directe du secondaire, sans ouverture d'esprit ; il y avait des garçons mais je ne les voyais pas, j'étais à la Catho, c'était plus sérieux [*rire*] pour ma mère qui s'inquiétait un petit peu de mon avenir (...). J'étais très niaise par rapport aux filles qui ont 18 ans maintenant. J'habitais en grande banlieue, le soir je rentrais, ce qui m'a posé des problèmes après ; quand je voulais aller au cinéma le soir, c'était compliqué. A la Cinémathèque, je loupais quasiment toutes les fins de films pour ne pas manquer mon dernier train. Effectivement, les garçons, j'ai commencé à les voir à partir de 19 ans à Voltaire et à l'IDHEC ; mais du fait de mon éducation très stricte, j'ai pas eu beaucoup de rapports avec eux (...). Ce qui est important pour moi, c'est qu'à partir de 19 ans, les garçons parlaient politique. C'était 56, c'était *Budapest*. Il y avait tous les communistes qui soutenaient le putsch. C'est ça qui m'a ouvert l'esprit, je n'avais aucune formation politique. Chez moi on ne parlait jamais politique, et là j'ai appris, c'était la guerre d'Algérie, on allait aux manifs (...). Moi j'apprenais les choses. J'écoutais puis je choisissais mon camp en fonction (...). C'étaient tous des communistes ou des sympathisants communistes, tous de gauche, on était tous contre la guerre d'Algérie. Il y avait toujours des manifs, et moi je suivais, très sincèrement, en y croyant, pensant que c'était effectivement ce qu'il fallait faire, que c'était la vérité, c'était très sincère de notre part à tous, et en 58, on a tous voté contre l'arrivée de De Gaulle, d'un seul homme.

— *Est-ce que certains de vos camarades vivaient déjà en couple ?*

Hélène — Oui, bien sûr, il y en avait qui se mettaient en couple, il y avait des amourettes, tout ce qu'on veut (...), moi je n'en ai pas eu mais c'est parce qu'à 19 ans, j'étais quand même très coincée, je ne connaissais pas grand-chose, il fallait quand même que j'apprenne à vivre, il m'a fallu tout l'IDHEC pour que je commence à avoir une vie normale. De par mon éducation, j'étais très bloquée. Pour que je me débloque, ça a été assez long. Si je n'étais pas tombée dans un milieu comme celui de l'IDHEC, un milieu quand même intellectuel, je sais pas, je serais devenue fonctionnaire, j'aurais eu une évolution beaucoup plus lente.

— *Comment vous les perceviez les garçons, à l'époque ?*

Hélène — Moi j'étais plus ou moins amoureuse de l'un ou de l'autre, j'étais admirative.

— *Qu'est-ce qui était admirable en eux ?*

Hélène — Il n'y avait rien d'admirable sauf qu'eux, ils voulaient être réalisateurs. Moi je savais que je ne voulais pas être réalisatrice. Effectivement, toute ma vie je m'en suis tenue à ça ; moi, ça me suffit bien, c'est bien suffisant. En plus, je n'avais pas de désir de création, j'avais pas d'ambition, et pour moi, tous ceux qui allaient être réalisateurs, les garçons, c'était miraculeux. Il y avait aussi des musiciens parmi nous. J'étais complètement ébahie qu'ils puissent être des créateurs, et j'étais fascinée par les hommes, donc je m'en approchais très difficilement. Pour moi, un homme, c'était vraiment un être supérieur, j'ai un peu déchanté depuis [*rire*], on était un peu romanesque, bêtasse.

Elle s'est abandonnée toute seule ma carrière

— *Est-ce que vous pensez que dans votre travail, il y a un avantage quand on est en couple ?*

Hélène — Je pense que oui, sauf que, quelquefois, il peut y avoir compétition dans le couple lui-même.

— *Vous en connaissez autour de vous ?*

Hélène — Oui, j'en connais, des gens qui sont réalisateurs tous les deux, des fois ça peut mal se passer.

— *A votre avis, quelles sont les conditions pour que ça se passe bien ?*

Hélène — Il faut qu'il y en ait un des deux qui soit assez humble, quand même, qui n'ait pas d'ambitions personnelles. Je pense que si les deux ont des ambitions personnelles, c'est difficile.

— *Ça peut pas être chacun son tour, ça n'existe pas ?*

Hélène — Ça doit exister, peut-être, je ne sais pas, mais pas trop. Moi je connais beaucoup de couples dans ce métier qui se sont séparés, la plupart se sont séparés (...). C'est ce qui troublait beaucoup mes parents : ils voyaient très bien que dans ce métier-là aucun couple n'était stable et ça les a vraiment beaucoup inquiétés. Moi j'estimais que j'étais sûre de moi et que je pouvais faire quelque chose sur la longue durée. Je pensais et je pense toujours que je pouvais le faire. Je ne suis pas très fragile, mais je pense que la plupart des gens peuvent difficilement, dans ce métier, épouser effectivement des projets communs sur une longue durée.

— *Est-ce que le féminisme ça a eu des effets importants dans votre milieu professionnel ?*

Hélène — D'abord j'ai travaillé sur des projets féministes, mais c'est très dépendants des projets de l'époque ; moi, personnellement, je pense que j'ai eu une vie assez autonome, très autonome sur le plan de ma carrière, enfin de mon métier, de ma profession et sur le plan de l'argent. Mais je ne me situe pas comme féministe militante. En tout cas, je pense que ma vie prouve que je ne l'ai été que relativement.

— *Sur quel point ?*

Hélène — Pour moi, être féministe, ça signifie surtout avoir une indépendance professionnelle et financière, mais ça ne signifie rien sur le plan des rapports avec un homme ; moi je les ai toujours pensés sur un plan d'égalité mais pas de compétition. C'est vrai que si j'avais eu le désir d'être réalisatrice, si je l'avais toujours eu, je ne vois pas pourquoi je n'aurais pas essayé de le devenir ; j'ai choisi d'être monteuse parce je n'avais pas le désir de faire de la réalisation.

— *Vous avez dit qu'il faut qu'il y en ait un des deux qui soit plus humble que l'autre. Est-ce que vous connaissez des cas où c'est l'homme ?*

Hélène — Eh bien oui, j'en connais (...) où c'est justement l'homme qui est plus humble. Je pense à plusieurs couples d'amis (...). C'est peut-être un peu simpliste ce que je vous dis, beaucoup de gens ricaneraient, mais j'ai été élevée de telle manière que je me soumette au désir et à la création de l'autre, cet autre, c'était l'homme ; si j'avais eu le désir, j'aurais peut-être réagi différemment, mais dans la mesure où je n'avais pas le désir de création personnelle, je n'avais qu'une envie, c'est d'aider un autre à y arriver.

— *Vous étiez perçus comme un couple stable, en fait, dans un milieu où la plupart des couples ne le sont pas ?*

Hélène — Absolument. Nous on était perçus de telle manière que beaucoup de gens m'ont dit, « oh, on imaginait que votre couple aurait duré tout le temps, qu'il était assuré et tout », comme quoi c'était faux (...).

— *Le métier ne vous séparait pas ?*

Hélène — Non, lui il a été de plus en plus en province, à l'étranger ; ça ne nous séparait pas. Moi, j'essayais dans mon métier, c'est un métier un peu fou, d'être là avant huit heures le soir pour les enfants (...) ; ça m'a quand même nui sur le plan du métier, j'ai pas pu faire exactement ce que je voulais, j'ai abandonné l'idée de faire une carrière. Elle s'est abandonnée toute seule ma carrière parce que je faisais de plus en plus des choses marginales (...). Peu à peu, ça a un peu dégringolé ; c'est pas à cause des enfants complètement, c'est les circonstances qui font que, j'étais pas dans le cinéma commercial.

— *Vous aviez une certaine idée de ce que vous vouliez faire ?*

Hélène — Oui, j'avais une certaine idée qui était de ne pas faire n'importe quoi, de refuser quand c'était des petits trucs médiocres.

— *Vous parliez entre vous des choix professionnels ?*

Hélène — Oui, on en parlait beaucoup. Par exemple en 74, je me suis retrouvée à faire quelque chose avec une productrice de la télévision, avec elle ça se passait très mal, et je n'avais qu'une envie, c'était de tout fiche en l'air, parce que vraiment c'était insupportable de travailler avec elle (...). Comme effectivement on avait des problèmes d'argent, il m'a dit, « eh bien c'est bête, quand on a commencé quelque chose il faut aller jusqu'au bout », et puis, finalement, moi aussi, c'est vrai, je me disais, il faut aller jusqu'au bout de ce qu'on a entrepris, alors je me suis obligée à finir, ça m'a fait perdre un an, et après on s'est dit, ensemble, « on a fait une erreur, tu aurais mieux fait de foutre le camp ».

Il a changé de personne

(...) On avait des amis communs depuis plus de 20 ans qui étaient quelquefois des amis de lui ou de moi (...). Mais, peu à peu, on en a connu d'autres (...) et puis il s'est passé une chose différente : c'est que, sur les dernières années, il s'est fait des amis à lui, plus personnels à lui, c'était « ses amis », disons, parce que avec les années, on était devenus un peu différents dans nos relations. On s'est un peu séparés. J'ai recommencé à faire des longs métrages, j'ai travaillé avec des gens qu'il connaissait moins et puis lui, il a fait des choses à la télévision, de la vidéo, auxquelles moi je participais pas. La vidéo, je ne connaissais pas alors cette technique. Et puis, comme il avait, en plus du cinéma, d'autres intérêts professionnels, d'autres intérêts intellectuels, il s'est fait beaucoup d'amitiés parallèles, c'est devenu un peu des amis communs ; moi j'étais acceptée comme sa femme mais ses derniers amis, c'était plus des amis à lui qu'à moi. Et je m'aperçois que je ne les vois plus ces gens-là tandis que nos amis communs, je continue à les voir mais lui il ne les voit plus.

— Il a changé de vie ?

Hélène — Il a changé de personne, une espèce de cassure, de rupture. Je vois, effectivement, qu'il n'a pas beaucoup de rapports ni avec ses enfants ni avec ses anciens amis.

— Il a changé physiquement aussi ?

Hélène — Physiquement oui, mais c'est plutôt une sorte de changement de personnalité qui, probablement, d'après mon analyse, s'est fait subrepticement durant ces dix dernières années (...). J'avais pris conscience de choses depuis dix ans ; il y avait eu déjà en 85 des cassures et des choses qui s'étaient passées que je connaissais et que je savais, on était repartis, puis après j'ai été moins vigilante parce que, la vie, mes parents qui sont morts, des tas de choses qui se passent dans la vie, je me suis occupée un peu plus de mes enfants, de mes parents, moins de lui et puis voilà. Et puis beaucoup plus de mon métier aussi puisque je me suis remise à faire des longs métrages, j'ai beaucoup travaillé ces dernières années.

Le métier ne nous a plus reliés

(...) Et puis, il y a le fait, effectivement, que, depuis une dizaine d'années, le métier ne nous ait plus reliés ; on a donc fait, lui plus de télévision, de documentaires, moi plus de films de fiction ; il a fait en 85 un film que j'ai trouvé très bien, mais je suis devenue plus distante, il s'en rendait compte.

— *Il se sentait jugé dans son travail ?*

Hélène — Peut-être, il se sentait jugé dans son travail ; j'avais moins d'admiration pour lui, on n'en a jamais vraiment parlé (...). C'est quelqu'un qui avait des possibilités fantastiques, qui était très riche au point de vue culture, au point de vue sensibilité, au point de vue créatif aussi, et qui, peu à peu, au contact du métier s'est durci parce que le métier est très dur, qui n'a pas vraiment pu faire vraiment ce qu'il voulait parce que le métier ne lui a pas permis, il a essayé de faire des longs métrages, il n'y est pas arrivé parce qu'il a été obligé de faire de la télévision comme tout le monde, puis ça l'a un petit peu appauvri et puis, peu à peu, il n'a pas été assez exigeant avec ce qu'il voulait faire dans le métier, il s'est laissé aller à des facilités, à accepter des choses trop faciles à la télévision ; j'ai d'autres amis qui n'ont pas accepté ça, qui s'en sortent parce qu'ils n'ont pas accepté. Mais ça a été dur, ils sont passés par des moments difficiles, alors que peut-être il a accepté parce que, effectivement, nous, on avait des enfants, mais les autres aussi avaient des enfants (...).

— *Vous ne le mettiez pas en garde ?*

Hélène — Ça m'est arrivé à la fin, mais sans doute pas suffisamment. En plus, avais-je le droit de le mettre en garde ? Je ne pensais plus, au bout d'un certain temps, avoir le droit d'avoir une influence sur sa carrière ; je pense qu'il était maître de lui-même.

— *Il trouvait peut-être que vous aviez un regard, entre guillemets, professionnel sur lui ?*

Hélène — Peut-être qu'à la fin il en avait assez de ce regard professionnel sur lui et qu'il a voulu s'en dégager, mais en même temps, il me le dit maintenant, c'est quand on travaillait ensemble qu'on était le plus ensemble, ce qui est peut-être bien vrai, donc c'est triste si c'est ça, mais c'est probablement bien vrai. Les 15 premières années de sa vie professionnelle où j'ai pu l'aider, il pensait que c'était un apport. Maintenant il a sans doute pensé que je n'étais plus un apport pour lui, que je ne lui servais plus à rien ;

vraisemblablement, il a plus besoin de quelqu'un avec qui il ait le même but précis sur le plan professionnel, je ne sais pas, je ne peux pas savoir (...).
Les vieux couples qui travaillent ensemble, j'en connais pas beaucoup ; dans ceux que je connais, effectivement, la femme, en général, ne fait pas le même métier : l'homme est réalisateur, la femme ne l'est pas ; elle n'est peut-être pas dans le cinéma, ou bien, si elle y travaille, elle fait de la production, du secrétariat, mais annexement. J'en connais pas beaucoup des gens qui ont vécu des longues vies ensemble comme ça.

— *Ça vous paraît plus facile quand on ne fait pas le même métier ?*

Hélène — Je pense que c'est plus difficile parce que, souvent, ces personnes qui ne sont pas dans le métier ne comprennent pas la nécessité d'un investissement absolu, ils ne s'intègrent pas, mais, avec le temps, est-ce que ce n'est pas mieux ?

Le cas habituel dans ce métier, c'est changer de partenaire

— *Et les femmes des générations plus jeunes entrées dans le métier, elles sont plus souvent célibataires ?*

Hélène — Les femmes plus jeunes qui ont 40 ans, non. Celles de mon âge qui ont assumé le célibat comme une vocation, elles prétendent l'assumer encore, mais elles sont très malheureuses les femmes qui ont la cinquantaine passée, qui sont célibataires presque par choix, c'est une catastrophe ; elles le vivent très très mal, elles sont très malheureuses, c'est vraiment pire que tout, elles ont complètement gâché leur vie pour le métier, la plupart du temps, pour le choix de la liberté, de l'indépendance et du métier. Il faut voir avec quelle énergie, la quarantaine venue elles cherchent subitement à avoir un enfant, n'importe comment. Quand elles n'y arrivent pas, c'est la catastrophe. Les autres femmes que je connais qui, par contre, ont la quarantaine, et ont eu effectivement à l'âge « normal » une vie de couple « normal » avec des enfants et qui vivent encore ensemble au bout de 15, 18 ans, elles y arrivent, effectivement ; je pense qu'ils sont très fidèles, je pense qu'il y a aussi forcément l'un qui domine l'autre, en général l'homme, faut dire ce qui est, c'est rare que ce soit la femme ; si la femme domine, je pense qu'elle reste indépendante, je pense qu'elle ne se marie pas, ou bien elle vit en couple mais sans être mariée ; de toute manière, on ne se marie plus afin de rester plus autonome ; mais des couples comme le nôtre, je pense que ça ne se voit plus dans le métier (...). Aujourd'hui, les couples, ils font des enfants, ils vivent un certain nombre d'années ensemble et puis la trentaine, la quarantaine venue, ils trouvent un autre compagnon avec lequel, sans se marier, ils passeront le reste de leur vie. Je crois que c'est plus comme ça que ça s'établit. C'est-à-dire comme si le deuxième choix était plus sûr. Je ne sais pas si c'est le cas de mon mari, j'en sais rien (...). Pour moi, c'est différent, moi ça m'arrive trop tard, cette rupture, elle arrive trop tard dans ma vie (...). Moi, je ne suis pas la norme de ce qui se passe habituellement dans ce métier. Je pense qu'en général, le fait de changer de partenaire, pour un homme, c'est toujours facile. Pour une femme, ce n'est plus facile à un certain âge (...) mais peut-être que c'est un peu trop simple, un peu simplifié ce que je vous dis.

J'ai l'impression d'avoir été flouée par mon autonomie

(...) En dehors du problème de l'organisation de l'éducation des enfants, on avait une vie complètement indépendante et libre, lui il faisait vraiment ce qu'il voulait, comme il voulait, quand il voulait. Mais peut-être qu'il ne pense pas la même chose.

— *C'est vous qui aviez la charge des enfants ?*

Hélène — Oui, c'est quand même moi.

— *Vous n'êtes pas de cette génération qui partageait les tâches ?*

Hélène — Non, je ne suis pas de cette génération où on partageait les tâches ; malheureusement je crois que je fais partie de la génération d'avant qui a été élevée dans des schémas un peu anciens, un peu dans l'idée qu'une femme doit, quand même, avoir les responsabilités dans la maison et donc doit assumer ce qui est la nourriture de l'enfant, la nourriture du ménage, les courses et tout, et, effectivement, il ne participait pas au partage des tâches alors que je pense que maintenant il y participe. Mais c'est de ma faute, je n'avais qu'à lui demander de force, mais moi, ça me semblait normal de faire les choses dans la maison, j'avais qu'à le lui demander ; peut-être il l'aurait fait ; comme c'était quelqu'un qui était très intéressé par son métier, son métier, son métier, moi je lui laissais la possibilité d'être totalement libéré de ce côté-là, ça à cent pour cent. Sans doute ai-je eu tort (...). Peut-être qu'on n'est pas partis sur des bases bien claires, bien précises, je ne sais pas, j'arrive pas à bien analyser les choses. J'ai l'impression qu'il me dominait de toute manière. On est partis sur des bases bancales, peut-être ; ça ne fait qu'un an et demi qu'il est parti, je n'ai pas encore fait le tri de toutes les choses.

— *Qu'est-ce que ça a changé, concrètement, dans votre vie ?*

Hélène — Beaucoup de choses. Justement, j'ai un peu l'impression d'avoir été flouée. Sur le plan sentimental, je préfère ne pas en parler, parce que je vous paraîtrais peut-être un petit peu trop fleur bleue, romanesque, alors c'est pas la peine d'en parler, mais sur le plan purement social et, ça va vous paraître plus que classique et peut-être un petit peu réactionnaire ce que je vais vous dire, c'est que j'ai l'impression d'avoir été un peu flouée dans la mesure où on a partagé sur tous les plans quelque chose en commun pendant plus de 20 ans et je me retrouve maintenant à devoir assumer tout toute seule sur le plan financier et sans doute m'a-t-il laissé ça brutalement du jour au lendemain en ne partageant plus rien du tout de ce que sont mes charges sur le plan financier, même pour les filles ; sans doute a-t-il pu le faire avec d'autant plus de facilité que j'étais indépendante, j'avais un métier, j'étais libre, j'étais autonome. Finalement ce que voulait mon père, que je sois autonome, ce que je désirais, être autonome ; le féminisme, être autonome, j'ai l'impression d'en avoir été un peu victime dans la mesure où j'imagine très bien que comme certains de sa génération qui ont épousé des femmes qui n'ont pas travaillé, ils ne les laisseront jamais à cause de ça, je pense, si je lui disais ça, il rirait en disant, « non non bien sûr, de toute manière je serais parti », ce qui est sans doute vrai, il serait certainement parti, mais, disons, il l'a fait avec une certaine désinvolture en disant, « tu paies tout ce que tu as à payer, je ne me charge plus de rien », c'est-à-dire en m'imposant tout (...). Comme pour l'instant je n'ai pas entamé de procédure de divorce, on n'a pas pu le régler de manière officielle, juridique, mais c'est vrai maintenant je me retrouve avec les mêmes charges, ma fille cadette vit encore avec moi, sans avoir sa contribution, ce qui est très lourd, très difficile et il l'a fait avec d'autant plus de facilité qu'il sait que je suis autonome. Comme j'ai beaucoup travaillé ces derniers temps, il n'a plus aucun sentiment de culpabilité.

— *Vous arriviez toujours à bien partager vos vies professionnelles ?*

Hélène — On a eu toujours chacun notre propre vie, moi je fais mes propres films, peut-être que les films que je fais ne lui plaisent pas et puis voilà, on en parle, lui il est capable quand il a vu un film de dire, « je pense ci, je pense ça, c'est bien, c'est pas bien, là non, tu aurais pas dû le faire », mais je crois que ces dernières années, il se fichait pas mal de ce que je faisais et puis moi j'avais moins d'admiration pour ce qu'il faisait (...). Je crois que le départ de mon mari, ce n'est pas qu'une conclusion de la vie d'un couple, c'est aussi un moment de sa vie professionnelle qui change, qui bascule, dans quel sens, je ne peux pas vous le dire, je n'ai pas encore les données pour en parler, le mien forcément, ne bascule pas parce que je n'ai pas d'ambitions personnelles, mon but c'est de continuer à faire du montage, il ne change pas, donc il n'y a pas de crise sur le plan du travail (...), ma vie elle est plus simple, c'est le montage, les enfants et puis c'était lui ; pour lui, manifestement pas : c'est quand même la réussite professionnelle avant tout, or manifestement, les dernières années, il y avait un problème, problème qui n'est pas qu'à lui, qui est celui de toute une génération, problème qui va être encore plus crucial ces prochaines années pour toute une génération, il atteint les 50 ans sans avoir fait l'œuvre qu'il aurait aimé avoir faite, c'est clair, tout ce qu'il a pu faire ces dix dernières années même s'il a fait des choses bien, il n'a pas fait que des choses bien, il a fait aussi des choses médiocres, pour lui c'est urgent, c'est maintenant ou jamais, je pense qu'il en est conscient, je pense que là, il a peur, et le départ d'ici, c'est aussi, moi qui suis un peu plus simple, avec des idées un petit peu plus carrées, qui ai des choix plus précis de vie, plus, disons moraux entre guillemets, qui veux suivre une ligne droite, moi je le mettais sans doute mal à l'aise dans la mesure où il ne savait plus bien où il en est, et il oscille entre plusieurs possibilités y compris d'abandonner le métier, à moi il ne l'a pas dit mais il l'a dit à ses filles, et il se dit peut-être, je me suis trompé pendant 20 ans, j'ai pas suivi la bonne voie, enfin je ne sais pas, il doit remettre en cause beaucoup de choses.

Il disait, « j'en ai marre de repasser mon bac à chaque film que je fais »

(...) Dans notre métier, on n'arrive pas forcément à uné carrière de plus en plus assurée. Comme il disait, ce qui le rendait malheureux, « j'en ai marre de passer mon bac à chaque film que je fais », effectivement on a l'impression à chaque fois, qu'on doit prouver qu'on existe toujours, qu'on est toujours le meilleur, qu'on a fait quelque chose de bien, ce qui effectivement n'est pas le problème des techniciens. Si on fait un film qui ne marche pas, on a aussi des retombées négatives, mais pas autant qu'un réalisateur. Pour lui, c'est dramatique, c'est dramatique s'il fait quelque chose qui n'est pas reconnu à chaque fois ; à 40 ans, c'est le désir d'être reconnu de plus en plus, s'il n'est pas vraiment reconnu comme étant le meilleur, ça peut être considéré comme raté (...). Les femmes réalisatrices, elles sont en butte au même problème, et c'est en plus accru du fait que ce sont des femmes parce que c'est beaucoup plus difficile, malgré tout, encore de nos jours d'arriver à faire des choses quand on est une femme, c'est encore plus difficile de prouver qu'on est capable.

— *Est-ce que c'est pour vous plus facile de travailler avec une femme ?*

Hélène — C'est plus difficile pour moi de travailler avec une femme, (...) avec les femmes, j'ai eu parfois de bons rapports, parfois des rapports insupportables ; (...) une femme doit s'affirmer tout le temps et elle arrive même bizarrement à avoir des conflits et à devenir oppressive alors que c'est une femme qui travaille avec une autre femme (...). Les femmes qui réalisent, c'est vraiment des femmes très dures, et celles qui gardent leur féminité (...) elles ont beaucoup de difficultés, parce qu'elles sont remises en cause justement par leur spécificité de femme, elles font du cinéma d'une manière très féminine et on le leur reproche constamment. Ou bien alors il faut que les femmes veuillent les faire comme des mecs (...).

— *Pour en revenir à la crise professionnelle des hommes, est-ce que vous pensez qu'un couple peut résister à ça ?*

Hélène — Je pense que c'est possible de résister à ça. Le problème, peut-être, c'est qu'effectivement, on en prend, peut-être, pas conscience quand on le vit, c'est après qu'on en prend conscience (...).

— *Et vos collègues, plus jeunes, elles arrivent à concilier vie professionnelle et vie de famille ?*

Hélène — Je ne peux pas vraiment en parler, je ne connais pas suffisamment de jeunes. Les plus jeunes que je connais ont 40 ans avec des enfants qui ont déjà une dizaine d'années. Les plus jeunes que je connais sont des célibataires, qui ont 26, 30 ans, et qui, pour l'instant, veulent être célibataires et travailler pour réussir, et qui auront des enfants, sans doute, une fois leur réussite professionnelle assurée.

— Et, du coup, elles n'exercent pas une pression sur les autres ?

Hélène — Si si, certaines, bien sûr, si si. Mais il y a surtout les pressions du métier, c'est le métier qui veut ça. Par exemple, dans le long métrage, quand on veut assurer un mixage et qu'on doit passer des heures, tous les soirs, jusqu'à neuf, dix heures, c'est sûr qu'on ne prendra pas une femme qui vient d'avoir un petit bébé. Moi, j'ai réussi à continuer mon métier tout en essayant d'imposer des heures au réalisateur, j'étais déjà chef, je n'étais pas assistante. Si j'avais été encore assistante, je ne sais pas si j'aurais pu.

— Ça arrive qu'un réalisateur reproche à un membre de son équipe de faire passer sa vie de famille avant sa vie de travail ?

Hélène — Des reproches directs, non, mais des reproches indirects, oui. (...), ça va de soi qu'au moment où on prend une assistante, elle doit être libre de son temps.

On finit par se retrouver toute seule

(...) Les jeunes, elles peuvent y croire à la vie de couple ; simplement elles ne misent pas tout dessus, elles pensent effectivement qu'il peut arriver n'importe quoi, n'importe quand, que rien n'est dit définitivement, chose que moi bien que je me disais, rien n'est joué définitivement, mais j'y croyais malgré tout, j'avais une espèce de volonté d'y croire, bon, c'était aussi ma nature, mais j'ai voulu y croire malgré tout. Lui aussi, il a voulu y croire ; il a aussi tenté d'y croire, puis la vie lui a fait comprendre que c'était difficile ; mais il souffre, sans doute moins, de cette espèce de cassure, dans sa vie parce que, peut-être, il investissait moins dans le couple que moi j'y ai investi pendant plus de 20 ans. Donc il doit en souffrir moins de cette espèce de...échec. Donc il n'est pas victime, moi je me sens victime, assez à tort. Je pense que tout le monde de ma génération n'est plus dans mon cas, il y a beaucoup de femmes qui sont capables d'affronter cette situation plus sereinement.

— Mais, de toute façon, votre travail, ça laisse peu de temps pour la vie de famille, concrètement, le montage ça représente quoi en termes d'heures ?

Hélène — On a des délais assez stricts. Si on travaille normalement huit ou neuf heures par jour, ça doit suffire ; neuf heures plutôt que huit. Moi je compte, je pars en général vers neuf heures et je rentre vers sept heures et demie le soir, ça fait donc 11 heures d'absence, dont neuf heures de travail. Il y a des films où j'accepte plus de travail encore. Et il y a des monteuses qui travaillent encore plus, qui travaillent comme des folles ; j'ai des amies qui ont travaillé pour être libres, qui ont aimé leur travail, qui ont beaucoup travaillé, qui n'ont plus eu de vie personnelle, qui, à force de n'avoir plus de vie personnelle, ont dû travailler pour boucher les trous. Il y a une sorte de cercle vicieux : on travaille parce qu'on est seule pour gagner de l'argent, et à force de travailler, on est seule, toute seule, et puis on finit par se retrouver, à 45 ans, toute seule et on n'a plus qu'à travailler jusqu'à la fin de ses jours. Ce qui est un peu ma situation maintenant ; maintenant, je me retrouve, ayant beaucoup, quand même, investi dans le boulot et je me retrouve, ayant travaillé et ayant élevé des enfants, mais en me disant, quel est mon avenir ? Maintenant il faut que je continue de travailler, d'abord il me faut m'assumer, il faut que je vive toute seule, donc c'est un peu comme si j'étais célibataire sauf que j'ai eu le bonheur d'avoir des enfants (...). C'est un métier qu'il ne faut pas idéaliser, on investit beaucoup le temps d'un montage, on a des rapports très copains, c'est très chaleureux et puis, le film est fini, pof, tout le monde s'en va. Il faut prendre l'habitude de ces séparations d'après les films ; au bout de 30 ans, on a pris l'habitude, mais au début, c'est dur, parce que, c'est vrai, on investit beaucoup, beaucoup trop (...). Moi, le bilan que je fais, il est plutôt négatif, sur le plan de relation de couple, parce que, concrètement, mon couple, il est rompu, mais aussi, parce que, quand on revoit les raisons pour lesquelles on ne veut plus vivre ensemble, des raisons pas seulement personnelles mais aussi professionnelles, on s'aperçoit qu'on vivait un peu sur des leurres (...). Je suis à cheval entre deux générations : j'ai voulu avoir l'autonomie et la liberté, et, en même temps, j'ai senti que je n'étais pas capable de les assumer complètement puisque je voulais quand même vivre de manière classique, comme je l'avais appris, et comme j'aurais aimé peut-être vivre (...). Je n'ai pas pu me libérer totalement et donc je suis un peu victime de mon éducation, et puis du fait d'être trop vieille, il faudrait avoir 15 ans de moins pour le vivre bien (...). Finalement tout le monde reste très seul vis-à-vis des idées qu'il a. En imaginant épouser le projet d'un homme, je me suis trompée complètement, même si ça a été vrai pendant un certain nombre d'années ; ça peut l'être quelquefois, mais c'est rare. C'est pas vrai dans l'absolu. Je n'ai pas essayé de savoir pourquoi, c'est trop dur.

décembre 1991

Abdelmalek Sayad

La malédiction

Une vie de travailleur immigré, qu'est-ce que c'est ? Pour répondre à cette question, en toute connaissance de cause, il faut, dans un premier temps, l'avoir vécue intensément et, comme on dit, « sans trop y réfléchir » ; il faut aussi que, à la faveur de quelques circonstances propres à favoriser la distanciation, le décès des parents, l'émancipation des enfants, garçons et filles, la maladie, l'accident de travail, la préretraite et la retraite, autant d'occasions d'éprouver la vacuité d'une existence qui n'a de sens que par le travail, se soit constituée peu à peu cette disposition particulière qui permet de « se tenir à l'écart de la vie et de ses mensonges », c'est-à-dire de ses vanités, formule quasi rituelle de la sagesse traditionnelle, ici employée au sens plein : « suspendre (sa) vie pour la regarder comme elle fut », la dérouler devant soi comme un objet d'observation, auquel on appliquerait précisément toute la puissance de réflexion dont l'expérience acquise au long de cette vie a doté ceux qui ont le souci de « se connaître et de connaître la vie en dépit de ses tromperies (*ghadra* : le piège, la trahison) ».

Abbas, qui parle en ces termes, est de ceux-là. Ancien ouvrier, aujourd'hui en retraite, d'une grande entreprise industrielle de la région parisienne, il est, à sa manière, un intellectuel. Plus que les indications, brèves et allusives, qu'il donne sur ses origines sociales (« mon père n'était pas fait pour être fellah »... « mon grand-père était le lettré de la famille, il a toujours vécu du Coran »), c'est tout son discours qui en apporte la preuve, et en particulier, cette sorte de distance à l'égard de soi-même qu'il appelle douloureusement « le divorce d'avec moi-même ». Associant l'expérience directe longuement éprouvée de la condition d'immigré et la posture réflexive qui permet d'élaborer, pour soi-même d'abord, sa propre expérience, de la soumettre à un examen critique et, plus rare encore, de la communiquer aux autres, sur le mode de la narration en apparence la plus ordinaire (comme ici), il échappe à l'alternative ordinaire de l'expérience muette et du discours vide sur une expérience inaccessible (le monde de l'immigration et l'expérience de ce monde sont sans doute parfaitement fermés à la plupart de ceux qui en parlent). Avec lui, l'enquêté et l'observé se fait enquêteur et observateur de lui-même, la présence de l'enquêteur « professionnel » n'étant que l'occasion attendue de livrer à haute voix le produit longtemps réfléchi et mûri (« j'ai bien réfléchi à tout cela... Plus exactement, je n'arrête pas de réfléchir, de tourner et de retourner toutes ces questions au fond de moi ») de son enquête sur lui-même. Produit qui n'est pas loin de s'identifier à celui de la science dans la mesure où l'enquêteur et l'enquêté, ayant le même intérêt à l'enquête qui les réunit, s'accordent, sans concertation préalable, sur la problématique, l'enquêté se posant lui-même les questions que l'enquêteur aimerait lui poser.

Comment accède-t-on à cette capacité de « s'oublier soi-même », comme dit l'intéressé, pour mieux « se souvenir de soi » ? C'est encore dans la conjonction de certaines caractéristiques sociales, et en particulier dans la relation, fort peu commune en cette région de très forte et très ancienne émigration vers la France, que la famille de Abbas entretient avec le fait d'émigrer, qu'il faut rechercher le principe du désenchantement profond qui incite au retour sur soi. Les conditions de ce jour, pour pouvoir être supportées, incitent à reporter le regard sur le cheminement qui y a conduit, depuis le fameux « premier jour », lieu de la « malédiction » initiale, et à en reconstituer la genèse sociale et à en donner une manière d'explication ; mais à l'inverse, les conditions d'hier, qu'on se plaît à rappeler, portent à adopter sur la situation d'aujourd'hui le point de vue critique qui est annonciateur de la lucidité des propos sur sa trajectoire personnelle (qui est aussi une trajectoire collective) et, surtout, de l'effet de libération que produit le travail d'auto-analyse et d'aveu de soi à soi-même. Aveu de l'état de crise auquel a abouti cette « génération » d'immigrés dont on ne peut déjà parler qu'au passé. « Plus rien n'est aujourd'hui comme on pensait ». Cette « génération » vit dramatiquement la rupture radicale avec l'état antérieur, qui n'est pas si lointain, et que l'éveilleur des consciences qu'est Abbas, qualifie rétrospectivement d'« état de sommeil » (« nous étions endormis »), d'« état d'engourdissement ». Conscient de tout ce qui le sépare du commun des immigrés, ses contemporains, dont il partage par ailleurs – il insiste sur cette communauté de destin – toute la trajectoire et toutes les conditions de vie, il les appelle à plus de vigilance ; il les invite à une manière d'« éveil » (*fayaq*). Croyant avoir maîtrisé sa situation et assumé sa « vérité », il aimerait que tous partagent la « vérité » qu'il leur propose et que tous travaillent à produire leur « vérité », à en finir avec tous les masques et toutes les dissimulations que l'immigration exige de tous pour pouvoir être acceptée. L'exercice n'est pas facile, c'est une épreuve extrêmement douloureuse, même si tous savent que cette révision déchirante est la condition de leur survie, de leur résistance à l'anéantissement qui les menace du fait des changements qui se produisent dans leurs conditions de vie et surtout dans la représentation qu'ils se sont habitués à donner d'eux-mêmes et de leur état d'immigrés. Abbas se sent en quelque sorte prédestiné à ce rôle d'éveilleur des consciences. il a un sentiment très aristocratique de sa distinction qui l'incline à une certaine commisération (« ils sont à plaindre », « il faut leur ouvrir les yeux (...), mais ils refusent ») à l'égard des autres qui se refusent à l'espèce d'ascèse qu'il leur propose non seulement par ses actes mais aussi et surtout par ses paroles. Tout son entourage, jusque dans sa propre famille, le regarde comme une exception et éprouve à son égard à la fois l'admiration, le respect et la fascination, et aussi l'agacement et l'irritation, que suscite toute exception. Consulté par tous, les proches et les moins proches, entouré souvent d'une nombreuse assistance qui vient l'écouter (on l'appelle *cheikh*, c'est un sage), il s'est fait une réputation de « solitaire » et il se replie presque ostentatoirement, même au sein de sa famille, dans un « isolement » à la fois feint et réel que l'inactivité n'a fait que renforcer.

Homme de vérité et de droiture, on le craint pour la sévérité de ses jugements et si on lui sait gré d'énoncer les vérités, on lui en veut souvent de le faire. C'est le cas, notamment, chaque fois qu'on aborde la question de la situation des enfants, occasion d'apercevoir de la manière la plus évidente la crise qui est intensément vécue par toutes les familles immigrées, et qui se traduit ici par la rupture entre la génération des parents et la génération des enfants, produite dans des conditions sociales et culturelles tout à fait différentes. Que le sage, à qui il arrive d'être aussi un prophète de malheur, proclame que l'émigration fut une « erreur », que tout le monde s'est trompé en cette circonstance, passe encore. Mais qu'il annonce que l'immigration des familles – la sienne en premier lieu – est une trahison, un reniement, une apostasie (au sens religieux du terme) et qu'elle a eu pour conséquence une totale reconversion qui fait que, comme il aime à le répéter, « au lieu de travailler pour (leur) prospérité, les immigrés (en famille) travaillent en réalité pour la postérité des autres », c'est là une énonciation qui est très difficile à supporter, car elle est en même temps une *dénonciation*.

avec un « travailleur immigré »

— entretien de Abdelmalek Sayad

« Rien n'a été comme on le pensait »

Abbas — Tout ne va pas… Et il faut arriver à la fin, maintenant que tout est terminé, qu'on se rend compte que tout ne va pas…, parce qu'on s'est trompé sur toute la ligne : rien n'a été [*littéralement : rien n'est sorti…, au sens de rien n'a abouti…*] comme on le pensait. Moi-même, je n'en reviens pas. Je doute de moi… Je crois que je me mens. J'ai bien réfléchi à tout cela… Plus exactement, je n'arrête pas de réfléchir, de tourner et de retourner toutes ces questions au fond de moi… Et quand je dis que je réfléchis, c'est uniquement maintenant que je suis arrivé à ce résultat, et parce que je suis arrivé au résultat (*el-haqiqa*, la vérité, la réalité, la certitude) d'aujourd'hui. Pour le reste, ce sont toujours les mêmes choses qui reviennent à l'esprit. Comment en est-on arrivés là ? Est-ce que nous sommes les mêmes, les mêmes créatures qu'au premier jour [*de notre immigration en France*] ? Qu'est-ce qui nous a métamorphosés ? De quand date notre métamorphose [*au sens fort, par l'effet d'une malédiction divine*] ? On ne l'a pas vu venir, elle est tombée sur nous quand ce fut trop tard pour réagir contre elle. Il faut l'accepter comme telle… ; il faut s'accepter ainsi. Il n'y a plus rien à faire. Sinon rendre grâce à Dieu. Il sait ce qu'Il fait. Nous ne sommes que des jouets entre Ses mains. Sa volonté nous gouverne.

— En quoi consiste cette « malédiction » ? Pourquoi cette « malédiction » ?

Abbas — Mais pour comprendre cela, il faut peut-être que je vous raconte tout depuis le premier jour. Sans cela, on ne peut rien comprendre. Moi-même, je ne comprends la métamorphose qu'en me souvenant du premier jour, qu'en reconstituant l'itinéraire que nous avons parcouru… Je ne suis pas le seul… Mais les autres ont la chance d'être aveugles…, de ne rien voir…, rien voir des choses qui leur sont très proches, qui sont entre leurs pieds, dans leur propre ventre. Ils ne voient rien, ils n'entendent rien, ils ont tout oublié, ne se souviennent de rien. Ils sont heureux.

[…]

Quand on le voudrait, on ne sait par quoi commencer… Il n'y a que dans la tête qu'on peut tenir toutes ces choses ensemble. Quand il s'agit de les dire, même pour moi – il m'arrive de me parler à moi-même, de parler à haute voix à moi-même, tout juste si on ne me prend pas pour un fou –, elles arrivent toutes en même temps, en un bloc, elles se tiennent ensemble, on ne peut les séparer. C'est confus. Alors là, même quand je me parle, c'est très vite que j'arrête : je me tais et laisse les choses se bousculer, se mélanger, revenir toutes ensemble et repartir comme elles sont venues,… Ce n'est pas facile de parler de tout cela.

[…]

Chaque période a ses problèmes, ses difficultés et, avec l'âge, les choses empirent. Mais avec l'âge, on apprécie mieux les choses, on sait faire la part des choses : d'un côté, les choses sans importance sur lesquelles on s'acharnait auparavant ; de l'autre côté, les choses plus essentielles qu'on était porté à négliger, à mépriser. Ce ne sont pas les choses qui ont changé en cours de route, c'est nous ; c'est notre regard sur ces choses qui a changé entre temps.

— *Par exemple ?*

Abbas — Par exemple : autrefois, j'étais très mal logé, d'abord une seule pièce avec trois enfants…, puis un appartement insalubre avec cinq enfants. Maintenant un vrai appartement, dans un vrai immeuble, même si c'est en HLM, c'est un progrès certes. Mais uniquement sur ce point, les choses ont changé : c'est maintenant que le problème du logement est réglé…, qu'on découvre qu'aussi réel que soit le problème, il n'est pas le problème, le problème vrai, celui que rien ne peut régler, le problème qui n'a pas de solution, personne ne peut lui apporter de solution, car aucune solution ne peut venir de l'extérieur. Voilà un exemple. Vous voulez un second exemple ? Le travail, c'est la même chose : j'ai connu le chômage, les petits salaires, la misère du travailleur…, tout cela était un problème en son temps ; par la suite, j'ai eu un travail permanent, 15 années dans la même maison, les salaires se sont améliorés, ce n'est pas la fortune mais on arrive à manger, à s'habiller, à élever les enfants et à économiser un peu… Là encore, ce problème qui préoccupait et qui préoccupe tous les ouvriers, maintenant qu'il ne se pose pas pour moi… ou qu'il se pose autrement, je découvre après coup qu'il n'est pas lui aussi le vrai problème.

— *Quel est donc le vrai problème ?*

[…]

N'est-ce pas cela la malédiction ?

Abbas — Le premier jour ! Quel est ce premier jour ? Je me le demande, je me pose la question à moi-même. (...) J'y ai beaucoup réfléchi. J'ai essayé de comprendre pourquoi ce « premier jour » est différent pour moi du « premier jour » de tous les autres [immigrés], parce qu'il y a un « premier jour » pour tout le monde. Pourquoi ? Parce que dans ma famille, je suis le premier à avoir émigré vers la France.

— *Qui y avait-il dans cette famille... ?*

Abbas — Mon père, son épouse, puisque ma mère est morte alors que j'avais 12-13 ans, un jeune frère ou plutôt un demi-frère (il était l'enfant d'une autre épouse de mon père, morte elle aussi en 1948 ; j'avais alors 17-18 ans). Mon frère aîné, nous sommes frères de père et de mère, est mort jeune, jeune homme, à 18-20 ans peut-être.

Je me souviens de ce jour : le 17 novembre 1951 ; c'est un jour dont on se souvient toujours. Cela faisait déjà plusieurs années que je tannais mon père pour partir en France. Il faisait la sourde oreille, il résistait... Et pourtant, on ne roulait pas sur l'or, on était la famille la plus pauvre de notre branche. Et il y avait une raison à cela. Une raison secrète, mais une raison qui faisait partie de notre mentalité, de notre manière de voir les choses du monde. J'avais 21 ans, j'étais grand. Entre mon père et moi, on se parlait par personnes interposées. Je lui envoyais les personnes auxquelles je pouvais dire certaines choses et des personnes auxquelles mon père attachait quelque crédit. Lui, de son côté, me répondait de la même manière, mais pas nécessairement en utilisant ces personnes qui intervenaient auprès de lui pour moi. A la fin, on avait formé deux groupes : mes « avocats » auprès de lui et les « défenseurs » de sa position à lui auprès de moi. Ce travail de harcèlement a duré deux ans. J'ai senti que j'avais gagné la partie – si on peut dire – lorsque mon père m'a fait répondre en me donnant ses raisons, les raisons de son refus, par l'intermédiaire de la personne que j'avais dépêchée auprès de lui. (...) C'est un parent, une espèce de sage, homme très sérieux, religieux, grand travailleur, pieux, même s'il a passé toute sa vie en France. Mon père l'estimait beaucoup, c'est une estime réciproque. Grâce à cette personne et parce que cet homme était lui-même ouvrier en France, mon père a assoupli sa position et sa réponse, mais sans

donner pour cela son consentement formel (...). Ce fut donc en compagnie de cette personne que je suis venu en France. C'était mon premier voyage hors de notre village et des environs, mon premier contact avec la ville : le train, Alger, le bateau, la France... Les 17 et 18 novembre 1951. J'avais 21 ans (...).
La raison de l'opposition de mon père (que je traitais alors de tyrannique, d'arriéré qui voulait la misère), il me l'avait livrée, ce matin du 17 novembre, quand, nous accompagnant et ayant atteint le point où nous devions prendre congé les uns des autres, il me dit, à l'instant des embrassades, et à haute voix, comme pour prendre à témoin tous les gens qui étaient là, hommes et femmes, car il y avait aussi des femmes, les mères des hommes qui allaient partir : « Dieu m'est témoin, écoutez, vous tous, je ne t'ai jamais demandé de partir en France pour moi, pour m'envoyer de l'argent de France. De ma vie entière, je n'ai jamais pensé que pareille chose pourrait m'arriver. Avoir à manger l'argent de France ! Je m'en étais fait une chose impie. Je tiens à ce que tout le monde le sache. Je t'en supplie, cet argent, garde-le pour toi, garde-le là-bas ; c'est un service que tu me rendrais, c'est plus qu'un service, c'est un ordre que je te donne, dispense-moi de cette saleté. Car, tu me l'enverrais, je ne saurais qu'en faire. Ni le manger, ni le brûler. » Ce furent les dernières paroles de mon père, il est mort quelques années après sans que je l'aie revu. Pire que cela, sur le moment, je n'avais rien compris à cette exhortation. Je me suis dit, *quel cinéma* [*en français*] il me fait. Ce n'est que plus tard, quand il est devenu trop tard, que je mesure l'importance de ses paroles. N'est-ce pas cela la malédiction ? N'est-ce pas cette malédiction qui continue à me poursuivre ? Et à poursuivre tous les autres, même s'ils ne le savent pas...
[...]

L'argent de France est un argent illicite

— *Parlons un peu de votre père. Qui était-il ? Est-ce un paysan qui n'est jamais sorti de sa maison, n'a jamais quitté ses champs, ou a-t-il lui-même travaillé ailleurs, contre de l'argent ?*
Abbas — (...) Mon père, normalement, n'était pas fait pour être *fellah*. C'est par nécessité qu'il est devenu *fellah*, alors qu'on n'a même pas de terre à cultiver ou tellement peu que c'était une *misère* (*el-miziria*). Mais avant mon père, il faut commencer par

mon grand-père. Mon grand-père était le plus jeune de la famille, il avait beaucoup de frères et beaucoup d'oncles [*paternels*]. Il était le « lettré » de la famille, le dernier [*en âge*], un peu chétif, un peu maladif ; on lui a fait faire des études [*coraniques*], il a toujours vécu du Coran, d'abord dans les *zaouiat* comme *taleb* [*élève*]. Vous savez comment cela se passait à l'époque. Tout le monde, les élèves, les maîtres et tous les hommes pieux [*les* « *frères* »] qui fréquentaient ces lieux, tout ce monde vivait sur place, vivait ensemble. La *zaouïa* recevait des dons, elle organisait des collectes de provisions, nous partions les recueillir, nous faisions aussi la cuisine et nous étudiions en même temps, tous ensemble. Il a été élevé dans ce milieu, et on dit de lui que même marié et avec des enfants déjà grands, il lui arrivait de plaquer tout ce monde et de retourner de temps à autre dans la *zaouïa*. Évidemment, tout le reste ne l'intéressait pas, toutes les choses de la vie. Quand il lui arrivait de travailler, c'est-à-dire de gagner de quoi vivre, c'est en temps que *taleb*, dans quelque village et il était payé, comme cela se faisait à l'époque, en nature, juste de quoi vivre. Et, bien sûr, lorsqu'il y a eu le partage avec ses frères et ses oncles, il fut la victime. Il n'était pas là, il ne regardait à rien de tout cela, il ne savait pas même où étaient les terres de la famille. Et sous prétexte qu'il n'a pas travaillé, qu'il n'a pas peiné, qu'on l'a choyé en faisant de lui un lettré, on lui a accordé une toute petite part, la plus petite part dans l'héritage ; presque rien. On l'a spolié tout simplement. Et de son vivant, paraît-il, il n'a jamais rien dit, jamais protesté en quoi que ce soit. Paraît-il, le premier à avoir trouvé la chose amère et avoir essayé de se révolter après coup contre ce qui lui paraissait une injustice, ce fut mon oncle, le frère aîné de mon père ; je ne l'ai jamais connu, il est mort avant ma naissance ou l'année de ma naissance. On dit de lui qu'il était plus décidé, plus déterminé, plus énergique que mon père. Mais l'un et l'autre avaient le sentiment d'avoir perdu quelque chose et, surtout, de n'être pas faits pour ce qu'ils sont devenus. Ils ont accepté la chose, se soumettant, comme disait mon père, à ce que le destin leur a dévolu. Et cela, ce n'était pas mépris pour le travail de la terre comme on dit ; loin de là. Tout simplement, parce qu'ils n'ont pas été élevés dans le métier de cultivateurs et que, de la terre à cultiver, il n'y en avait pas. Il leur a fallu travailler énormément. (...) Sans doute, n'ont-ils pas été jusqu'au terme de leur formation coranique ; peut-être les conditions de la profession de

taleb avaient-elles changé ? Toujours est-il qu'il leur a fallu travailler de leurs mains, alors qu'ils n'ont pas été préparés à cela. Ils ont beaucoup travaillé dans les fermes comme saisonniers ; ils ont pu se donner, l'un et l'autre, une spécialité qui leur a évité les gros travaux dans les fermes, tels le piochage, la récolte des pommes de terre : ils ont appris à greffer la vigne. Ils faisaient deux saisons dans l'année : au printemps, la préparation des greffes ou « la greffe sur la table », comme on disait ; et, en automne, la « greffe sur le sillon ». Mon père, notamment, allait de Tunis au Maroc, il était très connu et apprécié. Voilà ce qu'ont été mes parents (…).
Oui, c'était déjà une émigration [littéralement, une « sortie » hors du pays], mais une émigration qui n'a rien à voir avec la mienne… C'était toujours dans le pays, ils n'avaient pas à traverser la mer ; c'était une émigration saisonnière : trois semaines à un mois et demi au grand maximum ; c'était du travail de la terre, ils vivaient dans la ferme et non pas en ville… Et, surtout, pour mon père – c'est une chose que j'ai souvent entendue de sa bouche –, cela restait toujours en pays musulman. C'était cela son problème, *l'argent de France* est un argent suspect, un argent détestable, un argent illicite. Vous comprenez qu'il ne voulait pas de cet argent ! (…) Il a vécu de la sorte toute sa vie, il n'a eu aucun répit, aucun soulagement. Même mon émigration a répondu, d'une certaine façon, à ses vœux ; bien malgré moi, d'ailleurs je ne l'ai pas voulu ainsi mais cela a correspondu point par point à ce que mon père avait prévu et peut-être voulu. Je ne voulais pas admettre que mon père, dans l'état de pauvreté où nous étions, puisse refuser l'argent qui allait rentrer dans sa poche. C'est incompréhensible pour moi ; et puis je me disais qu'il n'avait pas le droit : si telle est sa volonté, tel est son bon plaisir, s'il veut vivre en ascète, il n'a pas le droit d'imposer cette façon de vivre aux autres, sa femme, mes frères et sœurs, grands et petits.

— *Comment votre émigration a-t-elle répondu à ses vœux ? Je ne comprends pas.*

Abbas — Elle a répondu à ses vœux en ce sens qu'il n'a jamais touché un franc de mon argent. La vie ne lui en a pas laissé le temps ; ni à lui, ni à moi. Je suis arrivé en France à une mauvaise période : de 1951 à 1953, l'époque était difficile. Je n'ai jamais trouvé un travail qui me plaise, des petits travaux par-ci, par-là, sans plus. Je ne me suis pas dépêché pour lui envoyer de l'argent

comme on faisait à l'époque, puisqu'il m'avait fait part de son embarras : cet argent-là était-il licite ou était-il interdit ? (...) Je n'ai pas emprunté de l'argent dès mon arrivée en France pour le lui envoyer, c'est ainsi que tout le monde faisait à l'époque et maintenant encore : c'est cela qui faisait croire que l'argent se ramasse en France qu'il suffit d'arriver en France pour trouver l'argent... précieux, rare, impossible – pas seulement difficile – à gagner en Algérie. Pourtant, je ne manquais pas de soutien en France : mon beau-frère, chez qui j'ai débarqué et chez qui j'ai logé un bon moment ; mon oncle maternel qui est un très vieil émigré en France, et beaucoup d'autres encore, tous parents plus ou moins proches (...). Quand, enfin, je me suis bien installé et que j'ai commencé à faire mon trou, ce fut l'issue fatale..., la guerre et ses malheurs (...). Mais cela est une autre histoire. [*Son père fut, à ce qu'on dit, une des toutes premières victimes de la guerre dans la région, au printemps 1955*.]
Voilà le souvenir que je garde de mon père... Ce n'est pas même l'image de son visage quand nous nous sommes quittés – savait-on qu'on n'allait plus se revoir ? Mais sa voix, cette voix terrible qui sonne encore aujourd'hui à mes oreilles : « Souviens-toi..., que tout le monde me soit témoin..., je n'ai rien fait pour que tu partes en France, je ne te l'ai jamais demandé, je ne t'ai jamais incité à partir ; au contraire, j'ai tout fait pour que l'idée ne te vienne jamais à l'esprit... Tu en as décidé autrement. Je ne peux t'empêcher..., tu ne t'en prendras qu'à toi-même plus tard, ce que je ne te souhaite pas (...) ». Et oui... Il voyait loin, lui. Il ne m'a pas souhaité cela, mais c'est venu. Ce qu'il craignait, sans doute, a fini par arriver, et plus tôt qu'il ne le pensait. J'entends toujours cet au revoir. Cela m'obsède. Plus le temps passe, plus la chose s'inscrit en moi. Et il avait fini par me dire, « je te souhaite bonne route, que Dieu soit avec toi... ».
[...].

Nous savions que la France, ce n'est pas le paradis

— *Vous avez donc été élevé dans une famille qu'on peut dire « intellectuelle ». Vous-même, qu'est-ce qu'il en fut sous ce rapport pour vous ?*
Abbas — Famille intellectuelle ? C'est trop dire. Mon grand-père peut-être. Mon père..., à la génération, c'était déjà fini... Quant à

moi, rien du tout ; ce n'est plus le temps de la dévotion, et, peut-être, pas même de la simple foi, de la croyance.

— *Si, quand même, il en reste quelque chose. Dans votre enfance, de cet héritage « intellectuel », qu'avez-vous trouvé à la maison ?*

Abbas — Qu'est-ce que j'ai trouvé à la maison ? Quelques planches [*sur lesquelles on écrivait les sourates du Coran*], et on les gardait précieusement, on les prenait avec respect, car c'était la parole de Dieu qui était écrite là, et de plus on me disait, cette planche est écrite de la main de ton grand-père ou de ton oncle ! Quelques livres du Coran (*naskha*), assez usés, ils avaient dû servir. (...) Il y avait quand même dans un coffret... intouchable, un petit livre qui était la somme, le Coran en sa totalité. A part ces quelques spécimens, quelques ouvrages... de jurisprudence, notamment Elboukhari [*jurisconsulte et théologien*]. Je le sais, car on venait l'emprunter à mon père. Outre ce petit fonds, mon père avait gardé de son beau-frère, le mari de la plus jeune de ses sœurs, ma plus jeune tante, quelques ouvrages, des commentaires du Coran, des ouvrages d'histoire religieuse et aussi quelques revues en arabe dont *Elbassaïr* [*la revue de l'« Association des Ouléma » dans les années 50*]. Voilà ce que pouvait être la nourriture d'un lettré, qui n'était ni paysan, comme tous les autres paysans, ni vraiment lettré au point de vivre exclusivement de son savoir. Mon père était un cas intermédiaire. Il avait accepté, pas de gaieté de cœur, on s'en doute, de quitter sa condition de lettré. Tout le monde le savait et on le respectait pour cela. On respectait en lui le paysan qu'il était et on avait de l'admiration pour lui, car il était parti pour avoir « les mains blanches » et le voilà qui s'acquittait à merveille de son métier d'agriculteur. On respectait encore plus l'homme pieux qu'il était. C'est souvent qu'il avait priorité sur le *taleb* du village. D'ailleurs celui-ci faisait tout pour avoir l'accord de mon père. Mon père le secourait en tout, mon père le remplaçait pour la prière, pour le sermon du vendredi quand il n'était pas là... Mon père était de toutes les veillées funèbres du village et des alentours, quand il fallait passer la nuit blanche à réciter le Coran. Mais il n'était pas un « professionnel », mon père a toujours refusé de toucher un sou pour ce service alors que les *talebs* professionnels avaient leur salaire (...).

Voilà ce qu'était mon père. De plus, à l'époque, on n'avait pas le choix : partir en France était la voie de tous les jeunes, riches ou pauvres ; c'était la seule manière de prouver qu'on est enfin un homme et non plus un enfant. Mon père, au fond de lui, n'a jamais pensé que j'allais faire comme tout le monde, que je n'attendais que cela…, l'âge voulu pour cela… C'était tout à fait à l'encontre de la vie qu'il s'imaginait et qu'il imaginait pour moi. Les temps n'étaient plus aux études, mais au travail ; et le vrai travail est en France.

— *Dans ces conditions, vous avez dû recevoir vous-même une formation coranique ?*

Abbas — Quand je suis arrivé, c'était déjà trop tard. Même mon frère aîné qui a mieux connu son grand-père – on dit qu'il est mort en 1931 –, c'était déjà trop tard pour lui, il n'a pas pu bénéficier de l'enseignement qu'on pouvait en attendre. (…) Jeune, je me partageais entre le travail de la terre et l'apprentissage du Coran. C'était encore dans la petite mosquée du village et c'était, surtout, en hiver ; l'été, les travaux des champs ne nous laissaient pas le temps. Et encore, j'ai eu la chance d'avoir connu un très bon maître. C'était un sage, consciencieux. Mais tout cela restait du *bricolage* [*en français*]. Quand, à la mosquée du village, j'ai enfin atteint le *quart* [*quinze chapitres, le 1/4 des 60 chapitres que comporte le Coran*], j'avais déjà 13-14 ans. C'était la misère noire, on ne trouvait rien à manger, les épidémies, les gens mouraient sans compter. Mon père a voulu que je continue plus loin. Il fallait donc que je parte dans une école de *zaouïa*. (…) De plus, j'étais malade… Cette maladie m'a tenu jusqu'à ce que j'arrive en France et qu'on m'hospitalise à l'occasion d'une crise ; c'était des « pierres dans le rein ». Tout cela a fait que j'ai tout abandonné, je ne voulais rien savoir de cette vie. Évidemment, quand je suis revenu à la maison et que je refusais de retourner [*à la* zaouïa], ce fut la brouille avec mon père ; on s'évitait. Cette atmosphère de brouille a duré, plus ou moins intensément, jusqu'à mon départ pour la France. Voilà les conditions dans lesquelles je suis venu en France. Comme tu vois, déjà au point de départ, ce n'était pas la grande joie ; c'est le moins qu'on puisse dire. Il n'est jamais agréable de quitter sa famille, son pays pour ailleurs. Même si on rêve de cet ailleurs, même si on en attend beaucoup, c'est toujours avec regret et avec peine qu'on quitte ses proches et son monde familier. Quand j'entends dire que c'est parce que nous nous imaginions que la France c'est le paradis, que nous avons tous émigré vers la France, je me demande si on ne nous prend pas pour des enfants ! Nous savions que la France, ce n'est pas le paradis ; nous savions même que, par certains côtés, c'est l'enfer. (...). Dans mon cas, c'est plus que cela : ce n'est pas seulement la douleur de la séparation, ce n'est pas seulement la perte de confiance qu'on a toujours quand on est chez soi, la peur de l'inconnu vers lequel on se dirige ou encore la nostalgie qu'on ressent et qui prend parfois aux tripes ; il s'y ajoute le regret, le regret de la désobéissance. Mon père, au fond de lui-même, n'a jamais donné son assentiment pour mon départ en France, même s'il y a consenti en apparence, un consentement de pure forme. Cela, je ne me le pardonne pas. Et je ne me le pardonne d'autant moins que je ne sais pas comment je me suis retrouvé dans la situation actuelle : presque 40 ans plus tard, avec femme et enfants, alors que je croyais être venu en France seul, pour travailler quelques mois, quelques années, deux ou trois ans au plus. Durant ces quarante années, en totalisant tous mes séjours en Algérie, cela ne fait pas six mois que j'aurai passés au pays. Allez savoir pourquoi !

Est-ce que quelqu'un a vraiment voulu cela ?

— C'est vous qui allez me dire pourquoi. Ou plus exactement, comment tout cela s'est passé ?

Abbas — Peu de temps après mon départ, les mauvaises choses ont commencé, les cruautés de la guerre. Avant même que je n'aie eu le temps de me remettre des difficultés du début, de me faire à la France et à ma nouvelle situation, car j'avais souffert énormément du chômage la première année de mon arrivée, ce furent les malheurs d'Algérie. Notre village et notre famille n'ont pas été épargnés. Au début, c'était l'engouement chez tout le monde..., tout le monde était volontaire, qui était *moudjahid*, qui était *mousabal*. On croyait déjà qu'on était dans une Algérie indépendante. Même ceux dont on avait toutes les raisons de se méfier étaient pour..., ils avaient fait amende honorable et poussaient même à la surenchère.

[...]

Quand, plus tard, l'armée a occupé le village, ils étaient aux premières loges ; ils en furent les guides et les indicateurs. Il s'est passé des choses atroces de part et d'autre. C'est là que mon père a trouvé la mort. Le village occupé, la guerre entre les clans du village, les zones interdites tout autour, les bombardements par

l'aviation, c'est le sauve-qui-peut. Qui peut partir et a où partir, où se réfugier, s'est enfui, seul, ou en famille. C'est ainsi que ma femme, ma sœur aussi, avec ses enfants, ont été récupérés par un parent installé dans les environs d'Alger. Et un jour de 1956, au printemps, tout ce monde débarque en France, amené par ce parent qui n'en pouvait plus.
[...]
Il nous a mis devant le fait accompli (...). Ma sœur avait aussi son mari en France... Elle avait déjà trois enfants. Moi-même, j'avais une fillette qui venait de naître. C'était donc deux familles. Ce n'était pas une petite chose. De plus, on ne s'y attendait pas du tout, car on n'avait pas des nouvelles régulières. Il a fallu donc tout improviser. On n'avait pas de logement du type appartements pour familles, grands ou petits. Et ce n'était pas dans Paris de ces années-là que tu pouvais avoir une HLM. Aucune chance. Nous nous sommes débrouillés entre nous, avec nos moyens. Comme on le fait toujours dans les cas d'urgence. Du jour au lendemain... ; même pas : c'était dans la journée même, en l'espace d'une journée, du matin au soir, il nous fallait trouver à loger les deux familles. Nous n'étions pas les seuls dans ce cas ; des familles commençaient à arriver de tous les côtés, sans doute pour les mêmes raisons que nous, des raisons de guerre, d'insécurité, de mort. Qu'avait-on pour nous loger ? Une chambre d'hôtel qu'on partageait à trois ou quatre, dans les 18e, 19e, 20e arrondissements, à Belleville, Ménilmontant, rue de Meaux, rue Secrétan ; toutes ces rues, je les ai faites. J'étais même un privilégié : nous n'étions que deux à partager la même chambre au mois, j'habitais avec un parent du même village et du même âge que moi et la chambre était à lui, à son nom. Il me l'a alors laissée. Il a été s'ajouter à d'autres qui l'ont accueilli. (...) On a convenu de rassembler tout ce monde dans la seule pièce libre – cela permettait d'ailleurs à ma femme et à ma sœur de se tenir compagnie, car elles ne connaissaient personne et elles ne connaissaient rien à la France – et le soir, quand tout est rangé, que tout le monde est couché, mon beau-frère et moi allions dormir ailleurs, là où on trouvait place. Cela a duré ainsi longtemps : habiter en famille dans une seule pièce, une chambre d'hôtel... On a fait ensuite, comme cela se devait en ce temps-là, un détour par l'ancien bidonville, les baraquements de Nanterre (...).

Voilà. Au bout du compte, maintenant que toute cette histoire est du passé et qu'on commence à regarder derrière soi (regarder derrière soi je ne fais que cela), est-ce qu'on a vraiment voulu ça ? Voulu que nous passions notre vie entière en France..., sans même que nous nous rendions compte sans nous rendre compte que nous emplissions en réalité la France de nos enfants, alors que nous croyions avoir nos enfants pour nous ! Est-ce que quelqu'un a voulu cela ? Est-ce que quelqu'un a seulement pensé à cela ? Pour ma part, j'avoue qu'à l'époque je n'avais jamais envisagé cela. Jamais. Je ne le pouvais pas... Et personne ne pouvait penser cela. Est-ce que j'ai voulu venir en France et y travailler toute ma vie ? Et, pourtant c'est ce qui s'est fait. Est-ce que j'ai voulu faire venir en France ma femme et mes enfants ? Sincèrement, je ne peux le dire, je ne peux m'avouer cela. De mon temps, cela faisait encore partie des choses interdites, personne n'en parlait ; c'était la honte. Et pourtant, cela s'est fait. Cela s'est fait pour moi et pour de nombreux autres comme moi, voire presque pour tout le monde. Avant, ce n'était encore que quelques rares cas ; des exceptions ceux qui avaient leur famille avec eux en France. (...) On accepte les choses comme elles viennent. Celui qui est ici, en France, avec sa famille venue de là-bas – il y en a maintenant qui, de plus en plus souvent, se marient ici –, ne peut pas ne pas se dire à lui-même et dire à tout le monde que c'est une bonne chose qu'il a faite. (Ne dit-on pas de nous, les émigrés en France, que nous sommes veufs du vivant de nos épouses, que nous sommes orphelins de nos enfants ?) Celui qui n'a pas sa famille avec lui tout simplement parce que le hasard de la vie n'a fait en sorte qu'il y ait émigration familiale, celui-là se rattrape en affirmant que c'est volontairement qu'il est seul en France, car il répugne à la facilité à laquelle se laissent aller les hommes de peu d'honneur. On n'entend que cela entre émigrés depuis que l'habitude est prise de faire venir les familles : hier comme aujourd'hui, chacun plaide pour sa cause ; et tout le monde fait semblant d'avoir réellement voulu la situation qui est la sienne, ne lui trouvant alors que des avantages. Ces discussions interminables, je les connais depuis que les familles sont en nombre en France, et depuis la fin de la guerre en Algérie (...). Pourquoi ? Parce qu'on n'a plus, vrai ou faux, le prétexte de la guerre et de tous les risques liés à l'état de guerre.

[...]

Il est grand temps de se rendre compte que c'est la faillite

— *Mais que faire d'autre ?*

Abbas — C'est vrai. Moi aussi, je suis impuissant, le plus impuissant de tous. Mais je n'aime pas qu'on ferme les yeux. Je n'aime pas qu'on se fabrique des illusions [*des fictions*]. La vérité est d'abord en nous (ou entre nous), nous nous devons la vérité à nous-mêmes d'abord (...). Et c'est cette vérité que j'essaie de me dire à moi et aux autres : à moi, d'abord – et là je me la dis en silence – et aux autres, ensuite – si je le pouvais –, mais malheureusement, ce sont des choses impossibles à dire.

[...]

On me traite de « sauvage ». Je l'entends dire de moi ; on dit, quand on a envie d'être gentil, « c'est un homme de la vérité, il parle vrai, mais on ne peut pas vivre avec lui, personne ne peut le supporter ! » Voilà ce que j'entends dire de moi... C'est vrai. La vérité fait mal et elle doit faire mal. Quand elle ne fait pas mal, elle est suspecte. Ce n'est pas moi qui le dis, c'est le Coran. Mon père m'a appris cela, il n'a cessé de me le répéter et je me le répète à moi-même constamment... La vérité fait mal, c'est peut-être pour cela que je préfère me la dire à moi-même en silence... Je n'insulte alors personne... et personne ne m'insulte.

[...]

— *Pourquoi lorsqu'il s'agit de dire la vérité, de dire à l'immigré sa vérité, celle que vous pensez, cela devient une insulte, cela revient à l'insulter ?*

Abbas — Ce n'est pas d'avoir émigré pour venir travailler qui est une faute. C'est tout ce qui a suivi, c'est la manière dont chacun a vécu tout ce temps en France : c'est ce qu'il a fait de lui-même, d'abord, pendant tout ce temps ; c'est ce qu'il a fait de sa famille, de ses enfants, ensuite. C'est tout cela. Quand on regarde tout cela aujourd'hui, quand on fait le compte de tout cela longtemps après, après coup, maintenant que c'est la fin de notre vie ici en France, parce qu'on approche de la fin totale de la vie, on approche de la mort, alors il est grand temps de se rendre compte que c'est la faillite [*el khala*] totale. Ce n'est pas gai. En cours de route, il y a eu désordre ; en cours de route, nous avons dévié vers l'Occident [nous avons perdu « l'Orient », l'Occident étant aussi l'exil].

— *Pourquoi cela ? Vous avez l'air de dire qu'il y a eu comme une « trahison », comme une erreur qui n'est pas seulement une*

erreur de conduite, mais une erreur sur soi-même et contre soi-même ; comme un reniement de soi.
Abbas — Oui, c'est tout à fait cela. Nous avons tout renié, de nous-mêmes, de nos ancêtres, de nos origines, de notre religion. Nous avons apostasié.
[…]

Cette mosquée dans l'usine, c'est du pur mensonge

[*Cet homme qui a si bien compris sa condition d'immigré et les effets inévitables que l'immigration a produits sur lui et sur les siens, a aussi compris le rôle politique que l'on fait jouer à une religion dominée dans le travail de « domestication des dominés »*.]
Abbas — Ce n'est pas la mosquée, ce n'est pas la prière qui fait le musulman. On peut prier, aller tous les jours à la mosquée, quand le cœur de la personne est noir, quand il est souillé, quand toutes ses actions vont de travers, la prière n'y peut rien. C'est aux yeux des gens, c'est de l'hypocrisie *(elkhobth)*, et les hypocrites ont toujours été nombreux en religion. Plus grave…, si ce n'était que cela, ce n'est pas grand-chose, mais c'est que les « hypocrites » sont toujours écoutés. Je me rappelle quand je travaillais encore, on a beaucoup parlé de mosquée dans l'usine, cela a fait beaucoup de bruit. Tout le monde s'y était mis. Chacun avait sa manière d'envisager la chose : certains pour…, d'autres contre… Pourquoi une mosquée dans l'usine ? Cela n'avait jamais existé auparavant. En réalité, cette mosquée, c'est du pur mensonge. On en avait beaucoup parlé à l'époque. Il nous faut une mosquée. Je ne sais plus ce qui se passe aujourd'hui dans l'usine, je l'ai quittée, mais je sais que tout le monde, à commencer par ceux-là même qui étaient les plus acharnés à réclamer la mosquée, a oublié qu'il y eut une mosquée dans l'usine. Cela a duré un feu de paille. Une fois le coup marqué – et on peut dire qu'ils ont marqué le coup –, la mosquée n'avait plus d'importance, on a retrouvé la vérité de tout le coup qui a été ainsi monté et bien monté, et qui était que la mosquée, en elle-même et pour elle-même, n'avait aucune importance : ce n'était pas d'elle qu'il s'agissait en réalité, mais de quelque chose d'autre ; et cela pour tout le monde, tout le monde fut d'accord sur cela, tout le monde a marché dans ce sens. Je connaissais très bien tous ceux qui, à l'époque, fanfaronnaient,

« on va vous donner une mosquée ici ; on va leur arracher, qu'ils veuillent ou non, la mosquée ! ». Ils s'imaginaient, peut-être, qu'après cela, ils iraient tout droit au paradis. (...) Leur victoire aurait été qu'on leur refuse la mosquée, la mosquée aurait eu alors du prix, son vrai prix. Au lieu de cela, on la leur a jetée à la face comme quelque chose qui ne compte pas ; elle vaut moins cher que 100 francs d'augmentation par mois, une augmentation pour laquelle il aurait fallu faire grève, manifester, s'agiter avec les syndicats, négocier pendant des semaines et des semaines avant de l'obtenir. Une mosquée vaut moins cher, moins de considération que quelques francs. Mais peuvent-ils comprendre cela ? Ni les uns, les autres. Quand ils disent, « il n'y a pas d'église, mais il y aura une mosquée », ils ne savent pas que la lutte aurait été féroce s'il s'était trouvé quelques fous pour demander une église. Mais, chez eux, on le sait, il ne peut pas y avoir des fous de cette espèce. Et l'église, pour eux, est tellement respectable, qu'ils ne vont pas la souiller en la mettant à l'intérieur de l'usine.
[...]
Même maintenant, je suis à la retraite, j'ai quitté l'usine, je ne sais plus ce qui se passe là-bas, mais je me demande toujours pourquoi on a accepté d'ouvrir une salle qu'on a appelée mosquée. Pourquoi l'usine a accepté cela, pourquoi la France a accepté cela ? Je ne peux pas apporter la preuve, je ne l'ai pas. Mais, je suis sûr que c'est contre l'islam que l'usine a accepté cela et c'est contre l'islam que la France accepte cela...

— *Pourquoi ? Parce que la France est chrétienne ?*

Abbas — Non, ce n'est pas parce que la France est chrétienne. C'est parce que la France s'en moque. Elle n'a rien à en faire. Ni de l'islam, ni de sa propre religion. (...) « Ils veulent une mosquée, ils l'auront ; donnons-leur une mosquée..., l'essentiel est qu'il nous laissent en paix... » Voilà comment, moi, j'ai compris la chose. C'est plutôt par mépris. (...) Oui, c'était à nous à d'imposer le respect dû à la religion et de faire rentrer dans l'ordre les perturbateurs qui croyaient se rendre populaires en exigeant la mosquée... Il fallait les entendre à l'époque. Ils allaient dire partout qu'ils allaient faire plier les patrons, le gouvernement, la France et tout le monde. Ils présentaient la chose comme un défi, une manière d'embêter la direction : ou celle-ci cède et ils s'imaginaient alors être victorieux, des héros ; ou elle refuse, ils ont encore gagné car ils ont l'audace d'engager contre elle un conflit comme on n'en a pas vu encore. Si

ça vient, tant mieux ; sinon, on aura bien embêté la direction. Dans les deux cas, ils veulent apparaître comme de bons musulmans, des défenseurs de l'islam. Nous ne pouvions pas partir en guerre publiquement contre tout le monde, car c'est contre tout le monde qu'il aurait fallu se battre, contre ceux qui demandent la mosquée au patron, contre tous les ouvriers qui sont musulmans ou se croient tels – on apparaîtrait alors comme des ennemis de la mosquée et de la religion – et, aussi, malheureusement et c'est là que ça fait mal, contre l'entreprise qui, sans doute, n'a pas envie d'entrer en conflit avec une partie du personnel. Pourquoi ? Pour une mosquée ! Elle accepte de le faire quand il s'agit des salaires, des conditions de travail, mais pour une vulgaire mosquée, c'est-à-dire quoi ? Un hangar, 15 m^2…, cela ne vaut pas la peine. Et, certainement, elle compte bien prendre sa revanche, elle compte bien se rattraper et faire payer sa largesse, sa tolérance qui ne lui coûte rien par autre chose. Le moment venu, elle se souviendra et elle dira, « vous vouliez une mosquée, je vous l'ai donnée ; une mosquée dans l'usine, cela veut dire au moins 1/4 d'heure pris sur le temps de travail… ». Et pour elle, cela concerne tous les ouvriers qui sont de religion musulmane, qu'ils prient ou qu'ils ne prient pas, cela elle s'en moque. « Un quart d'heure, sans réduction de salaire, cela veut dire une augmentation de salaire du même montant…, et cette augmentation de fait, il faut la rattraper avant qu'on envisage toute autre augmentation. » Voilà ce que dira la direction de l'usine et elle aura raison. Autrement dit la facture, ce sont les ouvriers bons musulmans, ceux-là qui continueront comme toujours à faire leur prière chez eux, et aussi tous les autres ouvriers non musulmans, qui la paieront en définitive.
[…]
Donc la mosquée, ce n'est pas la mosquée, ce n'est pas pour la mosquée et en tant que mosquée qu'on la demande ; c'est autre chose. Et cela tout le monde le sait : les partisans de la mosquée, les syndicats qui les soutiennent sans les soutenir, tous les ouvriers musulmans, la direction de l'usine.

L'immigré, c'est la « honte deux fois »

— *Vous m'expliquiez, je crois, ce que c'est qu'être un immigré.*
Abbas — C'était pour te dire que l'immigré, c'est la honte. C'est la honte deux fois : la honte d'être ici, car il y a toujours quelqu'un pour te dire et pour te faire dire – te faire dire à toi-même, c'est

ainsi que je l'ai ressenti toute ma vie – pourquoi, pour quelles raisons tu es là ; tu n'as pas à être là, tu es de trop ici, ce n'est pas ta place, je ne sais pas si toi tu ressens la chose comme cela ou si c'est seulement de ma faute, si cela tient seulement à moi, comme à la manière d'une folie, un fou que je suis, mais je suis sûr que c'est cela pour tout le monde, plus ou moins selon les personnes, car c'est cela *être un immigré* et c'est ici, avec l'expérience d'ici qu'on apprend cela. Il faut être passé par là (…).

— *Quelle est la deuxième honte ?.*

Abbas — La deuxième honte, c'est là-bas ; c'est d'avoir quitté là-bas, c'est d'être parti de là-bas, c'est d'avoir émigré. Car, qu'on veuille ou non, même quand tout le monde cache cela, se cache cela, quand tout le monde ne veut rien savoir de cela, *émigrer reste toujours une faute*. On fait tout pour se faire pardonner et pour pardonner cette « faute » nécessaire, cette « faute » utile, cette « faute » dont on ne veut pas et dont personne ne veut qu'elle soit une « faute ». C'est cela la « honte » de l'émigré et il est, qu'on veuille ou non, la « honte » de lui-même, la « honte » des siens, la « honte » de l'Algérie… Toutes les fois qu'on m'insulte comme immigré, comme Algérien, c'est l'Algérie qui est insultée (…).

— *Autrement dit, l'image de l'émigré n'est pas, dans le pays d'émigration, meilleure que l'image de l'immigré dans le pays d'immigration.*

Abbas — Pas du tout. Et c'est certainement pire. Avant, ce n'était pas comme ça. C'était plus sain. On émigrait pour travailler, pour nos familles, c'était dur pour tout le monde ; on nous plaignait, mais il n'était pas question de nous accuser de quoi que ce soit. Si on nous accusait, c'était uniquement parce que nous avions failli ou quand nous avions failli à nos obligations, quand nous oubliions d'envoyer de l'argent. De part et d'autre, c'était un accord total, c'était le même langage : nos hommes émigraient pour travailler pour nous ; nous émigrons pour travailler pour nos familles ! Mais cela ne pouvait pas durer de la sorte tout le temps. Surtout quand, en majorité, les hommes ont émigré en France avec leur famille, tout a changé. Ces familles ne pouvaient plus dire, « nos hommes ont émigré pour nous » et nous, les émigrés, nous ne pouvons plus dire, « nous avons émigré pour nos familles ». On arrive maintenant à s'envoyer des insultes : de part et d'autre, c'est chacune des parties qui fait le procès de l'autre ;

c'est chacune qui dit à l'autre qu'elle ne vaut rien. Surtout maintenant que se mêlent les affaires d'argent, ce que tout le monde, ici et là-bas, appelle les *devises* : on vend et on achète maintenant l'argent, nous n'envoyons plus l'argent aux familles comme le faisaient les émigrés pour être des émigrés qui travaillent pour leurs familles. Tout le monde vient en France acheter des *devises* et tout le monde ici vend des *devises*, mais tout le monde s'accuse, se déteste à cause de cela. On dit que la population de là-bas qui ne dispose de rien, à laquelle il manque tout, ne mange que grâce à nous, et se nourrit sur notre dos.

— *A combien est maintenant le change parallèle, le « marché noir » de l'argent ?*

Abbas — Quand c'est un parent, un ami, tu veux faire plaisir, c'est de 1 à 6 ; autrement, c'est 7. On dit même que cela va monter à 8. Et pourquoi pas, il n'y a pas de raison que cela s'arrêtera un jour (…). Oui, 6, 7, 8 dinars pour 1 franc de France ! Mais comme là-bas tout est cher, tout est au marché noir, ils nous le rendent bien. Dès que tu arrives là-bas, pour tout ce que tu veux faire, tout ce qu'il te faut acheter, ils disent, « c'est la France qui paie ! » [*en français*].

Nous nous regardons les uns les autres, pas plus que cela.

— … *Comment cela se passe-t-il ? vous ne le regrettez pas ? Vos enfants s'en tirent bien, les garçons comme les filles, comment cela se passe entre vous ?*

Abbas — (…) Tout d'abord, dans tout ce que j'ai dit jusqu'à maintenant, quand je parle des autres…, apparemment des autres, je parle de moi aussi… Je sais, je sens que cela vous l'avez déjà compris et c'est parce que vous l'avez compris que je peux l'avouer. Et quand je parle de moi, je parle des autres…

— *Pourtant, il semble que vous reprochez aux autres et souffrez que les autres ne tiennent pas sur eux-mêmes le langage que vous tenez sur eux et, donc, sur vous.*

Abbas — Cela n'empêche. Nous ne disons pas du tout les mêmes choses, nous ne nous disons pas à nous-mêmes les mêmes choses, mais cela n'empêche que nous parlons tous des mêmes choses, différemment peut-être, mais au fond cela revient au même : parole de vérité ou parole de mensonge, nous disons la même chose, chacun à sa manière, parce que nous nous trouvons tous dans la même situation. Chacun règle ses comptes comme il peut.

— *Mais est-ce que vous pouvez parler de vos enfants comme vous parlerez des enfants des autres ?... Quand, par exemple, on voit toutes les catastrophes qui atteignent tous ces enfants, le chômage..., la drogue..., la violence..., souvent la prison..., on ne peut pas dire la même chose de vos enfants. Ils sont tranquilles..., ils semblent avoir réussi.*

Abbas — Oh ! Ce n'est pas si vrai... Plus ou moins. Mais c'est la même chose partout. Dans certains cas c'est vrai, le pire ne s'est pas produit mais il aurait pu arriver. C'est une chose qui nous concerne tous... On peut se demander : qu'est-ce que d'avoir des enfants dans ces conditions, des enfants comme ceux-là ? Nous nous regardons les uns les autres, pas plus que cela ; nous nous rencontrons dans la maison et encore chacun a ses heures. S'ils veulent, on peut rester des mois sans se voir alors qu'on vit sous le même toit.

— *Et pourquoi c'est ainsi ?*

Abbas — Pourquoi ? Parce que mon père m'a élevé autrement que j'ai élevé mes enfants.

— *Vous auriez aimé les élever comme votre père vous a élevé ?*

Abbas — Non, pas nécessairement ; au contraire, parce que je sais que ce n'est pas possible... Et parce que je ne suis pas content de la manière dont mon père m'a élevé. Mais la manière dont j'ai été élevé, c'était parce que mes parents ne pouvaient pas [*faire*] autrement. Ni eux, ni tous les autres. C'était comme cela, sans plus. Mais, changeant de situation – ici, c'est tout à fait autre chose –, je pouvais espérer, j'étais en droit de penser que cela pouvait se passer autrement.

— *Et alors, cela ne s'est pas passé autrement ?*

[...]

Abbas — Non, il ne s'agit pas de l'emploi du temps de ceux qui travaillent. Au contraire, c'est parce qu'ils ne travaillent pas que leur emploi du temps n'est pas le même : dormir jusqu'au milieu de l'après-midi, se lever et se préparer un gros petit déjeuner, sortir pour ne rentrer qu'à une heure ou deux heures du matin ; si on a faim, on ouvre le réfrigérateur et on se sert, on va dormir jusqu'au lendemain à midi ou une heure de l'après-midi et on recommence (...). La maison ne réunit pas comme vous dites. Et ce n'est pas seulement les occupations de la journée, le travail qui séparent ou qui rassemblent. C'est qu'en réalité, chacun marche sur sa voie, chacun chemine selon sa route. Et nos routes ne se croisent plus. Et cela en tout. Dans nos manières de travailler, nos manières de voir, nos manières de gagner et de dépenser notre argent, nos manières de manger et de boire (…). Et cela, ce n'est pas seulement par rapport à la religion ; même quand ils ne versent pas dans le péché, ce n'est pas la même chose, la même manière de boire et de manger. A la fin, on devient très éloignés les uns des autres. Nous rassemble une seule chose : je suis leur père, leur mère est leur mère, nous sommes leurs parents, ils sont nos enfants. Est-ce que eux-mêmes disent cela, disent qu'ils sont nos enfants ? C'est moins sûr (…). Nous sommes dans deux mondes différents ; chacun selon son esprit. C'est normal que rien ne passe entre nous… Sauf à quelques rares exceptions, quand il y a une catastrophe. Et cela dans le meilleur des cas : quand pour une chose importante, j'appelle l'un de nous auprès de moi et que je lui demande de bien m'écouter, de prêter attention à ce que je vais lui dire, peut-être alors, ils se souviennent qu'il y a comme quelque chose qui nous unit.

— *Avec vos enfants, j'ai peine à imaginer que les choses se passent de la manière catastrophique dont vous me le dites.*

Abbas — Oui. C'est comme ça. Et cela dans le meilleur des cas ; c'est le cas avec mes enfants. Et pourtant, il n'y a pas de disputes, personne n'élève la voix. Tout se fait avec la plus grande des politesses. Mais c'est ainsi. De temps en temps, et plus avec leur mère qu'avec moi ; de temps en temps, il y a un échange réel. Pour le reste, on vit ensemble ; et c'est tout.

[…]

C'est comme s'ils voulaient travailler seulement quand ça leur plaît

— *Alors le premier, quel âge a-t-il et que fait-il ?*

Abbas — Oui… Le premier, c'est H… Il a maintenant… Il est né avant l'indépendance [de l'Algérie], il n'a donc pas la nationalité française. Il a donc 31, 32 ans. C'est celui-là que je comprends le moins. Il a tout, on a tout fait pour lui. Il peut travailler. Lui, peut facilement trouver du travail. Mais non. Je ne comprends pas. Aucune raison à cela. Je n'arrive pas à trouver d'explication. Il faut bien que j'admette que c'est par pure paresse, il n'y a que cela…, c'est la seule explication qui reste : il n'aime pas travailler, il ne veut pas travailler, il refuse de travailler… C'est donc qu'il est paresseux. Je ne peux pas le plaindre, je ne peux pas dire qu'il n'a pas trouvé du travail, il n'en a jamais cherché… Au contraire, il a refusé du travail. Je crois qu'ils sont fâchés avec le travail. Il n'est pas le seul, ils sont toute une bande à traîner de cette façon.

— Et pourquoi alors, tous ces jeunes ne travaillent pas, alors qu'ils peuvent trouver du travail comme vous dites ?

Abbas — Allez leur demander !… Qu'est-ce que j'en sais ?… Je m'interroge comme vous et ce ne sont pas eux-mêmes qui vous diront pourquoi ils ne travaillent pas. Ils ne doivent pas le savoir eux-mêmes. Cela m'arrive de poser cette question…, je n'ai jamais obtenu un début de réponse. Le silence ! C'est la seule réponse qu'il y a. On me tourne le dos et on part. Mais quand même, j'entends dire ce qui se dit : les choses qu'ils doivent se dire entre eux, car on les entend quand même parler ; les choses que certains disent à leurs parents, car certains parlent… et parlent violemment – ils ne sont pas tous comme nos enfants qui, je le reconnais, restent polis – ; les choses que nous, nous disons entre nous, car nous ne parlons que de cela, jamais je n'ai rencontré quelqu'un qui ne se mette tout de suite à se plaindre à moi de ses enfants : c'est la même chose partout, c'est le même mal, nous nous plaignons tous des mêmes choses, nous sommes tous au même point, plus ou moins, selon le degré, atteints par tous ces jeunes… car il y a, bien sûr, des différences entre les cas où il y a eu vol, casse, interventions de la police, emprisonnement, etc., et les cas où les choses restent à la maison, où il n'y a pas eu délinquance, où rien ne se voit, rien ne s'entend, tout semble être pour le mieux ; et, c'est vrai, les premiers, les parents des premiers cas, envient les seconds, les parents des seconds cas.

— Et quelles sont donc ces choses ?

Abbas — A les entendre : nous ne voulons pas travailler, nous ne voulons pas de leur travail. Je suppose qu'ils veulent dire les Français, le travail que leur donnent les Français, que leur donne la France… Nous, quand nous cherchions du travail, nous étions bien contents de le trouver, et nous disions « notre travail »…, nous ne disions pas « leur travail ». Maintenant, c'est l'inverse : le travail qu'ils peuvent trouver, et ils en trouvent, ce n'est plus leur travail, c'est le travail des autres, ils travaillent pour les autres. Alors ils disent, ils te disent et ils se disent, ce n'est pas la peine de travailler pour eux, pour les autres. On travaille toujours pour quelqu'un d'autre, pour un patron, il y a toujours un patron pour lequel on travaille. Cela ils ne l'admettent pas. Moi, il me semble qu'ils n'ont pas envie de travailler, ils n'aiment pas le travail, ils préfèrent vivre misérablement, ils sont assurés de ne pas crever de faim, alors ils vont répéter qu'« ils ne travailleront pas pour le compte des Français ! » Il n'y a que là qu'ils se souviennent qu'il y a des Français, qu'ils sont en France ; pour toutes les autres choses, ils sont français et ils le disent, ils disent bien – quand c'est une chose qui leur convient – qu'ils sont en France et qu'ils sont des Français ! Mais pour le travail, non !

— *Mais comment font-ils ? Même s'ils sont assurés du gîte et du couvert qu'ils trouvent chez leurs parents, ils ont besoin d'un peu d'argent tous les jours pour leurs dépenses. Et ils dépensent beaucoup : cigarettes, cinéma, café ; ils ont des voitures, il leur faut donc de l'essence, l'entretien des voitures. Ils ne viennent pas quand même demander de l'argent aux parents comme de petits enfants.*

Abbas — Ah ! Pour l'argent de poche, ils savent y faire. Ils n'en manquent jamais. Et cela sans avoir jamais à le voler. Ils travaillent le minimum qu'il faut : une année sur deux, quelques jours dans la semaine, quelques heures dans la journée. Juste de quoi être en règle, avoir un bulletin de salaire. Un peu, le travail ; un peu, le chômage. Et le temps passe.

— *C'est ce qu'on appelle maintenant « les petits boulots ».*

Abbas — Peut-être qu'on appelle cela des petits boulots [*en français*]. Mais normalement, ce ne sont pas des petits emplois comme on peut penser, ils ne sont pas si petits que cela..., ils leur rapportent ou ils devraient leur rapporter de quoi vivre et, surtout, ils « en ont plein la bouche » [*littéralement*, « ils s'en gonflent » : « je suis professeur ici, je suis professeur là », *par exemple*]. Je ne sais pas ce qu'il y a de vrai dans tout cela.

— *A qui faites-vous allusion ?*

Abbas — Ils sont nombreux dans ce cas. L'aîné de mes fils, par exemple. Il a toujours quelques heures de cours dans telle ou telle école. Ce sont des cours de maths ou de physique ; c'est cela qu'il a appris lui-même. Avec lui, il y a aussi le fils de ma sœur, qui est encore plus âgé que mon fils, et qui donne des cours, je ne sais pas ce que c'est exactement, mais lui aussi, dit que c'est tantôt de l'économie, tantôt de la comptabilité. Je pense aussi à un autre jeune, le fils d'un proche parent, qui aurait dû être un ingénieur, il

a fait une école d'ingénieurs, mais qui vit lui aussi de cette manière. Là, je ne parle que de ceux qui peuvent trouver un vrai travail qualifié, je ne parle pas de tous les autres qui, eux, ne peuvent rien. Et encore, personne ne peut rien ; on ne peut dire cela de personne, sauf si la personne est handicapée, ce n'est pas le cas ici. Ce qu'il faut dire aussi, il faut leur reconnaître cela, c'est quand nécessaire, quand ils ont besoin de gagner de l'argent, ils acceptent de faire n'importe quoi, ils ont leur filière à eux. Dès que l'un a trouvé une porte qui s'ouvre devant lui, beaucoup d'autres le suivent, ils se repassent l'un l'autre les informations qu'ils ont. Ils travaillent, mais c'est comme s'ils voulaient travailler seulement quand ça leur plaît ; aller au travail tous les jours, aux mêmes heures, pour le même travail, ils disent que c'est ennuyeux, que cela ne les intéresse pas.
[…]
Il me semble que s'ils voulaient, ils auraient pu trouver un vrai travail depuis. Puisqu'ils sont capables de trouver du travail du jour au lendemain, ils auraient pu rester plus longtemps dans un de ces travaux, qu'il leur plaise ou non. Et depuis qu'ils n'arrêtent pas d'essayer, de changer de travail, et de faire tous les travaux possibles et imaginables, du déménagement, de la peinture, des travaux manuels de toutes sortes, ils finiraient bien par trouver quelque chose qui leur convienne, qui leur plaise ! Rien.

— *Mais il y en a bien qui n'arrivent pas à trouver du travail ; ce sont bien des chômeurs.*

Abbas — Oh ! oui. Il y en a, et malheureusement ils sont très nombreux. Mais ce ne sont pas les mêmes ; ils ne se comparent pas. Je crois que même entre eux, ils ne se fréquentent pas, ils ne s'aiment pas. D'un simple coup d'œil, on voit la différence, tout ce qui les sépare. Mais au bout du compte, le résultat est le même : les uns ne travaillent pas parce que ce n'est pas de leur goût, les autres ne travaillent pas parce qu'ils ne trouvent pas à travailler ; les uns et les autres s'accordent pour n'avoir de travail qu'occasionnellement, ce qu'on peut trouver ici ou là. Cela dans le meilleur des cas, quand tout le monde s'accorde sur le travail comme le seul moyen honnête de gagner de l'argent, pas de vols, pas de cambriolages, pas de marché noir.

— *Vous aviez commencé à me parler de l'aîné. Si j'ai bien compris, il a relativement bien réussi à l'école, vous me dites qu'il lui arrive d'enseigner les maths et la physique.*

Abbas — Oui, on a tout fait pour qu'il réussisse ses études. Il a mis beaucoup de temps, parce qu'il a fallu qu'il change plusieurs fois de direction ; c'est ce qu'il m'a toujours dit. Moi, je suis incapable de savoir ce que c'est. On a tout fait, on a tout accepté pour lui. Pour finir, il a fait une école dans le nord de la France, à Lille, une école de mécanique. Il est sorti de là avec un diplôme. Il aurait pu faire une carrière d'ingénieur dans l'industrie ; un petit ingénieur, bien sûr, mais il a fait des études pour cela, il a les diplômes qu'il faut. Il n'a jamais cherché ; il me dit toujours que c'est pour bientôt, il attend. Et nous attendons avec lui.

— Il n'est pas marié…

Même si nous faisons semblant de ne rien voir

Abbas — Il ne manquerait plus que je le marie… Il ne suffit pas que je le nourrisse, il faut encore nourrir sa femme et bientôt ses enfants. C'est peut-être cela qui lui mettra un peu de plomb dans la cervelle : quand il aura envie de se marier – il en a été question un moment –, il faut bien qu'il trouve à se loger, et pour cela, il faut bien qu'il se mette à travailler sérieusement. Il est grand temps.

[*Sa fille aînée, âgée de 35 ans, a quitté la maison depuis dix ans.*]

Abbas — Avant lui, il y a en réalité une fille. C'est elle l'aînée de tous mes enfants. Elle a aujourd'hui 34 ou 35 ans. Elle a quitté la maison, il y aura maintenant presque dix ans de cela. Elle n'est pas mariée.

— Elle travaille ?

Abbas — Elle travaille, depuis qu'elle a quitté la maison, elle n'a jamais arrêté de travailler… C'est, tout au moins, ce que j'entends dire. C'est ce que me dit sa mère. Moi, je ne sais rien de bien précis sur elle. Il paraît qu'elle gagne même bien sa vie…, puisqu'elle parle d'acheter l'appartement où elle habite maintenant.

— Qu'est-ce qu'elle fait comme métier ?

Abbas — Oh ! Elle, c'est une très longue histoire. C'est à propos d'elle qu'ont commencé toutes mes réflexions sur notre vie ici. Comment être ici, vivre ici, sans être comme on est ici, sans vivre comme on vit ici ? Au début, je croyais que c'était possible ; c'était même nécessairement possible. Il fallait que ce soit possible, ce ne pouvait pas être autrement. C'était encore le début, la misère dans la manière de nous loger, une vieille maison qui s'écroulait (...). L'école primaire, cela pouvait aller. C'était à côté, c'était une fillette. A l'école, vraiment, je ne peux dire ce qu'elle a pu faire. Elle allait à l'école, et quand l'école a été finie pour elle, à 16 ans, c'était tant mieux. Elle est rentrée à la maison et elle n'est plus sortie.

— *Que veut dire : « elle n'est plus sortie » ?*

Abbas — Pourquoi sortirait-elle ? Qu'a-t-elle à faire dehors ? Sa place est à la maison. Moi, je trouvais cela tout à fait normal. Il n'était pas question qu'il en aille autrement. C'était ainsi et rien de plus que cela. Sa mère, elle-même, n'avait pas à sortir.

— *Et cela a duré comme ça pendant combien de temps ? Il n'y a pas eu, de sa part, révolte, protestations ?*

Abbas — Je ne sais pas... Peut-être qu'elle n'a pas été enchantée de cette situation, mais que faire ? Elle-même ne devait pas savoir que faire.

— *Elle n'a pas demandé à travailler à l'extérieur ? Pourtant, à l'époque, cela devait se passer dans les années 70, il était plus facile que maintenant de trouver du travail ?*

Abbas — Il n'en a jamais été question à l'époque. C'était exclu, ça ne se fait pas..., ça ne se faisait pas encore dans notre entourage.

— *Vous avez refusé, vous vous êtes opposé à ce qu'elle travaille.*

Abbas — Non, même pas. Je n'avais pas à le faire. Ça ne venait à l'idée de personne.

— *Comment ça s'était passé pour elle durant ce temps ?*

Abbas — Elle a vécu à la maison, c'est tout. Bien sûr, avec sa mère, c'était la dispute continuellement.

— *Et avec vous ?*

Abbas — Avec moi, il n'en était pas question. Ni avec elle, ni avec les autres. Je n'ai pas à discuter avec elle de ces choses. Elle sait ce que je pense et on n'a pas à revenir là-dessus. Elle, comme tous les autres d'ailleurs ; aussi bien elle que sa mère.

— *Dans ces conditions, pourquoi ne l'avez-vous pas mariée ? Il y a eu certainement des demandes en mariage ?*

Abbas — Oui, il y a eu des demandes. Mais elles sont passées toutes par l'intermédiaire de sa mère et comme aucune ne me convenait et aucune ne leur convenait, semble-t-il, alors je ne veux pas les forcer. Après tout, c'est ma fille : elle a droit à vivre à la maison jusqu'à la fin de ses jours... ou de mes jours ; elle a droit à ne manquer de rien, dans la mesure de mes moyens.

— *A ne manquer de rien, sauf de la liberté de ses mouvements !*

Abbas — Je crois qu'elle n'a jamais demandé plus que ce qu'elle a. Même si, comme je l'ai dit, elle ne faisait que bouder. Elle boudait tout et tout le monde, sa mère, les repas, elle-même (…).

— *Et comment tout cela a-t-il fini ?*

Abbas — Cela a fini tout à fait à l'opposé de ce que je voulais à l'époque… et que je veux encore, si le temps ne nous avait pas devancés, si le temps ne nous avait pas vaincus, si le temps ne nous avait pas contraints à nous incliner, à accepter l'inacceptable.

— *Autrement dit, le temps vous a vaincus mais pas convaincus.*

Abbas — Non. Convaincus, jamais ; il faut dire ce qui est vrai. Dieu est plus fort… ! Il y a des moments où il faut se résoudre à admettre ce qu'on ne peut éviter ; on l'a contrarié, on l'a repoussé le plus qu'on pouvait. Mais la réalité est là : nous ne pouvons pas vivre seuls dans ce monde ; nous sommes en France : que cela nous plaise ou non, la France est là, nous sommes dans son ventre et c'est normal qu'elle finisse par être dans notre ventre, par rentrer dans notre ventre même si elle n'est pas rentrée dans nos cœurs. Pour moi, elle n'est jamais rentrée et elle ne rentrera jamais dans mon cœur, et cela je ne le cache pas, je n'arrête pas de le dire et, surtout, je le vis quotidiennement. Je sais que je vais mourir ici, j'en ai vu beaucoup mourir, de mon âge, plus âgés que moi, qui sont arrivés ici comme moi pour combien de temps ? Personne ne pouvait le dire, mais personne ne pouvait penser que c'était pour toute la vie, que sa vie entière allait se passer ici. Ce sera la même chose pour chacun d'entre nous, et pour moi aussi. Cela finira par arriver, mais jamais je ne peux considérer ce pays comme mon pays. Alors, c'est pour cette raison, qu'il ne sert plus à rien de résister. (…) Au fond de moi, je n'ai pas changé, je n'ai renoncé à rien. Alors je n'ai pas à aider ou à ne pas aider. Je garde tout pour moi, maintenant. Maintenant que je sais que personne ne peut m'approuver, même chez moi, alors je me tais. Que chacun fasse comme les choses se font ici.

— *Cela veut dire vous vous contentez de ne plus empêcher ce que, de toute façon, vous ne pouvez plus empêcher. Mais dans le cas de votre fille, comment cela s'est passé.*

Abbas — Moi-même, je n'en sais rien… Il y a toute une série de petites causes. Jusqu'à ce que la chose se produise sans qu'on sache comment. C'est vrai. Même si nous faisons semblant de ne rien dire et pour cela de ne rien voir, la chose est évidente : cette fille était malheureuse. Nous convenons qu'elle ne manque de rien, qu'elle est à la maison, qu'elle est entretenue, qu'elle est chez ses parents donc chez elle tout à fait normalement. Il n'y a rien à redire à cela…, et elle semble ne rien dire contre cela, il semble qu'elle ne dise rien. Mais, en réalité, nous faisons semblant de ne rien voir, il y a toute une série de signes qui trahissent le désaccord, la protestation contre cette situation, tout au moins avec moi, parce que avec sa mère les explications ont été plutôt violentes.

— *Puisque vous le saviez, comment avez-vous réagi ?*

Abbas — Oh. Nous avons l'habitude de ces choses. Pour moi, ce sont deux femmes à la maison, même si l'une est la mère et l'autre est la fille, il ne peut pas ne pas y avoir d'histoires entre elles ; voilà ce que je me disais. Et je n'écoutais pas ou à peine ce que sa mère me disait, je répondais chaque fois, « c'est votre affaire, c'est ta fille, arrangez-vous entre vous, ce n'est pas moi qui vais me mêler de vos affaires ». Donc, c'est comme si rien ne se passait.

— *Est-ce qu'il y avait d'autres signes révélateurs du malaise de votre fille, que vous aviez négligés à l'époque, que vous aviez préféré, comme vous dites, ne pas voir ?*

Abbas — Oh ! Pas tellement. Il y a peut-être l'isolement, le silence dans lequel se réfugiait cette fille. Mais après tout, c'est normal. Elle n'a rien à dire, en tout cas rien à nous dire, aujourd'hui comme hier. Même maintenant, quand il lui arrive de venir passer quelques jours à la maison, elle ne dit rien… et elle n'a rien à dire. Nous n'allons pas nous raconter des histoires. Mais ce qui donne à réfléchir, c'est quand il faut affronter, dans ce type de situation, les bureaux. C'est là que je me suis rendu compte qu'il y a beaucoup de choses de chez nous qui sont incompréhensibles pour les autres, qui n'ont pas de place ici. Beaucoup de choses que nous considérons comme normales comme, par exemple, le fait que ma fille habite chez moi, ne sont pas admises ici. Ma fille avait été longuement malade, à plusieurs reprises, on ne sait pas pourquoi, mais chaque fois il a fallu l'envoyer en maison de repos. Et à chaque hospitalisation, c'est la même histoire : elle n'a pas de Sécurité sociale et ma Sécurité sociale ne peut pas la couvrir. On ne comprend pas pourquoi elle n'a pas de Sécurité sociale, pourquoi au moins elle n'est pas inscrite au chômage. On ne comprenait pas pourquoi je disais qu'elle ne demande pas à travailler. Et chaque fois, il fallait faire une demande de secours, d'aide. Il a fallu même que je lui prenne une assurance volontaire.

— *De quoi était-elle malade ?*

Abbas — On ne sait pas trop. Ce sont les nerfs, comme on dit. C'est ce qu'on me dit, chaque fois. Il faut qu'elle change d'atmosphère.

— *Et alors, comment cela a fini ? Qu'est-elle devenue aujourd'hui ?*

Abbas — Petit à petit. Elle s'est prise d'amitié avec une assistante sociale de la maison de repos où elle était. Elle partait en vacances passer quelques jours chez elle ; cela est arrivé plusieurs fois. Un jour, elle a dit à sa mère qu'elle resterait plus longtemps, qu'elle ne reviendrait pas de suite, car elle allait chercher du travail. Sa mère a été effondrée, mais elle ne pouvait pas croire à cela, croire qu'elle allait réussir : une fille qui n'a jamais travaillé, qui ne sait rien faire, et à un moment où il est difficile pour tout le monde, pour d'autres qu'elle, de trouver du travail, même quand on en a l'habitude. On ne pouvait pas croire. Elle a réussi. Elle a trouvé du travail et, paraît-il, elle n'a jamais manqué de travail. Maintenant, elle est l'égale de tout le monde, l'égale de ses autres frères et sœurs et, peut-être même, supérieure à ses frères, notamment ceux qui sont toujours là, qui vont et viennent et qui ne travaillent pas. Plutôt, elle est mon égale : c'est un « homme » comme moi, elle vaut autant que je vaux. Elle est sortie, elle gagne sa vie, elle s'assume… Je n'aurais jamais voulu cela ni pour elle, ni pour moi, ni pour le nom que je porte, quoique ce nom en a vu bien d'autres de la part de tous ceux qui le portent, nous sommes nombreux à le partager. Mais, c'est ainsi ; vaut mieux encore cela que le pire.

La faute est à l'émigration

— *Après coup, aujourd'hui au point où nous en sommes, puisque le résultat final est celui-là, ne regrettez-vous pas votre comportement passé, surtout à l'égard de votre fille, vous lui avez fait perdre son temps et, plus que cela, elle a souffert…, gratuitement, c'est ce qui apparaît aujourd'hui.*

Abbas — Non. Je n'ai rien à regretter. Et où je regrette quelque chose, c'est la situation actuelle. Je regrette qu'elle m'ait donné tort. Je n'ai pas tort pas plus qu'elle [*sa fille*] n'a elle-même tort. Je ne sais pas si vous connaissez l'anecdote qu'on raconte…, nous sommes dans la même situation.

— *Quelle anecdote ?*

Abbas — Cela se passait autrefois, quand les hivers étaient froids et que le seul moyen de locomotion était la marche à pied. On raconte qu'un voyageur fut surpris par la neige qui tombait en abondance. Arrivé au village le plus proche, il demanda refuge à la première maison qui s'ouvrit devant lui, on lui accorda l'hospitalité. Mais la neige continuait de tomber de plus belle, interdisant toute tentative de déplacement. Un jour, deux jours, bientôt on était à une semaine, et toujours aucune issue. Les maîtres de maison commençaient à trouver trop pesante la présence de cet étranger. Il faut dire qu'à l'époque, tout le monde était pauvre, surtout en hiver et sans doute n'avaient-ils pas de quoi le nourrir. Le malheureux voyageur avait compris cela. Un jour, en sa présence, éclata une dispute entre l'époux et son épouse. Il n'était pas dupe. Il savait que ce n'était là qu'un prétexte. Bien embarrassé, il regarda du côté de la porte bloquée par la neige et il eut, à l'adresse de ses hôtes, cette phrase restée célèbre : « Je sais, ce n'est ni de ma faute, ni de votre faute, c'est la faute du ciel [*du mauvais temps*] qui m'a amené ici et qui me retient encore ! » C'est la même chose, ce n'est ni de ma faute, une faute que je pourrais regretter, ni de sa faute à elle, une faute que je pourrais lui reprocher. La faute est à l'immigration [*en français*] comme on dit ! C'est pour cela qu'il n'est pas du tout question, pour moi, de sévir contre l'un ou l'autre, il ne peut être question de rompre, de fermer ma porte, de dire, comme l'ont fait certains, « je te renie, tu n'es plus mon fils ou ma fille, tu ne mettras jamais plus les pieds à la maison ! ». Non, c'est une chose inacceptable.

1990

Francine Muel-Dreyfus

La messagère

Aïcha a 28 ans. Elle est l'aînée des six enfants d'une famille marocaine. Son père, grutier dans le bâtiment, est venu en France en 1968 ; sa femme l'a rejoint en 1971 alors qu'elle avait neuf ans ; seul leur dernier enfant est né en France. Ils vivent à Creil, sur le plateau, dans une cité majoritairement habitée par des immigrés, et sont voisins de la famille des « jeunes filles au foulard » qu'ils connaissent bien. Au Maroc son père avait un taxi, « ça marchait », et Aïcha considère qu'il a émigré « par choix » et qu'il n'est pas un émigré comme un autre.

Elle a fait des études universitaires de psychologie et de sociologie ; en 1988, elle a soutenu un DEA consacré à l'incidence de l'environnement socioculturel sur l'investissement scolaire des jeunes Marocains. Depuis cinq ans, elle vit avec un Français, « une double vie », et vient seulement d'annoncer chez elle qu'elle voulait se marier ; elle vient également de demander sa naturalisation.

La difficulté de trouver un travail en France, de parler chez elle de son choix amoureux, et aussi, de façon plus sourde, l'envie de ses parents de savoir où la famille en était avec la question du retour, l'ont amenée à « rentrer en éclaireur » au Maroc, durant l'été 1988, pour y chercher du travail. Ce fut un échec, lié à la prise de conscience qu'elle ne pourrait pas « s'adapter ».

Au moment de l'entretien, sa famille traverse donc une crise née du constat, plus ou moins explicite, de l'impossibilité du retour au Maroc. Obligée de faire face à la réaction violente de son père à l'annonce de son projet de mariage avec un Français (« cette situation je la vis comme si j'avais fait un crime ») et à ses difficultés d'insertion professionnelle bien qu'elle ait fait des études supérieures (« je me suis plantée »), elle fait un bilan de l'histoire familiale où la famille apparaît comme le lieu critique de la négociation incessante de l'« intégration ».

Les particularités de leur trajectoire d'immigration, celles de l'histoire de sa mère au Maroc – abandonnée enfant puis maltraitée par sa belle-famille, elle n'avait rien ou peu à perdre à venir en France –, l'investissement scolaire sur les enfants qui vont « en fac » ont fait que les membres de cette famille apparaissent à d'autres familles maghrébines du plateau de Creil comme des « messagers » (de l'intégration). Ce sont elles aussi, avec le fait qu'Aïcha les appréhende à la fois en tant qu'acteur et en tant qu'observateur, qui lui permettent de reconstruire les ambiguïtés, les affrontements et les impasses des choix familiaux devant l'intégration.

Aïcha montre que la « question du voile », comme disent les médias, est un moyen de parler et de dénouer les contradictions liées aux difficultés de la gestion de l'identité dans un moment historique où le retour, comme la présence des immigrés, sont mis en question. Elle montre également les différences et les rivalités entre la position masculine et la position féminine face au « mythe du retour ». Dans cette famille, le maintien de l'objectif du retour a toujours été le fait du père. Ne pas céder sur ce point, c'est à la fois maintenir son identité virile, celle du chef de famille gardien des projets du groupe, et assurer une manière de défense contre la désorganisation psychique liée à l'incohérence des visions de l'avenir – « ne pas savoir ce qu'il faut faire ». Mais en fait, les pratiques, tant paternelles que maternelles, en matière d'investissements éducatifs en France et d'investissement immobilier au Maroc montrent que les divergences sont moins absolues qu'il n'y paraît si l'on s'en tient aux seuls discours. La mère d'Aïcha ne dit-elle pas ce que le père pense tout bas, et le lent travail d'inculcation d'une autre vision de l'avenir qu'elle mène avec ses enfants ne correspond-il pas au temps nécessaire pour comprendre ?

Il reste bien sûr que la logique de la division sexuelle du travail familial dans les échanges avec l'administration, l'école, la médecine a permis ici à la mère (comme c'est le plus souvent le cas dans les familles peu armées scolairement et culturellement, qu'elles soient ou non immigrées) de mettre à l'épreuve ses capacités d'adaptation et d'apprentissage et de faire la preuve de la justesse de son point de vue. La rencontre avec un autre style de vie, d'autres comportements et d'autres systèmes de valeurs a amené progressivement la mère d'Aïcha à acquérir de l'autonomie, des compétences nouvelles et une parole propre susceptibles de compenser la solitude particulière de l'exil.

Dans l'analyse de son conflit avec son père, de l'évolution de sa mère (qui s'est « découvert des capacités » dans le cruel parcours hospitalier qu'elle a dû faire avec son fils cadet gravement malade), des pratiques religieuses et des discours sur la religion de sa famille, Aïcha décrit un long et difficile processus d'intégration. Ce processus hésitant, parfois incohérent (« ce qui perturbe c'est qu'on est entre les deux, on sait pas trop, tout est bien et rien n'est bien ») fait que l'on peut toujours reprocher à l'autre d'être trop ou pas assez « intégré » et que tout le monde a dû et doit constamment négocier son statut : de femme, d'homme, d'immigré, de celui qui va rester en France, de parent, de fils, de fille, d'aînée (« mon père, j'étais son bras droit »). La position d'aînée qui oblige à se vouer à la reproduction des valeurs du groupe se conjugue ici avec la position de première instruite de la famille, celle qui servait « d'interprète, de lien entre l'intérieur et l'extérieur ». De cette position contradictoire, marquée par la « double contrainte », Aïcha tire une lucidité particulière sur les contradictions objectives et ressenties dont s'accompagne le processus d'« intégration ». Cette lucidité, il a fallu en payer le prix : « Moi, je porte tout ce fardeau, je sens la blessure de mes parents. »

C'est sans doute cette souffrance, socialement produite, qui donne aux discours de cette génération de filles d'immigrés, scolarisées (et souvent aînées de la fratrie ou des filles), leur force d'imposition. En faisant de son auto-analyse le fil rouge de son récit familial, en l'imposant à l'interlocuteur comme la seule manière de comprendre (avec tous les risques que cela implique de mystification à deux si l'on ne saisit pas la nécessité proprement sociologique de la socio-analyse pour une catégorie donnée), Aïcha dit d'abord que pour elle – comme pour ceux et celles qui sont structuralement proches –, l'auto-analyse est le moyen de maîtriser les contradictions inhérentes à sa situation, à celle de sa famille et à sa place singulière dans la constellation familiale. Elle est de ceux et de celles qui ont eu besoin de la sociologie pour s'en tirer : « La première enquête que j'ai faite, j'ai senti que j'avais un complexe en fait. Parce que je vivais trop ce qu'elles vivaient. Quelque part j'osais pas leur poser les bonnes questions parce que je me les posais aussi, c'est pour ça que ça me fout en l'air. Et la deuxième fois, je me suis dit, j'y vais, parce que j'ai besoin de réponses, et quelque part elles me servaient – enfin c'est peut-être égoïste, ou c'est pas du tout objectif ; mais j'ai gardé quand même une certaine objectivité, et j'ai profité de l'acquis que j'avais, là j'y suis allée sans honte. »●

avec une étudiante d'origine marocaine

— entretien de Francine Muel-Dreyfus

« J'analysais tout, trop, trop »

— *Quand on s'était vues, tu allais au Maroc ; c'était juste après ton DEA de sociologie ?*

Aïcha — J'y suis allée il y a deux ans. C'était vraiment la période de crise, la grande crise, parce que j'étais extrêmement déçue par mes essais d'insertion professionnelle. Je ne savais plus du tout ce que j'étais capable de faire, ce que je pouvais faire – pourquoi j'ai fait certaines études – et finalement il me semblait que je m'étais totalement plantée en fait. Et ne trouvant pas ici, je me suis dit, bon, la porte qui me reste, c'est le Maroc finalement. Et, en fait, je suis quand même allée jusqu'au bout, j'y suis allée. Mon ami m'a laissée partir ; il connaissait, il connaissait la difficulté… Bon, lui était extrêmement stressé par la situation, mais à la limite il était prêt à aller au Maroc, lui. Et donc je suis rentrée au Maroc. Ça faisait un certain temps que je n'y avais pas été et, arrivée là, j'ai été extrêmement déçue par le décalage en fait, tu vois… J'avais envie de faire des choses, mais il y avait tellement de choses à faire ; bon, là, j'ai pu rentrer en contact avec des gens qui travaillaient dans le service social, au Ministère de la Santé et, vu la marge de manœuvre que j'avais, pour moi, il était impossible que je puisse m'intégrer au Maroc.

— *Qu'est-ce qu'ils te disaient les gens que tu as rencontrés ?*

Aïcha — D'abord ils me disaient que j'étais folle de revenir.

— *Carrément ?*

Aïcha — J'avais deux discours en fait, deux discours tout à fait opposés. Il y avait ma famille, tout ça, qui pensait que j'étais devenue presque ministre en France, que j'avais acquis un certain savoir-faire qui était relativement supérieur et que je pouvais m'adapter très facilement et que c'était beaucoup mieux pour moi de vivre au Maroc.

— *Ta famille d'ici ou ta famille de là-bas ?*

Aïcha — Non, de là-bas, au Maroc. Et il y avait d'autres personnes qui disaient, « tu es complètement folle, le jeu est déjà complètement pourri dès le départ, tu pourras pas t'adapter vu ton tempérament et tout ça ». Mes parents, eux, c'était extrêmement difficile pour moi à supporter. D'abord, je suis l'aînée, ils ont énormément investi dans les études, pour tous les enfants, surtout pour moi. Ils avaient fait un transfert total en moi, c'était extrêmement difficile à supporter d'ailleurs pendant toutes mes études ; mais surtout au Maroc, surtout l'année où j'y suis allée, il y a deux ans, bon, je commençais à prendre de l'âge déjà, puis ils pensaient que j'avais relativement assez de diplômes, que c'était suffisant et que je devais rentrer donc au Maroc. Et en fait, le discours, on pouvait l'étudier à différents niveaux parce que ils voulaient que je rentre au Maroc vu mon âge pour me marier parce qu'en France il n'y a pas de bons partis – de partis marocains, musulmans hein, parce que le reste n'était même pas discutable. Je devais donc rentrer au Maroc, rencontrer un bon parti, m'installer, et par ailleurs trouver un bon boulot, que de toute façon ils étaient sûrs que j'allais trouver parce qu'il n'y a pas mieux que leur fille. Et, bon, je savais, comment dire, je savais que c'était une urgence pour eux…

—*Ils étaient inquiets ?*

Aïcha — Ils étaient inquiets, mais en fait ils voulaient un pied-à-terre au Maroc et c'était moi qu'ils poussaient, tu comprends ce que je veux dire, ils étaient là et donc ils pouvaient pas retourner au Maroc. De toute façon, ils ont toujours trouvé des excuses [*pour ne pas rentrer*], toujours une raison valable, là c'étaient les enfants qui faisaient des études qui réussissaient, donc ils pouvaient pas les perturber une deuxième fois. Bon, moi, ils pensaient que c'était pas mal, c'était suffisant, je pouvais rentrer et puis, à la limite, si je pouvais me marier, une petite maison, comme ça, au moins ils auraient un chez-eux, peut-être un faux, mais un chez-eux où ils pourraient atterrir, parce que là, quand on rentre au Maroc, on va chez ma grand-mère ou ma tante.

Ce sacré retour

—*Ils n'ont pas fait construire une maison ?*

Aïcha — Comme tout immigré qui se respecte, ils ont fait construire une maison là-bas qui n'est toujours pas finie depuis x années mais, de toute façon, je ne pense pas qu'ils la finiraient la maison, parce que la maison c'est un symbole, ça fait dix ans que ça dure. Tous les ans c'est un petit capital qui va là-bas, tout petit, des petits travaux, c'est vraiment symbolique. Et je me demande, le jour où la maison sera vraiment construite, qu'est-ce qu'ils vont faire ? Ils vont peut-être en construire une deuxième. Et ce qui est étrange, c'est que mon père pourrait finir la maison, mais à chaque fois c'est des petits travaux, c'est lui qui fait tout – alors qu'il pourrait prendre des ouvriers – et c'est lui qui astique, qui a monté sa maison, et là il en est aux finitions, la peinture…

— *Qu'est-ce qu'il fait comme métier ?*

Aïcha — Il travaille sur un chantier.

— *Il est maçon ?*

Aïcha — Non, non, il est grutier, mais il est extrêmement bricoleur. Là, il devait rentrer au Maroc cette année et la finir. Normalement elle devait être finie, depuis dix ans que ça dure, cette année il ne rentre pas. Bon, parce qu'il n'a pas les moyens financiers ; mais je pense qu'on peut s'arranger, avec la société de consommation en France, il y a des crédits ; mais il veut pas. Et je pense que s'ils la construisent, il y aura une brisure quelque part, quelque chose qui se sera arrêté, parce que depuis tant d'années qu'on fantasme autour de *la* maison. Et là, celle-là, elle est presque finie et maintenant il pense à construire en France. C'est pour ça que je te dis, à la limite ce qu'il va faire c'est construire une autre maison. Et là, mes parents commencent à tenir le discours suivant parce que ma mère – c'est pour ça que je te dis ma mère, un jour je t'en parlerai –, ma mère, il y a dix ans déjà, 15 ans, elle voulait acheter une maison ici parce que pour elle, de toute façon, elle pensait plus retourner, pas vivre tout le temps là-bas, alors que mon père, c'était tout le temps : « on va partir, on va rentrer, on va rentrer, on va rentrer ». Ils ont eu d'énormes occasions puisque, lui, il travaille dans le bâtiment ; il a tout le temps refusé et maintenant c'est : « notre petite maison ». Ce qui est extraordinaire, c'est qu'on sent dans la volonté d'achat d'une maison (ici) le changement de mentalité, surtout venant de mon père : c'est quelqu'un qui, tu vois, « de toute façon on rentrera, mes enfants rentreront », etc. ; maintenant il commence…, il en parle…, mais c'est fini, on rentrera plus. Et un jour il a dit, ça m'a fait vraiment froid au cœur parce que j'ai senti que quelque chose s'était cassé, quelque chose s'était cassé ou peut-être c'était une renaissance d'autre chose, mais quelque chose était en train de se jouer, et c'est pour ça que je suis vraiment en observation devant mes parents. Surtout que, bon, ils sont au courant pour mon ami maintenant et ça a bouleversé complètement tout ce qu'ils pensaient faire. Et là, pour la maison, je pense

que c'est fini ; il n'y a plus ce retour qui a tellement empêché les immigrés de s'intégrer. C'est ce sacré retour qui, en fait, a fait qu'il y a ces retours aux traditions, à certaines choses très dures parce qu'on sent qu'il commence à y avoir un flou. Quand on efface un flou, qu'est-ce qu'on fait : on retourne à des choses fortes, à des assises en fait. Et là je pense…
[…]

— *Parce que tu penses que le fait que tu n'aies pas réussi pour un travail au Maroc, ça a été très important pour tes parents ?*

Aïcha — Pour mes parents, oui. Parce qu'en fait ils m'ont envoyée en éclaireur, c'est exactement ça, en éclaireur. C'était moi qui devais voir, comment dirais-je, si l'intégration là-bas était possible ou pas pour toute la famille. C'était difficile pour moi à supporter puisque j'ai fait une dépression. D'autant plus difficile que j'étais au courant de tout, parce qu'en fait j'analyse énormément, forcément, et je sentais, je sentais tout le poids que mes parents mettaient là-dedans. Quand je suis revenue, bon, ma famille du Maroc n'a pas été déçue, ils s'en doutaient, mais c'est mes parents. Bon, mes parents ont fait abstraction de tout ça finalement parce qu'ils sont tellement bons dans le fond, mais quand je suis revenue, je crois que la cassure a commencé à cette période-là. Ils se disaient, elle n'a pas pu, elle n'est pas restée ; et c'est marrant parce que c'est en relation… J'ai fait ma demande de naturalisation, il y a trois, quatre mois, ça fait longtemps qu'on en parle avec mes parents. Parce que j'ai eu des sœurs par exemple qui ont voulu passer des concours de sage-femme, elles ne pouvaient pas. Mon père disait tout le temps, « oh, elles feront autre chose ». Mais depuis que je suis revenue du Maroc, ils ont finalement accepté le fait qu'on pouvait vivre heureux ici. Et le malaise venait aussi du fait que je ne trouvais pas de boulot ici. D'abord mes parents n'ont jamais compris, mon père n'a jamais compris mes études, et d'une, et le fait que j'en trouve pas, ils comprenaient mal parce que pour eux ils se sont sacrifiés pour payer des études à leurs gosses, ils ont eu une formation, des diplômes ; bon, c'était systématique, ils devaient trouver du boulot, et si j'en trouvais pas, c'était parce qu'il y avait une ségrégation quelque part.

— *Ils ne pouvaient pas comprendre que des étudiants en sociologie, français, avaient les mêmes difficultés ?*

Aïcha — Non, ils imaginaient pas et bon, tout ça a fait que maintenant ils cherchent une maison et il a accepté qu'on fasse une demande de naturalisation… Bon ma mère, elle avait compris très tôt tout ça, elle a dit, « mes enfants ne rentreront pas, de toute façon pourquoi ils rentreraient, le Maroc c'est à deux heures d'avion, je ne vois pas où est le problème » ; elle, elle avait tout de suite pigé ; mon père non, c'était difficile pour lui. Et je pense que mon père correspond au type des familles maghrébines qui souffrent énormément actuellement, en fait qui ne savent pas où donner de la tête, qui ne savent pas ce qu'il faut faire. Ils ne savent pas ce qu'il faut faire. Moi je sais que dans notre quartier, c'est mon père qui a les enfants les plus âgés, qui ont été en fac, etc., et il y a toute une génération qui commence à monter, qui est passée en première année de fac, et donc ils viennent prendre conseil chez mon père. Parce que, si tu veux, mon père a une certaine image dans le quartier, c'est l'homme fort, etc., ça fait longtemps qu'il est là, il s'est bien intégré. Et c'est marrant parce que les discussions qu'il peut avoir avec d'autres, on sent… Il leur donne des conseils maintenant ! Il leur dit, « bon, finalement vos enfants sont ici, pourquoi ne pas les intégrer tout de suite, c'est maintenant qu'il faut qu'ils fassent leur demande de naturalisation ; parce que ma fille elle a passé son concours de pharma, il y avait 5 % seulement d'étrangers qui pouvaient passer, il s'est trouvé qu'elle était pas dans les 5 % parce que sa moyenne était légèrement inférieure, donc si elle avait été française, elle aurait peut-être eu plus de chances… » […]

Fuir le giron familial

— Pour toi, c'était important le Maroc, l'idée de retourner ?

Aïcha — Y aller, je savais de toute façon que c'était une tromperie quelque part parce que, en fait, je voulais fuir certaines choses. Je voulais fuir le malaise que je ressentais en France ; je savais que j'avais fait des études qui correspondaient pas au marché du travail, quelque part je m'étais plantée, pour mon insertion professionnelle, pas pour les acquis que je peux en tirer personnellement ; parce que j'avais rencontré un ami français qui me déstabilisait totalement dans ma situation… que j'avais forcée parce que, quelque part, le déséquilibre était en moi depuis longtemps ; et même pour aller encore plus loin, et c'est peut-être un peu fort, les études c'était plus un placement, plus que d'avoir une formation professionnelle à la limite – parce que j'ai toujours voulu être indépendante –, c'était plus une façon de fuir le giron familial : faire n'importe quoi pour partir de là, tu vois, quitter le foyer ; et, bon, les études pour moi c'était plus un moyen stratégique de quitter la famille, et c'est tout ce que je savais faire en fait. J'étais pas une fille délurée comme ça pour accepter de me tirer de chez mes parents, et, de toute façon, j'en avais pas envie ; et puis, j'étais assez bonne dans les études pour pouvoir aller assez loin et prendre une distance non pas géographique mais presque physique avec mes parents.

— Mais le choix de la socio, c'était pas n'importe quel choix ?

Aïcha — Non, c'était pas n'importe quel choix. Non, c'était quelque part moi que je voulais étudier.

— Tu avais des amis qui le faisaient ? Tu as choisi comment, en parlant au lycée ?

Aïcha — Non, je me suis toujours intéressée… j'avais déjà des bouquins, j'avais déjà un livre-bateau, je me rappelle plus comment, « Les clés de la psychologie » ou je ne sais plus, de Daco, c'est vraiment le livre de psychofleuve, et je crois que je l'avais acheté et c'est lui qui m'a… Mais déjà, quand je l'ai acheté, il y avait une demande, je pense, mais j'étais… j'aime pas trop parler de moi, mais très gamine, j'observais déjà énormément.

— Tu étais dans une situation particulière aussi, tu étais l'aînée, tu avais vécu neuf ans là-bas, tu avais vécu le changement de société…

Aïcha — Oui, oui, je crois que j'étais en attente tout le temps ; j'analysais tout, trop, trop, par rapport à mes sœurs qui sont très cool finalement ; bon, elles ont un copain français, ça les traumatise pas ; mes parents ont envie de rentrer au Maroc, ils peuvent pas, ça les traumatise pas ; alors que moi je porte tout ça, je porte tout ce fardeau, je sens la blessure de mes parents, je sens leur demande, je sens que j'ai pas correspondu à leur attente, et je pense que c'est tout ça qui a fait que j'ai fait socio, psycho, j'ai voulu comprendre, toute seule, et je pensais que j'allais avoir les clés justement ; en fait je regardais le monde à travers une loupe. J'étais assez jeune et ça me prenait vraiment la tête, j'avais des angoisses et, même actuellement, je suis parfois submergée par l'angoisse. Oui, psycho, socio, c'était stratégique, comme le fait de partir en fac.

— Parce que la fac ça t'amenait à habiter ailleurs ?

Aïcha — A habiter ailleurs, à vivre, tu vois, à vivre. Parce que j'ai toujours été très indépendante, très jeune, j'étais dans mon petit monde. Et partir pour moi, c'était aller ailleurs, vivre ma vie de femme sans perturber mes parents ; parce que, très tôt, j'ai voulu partir de chez moi, parce que je pouvais plus. Je rentrais, je rentrais, il fallait que je change, que je pense autrement ; en rentrant chez moi, il fallait déjà plus parler en français à l'époque – maintenant c'est fini, maintenant on parle, quoi, 10 % d'arabe, les temps ont changé ! A l'époque, je parlais de sexualité avec des copines et tout ça, chez moi non, c'était fini ; on parlait de sorties, rentrée chez moi c'était fini ; on parlait de garçons, de drague, comme des gamines de 13, 15 ans, quoi. Ce qui fait que les études étaient une fuite, j'étais tout le temps dans mes bouquins… parce que je voulais pas non plus confronter le monde, tu vois, parce que je savais que j'avais une certaine sauvagerie en moi et je savais que, si j'éclatais, tout allait casser et, même encore aujourd'hui, je sens que, si un jour j'éclate, je vais tout casser. Ce qui fait que, comme dit ma mère, j'ai toujours été raisonnable. Forcément, j'étais raisonnable parce que j'ai toujours gardé, alors que mes sœurs, ça sort, ça claque la porte, elles en ont rien à faire que ma mère angoisse ou pas.

— *Tu ne crois pas que c'est très lié à ta condition d'aînée, comme ce que tu racontes pour d'autres dans ton travail de recherche ?*

Aïcha — Ah oui, de toute façon. L'aînée, l'aînée, il y a eu un gros transfert des parents, puis la deuxième, ça va déjà mieux, la troisième, n'en parlons pas et le dernier vit sa vie en fait. C'est tout à fait lié ; quand tu es jeune, tu secondes la mère, tu es une seconde mère, faut déjà que tu aies des responsabilités. Je me rappelle, déjà à 12 ans, je remplissais la déclaration d'impôts de mes parents, puis, si je remplissais mal… mon père, si tu veux, il lit le français mais il ne l'écrit pas, sauf des gros caractères et, quand je remplissais mal la déclaration d'impôts, c'était la claque. Mais je comprenais aussi mon père, je l'acceptais la claque, c'est parce que, bon, il savait pas ce qu'il fallait faire, il avait tellement peur de mal faire que c'était moi qui recevais la claque, c'est pas le papier qui était déchiré, c'est moi qui recevais la claque. Alors, à 12 ans, remplir des déclarations d'impôts, il fallait que je lise les fiches de paye de mon père, que je décrypte ; déjà maintenant, j'arrive pas trop à le faire, mais à l'époque, fallait que je trouve le salaire net à déclarer, c'était assez…

— *C'était difficile…*

Aïcha — C'était difficile. Il y avait des cartes de vœux qu'il fallait que j'écrive, j'en écrivais 50.

— *Là-bas, au Maroc ?*

Aïcha — Non ici, pour des Marocains, des Français. Mon père disait : on envoie 50 cartes, et c'est moi qui les écris. Je trouve que pour une gamine de 12 ans c'était… Alors forcément, je ne pouvais ou que me révolter, et là c'était pas possible, je veux dire, c'était plus vivable, ou alors je me renfermais, j'acceptais et je me créais un autre monde ailleurs. Dès que j'ai pu partir, j'ai eu mon bac et puis…

— *Mais les impôts, comme les cartes, c'est aussi faire le lien avec l'extérieur, avec la société d'ici, avec ce qui est resté là-bas ?*

Aïcha — Oui, tout à fait. Et c'est pour ça aussi que, moi, j'avais l'impression que j'étais au milieu de tout ça… Et mon père…, mais je me rappelle tous les enfants d'immigrés, ils allaient avec leur maman et ils traduisaient les papiers. Et c'est vrai que j'étais un contact permanent, c'est moi qui servais d'interprète, oui c'est vrai, qui servais de lien entre l'intérieur, l'extérieur, le Maroc, la France. Quand je pense aux cartes de vœux que j'ai dû bourrer de fautes d'orthographe ! C'est vrai que c'est une place relativement difficile. Par contre mes sœurs, même ma cadette, elle a jamais rempli un papier. Ce que je comprenais tout à fait en plus, si tu veux, j'assumais mes responsabilités. Je crois que j'assumais le rôle qu'on me faisait jouer, j'avais tout de suite compris en fait.

— *Le rôle de…, d'être entre les deux, d'être le porte-parole de la famille ?*

Aïcha — Voilà, d'être quelque part le porte-parole, un peu le garant d'un certain contact avec l'extérieur. Même maintenant, je suis garant d'énormément de choses, aujourd'hui encore, et, quand j'ai présenté mon ami à mes parents, ça a été dramatique pour mon père – il n'a pas mangé pendant trois jours. Je savais qu'il allait souffrir et quand il m'a dit, « non, surtout pas venant de toi, surtout pas de toi ! » Alors je sentais que la relation père-fille…, je sentais qu'il avait mis énormément de choses en moi. Alors ça l'avait énormément blessé. Mais je savais que, de toute façon, il fallait qu'il souffre à son tour. Je me suis dit, j'ai assez souffert, j'ai fait assez de concessions comme ça, j'ai mené une double vie pendant cinq ans, je les ai assez protégés. C'est ça, je les protégeais en fait, je les protégeais. Et quand il m'a dit, « surtout pas venant de toi, je ne pouvais même pas imaginer que tu allais me faire ce coup-là », donc ça sous-entendait qu'une autre de mes sœurs aurait très bien pu faire ça, mais pas moi.

— *Parce que tu es née là-bas ?*

Aïcha — Non, parce que mon père disait que j'étais son bras droit, que j'étais… C'est pour ça, je te disais que je suis toujours garant d'une certaine stabilité. Et, quand j'ai été au Maroc, que je n'ai pas trouvé de boulot et que je suis revenue, en fait, c'était moi qui les faisais avancer quelque part. Si tu veux leur pion, ils le déplaçaient quand ils voulaient et puis quand ça marchait pas, ils faisaient marche arrière ; ils étaient obligés, dans la mesure où j'étais leur garant, ils pouvaient pas aller au-delà de ce que moi je pouvais leur apporter.

— *C'est lourd comme position…*

Aïcha — Ah, c'est extrêmement lourd. C'est pour ça que tout à l'heure j'arrivais pas trop à parler.

[…]

En fait c'est même pas le voile

— *Et par rapport à tout ça, l'histoire du « voile », comment tu la vois toi, comment ça se parle chez tes parents ? Toi tu connais les filles, tu connais le quartier…*

Aïcha — Les filles, on connaissait leur famille, et l'homme était pas intégriste mais extrêmement croyant, parce qu'il faut pas tout mélanger non plus. Il était extrêmement croyant et pratiquant, et je fais toujours le parallèle avec un chrétien pratiquant, parce qu'à partir du moment où tu pratiques à fond, il y a des choses qui ne sont plus au même rythme que l'extérieur. Et déjà à l'époque, mon père nous en parlait bien avant, ça le faisait rire parce qu'il disait à ma mère, « tu sais, quand il part au Maroc, il fait des courses pour un mois pour que sa femme ne sorte pas, il remplit le frigo ». Que la femme n'ait pas à sortir déjà, tu vois. Les filles, par exemple, souvent elles allaient à l'école, c'était accompagnées du petit frère. Et quand on a entendu le problème du voile et tout ça… mon père le connaissait très bien, il disait qu'il était pas méchant, il était croyant. Et l'homme en fait, il a été dépassé par les événements, les médias se sont emparés du phénomène, ça arrangeait tout le monde et lui-même était complètement dépassé. Mon père l'avait rencontré et il disait, « moi je n'ai jamais voulu ça ; mes filles elles

veulent pratiquer ». Et forcément, les gamines elles ont été élevées depuis toujours dans la pratique religieuse, dans leur chambre, il y a le tableau, les bouquins religieux, il y a tout ce qu'il faut pour faire de bonnes musulmanes pratiquantes. Et ça faisait déjà longtemps qu'elles portaient le voile, ça faisait déjà un an avant les événements, ça ne gênait personne. Et puis, d'un seul coup, parce qu'il y a eu une rencontre d'événements ailleurs et puis, il a fallu secouer un peu la bombe. Le père en était complètement étonné parce que ça faisait déjà un moment que ses filles… Il y en a une, c'était déjà à l'école primaire, elle portait le voile, elle portait le fichu, en fait, c'est même pas le voile, le voile ça se met devant le visage. Là c'est le fichu, parce que les femmes dans la religion musulmane ne doivent montrer que le visage, les poignets et les pieds, donc, si tu veux, c'était relativement logique. Mais c'était pas non plus très logique parce qu'elles portaient le foulard et elles se baladaient en pantalon, donc c'est complètement anachronique, mais on négocie comme on peut avec les événements.
Tu demandais ce que mes parents ils en pensaient. Ma mère, parce que pendant un moment il y avait des femmes qui passaient, il y a eu une vague, un mouvement comme ça, pas d'intégrisme, mais de femmes qui sortaient avec le foulard, habillées en noir, robes longues et tout ça. Et elles passaient chez les familles et il y a une femme qui est passée chez ma mère en disant, « tu te rends compte… ». D'abord c'était des discussions complètement anodines à parler de l'Islam, tout ça, patati, patata, et puis, au fur et à mesure, on disait à ma mère qu'elle pratiquait pas vraiment l'Islam, dans la mesure où elle s'habillait pas comme il fallait…

— *C'était des sœurs musulmanes ?*

Aïcha — Oui, on leur donnait… c'était des femmes que ma mère connaissait très bien, qui vivaient comme elle auparavant… Ce qui est marrant, je te dirai après. Elles vivaient normalement, habillées à l'européenne, elles sortaient et tout ça, et d'un seul coup on voyait des petites bonnes femmes habillées avec un foulard qui traînaient comme ça dans le quartier. En fait, elles allaient porter la bonne parole. Et, un jour, mon père a rencontré la femme chez ma mère et il lui a dit, « qu'est-ce que tu fais, etc. ». Et mon père est extrêmement critique parce qu'il dit, « c'est de la comédie tout ça, c'est de la comédie ; c'est pas parce que tu es habillée en noir ou que tu as un foulard que tu vas croire, que tu vas être plus proche de Dieu que nous ; c'est pas eux qui vont nous apprendre à croire à Dieu, c'est le Khomeyni qui tue, qui pousse des gamins à tuer, non, non, celui-là, il ne m'apprendra jamais à croire en Dieu ». Et ma mère commençait à être très réticente quand la femme venait et la femme commençait à être un peu plus agressive et puis elle disait à ma mère que c'était une honte, qu'elle avait des filles qui sortaient, qu'elles avaient toutes leur voiture, que elle savait pas où elles allaient, que ma mère s'habillait comme une petite jeune, qu'elle avait quand même 45 ans, qu'il fallait qu'elle fasse attention : tu sais, les filles, ça se paume tout de suite comme ça. Et là, ma mère elle a commencé à tiquer ; qu'on touche à ses filles, non ; elle voyait pas trop le rapport. Et mon frère allait à la mosquée… c'est marrant parce que c'est des événements qui arrivent comme ça en même temps. La femme, après ça, en ce moment elle se rhabille en Européenne, en fait, et son mari a failli divorcer parce qu'ils n'avaient plus du tout de vie… il fallait qu'il aille acheter de la viande casher, qu'ils aillent plus faire leurs courses dans les supermarchés, tu vois.

— Et lui il était pas d'accord ?

Aïcha — Non, lui il était taxi à Paris, et lui il devait être beaucoup plus à l'extérieur de tout ça.

— Et comment ça s'explique, c'était un groupe de femmes ?

Aïcha — C'était un groupe de femmes qui se connaissaient, des copines, je pense. Mais, moi, je pense que c'est plus une lubie, tu vois, une lubie qui rassure. Je te dis, quand tu vois que ça commence à s'ébranler un petit peu, on fait des essais, en fait, c'est des essais. Et la preuve, ça n'a pas duré plus d'un an.

[…]

Ma mère vraiment elle savait plus, elle savait plus où elle en était. En plus, mon frère allait à la mosquée et, un jour, il est arrivé – mon frère est très naïf –, puis il y avait un groupe de copains qui fréquentaient la mosquée et d'un seul coup, ils se sont mis à faire le Ramadan, c'était il y a deux ans. Et puis mon frère fréquentait la mosquée et mon père lui disait, « qu'est-ce que tu vas là-bas ? », et ma mère lui disait, « mais laisse-le ». De toute façon, on n'a pas de culture religieuse et puis elle pensait que son fils allait lui ramener quand même un certain savoir. Et, un jour, il dit à ma mère, « tu sais, il faudra que tu mettes la robe, tu sais qu'il faut qu'on voie que tes poignets, tes pieds puis ta tête et puis il commençait… ». Mais il correspond pas au type du garçon arabe mon frère… Alors ma mère, elle lui a dit, « ah non, non. T'iras plus, qu'est-ce que t'apprends là-bas ? ». Alors ils apprenaient comment il fallait faire pour être un *bon* musulman, pas la pratique de la religion, mais comment devenir bon musulman. Un bon musulman devait empêcher ses sœurs, sa femme ou ses filles de sortir et lui était libre de vivre sa vie d'homme ; pour lui, ça change rien finalement. Parce que je lui demandais, « ça change quoi pour vous ? ». Oh c'est la femme ; ils discutent comment la femme en plus doit devenir bonne musulmane. Et la femme, dans la mesure où c'est elle qui est la caution d'une certaine tradition, d'une certaine continuité, forcément, c'est sur elle que tout va retomber.

— C'était lié à quelqu'un qui orientait dans ce sens ? Ça s'est fait comment ce courant que tu décris comme quelque chose de ponctuel, récent ?

Aïcha — Non, je pense que c'était toujours la même personne à la mosquée, mais d'un seul coup elle a eu une grosse clientèle.

— Pour ton frère, c'est des copains ?

Aïcha — Oui, c'est des copains. Un copain qui fait toujours la prière, qui fait toujours le Ramadan, qui est très… Oui, je sais pas, mais, de toute façon, c'est très minoritaire. Les gens, je te dis, ils ont fait des tests, ils ont fait des essais pour se rassurer.

— Qu'est-ce que tu veux dire par tests, essais ?

Aïcha — Par exemple à la mosquée, il y a quelque temps, il y avait énormément de monde, je me rappelle, mon frère y allait tôt pour trouver de la place, puis maintenant, de toute façon, il n'y va plus et puis il y a de la place. Je pense que les gens, surtout avec le discours qu'ont tenu les médias, en fait, ça a eu l'effet tout à fait contraire. Au lieu de perturber, de faire peur aux gens – je parle pour les musulmans –, ils les ont poussés au contraire à accentuer un certain retour vers la tradition. C'est tout ce qu'ils ont fait, en fait. Et comme par hasard, dès que ça s'est tu un petit peu, ben il y a eu ce retrait. Au fur et à mesure, on voit des hommes qui portaient la barbe qui n'en portent plus, des femmes qui portaient le fichu qui n'en portent plus, comme par hasard. Donc, comment dirais-je, ils avaient cherché un secours quelque part, une réponse ou tout simplement une protection, se rassurer je pense, tout simplement. Forcément, ça fait peur quand, pendant le gros phénomène, on voyait les mosquées bondées. Les gens, en ayant peur, ils vont à la mosquée, où est-ce que tu veux qu'ils aillent ? Quand ils voient que l'environnement est perturbateur, qu'est-ce qu'ils font, à moins de se retrancher dans leur cellule familiale, bon, ils vont se retrancher dans un milieu où ils sont ensemble, où la masse fait force, etc.

— *Est-ce que tu as des souvenirs avec des amis ou dans ta famille quand, à la télévision, on parlait que de ça…*

Aïcha — Oh oui. Ma mère était ébahie parce qu'on habite juste en face de l'immeuble, et les premiers jours, c'était des camions, des télévisions européennes ; il y avait la France, la Belgique, la Hollande. On n'avait plus de place pour se garer. Ma mère, au début, elle disait, « elles sont folles ». Elle pensait, c'est des gamines, ça a été manipulé, c'était le père. Et, en fait, j'ai su par la suite – parce que mon petit frère était dans leur classe – qu'elles ont toujours été comme ça, qu'elles ont toujours été gentilles ; quelque part, elles s'y retrouvaient, quelque part, c'était une quête d'identité.

De toute façon, la distance est énorme, par exemple, par rapport à nous qui vivions déjà… on était déjà relativement intégrés. Elles, elles étaient totalement enfermées, comment veux-tu qu'elles réagissent ; le monde extérieur va être en porte-à-faux par rapport à ce qu'elles vivent. Et le fait qu'elles se retranchent dans leur fichu, c'était une façon pour elles de s'y retrouver, tout simplement ; elles, pas toutes les musulmanes. Moi, c'était la fac, elles, c'était peut-être leur fichu, je sais pas moi, ce qui se passe dans leur tête.

[…]

Le retour de toute façon est impossible

— *Est-ce que tu penses aussi que c'est un moment où il y a une sorte de bilan collectif qui se fait sur le fait que le retour n'est finalement pas possible ?*

Aïcha — De toute façon, c'est un bilan général, pas forcément au niveau du retour. Mais je pense que la France se pose aujourd'hui la bonne question, parce qu'elle ne peut pas faire autrement déjà. Avant les parents, les parents, ils frôlaient les murs, ils étaient discrets, etc. Ils étaient là, ils se demandaient pourquoi, ils s'excusaient à chaque fois qu'ils faisaient un pas ; ils étaient là, ils savaient qu'ils allaient partir. Ce qu'ils oubliaient, c'est qu'ils bossaient, qu'ils avaient le droit quand même de vivre. Maintenant, il y a les jeunes, les jeunes qui ne peuvent plus faire comme, qui demandent, comment dirais-je, qui ont certains droits, certaines

obligations ; ils font du bruit ces jeunes, ils parlent bien, parce qu'il y a des jeunes qui réussissent, il y a des troupes culturelles qui se mettent en place, il y a des tas de choses. Ils parlent mal aussi, parce qu'il y a des gamins qui ne peuvent pas forcément réagir en s'épanouissant. Donc, si tu veux, il y a un bilan général sur cette population-là, ce qu'on va en faire, son devenir. Et par là, on se pose la question du retour, la question des jeunes Beurs, mais, de toute façon, je pense que c'est un bilan tout à fait général. Il faut prendre ce dossier à fond et, tant que c'est pas solutionné, moi, j'ai peur que ça aille vraiment très mal. Parce qu'on peut plus faire semblant ; avant, les enfants étaient petits, on les entendait pas, maintenant, ils remplissent les écoles, on dit que c'est eux qui remontent le taux d'échec – ça, j'en suis pas convaincue du tout. Il y a des jeunes qui font du bruit dans les centres villes, etc., qui cassent les voitures, qui piquent les autoradios. C'est un bilan. Le retour, le retour, de toute façon, est impossible.
[…]

— *Et ce que tu disais au début, que ta mère changeait beaucoup, dans quel sens elle change ?*

Aïcha — C'est une femme, moi, elle me fait penser à une petite souris, tu vois. Au Maroc, elle s'est mariée avec mon père qui était un jeune fou, un jeune loup si tu veux. Bon, la femme, elle était là, elle était là, puis c'est tout, hein ; ils s'aimaient bien si tu veux, ils ont fait des gosses. Mon père est parti. Ma mère, quand elle est venue en France, elle a vu que mon père vivait bien en France ; alors que les autres, ils envoyaient toute leur paye à la maison, lui il envoyait qu'une petite partie ; il vivait bien, pas chichement du tout. Elle nous a élevés toute seule et elle était en plus surveillée par la belle-mère, donc elle pouvait pas bouger, rien.

— *Pendant combien d'années ?*

Aïcha — Deux ou trois ans. Et elle, c'était une femme très rêveuse en fait ; elle rêvait d'un autre avenir que celui-là et, quand elle s'est vue prise dans ce piège, elle s'est longtemps demandé… elle voulait repartir en fait, quitter mon père. Mais comment veux-tu quitter dans une telle société, tu ne peux pas. En plus, elle était orpheline. Et quand elle est venue en France, elle a fait une très très grosse dépression, elle n'arrêtait pas de pleurer, je me rappelle, tout le temps, tout le temps. Elle s'est rendu compte finalement que la vie, c'était pas comme elle le pensait : parce que là-bas, elle a beau ne pas vivre bien, elle avait quand même un milieu qui la protégeait ; un environnement, des personnes qui étaient là autour d'elle. Et arrivée là, elle s'est retrouvée toute seule, toute seule, ne sachant pas parler français, et même l'habit, il fallait s'habiller autrement. Et même au niveau du couple, après deux ans, c'est pas évident de se remettre à vivre au jour le jour. Elle a dû être extrêmement frustrée et elle a été très souvent soumise à mon père, enfin soumise, mon père n'était pas non plus très macho. Bon, elle vivait sa petite vie de petite bonne femme. Et là, elle avait demandé à travailler, mon père n'a pas voulu ; elle voulait aller à un stage d'alphabétisation, mon père ne voulait pas. Et là, dernièrement, mon petit frère est tombé très, très malade, il a été hospitalisé plusieurs mois à Paris et donc c'était ma mère qui devait aller le voir tous les jours, c'était ma mère qui discutait avec les médecins et, comme mon père ne pouvait pas bouger dans la semaine, ma mère a pris le train pour la première fois de sa vie parce qu'avant elle n'en voyait pas l'utilité. Donc, elle a pris le train, le taxi à Paris ; elle a fait plusieurs hôpitaux à Paris. Elle est restée longtemps avec mon petit frère à Saint-Denis, donc elle a vu un service extrêmement difficile ; c'est elle qui discutait avec les médecins, les professeurs. Et là, mon petit frère est sous alimentation parentérale, tu vois…

— *Oui, je sais ce que c'est. Il a été soigné à Necker ?*

Aïcha — Saint-Denis, Necker et là, il est porte des Lilas.

— *Et il est en nutrition parentérale à domicile ?*

Aïcha — Oui, et donc ma mère, elle a dû apprendre, elle a fait un stage pour apprendre à manipuler ; tout ça, c'est assez compliqué ; elle a discuté avec des professeurs et elle leur a donné des idées géniales ; elle leur a dit, « puisque c'est comme ça, pourquoi vous n'avez pas fait une cassette vidéo, ça arrangerait tout le monde, que tout le monde puisse apprendre » ; le professeur a dit, « mais c'est extra, pourquoi on n'y a pas pensé ». Donc dans ce milieu, elle s'est senti, elle s'est découvert des capacités. J'ai du mal à en parler parce que vraiment elle prend… C'est une femme qui m'épate énormément, énormément. Mon père, lui, il y allait le samedi, le dimanche, il voyait pas les médecins, tout ça, si tu veux, c'est ma mère qui a dû tout négocier.

[…]

Ma mère, qui n'avait jamais pris le train, elle partait, elle revenait tard le soir. Ah, c'est une femme. Mon père par contre, lui, il n'a pas évolué tant que ça… Et même, là maintenant, c'est marrant parce que ma mère, on sent, elle élève la voix de temps en temps, elle se laisse pas faire. Alors mon père, il lui dit, « oui, c'est depuis que tu prends le train, pour qui tu te prends et tout ». Alors je ne sais plus ce qu'il lui a dit une fois, ils se sont bien disputés et il lui a dit, « mais si je t'avais pas ramenée du Maroc, qu'est-ce que tu serais devenue et tout ça ». Enfin les grosses disputes. Et ma mère lui a dit que de toute façon elle se débrouillait très bien là-bas, puisqu'elle a élevé ses gosses pendant deux ans sans lui déjà, hein, et que, qui c'est qui va négocier tout avec les médecins pour mon petit frère. Elle est arrivée à trouver la pharmacie des hôpitaux, tu vois dans le 13e, parce que le médecin lui avait dit que son fils allait rester sans médicaments une semaine. Alors elle dit, « écoute si tu peux le faire toi, vas-y ! ». Mais maintenant, elle se laisse plus faire. Et elle a passé son permis, elle avait énormément de mal à le passer parce que pour elle c'était le premier examen déjà ; elle l'a passé quand même six fois le permis, mais elle savait conduire ; elle disait qu'elle savait plus rien, que toùt se mélangeait. C'est mon père qui l'a poussée quand même à passer son permis.

— Oui ? Donc c'est pas dans un seul sens.

Aïcha — C'est pas tranché, en fait. Mais là, ils sont vraiment en train de négocier, la position, le statut de chacun. On le sent bien parce que tous les jours, il y a des choses, ils renégocient tout ce qu'ils faisaient naturellement avant.

[...]

— Comment tu expliques finalement que tu as voulu aller travailler au Maroc ?

Aïcha — J'étais tellement angoissée à ce moment-là ; je cherchais n'importe quelle solution, je crois. Le Maroc, c'était très symbolique, c'était un retour aux sources et voir si ça marche ; bien que je sois partie, j'étais très jeune, j'avais des images. On pense qu'on a sa place là-bas et c'est ce qui fait le partage des gens. Et, tant qu'on n'a pas fait un choix, parce qu'il faut faire un choix, on ne peut pas vivre avec deux identités en même temps, même pour moi qui suis arrivée à un certain niveau de réflexion, il faut que je choisisse. Et le fait que j'avais décidé d'aller au Maroc, j'ai voulu tenter de choisir, parce que je sentais bien que, de toute façon, le choix était déjà fait. Mais j'étais soulagée, parce que quelque part je voulais être sûre de moi avant de me lancer. Et ça m'a fait du bien, parce qu'une fois que je l'ai tenté, j'étais sûre que c'était ici que ça se passait, c'était pas ailleurs. Les gens vivent avec une blessure et ils se rendent pas compte que le choix est déjà fait pour eux. Mais ils vivent avec la nostalgie ; c'est la nostalgie d'un temps passé.

— *Pas pour ta mère ?*

Aïcha — Ma mère pas vraiment ; elle, c'est la nostalgie d'une certaine complicité entre les femmes, d'un temps de jadis, comme tout le monde. Et souvent quand on discute avec mon père, ma mère, elle voit le côté réaliste du Maroc, mon père, c'est toujours très enjolivé. Elle, elle donne des détails bien précis de ce qui ne va pas ; lui, il occulte tout ça, c'est toujours ce qui va. Alors mon père, il dit tout le temps qu'elle monte ses filles contre le Maroc.

— *Ils s'entendent bien en fait ?*

Aïcha — Oh oui, ils s'entendent très bien ; il y a une très grande complicité entre eux ; mais là, je crois qu'ils sont en train de négocier leur statut.

septembre 1990

Abdelmalek Sayad

L'émancipation

Les entretiens qui sont reproduits, en partie, ici, ont leur propre histoire : trois entretiens successifs de deux heures à trois heures, indépendamment des nombreuses conversations qui, tantôt, les ont précédés (ne serait-ce qu'afin de pouvoir les préparer) et, tantôt, les ont accompagnés et suivis, et qui, de ce fait, ont contribué à mieux en éclairer le sens. Cette enquête découle d'une autre qui l'a précédée et qu'elle a initialement fonction de prolonger et de compléter : nous interrogeant sur les conditions de scolarité des enfants de certaines familles immigrées (marocaines, tunisiennes principalement), il nous a été donné de rencontrer une jeune fille qui venait d'obtenir (en 1986) sa maîtrise de langues appliquées, préparée dans une petite université de province, et qui a bien voulu se prêter à l'enquête. Nous rendant compte alors que l'unité pertinente ici n'était pas l'étudiante, mais la famille entière et l'ensemble des enfants de cette famille, nous avons demandé à nous entretenir, si possible, avec tous les frères et sœurs de l'enquêtée, l'aînée de sa famille. Celle-ci nous offrit de nous faire rencontrer, dans un premier temps, sa sœur aînée Farida, chez qui elle était provisoirement hébergée et qui lui « avait ouvert la voie » bien malgré elle, certes, et sans même qu'elle s'en rende compte.

Cette jeune femme âgée de 35 ans mais qui, faute d'expérience de la vie publique et de la vie active, avait des réactions de jeune adolescente et paraissait au début extrêmement farouche, très méfiante et maladroite, finit, sous l'insistance bien sûr de sa sœur cadette, par consentir au principe d'un entretien qui devait, initialement, porter sur la relation à l'école. Mais ce fut toute son histoire que Farida accepta de relater dans le détail avec une réelle satisfaction et un vif soulagement : l'histoire de sa première enfance, alors que fille d'un père déjà émigré en France, elle a été appelée, pour cette raison et aussi pour raison de guerre, à vivre chez des grands-parents maternels qui habitaient Alger ; l'histoire de son arrivée en France à l'âge des classes maternelles qu'elle ne se rappelle pas avoir fréquentées ; l'histoire de sa scolarité jusqu'à 16 ans, la fin de l'obligation scolaire ; et, ensuite, l'histoire de son « enfermement », de sa « claustration » et, par suite, l'histoire de ses conflits avec sa mère, de sa « haine » pour son père, du report de son affection sur ses frères et sœurs, ses cadets ; l'histoire de ses multiples « déprimes » ainsi que de toutes les résistances de son invention pour « conserver son intégrité mentale » (« ne pas perdre la tête, même si les pieds qui me portent, ça leur a été interdit de marcher ; c'est ça qui compte ») ; et, enfin, l'histoire de son émancipation et les leçons qu'elle tire elle-même de ce parcours qui lui a fait « traverser, comme elle dit, des siècles » en l'espace de deux décennies et lui a fait découvrir rétrospectivement combien, en réalité, fut dense la vie qu'elle a eue, « vie larvée, quasiment végétative…, sans aucun intérêt ni charme…, une vie vide et d'occupation et de signification, une vie dépourvue de sens…

d'où lui viendrait-il ?... ; une vie de désœuvrement..., toute plate où tout se répète..., où les jours, les années ne comptent pas, où il n'y a rien qui fait que les jours et les nuits ne sont pas les mêmes, qu'ils diffèrent entre eux..., une vie sans rien dedans, sans contenu... je ne parle pas seulement des activités – ça, on peut toujours meubler ses journées et même ses nuits si on est insomniaque, son emploi du temps – mais aussi de ce qui se passe dans la tête... dans la pensée ». Vision après coup, c'est vrai. Mais cette vision n'est possible, d'abord, qu'à la condition d'être « sortie de l'*ennui* » pour pouvoir mesurer le chemin parcouru, car auparavant il n'y avait de place que pour un travail de « ressassement..., de ruminant qui rumine toujours la même nourriture... et moi, les mêmes questions : "pourquoi cela, pourquoi cette injustice, qu'ai-je fait au ciel, pourquoi être née dans cette misère..., quelle solution à cette impasse, etc." » ; et, ensuite, à la condition d'être objectivement contrainte d'adopter ce qu'il convient d'appeler une *posture d'auto-analyse* : la réflexion sur soi constitue, dans certaines conditions, la seule réaction de sauvegarde possible. Il est des situations qui, parce qu'elles sont habitées par de très fortes contradictions, imposent pour être comprises qu'on s'interroge à fond. Et c'est, sans doute, parce qu'on sait qu'il n'y a pas à ces situations d'impasse, de solutions instrumentales, « extérieures » sous la forme de recours à des procédures et à des artifices préétablis, et parce qu'on sait aussi qu'il n'est pas possible d'imputer la responsabilité de ces situations à quelque agent bien défini – ce qui exclut jusqu'à l'idée même de révolte –, que le mode d'interrogation qui s'impose en ces cas confine à la recherche de la vérité sociologique ; sauf que la compréhension, apparemment gratuite, qu'on se donne alors de la situation a pour effet de permettre une relative maîtrise de cette situation et constitue alors comme la condition de survie et, ici, la condition de la « résurrection » finale. Si la rencontre de situations inégales renforce souvent le dominant dans son sociocentrisme, elle oblige le dominé (le colonisé, le Noir, le juif, la femme, l'immigré, etc.) à un travail d'éclaircissement de la relation qui est un travail sur soi. C'est une nécessité pratique, qu'on pourrait dire vitale, qui impose l'inclination à la socio-analyse ; cette disposition finit à la longue par constituer une « seconde nature » et oriente tous les faits et gestes de la personne.

Vouloir savoir qui, pourquoi et comment on est ce qu'on est ou, plus prosaïquement, on n'est pas ce que sont les autres, ce n'est pas seulement, dans le cas de Farida, une « recherche de son identité », comme on dit aujourd'hui ; c'est une véritable obsession que ses propres données biographiques (sa naissance n'avait pas été portée à l'état-civil dans les délais, ni même dans la commune effective où elle est née, et le mariage de ses parents non plus) ont contribué à entretenir et à dramatiser à ses yeux : « Il faut donc que je me présente... Qui suis-je ? Je ne sais pas... Je me le demande et ne fais que ça... Même mon âge n'est pas sûr, mon âge ne m'appartient pas... ; jusqu'à ça, c'est faux... C'est à se demander si j'existe, tout le monde a une date de naissance : un jour, un mois, une année... et un anniversaire (...). Même chose pour le lieu de naissance..., celui-là aussi n'existe pas. Je peux m'amuser de tout cela... On m'a parlé d'omission à l'état-civil, quel joli mot ; je suis omise et je vais me mettre à conjuguer (ce que j'ai fait) le verbe omettre à tous les temps et à tous les modes. Voilà un verbe que j'aime…, c'est un verbe qui dit la vérité… » Et à peine, son émancipation accomplie, était-elle libérée de cette obsession, que l'administration vient une fois de plus lui rappeler « la faille et la faute originelles ». En effet, en instance de naturalisation, les services compétents relevant le décalage entre sa date (fictive) de naissance et la date (fictive aussi) du mariage de ses parents, postérieure de trois ans, ont été jusqu'à lui « demander la production de tout document précisant la date du mariage religieux (*sic*) de ses parents ».

De la très longue relation que Farida a donnée de sa vie et des multiples expériences qu'elle a faites du « dédoublement » et du « hiatus » auxquels elle a été contrainte, nous avons pris le parti de ne retenir que les passages qui illustrent l'évolution, somme toute rapide, qui s'est produite dans sa famille et qui a abouti à une reconversion complète à la fois des comportements masculins et féminins, des rapports internes à la famille, de l'économie générale de l'affectivité et des sentiments intrafamiliaux. « Ses parents ont appris leur rôle, ils ont appris à être quelque peu des parents » conviennent les deux sœurs, comme elles conviennent que les agents de cet apprentissage contraint ou voulu – il est à la fois contraint et accepté –, les vrais pédagogues ont été les filles plus que les garçons, l'aînée plus que les cadettes puisque c'est elle qui leur « a ouvert la voie », paradoxalement, en se montrant soumise et résignée au traitement qui lui fut imposé et en ne « prenant sa liberté » que beaucoup plus tard que ses deux autres sœurs – celles-ci ont fait d'assez bonnes études supérieures et ont quitté la maison paternelle dès la fin de leur scolarité : aujourd'hui, l'une est enseignante en Allemagne, et l'autre employée dans le tourisme à Barcelone. La divergence des itinéraires et la responsabilité objective (il n'est nul besoin de l'expliciter, d'en faire l'objet d'un procès, ce dont tout le monde se garde) des parents en cette matière, font qu'une vague impression de culpabilité hante tout le système des relations entre parents et enfants, entre frères et sœurs : entre l'aînée, la « victime » dévouée qu'on a sacrifiée, et ses parents en premier lieu, et aussi entre elles et ses frères et sœurs qui lui vouent une manière de reconnaissance inavouée. C'est sans doute, cette position de victime constituée en une manière de mauvaise conscience, position dans laquelle Farida se complaît, qui lui vaut de se comporter en modèle de « piété filiale », en « meilleure » fille à l'égard de ses parents que tous les autres enfants, notamment les fils. Est-ce là une forme de revanche tout à la fois sur ses parents et sur elle-même, sur son passé (elle est une autodidacte acharnée) ? Savoir pardonner et savoir le montrer apparaît ici comme la forme suprême de la victoire remportée contre les misères de la vie•

avec une jeune Algérienne

— entretien de Abdelmalek Sayad

Farida — J'allais à l'école sans plus, sans savoir ce que c'est... ; et je crois personne ne sait ce que c'est. Comment veux-tu qu'ils sachent, mes parents, ce que c'est. Ils n'ont jamais connu ça. J'allais à l'école parce qu'il fallait, c'est tout. Un peu plus grande, au CES, puisqu'en cinquième j'ai été orientée vers un CAP employée de bureau – on m'a appris la dactylo et un peu de sténo... que j'ai oubliée –, là, les emmerdes ont commencé avec mon père. C'était la surveillance en permanence, j'étais épiée dès que je sortais de la maison. Sortir... c'était sortir pour aller à l'école, de la maison à l'école et de l'école à la maison, c'est tout. Il n'y avait pas d'autre sortie que ça. Et même cette sortie obligée était suspecte. A la fin, j'avais honte, mon père venait m'attendre à la sortie du collège et il m'accompagnait comme une petite fille... Non, pas comme ça. On était jamais ensemble comme lorsqu'on va chercher quelqu'un : lui marchait de son côté, moi du mien comme si on ne se connaissait pas. Et tous les copains et les copines riaient de moi, « tiens voilà ton père ! Tu ne le vois pas ! Tu ne vas pas vers lui... ! » De la fenêtre de la maison, on voyait bien le collège et une partie du chemin, mon père se postait à la fenêtre pour m'observer. Je ne sais pas comment il n'a pas pensé à acheter des jumelles pour ça... Les choses ont beaucoup changé depuis mon temps, c'est à peine croyable. Les choses vont quand même vite. De mon temps, l'obsession de mon père, il le disait à tout le monde, j'ai entendu ça plusieurs fois, « il n'est pas question qu'on voie ma fille dans le bus, je ne saurais où me mettre ! » Il allait jusqu'à dire qu'il se tuerait si cela lui arrivait. Et je le croyais, tout le monde le croyait. C'était comme un chantage..., un chantage qui n'a servi à rien sinon à gâcher la vie pendant des années ; moi, ça m'a fait perdre beaucoup de temps. Et effectivement, tout ce que j'entendais à l'époque, c'était, « on a vu la femme d'un tel... on vu la fille de tel autre..., dans la rue, au marché, dans le bus ! » Donc les quelques-unes qu'il y avait, il fallait pas qu'on les voie. C'était la honte, il y allait de leur honneur comme ils disaient. Donc se cacher, se cacher et ne faire que ça en attendant que les murs de la maison se ferment et cachent plus sûrement. C'est de cela dont j'ai le plus souffert. Mon père, ma dernière année de l'école, a été jusqu'à me trouver un chemin que personne ne prenait, qui faisait un long détour, qui n'était pas sûr du tout, surtout l'hiver, mon père m'obligeait à passer par là. Tout ça pour ne pas qu'on dise qu'on a vu la fille de monsieur. C'est blessant pour son amour-propre..

— A te voir aujourd'hui, j'ai peine à imaginer ça. Quel chemin parcouru par tout le monde ! Tu as raison de dire que les choses ont changé et que c'est à peine croyable.

Farida — Ce n'est pas fini. quand je me mets à passer tout en revue, ce qui me fait mal maintenant que j'en suis sortie, si on peut appeler ça s'en sortir, c'est que ça n'a servi à rien, tout l'acharnement de mon père, alors que de son point de vue, il croyait bien faire, ça a été pour quel résultat ? Zéro ! Aujourd'hui, je crois que c'est lui qui est plutôt à plaindre. Au fond de lui, j'aimerais bien savoir ce qu'il en pense aujourd'hui. Regrette-t-il ou pas ? Je ne sais pas. Mais je ne pense pas. Je le connais assez : il a sa morale et il est sûr de sa morale ; c'est sa morale qui l'a lâché, c'est pas lui qui va lâcher sa morale, mais alors comment nous voit-il aujourd'hui mes sœurs et moi ? Même ma mère, même mes frères, ce n'est pas ce qu'il aurait souhaité. Maintenant je me balade, je voyage, je rentre de nuit, je sors et promène même ma mère, je l'emmène au cinéma, je lui fais faire du tourisme, je l'emmène au restaurant, je lui ai fait prendre le bateau-mouche sur la Seine.

— De ce passé, qu'est-ce que tu regrettes le plus ?

Farida — Ce que je regrette le plus, c'est l'école. Je n'ai jamais été soutenue. Bien sûr, j'étais l'aînée ; il y avait personne avant moi, personne pour me guider et maintenant après coup..., je peux dire personne pour apprendre aux parents qu'est-ce que c'est que l'école. Ils ont appris depuis si je dois juger d'après la suite. Quand je pense, et c'est ça qui me fait encore mal, qu'il y a quelques années seulement, il y a seulement 10-12 ans, passer la tête par la fenêtre me valait une paire de baffes, maintenant je peux aller à la plage et revenir, faire sécher mon maillot sans qu'on trouve à redire.

— Qu'est-ce que c'est que cette affaire de tête à la fenêtre et de gifles reçues ?

Farida — Oh ! un incident. Il y a longtemps, c'était l'année qui a suivi la fin de ma scolarité, donc 17 ans. De la maison, j'entends mon petit frère dans la rue pleurer. Je passe la tête à la fenêtre pour voir ce que c'est. Évidemment, on m'a vue : un parent, quelqu'un de la famille, un cousin que mon père pourtant n'aimait pas et lui, non plus, ne nous aimait pas – c'est sans doute pour ça – et qu'il ne parle pas à mon père, ce jour-là dès qu'il l'a vu, il se dépêche de lui dire, « j'ai vu ta fille regarder par la fenêtre... ». Je comprends ce qu'a pu être la colère de mon père de se voir rapporter cela et donc reprocher cela. Mon père rentre à la maison et sans que je sache pourquoi, il me fout une paire de gifles. Ce que je l'ai détesté. Jusqu'à maintenant, quand je me souviens de ça, ça me fait encore mal. Une autre fois – et pourtant on habitait dans une maison retirée presque à la campagne –, un matin, je voulais me laver la tête, je me rends compte qu'il n'y a pas de shampooing. Rapidement, en faisant bien attention, je franchis la porte, ma mère me voyait et surveillait, je cours et traverse la rue à peine : une petite vieille tenait une épicerie de rien du tout, c'était presque une baraque. J'achète une dose de shampooing ; à l'époque, on vendait comme de petits berlingots. Le temps que j'achète mon shampooing et je rentre à la maison. Là encore, bien sûr, on m'a vue et bien sûr, on a été le rapporter à mon père. Ça a été tout le temps comme ça. (...) Au fur et à mesure que le temps passe, que mes frères et sœurs surtout ont grandi, sont devenus adultes, tout s'est transformé. Donc, on ne pouvait plus m'imposer ce qu'on a fini par lâcher pour les autres, pour les cadets. C'est comme ça que ça s'est passé. Maintenant, comment j'ai vécu toute cette période ? Dans l'ombre, un trou noir dans ma vie. Un trou noir, au sens vrai. Il n'y avait plus de différence pour moi entre la nuit et le jour, je préférais encore la nuit parce que ça me permettait d'être seule. J'ai réglé ma vie, mon emploi du temps de telle sorte que je pouvais être seule 24 heures sur 24 au milieu de tout le monde, je pouvais rester des jours et des jours sans parler, sans avoir besoin de dire un mot, ni qu'on me dise un mot. Muette et sourde. Je savais ce que j'avais à faire dans la journée, j'avais pris ma part des travaux de la maison : réveiller mes frères et sœurs quand ils étaient petits, leur faire faire leur toilette, petit déjeuner ; ensuite faire le ménage dans la maison, la vaisselle après le repas. Cela fait, je m'enfermais dans ma chambre et personne ne rentrait ; tout cela sans un mot, je ne parlais à personne, je ne disais pas un mot. C'était surtout ce silence qui me faisait mal. Je me consolais avec mes frères et sœurs tant qu'ils étaient petits, c'était tout.

On m'appelait la panthère

— *Quel type de relations tu avais avec tes parents, surtout avec ta mère, puisque vous étiez toutes les deux à la maison en permanence, face à face ?*

Farida — Avec mon père, rien; c'est comme s'il n'existait pas pour moi et, pour lui, je pense, c'est comme si je n'existais pas. C'est curieux ; il existe pour moi à travers ma mère, ce que m'en dit ma mère, c'est-à-dire, à peu près, ceci, « ton père m'a dit..., ton père pense que..., ton père veut que..., ton père demande que..., que va penser, que va dire ton père..., fais attention que ton père le sache..., il ne faut pas que ton père sache que... », etc. Ce n'étaient que des choses comme ça. De la même manière, je suppose, je n'existe pour lui qu'à travers ce que ma mère lui dit... ou à travers ce qu'ils se disent entre eux quand il est question de moi. Avec ma mère, c'était l'opposition. Je ne pouvais m'en prendre qu'à elle. A la fin, on ne s'adressait plus la parole. Je la tenais pour responsable de tout, je la trouvais pire que mon père, plus répressive... ; c'est normal, c'est à elle qu'il appartient de veiller à tout..., à la bonne conduite de sa fille. J'entends mon père lui dire, « c'est ta fille... » ou « ta fille est comme ça..., pense comme ça..., a fait comme ça... » ; donc c'est sa faute à elle en tant que mère de cette fille. Quand j'y pense maintenant !... J'étais un souillon, j'étais sale, je devais sentir mauvais ; je ne me lavais pas, un vrai souillon. J'étais toujours avec mon tablier... de cuisine, je ne me déshabillais pas, même pas pour dormir; je ne me changeais pas. Je ne mangeais pas non plus..., j'avais des crises d'anorexie ou alors je mangeais n'importe quoi, debout..., jamais à table, à l'heure du repas, avec tout le monde. A la fin, j'étais devenue insomniaque, je ne dormais plus, plusieurs nuits consécutives sans fermer l'œil. Je n'avais plus la notion du temps : quel jour, on était ou quel mois; je m'en foutais. Je crois que j'ai fait exprès d'ignorer ça, je lisais le journal sans regarder la date; le jour ou la nuit, c'est la même chose, j'étais toujours dans le noir ou à la lumière électrique, je n'ouvrais jamais les volets de ma chambre. Ça, c'est vrai, c'était le seul privilège qu'on m'a accordé, ils ne pouvaient pas faire autrement : j'avais une chambre, ma chambre à moi toute seule, pour le jour et pour la nuit, je ne la partageais avec aucune autre de mes sœurs. Avec ma mère donc, on se regardait en chiens de faïence. Je me défoulais sur elle, c'est tout ce que je pouvais faire. J'ai toujours été agressive, on l'aurait été à moins, que ça... Et il en reste toujours quelque chose..., tu l'as constaté à tes dépens [*rires*]. J'étais toutes griffes dehors. On m'appelait, mes frères et sœurs m'appelaient la panthère. Pourtant, il n'y avait qu'avec eux qu'il y avait un minimum de dialogue, un peu de complicité.

— *Garçons comme filles, tes frères comme tes sœurs.*

Farida — Dans l'ensemble, oui. Je dirais même mes frères plus que mes sœurs, puisque mes frères étaient plus grands, deux frères qui viennent juste derrière moi. A leur manière, sans qu'ils s'en rendent compte, ils m'ont beaucoup aidée.

— *Bon, laissons ça de côté, continuons sur ta mère, les relations avec ta mère.*

Farida — Les relations avec ma mère..., elles étaient d'hostilité permanente, pas de haine. La haine... j'ai honte de le dire, c'était à l'égard de mon père... Je l'ai vraiment détesté. Aujourd'hui encore, quand je vais à la maison, si je pouvais faire de telle sorte que je ne le voie pas, je le ferais. D'ailleurs, c'est réciproque. Je suppose que lui aussi ça l'arrange comme ça. C'est une autre manière de mensonge. Comme ça, il fait semblant de tout ignorer, ignorer que j'ai quitté la maison ; que j'habite toute seule, c'est-à-dire pas mariée, ailleurs ; que je vis ma vie, quoi (...). Mais avec ma mère, c'était la dispute en permanence. J'étais agressive avec elle comme avec tout le monde et cela a l'art de la mettre en boule, ce qui redoublait mon agressivité. Je n'avais de cesse que lorsque je l'ai faite pleurer et je me sauvais dans ma chambre pour pleurer moi-même. Pour elle, j'étais un monstre et, effectivement, j'agissais comme un monstre avec elle...

— *Ça dure toujours... ?*

Farida — Oh ! non. Maintenant, on s'adore. C'est comme si chacune voulait se rattraper, se faire pardonner, se racheter de ce qu'elle a fait à l'autre. Maintenant, ma mère ne jure que sur moi. Elle a ses raisons, je te les dirai après. Auparavant, elle me maudissait, elle me prédisait les pires choses, elle les souhaitait, elle les appelait sur ma tête comme elle disait : c'était la malédiction... J'ai entendu même ma mère se plaindre, pleurer, « qu'est-ce que j'ai fait à Dieu pour m'avoir affligée d'une telle fille ? » Elle utilise d'ailleurs le même mot, « pour m'avoir maudite avec une fille pareille ! Pour m'avoir punie de la sorte ! ». Et certainement, qu'elle adressait ses prières à Dieu pour lui pardonner on ne sait, elle ne sait quelle faute elle aurait commise pour avoir enfanté d'un tel monstre ! J'étais le mal en personne, le mal lui-même... C'est vrai. Et il ne fallait pas que je contamine mes sœurs plus petites. C'était l'obsession de ma mère, ma mère avait beaucoup d'obsessions.

— *Quelles étaient ses autres obsessions ?*

Farida — L'obsession de ma mère, c'est l'école. Tout ça, c'est la faute de l'école. C'est parce que j'ai été à l'école jusqu'à 16 ans. 16 ans seulement, pas un jour de plus. Et quelle école ! Une école de rien du tout. Mais malgré ça, c'est l'école qui « m'a tourné la tête » comme dit ma mère. Et de jurer, qu'elle ne se laissera pas faire, qu'on ne l'aura pas encore une autre fois avec mes autres sœurs, qu'elle les retirerait de l'école avant l'âge. [*Gros éclat de rires.*] Quand je pense à ça maintenant... Alors qu'elles ont fait de brillantes universités, l'une enseigne le français dans un lycée en Allemagne, à Francfort, l'autre travaille à Barcelone, en Espagne, dans le tourisme ! voilà ce que ça devient. Et dire que ma mère en est toute fière aujourd'hui, fière de ses filles plus que de ses garçons lesquels traînent à la maison, alors que les filles travaillent et ont toutes quitté la maison, la dernière c'est moi, je suis toujours la dernière. Ils ont tous fait des LEP seulement, et ils vivotent misérablement. Mais n'empêche que cela a agi sur moi comme un chantage. Combien de fois l'idée m'était venue de fuguer. Non, pas tout à fait. La fugue, je n'ai jamais été d'accord avec ça. Ça finit toujours mal. Je connais beaucoup de filles qu'on a élevées comme moi, des parentes ou des voisines, et qui ont choisi de fuguer. Elles ont toutes mal tourné parce qu'elles n'avaient pas les moyens – d'où leur viendraient-ils quand on a été enfermées toute sa vie à la maison – de s'en tirer, ni métier, ni même l'idée de ce que c'est que le travail, ni hébergement, ni relations, ni aide d'où qu'elle vienne, de personnes qu'on connaît ou de services, assistantes sociales, chômage, qu'elles ne connaissent pas. Fugue, non. Mais j'ai pensé faire un coup d'éclat, une vraie révolte, et claquer la porte au su et au vu de tout le monde, en ayant préparé mon point de chute... Ce que j'ai d'ailleurs fait plus tard, mais plus souplement, les circonstances étaient différentes. Mais j'ai cru aux menaces de ma mère et j'avais peur qu'elles retombent sur mes autres sœurs. Sincèrement, j'ai cru à la forme de chantage de ma mère. (...) Si je devais dire tout ce que j'avais à dire. J'avais commencé par écrire des choses dans mes insomnies, dans mes crises de larmes, de cafard, de déprime. Et puis, j'ai tout brûlé. Ça ne sert à rien, et puis j'avais peur que ça tombe entre les mains de quelqu'un, mes frères ou mes sœurs. Je voulais leur éviter ça, leur éviter de savoir. Et puis, c'est choses personnelles.

Il fallait que je réapprenne tout

— *Cela a dû te massacrer au moral et au physique.*

Farida — Le massacre y est. Et c'est quand je suis partie de là que je me suis rendu compte des dégâts, du massacre comme tu dis. Il fallait que je réapprenne tout… Non, que j'apprenne tout. A parler normalement, à écouter sans trembler ; à écouter et à réfléchir en même temps, chose que je n'ai jamais apprise à faire, je ne savais ni écouter, ni réfléchir ce qu'on me dit puisque je n'écoutais pas. J'ai appris à marcher, à fréquenter les gens et non pas à me sauver ; à vivre, enfin. Il reste encore quelque chose : j'ai horreur des espaces publics, j'ai mis longtemps avant de me décider à aller au cinéma – le cinéma, ce lieu de perdition, ce lieu où on est seul mais au milieu d'une foule, dans le noir, à regarder des choses qui ne sont pas toujours très « catholiques » ! Toute seule, de moi-même, je n'irai jamais au restaurant, je n'ai jamais appris à manger en public. Il m'a fallu toute une rééducation, un grand effort sur moi…, que j'apprenne ce que tous les autres font naturellement. Cela n'a pas été naturel pour moi. J'ai demandé à me faire embaucher une fois dans la maison de repos où j'étais comme femme de chambre. Ça a failli se faire, mais il y avait les problèmes de Sécurité sociale et de congé de maladie. Je marchais à coup de drogues, des drogues médicales, des antidépressifs, et des drogues à moi.

— *Quelles sont tes drogues à toi ?*

Farida — Ma drogue à moi…, c'était la lecture. J'ai lu énormément. Je passais mes nuits d'insomnie à lire. Au début, quand mes frères et sœurs étaient petits, il n'y avait pratiquement rien à lire à la maison, pas même de journaux. Je gardais les feuilles de journaux qui ont servi à emballer la laitue chez le marchand de légumes, je les lisais et relisais. Ensuite, une fille de nos voisins, on était à peu près du même âge, me passait des journaux, des magazines, des journaux féminins surtout, quelques livres qu'elle avait chez elle. Plus tard, c'étaient mes frères qui me ramenaient des choses, pas très importantes, mais au moins les journaux, les revues, les livres qui traînaient, des policiers et même des romans… un peu porno. Mais surtout mes sœurs. Je lisais tout ce qu'elles ramenaient à la maison, même les livres de classe et évidemment les romans et toute la littérature qu'elles lisaient. Mais avant ça, j'avais demandé à cette voisine d'aller s'inscrire à la bibliothèque municipale. Elle a fait ça. Je ne choisissais même pas ce qu'elle m'apportait, « tu vas, tu rentres, tu prends les trois livres qui te tombent sous la main et tu me les ramènes, puisqu'on a droit à sortir trois livres à chaque fois. » C'est comme ça que j'ai beaucoup lu ; que je comprenais ou pas, je lisais tout quand même. Ça m'a fait beaucoup de bien. Pas seulement sur le moment. si ce n'était pas ça, je crois que j'aurais tout oublié, je ne saurais plus parler français puisque à la maison on ne parlait pas le français, on ne prononçait même pas un mot. Il a fallu que tous les enfants soient devenus grands pour qu'on parle entre nous, tout naturellement, le français et rien qu'en français. Maintenant, tout le monde trouve ça normal. Voilà encore une chose qui a bien changé. Et au grand dam… des parents bien sûr. Même ma mère parle maintenant français… et elle le parle sans accent, elle le parle même bien, elle le parle mieux que mon père en tout cas. Donc c'est pas seulement pour parler que ça m'a rendu service, c'est aussi pour écrire. Car à l'école, quand tu n'as fait qu'un CAP, un CAP d'employée de bureau, ça ou rien, c'est la même chose, c'est pas ça qui va t'apprendre à écrire. Aujourd'hui, sans me vanter, dans un travail, je passe pour l'une qui sait le mieux rédiger et en tout cas sans aucune faute d'orthographe et surtout pas des fautes de grammaire. Donc, c'est pas l'école qui m'a appris ça, c'est la lecture… Ma foi, à quelque chose malheur fut bon. C'est ce qu'il faut que je me dise maintenant.

— *Comment s'est passée votre réconciliation ? Ce grand amour nouveau, tu m'as dit que c'était comme s'il fallait que vous vous fassiez pardonner mutuellement tout le mal que vous vous êtes fait l'une à l'autre, comment, par quoi se manifeste ce grand amour ?*

Farida — La réconciliation, elle s'est faite toute seule. Dès lors que j'ai quitté la maison, et que tout le monde semble avoir accepté cela, la vérité, c'est que tout cela s'est produit petit à petit, au fur et à mesure des changements qui se sont produits dans la famille. Si moi, la première, j'ai essuyé tous les plâtres, ce sont mes frères et sœurs, la suite après moi surtout mes sœurs, ce sont elles qui ont introduit les changements qui m'ont permis, plus tard qu'elles, de me libérer, car c'est une vraie libération. Moi, mes frères, je leur dois une fière chandelle, contrairement à tout ce qu'on dit des frères. Au fond d'eux-mêmes, ce qui a peut-être le plus ébranlé mes parents, ce qui les a peut-être déroutés encore plus, c'est quand ils se sont rendu compte que même les garçons, leurs fils, ne les ont pas suivis, ne partageaient pas leur point de vue. Ma mère a toujours été étonnée de la liberté qu'il y avait entre nous, entre mes frères et moi. Sans rien dire, sans s'opposer aux parents et peut-être sans qu'ils le sachent eux-mêmes, ils m'ont drôlement soutenue. Sans prendre parti pour moi, ce qui n'aurait servi à rien, ils étaient tout naturellement de mon côté, il suffisait qu'ils fassent les choses, qu'ils se conduisent le plus naturellement du monde. Parce que d'une certaine façon, nous étions complices, mes frères – plus que mes sœurs – étaient devenus mes alliés. Ça, ça a dérouté totalement mes parents ; eux qui s'attendaient, sans doute, à ce que leurs fils jouent aux redresseurs, aux censeurs, épousent leur point de vue, ma mère voulait se reposer sur eux, « tu verras, quand tes frères seront plus grands, ils te dresseront ! », comme elle dit parce que pour elle, j'étais tordue (mà aw ja) ; « tu ne perds rien à attendre..., je n'aimerais pas être à ta place et ce sera bien fait pour toi... » Là encore, elle s'est foutue dedans, le doigt dans l'œil. Est-ce qu'elle a été déçue ? Elle n'a même pas eu le temps de réaliser la chose et, certainement aujourd'hui, elle dira que tout ça est faux : jamais elle n'a pensé ça. Comme mon père. On transforme les choses quand tout se trouve changé. Même le travail, je me rappelle à mes 16 ans, à des parents qu'essayaient de le raisonner, mon père leur a juré que jamais sa fille ne travaillerait de son vivant à lui. Et aujourd'hui, si j'ai mis près de 15 ans pour commencer à travailler, si je ne suis qu'une minable secrétaire dans une entreprise, c'est parce que j'ai été incapable de faire de l'enseignement supérieur comme mes autres sœurs plus jeunes, alors qu'il ne savait même pas ce qu'est l'enseignement supérieur, si seulement ça existe.

— *Comment se manifestent la réconciliation avec ta mère et, surtout, les signes de cet amour nouveau, « on s'adore... » tu m'avais dit ?*

Farida — Oui. Il faut dire que ma mère est gravement malade. Ça faisait déjà quelque temps, elle a maigri, elle se traîne à la maison, elle ne mange pas, elle vomissait tout le temps. Et pour les soins, c'était la visite chez le docteur du coin, qui donnait chaque fois une liste de médicaments comme ça, sans trop savoir ce que c'est. Je téléphonais tous les soirs à la maison pour avoir des nouvelles. Il a fallu qu'à l'extrême limite, ma mère se fasse hospitaliser sérieusement et qu'on n'arrête pas de lui faire subir des examens partout de toutes sortes, qu'on la regarde sur toutes les coutures, cela m'a inquiétée.

[*Sa mère est hospitalisée. On découvre que, elle qui n'a jamais bu une goutte d'alcool, a une cirrhose du foie.*]

Farida — Pendant tout ce temps, toutes les fois que ma mère doit courir les hôpitaux, elle vient et elle s'installe chez moi ; elle est mon invitée et elle joue très bien ce rôle. C'est là que je t'ai dit que je l'ai emmenée au cinéma – pour qu'elle voie que ce n'est pas le diable, j'ai bien sûr bien choisi le film à lui montrer, à la maison on ne regarde jamais la télé autrement que pour les informations –, au restaurant, en bateau-mouche. Je crois que ça lui a fait quelque chose ; ce ne sont pas ses fils qui se sont occupés d'elle, non seulement ils ne pouvaient rien faire puisqu'ils vivent toujours à ses crochets mais, en plus de ça, c'est à peine s'ils lui demandent de ses nouvelles, ils vivent avec elle, ils la voient tous les jours, donc pour eux les choses vont de soi. Il faut même que je les secoue pour leur faire prendre conscience que c'est pas une petite chose, que c'est très grave. Mon père a fini, lui, par le savoir ; ma mère, bien sûr, a dû le lui dire. Paraît-il, il aurait eu cette réflexion, « maintenant je sais, je sais sur qui je peux compter. S'il m'arrivait quelque chose, je suis sûr que c'est encore elle (c'est-à-dire moi) que je trouverais à mes côtés ! » C'est à peine croyable ça !
[…]

J'ai mis le paquet, j'ai bossé

— Il reste une chose pour tout comprendre. Comment tu as quitté la maison ? Comment tu as fait pour trouver du travail à une époque où il était déjà difficile de se faire embaucher même quand on a déjà de l'expérience ? Comment tu as fait pour trouver un logement ? Qui t'a aidée ? A la maison, est-ce que quelqu'un t'a aidée, en t'avançant de l'argent par exemple, etc. ?
Farida — Non. Rien de tout ça. Le prétexte fut une cousine. Elle

était déjà une femme, mariée, avec des gosses. Elle aussi, elle en avait bavé. On est toutes comme ça. Il y a peut-être la génération de maintenant, les filles qui n'ont que 15-16 ans maintenant, qui sont nées ici, qui semblent s'en tirer, qui peuvent être épargnées par tout ce que nous avons vécu, nous les aînées qui sommes arrivées en France les premières, les premières familles. Nous, il nous fallait faire l'éducation de nos parents [*rires*]. Et ce sont les plus jeunes qui ont bénéficié de ce travail. Tant mieux pour elles. (...) Elle était donc venue chez mes parents deux ou trois fois et, en discutant de choses et d'autres, elle me dit, « pourquoi tu ne viendrais pas chez moi pour quelques jours, ça te changera, ça te fera sortir d'ici et voir un peu l'air ? » Aucune réaction de mes parents ; ni oui ni non, c'est comme s'ils n'avaient rien entendu, pas même merci, aucune protestation même de politesse. Je me le suis tenu pour dit. Il n'y avait eu aucune connivence entre nous deux. Deux jours après, le jour de son départ, elle est passée dire au revoir à mes parents, ma valise était prête. Je me suis retrouvée chez elle et je me suis dit que si je voulais m'en sortir, c'était le moment. J'ai couru toutes les possibilités, annonces, ANPE, stages. A l'ANPE, ils m'avaient guidée sur un stage de deux mois de secrétariat. Et de plus, un stage rémunéré. Ça m'a fait rentrer un peu d'argent. J'ai mis le paquet, j'ai bossé comme pas possible. Y avait pas un vrai classement, mais ils faisaient une évaluation, paraît-il, j'ai été la première. Tout de suite, on m'a proposé un stage plus long, de dix mois, d'un niveau supérieur et plus qualifié, un stage rémunéré aussi. Je suis restée chez cette cousine presque un mois. J'ai cherché et j'ai trouvé une place dans un foyer à Paris, j'ai fait comme ça trois foyers en deux ans. A la suite de mon stage ANPE, j'ai été placée. Je n'avais pas le choix, je n'ai été exigeante ni sur les horaires ni sur le lieu de travail, pas même sur les salaires. J'étais tellement contente de voir que je pouvais m'en tirer, que je pouvais vivre autonome, par mon travail, chez moi... ; c'est le rêve ! Ensuite, j'ai trouvé une chambre pas très cher dans Paris, mais elle était sordide. Ça fait rien. Je n'ai jamais connu le chômage. Entre le boulot et les boîtes d'intérim, j'ai toujours travaillé.

[...]

— *Et aujourd'hui, tu travailles ?*

Farida — Oui, j'ai toujours mon travail. Il faut que je décroche de manière reconnue la qualification de secrétaire de direction. J'ai toujours fait ça, sans que ce soit reconnu. Il me faut maîtriser l'anglais. Je m'y applique. Je prends des cours au Conservatoire des arts et métiers. Je suis en train de combiner une chose : m'inscrire à l'ASSEDIC, et leur demander une formation-qualification en anglais. Voilà. Je crois que maintenant, tu sais tout de moi. Je ne sais pas ce que tu vas faire de tout ça. Mais je devine. Je serais curieuse de lire ça…, le portrait que tu ferais de moi ; ce ne sera pas joli.

1990

François Bonvin

Le malade objet

Née il y a 50 ans, avec une maladie qui a gravement contrarié le développement de ses membres et de sa colonne vertébrale, Isabelle a toujours connu une vie de handicapée. Elle a ainsi été écartée, pour les études, le mariage, la profession, de l'avenir qui, comme le suggère le destin de ses sœurs, aurait pu être le sien dans la petite aristocratie rurale dont elle est issue. Aux yeux de ses proches, son handicap la prédestinait à reprendre la position occupée par plusieurs de ses tantes restées célibataires et à veiller à la conservation du patrimoine symbolique de la famille, entamé par divers malheurs, dont ceux de la guerre.

Mais une série de rencontres hors de son milieu familial, d'abord dans une colonie de vacances pour jeunes handicapés, où certains animateurs, eux-mêmes handicapés, lui offraient des modèles de mise à distance des attentes familiales, plus tard dans un emploi obtenu par relations, lui ont permis d'échapper à la tutelle de la famille, toujours prête à définir à sa place ce dont elle est capable ou incapable, ce qu'il convient ou ne convient pas qu'elle désire, espère ou entreprenne. Elle conquiert ainsi peu à peu une forme d'existence jusque-là impensable, aussi bien pour elle-même que pour sa famille : un poste de répétitrice dans une école privée autrefois subventionnée par sa famille l'amène à résider loin de chez elle et lui procure l'indépendance financière ; l'obtention du permis de conduire sur un véhicule spécialement aménagé lui permet de se déplacer librement et sans aucune aide ; une maison léguée par une de ses tantes lui offre la possibilité de mener sa vie hors des regards de sa famille et de nouer des relations dans des univers étrangers à son milieu d'origine. Tout cela au prix d'une lutte obstinée pour dépasser les limites dans lesquelles l'enferme son handicap et qui se rappellent sans cesse à elle à travers les conseils, les attentions, les prévenances, jusque dans le regard de ses proches et de tous ceux qu'elle côtoie.

Cette lutte permanente a développé en elle une disposition remarquable à organiser sa vie de façon à devancer les projets des autres, trouver appuis et ressources hors de sa famille proche et être toujours en avance d'une initiative. C'est sans doute cette disposition qui est à l'œuvre dans sa manière d'organiser et de vivre une nouvelle étape de son existence, la longue série d'interventions chirurgicales qui, prévenant l'usure précoce de ses articulations, devrait lui permettre de se déplacer sans cannes anglaises. C'est ainsi qu'elle s'adresse au « sommet de toutes les compétences médicales », parvenant à retenir sur son cas l'attention des plus grands noms de la chirurgie. Mais si son opération, prouesse de la chirurgie, est l'occasion pour elle de nouer avec le corps médical, au moins lors des préliminaires, des relations individualisées et gratifiantes destinées à lui procurer toutes les garanties possibles, très vite elle doit se heurter à la dure et prosaïque réalité de l'hospitalisation, puis de la rééducation. La situation de dépendance totale imposée par l'hôpital, où les malades voient d'ordinaire une simple parenthèse dans leur vie, devient pour elle, toujours menacée de dépendance, une épreuve inacceptable.

Son aptitude à gérer les limites de sa dépendance, sa maîtrise dans l'art d'anticiper les risques, de prendre les devants (ainsi, par exemple, elle « réconforte » la première certaines infirmières), aiguisent sa perception des situations et font d'elle un révélateur de la logique nue de l'hôpital : le malade avec sa souffrance, ses demandes, apparaît comme un des obstacles au bon fonctionnement d'une institution qui, du médecin au personnel soignant, attend de lui une remise de soi et une soumission entières. Les formes brutales de la dépendance hospitalière réactivent les craintes de régression inscrites dans les conquêtes toujours fragiles et provisoires des handicapés : leur corps peut faire défaut au sens propre ; mais il peut à tout instant trahir et ruiner les espérances conçues comme en dépit de lui, puisque c'est la condition du handicapé de se trouver éventuellement renvoyé, « ravalé », comme elle dit, à ses particularités physiques, à chaque nouvelle confrontation, le regard des professionnels de la santé, avec sa tranquille accoutumance, ayant peut-être l'efficacité redoutable d'un principe de réalité.

avec une femme hospitalisée

— *entretien de François Bonvin*

« On est vraiment un fétu de paille »

— *Le projet d'opération tel qu'on vous l'a proposé, qu'est-ce que c'était au juste ?*

Isabelle — On ne m'a pas proposé, c'est moi qui suis allée demander. On m'a proposé à la suite d'un état de perplexité dans lequel je me trouvais.

— *C'est-à-dire ?*

Isabelle — En fait personne ne savait ce qu'on pouvait me conseiller et j'ai compris, à travers les derniers mois de l'année 90, que ça commençait à vraiment mal tourner pour moi parce que ce que je croyais être une périarthrite était, en fait, une destruction définitive des cartilages déjà très atteints et que, finalement, si j'allais voir un chirurgien, comme on me le conseillait, le chirurgien allait naturellement me dire que l'épaule pouvait s'opérer. Or je crois que ça n'allait pas résoudre mon problème d'autonomie. Donc, prudemment, je ne suis pas allée voir ce chirurgien des membres supérieurs et, quand je suis allée passer un mois dans une ville thermale, après avoir fait faire une infiltration de cortisone, j'ai constaté que l'inflammation avait un peu disparu mais très peu, et que de toute façon on ne pouvait pas jouer indéfiniment avec la cortisone, que c'était un médicament qui peut être épatant mais qu'il faut doser très doucement ; et j'ai compris que, ma foi, c'était fichu, qu'il allait falloir que je change complètement ma manière de vivre. J'étais complètement virée depuis plusieurs mois, je ne pouvais plus bouger, plus conduire, je pouvais plus marcher, j'allais terminer à quatre pattes. Ça ça n'aurait pas marché, je ne sais pas ce qui se serait passé. C'était pas possible. J'ai cherché qui je pouvais aller voir et on m'a indiqué un professeur dont la spécialité était le cartilage. Alors ça, ça a été pour moi une découverte, parce que je ne savais pas que ça pouvait exister. Alors, naturellement, je me suis précipitée pour aller le voir et, comme je suis tombée sur un type qui était extrêmement sympathique, j'ai tout de suite accepté ce qu'il m'a proposé (...). Lui m'a dit, « mais votre histoire, qui est donc cette histoire génétique, en fait ressemble aux polyarthrites évolutives soignées au long cours par des corticoïdes qui détruisent les cartilages et les tendons, mais on ne le savait pas au début. Grosso modo, on peut dire que le résultat est le même pour vous que pour ces gens-là ».

— *C'est lui qui vous a examinée en premier et qui vous a conseillée ?*

Isabelle — Oui, enfin qui m'a examinée, bof ! De toute façon, c'est visible tout de suite. Parce qu'il connaît très bien, en fait j'ai tout de suite touché le sommet de toutes les compétences médicales. Mon pif m'a emmenée comme ça à travers le docteur Baron qui est généticien. En fait, le professeur Strauss, il fallait trois mois pour avoir un rendez-vous, plus une introduction avec un rhumatologue, enfin..., bon j'ai ramé comme je sais pas quoi en disant, « écoutez, mon histoire est quand même assez claire, je ne veux pas aller revoir un rhumatologue, que d'ailleurs je ne connais pas, et qui va me faire je ne sais pas quoi et qui va me dire je ne sais pas quoi ». Alors, à tout hasard, j'avais gardé contact avec le docteur Baron et, quand je lui ai dit que mon épaule était complètement esquintée, je lui ai dit, « écoutez, il y a quand même peut-être quelque chose, je sais pas qui, je sais pas quoi, qu'est-ce qu'on peut faire, qui on peut aller voir. Est-ce que vous connaissez le professeur Strauss ? ». Et il m'a dit, « mais oui, bien sûr, c'est un de mes amis, je vous fais une lettre tout de suite ». Et trois jours plus tard j'ai eu rendez-vous. Je suis arrivée en pleine grève d'infirmières, il n'y avait personne à l'hôpital, je suis arrivée là comme un fantôme, j'ai été reçue pendant une heure, on a parlé de peinture et de tout et de rien et puis, entre deux, il me disait, « mais, vous, vous ne pouvez pas rester comme ça, c'est pas possible, vous ne pouvez pas rester assise, vous n'êtes pas quelqu'un qui va rester assis, ça ne va pas. Au fond, on mettrait quatre prothèses, allez hop ! ». Alors moi je commençais à avoir les yeux qui papillotaient et j'ai dit, « sérieusement, quatre prothèses ? » et il m'a dit, « oui, quatre prothèses, mais oui ». Et puis après on s'est remis à parler de tout, de la vie, des événements, de tout sauf de questions médicales. Et puis, entre deux il me replaçait ça. Et puis voilà, il m'a dit, « je crois qu'à ce moment-là je vous remets debout. Vous avez les jambes droites, vous pouvez remarcher, vous ne vous appuyez plus sur les épaules, et puis c'est reparti pour dix ans et puis après ça on verra bien ». Alors je suis rentrée chez moi ; comme de toute façon il faisait appel à de meilleures choses que les autres médecins, qui vous parlent d'allocations adultes handicapés, d'assistantes sociales, de choses absolument follement drôles, lui il s'est mis à me parler de tout un tas de choses qui activaient la vie au moins, alors je me suis dit que c'était dans ce sens-là que ça devait marcher.

— Donc ça, ça vous a décidée.

Isabelle — Ah, oui ça m'a complètement décidée. Ce qui m'a décidée c'est le contact avec lui, parce que, en fait, la proposition des prothèses m'avait déjà été faite et j'ai répondu au chirurgien et au kiné qui m'avaient proposé, « vous êtes complètement malades de proposer des trucs comme ça, c'est malhonnête de proposer des choses comme ça alors que, pendant ce temps-là, vous traitez les gens avec une ambiguïté que je n'aime pas du tout ». (...) C'était vraiment pas drôle. Ils étaient d'une étroitesse d'esprit pas possible, ils vous ravalent à votre état de handicap.

— Donc c'est la personnalité du professeur Strauss qui vous a fait faire ce choix. Et alors comment vous aviez entendu parler de lui ?

Isabelle — Eh bien, j'ai entendu parler de lui premièrement par une de mes cousines qui est journaliste ; je l'ai toujours entendue dire que les dossiers médicaux de son journal étaient de premier ordre avec des contacts et des interviews toujours de premier ordre ; et donc ma cousine m'a dit, « mais tu ne peux pas rester comme ça ». Tous mes amis étaient complètement effondrés, notamment elle, elle me téléphonait en me disant, « c'est pas possible, il doit y avoir quelqu'un qui peut intervenir d'une façon ou d'une autre ». Et deux jours plus tard elle m'a retéléphoné en me disant, « actuellement le ponte, la sommité, le chercheur et le ponte c'est le professeur Strauss, à Paris, voilà son numéro de téléphone ». Depuis un an, j'avais compris qu'il fallait toujours avoir dans sa poche une sommité, parce qu'autrement je n'arriverais à rien. Donc c'était le docteur Baron – étant un chercheur il ne peut connaître que tout le monde – donc ça je crois que ça a été une idée épatante ; alors le docteur Baron m'a fait la lettre d'introduction au professeur Strauss que j'ai vu dans les huit jours en question. J'en revenais pas moi-même. Il m'a reçue absolument sans file d'attente, sans rien du tout dans les couloirs. J'ai été reçue, j'avais mis mon chapeau, je m'en rappelle. On s'est regardés du coin de l'œil, c'était très marrant. Et puis voilà, je suis repartie avec l'idée que j'allais le faire, mais surtout, il a appuyé tic, tic, tic sur le téléphone, « allô, mon cher Henri es-tu là ? J'ai là une femme tout à fait intéressante, viens voir. Alors Henri, c'était le professeur Leroi, qui était là et qui est monté et qui m'a dit, « comme on dit maintenant, êtes-vous demandeuse ? ». Alors j'ai dit, « bah écoutez, hop, c'est comme si on m'avait fait boire trois whiskies, j'arrive là, vous me demandez si je veux quatre prothèses, je viens là pour, pour… ». Le professeur Strauss me dit, « alors, qu'est-ce que vous vouliez finalement ? » J'ai dit, « je sais pas, euh, des petits médicaments, quelque chose ». Alors il me dit, « mais on ne propose pas de petits médicaments à quelqu'un comme vous. Vous savez très bien que ce sont des placebos, ça ne sert à rien. Entre nous soit dit, vous le savez très bien, ça ne sert à rien, les petits anti-inflammatoires ça ne va vous mener à rien du tout, il faut des solutions qui claquent, allez hop ! ».

Mais merde, ils n'ont pas l'air de savoir comment ils vont faire

— *Et alors après ça vous êtes entrée à l'hôpital. Alors tous ces grands professeurs avec lesquels vous aviez eu un contact si excellent, comment ça se passe une fois qu'on a le couteau dans la plaie ?*

Isabelle — Oui, alors, quand on a le couteau dans la plaie… Le professeur Leroi, que j'ai revu trois semaines après, sur rendez-vous cette fois, avec file d'attente et tous les machins, a commencé à prendre les angles, « elle ouvre à 45, elle plie à 90, jambe droite, notez, jambe gauche, etc. ». Il commençait à faire l'analyse de la situation avec des métrages du corps, et alors là, j'ai recommencé mais je prenais ça assez légèrement, et puis il m'a dit qu'il y avait une date disponible pour l'opération. J'ai dit, « non c'est trop court. Je voudrais ranger mes affaires un peu avant et puis, je pense que je ne m'embarque pas dans une affaire qui va durer deux mois. Non ça va pas ». Alors il me dit, « le 24 décembre ça vous va ? ». J'ai répondu, « si vous venez le lendemain avec le champagne ! ». Il a commencé à rire et puis, c'est le grand ponte, alors après il a proposé une date en janvier. Moi, j'ai cru que le professeur Strauss était au courant. En fait il n'était pas au courant du tout. Il m'a dit, « mais il fallait me prévenir, mon chou, il fallait me prévenir ». J'étais un peu étonnée, j'ai commencé à comprendre qu'il y avait parfois des interférences et en même temps qu'il fallait les organiser ces interférences. Alors bon je me suis mise à les organiser.

— *Et alors, comment ça s'est passé cette organisation ?*

Isabelle — Ben, en fait, je me suis mise à les organiser. Mais il faut dire que lui aussi s'est complètement intéressé à mon histoire, ça c'est évident, parce que c'est à cause de moi et puis parce que, aussi, je suis quand même un peu un événement médical (…). C'était quand même déjà assez hardi des deux côtés, d'oser opérer et d'oser accepter l'opération.

— *Une fois que tout ça a été décidé, le professeur Leroi a fait l'entrepreneur, il a organisé le dossier ?*

Isabelle — Alors là j'ai rien pu savoir, c'est-à-dire que moi j'ai imaginé d'après la première entrevue avec le professeur Strauss, j'ai pensé, comme il me disait en riant, qu'on allait faire un projet d'aménagement du territoire. Alors le projet d'aménagement du territoire n'est en fait pas venu, et je savais simplement qu'on allait me mettre quatre prothèses.

— *On ne vous l'a pas communiqué plus exactement ?*

Isabelle — Ils ne l'ont pas communiqué parce qu'ils n'en savaient rien eux-mêmes. Parce qu'en fait c'est au fur et à mesure que les travaux se sont organisés. Donc ça il y a eu, après ma première opération, un creux de vague dans ma tête, parce que je me suis dit, « mais, merde, ils n'ont pas l'air du tout de savoir comment ils vont faire ». Et ça m'a foutu une pétoche pas possible ; et, en fait, j'ai eu vraiment un moment d'inquiétude parce que d'abord, quelques heures avant l'opération ou la veille au soir, monsieur Leroi est venu et m'a dit, « finalement on ne fait pas la hanche droite et on met la prothèse au genou droit et logiquement ça doit aller bien, c'est-à-dire que, en dernière minute, sur le conseil de Strauss, on va essayer de regagner la hanche comme ça ».

[…]

— *Ça on ne vous l'a pas dit avant ?*

Isabelle — Non, mais de toute façon, je crois que de ce côté-là j'ai été vraiment très souple ; si je n'ai pas été souple pour d'autres choses, je l'ai été pour ça parce que je leur ai fait complètement confiance. Dans le fond je me suis dit, « je m'en fous, ça ne m'intéresse pas qu'ils fassent ça ou ça, ce qui compte c'est le résultat ». Deux, trois ou cinq prothèses c'est pas ça l'histoire. L'histoire, c'est que ça colle !

Quel chantier, six heures !

— *Au fond, au début il y a eu un dialogue excellent pour vous motiver, après ça la communication a été un peu plus vague sur ce qui allait se passer.*

Isabelle — Après, quand il est arrivé le lendemain, j'ai été opérée le lundi, ça a duré six heures, ce qui n'est quand même pas rien, là il m'a dit, « quel chantier ! six heures ! vous savez on vous a mis une jolie petite prothèse comme ça, finalement on n'a pas mis de prothèse à la hanche parce qu'on va essayer de faire l'impasse, on vous a ouvert des muscles par-ci, on vous en a décollé par-là, autrement vous n'auriez jamais pu allonger la jambe ». Il a commencé à me raconter tout ça, je lui ai dit, « stop ! arrêtez ! c'est trop dégoûtant ! ». Alors il a ri.

[...]

[*Une seconde opération est réalisée plus tôt que prévu, seulement trois semaines après la première.*]

Isabelle — Je les ai laissés faire, mais là j'étais assez inquiète quand même. Non, j'étais pas inquiète, j'étais perplexe.

— *Vous n'avez jamais perdu confiance dans les maîtres d'œuvre ?*

Isabelle — Non.

— *Au fond, c'est la douleur qui a rendu ce passage difficile. Quand vous êtes remontée de votre deuxième opération, quand on a refait tout le côté gauche, c'est-à-dire la hanche et le genou, vous avez dit, « si j'aurais su j'aurais pas venu ! J'étais si bien, qu'est-ce que je suis venue faire ici ? J'étais bien comme j'étais ».*

Isabelle — Non, je ne pense pas que j'aie jamais pensé que j'étais bien comme j'étais ; mais je me suis demandé réellement si une telle intensité de douleur et d'improvisation pouvait s'arrêter un jour. Six redons, je crois que c'est quand même un peu fou. Les gens ont du mal à le croire. D'ailleurs, quand je suis arrivée ici, ils m'ont dit, « oh ! Voilà la petite dame qu'on a tellement malmenée ! ». Les gens croient qu'on a fait ça sur plusieurs années. Quand on pense qu'on l'a fait en trois mois. Le kiné ici [*au centre de rééducation*], quand je lui ai dit, il a dit, « quoi ! Quoi ! Y'a combien de temps ? Trois mois ? Alors ça c'est encore un coup de Leroi ! ». Parce qu'il est connu pour des coups de Trafalgar comme ça. En fait, il paraît que je me suis mise dans les mains du plus extravagant, que je ne pouvais pas mieux trouver pour la formule 1 de la chirurgie. Là où j'ai commencé à perdre confiance un petit peu et où j'ai commencé à me dire qu'ils étaient fous, c'est par rapport à la douleur. C'est la douleur vue du côté de ce monde médical qui ne vous explique pas pourquoi on ne vous donne pas de calmants. Était-ce à cause de mon poids ? Je n'ai eu aucune explication.

— *Mais lui vous avait quand même dit : « vous aurez tous les calmants dont vous avez besoin, vous n'aurez qu'à demander ».*
Isabelle — Et en réalité je n'ai rien eu du tout ! Je n'ai eu que des Diantalvic avec une dose infime de morphine.

Je réconfortais les infirmières

— *En réalité là vous vous êtes heurtée au mur des personnels soignants.*
Isabelle — Et de la nuit, l'horreur avec les infirmières de nuit.
— *Alors comment est le traitement de l'hôpital du malade de base ? Vous êtes passée par là ?*
Isabelle — Je ne suis pas complètement passée par le malade de base, parce que j'ai senti, quand même, que, à cause de monsieur Strauss, avec qui j'ai eu un contact amical immédiat et qui venait me voir trois fois par semaine alors que je n'étais pas dans son service, ça a donné à ma chambre et à la façon dont on me traitait une certaine sympathie. J'étais certainement, dans les premiers temps et même après, entourée.
— *Vous m'avez raconté que vous entendiez de votre chambre comment on traitait les autres malades. On ne vous a jamais traitée comme ça, vous ?*
Isabelle — Euh, si il y a eu quand même certains moments dans la nuit où c'était vraiment plus que pénible, où j'étais accrochée à ce bassin, où je n'avais pas droit du tout à ces calmants, où on me demandait, « quand vous sonnerez la nuit vous regrouperez vos appels ! ». L'équipe de nuit c'était vraiment l'horreur. C'était aux limites du supportable et, en plus, je crois que de la part des infirmières c'était parce que c'était un service de chirurgie et donc elles sont vraiment blindées. Elles sont submergées d'appels. Moi j'avais trouvé évidemment que l'évidence c'était plutôt d'être plus cool et plus gentille. Je les réconfortais. Ah, oui ! Alors il y avait Julie, elle arrivait et elle disait, « j'ai froid, j'ai froid ! ». Alors je lui disais, « pauvre Julie ! Donne-moi ta main ». Alors je frottais la main de Julie, il faisait froid, c'était au mois de février. Et je disais, « ça va comme ça ? Allez mets ta main contre moi ». Et elle disait : « t'es gentille, ça va mieux ! ma pauvre Isabelle, t'as bien dormi ? ». Il fallait tous les matins que je fasse le contraire, que je commence par lui demander comment s'était passé le voyage et si elle n'avait pas eu trop froid sur le quai de la gare.

— Elles vous tutoyaient d'emblée comme ça ?

Isabelle — Non, mais assez rapidement. Alors moi je répondais aussi en tutoyant. Ou alors c'était toujours l'histoire de vous laisser vous débrouiller pour tout, alors qu'on ne peut pas se hisser, alors que le quart du poil d'un doigt de pied mal placé fait un mal infini. Alors il faut regrouper les appels, c'est-à-dire qu'il faut savoir avant si on n'a pas le matelas qui fait des plis, l'escarre qui est en train de se préparer, si par hasard on ne pourrait pas avoir un calmant, et voilà. Donc tout ça il faut le penser dans le quart d'heure. Eh bien monsieur Strauss venait de temps en temps, « je ne sais pas comment vous faites, mais je crois que ça se passe bien, vous avez une aura ». Parce que le service du docteur Leroi est réputé pour être terriblement dur, alors que dans le service de Strauss les gens sont extrêmement gentils.

— Comment vous l'avez su ça ? On vous l'a dit ?

Isabelle — Je l'ai su par sa secrétaire. Parce qu'au mois de mars, quand j'y suis retournée pour faire la mobilisation des genoux, il m'a forcée à rester assise dans le fauteuil et je ne supportais pas la circulation du sang qui retournait dans les jambes. Et au lieu de me laisser les deux heures prescrites, ils me laissaient quatre heures et quelquefois cinq heures. J'avais un mal épouvantable et personne n'écoutait.

— Et vous le demandiez ?

Isabelle — Et je le demandais ! Et je le disais sur tous les tons. A la fin, on me disait, « on va voir ».

— Les infirmières vous disaient ça ?

Isabelle — Oui. Alors, tout d'un coup, on est devenu un objet. Parce que vous pouvez dire ce que vous voulez, sur n'importe quel ton, c'est comme si ça glissait sur une toile cirée. Alors, à la fin, je me disais, « mais enfin qu'est-ce qui se passe, ça ne va pas ! ». J'essayais de rassembler un tant soit peu d'intelligence et j'ai dit, « ben je vais aller voir le professeur Strauss » — « Il n'est pas là ». Je sentais mauvais, j'avais la même chemise de nuit depuis quatre jours, j'avais les cheveux ignobles, j'avais mal, il faisait chaud à crever dans la pièce ; et c'était comme ça, ça faisait partie du truc. Donc j'étais allée demander au professeur Strauss si, si je reviens, je ne pouvais pas être dans son service, et alors j'ai demandé à sa secrétaire et elle m'a dit, « non, ça c'est pas possible. Tu ne peux pas, tu es dans le service de chirurgie ». Ce qui a été terrible aussi, c'était après la deuxième intervention, lorsque j'ai eu ce fameux hématome de 500 grammes et qu'on a été obligé de me réopérer d'urgence début février. Et, pendant plus de huit jours, j'ai eu un mal épouvantable à la hanche ; en fait, il y avait un écoulement d'une artère et je ne sais pas pourquoi je ne suis pas morte ; j'ai quand même eu plus de 500 grammes d'hématome.

La souffrance ne se mesure pas

— *C'est alors qu'on vous a envoyé le psychologue ?*

[…]

Isabelle — J'ai vu la psychologue en début de semaine, et j'ai vu le psychiatre admettons le jeudi, et puis le vendredi j'ai dit, « mais vous savez que j'ai continué d'avoir très mal ». Et puis samedi mon neveu est venu, j'ai dit, « écoute, tu descends au quatrième étage et tu vas voir monsieur Strauss et tu lui dis, "Isabelle en a marre, elle demande si vous ne pouvez pas monter deux minutes parce que, vraiment, elle a mal" ». Alors il est remonté consterné en me disant qu'il n'était pas là. Alors j'ai dit, « bah, s'il est même pas là ! ». Et puis le dimanche, j'avais je ne sais pas combien d'amis, j'avais un mal fou, la morphine ne me faisait rien, une demi-piqûre de morphine qu'on ne voulait pas me faire et que j'ai réclamée. Et le lundi matin M. Leroi est arrivé et a dit, « mais qu'est-ce que c'est que ça ? Allez ! au bloc ! ».

— *Enfin, il a ouvert les yeux là-dessus ? Il y a une grande distance quand même entre le patron qui soigne et le malade ? Et pourtant il passe.*

Isabelle — Et pourtant il passe. Deux ou trois fois par jour.

— *Malgré tout, il passe vite. C'est-à-dire que quand vous dites que vous souffrez, il pense que vous exagérez ?*

Isabelle — Moi j'ai ressenti ça comme ça. J'ai trouvé ça quand même énorme. Alors évidemment, après, j'ai compris ce que ça veut dire être dur, ce que ça veut dire encaisser les douleurs. Y'a plein de trucs maintenant, on peut déceler la température de l'eau à distance avec un petit fil, mais la souffrance ça ne se mesure pas, y'a pas de point de référence. Après ils avaient l'air un tout petit peu penauds le lundi soir, en plus le lundi rebelote, après, l'anémie. Quand même, trois transfusions de sang pendant presque toute la journée et toute la nuit avec un homme qui hurlait, attaché, qui était en détresse respiratoire. C'est épatant la salle de réveil ! Vraiment il faut connaître ça dans sa vie. Oui, alors on pense tous que c'est la guerre de 1914 qui est revenue, on est tous ensemble, chacun crie et les infirmières : « taisez-vous », « respirez », « faites ceci », « retournez-vous », « crachez », « j'arrive ! ». Ça vous réveille. On pense que c'est un endroit extrêmement doux, où on vous tient la main, et où on vous berce un peu, mais pas du tout ! C'est un endroit où on vous secoue, c'est un endroit pour vous réveiller. On entend même les cris des autres. Alors, du mal, ça y'en a. Parce que c'est toutes les histoires à la fois : les reins, les pieds, les jambes coupées, la détresse respiratoire. Et ça c'est pas mal dans le genre.

— Il y a une autre chose que vous avez évoquée, c'est la spécialisation du personnel. Vous savez ces gens qui font telle chose ou telle chose : le soignant fait ceci, l'aide soignant fait cela,... etc.

Isabelle — Ah, oui. Alors les effets que ça a sur le malade, c'est que, comme on est devenu très dépendant, si on a un brin de fantaisie, au milieu de l'organisation de la journée la fantaisie n'a pas sa place. Alors le brin de fantaisie c'est tout simplement vouloir un verre d'eau qui n'est pas accessible. (...) Alors la kiné, la kiné était une pimbêche qui avait décidé que son rôle n'était pas de remettre le drap et la couverture par exemple. Donc elle laisse le lit en foutoir et c'est tout juste si elle remet le pied dans la bonne position.

— Vous, vous aviez quand même très mal puisque je me souviens qu'il vous fallait un appui très doux sous les orteils. Ça tenait à un millimètre. Alors ça elle ne le faisait pas ?

Isabelle — Non, elle était en plus la kiné de M. Leroi. Alors, attention ! Et comme M. Leroi est un personnage, forcément sa kiné est un personnage aussi. C'est-à-dire que c'est plutôt quelqu'un qui tient à sa place, et aussi à sa réputation. Elle est là à faire des courbettes, et M. Leroi c'est un mandarin, il ne supporte pas qu'on le contrarie, d'ailleurs personne ne le contrarie. Sauf moi : j'ai dit, un jour, que je refusais de marcher dans les conditions dans lesquelles il me demandait de marcher. Et alors il m'a dit, « vous refusez de marcher ? » et j'ai dit, « je ne refuse pas de marcher, je ne veux pas marcher comme ça ». J'ai dit à M. Strauss, « je crois que vous pourriez dire à M. Leroi qu'il me prend pour un petit train électrique et, au fond, c'est un grand enfant, ce chirurgien. Il m'a opérée et maintenant il veut que ça marche au quart de tour ». (...) Je réclamais à corps et à cris qu'on regarde, et d'ailleurs je faisais de l'anémie, et il n'y a pas eu de relation de cause à effet, ils n'ont pas compris. Ils n'ont pas regardé. Mon ventre était tout bleu et je ne pouvais plus me tenir dans le lit car tout l'hématome était autour de ma hanche et il paraît que l'artère était bouchée par les 500 grammes. Encore heureux ! C'était en fait une hémorragie interne qui commençait.

— *Je me souviens de ces moments difficiles, autour de ces choses très prosaïques que sont qu'on vous donne le bassin pour faire pipi, quand même c'était difficile ça.*

Isabelle — Mais c'était insupportable. On reste des heures là-dessus, enfin ce qui paraît être des heures, c'était peut-être pas des heures, mais c'était certainement des quarts d'heure. Alors avec des fesses qui n'existent plus, des bassins en fer qui d'ailleurs avaient disparu de la circulation lors de la seconde tranche au mois d'avril… Là, c'était en plastique. Ça faisait quand même moins mal.

— *Vous m'avez dit à ce propos quelque chose que je vous rappelle : quand vous étiez sur le bassin et que vous n'arriviez pas à faire aussi vite qu'on vous le demandait, dans la nuit, on vous a dit, « faites ça dans vos draps on vous changera ».*

Isabelle — Ah oui. Effectivement on m'a dit ça. Ça j'ai toujours refusé. J'ai dit, « certainement pas ». Mais on m'a dit ça ici aussi un soir, « on va vous mettre des couches, vous savez, c'est pas grave ». J'ai dit, « ça certainement pas ! ». Oui, c'est curieux, mais j'étais ici avec une personne qui avait une sclérose en plaques, qui était très lourde à pousser et à tirer et elle ne voulait pas non plus. On est ravalé à l'état de rien. C'est une question de commodité. On ne pense plus qu'on a affaire à un être humain, je crois. En chirurgie c'est pas possible, il y a une telle manipulation de choses mouillées, sales qu'on prend avec des pincettes, qu'on retire.

Il n'y a rien à faire, nous, on est un être humain

— *C'est-à-dire qu'au fond, c'est un univers dégoûtant et vous, vous êtes au centre ?*

Isabelle — On passe son temps à cracher, à faire pipi, à faire caca, à transpirer, etc. Et tout ça se prend de plus en plus avec des pincettes et de plus en plus se jette. Mais il n'y a rien à faire, nous on est un être humain, et qui continue de suer, de faire pipi et on recommence. Ça peut durer comme ça longtemps.

— Il y a un autre point : les personnels changent beaucoup dans une équipe comme celle dans laquelle vous étiez. Il y en a une grande quantité.

Isabelle — Oui. J'ai fini par tous les connaître parce que j'étais une des personnes qui sont restées le plus longtemps. A cause de ces interventions qui, finalement, ont été au nombre de trois et qui ont duré sept semaines.

— Donc vous avez connu tous ces gens. Mais dans l'immédiat, quand vous êtes arrivée dans la première semaine, vous avez eu l'impression d'un tourbillon de personnes, toujours des inconnus.

Isabelle — Oui, c'est épouvantable. A chaque fois c'était une tête nouvelle. Une réserve absolument inépuisable de connaissances et d'inconnus.

— Donc vous ne pouviez pas accumuler de familiarité avec quelqu'un qui prendrait plus soin de vous ?

Isabelle — Il y a eu Marie-Thérèse. C'était un personnage. C'était une personne aux cheveux roux décolorés, dans les 55 ans, pas très grande, très décidée et très ferme. Et en même temps très capable. C'est elle qui m'a raconté l'histoire du petit chaperon rouge avec la version expurgée, et c'est quand on faisait les pansements et qu'on allait retirer tous les redons, elle me racontait ça, elle me disait, « un, deux, trois tu respires fort. Voilà on continue, un, deux, trois tu respires fort ». Voilà ça c'était Marie-Thérèse. Et puis il y a eu aussi une personne qui était une aide soignante, qui était une élève de l'école d'infirmières, elle a fait son premier pansement avec moi. Elle avait encore plus peur que moi, ensuite je l'ai félicitée, je lui ai dit qu'elle avait très bien fait et que je n'avais presque rien senti, alors elle était très contente. Du coup elle m'a donné son adresse et avec elle j'ai gardé de très bons rapports, et quand elle arrivait elle était très attentive. Elle me lavait avec attention ; quand je savais qu'elle venait, j'étais tranquille.

— Parmi tous ces inconnus qui tournent autour de vous, est-ce que c'est important d'avoir ces quelques points fixes ?

Isabelle — Oui, parce qu'autrement on est vraiment plus grand-chose, on est vraiment un fétu de paille, complètement remis entre les mains des gens et d'une certaine forme de cruauté, notamment la nuit, je trouve, voire même du sadisme.

[…]

juillet 1992

« Qu'est-ce qu'on peut faire de moi, où est-ce qu'on me met... »

une vieille dame à l'hôpital

« La souffrance ne se mesure pas »

une femme à l'hôpital

Rosine Christin

Ceux qui restent

Petits paysans, aujourd'hui retraités, Juliette et Émile C., âgés de 70 et 79 ans, tous deux nés dans le hameau de L., en Aveyron, sont les observateurs étonnés du déclin de leur région, autrefois prospère, et du dépérissement de leur commune[1]; depuis quelque temps, la réussite du frère et de la belle-sœur de Juliette, Hippolyte et Thérèse, restaurateurs dans la région parisienne, sur lesquels ils portent des jugements à la fois ironiques et admiratifs, et surtout, le départ des trois enfants « montés à Paris », sont interprétés comme les signes les plus douloureux de leur isolement et d'un destin qu'ils n'ont pas su prévoir. Sans se l'avouer ouvertement, et surtout, sans le dire à l'autre, ils pressentent maintenant qu'« il aurait mieux valu partir ».

Le Nord Aveyron envoie depuis longtemps vers Paris un flux limité mais continu d'émigrés : ce sont des pos-

1. Au recensement de 1989, la commune comptait 551 habitants, contre 686 en 1982 et 1 241 en 1946, à peu près à l'époque où Juliette et Emile ont décidé de rester au pays. Ce déclin est encore plus marqué pour les hameaux : en 1911, 87 personnes réparties en 20 ménages et 20 maisons vivaient à L., elles ne sont plus que 32 (six ménages et neuf maisons) en 1946 et sept (quatre ménages, quatre maisons, auxquelles il faut ajouter trois résidences secondaires) en 1989.

tiers, des petits fonctionnaires et surtout des garçons et des patrons de café. Les héritiers des « bougnats », petits paysans montés à Paris pour y ouvrir un café, sont aujourd'hui les patrons de grandes brasseries et restaurants qui exploitent leurs établissements avec succès avant de retourner, fortune faite, dans leur village où ils n'ont jamais cessé d'affirmer leur présence : ils recrutent leurs garçons ou leurs buralistes de préférence parmi les jeunes restés au pays dont ils connaissent la famille, et lorsqu'un jeune couple cherche à s'installer, s'il a fait la preuve de son « sérieux », de son opiniâtreté, les aînés lui prêtent leur appui et le financement nécessaire à l'obtention d'une gérance, puis à l'achat d'un café.

L'habitat de la commune est dispersé en une vingtaine de hameaux, échelonnés le long de vallées aux imbrications complexes, parfois éloignés de plus de dix kilomètres du chef-lieu situé sur le plateau ; malgré le bon état des routes, les communications sont lentes et se mesurent en temps plutôt qu'en distance. Le centre du village regroupe l'église, la mairie, l'école, quelques habitations et deux cafés mais aucun commerce d'alimentation ; le hameau de L., situé dans la vallée qui surplombe le lac de barrage, en est éloigné de deux kilomètres, avec une dénivellation de 500 mètres que Juliette, encore leste, franchit tous les dimanches matins pour se rendre à la messe, soignée et bien coiffée, vêtue d'un manteau ou d'un tailleur, suivant la saison, en chaussures de ville et portant son sac de vernis noir. Sur la route, elle rejoint le plus souvent quelque voisine, seule elle aussi (la coutume veut que les hommes arrivent plus tard et restent sous le porche, sans entrer) ; c'est, pour les femmes, une des rares occasions de se retrouver, de maintenir des relations quasi familiales nouées depuis l'enfance, d'échanger les nouvelles, d'anticiper les mariages, les naissances ou les ruptures et d'oublier, quelque temps, les disputes aux origines lointaines, les jalousies le plus souvent liées aux héritages, enfin toutes les querelles dans lesquelles elles se doivent d'être, en public, solidaires de leur mari. Émile et deux de ses frères « tiennent » trois des quatre maisons du hameau, ils vivent à quelques centaines de mètres l'un de l'autre, mais, si les rapports entre les cadets ont été, selon les années, parfois cordiaux, le plus souvent difficiles, au gré des querelles familiales ou des disputes de voisinage, aucun des deux n'a adressé la parole à Auguste, l'aîné, depuis la mort du père en 1927 et le règlement d'une succession très contestée. Depuis toutes ces années, ils se sont croisés dans les chemins de char, ils se sont évités, observés.

Bâtie en surplomb de la petite route qui descend de la nationale au lac de barrage, « la maison d'en haut » est la première de la vallée et occupe ainsi une position stratégique : le visiteur la repère de loin, et s'y arrête tout naturellement, pour demander le chemin d'un hameau situé en contrebas, sur les pentes, aujourd'hui envahies de ronces, qui descendent vers le lac, caché derrière les vieux noyers ou les arbres fruitiers à l'abandon. C'est au bas du raidillon menant de la route à la porte que l'épicier garait sa camionnette tous les mercredis, il y a encore deux ans ; il ne passe plus désormais, faute d'une clientèle suffisante mais, à la grande satisfaction des femmes de la commune, le maire a organisé deux fois par semaine, un ramassage par minicar pour le bourg le plus proche, situé à 17 kilomètres, nouvelle occasion de visites et d'escapades ou de courses et de démarches administratives. Tous les jours vers midi, par la porte d'entrée à demi vitrée, Juliette guette la 4L jaune du facteur, avec qui elle échange quelques nouvelles ; la surveillance distraite des allées et venues suffit à la renseigner sur la santé ou l'état des relations familiales et sociales des habitants de la vallée, autant d'informations qu'elle commente au gré des rencontres et des visites.

En 1927, les parents de Juliette, après une brève expérience de travail dans une scierie locale, ont décidé de vivre et de travailler dans le hameau. Pour éviter une cohabitation qui s'annonçait difficile avec les grands-parents paternels, ceux de « la maison d'en bas », située en contrebas de la route et actuelle résidence secondaire du frère de Juliette, ils s'installent avec leurs deux enfants chez la grand-mère maternelle, dans la « maison d'en haut » et exploitent la propriété qui s'étend sur 18 hectares (dont dix seulement sont cultivables) divisés en petites parcelles disséminées sur les pentes abruptes de la vallée, de la route nationale jusqu'au lac : des vergers plantés en cerisiers et en pruniers, quelques pâturages, des landes de bruyère ou de genêt improductives et deux champs qui peuvent être semés en blé, parce qu'ils sont situés sur le plateau et accessibles à la moissonneuse. Ils parviennent à vivre du commerce de leurs fruits et de leurs légumes, de l'élevage, pour la boucherie, d'un ou deux veaux par an, de la cueillette des noix et des châtaignes, de la vente d'un cochon à l'engrais. Ils ont, outre de la volaille, quatre vaches et un attelage de deux bœufs, seul moyen de circuler et de travailler sur les pentes trop abruptes.

C'est sur ces mêmes ressources que Juliette et Émile devront compter, après leur mariage en 1943, et dans ce dénuement qu'ils élèveront leurs trois enfants. Yvette, leur fille cadette, âgée de 40 ans, se souvient : « Dans notre enfance c'était la "crève-faim", on ne finissait jamais le mois, à la fin c'était la soupe au pain tous les jours ou des châtaignes, on avait faim, ma sœur et moi, alors on mangeait du pain, c'est pour ça qu'on est devenues grosses » (…) « pour l'école on avait des bourses mais il fallait pas doubler la classe parce que c'était supprimé, alors c'était dur pour mes parents ». Aujourd'hui Émile a vendu les deux champs de blé et les vaches, les pâtures sont en friche, la vigne et les arbres fruitiers à l'abandon. Seul le potager, bien soigné, continue de produire.

Lorsque les parents de Juliette s'y étaient installés, la maison comportait une seule pièce et un grenier, communiquant avec la salle par un escalier ouvert ; ils ont élevé une cloison pour isoler une chambre et fermé l'escalier du grenier pour coucher les enfants. Peu de transformations depuis : l'âtre, surélevé, modernisé, partage toute la largeur d'un mur avec une cuisinière à bois et à butagaz ; pour faciliter le nettoyage, un carrelage brun a été posé autour du feu de la cuisinière et devant la porte d'entrée mais, ailleurs, le sol aux grosses planches mal équarries est resté nu. La même grande table dont le plateau de bois a été remplacé par un panneau d'aggloméré, flanquée de ses deux bancs, occupe presque toute la surface de la pièce. L'installation de l'électricité en 1951, et surtout l'arrivée de l'eau courante en 1982, apporteront trop tard une amélioration dans le confort de la maison : le petit cabinet de toilette pris sur la surface de la chambre est aménagé en 1983, après le départ des enfants. Avec l'achat d'une télévision, d'un réfrigérateur, plus récemment d'un lave-linge, et l'installation du téléphone, les C. pensent qu'ils n'ont maintenant plus rien à envier à ceux de la ville et se réjouissent souvent de ce bien-être tardivement acquis. Un de leurs sujets de conversation favori est l'évocation nostalgique d'un passé dans lequel le temps se mesurait dans les tâches nécessaires à la survie qu'ils énumèrent à plaisir, en manière de réconfort, scandant les mots : « On n'avait rien, il fallait aller chercher l'eau, aller laver le linge au lavoir, on n'avait pas l'électricité, on ramassait le bois pour se chauffer, on tuait le cochon et on le salait et on le séchait pour le garder, on faisait les pâtés, les saucisses, on n'avait pas la télé, pas le téléphone, on ne savait rien… » Dans cet isolement et cet équilibre précaire, les accidents s'enchaînaient : « On venait de se marier en 43, 15 jours après, il est tombé d'un arbre d'au moins cinq mètres, alors il a cassé le poignet et il avait le dos tout noir comme votre pantalon. Il est resté au moins un mois à Rodez à (l'hôpital) pff… et puis ça s'est passé… Après, en 53, il a cassé la jambe, mais là ça a été encore plus… on pouvait pas le plâtrer, alors on lui a mis une tringle dans l'os, il l'a encore. Et puis après… en 72, encore pire ! le tétanos, ça c'est le pire. » Pour tous ces malheurs, Juliette traite Émile avec une indulgence attendrie, comme un enfant qu'il faudrait protéger.

Depuis quelques années, les redevances versées par l'EDF à la commune pour l'exploitation du lac de barrage redistribuées sous forme d'aides diverses et surtout leurs retraites (environ 20 000 par trimestre pour le couple) les ont fait accéder à une aisance à laquelle ils n'auraient jamais osé rêver : pour la première fois de leur vie, ils ont de l'argent à dépenser. Leur fille dit qu'« ils ne savent pas quoi faire de leur argent, il y aurait bien le crépi de la maison qu'il faudrait refaire mais non... ». En dépit de cette vie maintenant plus facile, lorsque, le temps d'une conversation, ils se retournent sur les années passées, le doute les saisit et le soupçon d'être les survivants d'un monde disparu depuis longtemps.

Juliette s'entend bien avec son frère cadet Hippolyte, qui a été cantonnier dans la commune pendant plus de dix ans avant de monter, sur les instances de sa femme Thérèse, à Paris, où ils ont acquis une certaine aisance. L'été, lorsqu'ils ferment leur restaurant pour venir au pays, en touristes, avec leur Mercedes, ceux qui sont restés mesurent la distance qui les sépare de ceux qui sont partis. Forte de sa réussite, Thérèse invite tous les jours sa « famille » paysanne à déjeuner (« ils n'ont pas besoin de se faire à manger, cela leur fait des économies »), mais avec une fermeté qui n'admet pas de refus ; Juliette craint sa belle-sœur, dont la sollicitude autoritaire l'effraie et elle n'ose pas exprimer ses réticences (« il nous faut descendre en bas, avec les mauvaises jambes de Milou... et puis on a du travail ») ; elle s'étonne de ces longs repas, les jours de semaine, des courses faites dans un grand supermarché d'Aurillac, « où ils dépensent 150 000 francs [anciens] en une fois » et de cette piscine, posée de guingois dans le jardin en pente et dans laquelle personne ne se baigne. Mais, depuis qu'elles sont à Paris, ses filles ont, elles aussi, de nouvelles habitudes ; elle est fière de la réussite de son frère et admire un courage dont elle-même n'a pas su faire preuve : « ça a été dur pour eux là-bas au début ». Puis, laissant retomber ses deux bras : « que voulez-vous... ».

Depuis qu'il a eu le tétanos, Émile marche difficilement, avec une canne, il doit porter des brodequins noirs, lacés haut, très difficiles à mettre mais sans lesquels il ne peut pas se déplacer sur le terrain accidenté autour de la maison. Il est toujours vêtu d'un pantalon ou d'une salopette en grosse toile bleue et d'une veste de même tissu. Dehors il porte un béret, il le quitte, en manière de salut, dès qu'il entre dans la maison ; pendant tout l'entretien il le fera tourner sur la table du plat de la main.

Juliette est une petite femme au visage rond et aux cheveux très blancs, coupés court. Elle prend grand soin de sa personne, s'excuse auprès du visiteur qui la surprend de ne pas « être arrangée ». C'est une des seules femme de la vallée à porter un dentier, en dépit des souffrances endurées pendant les premiers mois d'adaptation.

Tous deux ont un fort accent et parlent haut. Entre eux, et avec les gens de leur âge, ils s'expriment en patois ; avec leurs enfants, qui ont appris le français à l'école, ils usent le plus souvent d'un français simple, utilitaire.

L'entretien a été réalisé un après-midi très froid du mois de novembre 1990 (et suivi par plusieurs autres, portant sur différents aspects de la vie des C., l'histoire de leur maison, les héritages, la vie de leurs parents ou celle de leurs enfants). Ce jour-là, Juliette avait allumé un petit feu dans la cheminée et fait du café. Émile travaillait dans son jardin. Elle est restée longtemps seule avec moi, et une certaine intimité s'est installée entre nous. Elle s'est laissée aller à évoquer, avec nostalgie, sa vie de paysanne sans héritier « pour reprendre », « sans bêtes », puisque la coopérative ne passe plus ramasser le lait et qu'ils sont trop âgés pour élever des veaux, et, maintenant, sans terres cultivées : elle aussi, comme les autres, elle aurait bien aimé partir, mais elle se souvient des craintes d'Émile, peur d'être « repris » par les Allemands ou, « peut-être », peur de l'inconnu. Elle sait – et le dit à demi-mot, et par ses silences — que leur destin s'est joué là, quand il n'a pas voulu partir. Elle ne lui en fait pas reproche, mais elle ne peut s'empêcher d'y penser sans cesse quand la comparaison s'impose à elle, à travers les parents revenus au pays, ou les enfants partis au loin, de ce qu'elle aurait pu être, et faire, et de ce qu'elle est, et fait.

avec un couple de paysans aveyronnais

— entretien de Rosine Christin

« Quand les vieux sont partis, quoi faire ? »

Juliette — Oui, j'étais née en bas, dans la maison « d'en bas », alors après, mes parents, avec mes grands-parents… écoutez, vous savez, ils ne se sont pas bien entendus, enfin ça marchait bien… mais toujours quelque parole ; alors mon père avait décidé de partir d'ici, alors ils avaient décidé de monter à S.-H., ils avaient pris une auberge.

— Au village ?

Juliette — Oui, chez Clermont là-haut, chez Granier… alors après ils y sont restés deux ans et ils sont redescendus ici, il a arrangé un peu la maison [*la maison « d'en haut » dans laquelle vit Juliette maintenant*].

— Qu'est-ce que c'était que cette maison ?

Juliette — C'était la maison de mon arrière-grand-mère maternelle.

— Et elle était abandonnée ?

Juliette — Oui.

— Depuis la mort de votre arrière-grand-mère…

Juliette — Oui, voilà (…) alors ils l'ont arrangée et ils sont restés là.

— Ils avaient des terres ?

Juliette — Oui, on avait les terres des grands-parents, de là-bas… d'en bas.

[*Paroles confuses en superposition*]

— Les parents ils étaient morts ?

Juliette — Non, le père de ma mère et la mère restaient à la maison où mon frère a pris maintenant [*elle parle de celui qui a un restaurant à Roissy et qui vient dans sa maison pour les vacances*] ; et alors mes parents restaient ici mais ils travaillaient dans les mêmes terres [*que ses grands-parents*], alors la grand-mère allait les vendre [*les fruits et légumes*] à MB et elle apportait le bénéfice à ma mère, alors ça marchait toujours comme ça, quoi. Après, mon père est mort, il est mort en 39, moi j'avais 19 ans, mon frère en avait 14.

— *Vous n'étiez que deux enfants ?*
Juliette — Oui, moi et mon frère d'en bas. Alors, pardi on a fait le nécessaire pour pouvoir travailler ici, parce que ma mère… il n'y avait pas de retraite à ce moment-là… même les grands-parents n'avaient pas de retraite… alors on a fait le possible pour pouvoir vivre. Pouvoir faire vivre ma grand-mère et ma mère, parce que mon grand-père est mort cinq ans après : il est mort en 44. Après, moi, je me suis mariée ; je le [*son mari*] connaissais d'abord… mais comme il était à Paris… il était resté à Paris sept ans.

Il valait mieux partir

— *Il était né où Émile ?*
Juliette — Dans la grande maison là-bas.
— *Et il est allé à Paris ?*
Juliette — Il est allé à Paris, il y avait fait sept ans.
— *Vous le connaissiez d'avant ?*
Juliette — Oui, mais… c'est qu'on avait un peu de différence, et puis comme il était à Paris… et moi j'étais jeune… bon, on se fréquentait sans se fréquenter quoi.
— *Il redescendait de temps en temps ?*
Juliette — Oui, pas tous les ans… c'est que après il a été prisonnier. Et voilà que quand il est revenu d'Allemagne, il a été rapatrié deux ans avant… le rapatriement, quoi… Alors il est resté là de peur que les Allemands le reprennent. Et on serait partis à Paris, mais toujours pareil, il avait peur que les Allemands le prennent à Paris aussi. Alors on est restés là. On est allés un an, chez mon oncle, à S. là-haut, vous savez la route qui va à J. Lui il était comme domestique, on était comme des gérants, quoi…
— *Sur une ferme ?*
Juliette — Sur une ferme.
— *Qui s'occupait des terres ici ?*
Juliette — D'ici ? mon frère ; alors, il s'est marié ; mais c'est que après ils [*son frère et sa belle-sœur*] ont pas voulu rester… donc moi, je suis revenue ici, parce que mon intention était de partir à Paris, comme tous les jeunes… enfin, de ce moment-là.
— *Avec Émile ?*
Juliette — Avec Milou… mais au lieu de partir à Paris on est venus là, qu'il aurait valu mieux partir.
— *Oh ?*

Juliette — Peut-être si… peut-être si quand même parce qu'ici ça a été dur pour élever les gosses, les mettre à l'école et tout ça, c'était dur quand même… l'argent ne rentrait pas si facilement que ça… et voilà… et puis maintenant on est restés là et on restera toujours là [*elle rit*]. C'est vrai et les filles sont parties…

— *Vous êtes restés ici, vous n'êtes pas partis à Paris parce qu'il fallait quelqu'un pour s'occuper de la ferme ?*

Juliette — Oui, ou alors il fallait abandonner puisque mon frère ne voulait pas rester, alors ça serait été abandonné si moi j'étais pas restée enfin… on est restés là quand même, nous, je vous dis bien, il valait mieux partir.

Je vais rentrer dans la gendarmerie

Juliette — Maurice on l'a mis à l'école, on a voulu qu'il ait un peu d'instruction, bon qu'il ait un métier, mettons… rentrer dans l'EDF, dans les Gaz, dans les PTT, bon, comme il n'a pas passé de concours, il n'a passé que le concours de l'EDF, comme il l'a pas eu, il a réfléchi, il a dit « bon, je vais rentrer dans la gendarmerie », comme il a fait, et il est resté dans la gendarmerie et voilà !

— *Mais qu'est-ce qu'il faut pour rentrer dans la gendarmerie ?*

Juliette — Ah bien c'est-à-dire qu'il faut qu'il s'entretienne avec la gendarmerie d'à côté quoi ! qu'il se fasse inscrire et puis après ils font un stage, il a été à Châtellerault pendant six mois, il était payé et puis il a passé beaucoup de visites, bien sûr il fallait qu'il soit bien [*elle appuie sur « bien »*] et puis il a été pris et maintenant il est « flic » [*elle passe rapidement sur le mot*].

— *Mais il a pas été brancardier à un moment ?*

Juliette — Si, il avait abandonné…

— *La gendarmerie ?*

Juliette — La gendarmerie, un an seulement.

— *Mais pourquoi il a abandonné là ?*

Juliette — Parce qu'il lui semblait que la vie civile était mieux et finalement il est revenu quand même dans la gendarmerie parce que ambulancier c'était pas très bien… d'abord on lui donnait pas, même pas, le temps de déjeuner à midi ni rien alors ! Et après nous avons eu Yvette, et Yvette ça a été pareil, on voulait qu'elle soit dans l'administration, alors on lui a fait passer des concours mais comme elle avait pas envie d'étudier. [*Elle rit*.]

— *Pourtant Yvette elle était douée.*

Juliette — Très douée, c'était la plus douée, plus douée que les autres et maintenant elle fait gérance dans un café.

— *Oui, mais Yvette elle va bien réussir.*

Juliette — Enfin, faut espérer. Mais c'est que c'est plus dur que… les vacances elle les a bien… mais un jour par semaine, pas plus, voilà… (…) et après quand ils auront amassé un peu d'argent, peut-être qu'ils reviendront par ici, je ne sais pas, parce que lui il aime bien la ferme aussi.

— *Michel ?*

Juliette — Oui, Michel, il aimerait aussi bien travailler ici qu'à Paris pourvu qu'on gagne de l'argent.

C'est peut-être un peu dur pour elle, par là-bas

— *Celle qui a réussi comme vous vouliez c'est Françoise.*

Juliette — Oui, enfin Françoise je lui ai dit « passe le concours des postes », elle voulait pas très bien mais elle l'a passé et elle l'a eu la deuxième fois, enfin c'est peut-être un peu dur pour elle par là-bas.

— *C'est dur sa vie ?*

Juliette — Vous savez de porter le sac… c'est pas comme… mais il paraît que c'est mieux quand même que de rester dans un bureau, que au moins elle marche, elle fait du sport, si elle était assise, mettons elle serait aux chèques… je sais pas, il faudrait qu'elle reste là, au bureau.

— *Elle est assez contente de sa vie ?*

Juliette — Ban… je sais pas, vous savez, enfin elle dit bien que des fois elle a le cafard par là-haut toute seule.

— *Elle est toute seule ou elle partage avec une amie ?*

Juliette — Non, non toute seule, c'est ça qui est ennuyeux, moi aussi je préférerais qu'elle se mette avec quelqu'un, qu'elle se marie n'importe ! qu'elle ait quelqu'un quoi, moi je ne la voyais pas si seule, enfin peut-être que ça viendra un jour. Faut espérer.

— *Ah oui, elle est jeune.*

Juliette — Elle a 22 ans.

— *Mais elle sort beaucoup, je crois, elle sort pas mal.*

Juliette — Oui, le samedi elle va au bal, je crois bien [*elle rit*] il faut bien qu'elle se distraie.

— *En somme elle a une vie moins dure qu'Yvette.*

Juliette — Oui, c'est pas pareil. C'est que voilà, Yvette elle est accompagnée, voilà ! sans quoi, bien sûr elle travaille pas comme Yvette ; d'abord elle gagne pas comme Yvette. Oui…

— *Vous croyez que dans le pays il commence à y avoir des jeunes qui restent ?*

Juliette — [*Inaudible*] les jeunes.

— *Même maintenant ?*

Juliette — Ah oui parce que vous savez, il faut une grande propriété pour rester, un commerce par ici.

— *Il y a pas de nouveau commerce par ici, il y a pas de commerces.*

Juliette — Non, quelques petits restaurants, faut dire mais pas plus, sans quoi les grandes propriétés, il faudrait des grandes propriétés d'au moins… 20 vaches. Alors ici, à S.-H. on en a compté que quatre, de jeunes…

— *Quatre qui ont plus de 20 vaches ?*

Juliette — Non quatre enfin… moyennement des jeunes… de moins de 50 ans. Hé oui !… tandis que avant oh ! la la ! Ici au village de L. il y avait au moins 14 maisons.

— *Et comment ils vivaient ?*

Juliette — Ils vivaient : [*elle énonce chaque activité en articulant bien les mots comme si elle récitait*] ils engraissaient un cochon, ils faisaient des pommes de terre, ils ramassaient des châtaignes, ils faisaient leurs légumes, pas plus.

— *C'était les aînés qui restaient ?*

Juliette — Ah non, tout le monde restait là ; l'hiver, alors il y en avait qui allaient se louer dans les fermes, maintenant avec les machines ils ont besoin de personne, alors il faut qu'ils partent autre part, sans quoi ; dans le temps que je vous parle, 50 ans, tout le monde restait par là.

— *Il y en avait qui partaient à Paris quand même.*

Juliette — Oui, il y en avait bien quelques-uns, pas comme maintenant. Voyez ici à L., tout le monde, les jeunes sont partis (…) jusque… voyez… à P., comme à T…, non, il y en a bien qui sont restés comme maçons… voilà.

[*Long silence* .]

— *Qui va reprendre la grande maison ?* [*c'est une grande ferme avec une tour qu'on appelle aussi « le château », la maison natale d'Émile et dont son frère aîné, Auguste, a hérité à la mort de son père ainsi que des terres*].

Juliette — Je ne sais pas.

— *Parce que les trois fils* [d'Auguste] *sont tous à Paris ?*

Juliette — Non, il y en a deux à Paris et encore ça ne marche pas tellement et les filles, il y en a une à D. [*6 kilomètres du village*] et l'autre du côté de M., alors vous savez… je ne sais pas. Et puis les fils ça ne marche pas tellement.

— *Leurs affaires ?*

Juliette — Oui.

— *J'en ai vu un, ça avait l'air de marcher bien, celui qui est rue de la Ville-l'Evêque, qui a un café.*

Juliette — C'est l'aîné sûrement, Jean…

— *Ça avait l'air de marcher.*

Juliette — Oui mais je veux dire entre le mari et la femme, c'est comme l'autre, il est en train de divorcer, le cadet, alors vous savez quand ça divorce… après c'est pas pareil. Et puis les filles, une à C., l'autre… elles ne viendront pas là. (…) Et quand les vieux sont partis, quoi faire !

[*La conversation porte sur le nouveau maire, très apprécié et sur le curé qui est aussi secrétaire de mairie. Pendant ce temps, Émile rentre du jardin en boitant : il marche difficilement depuis ses divers accidents et son tétanos ; comme tous les jours de semaine, il est en bleu de travail, il aperçoit immédiatement le magnétophone et rit, l'air gêné, il s'assied à la grande table et pose son béret sur la table. Depuis l'arrivée d'Émile, Juliette parle avec plus d'autorité, comme pour s'affirmer devant lui, Émile l'écoute. Juliette fait du café car, malgré deux petites bûches qui brûlent dans l'âtre, il fait très froid dans la pièce.*]

J'étais bougnat, j'avais jamais servi un apéritif

— *Vous avez été garçon de café à Paris, à partir de quand ?*

Émile — A partir de 32.

Juliette — Non, 31.

Émile — Pas 31, j'avais pas fini mon service militaire ; 32 à 39.

— *Ça vous plaisait ?*

Émile — [*Empressé*] Très bien, très bien, garçon de café… très bien, très bien. Je ne suis pas revenu [*à Paris*] ; quand je suis revenu [*à L.*] on s'est mariés.

— *Vous aviez du courage, si vous connaissiez Juliette depuis… avant, d'aller sept ans comme ça.*

Émile — Non, non [*il rit*], comprenez, on a une grande différence ; quand je suis parti à Paris, Juliette était gamine.
[*Ils échangent un regard et rient tous les deux*.]

— *Elle pensait à vous mais vous ne pensiez pas à elle.*

Juliette — Non, jamais j'avais pensé à lui, d'abord parce que je le voyais plus âgé… plus… non !

— *Et quand il est revenu…*

Juliette — [*Elle rit*.] Et quand il est revenu, bien sûr… enfin… eh oui, j'avais 22 ans, alors ça faisait pas la différence que quand il est parti à Paris. (…)

— *Et vous avez regretté de ne plus être garçon de café ?*

Émile — Non, oui et non.

— *Qu'est-ce qui est bien dans ce métier ?*

Émile — Le métier, il est bien si on veut mais il faut travailler trop d'heures, je faisais 16 heures par jour, c'était trop long.

— *C'est toujours très long.*

Juliette — Oui, comme Yvette, 14 heures, Yvette.

— *Il paraît que de votre temps on gagnait plus d'argent.*

Émile — Il y avait moins d'occasions de dépenser que maintenant mais autrement ça va bien chercher à peu près pareil ; il y en avait qui faisaient 8 000 francs et maintenant 8 000 francs ça fait 80 francs, alors ceux qui faisaient 100 francs étaient rares ; moi je faisais 35 francs, alors ça fait 3 500.

— *Pourquoi faisiez-vous moins que les autres ?*

Émile — Parce que les clients me donnaient moins de pourboire ; un quartier ouvrier donne moins de pourboire.

— *Vous étiez où ?*

Émile — A Malakoff.

— *Dans la famille ?*

Émile — Non, ils étaient du Nord, de Normandie ; la patronne était normande et le patron était du Nord, descendant du Nord mais ils étaient nés tous à Paris, quoi.

— *Ça fait pas drôle quand on arrive de L…*

Émile — De faire garçon de café ? Mais j'ai été travailler un an, pas un an, six mois bougnat chez mon cousin, rue Rampon, à côté de la place de la République… (…) après j'ai été dans le café mais c'est les premiers jours, oui, surtout quand on entend parler des apéritifs qu'on ne connaissait pas du tout, ça faisait un peu drôle quand même (…) j'avais vu mon cousin servir au comptoir mais j'avais jamais servi un apéritif, jamais… Chez mon cousin, je ne servais pas, j'étais bougnat, je portais le charbon mais je ne servais pas au comptoir.

— *C'est lui qui vous a fait venir ?*

Émile — Oui, oui c'est mon cousin quoi, enfin on serait partis [quand même], j'ai été chez mon cousin parce que lui me connaissait, autrement mon frère, on est partis la même année mais il était chez des Bougnats... quoi... Aveyronnais mais ils n'étaient pas parents du tout... [*silence*] oui...

— *Et après...*

Émile — Après j'étais garçon de café, j'étais place de la Trinité là et je ne suis pas resté, je ne pouvais pas faire l'affaire, le café était trop grand, alors le temps que les garçons du comptoir mangeaient, je servais au comptoir et quand les garçons de salle mangeaient, je servais à la salle alors c'était un peu dur pour moi, les patrons ils m'ont dit que je ne pouvais pas faire leur affaire, alors j'ai été à un autre tabac mais tout seul, garçon seul, quoi. Là le patron m'aidait si je ne savais pas et ça allait très bien.

Peut-être on aurait mieux fait, peut-être plus mal

— *Et après, avec Juliette, vous avez pensé retourner à Paris.*

Émile — Oui, mais je ne sais pas comment ça s'est passé.

Juliette — Mais tu sais bien, tu avais peur que les Allemands te reprennent, alors on a été gérants sur la ferme de mon oncle à S. et puis après mon frère n'a pas voulu rester là alors, bon, on est venus là parce qu'il y avait ma mère et ma grand-mère, elles n'auraient pas pu vivre, c'est vrai, il n'y avait pas de retraite, et ma mère elle en était loin [de la retraite], alors comment faire ? Il a fallu les aider quand même, alors c'est pour elles qu'on est restés là.

— *Sans regrets quand même ?*

Émile — Oui, oui enfin peut-être on aurait mieux fait, peut-être plus mal...

Juliette — On ne sait pas... des fois on dit bien, on aurait mieux fait.

Émile — On peut pas le savoir, on en a vu qui faisaient faillite, nous autres si on allait à Paris, c'était pour s'établir.

Juliette — Prendre un café ou...

Émile — Il fallait emprunter alors... qu'est-ce qu'on avait, presque rien, moi j'avais gagné quelques sous avant la guerre mais

la vie avait augmenté, alors ce qu'on avait c'était plus rien du tout... oui... autrement peut-être qu'on aurait mieux fait.
Juliette — Peut-être qu'il aurait pas eu tous ces accidents qu'il a eu, t'aurais peut-être pas cassé la jambe, on ne sait pas. (...)
Émile — Tu vois bien que Henri est bien resté là (...) les frères sont bien restés là, l'un à V., l'autre au C., Henri. Henri [*quand il était à Paris*] il changeait plus souvent de place que moi, tous les deux ou trois mois il changeait de place. (...)
— *Vous êtes tous les deux nés à L. ?*
Juliette et **Émile** — [*Ensemble*] Oui.
— *Tous les deux à quelques mètres de distance.*
Émile — Mais Henri il l'a [*sa femme*] pas prise de loin, il l'a prise de P. (...) on s'est pas perdus. (...)
Juliette — Mais les jeunes à ce moment-là, enfin à quelques kilomètres d'intervalle, tout le monde se rassemblait par là, se mariait. Regarde Souquet avec celle de E...
Émile — Ils sortaient pas même de la paroisse.
Juliette — Et celle de E. avec celui de J., tout le monde... (...) On se connaissait, voyez.
— *Vos enfants, aucun n'a eu envie de reprendre... ? Je sais bien que c'est dur...*
Juliette — Même, on aurait eu une grande propriété, un serait peut-être resté, peut-être Françoise, ou même Yvette ; pas Maurice, parce que Maurice il avait plutôt l'idée de rentrer dans l'administration. [*Elle s'adresse à son chien qui grogne*] tais-toi !... et puis après il s'est marié, c'était pas pour venir là.
— *Mais Maurice il reviendra peut-être, il va avoir sa retraite de bonne heure.*
Juliette — Peut-être mais pas pour travailler la ferme, non, pour avoir une maison, prendre sa retraite, un petit jardin... mais pas plus.
Émile — Pas pour travailler la terre
Juliette — Non, il ne pourrait pas, oh non... (...) c'est plutôt Claudie [*la femme de Maurice*] elle ne saurait pas, elle ne saurait pas soigner les bêtes.

novembre 1990

Gabrielle Balazs

La solitude

C'est sur la proposition d'un service d'urgences d'un grand hôpital parisien que nous avons pu avoir un entretien avec Louise B. Rien n'est fait pour faciliter l'enquête dans un service d'urgences. Le va-et-vient du personnel soignant, des pompiers, dans un bruit de sirènes, le roulement de chariots, le battement des portes en plastique, l'interpellation des brancardiers ainsi que l'impossibilité de s'isoler dans un espace ouvert, organisé pour laisser le libre passage aux lits roulants et la présence permanente dans les chambres d'autres malades, l'entrée impromptue d'infirmières ou de visiteurs, se prêtent mal à la réalisation d'une interview.

Et pourtant, même s'il s'est déroulé dans des conditions très difficiles, entrecoupé par la pose d'un masque à oxygène, par la prise de température, la prise de tension, l'entretien que nous a accordé Louise B., âgée de 80 ans, victime d'un malaise cardiaque, évoque de manière particulièrement dramatique l'expérience que représente, pour une personne âgée, le traumatisme de l'hôpital, début d'un processus irréversible de prise en charge[1].

1. En l'espace d'un quart de siècle, de 1965 à 1989, la proportion des 60 ans ou plus est passée de 17 % à 19 %. L'espérance de vie dépasse

Le malaise qui a conduit Louise B. aux urgences rend visible son isolement qui, jusque-là, passait inaperçu. Plus qu'un problème médical, il pose la question de sa prise en charge après le traitement. Les services d'urgence des hôpitaux reçoivent ainsi de plus en plus de personnes âgées à qui il faudra trouver un hébergement.

Après m'avoir annoncé qu'elle était fatiguée, qu'elle avait mal dormi en raison du « déménagement » – nuit et jour des malades arrivent dans le service –, Louise B. n'a pas voulu interrompre l'interview comme je le lui proposais. Elle tenait à continuer à parler de son histoire personnelle.

Au début de l'entretien Louise utilise assez souvent le « on » indéterminé pour parler d'elle-même comme

---

80 ans pour les femmes et 72 ans pour les hommes. L'écart de plus de huit ans entre les vies moyennes des femmes et des hommes explique que plus des trois quart des personnes seules âgées de 55 ans ou plus sont des femmes. En 1989, les ménages d'une personne représentent 27 % des ménages (au lieu de 16 % en 1901 et 20 % en 1968), et plus d'une personne sur dix vit seule (10,6 en 1990). Plus d'un million de personnes de 75 ans ou plus sont seules.

450 000 personnes âgées sont dépendantes, dépendance qui risque de s'accroître encore avec l'allongement de la durée de vie. En 1990, 210 000 personnes âgées bénéficient d'une prise en charge médicale (43 000 à domicile, 67 000 en établissement de long séjour, 100 000 en foyer logement).

Ces facteurs démographiques n'expliquent pourtant pas entièrement l'isolement des personnes âgées. La place de celles-ci dans la famille a changé : la proportion des personnes âgées vivant avec au moins un de leurs enfants n'a cessé de diminuer. Non seulement la cohabitation a changé mais tout le cycle des échanges entre générations dans la famille s'est transformé. Voir : *Données sociales*, 1990, INSEE. Voir également R. Lenoir, « L'invention du troisième âge, constitution du champ des agents de gestion de la vieillesse », *Actes de la recherche en sciences sociales*, 26/27, mars-avril 1979, ainsi que le rapport Jean-Claude Boulard sur le problème des personnes âgées dépendantes.

si elle avait intériorisé le langage dépersonnalisant des aides soignantes (« on a un petit 38° ce matin ») ; elle parle ensuite longuement de son métier d'assistante sociale qu'elle a exercé longtemps comme bénévole – étant une jeune fille de milieu bourgeois dont le père était « dans les affaires », il ne lui était pas nécessaire de travailler –, puis après la guerre comme salariée, et tout semble indiquer, dans sa voix, son ton, ses digressions, jusqu'aux anecdotes où elle se dépeint toujours dans son rôle d'assistante sociale, y compris dans la vie privée – chez le boucher on l'appelle Mademoiselle B. et on lui demande des services – que, si elle revient sans cesse sur ce rôle, c'est pour réaffirmer une identité professionnelle et sociale que tout le monde a oubliée, non seulement à l'hôpital, où elle se sent comme un paquet encombrant, mais aussi dans son immeuble du 6e arrondissement, et pour sa propre famille pour qui elle n'existe plus que comme un « problème ». Sa souffrance est d'autant plus grande qu'en tant qu'assistante sociale et comme tous les travailleurs sociaux, elle s'est occupée toute sa vie des problèmes des autres. Elle sait, par son expérience professionnelle, que ni les institutions, ni les personnels, ni les personnes en perte d'autonomie ne sont préparés à la gestion de la dépendance. Consciente de la relative pénurie d'établissements, de l'attente moyenne d'un an pour trouver une solution d'accueil appropriée, Louise B. souffre à l'idée qu'elle devra accepter une assistance matérielle et morale, qu'elle devra « déranger », ce dont elle a la hantise.

Louise B. est célibataire, comme beaucoup d'assistantes sociales, d'infirmières ou d'institutrices de sa génération, et la famille qui lui reste, un frère, une belle-sœur, des neveux et nièces, habite en province. Louise B. ne parle pas dans le registre de la plainte ni de la confession mais plutôt sur le ton du bavardage, comme si elle voulait, par la légèreté du ton, cacher le pathétique de sa situation. Par des dénégations répétées : « ils sont gentils, ils sont très très gentils », elle souligne l'absence de sa famille. Absolument seule, elle tient à se persuader qu'elle a « de la chance », qu'elle est entourée et que sa famille est attentive, alors qu'elle a été extrêmement « secouée » par la visite de sa nièce venue la convaincre d'aller le plus tôt possible en maison de retraite. C'est au détour de ces affirmations selon lesquelles « tout va bien » que l'on saisit ces presque riens qui font sa vie et qu'elle énumère tristement : la visite d'une voisine, le coup de fil d'une nièce, le passage d'une femme de ménage. Le problème majeur qui se révèle à l'hôpital est si douloureux qu'il ne peut être totalement dit, ni même pensé : chaque fois qu'elle approche, au cours de l'entretien, de la vérité de sa solitude – elle ne peut plus rentrer chez elle, sa famille ne peut ni ne veut l'accueillir –, elle enfouit rapidement cette lucidité qui la tuerait sous des affirmations rassurantes : « J'ai des amis », « j'ai des gens attentifs autour de moi », « j'ai de la chance ».

avec une personne âgée

— *entretien de Gabrielle Balazs*

« Une vieille grand-mère, qu'est-ce qu'on va en faire ? »

— *J'aimerais que vous me parliez d'abord des difficultés que vous avez rencontrées...*

Louise B. — (...) Je vous préviens, je suis assez fatiguée. Je suis arrivée ici vendredi à midi, un peu clopinante... et puis cette nuit j'ai très mal dormi parce que j'ai eu une visite qui m'a assez secouée. Il y a eu des déménagements je ne peux pas vous dire, je n'ai pas fermé l'œil... du bruit, tout ce que vous voulez ! Alors ce matin j'étais pas très en forme et puis ça revient. On a un petit 38 ce matin. Alors... oui... j'ai pas cherché pourquoi. On ne m'a pas demandé pourquoi, d'ailleurs, mais enfin... J'ai passé une nuit très pénible.

— *Si vous êtes fatiguée on arrête. Vous me dites.*

Louise B. — Non, voyez-vous, ça va...

— *Vous me dites, si vous avez envie de parler ou pas, vous me dites... le docteur m'a dit que vous étiez arrivée ici en urgence, mais que ensuite, vous ne vouliez pas retourner à la maison...*

Louise B. — Je ne peux pas. [*Elle insiste sur peux.*] C'est différent ! [*Rire crispé* .]

— *Oui. Et vous ne pouvez pas pourquoi ? Comment ça se passe ?*

Louise B. — Je suis célibataire et avant j'étais assistante sociale, il y a 20 ans déjà de ça, bientôt 25, oui... disons là, non pas encore tout à fait, bon j'ai pris ma retraite... J'étais assistante sociale à Paris, assistante sociale aussi en campagne et j'aime beaucoup la campagne, j'aime beaucoup les gens qui travaillent en rural. On se connaît, on voit bien les difficultés des uns et des autres (on voit toute une famille) ; on les sent parce qu'on les voit chez le boulanger ou chez le boucher, peu importe. Enfin c'est un travail que j'aime beaucoup ; que je ne regrette surtout pas d'avoir choisi.

— *Et vous avez arrêté quand ? La retraite c'était quand... ?*

Louise B. — En 71, mais avec une arthrose carabinée, très douloureuse à cause du service social, parce qu'on est sur les routes tout le temps, sur les routes de campagne en 2CV, oui. Et avant, ça a commencé en bicyclette. Dans les années 49, et puis finalement ça a commencé à… parce que j'ai fait du sana, enfin bon bref, ça a commencé à flancher, le service m'a quand même procuré avec les difficultés de ce moment-là, que vous ne connaissez pas, un solex. Et comme c'était un pays en côtes, le solex marchait ou il marchait pas, dans les côtes je le poussais ou… plutôt que lui me tirait. Enfin bon bref. Et puis après finalement, en 53 il y a eu la 2CV.

— Et alors après vous habitiez Paris, vous me dites qu'à partir de la retraite, vous habitiez Paris ?

Louise B. — J'habite Paris, oui. Enfin je suis normande, mais… enfin j'ai pris ma retraite en campagne, près des amis. Et puis, quand j'ai trouvé que j'étais plus très jeune pour rester habiter seule en campagne… la voiture qu'il fallait pour aller n'importe où et que j'aimais bien, d'accord, mais enfin c'était plus possible (…). Alors ce petit pied-à-terre à Paris, je l'avais quand j'étais assistante sociale, voilà, parce que il fallait s'évader. Le dimanche, si vous alliez chercher votre pain [*imite son public d'assistés*] « ah Mademoiselle, ça y est ? Vous avez touché mes allocations ? », « Mademoiselle… », bon bref on vous rencontrait, c'était très gentil, remarquez, je dis ça, mais enfin il faut s'évader… [*presque sans voix*]. Alors j'ai pu prendre ce petit pied-à-terre. Et j'y suis revenue quand j'ai trouvé que je ne pouvais plus vivre seule à la campagne. La voiture… qu'il faudrait un jour savoir dire non et… bon.

[…]

— Et vous aviez une aide à la maison ? Comment vous faisiez pour vous organiser pour les courses, pour le ménage, vous aviez une aide à la maison ?

Louise B. — A la retraite ? J'avais ce petit pied-à-terre là et puis, mon Dieu, j'étais valide…

Petit à petit, la côte descend, la côte descend, et puis…

— Oui, mais il n'y a personne qui vous aidait pour le ménage, pour…

Louise B. — Oh ! si j'avais besoin, oui, oui. Il y avait quelqu'un dans la maison qui était très très gentille, si j'avais des courses à faire, enfin qui était très très gentille, me disant « si un jour vous êtes fatiguée, si vous voulez que je vous couche » parce que c'est tout simplement une pièce avec un couloir cuisine – si on peut dire

– et c'est dans une cour, une véritable cour carrée, au rez-de-chaussée et on aperçoit un peu de soleil et de ciel. Au-dessus de chez moi, il n'y a pas de ciel, j'étais obligée de coller mon œil à un coin, là…

— A cause du rez-de-chaussée c'est sombre ?

Louise B. — C'est sombre. Et en plus on y fait des travaux en ce moment, alors [*ironique*], c'est la vie de château ! Une concierge qui est très gentille, enfin, une amie, une Algérienne, une personne qui est très très gentille (je sais bien que je lui ai rendu service, mais enfin, elle fait avec une gentillesse que j'apprécie énormément, nous nous aimons beaucoup), elle me disait : « Vous êtes comme ma mère », c'est une Algérienne… [*silence*]. Et puis petit à petit la côte descend, la côte descend, la côte descend et puis… Voilà.

— Et donc qu'est-ce que vous avez trouvé comme système à la maison pour vous aider ?

Louise B. — Cette Algérienne ; oui, et puis alors, c'est très bien, il y a les clubs de la mairie, alors là c'est vraiment très bien ; il y en a un tout près de chez moi, dont je fais partie, alors on va y déjeuner toutes les fois qu'on veut, enfin on s'inscrit et on paye suivant les ressources… financières de chacun [*toux*] ; et c'est très sympathique, c'est bien gentiment servi, enfin varié, ça représente des tas d'avantages. Et puis ce n'est pas mal, on parle de sa vie d'autrefois, c'est bien. Et puis, et puis, et puis évidemment le cœur est fatigué… Je suis tombée au mois de juin et je me suis cassé le bras, alors là ça a déclenché évidemment tout un ensemble. J'ai préféré passer quelque jours ici à l'hôpital à cause de ça, et puis je suis rentrée chez moi avec mon bras comme ça, vous voyez ces trois doigts là ne marchaient pas… Bon et puis, et puis et puis, j'ai repris l'habitude d'aller au club ; ma petite femme de ménage me conduisait si besoin était, il y avait là (…), il y a un très bon esprit, très gentil, qui me ramenait ou m'aidait pour me couper ma viande parce que je peux pas…

— Oui, c'est ça pour tout ce qu'il y a à faire dans la maison, vous ne pouviez pas bouger ?

Finalement, ça dégringole

Louise B. — Je ne pouvais pas, j'avais cette petite personne (…). Elle est en or, on peut avoir parfaitement confiance, enfin elle a les clefs, elle sait bien, je suis obligée de la freiner, parce qu'elle travaille… Elle vient une heure chez moi, par exemple, « qu'est-ce que tu veux que je te fasse ? », mais… voilà, bon, cette chute évidemment a déclenché un peu une dégringolade, ça se passait en juin, depuis j'ai eu plusieurs fois des plâtres, des plâtrages, ça a été mal mis, ça a été très douloureux, enfin bref. Et puis le 15 août, quelque chose comme ça… [*rire*] c'est long. C'est pas toujours très drôle parce que au mois d'août, chercher qui ?… tout le monde est parti, tout le monde est parti… (…) Il y a des gens qui aimeraient me rendre service, mais… Et puis, et puis, et puis bon j'ai repris ma vie, comme ça, clopinante un peu, plutôt clopinante, marchant avec une canne enfin bon bref, je m'en sortais comme je pouvais. Et puis, et puis, ben finalement ça dégringole. Ce qui a déclenché c'est… oui, c'est que je suis tombée chez moi. Alors là ça a alerté un peu. Et puis je pouvais pas me relever. [*Bruits de chariots, voix.*] Et alors drame qui aurait pu être tragique, c'est que c'était l'heure où il y avait je ne sais pas quoi, du lait, eh oui, mais c'est que le gaz s'est éteint ; alors j'ai réussi comme un ver de terre à arriver à mon téléphone et puis pour alerter ma concierge, qui « qu'est-ce que c'est que ça… ? », affolée évidemment, alors ça a déclenché pas mal de choses, « mais enfin c'est pas possible ! », voilà.

— *La concierge vous a conseillé de pas rester seule alors ?*

Louise B. — Ah elle, elle est très gentille, elle me rend service d'accord, tout ça, mais moi je ne veux pas, n'est-ce pas, c'est pas son rôle de me rendre service, je lui demanderais bien un jour, si elle va au pain, « vous pouvez m'en rapporter en même temps », c'est bien d'accord, ou elle vient en distribuant le courrier, elle s'assiéra au pied de mon lit et puis on bavarde et puis voilà. Mais je ne veux pas, c'est pas son rôle et puis si je suis trop lourde à porter, eh bien évidemment tout s'en déclenchera… Alors j'en suis là. Et cette chute qui a alerté un peu, elle a téléphoné à mon frère, enfin [*rire*], ça fait un peu…

— *Et alors qu'est-ce qu'il dit votre frère ?*

Qu'est-ce qu'on peut faire de moi

Louise B. — Oh il dit… Il s'occupe très gentiment de moi, mais on cherche. Alors demain il y a téléphone entre assistante sociale et ce frère – ma belle-sœur est très très gentille, aussi – ils sont à La Rochelle, donc… Et ma belle-sœur est très très gentille et mon frère aussi, alors on cherche quelles solutions prendre ; et l'assistante sociale d'ici est en relation avec mon frère... Pour savoir qu'est-ce qu'on peut faire de moi, où est-ce qu'on me met... C'est le drame des personnes d'un certain âge. Elle avait pensé Broca, parce que à Broca, quand ça s'est passé, enfin j'ai hésité un moment et puis je devais rentrer, enfin quelle solution prendre et tout ça. Et puis l'assistante sociale me parle de Broca, je me disais dans le fond, avec mon Algérienne, avec le foyer à côté, je peux très bien rester comme ça. Mais [*silence*], c'est fini !

— *C'est plus possible ?*

Louise B. — Qu'est-ce que j'irais faire [*interruption*]. Mais ce foyer est vraiment, on est admis, je veux dire on y est très bien, et on vient facilement me voir, et d'ailleurs ma porte est toujours ouverte. Comme ça, n'est-ce pas, je suis souvent couchée, bon ben c'est bien, on arrive bon... c'est très gentil, c'est très... Et puis et puis, eh bien évidemment, et bien oui, c'est quand je suis tombée et puis que le gaz était allumé que ça a donné évidemment, ça fait réfléchir et puis tout le monde a été alerté. Alors, la concierge a alerté mon frère de La Rochelle qui a eu, enfin... qui alors très gentiment... je me chauffais au gaz et ma cuisine au gaz ; alors sur ce, on a voulu évidemment supprimer le gaz et mettre tout à l'électricité, je comprends, c'est plus raisonnable, et enfin évidemment ça a... Seulement, c'est plein de souris, vient-on de découvrir, je savais que j'en avais et que, j'essaie de leur donner à manger, mais ça suffit pas. Alors ma concierge est un peu affolée parce que les travaux qu'on doit faire pour l'électricité, avec les souris c'est pas possible. Alors je ne sais pas où ça en est en ce moment, je ne sais pas ce qui se trame, j'en sais rien [*rire*].

— *C'est-à-dire que si vous vouliez retourner à la maison, il faudrait que ce soit rénové, il faudrait que ça soit refait ?*

Louise B. — Voyez-vous... oh, refait... Non c'est cette question de gaz et d'électricité ; enfin n'est-ce pas, on a parfaitement raison. Et puis voyez-vous, je vois bien que je ne peux plus vivre seule, d'ailleurs je ne sortais guère ces temps-ci ; je sortais avec ma canne et je sortais, j'ai eu la chance de pouvoir aller à des réunions de famille, mais bon, on venait me chercher en voiture... Oui, oui, enfin j'ai pu profiter comme ça du 1er janvier, enfin c'était au mois de janvier...

— *Vous avez de la famille à Paris ?*

Louise B. — Ah oui, j'ai de la famille à Paris, des cousins, enfin

des… j'ai des nièces évidemment, j'en ai une… qui est ennuyée de me voir comme ça. Je le sais bien, je le sens bien mais qui a trois enfants, un mari qui a été un certain temps au chômage, donc elle a été obligée de prendre du travail, elle était jardinière d'enfants, elle a repris dans l'éducation. Alors là il faut qu'elle s'y mette aussi et puis, eh bien tout ça est très fatigant. Par conséquent je ne veux pas lui demander les…
[*Une infirmière entre pour des soins*.]
— *Oui, vous ne voulez rien demander ?*

C'est pas à moi d'aller encombrer les uns et les autres

Louise B. — Oh je ne veux pas demander !
— *Parce que vous pensez qu'elle ne peut pas ?*
Louise B. — Oh tout ce qu'elle peut faire, elle le fait, les coups de téléphone, tout ça d'ailleurs, si vous voulez, je lui dis « tu prends le taxi » quand elle vient, je lui offre le taxi, enfin elle vient une heure peut-être, les jours où…, les jours où, mais enfin elle a ses trois enfants et c'est pas à moi d'aller encombrer les uns et les autres.
— *Oh encombrer, mais pourquoi vous pensez que vous les encombreriez ? Il n'y a pas la place ou…*
Louise B. — Parce que leur vie est occupée. Leur vie est occupée, vous comprenez, ce mari qui recommence à travailler, il faut que moralement elle le soutienne un peu, enfin je ne veux pas être une charge ; quand au téléphone elle me cause, bon ça va très bien, les nièces enfin… très gentiment, mais elles ne peuvent pas venir me voir, et je ne veux pas, une fois de temps en temps, je dis « bon, bon, prends un taxi et viens ».
— *Et parmi vos neveux et nièces il n'y en a pas qui puissent venir chez vous ?*
Louise B. — Habiter ?
— *Oui, oui, habiter.*
Louise B. — [*Une voix crie : un malade au 8, un médecin !*] Ah non c'est pas possible, parce que c'est une malheureuse pièce. Je pense que ça fait oui, peut-être cinq à peine, huit mètres et puis alors un couloir, un couloir un peu large qui me servait pour faire la cuisine…
— *Oui, c'est trop petit pour accueillir quelqu'un ?*
Louise B. — Ah oui, alors quelquefois Zorah m'avait dit, « vous

savez... » (enfin mon Algérienne) « si... moi je viendrai coucher », alors c'est arrivé très souvent, on met un matelas par terre et combien de fois est-on venu coucher chez moi. « Allô... Oui, on met le matelas et tu viens », enfin bon et alors l'autre jour, elle est venue, mais elle a eu froid la pauvre – c'était la période de froid – et que l'air passe sous les portes. Et puis ce n'est pas possible, et puis il n'y a pas assez de place dans... n'est-ce pas, il y a ce malheureux matelas qui est là par terre... [*rire gêné*].

— *Oui, c'est une solution provisoire, mais il ne peut pas y avoir quelqu'un en permanence chez vous ?*

Louise B. — Ah non. Ah non, on ne peut pas vivre à deux.

— *Et alors qu'est-ce que vous envisagez maintenant, éventuellement d'aller chez votre frère et votre belle-sœur ?*

Louise B. — Ah non ! Ah non, non ! Oh je ne veux aller chez personne... Non, ah non ! D'ailleurs voyez-vous, leur vie est organisée aussi, ils viennent d'avoir un troisième petit bébé, enfin chez un de leurs enfants qui n'habite pas loin. N'est-ce pas, chacun a sa vie organisée. Non, non, non, non, c'est... Et ma belle-sœur le comprend très bien, qui me téléphone très souvent, très gentiment, qui me demande « comment ça va », tout ça parce qu'elle voit bien que je fais ce que je peux, mais que je ne la dérange pas. Non, non ça... Je peux dire, j'ai la hantise de leur...

On nous fait vivre...

— *Et d'où vous vient cette hantise de pas vouloir déranger ? Vous qui vous êtes occupée toujours des autres dans votre métier ?*

Louise B. — Ben justement parce que j'ai vu ce que c'était que de gêner les uns et les autres, une vieille grand-mère, qu'est-ce qu'on va en faire ? Quoi ? Non, voyez-vous... On nous fait vivre, puisqu'il s'agit un peu de ça, mais je ne sais pas si ça s'appelle vivre [*rire*]. Remarquez que j'aime lire, j'aime les mots-croisés, on vient, je vous dis, facilement, on frappe, un Scrabble, enfin, quand j'ai une télé qui marche pas et puis... non, parce que j'ai des neveux, mais ce qu'on appelle des neveux par choix du cœur ; c'est-à-dire des enfants d'amis, pour lesquels je suis tante. Alors il y a un ménage qui m'a téléphoné il y a deux jours et il m'a dit bon, « écoute, on t'apporte la télé de ma belle-mère », alors ce qui fait que j'ai une belle télé qui marche bien, et de mon lit je peux... voilà. Comme quoi, gentiment beaucoup cherchent à me faire plaisir. [*Voix qui s'emporte*.] Mais il y en a d'autres qui comprennent beaucoup moins les choses. [*Voix énervée*.] Et qui croient tout comprendre, tout gérer, tout organiser [*imite sa voix autoritaire*] « pourquoi avez-vous des chaussures comme ça ? » Si vous voyiez... Oh hier, ça a été dramatique ! Avec cette nièce-là, vraiment, elle a une façon de vous juger tout, elle a 40 ans...

— *C'est la fille d'un autre frère ? C'est la fille, pas du frère de La Rochelle ?*

Louise B. — Oh c'est enregistré, oh attention, oh oui !

[*Très inquiète de son avenir et très « secouée » de la visite de sa nièce, Louise B. a le souci de ne pas trop en dire, et demande de parler hors enregistrement, après une interruption, nous reprenons*.]

Louise B. — Et alors mon frère et ma belle-sœur, enfin ma belle-sœur est très discrète. Justement l'assistante sociale m'a dit tout à l'heure, elle m'a téléphoné, elle m'a dit, ils partent en voyage demain, alors ils passent par Paris et il y a une réunion avec l'assistante sociale et puis je ne sais pas qui, je ne sais pas qui encore, pour voir ce que l'on peut faire des gros poids lourds que nous sommes. [*Rire – Bruits dans le couloir*.] C'est vrai. Mais c'est vrai. Combien il y en a-t-il comme moi ? Et je me dis, j'ai encore de la chance parce que... ben, je vois ce que j'ai ; il faut savoir voir ce que l'on a, encore. Le téléphone marche facilement chez moi, enfin je mène encore une vie très vivante...

— *Mais qu'est-ce que vous préféreriez, vous ?*

Louise B. — Moi j'en ai assez, je voudrais un coin tranquille dans une maison de retraite...

— *Dans une maison de retraite ?*

Louise B. — [*Ton bas*.] Oh oui... On n'a plus que ça. Pas trop loin pour qu'on puisse venir me voir quand même...

— *Oui, à Paris...*

Louise B. — Oui, ou près de Paris... [*silence*]. Alors je crois que demain, c'est ce qui va s'étudier ; alors avec moult recommandations de ma nièce. [*Imite sa voix*] « surtout, hein, vous ne laissez pas passer ce qu'on vous proposera ». De quoi je me mêle ! Comme si j'avais eu recours à elle pour vivre... Je lui ai rappelé quand même hier, parce que je commençais à en avoir assez, que j'ai fait deux ans de sana en 38, sans que ça se sache ! Alors j'ai dit « tu sais pour du courage, j'en ai eu, par conséquent, ça suffit ! », et un jour je lui dis « écoute, ce que tu viens de me dire, personne n'a jamais osé me le dire », je pense que là, elle a réalisé un peu que elle avait été un peu fort. Faut avouer que s'entendre dire ça, ça fait mal.

— *Qu'est-ce qu'elle fait comme profession ? Elle, qu'est-ce qu'elle fait comme métier ?*

Louise B. — Oh, elle a fait psycho. Oui [*rire*]. Vous savez, c'est pas un exemple… psycho. D'ailleurs elle n'a pas continué – en fait elle n'avait pas besoin de travailler –, son mari a une situation qui lui permet de vivre, alors des fois je m'occupe – trop – de ses enfants. Mais enfin il y en a d'autres, alors je vois les autres… Encore ce matin, si vous voulez, un coup de téléphone de Montpellier ; c'est une de ces, ce que l'on appelle une nièce par choix du cœur. Hier c'était de Rouen, comment dire, c'était une amie de Cannes, voilà. Alors il faut voir encore tout ce qu'on a. Pas seulement dans le comment on en sortira. […]

[*Un aide-soignant entre : « Bonjour, je vous embête encore ! »*]

Louise B. — Qu'est-ce que vous voulez ?

[*Il prend le journal qu'un visiteur lui a apporté et sort.*]

février 1992

« Moi, je ne rejette pas tout,
je cherche toujours à voir
e comportement des individus,
comment ils se comportent,
d'où ils viennent, quels
sont leurs intérêts et
j'arrive à comprendre »

ouvrier métallurgiste,
responsable syndical, Longwy

« Tout est intéressant
pourvu qu'on le regarde
assez longtemps »

Gustave Flaubert

Pierre Bourdieu

Comprendre

Je ne voudrais pas sacrifier ici de manière trop insistante à des réflexions de théorie ou de méthode destinées aux seuls chercheurs. « Nous ne faisons que nous entregloser », disait Montaigne. Et même s'il n'est question que de cela, mais sur un tout autre mode, je voudrais éviter les dissertations scolastiques sur l'herméneutique ou sur la « situation de communication idéale » : je crois en effet qu'il n'est pas de manière plus réelle et plus réaliste d'explorer la relation de communication dans sa généralité que de s'attacher aux problèmes inséparablement pratiques et théoriques que fait surgir le cas particulier de l'interaction entre l'enquêteur et celui ou celle qu'il interroge.

Je ne crois pas qu'on puisse s'en remettre pour autant aux innombrables écrits dits méthodologiques sur les techniques d'enquête. Pour utiles qu'ils puissent être lorsqu'ils éclairent tel ou tel effet que l'enquêteur peut exercer *à son insu*, ils manquent presque toujours l'essentiel, sans doute parce qu'ils restent dominés par la fidélité à de vieux principes méthodologiques qui sont souvent issus, comme l'idéal de la standardisation des procédures, de la volonté de mimer les signes extérieurs de la rigueur des disciplines scientifiques les plus reconnues ; il ne me semble pas en tout cas qu'ils rendent compte de ce qu'ont toujours fait, et toujours su, les chercheurs les plus respectueux de leur objet et les plus attentifs aux subtilités quasi infinies des stratégies que les agents sociaux déploient dans la conduite ordinaire de leur existence.

Plusieurs dizaines d'années d'exercice de l'enquête sous toutes ses formes, de l'ethnologie à la sociologie, du questionnaire dit fermé à l'entretien le plus ouvert, m'ont ainsi convaincu que cette pratique ne trouve son expression adéquate ni dans les prescriptions d'une méthodologie souvent plus scientiste que scientifique, ni dans les mises en garde antiscientifiques des mystiques de la fusion affective. C'est pourquoi il me paraît indispensable d'essayer d'expliciter les intentions et les principes des procédures que nous avons mises en œuvre dans la recherche dont nous livrons ici les résultats. Le lecteur pourra ainsi reproduire dans la lecture des textes le travail de construction et de compréhension dont ils sont le produit [1].

---

1. Au cours de différentes réunions de travail, j'avais exposé les objectifs de la recherche et les principes (provisoires) de l'entretien que j'avais dégagés d'expériences réalisées depuis plusieurs années par moi-même ou quelques proches collaborateurs (Rosine Christin, Yvette Delsaut, Michel Pialoux, Abdelmalek Sayad notamment). Le choix des thèmes et de la forme possibles de l'entretien en fonction des caractéristiques sociales de l'enquêté potentiel a été, chaque fois, attentivement examiné. En beaucoup de cas, l'écoute ou la lecture du premier entretien a soulevé de nouvelles questions (de fait ou d'interprétation) appelant un second entretien. Par la suite, les problèmes, les difficultés et les enseignements que les uns et les autres avaient pu rencontrer au cours de la réalisation des entretiens qu'ils étaient en train de mener ont été régulièrement soumis à la discussion dans le cadre de mon séminaire du Collège de France de l'année 1991-1992. C'est dans la confrontation continuelle des expériences et des réflexions des participants que la méthode s'est précisée peu à peu, par l'explicitation et la codification progressive des démarches réellement effectuées.

Si la relation d'enquête se distingue de la plupart des échanges de l'existence ordinaire en ce qu'elle se donne des fins de pure connaissance, elle reste, quoi qu'on fasse, une *relation sociale* qui exerce des effets (variables selon les différents paramètres qui peuvent l'affecter) sur les résultats obtenus[2]. Sans doute l'interrogation scientifique exclut-elle par définition l'intention d'exercer une forme quelconque de violence symbolique capable d'affecter les réponses ; il reste qu'on ne peut pas se fier, en ces matières, à la seule bonne volonté, parce que toutes sortes de distorsions sont inscrites dans la structure même de la relation d'enquête. Ces distorsions, il s'agit de les connaître et de les maîtriser ; et cela dans l'accomplissement même d'une pratique qui peut être réfléchie et méthodique, sans être l'application d'une méthode ou la mise en œuvre d'une réflexion théorique.

Seule la réflexivité, qui est synonyme de méthode, mais une *réflexivité réflexe*, fondée sur un « métier », un « œil » sociologique, permet de percevoir et de contrôler *sur-le-champ*, dans la conduite même de l'entretien, les effets de la structure sociale dans laquelle il s'accomplit. Comment prétendre faire la

2. L'opposition traditionnelle entre les méthodes dites quantitatives, comme l'enquête par questionnaire, et les méthodes dites qualitatives comme l'entretien, masque qu'elles ont en commun de reposer sur des interactions sociales qui s'accomplissent sous la contrainte de structures sociales. Les défenseurs des deux catégories de méthode ont en commun d'ignorer ces structures, ainsi d'ailleurs que les ethnométhodologues, que leur vision subjectiviste du monde social porte à ignorer l'effet que les structures objectives exercent non seulement sur les interactions (entre des médecins et des infirmières par exemple) qu'ils enregistrent et analysent, mais aussi sur leur interaction avec les personnes soumises à l'observation ou à l'interrogation.

science des présupposés, sans travailler à se donner une science de ses propres présupposés ? Notamment en s'efforçant de faire un usage réflexif des acquis de la science sociale pour contrôler les effets de l'enquête elle-même et s'engager dans l'interrogation en maîtrisant les effets inévitables de l'interrogation.

Le rêve positiviste d'une parfaite innocence épistémologique masque en effet que la différence n'est pas entre la science qui opère une construction et celle qui ne le fait pas, mais entre celle qui le fait sans le savoir et celle qui, le sachant, s'efforce de connaître et de maîtriser aussi complètement que possible ses actes, inévitables, de construction et les effets qu'ils produisent tout aussi inévitablement.

Une communication « non violente »

Essayer de savoir ce que l'on fait, lorsqu'on instaure une relation d'entretien, c'est d'abord tenter de connaître les effets que l'on peut produire sans le savoir par cette sorte d'*intrusion* toujours un peu arbitraire qui est au principe de l'échange (notamment par la manière de se présenter et de présenter l'enquête, par les encouragements accordés ou refusés, etc.) ; c'est essayer de porter au jour la représentation que l'enquêté se fait de la situation, de l'enquête en général, de la relation particulière dans laquelle elle s'instaure, des fins qu'elle poursuit, et d'expliciter les raisons qui le poussent à accepter d'entrer dans l'échange. C'est en effet à condition de mesurer l'ampleur et la nature du décalage entre l'objet de l'enquête tel qu'il est perçu et interprété par l'enquêté, et l'objet que l'enquêteur lui assigne, que celui-ci peut essayer de réduire les distorsions qui en résultent, ou, du moins, de comprendre ce qui peut être dit et ce qui ne le peut pas, les censures qui empêchent de dire certaines choses et les incitations qui encouragent à en accentuer d'autres.

C'est l'enquêteur qui engage le jeu et institue la règle du jeu ; c'est lui qui, le plus souvent, assigne à l'entretien, de manière unilatérale et sans négociation préalable, des objectifs et des usages parfois mal déterminés, au moins pour l'enquêté. Cette dissymétrie est redoublée par une dissymétrie sociale toutes les fois que l'enquêteur occupe une position supérieure à l'enquêté dans la hiérarchie des différentes espèces de capital, du capital culturel notamment. Le *marché des biens linguistiques et symboliques* qui s'institue à l'occasion de l'entretien varie dans sa structure selon la relation objective entre l'enquêteur et l'enquêté ou, ce qui revient au même, entre les capitaux de toutes espèces, et en particulier linguistiques, dont ils sont dotés.

Prenant acte de ces deux propriétés inhérentes à la relation d'entretien, on s'est efforcé de tout mettre en œuvre pour en maîtriser les effets (sans prétendre les annuler) ; c'est-à-dire, plus précisément, pour *réduire au maximum la violence symbolique qui peut s'exercer à travers elle*. On a donc essayé d'instaurer une relation d'*écoute active et méthodique*, aussi éloignée du pur laisser-faire de l'entretien non directif que du dirigisme du questionnaire. Posture d'apparence contradictoire à laquelle il n'est pas facile de se tenir en pratique. En effet, elle associe la disponibilité totale à l'égard de la personne interrogée, la soumission à la singularité de son histoire particulière, qui peut conduire, par une sorte de mimétisme plus ou moins maîtrisé, à adopter son langage et à entrer dans ses vues, dans ses sentiments, dans ses pensées, avec la construction méthodique, forte de la connaissance des conditions objectives, communes à toutes une catégorie.

Pour que soit possible une relation d'enquête aussi proche que possible de cette limite idéale, plusieurs conditions devaient être remplies : il ne suffisait pas d'agir, comme le fait spontanément tout « bon » enquêteur, sur ce qui peut être consciemment ou inconsciemment contrôlé dans l'*interaction*, notamment le niveau du langage utilisé et tous les signes verbaux ou non verbaux propres à encourager la collaboration des personnes interrogées, qui ne peuvent donner une réponse digne de ce nom à l'interrogation que si elles peuvent se l'approprier et en devenir les sujets. Il fallait agir aussi, en certains cas, sur la *structure* même de la relation (et, par là, sur la structure du marché linguistique et symbolique), donc sur le *choix* même des personnes interrogées et des interrogateurs.

L'imposition

On s'étonne parfois que les enquêtés puissent mettre tant de bonne volonté et de complaisance à répondre à des questions aussi saugrenues, arbitraires ou déplacées que tant de celles qui leur sont souvent « administrées », notamment dans les sondages d'opinion. Cela dit, il suffit d'avoir conduit une seule fois un entretien pour savoir à quel point il est difficile de concentrer continûment son attention sur ce qui est en train de se dire (et pas seulement dans les mots) et d'anticiper les questions capables de s'inscrire « naturellement » dans la continuité de la conversation tout en suivant une sorte de « ligne » théorique. C'est dire que personne n'est à l'abri de l'effet d'imposition que les questions naïvement égocentriques ou, tout simplement, distraites peuvent exercer et surtout de l'effet en retour que les réponses ainsi extorquées risquent de produire sur l'analyste, toujours exposé à prendre au sérieux, dans son interprétation, un artefact qu'il a lui-même produit sans le savoir. Ainsi par exemple, qu'un enquêteur, au demeurant aussi attentionné qu'attentif, demande à brûle-pourpoint à un ouvrier métallurgiste, qui venait de lui dire combien il avait eu de la chance de rester toute sa vie dans le même atelier, si lui, « personnellement », était « prêt à partir de Longwy », et il obtient, une fois passé le premier moment de franc étonnement, une réponse de politesse du type de celles que l'enquêteur et le codeur pressés des instituts de sondage enregistreront comme un acquiescement : « Maintenant [ton étonné] ? Pourquoi faire ? Partir... Je vois pas l'utilité... Non, je crois pas que je quitterai Longwy... Ça ne m'est même pas encore venu à la tête cette idée-là... D'autant que ma femme travaille encore. Ça, peut-être que c'est un frein... Mais quitter Longwy,... je ne sais pas, peut-être, pourquoi pas ?... un jour... Je ne sais jamais... Mais ça ne me vient pas à l'esprit encore. Ça ne m'est pas encore venu à l'esprit, d'autant plus que je reste... Je sais pas, pourquoi pas [rire], je sais pas, on sait jamais... ».

On a ainsi pris le parti de laisser aux enquêteurs la liberté de choisir les enquêtés parmi des *gens de connaissance* ou des gens auprès de qui ils pouvaient être introduits par des gens de connaissance. La proximité sociale et la familiarité assurent en effet deux des conditions principales d'une communication « non violente ». D'une part, lorsque l'interrogateur est socialement très proche de celui qu'il interroge, il lui donne, par son interchangeabilité avec lui, des garanties contre la menace de voir ses raisons subjectives réduites à des causes objectives, ses choix vécus comme libres à l'effet des déterminismes objectifs mis au jour par l'analyse. On voit que, d'autre part, se trouve aussi assuré en ce cas un accord immédiat et continûment confirmé sur les présupposés concernant les contenus et les formes de la communication : cet accord s'affirme dans l'émission ajustée, toujours difficile à produire de manière consciente et intentionnelle, de tous les signes non verbaux, coordonnés aux signes verbaux, qui indiquent soit comment tel ou tel énoncé doit être interprété, soit comment il a été interprété par l'interlocuteur [3].

Mais l'univers des catégories sociales qui peuvent être atteintes dans les conditions optimales de familiarité a ses limites (même si les homologies de position peuvent aussi fonder des affinités réelles entre le sociologue et certaines catégories d'enquêtés, des magistrats ou des éducateurs sociaux par exemple). Pour tenter de l'étendre aussi largement que possible, on aurait pu aussi, comme nous l'avons fait dans différentes enquêtes antérieures, recourir à des stratégies comme celle qui consiste à *jouer des rôles*, à composer l'identité d'un enquêté occupant une position sociale déterminée pour faire de fausses démarches d'achat ou de demande de renseignement (par téléphone notamment). Ici, nous avons pris le parti de diversifier les enquêteurs en faisant un emploi méthodique de la stratégie à laquelle William Labov avait eu recours dans son étude du parler noir de Harlem : pour neutraliser l'effet d'imposition de la langue légitime, celui-ci avait demandé à de jeunes Noirs de mener l'enquête linguistique ; de même, nous avons tenté, toutes les fois que c'était possible, de neutraliser un des facteurs majeurs de distorsion de la relation d'enquête en formant aux techniques

3. Ces signes de *feed back* que E. A. Schegloff appelle *response tokens*, les « oui », « ah bon », « bien sûr », « oh ! » et aussi les hochements de tête approbateurs, les regards, les sourires et tous les information receipts, signes corporels ou verbaux d'attention, d'intérêt, d'approbation, d'encouragement, de reconnaissance, sont la condition de la bonne continuation de l'échange (au point qu'un moment d'inattention, de distraction du regard suffit souvent à susciter une sorte de gêne chez l'enquêté et à lui faire perdre le fil de son discours) ; placés au bon moment, ils attestent la participation intellectuelle et affective de l'enquêteur.

de l'enquête des personnes qui pouvaient avoir accès sur le mode de la familiarité à des catégories d'enquêtés que nous souhaitions atteindre.

Lorsqu'un jeune physicien interroge un autre jeune physicien (ou un acteur un autre acteur, un chômeur un autre chômeur, etc.) avec lequel il partage la quasi-totalité des caractéristiques capables de fonctionner comme des facteurs explicatifs majeurs de ses pratiques et de ses représentations, et auquel il est uni par une relation de profonde familiarité, ses questions trouvent leur principe dans ses dispositions, objectivement accordées à celles de l'enquêté ; les plus brutalement objectivantes d'entre elles n'ont aucune raison d'apparaître comme menaçantes ou agressives parce que son interlocuteur sait parfaitement qu'il partage avec lui l'essentiel de ce qu'elles l'amènent à livrer et, du même coup, les risques auxquels il s'expose en le livrant. Et l'interrogateur ne peut davantage oublier qu'en objectivant l'interrogé il s'objective lui-même, comme en témoignent les corrections qu'il introduit dans telle de ses questions, passant du *tu* objectivant au *on*, qui renvoie à un collectif impersonnel, puis au *nous*, où il affirme clairement qu'il est lui aussi concerné par l'objectivation : « C'est-à-dire que toutes les études que *tu* as faites, qu'*on* a faites, *nous* ont plutôt portés à aimer la théorie. » Et la proximité sociale avec la personne interrogée est sans doute ce qui explique l'impression de malaise que presque tous les interrogateurs qui se trouvaient placés dans une telle relation ont dit avoir éprouvée, parfois tout au long de l'entretien, parfois à partir d'un moment précis de l'analyse : dans tous ces cas, en effet, l'interrogation tend naturellement à devenir une socioanalyse à deux dans laquelle l'analyste se trouve pris, et mis à l'épreuve, autant que celui qu'il soumet à l'interrogation.

Mais l'analogie avec la stratégie employée par Labov n'est pas parfaite : il ne s'agit pas seulement de recueillir du « discours naturel » aussi peu affecté que possible par l'effet de la dissymétrie culturelle ; il faut aussi construire scientifiquement ce discours de telle manière qu'il livre les éléments nécessaires à sa propre explication. Les exigences imposées aux enquêteurs occasionnels s'en trouvent considérablement accrues et bien que l'on ait mené avec chacun d'eux des entretiens préalables destinés à recueillir toute l'information dont ils disposaient sur l'enquêté et à définir avec eux les grandes lignes d'une stratégie d'interrogation, bon nombre des enquêtes réalisées dans ces conditions ont dû être exclues de la publication : elles ne livraient guère plus que des données sociolinguistiques incapables de fournir les instruments de leur propre interprétation [4].

A ces cas où le sociologue parvient à se donner en quelque sorte un substitut, s'ajoutent les relations d'enquête dans lesquelles il peut surmonter partiellement la distance sociale grâce aux relations de familiarité qui

4. Une des raisons majeures de ces échecs réside sans doute dans l'accord parfait entre l'interrogateur et l'interrogé qui laisse jouer en toute liberté la tendance des enquêtés à dire tout (comme la plupart des témoignages et des documents historiques), sauf ce qui va de soi, ce qui va sans dire (par exemple, l'actrice, sans doute parce qu'elle s'adresse à un acteur passe sous silence tout un ensemble de présupposés concernant les hiérarchies entre les genres, les metteurs en scène, et aussi les oppositions constitutives du champ du théâtre à un certain moment). Toute interrogation se trouve donc située entre deux limites sans doute jamais atteintes : la coïncidence totale entre l'enquêteur et l'enquêté, où rien ne pourrait être dit parce que, rien n'étant mis en question, tout irait sans dire ; la divergence totale, où la compréhension et la confiance deviendraient impossibles.

l'unissent à l'enquêté et à la franchise sociale, favorable au franc-parler, qu'assure l'existence de liens divers de solidarité secondaire propres à donner des garanties indiscutables de compréhension sympathique : les relations de famille ou les amitiés d'enfance ou, selon certaines enquêtrices, la complicité entre femmes, ont permis, en plus d'un cas, de surmonter les obstacles liés aux différences entre les conditions et, en particulier, la crainte du mépris de classe qui, lorsque le sociologue est perçu comme socialement supérieur, vient souvent redoubler la crainte, très générale, sinon universelle, de l'objectivation.

Un exercice spirituel

Mais tous les procédés et tous les subterfuges que nous avons pu imaginer pour réduire la distance ont leurs limites. Bien que la transcription laisse échapper le rythme, le tempo de l'oral, il suffit de lire à la suite quelques entretiens pour voir tout ce qui sépare les discours arrachés bribes par bribes des enquêtés les plus éloignés des exigences tacites de la situation d'enquête et les discours de ceux qui sont comme d'avance ajustés (parfois trop bien) à la demande, telle, au moins, qu'ils la conçoivent. Ceux-là maîtrisent si parfaitement la situation qu'ils parviennent parfois à imposer leur définition du jeu à l'enquêteur.

Lorsque rien ne vient neutraliser ou suspendre les effets sociaux de la dissymétrie liée à la distance sociale, on ne peut espérer obtenir des propos aussi peu marqués que possible par les effets de la situation d'enquête qu'au prix d'un travail incessant de construction. Paradoxalement, ce travail est destiné à rester d'autant plus invisible qu'il sera plus réussi et qu'il conduira à un échange doté de toutes les apparences du « naturel » (entendu comme ce qui advient d'ordinaire dans les échanges ordinaires de l'existence quotidienne).

Le sociologue peut obtenir de l'enquêté le plus éloigné de lui socialement qu'il se sente légitimé à être ce qu'il est s'il sait lui manifester, par le ton et surtout par le contenu de ses questions, que, sans feindre d'annuler la distance sociale qui le sépare de lui (à la différence de la vision populiste, qui a pour point aveugle son propre point de vue), il est capable de se *mettre à sa place en pensée*.

Tenter de se situer en pensée à la place que l'enquêté occupe dans l'espace social pour le *nécessiter* en l'interrogeant à partir de ce point et pour (en) *prendre* en quelque sorte son *parti* (au sens où Francis Ponge parlait de « parti pris des choses »), ce n'est pas opérer la « projection de soi en autrui » dont parlent les phénoménologues. C'est se donner une *compréhension générique et génétique* de ce qu'il est, fondée sur la maîtrise (théorique ou pratique) des conditions sociales dont il est le produit : maîtrise des conditions d'existence et des mécanismes sociaux dont les effets s'exercent sur l'ensemble de la catégorie dont il fait partie (celle des lycéens, des ouvriers qualifiés, des magistrats, etc.) et maîtrise des conditionnements inséparablement psychiques et sociaux associés à sa position et à sa trajectoire particulières dans l'espace social. Contre la vieille distinction diltheyenne, il faut poser que *comprendre et expliquer ne font qu'un*.

Cette compréhension ne se réduit pas à un état d'âme bienveillant. Elle s'exerce dans la manière, à la fois intelligible, rassurante et engageante de présenter l'entretien et de le conduire, de faire en sorte que l'interrogation et la situation même aient un sens pour l'enquêté, et aussi et surtout dans la problématique proposée : celle-ci, comme les réponses probables qu'elle appelle, se déduit d'une représentation vérifiée des conditions dans lesquelles l'enquêté est placé et de celles dont il est le produit. C'est dire que l'enquêteur n'a quelques chances d'être véritablement à la hauteur de son objet que s'il possède à son propos un immense savoir, acquis, parfois, tout au long d'une vie de recherche et aussi, plus directement, au cours des entretiens antérieurs avec l'enquêté lui-même ou avec des informateurs. La plupart des entretiens publiés représentent un moment, sans doute privilégié, dans une longue suite d'échanges, et n'ont rien de commun avec les rencontres ponctuelles, arbitraires et occasionnelles, des enquêtes réalisées à la va-vite par des enquêteurs dépourvus de toute compétence spécifique.

Même si elle ne s'y manifeste que de manière toute négative, notamment en inspirant les précautions et les prévenances qui déterminent l'enquêté à faire confiance et à entrer dans le jeu, ou en excluant les questions forcées ou déplacées, cette information préalable est ce qui permet d'improviser continûment les questions pertinentes, véritables *hypothèses* qui s'appuient sur une représentation intuitive et provisoire de la formule génératrice propre à l'enquêté pour la provoquer à se dévoiler plus complètement [5].

---

5. Sur ce point, comme sur tous les autres, on se ferait sans doute mieux comprendre si l'on pouvait donner des exemples des erreurs les plus typiques, qui trouvent presque toujours leur principe dans l'inconscience

Bien qu'elle puisse procurer l'équivalent théorique de la connaissance pratique associée à la proximité et à la familiarité, la connaissance préalable la plus approfondie resterait incapable de conduire à une véritable compréhension, si elle n'allait pas de pair avec une attention à autrui et une ouverture oblative qui se rencontrent rarement dans l'existence ordinaire. Tout nous incline en effet à n'accorder aux propos plus ou moins ritualisés sur des misères plus ou moins communes qu'une attention à peu près aussi vide et formelle que le « comment allez-vous ? » rituel qui les a déclenchés. Nous avons tous entendu ces récits de conflits de succession ou de voisinage, de difficultés scolaires ou de rivalités de bureau que nous appréhendons à travers des catégories de perception qui, en réduisant le personnel à l'impersonnel, le drame singulier au fait divers, permettent une sorte d'économie de pensée, d'intérêt, d'affect, bref, de compréhension. Et lors même que l'on mobilise toutes les ressources de la vigilance professionnelle et de la sympathie personnelle, on a peine à s'arracher à l'assoupissement de l'attention que favorise l'illusion du déjà-vu et du déjà-entendu pour entrer dans la singularité de l'histoire

---

et l'ignorance. Certaines des vertus d'une interrogation attentive à ses propres effets sont vouées à passer inaperçues puisqu'elles se manifestent surtout dans des absences. De là l'intérêt des interrogatoires bureaucratiques qui seront analysés ci-dessous (p. 1425) : véritables examens en art de vivre dans lesquels l'enquêteur, enfermé dans ses présupposés institutionnels et ses certitudes éthiques, mesure la capacité des enquêtés à adopter la conduite « convenable », ils font apparaître, par contraste, toutes les questions que le respect fondé sur la connaissance préalable porte à exclure parce qu'elles sont incompatibles avec une représentation adéquate de la situation de la personne interrogée ou de la philosophie de l'action qu'elle engage dans sa pratique.

d'une vie et tenter de comprendre à la fois dans leur unicité et leur généralité les drames d'une existence. La demi-compréhension immédiate du regard distrait et banalisant décourage l'effort qu'il faut accomplir pour crever l'écran des mots communs dans lesquels chacun de nous vit et dit ses petites misères comme ses plus grands malheurs. Ce que le « on », philosophiquement stigmatisé et littérairement déconsidéré, que nous sommes tous tente de dire, avec ses moyens, désespérément « inauthentiques », est sans doute, pour les « je » que nous croyons être, par la plus commune des revendications de singularité, ce qu'il y a de plus difficile à écouter.

La résistance à l'objectivation

Il ne faudrait pas croire que, par la seule vertu de la réflexivité, le sociologue puisse jamais contrôler complètement les effets, toujours extrêmement complexes et multiples, de la relation d'enquête ; d'autant que les enquêtés peuvent aussi en jouer, consciemment ou inconsciemment, pour tenter d'imposer leur définition de la situation et faire tourner à leur profit un échange dont un des enjeux est l'image qu'ils ont et veulent donner et se donner d'eux-mêmes. Cela dans une situation où, en évoquant, comme l'objet de l'enquête les y incite, « ce qui ne va pas » dans leur vie, ils s'exposent à toutes les présomptions négatives qui pèsent sur les maux et le malheur aussi longtemps qu'ils ne savent pas se couler dans les formes légitimes d'expression des misères légitimes, celles que fournissent la politique, le droit, la psychologie, la littérature. Ainsi par exemple, dans nombre d'entretiens (notamment avec des membres du Front national), la relation sociale entre l'enquêté et l'enquêteur produit un effet de censure très puissant, redoublé par la présence du magnétophone : c'est sans doute elle qui rend certaines opinions inavouables (sauf par brèves échappées ou par lapsus). Certains entretiens portent de nombreuses traces du travail que fait l'enquêté pour dominer les contraintes inscrites dans la situation en montrant qu'il est capable de prendre en mains sa propre objectivation et de prendre sur lui-même le point de vue réflexif dont le projet est inscrit dans l'intention même de l'enquête.

Une des manières les plus subtiles de résister à l'objectivation est ainsi celle des enquêtés qui, jouant de leur proximité sociale avec l'enquêteur, tentent, plus inconsciemment que consciemment, de s'en protéger en se prêtant en apparence au jeu et en tentant d'imposer, sans toujours le savoir, un semblant d'auto-analyse. Rien n'est plus éloigné, malgré les apparences, de l'objectivation participante, dans laquelle l'enquêteur assiste l'enquêté dans un effort, douloureux et gratifiant à la fois, pour mettre au jour les déterminants sociaux de ses opinions et de ses pratiques dans ce qu'elles peuvent avoir de plus difficile à avouer et à assumer, que la fausse objectivation complaisante, démystification à demi, et par là doublement mystificatrice, qui procure tous les plaisirs de la lucidité sans rien mettre en question d'essentiel.

J'en citerai un seul exemple : « Il y a une espèce de malaise qui fait que je ne sais pas où me situer (...), je ne sais plus très bien socialement où je suis... C'est peut-être au niveau de la reconnaissance de l'autre (...). Je prends conscience combien, en fonction de la position sociale que tu occupes, l'autre a un regard sur toi complètement différent et c'est vrai que c'est assez perturbant. C'était pas évident pour moi d'avoir plusieurs statuts sociaux, je n'arrivais pas très très bien à m'y retrouver quelques fois, surtout au travers du regard des autres », etc., etc.

Il arrive que de tels propos, qui plaquent sur un aveu apparent l'apparence d'une explication, suscitent chez un enquêteur qui s'y reconnaît parce qu'ils sont construits selon des instruments de pensée et des formes d'expression proches des siens, une forme de narcissisme intellectuel qui peut se combiner avec l'émerveillement populiste ou se dissimuler en lui.

Ainsi, lorsqu'une fille d'immigré évoque, avec beaucoup d'aisance, les difficultés de sa vie déchirée devant un enquêteur qui peut retrouver dans certains de ses propos certains aspects de son expérience du porte-à-faux, elle parvient, paradoxalement, à faire oublier le principe de la vision hautement stylisée de son existence qu'elle propose, c'est-à-dire les études de lettres qu'elle mène, et qui lui permettent d'offrir à son interlocuteur une double gratification, celle d'un discours aussi proche que possible de l'idée qu'il se fait d'une catégorie défavorisée et celle d'un accomplissement formel qui abolit tout obstacle lié à la différence sociale et culturelle. Il faudrait ici tout citer, et les questions et les réponses :

Enquêteur – La prise de conscience a eu lieu quand tu arrives en France. Mais prise de conscience de quoi exactement ?

Enquêtée – Prise de conscience du réel en ce sens que pour moi, c'est là où les choses vont commencer à se dessiner. Je vis réellement la sépa-

ration de mes parents. Elle prend sens pour moi, réellement, à partir du moment où je passe de la période que j'ai vécue avec mes parents là-bas, enfin, avec ma mère et sa famille (au Maroc, où la mère est restée après la séparation), à ici, où je découvre finalement mon père. C'est la première fois qu'on vit réellement ensemble. Même quand il était marié avec ma mère, sa vie sociale, elle se faisait ici (en France), donc ils se voyaient peu, donc on le voyait peu. J'avais l'impression que c'est quelqu'un que je découvrais réellement pour la première fois (...). Il rentrait dans ma vie à partir du moment où on allait vivre ensemble. Donc, prise de conscience de ce côté-là, la séparation prend sens. On réalise que le père qu'on a, on a jamais vécu avec. (...) Et puis aussi, prise de conscience d'un autre paysage. Ce n'est plus le même espace-temps (...). Tu sais que tu passes de ton père à ta mère. Ça t'excite aussi un peu, d'une certaine manière, mais la réalité, elle vient peu à peu colorer et donner naissance en fait à ce qui s'est passé. Donc, ça fait plus le même paysage, plus les mêmes gens, plus le même espace-temps. Pour moi, je rentre dans une période assez floue à partir de ce moment-là où, si tu veux, il faudra dorénavant que le pont se fasse entre deux mondes, pour moi, qui sont radicalement séparés. Je suis restée un petit peu là-dessus, sur cette séparation, qui dépasse de loin la séparation père-mère ». Et un peu plus loin : « J'ai l'impression en fait d'être ancrée dans quelque chose. Et que la question qui se pose maintenant, est-ce que je vais continuer là-dedans ou est-ce que je vais essayer d'en sortir complètement ? Franchement, j'y crois pas beaucoup. Donc sûrement que je serai toujours à mi-chemin. C'est vrai que ça ne m'intéresse pas d'être comme ceci ou comme cela. Il y a une envie de maintenir cette espèce de courant d'air, un entre-deux. Je sais pas. »

L'entretien, on le voit, devient un monologue dans lequel l'enquêtée pose elle-même les questions, et répond d'abondance, d'un seul souffle, imposant à l'enquêteur (qui, de toute évidence, ne demande pas mieux) non seulement sa problématique, mais son style (« Tu te sens dénaturée, ici ? » ou bien « Quelle est ton insatisfaction majeure ? ») et excluant de facto toute interrogation sur des données objectives de sa trajectoire autres que celles qui entrent dans le projet d'autoportrait tel qu'elle entend le mener.

Dans cette relation d'échange, chacun trompe un peu l'autre en se trompant soi-même : l'enquêteur se prend à l'« authenticité » du témoignage de l'enquêtée parce qu'il croit avoir réussi la découverte d'une parole brute, dense, inviolée, que d'autres n'ont pas su voir ou susciter (certaines formes, plus ou moins stylisées, du discours paysan ou ouvrier peuvent exercer une semblable séduction) ; l'enquêtée feint d'être le personnage qui est attendu dans cette rencontre, l'Immigrée, s'assurant ainsi, sans avoir à le revendiquer ouvertement, la reconnaissance de la valeur littéraire de sa parole, à la fois témoignage sincère de déchirement intérieur et recherche du salut par la forme stylistique[1] •

*1. Si cette logique du double jeu dans la confirmation mutuelle des identités trouve un terrain particulièrement favorable dans le face-à-face de la relation d'enquête, elle n'est pas à l'œuvre seulement dans les entretiens « ratés » (assez nombreux) que nous avons dû éliminer et je pourrais citer des ouvrages qui me paraissent l'illustrer parfaitement, comme tel roman récent de Nina Bouraoui (*La voyeuse interdite*, Paris, Gallimard, 1990), et, plus généralement, certaines formes nouvelles de la littérature populiste qui, sous apparence de les cumuler, esquivent les exigences du témoignage authentiquement sociologique et celles du roman authentiquement littéraire, parce qu'elles ont pour point aveugle leur propre point de vue. Mais l'exemple par excellence me paraît être le roman de David Lodge,* Small world *(New York, Warner Books, 1984, trad. française, Un tout petit monde, Paris, Rivages, 1991), démystification mystificatrice qui présente tous les lieux communs de la représentation complaisante, faussement lucide et vraiment narcissique, que les universitaire aiment à (se) donner d'eux-mêmes, et de leur univers, et qui a connu très logiquement un immense succès dans les milieux universitaires et, plus largement, dans tous les milieux frottés d'études universitaires.*

Ainsi au risque de choquer aussi bien les méthodologues rigoristes que les herméneutes inspirés, je dirais volontiers que l'entretien peut être considéré comme une forme d'*exercice spirituel*, visant à obtenir, par *l'oubli de soi*, une véritable *conversion du regard* que nous portons sur les autres dans les circonstances ordinaires de la vie [6]. La disposition accueillante, qui incline à faire siens les problèmes de l'enquêté, l'aptitude à le prendre et à le comprendre tel qu'il est, dans sa nécessité singulière, est une sorte d'*amour intellectuel* : un regard qui consent à la nécessité, à la manière de l'« amour intellectuel de Dieu », c'est-à-dire de

6. On pourrait citer ici Epictète ou Marc Aurèle évoquant la disposition qui porte à accueillir avec bienveillance tout ce qui dépend de la cause universelle, assentiment (prosthesis) joyeux à l'égard du monde naturel.

l'ordre naturel, que Spinoza tenait pour la forme suprême de la connaissance.

L'essentiel des « conditions de félicité » de l'entretien reste sans doute inaperçu. En lui offrant une situation de communication tout à fait exceptionnelle, affranchie des contraintes, notamment temporelles, qui pèsent sur la plupart des échanges quotidiens, et en lui ouvrant des alternatives qui l'incitent ou l'autorisent à exprimer des malaises, des manques ou des demandes qu'il découvre en les exprimant, l'enquêteur contribue à créer les conditions de l'apparition d'un discours extraordinaire, qui aurait pu ne jamais être tenu, et qui, pourtant, était déjà là, attendant ses conditions d'actualisation [7]. Bien qu'ils n'aperçoivent sans doute pas consciemment tous les signes de cette disponibilité (qui demande sans doute un peu plus qu'une simple conversion intellectuelle), certains enquêtés, surtout parmi les plus démunis, semblent saisir cette situation comme une occasion exceptionnelle qui leur est offerte de témoigner, de se faire entendre, de porter leur expérience de la sphère privée à la sphère publique ; une occasion aussi de *s'expliquer*, au sens le plus complet du terme, c'est-à-dire de construire leur propre point de vue sur eux-mêmes et sur le monde et de rendre manifeste le point, à l'intérieur de ce monde, à partir duquel ils se voient eux-mêmes et voient le monde, et deviennent compréhensibles, justifiés, et d'abord pour eux-

7. Le travail « socratique » d'aide à l'explicitation, vise à proposer sans imposer, à formuler des suggestions, parfois explicitement présentées comme telles (est-ce que vous ne voulez pas dire que...) et destinées à offrir des prolongements multiples et ouverts au propos de l'enquêté, à ses hésitations ou à ses recherches d'expression.

mêmes[8]. Il arrive même que, loin d'être de simples instruments aux mains de l'enquêteur, ils mènent en quelque sorte l'entretien et la densité et l'intensité de leur discours, comme l'impression qu'ils donnent souvent d'éprouver une sorte de soulagement, voire d'accomplissement, tout en eux évoque le *bonheur d'expression*.

On peut sans doute parler alors d'*auto-analyse provoquée et accompagnée* : en plus d'un cas, nous avons eu le sentiment que la personne interrogée profitait de l'occasion qui lui était donnée de s'interroger sur elle-même et de la licitation ou de la sollicitation que lui assuraient nos questions ou nos suggestions (toujours ouvertes et multiples et souvent réduites à une attente silencieuse) pour opérer un travail d'explicitation, gratifiant et douloureux à la fois, et pour énoncer, parfois avec une extraordinaire *intensité expressive*, des expériences et des réflexions longtemps réservées ou réprimées.

Une construction réaliste

Même s'il arrive qu'il soit vécu comme tel, l'accord qui se trouve ainsi réalisé entre les anticipations et les prévenances de l'enquêteur et les attentes de l'enquêté, n'a rien de miraculeux. La véritable soumission au donné suppose un acte de construction fondé sur la

8. J'ai ainsi observé, à mainte reprise, que l'enquêté répétait avec une satisfaction visible le mot ou la phrase qui l'avait éclairé sur lui-même, c'est-à-dire sur sa position (tel le mot de fusible que j'avais utilisé pour désigner la position critique d'un enquêté dans la hiérarchie de son institution et qui, par ses connotations, évoquait bien les tensions extrêmes dont il était parcouru).

maîtrise pratique de la logique sociale selon laquelle ce donné est construit. Ainsi par exemple, on ne peut entendre vraiment ce qui se dit dans la conversation, en apparence tout à fait banale, entre trois lycéennes que si, évitant de réduire les trois adolescentes aux prénoms qui les désignent, comme dans tant de sociologies au magnétophone, on sait lire, dans leurs paroles, la structure des relations objectives, présentes et passées, entre leur trajectoire et la structure des établissements scolaires qu'elles ont fréquentés et, par là, toute la structure et l'histoire du système d'enseignement qui s'y exprime : contrairement à ce que pourrait faire croire une vision naïvement personnaliste de la singularité des personnes sociales, c'est la mise au jour des structures immanentes aux propos conjoncturels tenus dans une interaction ponctuelle qui, seule, permet de ressaisir l'essentiel de ce qui fait l'*idiosyncrasie* de chacune des jeunes filles et toute la complexité singulière de ses actions et de ses réactions.

L'analyse de conversation, ainsi entendue [9], lit dans les discours non seulement la structure conjoncturelle de l'interaction comme marché, mais aussi les structures invisibles qui l'organisent, c'est-à-dire, dans le cas particulier, la structure de l'espace social dans lequel les trois jeunes filles sont, dès l'origine, situées et la structure de l'espace scolaire à l'intérieur duquel elles ont parcouru des trajectoires différentes qui, bien qu'elles appartiennent au passé, continuent à orienter leur vision

---

9. C'est-à-dire en un sens très différent de celui qu'on lui donne lorsqu'on prend pour objet la manière de gérer la conversation, par exemple les stratégies d'ouverture et de clôture, en faisant abstraction des caractéristiques sociales et culturelles des participants.

de leur passé et de leur avenir scolaires, et aussi d'elles-mêmes, dans ce qu'elles ont de plus singulier [10].

Ainsi, contre l'illusion consistant à chercher la neutralité dans l'annulation de l'observateur, il faut admettre que, paradoxalement, il n'est de « spontané » que construit, mais par une *construction réaliste*. Pour le faire entendre, ou, du moins, le faire sentir, j'évoquerai une anecdote où l'on verra que c'est seulement lorsqu'elle s'appuie sur une connaissance préalable des réalités que la recherche peut faire surgir les réalités qu'elle entend enregistrer. Dans l'enquête que nous avons menée sur le problème du logement, pour échapper à l'irréalité abstraite des questions de préférence, en matière d'achat ou de location notamment, j'avais imaginé de demander aux enquêtés d'évoquer leurs résidences successives, les conditions dans lesquelles ils y avaient eu accès, les raisons et les causes qui les avaient déterminés à les choisir ou à les quitter, les modifications qu'ils leur avaient apportées, etc. Les entretiens ainsi conçus s'étaient déroulés de manière, à nos yeux, extrêmement « naturelle », suscitant des témoignages d'une sincérité inespérée. Or, longtemps après, j'ai entendu, tout à fait par hasard, dans le métro, une conversation entre deux femmes d'une quarantaine d'années : l'une d'elles, entrée récemment dans un nouvel appartement, racontait l'histoire de ses logements successifs. Et son interlocutrice se comportait exactement comme si elle

10. J'aurais pu citer aussi bien l'entretien avec un jeune lycéen, fils d'immigré, qui est une exemplification, au sens de Goodman, de l'analyse des transformations du système d'enseignement qui a conduit à la multiplication des exclus de l'intérieur, l'enquêté concerné étant un « échantillon » parfait, toujours dans les termes de Goodman, de cette nouvelle catégorie de lycéens.

suivait la règle que nous nous étions donnée pour mener nos entretiens. Voici la transcription que j'en ai faite de mémoire aussitôt après : — « C'est la première fois que j'entre dans un logement neuf. C'est vraiment bien... — Le premier logement que j'ai eu à Paris, c'était rue Brancion, c'était un logement ancien, qui n'avait pas été refait depuis la guerre de 14. Tout était à refaire, mais tout était de guingois. Et puis, on n'a pas pu ravoir les plafonds, tellement ils étaient noircis. — C'est sûr, c'est beaucoup de travail... — Avant, avec mes parents, on avait habité un logement sans eau. C'était formidable, avec deux enfants, d'avoir une salle de bains. — Chez mes parents, c'était pareil. Mais on était pas sales pour autant. Ceci dit, c'est tellement plus facile... — Après on a été à Créteil. C'était un immeuble moderne, mais qui avait déjà une dizaine d'années... » Et le récit s'est continué ainsi, très naturellement, entrecoupé d'interventions destinées soit, tout simplement, à « accuser réception », par la simple répétition, sur le mode affirmatif ou interrogatif, de la dernière phrase prononcée, soit à manifester de l'intérêt ou à affirmer l'identité des points de vue (« C'est dur quand on travaille toute la journée debout... » ou « Chez mes parents c'était pareil... ») ; cette participation par laquelle on s'engage dans la conversation, engageant ainsi son interlocuteur à s'y engager, étant ce qui distingue le plus clairement la conversation ordinaire, ou l'entretien tel que nous l'avons pratiqué, de l'entretien dans lequel l'enquêteur, par souci de neutralité, s'interdit tout engagement personnel.

Tout oppose cette forme de maïeutique à l'imposition de problématique qu'opèrent, dans l'illusion de la « neutralité », nombre d'enquêtes par sondage dont les questions forcées et artificielles produisent de toutes pièces les artefacts qu'elles croient enregistrer – sans parler de ces interviews de télévision qui extorquent aux interviewés des propos directement issus des propos que la télévision tient à leur sujet[11]. Première différence, la conscience du danger, fondée sur la connaissance de la labilité de ce que l'on appelle les opinions : les dispositions profondes sont disponibles pour plusieurs formes d'expression et elles peuvent se reconnaître dans des formulations pré-constituées (les réponses préformées du questionnaire fermé ou les propos tout préparés de la politique) relativement différentes. Ce qui signifie que rien n'est plus facile à opérer et, en un sens, plus « naturel », que l'imposition de problématique : à preuve, les *détournements d'opinion* qu'opèrent si souvent, avec toute l'innocence de l'inconscience, les sondages d'opinion (ainsi prédisposés à servir d'instruments d'une démagogie rationnelle) et aussi, plus généralement, les démagogues de toute obédience, toujours empressés de ratifier les attentes apparentes d'individus qui n'ont pas toujours les moyens d'identifier leurs véritables manques[12]. L'effet d'imposition qui s'exerce sous couvert de « neutralité » est d'autant plus pernicieux que la publication des opinions ainsi imposées contribue à les imposer et à leur assurer une existence sociale, apportant aux sondeurs l'apparence d'une validation propre à renforcer leur crédibilité et leur crédit.

11. Je crois nécessaire de rappeler ici des analyses que j'ai développées ailleurs de manière plus systématique (cf. notamment, « L'opinion publique n'existe pas », *Questions de sociologie*, Paris, Minuit, 1984, p. 222-250).

12. Ces réflexions étant particulièrement destinées à ceux qui enseignent que la critique des sondages est une critique de la démocratie.

On voit le renforcement que la représentation empiriste de la science peut trouver dans le fait que la connaissance rigoureuse suppose presque toujours une rupture plus ou moins éclatante, et toujours exposée à apparaître comme l'effet d'une pétition de principe ou d'un parti pris, avec les évidences du sens commun, communément identifiées au bon sens. Il suffit en effet de laisser faire, de s'abstenir de toute intervention, de toute construction, pour tomber dans l'erreur : on laisse alors le champ libre aux pré-constructions, ou à l'effet automatique des mécanismes sociaux qui sont à l'œuvre jusque dans les opérations scientifiques les plus élémentaires (conception et formulation des questions, définition des catégories de codage, etc.). C'est seulement au prix d'une dénonciation active des présupposés tacites du sens commun que l'on peut contrecarrer les effets de toutes les représentations de la réalité sociale auxquelles enquêtés et enquêteurs sont continuellement exposés. Je pense en particulier à celles que produit la presse, écrite et surtout télévisée, et qui s'imposent parfois aux plus démunis comme des énoncés tout préparés de ce qu'ils croient être leur expérience.

Les agents sociaux n'ont pas la science infuse de ce qu'ils sont et de ce qu'ils font ; plus précisément, ils n'ont pas nécessairement accès au principe de leur mécontentement ou de leur malaise et les déclarations les plus spontanées peuvent, sans aucune intention de dissimulation, exprimer tout autre chose que ce qu'elles disent en apparence. La sociologie (c'est ce qui la distingue de la science sans savant que sont les sondages d'opinion) sait qu'elle doit se donner les moyens de mettre en question, et d'abord dans son questionnement même, toutes les pré-constructions, tous les présupposés qui habitent tant l'enquêteur que les enquêtés et qui font que la relation d'enquête ne s'instaure souvent que sur la base d'un accord des inconscients [13].

Elle sait aussi que les opinions les plus spontanées, donc, en apparence, les plus authentiques, dont se satisfont l'enquêteur pressé des instituts de sondage et ses commanditaires, peuvent obéir à une logique très proche de celle qu'a mise au jour la psychanalyse. C'est le cas, par exemple, de cette sorte d'hostilité a priori à l'égard des étrangers que l'on rencontre parfois chez des agriculteurs ou des petits commerçants dépourvus de toute expérience directe des immigrés : on ne peut traverser les apparences de l'opacité et de l'absurdité qu'elle oppose à l'interprétation compréhensive qu'à condition de voir que, par une forme de *déplacement*, elle offre une solution aux contradictions propres à ces sortes de capitalistes à revenus de prolétaires et à leur expérience de l'État, tenu pour responsable d'une redistribution inacceptable. Les fondements réels du mécontentement et de l'insatisfaction qui s'expriment ainsi, sous des formes détournées, ne peuvent accéder à la conscience, c'est-à-dire au discours explicite, qu'au prix d'un travail

---

13. J'ai montré, par l'analyse détaillée des réponses à un sondage sur les hommes politiques (Giscard, Chirac, Marchais, etc.) conçu sur le modèle du jeu chinois (si c'était un arbre, un animal, etc.) que les enquêtés mettaient en œuvre, sans le savoir, dans leurs réponses, des schèmes classificatoires (fort/faible, rigide/souple, noble/ignoble, etc.) que les auteurs du questionnaire avaient eux aussi mis en œuvre, sans le savoir davantage, dans leurs questions : l'inanité des commentaires que les auteurs du questionnaire avaient apportés aux tableaux statistiques publiés étant là pour témoigner de leur parfaite incompréhension des données qu'ils avaient eux-mêmes produites et, a fortiori, de l'opération même par laquelle il les avaient produites (cf. P. Bourdieu, *La Distinction*, Paris, Minuit, 1979, p. 625-640).

visant à porter au jour ces choses enfouies en ceux qui les vivent et qui à la fois ne les savent pas et, en un autre sens, les savent mieux que quiconque.

Le sociologue peut les aider dans ce travail, à la façon d'un accoucheur, à condition de posséder une connaissance approfondie des conditions d'existence dont ils sont le produit et des effets sociaux que la relation d'enquête et, à travers celle-ci, sa position et ses dispositions primaires peuvent exercer. Mais le désir de découvrir la vérité qui est constitutif de l'intention scientifique reste totalement dépourvu d'efficacité pratique s'il n'est pas actualisé sous la forme d'un « métier », produit incorporé de toutes les recherches antérieures qui n'a rien d'un savoir abstrait et purement intellectuel : ce métier est une véritable « disposition à poursuivre la vérité » (*hexis tou alètheuein*, comme dit Aristote dans la *Métaphysique*), qui dispose à improviser sur-le-champ, dans l'urgence de la situation d'entretien, les stratégies de présentation de soi et les réparties adaptées, les approbations et les questions opportunes, etc., de manière à aider l'enquêté à livrer sa vérité ou, mieux, à se délivrer de sa vérité [14].

14. Ce n'est pas le lieu d'analyser ici tous les paradoxes de l'habitus scientifique qui suppose d'un côté un travail visant à rendre conscientes les dispositions primaires socialement constituées en vue de les neutraliser et de les déraciner (ou, mieux, de les « désincorporer »), et, d'un autre côté, un travail – et un entraînement – visant à incorporer, donc à rendre quasi « inconscientes » les principes consciemment définis des différentes méthodes ainsi rendues pratiquement disponibles. (L'opposition entre les « connaissances » conscientes et les « connaissances » inconscientes à laquelle on a recours ici pour les besoins de la transmission est en fait tout à fait artificielle et fallacieuse : en fait les principes de la pratique scientifique peuvent à la fois être présents à la conscience – à des degrés différents selon les moments et selon les « niveaux » de pratique – et fonctionner à l'état pratique, sous forme de dispositions incorporées.)

Les risques de l'écriture

C'est la même disposition qui est à l'œuvre dans le travail de construction auquel est soumis l'entretien enregistré – ce qui permettra d'aller plus vite dans l'analyse des procédures de transcription et d'analyse. Il est clair en effet que la mise en écrit la plus littérale (la simple ponctuation, la place d'une virgule par exemple, pouvant commander tout le sens d'une phrase) est déjà une véritable *traduction* ou même une interprétation. A plus forte raison, celle qui est proposée ici : rompant avec l'illusion spontanéiste du discours qui « parle de lui-même », elle joue délibérément de la *pragmatique de l'écriture* (notamment par l'introduction de titres et de sous-titres faits de phrases prises dans l'entretien) pour orienter l'attention du lecteur vers les traits sociologiquement pertinents que la perception désarmée ou distraite laisserait échapper.

Le procès-verbal du discours recueilli que produit l'auteur de la transcription est soumis à deux ensembles de contraintes souvent difficiles à concilier : les contraintes de fidélité à tout ce qui s'est manifesté pendant l'entretien, et qui ne se réduit pas à ce qui est réellement enregistré sur la bande magnétique, porteraient à tenter de restituer au discours tout ce dont le passage à l'écrit et les outils ordinaires de la ponctuation, très faibles et très pauvres, tendent à le dépouiller, et qui font, bien souvent, tout son sens et son intérêt ; mais les contraintes de lisibilité qui se définissent en relation avec des destinataires potentiels aux attentes et aux compétences très diverses interdisent la publication d'une transcription phonétique assortie des notes nécessaires pour restituer tout ce qui est perdu dans le passage de l'oral à l'écrit, c'est-à-dire la voix, la prononciation (notamment dans ses variations socialement significatives), l'intonation, le rythme (chaque entretien a son tempo particulier qui n'est pas celui de la lecture), le langage des gestes, de la mimique et de toute la posture corporelle, etc.[15].

Ainsi, transcrire, c'est nécessairement écrire, au sens de réécrire[16] : comme le passage de l'écrit à l'oral qu'opère le théâtre, le passage de l'oral à l'écrit impose, avec le changement de support, des infidélités qui sont sans doute la condition d'une vraie fidélité. Les antinomies bien connues de la littérature populaire sont là pour rappeler que ce n'est pas donner réellement la parole à ceux qui ne l'ont pas habituellement que livrer telle quelle leur parole. Il y a les lenteurs, les

15. On sait par exemple que l'ironie, qui naît souvent d'une discordance voulue entre la symbolique corporelle et la symbolique verbale, ou entre différents niveaux de l'énonciation verbale, est presque inévitablement perdue dans la transcription. Et il en va de même des ambiguïtés, des double sens, des incertitudes et du flou, si caractéristiques du langage oral, que l'écriture dénoue presque inévitablement, par l'effet de la ponctuation notamment. Mais il y a aussi toute l'information qui est inscrite dans des noms propres, immédiatement parlants pour les familiers de l'univers (et qu'il a fallu, presque toujours, faire disparaître pour sauvegarder l'anonymat des enquêtés), noms de personnes, noms de lieux, noms d'institutions, auxquels s'accrochent souvent des divisions structurantes : c'est le cas de l'opposition entre le théâtre de recherche et le théâtre de boulevard qui donne son sens à la confusion, commise par l'actrice, entre le nom d'une comédienne de boulevard et une grande tragédienne classique, véritable lapsus significatif par lequel elle trahit, pour qui peut l'entendre, toute la vérité d'un échec lié à une mauvaise orientation initiale entre les deux voies.

16. Cf. P. Encrevé, « Sa voix harmonieuse et voilée », *Hors cadre*, 3, 1985, p. 42-51. (Une transcription intégrale (non phonétique) de tous les entretiens (au nombre de 182) a été réalisée, et archivée, ainsi que les enregistrements correspondants.)

redites, les phrases interrompues et prolongées par des gestes, des regards, des soupirs ou des exclamations, il y a les digressions laborieuses, les ambiguïtés que la transcription dénoue inévitablement, les références à des situations concrètes, des événements liés à l'histoire singulière d'une ville, d'une usine ou d'une famille, etc. (et que le locuteur évoque d'autant plus volontiers que son interlocuteur est plus familier, donc plus familier avec tout son environnement familier).

C'est donc au nom du respect dû à l'auteur que, paradoxalement, on a dû parfois prendre le parti d'alléger le texte de certains développements parasites, de certaines phrases confuses, des chevilles verbales ou des tics de langage (les « bon » et les « euh ») qui, même s'ils donnent sa coloration particulière au discours oral et remplissent une fonction éminente dans la communication, en permettant de soutenir un propos qui s'essouffle ou de prendre l'interlocuteur à témoin, brouillent et embrouillent la transcription au point, en certains cas, de la rendre tout à fait illisible pour qui n'a pas entendu le discours original. De même, on s'est autorisé à délester la transcription de tous les propos purement informatifs (sur l'origine sociale, les études, le métier, etc.) toutes les fois qu'ils pouvaient être rapportés, au style indirect, dans le texte introductif. Mais on n'a jamais remplacé un mot par un autre, ni transformé l'ordre des questions ou le déroulement de l'entretien et toutes les coupures ont été signalées.

Par la vertu de l'exemplification, de la concrétisation et de la symbolisation qu'ils opèrent et qui leur confèrent parfois une intensité dramatique et une force émotionnelle proche de celle du texte littéraire, les entretiens transcrits sont en mesure d'exercer un effet de *révélation*, tout particulièrement sur ceux qui partagent telle ou telle de leurs propriétés génériques avec le locuteur. A la façon des paraboles du discours prophétique, ils permettent de livrer un équivalent plus accessible d'analyses conceptuelles complexes et abstraites : ils rendent sensibles, y compris à travers les traits en apparence les plus singuliers de l'énonciation (intonation, prononciation, etc.), les structures objectives que le travail scientifique s'efforce de dégager[17]. Capables de toucher et d'émouvoir, de parler à la sensibilité, sans sacrifier au goût du sensationnel, ils peuvent entraîner les conversions de la pensée et du regard qui sont souvent la condition préalable de la compréhension.

Mais la force émotionnelle peut avoir pour contrepartie l'ambiguïté, voire la confusion des effets symboliques. Peut-on rapporter des propos racistes de telle manière que celui qui les tient devienne intelligible sans pour autant légitimer le racisme ? Comment rendre raison de ses propos sans se rendre à ses raisons, sans lui donner raison ? Comment, plus banalement, évoquer, sans exciter le racisme de classe, la coiffure d'une petite employée et communiquer, sans la ratifier, l'impression qu'elle produit inévitablement sur l'œil habité par les canons de l'esthétique légitime – impres-

17. Le discours de l'employée du tri postal dit bien plus, même s'il dit aussi cela, que ce qui est dit, avec toute la froideur abstraite du langage conceptuel, dans une analyse de la trajectoire sociale des employés provinciaux, obligés, bien souvent, de payer d'un long exil parisien l'accès à la profession ou l'avancement dans la carrière : « On sait par exemple les contraintes en matière de résidence qu'impliquent certaines carrières où l'accès à la profession – e.g. chèques postaux – ou l'avancement sont subordonnés à un exil prolongé », P. Bourdieu, *La Distinction*, Paris, Minuit, 1981, p. 136.

sion qui fait partie de sa vérité la plus inévitablement objective ?

L'intervention de l'analyste est, on le voit, aussi difficile que nécessaire. En prenant la responsabilité de *publier* des discours qui, en tant que tels, se situent, comme l'observe Benveniste, « dans une situation pragmatique impliquant une certaine intention d'influencer l'interlocuteur », il s'expose à se faire le relais de leur efficacité symbolique ; mais surtout, il risque de laisser jouer librement le jeu de la lecture, c'est-à-dire de la construction spontanée, pour ne pas dire sauvage, que chaque lecteur fait nécessairement subir aux choses lues. Jeu particulièrement dangereux lorsqu'il s'applique à des textes qui n'ont pas été écrits et qui ne sont pas, de ce fait, défendus d'avance contre les lectures redoutées ou refusées, et surtout à des propos émis par des locuteurs qui sont loin de parler comme des livres et qui, comme les littératures dites populaires, dont la « naïveté » ou la « maladresse » sont le produit du regard cultivé, ont toutes les chances de ne pas trouver grâce aux yeux de la plupart des lecteurs, même les mieux intentionnés.

Choisir le laisser-faire, par souci de refuser toute limitation imposée à la liberté du lecteur, ce serait oublier que, quoi qu'on fasse, toute lecture est déjà sinon contrainte, du moins orientée par des schèmes interprétatifs. On a pu ainsi vérifier que les lecteurs non avertis lisent les témoignages comme ils entendraient les confidences d'un ami ou, plutôt, des propos (ou des ragots) au sujet de tiers, occasion de s'identifier, mais aussi de se différencier, de juger, de condamner, d'affirmer un consensus moral dans la réaffirmation des valeurs communes. L'acte politique, d'une espèce très particulière, qui consiste à porter à l'ordre du public, par la publication, ce qui normalement n'y accède pas, ou jamais, en tout cas, *sous cette forme*, se trouverait en quelque sorte détourné, et totalement vidé de son sens.

Il a donc paru indispensable d'intervenir dans la présentation des transcriptions, par les titres et les sous-titres et surtout par le préambule, chargé de fournir au lecteur les instruments d'une lecture compréhensive, capable de reproduire la posture dont le texte est le produit. Le regard prolongé et accueillant qui est nécessaire pour s'imprégner de la nécessité singulière de chaque témoignage, et que l'on réserve d'ordinaire aux grands textes littéraires ou philosophiques, on peut aussi l'accorder, par une sorte de *démocratisation de la posture herméneutique*, aux récits ordinaires d'aventures ordinaires. Il faut, comme l'enseignait Flaubert, apprendre à porter sur Yvetot le regard que l'on accorde si volontiers à Constantinople : apprendre par exemple à accorder au mariage d'une femme professeur avec un employé des postes l'attention et l'intérêt que l'on prêterait au récit littéraire d'une mésalliance et à offrir aux propos d'un ouvrier métallurgiste l'accueil recueilli que certaine tradition de la lecture réserve aux formes les plus hautes de la poésie ou de la philosophie [18].

---

18. La réception du discours sociologique doit évidemment beaucoup au fait qu'il porte sur le présent immédiat ou l'« actualité » – comme le journalisme, à quoi tout l'oppose au demeurant. On sait que la hiérarchie des études historiques correspond à l'éloignement de leurs objets dans le temps. Et il est certain qu'on n'accordera pas à la transcription d'une homélie de l'évêque de Créteil, pourtant tout aussi riche de subtilités rhétoriques et d'habiletés théologico-politiques, la même attention qu'à un

On s'est donc efforcé de transmettre au lecteur les moyens de porter sur les propos qu'il va lire ce regard qui rend raison, qui restitue à l'enquêté sa raison d'être et sa nécessité ; ou, plus précisément, de se situer au point de l'espace social à partir duquel sont prises toutes les vues de l'enquêté sur cet espace, c'est-à-dire en ce lieu où sa vision du monde devient évidente, nécessaire, *taken for granted*.

Mais il n'est sans doute pas d'écrit plus périlleux que le texte dont l'écrivain public doit accompagner les messages qui lui ont été confiés. Contraint à un effort constant pour maîtriser consciemment la relation entre le sujet et l'objet de l'écriture ou, mieux, la distance qui les sépare, il doit s'efforcer à l'objectivité de l'« énonciation historique » qui, selon l'alternative de Benveniste, objective des faits sans intervention du narrateur, tout en refusant la froideur distante du protocole de cas clinique ; tout en visant à livrer tous les éléments nécessaires à la perception objective de la personne interrogée, il doit user de toutes les ressources de la langue (comme le style indirect libre ou le *comme si*, chers à Flaubert) pour

---

texte d'Adalbéron de Laon, écrit de surcroît en latin, et que l'on attachera plus de valeur à un propos, sans doute apocryphe, d'Olivier Lefèvre, fondateur de la dynastie des Ormesson, qu'à une interview journalistique du dernier de ses descendants. Nul n'échappe à la logique de l'inconscient académique qui oriente cette distribution a priori du respect ou de l'indifférence et le sociologue qui aura réussi à surmonter en lui-même ces préventions aura sans doute d'autant plus de mal à obtenir le minimum de considération exigible pour les documents qu'il produit et pour les analyses qu'il en fait que les quotidiens et les hebdomadaires sont remplis de témoignages à sensation sur la détresse des professeurs ou la colère des infirmières qui sont mieux faits au demeurant pour donner satisfaction à cette forme de bonne volonté convenue que l'on accorde aux bonnes causes.

éviter d'instaurer avec elle la distance objectivante qui la mettrait sur la sellette ou, pire, au pilori. Cela, tout en s'interdisant aussi de la manière la plus catégorique (c'est encore une des fonctions du *comme si*) de se projeter indûment dans cet *alter ego*, qui reste toujours, qu'on le veuille ou non, un objet, pour se faire abusivement le sujet de sa vision du monde.

La rigueur, en ce cas, réside dans le contrôle permanent du point de vue, qui s'affirme continûment dans des détails de l'écriture (dans le fait par exemple de dire *son* lycée, et non *le* lycée, pour marquer que le récit de ce qui se passe dans cet établissement est formulé du point de vue du professeur interrogé, et non de l'analyste). C'est dans des détails de cette sorte qui, s'ils ne passent pas purement et simplement inaperçus, ont toutes les chances d'apparaître comme de simples élégances littéraires ou des facilités journalistiques, que s'affirme continûment l'écart entre « la voix de la personne » et « la voix de la science », comme dit Roland Barthes, et le refus des glissements inconscients de l'une à l'autre[19].

Le sociologue ne peut ignorer que le propre de son point de vue est d'être un point de vue sur un point de vue. Il ne peut reproduire le point de vue de son objet,

19. Ce contrôle constant du point de vue n'est jamais aussi nécessaire, et difficile, que lorsque la distance sociale qu'il faut surmonter est une ultime différence dans la proximité. Ainsi par exemple, dans le cas de la femme professeur, dont les locutions favorites (« je culpabilise », « problèmes de couple », etc.) peuvent avoir un effet à la fois répulsif et déréalisant, empêchant de sentir la réalité du drame qu'elles expriment, il ne serait que trop facile de laisser jouer les associations de la polémique quotidienne pour caractériser en les caricaturant une vie et d'un mode de vie qui ne paraissent si intolérables que parce qu'on craint d'y reconnaître les siens.

et le constituer comme tel, en le resituant dans l'espace social, qu'à partir de ce point de vue très singulier (et, en un sens, très privilégié) où il faut se placer pour être en mesure de prendre (en pensée) tous les points de vue possibles. Et c'est seulement dans la mesure où il est capable de s'objectiver lui-même, qu'il peut, tout en restant à la place qui lui est inexorablement assignée dans le monde social, se porter en pensée au lieu où se trouve placé son objet (qui est aussi, au moins dans une certaine mesure, un *alter ego*) et prendre ainsi son point de vue, c'est-à-dire comprendre que s'il était, comme on dit, à sa place, il serait et penserait sans doute comme lui.

L'interrogatoire – *Pierre Bourdieu et Gabrielle Balazs*

Les enquêtes administratives, dont nous analysons ici quelques exemples, sont intéressantes à plusieurs titres. D'abord parce qu'elles donnent libre cours à tous les effets qui, sauf vigilance spéciale, risquent de peser sur toute relation d'enquête et qu'elles permettent ainsi de mesurer a contrario l'importance de l'effort qu'il faut faire, dans la conduite d'un entretien, pour neutraliser ces effets : c'est un cas en effet où, comme le note John Gumperz, « malgré les apparences d'égalité, de réciprocité et de cordialité, les rôles des participants, c'est-à-dire le droit à la parole et l'obligation de répondre, sont prédéterminés ou, du moins, font l'objet d'une forte contrainte »[1]. Si la violence symbolique inhérente à la dissymétrie entre des interlocuteurs très inégalement pourvus en capital économique et surtout culturel peut s'exercer avec une si parfaite absence de retenue, c'est que les agents chargés de mener l'interrogatoire se sentent mandatés et autorisés par l'État, détenteur du monopole de la violence symbolique légitime, et qu'ils sont, en dépit de tout, connus et reconnus comme tels. A preuve, la réplique, digne de Kafka, de cette femme qui, soumise à un questionnement très poussé sur sa santé, s'étonne : « Même ça, ils demandent », suggérant que l'enquêtrice n'est elle-même que l'instrument d'une intention élaborée ailleurs, « en haut lieu ».

L'analyse des enregistrements de quelques entretiens menés par un bureau d'études (qui nous pardonnera sans doute de le laisser dans l'anonymat...) à la demande du Ministère de la recherche et de la technologie, en vue d'évaluer le Revenu minimum d'insertion (RMI), après trois ans de mise en œuvre, permet de saisir ce qui sépare l'interrogatoire bureaucratique des autres formes d'interrogation d'État, policière et judiciaire notamment, et ce qu'il a en commun avec elles et, plus largement, avec toutes les enquêtes bureaucratiques ordinaires[2]. Bien que, à la différence de l'enquête judiciaire, et surtout policière, elle se présente (et se

---

1. J. Gumperz, *Engager la conversation, Introduction à la sociolinguistique interactionnelle*, Paris, Minuit (Le sens commun), 1989, p. 15.

2. Nous remercions ici, sans pouvoir évidemment le faire nommément, la personne qui nous a communiqué ces enregistrements et nous renvoyons, pour toutes les informations sur cette enquête à l'ouvrage collectif de la Mire (Mission interministérielle pour la recherche) et du Plan urbain, *Le RMI à l'épreuve des faits : Territoire, insertion, société*, Paris, Ed. Syros Alternatives, 1991. Cette recherche a également donné lieu à un colloque, les 8 et 9 novembre 1991. Pour les analyses régionales, on se reportera aux 13 rapports du colloque.

vive) comme une enquête scientifique, l'enquête administrative, étroitement déterminée par des fins bureaucratiques, est entièrement dirigée par des intentions normatives. En outre, le moment de l'enquête (l'année même où la commission nationale d'évaluation du RMI doit remettre son rapport au premier ministre), le lieu de sa réalisation (les bureaux des mairies ou des centres communaux d'action sociale chargés des contrats d'insertion), le contenu et la forme des questions, jusqu'à 300 pour un seul entretien, posées sans relâche, souvent par deux enquêteurs, tout incite les enquêtés à se sentir dans l'obligation d'établir la légitimité de leur statut de bénéficiaires du RMI (comme d'autres doivent, pour obtenir une allocation, un stage ou un logement, justifier leur identité administrative de « demandeur d'emploi », de « chômeur fin de droits », de « jeune sans qualification », de « parent isolé », ou de « sans domicile fixe »).

L'alternance de questions frivoles ou dérisoires (relativement, bien sûr, à la situation et aux préoccupations des personnes interrogées : « Quel est votre loisir préféré ? »), et de questions-pièges énoncées sur un ton enjoué (« C'est un travail déclaré ? » ou « A quoi occupez-vous vos journées ? ») ou formulées sur le mode ironique (« Allons, allons, en apparence vous n'avez pas l'air malade... ») confère à l'entretien une violence d'autant plus insoutenable, parfois, qu'elle est exercée en toute innocence, avec la bonne conscience de celui qui a pour lui la double légitimité de l'ordre scientifique et de l'ordre moral.

On n'en finirait pas d'énumérer les présupposés qui sont inscrits, en quelque sorte, dans la structure même de la relation d'enquête, lorsque, comme ici, la dissymétrie inhérente à l'interrogatoire bureaucratique trouve dans et par l'écart entre les ressources et dispositions sociales de l'enquêteur et celles de l'enquêté les conditions de son plein accomplissement. Le rapport de force est tel que l'interrogateur n'a pas à s'inquiéter de savoir si les problèmes qu'il (se) pose, problèmes d'institution, qui n'ont d'intérêt que pour l'organisme commanditaire de l'enquête, se posent aussi à la personne à qui il les pose.

Le postulat fondamental de l'échange est sans doute inscrit dans cette imposition de problématique, fondée sur l'universalisation de l'intérêt particulier des bureaucraties. Mais ce n'est pas tout. L'interrogation, menée dans la logique du soupçon, traite l'enquêté en dissimulateur et en simulateur potentiel qu'il faut prendre au piège. Outre les questions sur la façon dont les RMIstes ont été informés de l'existence de l'allocation, sur ce qu'ils pensent de la loi, sur le poste du budget domestique auquel le RMI est affecté, il y a aussi toutes celles qui visent à découvrir si l'enquêté n'aurait pas des revenus non déclarés, s'il ne disposerait pas d'autres ressources, s'il (ou plutôt elle, car cette question s'adresse le plus souvent aux femmes) vivrait bien seul comme il (ou elle) le prétend, s'il n'aurait pas demandé le RMI pour obtenir une couverture sociale. Comme pèse sur lui le soupçon de la tricherie intéressée, et du manque de civisme, il lui est demandé s'il vote, avec aussitôt une correction qui se veut complice : « On ne vous demande pas pour qui ! »

Dans les trois cas retenus ici, celui d'une femme qui a quitté son mari artisan après le décès de leur fils, âgé d'une vingtaine d'années, et qui, à près de 50 ans, n'avait pas l'expérience d'un emploi salarié, celui d'un petit commerçant de 59 ans qui tenait un bistrot dans un quartier populaire, jusqu'à sa maladie qui lui interdit la station debout, et celui d'un jeune manutentionnaire, ancien apprenti, élevé par sa grand-mère concierge, à la suite de la mort de sa mère, l'interrogation atteint la violence de l'interrogatoire. Bouleversées, désorganisées, ces vies n'entrent pas dans les catégories prévues par le questionnaire standard, conçu pour susciter des réponses homogènes et incapable de saisir la diversité des situations qui ont pu conduire à la demande d'une allocation de survie. Les signes d'étonnement, les reproches contenus et la condescendance, dont la forme suprême est sans doute l'apitoiement, sont autant de manifestations des présupposés – ou des préjugés – constitutifs de la vision bourgeoise ou petite-bourgeoise du monde : ils engagent tout un ensemble de postulats sur la composition « convenable » d'une famille, sur les liens que l'on doit entretenir avec elle, et sur les « choix » scolaires ou professionnels, qui définissent une « carrière » digne de ce nom.

Quand la femme séparée de son mari et qui a perdu son fils déclare qu'elle a renoncé à un emploi d'un mois parce que sa fille, lycéenne, venait d'avoir un enfant et qu'elle préférait rester avec elle, elle s'entend dire : « Votre instinct de mère était le plus fort ! » Mais pour se voir reprocher par ailleurs ce que l'enquêtrice perçoit comme un renversement des rôles : « Comment ça, votre fille fait bouillir la marmite ? » A une jeune femme de ménage, mère célibataire, on demande comme dans une dissertation : « C'est quoi, pour vous, être seule ? » ou « Voir grandir votre fille, c'est important, pour vous ? ». Et que dire de cette question pseudo-analytique sur les souvenirs d'enfance, que l'on pose mécaniquement, malgré la réticence des enquêtés à entrer dans des confidences ou des souvenirs douloureux ? « C'est loin tout ça (...) je ne me rappelle pas », répond par exemple une jeune femme de ménage qui a passé son enfance de foyer en foyer, sans connaître ses parents. Tandis que

d'autres, tel le manutentionnaire qui, enfant, a perdu sa mère, opposent leur silence :
Enquêteur — Pouvez-vous me parler de votre enfance ?
Enquêté — [Silence].
Enquêteur — Qu'est-ce que vous avez comme souvenir de cette période ?
Enquêté — [Silence].
Enquêteur — Vous n'avez pas de souvenir ?
Enquêté — Si.
Enquêteur — Vous ne voulez pas en parler ?... D'accord.

Sans être jamais complètement conscients et cyniques, les enquêteurs, menés par leurs dispositions de classe, entrent dans un rapport ambigu d'assistance et de surveillance, de maternage et de suspicion, et une analyse plus systématique d'un corpus plus étendu permettrait sans doute de vérifier que la composition de l'équipe d'enquête selon le sexe, l'âge, l'origine sociale et le statut professionnel affecte très directement la manière de recueillir les données, et de les interpréter. Ainsi, telle hypothèse de l'enquêtrice à propos du logement ne prend son sens que par référence à une définition tacite de ce qui est tenu pour convenable dans son univers pour une famille de « pauvres » comme celle de l'enquêté : « C'est cher ! Je pensais que vous habitiez dans... (hésitation), dans une ou deux pièces ! » L'enquêtée est obligée d'expliquer, comme pour se disculper, que maintenant qu'elle vit avec sa fille et son petit-fils, cet appartement de quatre pièces lui revient à peine plus cher, grâce à l'allocation-logement, que le deux-pièces qu'elle occupait précédemment.

De la même manière, l'enquêtrice demande au petit commerçant qui réside dans un quartier en rénovation : « Et qu'est-ce que ça vous fait de savoir que vous allez être démoli, que... (se reprenant) que votre maison... (...) C'est une maison, c'est-à-dire un petit pavillon, ou c'est un appartement ? (...) Et la maison elle est à vos parents ? (...) C'est toujours le même, depuis combien d'années ? » Laissant percer sa vision normative du taux d'occupation adéquat, elle s'étonne, en insistant sur le chiffre : « Et vous viviez donc, à une époque, à... six dans cette maison ? » Puis, elle recompte à voix haute : « Deux enfants, les parents et vos parents... D'accord. Et maintenant vos parents sont... ? » (silence, ils sont décédés). L'enquêtrice, poursuivant sa pensée et son calcul, conclut, comme soulagée qu'il y ait plus de place : « Donc, là, vous êtes deux ? »

La violence atteint sans doute son point culminant lorsque la philoso-

phie de l'action qui soutient toute l'interrogation, conduit à chercher dans des intentions et des raisons le principe de toutes les actions de tous les agents, supposés également maîtres de leur destin, et à constituer ainsi tacitement les RMIstes en responsables de leur misère. Les « Pourquoi ? », qui scandent les propos sur la perte de l'emploi, la séparation avec le conjoint, l'abandon de l'école, la santé, le chômage, laissent à penser que tout ce qui est arrivé à la personne interrogée a été le résultat d'un libre choix. A une femme de ménage qui a quitté l'école à 12 ans, on demande par exemple « pour quelle raison elle l'a fait », précisant même : « parce que vous le vouliez ou parce que vous étiez obligée ? » Ils postulent que chacun peut et doit mener à sa guise sa carrière et sa vie.

Enquêteur 2 — [Reprend] Et vous avez arrêté le bar pour quelle raison ?
Enquêteur 1 — Maladie...
Enquêté — Parce que je ne pouvais plus le faire.
Enquêteur 2 — Donc pour des raisons de santé.
[L'enquêté ajoute qu'il a « fait 20 ans aux PTT puis qu'il a arrêté ».]
Enquêteur 1 — Donc le motif d'arrêt de ce travail, c'est vraiment votre femme ?
Enquêté — C'est ça.
Enquêteur 1 — Vous, vous y seriez resté autrement ?
Enquêté — Oh je serais à la retraite... ah non, pas tout à fait.
Enquêteur 2 — [Perdue] Le motif d'arrêt de quel travail ?
Enquêteur 1 — Des PTT.
Enquêteur 2 — Vous avez arrêté à cause de votre femme ? Pourquoi, elle ne...
Enquêté — [Obligé de répéter] Elle était dépressive, elle pouvait plus faire son boulot, alors...
Enquêteur 2 — [Répète] Et c'était quoi son travail ?
Enquêté — La comptabilité.
Enquêteur 1 — Alors vous avez décidé : démission.
Enquêté — Oh oui...
Enquêteur 1 — Et ça lui plaisait après le... ?
Enquêté — A ma femme ?
Enquêteur 1 — Le bar ?
Enquêté — Non ! Non, mais enfin... elle s'y est faite. [Silence] Et moi aussi.
Enquêteur 1 — Oui, ça changeait, hein.

Enquêté — Sûrement.
Enquêteur 1 — Vous avez fait des petits boulots avant d'entrer aux PTT ?
Enquêté — Ah oui ! J'étais coiffeur d'abord. Mon premier métier, j'étais coiffeur.
Enquêteur 1 — [Ton admiratif] Quel parcours ! [élevant la voix] Vous aviez votre CAP ?
Enquêté — Oui.
Enquêteur 1 — Et vous avez exercé... ?
Enquêté — Pas longtemps parce que ça payait pas. Quatre ans seulement. A ce moment-là on crevait de faim, coiffeur.
Enquêteur 1 — Ah oui ?
Enquêteur 2 — C'était quelle époque ? Quelle année ?
Enquêté — Entre 45... [réfléchit] 45 à 49.
Enquêteur 1 — Quelle leçon vous avez retirée du métier de coiffeur, d'abord, après, du métier de...
Enquêté — Que des fois, on apprend un métier et puis ça sert pas à grand-chose. Ça dépend des métiers. Je voulais jamais être coiffeur.
Enquêteur 2 — Ah bon, pourquoi l'aviez-vous fait ?
Enquêté — Parce que... je voulais être charpentier sur navire. A l'époque, le médecin, il est mort heureusement, il m'a trouvé trop chétif. J'étais chétif.
Enquêteur 2 — [Ton moqueur] Vous paraissez pas chétif là maintenant, vous vous êtes rattrapé...
Enquêté — Et voilà, alors que j'étais trop petit, tout ça, pour un charpentier. Il les voyait grand et gros les... et puis voilà... et puis on m'a proposé... fallait travailler aussi – après la guerre, c'était dur.

Les pourquoi répétés appellent une réflexion rétrospective sur les intentions de l'action et tendent ainsi à constituer la victime en responsable (même à ses propres yeux) d'une situation qu'elle est censée avoir voulue, au moins négativement, en se montrant incapable de la « prendre en mains ». Ainsi, l'enquêtrice ironise sur le fait que le même commerçant, dont la femme, comptable du bar, continue de prendre en charge les papiers administratifs, ne sait pas s'il a rempli les papiers, s'il a signé le fameux « contrat d'insertion » (« C'est de l'hébreu ») et elle le rappelle donc à l'ordre.

Enquêteur 1 — Et vous avez été payé quand ?
Enquêté — Deux ou trois mois après, je pense, je sais pas exactement ;

d'abord je ne m'en occupe pas, c'est ma femme qui s'occupe des papiers.
Enquêteur I — Mmh, qui s'en occupe. Et vous avez reçu, la somme à partir du premier janvier ou... ?
Enquêté — Non, je sais... exactement je ne sais pas. Je m'en occupe pas.
Enquêteur I — Vous savez pas ? [Ton de reproche] Vous savez à combien vous avez droit ?
Enquêté — Oui 2300... 2300 [silence] et des pacotilles peut-être.
Enquêteur 2 — [Le contrat d'insertion] Vous ne savez pas si vous l'avez signé ou pas ?
Enquêté — Je sais pas.
Enquêteur 2 — De toute façon c'est vous qui avez demandé le RMI, c'est vous qui le percevez ou... c'est vous ?
Enquêté — Oui, c'est moi.
Enquêteur 2 — Donc c'est vous qui avez dû signer, normalement...
Enquêté — Je ne me souviens pas.
Enquêteur I — C'est en échange d'un travail, donc vous auriez peut-être dû vous en souvenir ?

La discordance structurale est génératrice de malentendus explicites. Ainsi, l'enquêtrice qui n'a pas entendu que le jeune manutentionnaire a perdu sa mère lorsqu'il avait 12 ans, et qui s'inquiète de la régularité des liens familiaux plus que de leur existence, demande s'il la voit toujours. « Ah ! Excusez-moi », lance-t-elle, lorsqu'il marque un silence étonné. Et lorsque le jeune homme vient à dire qu'il ne voit pas son père, elle en déduit qu'il est mort, alors qu'il vit à l'étranger. De même, le commerçant dont un enfant adulte vit dans la maison paternelle s'embrouille dans sa réponse quand l'enquêtrice lui demande, sur le ton de l'évidence, à propos de ses enfants : « Qui ne vivent plus avec vous, je suppose ? » « Non. Mon fils... vient à la maison, lui. » « Il vit à la m... ? Non ! Il vient ? » « Il vient à la maison. Il est domicilié chez moi, disons. »

Il arrive même que l'évidence absolue d'une expérience de l'existence fondée sur la maîtrise du temps (et de l'argent) conduise à des méprises qui côtoient le mépris : ainsi, au manutentionnaire qui raconte avec un mélange d'aigreur et de honte qu'il s'est « fait piéger », lorsqu'il travaillait au noir, par un employeur qui ne lui a pas versé son salaire, l'enquêtrice demande s'il lui est arrivé de se faire payer normalement... Et, un peu plus tard, lorsqu'il dit n'avoir rien trouvé à l'ANPE, elle lui lance d'un ton léger : « Qu'est-ce que vous allez faire à l'ANPE ? » Et tout l'écart entre deux conditions, et les deux visions du monde correspondantes, éclate dans la répartie, pleine de condescendance protectrice, que l'enquêtrice adresse, sur un ton enjoué, à une employée de maison qui se dit gênée de déclarer son emploi : « C'est pas déshonorant. C'est un travail que toutes les mamans connaissent en tout cas ».

Deux interrogatoires

On ne retiendra que deux extraits assez longs qui condensent tous les schèmes mis en œuvre dans une enquête administrative de contrôle. Sollicités, voire sommés de livrer l'état de leurs ressources et de leur santé, leur manière de vivre, leur histoire familiale, leur intimité, les RMIstes résistent soit par la brièveté de leurs réponses, par l'économie de mots et par le silence, soit, pour les plus endurcis, par diverses formes de mise en scène de la misère, dont la plus fréquente est le discours pour assistante sociale.

LA SUSPICION

L'enquêtée explique, un peu gênée, qu'elle a accumulé les malheurs : frappée de dépression après que son fils fut mort d'un cancer, alors qu'il avait une vingtaine d'années, elle s'est séparée de son mari artisan, et vit maintenant avec sa fille, lycéenne, qui vient d'avoir un bébé. (Elle est d'ailleurs venue avec son petit-fils, à qui elle donne le biberon au cours de l'entretien). Comme s'il était un peu inconvenant d'avoir tant de malheur, elle se moque d'elle-même et rit en évoquant un problème supplémentaire : sa santé s'est en effet détériorée depuis ces événements.

Tant de tact échappe à l'enquêtrice qui, poursuivant son objectif, tente de vérifier à quel moment sont survenus les soins, pour contrôler si la demande de RMI n'a pas été faite à l'occasion des traitements, et en vue d'obtenir la couverture sociale, qu'assure le RMI. Ignorant les informations que l'enquêtée lui avait spontanément livrées à propos de sa dépression, de sa tentative de psychanalyse, de sa maladie immunitaire, l'enquêtrice déroule toute la partie médicale du questionnaire.

Enquêteur — Et vous avez été voir un psychanalyste, sur votre initiative ?

Enquêtée — Oui.

Enquêteur — Vous êtes restée en analyse ou…

Enquêtée — Non (…). J'ai fait ça pendant deux mois.

Enquêteur — Après la séparation ?

Enquêtée — Non, non, ça n'avait rien à voir… Enfin si, c'était tout un amalgame. Il y avait la mort de mon fils, il y avait la séparation, il y avait la situation de ma fille, ça faisait beaucoup de choses. Beaucoup, beaucoup de choses.

Enquêteur — Vous en avez tiré quelque chose de cette… il semble que ça vous a aidée ou… ?

Enquêtée — Je crois que peut-être, comme pour mon fils j'ai mis deux ans, je crois, à réaliser vraiment les choses. Là j'aurais mis du temps

aussi. J'ai mis du temps à réaliser les choses, mais j'y serais arrivée toute seule. Voilà, j'aurais fait mon analyse toute seule. Mais comme il y avait un problème de santé qui se greffait là-dessus...
Enquêteur — *Ah bon vous aviez...*
Enquêtée — *Oui, un... [rire gêné] problème de santé, ça fait encore une chose en plus. Et donc oui, il était quand même assez urgent que quelqu'un me... quelqu'un d'autre essaie de m'aider. mais ça m'a aidée parce que j'ai parlé (...).*
Enquêteur — *On va parler de votre santé, puisque vous m'avez dit que vous avez des problèmes. Depuis combien de temps vous avez... ?*
Enquêtée — *Oh ça fait [soupir]... 82, 82 on m'a fait des investigations parce que j'avais des allergies, je faisais de l'eczéma, j'avais de l'urticaire, donc et jusqu'en 86 on a fait tous les examens et le médecin m'a dit, « Mme F. vous êtes allergique à tout, donc vous prenez ça et vous vous en contentez ».*
Enquêteur — *Qu'est-ce que c'était, un anti-allergique ?*
Enquêtée — *Non, non...*
Enquêteur — *Ah oui, vous êtes allergique à tout !*
Enquêtée — *Voilà, j'étais allergique à tout. Et puis un jour j'ai pensé aussi, j'ai dit, bon ben voilà, la mort d'Éric a bouleversé tout le monde et puis peut-être que c'est le mal, la souffrance qui sort comme ça ; et du jour où j'ai compris ça, petit à petit c'est parti.*
Enquêteur — *Oui, effectivement, vous aviez fait votre analyse.*
Enquêtée — *Oui, je l'ai fait mais j'ai mis du temps pour le faire. Et puis je comprenais pas de toute façon. Et quand j'ai eu des problèmes avec mon mari, enfin des problèmes... de nouveau, c'est reparti. Mais là c'était beaucoup plus sérieux. Et on a commencé tous les examens à l'hôpital. Puis on s'est aperçu qu'il y avait un problème d'immunité, donc j'ai fait une maladie auto-immunitaire.*
Enquêteur — *Et vous êtes suivie là ?*
Enquêtée — *Oui.*
Enquêteur — *Vous allez régulièrement chez...*
Enquêtée — *Oui tous les mois. Là je suis sous cortisone, ça fait (on est quoi ? On est en octobre), ça doit faire huit mois.*
Enquêteur — *Et est-ce que le fait de toucher le RMI, vous permet aussi d'avoir la couverture sociale ?*
Enquêtée — *Ça, c'était pas, c'est vraiment pas ça.*
Enquêteur — *Non mais moi, je suis pas policier, mais dans la logique, moi je cherche les logiques, c'est-à-dire que jamais votre nom n'apparaîtra nulle part. Moi j'essaie de réfléchir en termes simplement de trajec-*

toire, pourquoi est-ce que ça correspondrait plutôt à la couverture sociale que le logement.

Enquêtée — *Non quand j'ai demandé le RMI, les investigations n'avaient pas été faites, je veux dire, même la découverte de la maladie n'avait pas été ; il n'y avait pas eu de démarche. Et ça ne s'est fait qu'en avril, mois d'avril. Donc comme j'étais bénéficiaire depuis le mois de janvier, je veux dire, c'est pas ça du tout qui a fait... Mais là, je dois reconnaître que maintenant avec tout...*

Enquêteur — *Ce sont des traitements coûteux ?*

Enquêtée — *Les traitements non, mais les examens oui.*

Enquêteur — *C'est-à-dire on vous fait des examens de...*

Enquêtée — *Les examens, il y a des analyses de plaquettes, enfin pendant un moment c'était tous les deux jours, tous les trois jours, après ça s'est estompé puisque ça s'était stabilisé, après ça a été toutes les semaines, après ça a été tous les 15 jours et maintenant, c'est toutes les trois semaines. Et le traitement va être normalement fini (...) ; mais il y a eu des examens des yeux parce que je prenais un médicament alors que maintenant je prends de la cortisone (...) et puis l'hospitalisation aussi (...) au début on m'a hospitalisée parce que ils ne savaient pas du tout ce que c'était. Et puis ils ont pensé que c'était un virus, après ils ont dit que c'était autre chose et après, après j'ai été hospitalisée aussi parce que les plaquettes étaient tombées très bas, voilà (...).*

Enquêteur — *Oui, là-dessus, sur cette histoire de RMI qui sert finalement à une protection sociale, qu'est-ce que vous pouvez dire ?*

Enquêtée — *Moi je dis que c'est important. C'est très important.*

Enquêteur — *Oui parce qu'il y a effectivement l'aspect financier, aide immédiate, mais il y a aussi ce droit à pouvoir être couverte, quoi.*

Enquêtée — *Là c'est vraiment très, très, très important. Je veux dire que ça s'est trouvé comme ça mais c'est vraiment d'un grand secours et d'un gros souci en moins. Vraiment un gros souci en moins (...).*

Enquêteur — [Reprend son questionnaire] *Maintenant qu'est-ce que vous... vous dormez bien ?*

Enquêtée — *Non* [rire, avec la voix qui monte, étonnée, insistant sur le *ça*]. *Même ça ils demandent ?*

Enquêteur — *Oui... Vous vous réveillez la nuit ?*

Enquêtée — *Oh oui !* [rire] *J'ai des insomnies.*

Enquêteur — *Vous prenez des cachets pour dormir ?*

Enquêtée — *Non. A la limite des* [médicaments apaisants].

Enquêteur — *Vous avez des envies quand même ? Des plaisirs, des envies. Non ?*

Enquêtée — [Rire] Non.
Enquêteur — Vous avez envie de rien ? Vous avez des idées noires ?
Enquêtée — Non… oh, certaines fois mais pas…
Enquêteur — De temps en temps… ?
Enquêtée — De temps en temps.
Enquêteur — Est-ce que vous avez des difficultés de concentration ?
Enquêtée — Oui.
Enquêteur — Un peu, beaucoup ? Ou pas du tout…
Enquêtée — Non un peu.
Enquêteur — Une mémoire défaillante ?
Enquêtée — Ben c'est l'âge !
Enquêteur — Et des symptômes respiratoires, oppression, étouffements… ?
Enquêtée — Oui bien sûr… Mais c'est inhérent à la maladie et quand il y a un petit coup de déprime, c'est tout.

LE TRIBUNAL DU BON SENS

Deux enquêtrices, l'une jeune, l'autre un peu plus âgée, à la voix aiguë, font face à un petit commerçant, malade, proche de l'âge de la retraite, ayant renoncé à son commerce à la suite d'une intervention chirurgicale, à la voix lasse, écrasée.

Si la situation n'était pas aussi douloureuse (on le voit dès le début de l'entretien, lorsque l'enquêté dit sa « honte » d'être RMIste : « Quand on a travaillé toute une vie… en arriver là… hein ! »), on pourrait croire à un comique de répétition volontairement mis en scène. Une bonne partie des questions est en effet posée deux fois, une première par la jeune enquêtrice (Enquêteur1), puis une deuxième par la responsable locale de l'enquête (Enquêteur2), arrivée plus tard. Les mêmes questions, les mêmes étonnements, les mêmes commentaires et finalement la même incompréhension. Ce n'est qu'à la fin que le vieil homme proteste d'avoir à « étaler ainsi son curriculum ».
[…]
Enquêteur 1 — Et comment vous avez eu connaissance du RMI ? Comment vous en avez entendu parler ?
Enquêté — Par les uns et par les autres. Et puis un peu par nécessité aussi, hein.
Enquêteur 1 — Oui, comment vous avez fait, comment ça s'est passé pour… ?
Enquêté — J'ai été m'inscrire à l'emploi et j'ai…

Enquêteur I — A l'emploi, [traduit immédiatement en langage institutionnel] c'est-à-dire... à l'ANPE vous avez été ?
Enquêté — Oui. Je me suis fait inscrire, mais je ne demandais pas d'emploi. A mon âge...
Enquêteur I — Vous avez quel âge, monsieur ?
Enquêté — Je vais avoir 60 ans. Au mois d'août, je les aurai. 59 disons.
Enquêteur I — Et vous avez été vous inscrire à l'ANPE, vous étiez quoi ?
Enquêté — J'étais commerçant avant.
Enquêteur I — Vous aviez quoi comme commerce ?
Enquêté — Un bar.
Enquêteur I — On va revenir sur l'expérience professionnelle un peu plus loin [dans le questionnaire] ; donc, vous avez été à l'ANPE, vous n'aviez plus de droits, euh... d'indemnités ni rien, et c'est là... où on vous a parlé du RMI ? C'est une personne de l'ANPE, donc.
Enquêté — Oui.
Enquêteur I — C'est vous-même qui y avez été, là ? Hein ?
Enquêté — Oui.
Enquêteur I — Qu'est-ce qu'elle vous a... conseillé ?
Enquêté — [Silence] Elle m'a dit que j'avais droit à quelque chose. C'est tout.
Enquêteur I — Quel sentiment vous avez eu quand on vous a envoyé votre première allocation ?
Enquêté — [Très bas] Un sentiment de honte.
Enquêteur I — Pourquoi ?
Enquêté — Parce que. Quand on a travaillé toute une vie... [très bas, dans un souffle]... en arriver là, hein...
Enquêteur I — [Étonnement] Vous avez travaillé toute une vie et vous avez le droit à rien ?
Enquêté — Si, mais dans un an, je toucherai ma retraite que dans un an.
Enquêteur I — Ah ! c'est ça ! C'est provisoire alors, la situation...
Enquêté — Voilà.
Enquêteur I — Vous avez arrêté quand, là, de travailler ?
Enquêté — Fin 89. Novembre 89, fin novembre 89.
Enquêteur I — Et pourquoi vous avez arrêté ?
Enquêté — Parce que j'ai pas pu travailler.
Enquêteur I — Vous étiez... ?
Enquêté — Malade.
Enquêteur I — Vous étiez malade ?
Enquêté — J'avais mal aux jambes, il a fallu qu'on m'opère.

Enquêteur I — Attendez, parce qu'il y a un truc sur la santé [dans le questionnaire], je vais y passer directement ; donc, vous avez quoi aux jambes ?
Enquêté — Un..., des varices, une maladie de la circulation du sang.
Enquêteur I — Et derrière le bar, vous étiez toujours debout ?
Enquêté — Voilà.
Enquêteur I — Vous avez été opéré ?
Enquêté — Oui.
Enquêteur I — Quand ça ?
Enquêté — [Dans un souffle] Fin avril. Le 28 avril, je pense, je me rappelle plus.
Enquêteur I — Et là vous avez été alité ?
Enquêté — Oui.
Enquêteur I — Combien de temps ?
Enquêté — Disons une dizaine... Une dizaine de jours.
Enquêteur I — Et vous avez décidé d'arrêter là ? C'est après cette opération que vous avez décidé de...
Enquêté — Ah ben non, même avant puisque je ne pouvais plus.
Enquêteur I — Ça faisait longtemps que vous étiez arrêté ?
Enquêté — Non mais arrêté, j'avais arrêté de travailler, mais parce que je pouvais plus travailler. Et là, pardi, les docteurs m'ont opéré mais... bon ça va mieux ; mais c'est plus ça, j'ai plus 30 ans, voilà.
Enquêteur I — [Ton léger de conversation] Est-ce que vous avez signé un contrat d'insertion ?
Enquêté — C'est-à-dire ? Ces mots-là, pour moi, c'est de l'hébreu. Jamais je me suis occupé de paperasses... Je suis ignorant, complètement là-dessus.
Enquêteur I — C'est votre femme en fait que...
Enquêté — C'est ma secrétaire [rire].
Enquêteur I — C'est-à-dire, on ne vous a pas fait signer de contrat personnellement, c'est-à-dire qu'en échange du RMI, l'état incite les gens à s'insérer, c'est-à-dire...
Enquêté — Non, non.
Enquêteur I — Vous n'avez pas signé ?
Enquêté — Non je ne pense pas. Je ne me souviens pas.
Enquêteur I — Qu'est-ce que vous pensez de cette loi ?
Enquêté — C'est bien, mais... C'est bien.
[...]
Enquêteur I — [Monte la voix] Donc on va partir un peu de vos emplois, le dernier donc c'est ce bar, vous avez fait ça depuis quand ?

Enquêté — Depuis 74, oui 1974.
Enquêteur 1 — Donc vous avez acheté le... (...) Comment vous avez décidé d'obtenir ce bar, comment ça vous est venu cette idée ?
Enquêté — Oh bé là c'est bizarre. Ma femme était comptable et elle a eu... elle était dépressive, fallait qu'elle change de boulot. Pour faire quoi ? Moi j'étais aux PTT et j'ai donné ma démission. Et on a acheté un commerce. Voilà.
Enquêteur 1 — Qu'est-ce que vous faisiez aux PTT ?
Enquêté — J'étais héliographe. Avant j'étais aux lignes et après j'étais passé à héliographe. Tirage, diffusion de plans.
Enquêteur 1 — Oui, d'accord. Et avant vous étiez...
Enquêteur 2 — Ah, Bonjour. Bonjour Monsieur.
Enquêteur 1 — Madame qui s'occupe de l'enquête.
Enquêteur 2 — Je... je pensais pas que vous aviez commencé... on chôme pas...
Enquêteur 1 — On vient juste de commencer. Monsieur avait un bar, il vient d'arrêter là il n'y a pas longtemps, il attend sa retraite...
Enquêté — Ça va faire un an.
Enquêteur 2 — Vous aviez un bar où ?
[Avec un ton fatigué, l'homme nomme le quartier populaire où il travaillait et qu'il a déjà décrit précédemment.]
Enquêteur 1 — Vous avez été à l'école jusqu'à quel âge ?
Enquêté — 14.
[...]
Enquêteur 1 — Donc vous avez passé votre CAP après ?
Enquêté — Après.
Enquêteur 1 — Oui, donc vous l'avez eu, à 16 ans, non ?
Enquêté — 16 ans et demi. A 16 ans et demi, j'avais le CAP.
Enquêteur 1 — Et l'école, ça se passait bien ?
Enquêté — Ben j'y suis pas allé beaucoup parce que il y a eu la guerre et j'étais... comment dire... évacué. Oui. C'est-à-dire que pendant trois ans et demi, quatre ans je ne suis pas allé à l'école.
Enquêteur 2 — Et où étiez-vous pendant la guerre alors ?
Enquêté — Dans les Pyrénées.
Enquêteur 2 — Dans les Pyrénées ? Avec votre famille...
Enquêté — Non, non, non. Tout seul.
Enquêteur 1 — Tout seul ?
Enquêteur 2 — Oui enfin... dans une institution... ?
Enquêté — Dans une ferme.
[...]

Enquêteur 2 — … Et pourquoi on vous avait évacué ?
Enquêté — Parce que j'avais peur. Dès que la sirène sonnait, je tombais dans les pommes.
Enquêteur 2 — C'est vos parents qui avaient décidé ça ?
Enquêté — Ben oui, c'est le médecin, c'est pas normal.
Enquêteur 1 — Et là-bas dans la ferme, vous travailliez ?
Enquêté — Oui. Ça me plaisait d'ailleurs.
Enquêteur 2 — Oui, ça vous plaisait, vous gardez un bon souvenir de… ?
Enquêté — Euh, oui et non. C'était tristounet.
[…]
Enquêteur 1 — Donc l'école, c'est une bonne raison, ça… vous êtes parti vers les 10 ans, quoi ? Vous avez quitté… ?
Enquêté — Au bon moment, j'ai quitté l'école, là où c'était le plus important.
[…]
Enquêteur 1 — Bon, Le contrat d'insertion, Monsieur, il a pas signé, je crois, enfin…
Enquêteur 1 — [Explique] C'est sa femme qui est sa secrétaire.
Enquêté — C'est ma femme qui s'occupe de tout, moi les papiers je me suis jamais occupé des papiers.
Enquêteur 2 — Je sais plus, j'ai pas le dossier. Vous ne savez pas si vous l'avez signé ou pas ?
Enquêté — Je sais pas.
Enquêteur 2 — De toute façon c'est vous qui avez demandé le RMI, c'est vous qui le percevez ou… c'est vous ?
Enquêté — Oui, c'est moi.
Enquêteur 2 — Donc c'est vous qui avez dû signer, normalement…
Enquêté — Je ne me souviens pas.
Enquêteur 1 — C'est en échange d'un travail, donc vous auriez peut-être dû vous en souvenir ?
Enquêteur 2 — Ou d'un stage.
Enquêté — Non j'ai pas fait de stage.
Enquêteur 1 — On vous l'a proposé le stage ?
Enquêté — Non ! Il y a des jeunes qui attendent… je vais pas…
Enquêteur 1 — [Feuillette les pages, reprend en arrière] Coiffeur quatre ans, après vous êtes rentré aux PTT ou… ?
Enquêté — Non, pas directement, j'ai bricolé à droite, à gauche. Il fallait travailler, hein. Je suis rentré aux PTT.
Enquêteur 1 — Vous aviez arrêté, vous aviez votre salon, non… ?
Enquêté — Non, non, non.

Enquêteur 1 — Vous travailliez chez un coiffeur…
Enquêté — Ouvrier, ouvrier…
Enquêteur 1 — Ouvrier, oui et vous avez arrêté, vous avez bricolé, c'est-à-dire vous avez fait des petits boulots…
Enquêté — D'une boîte à l'autre. J'ai toujours travaillé, hein. J'allais où il y avait de l'argent à gagner, c'est tout.
Enquêteur 2 — Et là vous êtes à combien de la retraite ?
Enquêté — Dix mois [long silence].
Enquêteur 2 — Et là en attendant, comment vous vous occupez, vous faites des petits boulots… euh.
Enquêté — Non. Non, non. Je me sors, je vais chez ma sœur, elle a vendu sa maison, je bricole le jardin, je m'occupe, disons.
Enquêteur 2 — [Prend un ton rassurant, voulant dire qu'il peut parler du travail noir à son aise.] Parce que nous, nous n'avons rien à voir avec l'assistante sociale, on n'est pas là pour… vous avez bien compris, on n'est pas…
Enquêté — Oui, elle m'a expliqué, Madame [l'enquêtrice 1]. La dame m'a expliqué…
Enquêteur 2 — … pour… si vous faites des petits boulots, ça nous intéresse si vous voulez sur un plan plutôt scientifique de savoir quel est le poids des petits boulots, donc vous pouvez nous le dire, on va pas aller dire…
Enquêté — Non, non, non, non. Pas de travail au noir.
Enquêteur 2 — Non parce que vous pourriez éventuellement, vous êtes… vous n'avez apparemment pas de problème de santé…
Enquêté — Si, les jambes. Ça, maintenant c'est fichu pour moi.
Enquêteur 1 — Donc vous allez jardiner ? [comme s'il s'agissait d'une chose incongrue].
Enquêté — Jardiner… Je m'occupe, ma foi.
Enquêteur 2 — Comment vous vous occupez, votre journée ou… ? A part venir nous voir, mais c'est pas souvent… !
Enquêté — Je jardine, je lis, je… je marche, il faut que je marche, je marche. C'est pas folichon, hein.
Enquêteur 2 — C'était la maison de vos parents… ?
Enquêté — De mes parents.
Enquêteur 2 — C'est rare de nos jours de voir des gens qui sont…
Enquêté — D'ailleurs on va être démoli pour être relogé 200 mètres plus loin. Remarquez c'est pas dommage parce que c'est un peu… (…).
Enquêteur 2 — Et qu'est-ce que ça vous fait de savoir que vous allez être démoli, que [hésitation, se reprend] votre maison…

Enquêté — Il y a un an qu'on le sait. Ça me rendait malade. Ah moi j'étais malade. Et puis maintenant, dans le fond, je suis content, je vais vivre dans du neuf. Parce que là, c'est du rafistolage.
Enquêteur 2 — Est-ce que le fait de savoir qu'on allait démolir la maison de vos parents, puisque c'est la maison familiale quand même, ça a eu une influence sur votre travail, vous pensez ?
Enquêté — Non, non, non [long silence].
Enquêteur 1 — C'est une maison, c'est-à-dire, c'est un petit pavillon ? Ou c'est un appartement ?
Enquêté — Non c'est une échoppe. Mitoyenne.
Enquêteur 1 — Et vos parents ils ont vécu avec vous... ?
Enquêté — J'ai vécu toujours avec mes parents.
Enquêteur 1 — Ah oui ?
Enquêté — Je me suis marié, je suis retourné à la maison.
Enquêteur 1 — Il y avait assez de place ?
Enquêté — Oui.
Enquêteur 2 — Et vous n'avez pas de... vous avez des enfants ?
Enquêté — Oui. Une fille qui a 37 ans et un garçon de 36.
Enquêteur 2 — [Ton de l'évidence] *Qui ne vivent plus avec vous, je suppose ?*
Enquêté — Non. Mon fils... il vient à la maison, lui.
Enquêteur 2 — Il vit à la m... non, il vient ?
Enquêté — Il vient à la maison. Il est domicilié chez moi, disons.
Enquêteur 1 — Il travaille, sinon votre fils ?
Enquêté — Oui ! Il est aux PTT.
Enquêteur 1 — Il est dans les PTT, lui... [silence] *Et votre fille ?*
Enquêté — Ma fille, elle travaille pas.
Enquêteur 1 — Oui, elle est mariée ?
Enquêté — Ah si, maintenant elle travaille. Elle travaille... Elle est en instance de divorce, elle est...
Enquêteur 2 — [Rire] *C'est pas un travail ça... !*
Enquêté — Non, elle travaille, où c'est qu'elle travaille ? Lycée, lycée... du côté des Allées, là, je sais pas, il y a un lycée ?
Enquêteur 1 — Dans un lycée, elle est surveillante ou... ?
Enquêté — Oui, je sais pas, elle initie les gosses à... [répète] *elle initie... mince ! Oh je vais pas dire le nom... ! A l'informatique.*
Enquêteur 1 — [Manifestant son étonnement] *Ah oui ! Elle est informaticienne ?*
Enquêté — Oui, elle a passé quoi, mais pas à un haut niveau, je pense, elle a passé un stage...

Enquêteur 1 — [Ton étonné] Ah oui ! (...)
Enquêté — Mon fils aussi il est... il est pas en ménage, mais enfin c'est tout comme.
Enquêteur 2 — Il vit [détache chaque syllabe] maritalement. Comme on dit.
Enquêté — Vit maritalement, voilà.
Enquêteur 2 — [Rire] Comme disent les technocrates.
Enquêteur 1 — Et la maison elle est à vos parents, elle est à... ?
Enquêté — Ah non, non, non c'est aux HLM. Ouais.
Enquêteur 1 — Et c'est toujours le même, depuis, donc combien d'années ?
Enquêté — Depuis 1930. Je suis né en 31.
Enquêteur 1 — Et vous viviez, donc à une époque... à six dans cette maison ?
Enquêté — Oui.
Enquêteur 1 — Deux enfants, les parents et vos parents... D'accord. Et maintenant vos parents sont...
Enquêté — [Silence] Sont décédés.
Enquêteur 1 — Donc là, vous êtes deux ?
Enquêté — Oui, on est deux.
Enquêteur 1 — Il y a plusieurs, c'est grand comme... ?
Enquêté — Trois chambres (...).
Enquêteur 1 — Oui... il y a tout le confort dans votre maison ?
Enquêté — Plus maintenant. C'est vieux, c'est... d'ailleurs je fais plus rien, je voulais retapisser, je ne peux plus monter à l'échelle ; de toute façon on laisse tomber, un an on va vivre comme ça.
Enquêteur 1 — Et comment ça s'est passé votre enfance, vous êtes resté...
Enquêté — Très bien.
Enquêteur 1 — Vous êtes resté donc... Vous avez des frères et sœurs ?
Enquêté — Oui.
Enquêteur 1 — Combien ?
Enquêté — On était cinq garçons, une fille. Il y en a deux de décédés, les deux aînés sont décédés.
Enquêteur 1 — Ils sont décédés quand ils étaient jeunes, enfin, enfants ou...
Enquêté — Non, l'un à 44 ans et l'autre 50...
Enquêteur 1 — D'accord donc vous étiez une famille de six...
Enquêté — J'étais le dernier des garçons.
Enquêteur 1 — Vous viviez dans cette maison...

Enquêté — Oui, là c'était trop petit par contre.
Enquêteur 1 — [En chœur] Là, c'était trop petit.
Enquêteur 2 — Là oui, ça devait… et vous avez vécu…
Enquêté — Oui.
Enquêteur 2 — [Rassurante] On dit qu'on manque de place, mais à l'époque, il devait y avoir plein de gens qui vivaient encore…
[…]
Enquêteur 1 — [Ton sérieux] Est-ce qu'il y a eu un événement particulier dans votre enfance qui a joué un rôle important, est-ce que vous vous souvenez de quelque chose de marquant… ?
Enquêté — La guerre… la guerre, déjà.
Enquêteur 2 — C'est un bon morceau.
Enquêteur 1 — La guerre, vos évanouissements…
Enquêté — Oui, mais oh mais ça c'était rien. Mon frère déporté, il y a eu beaucoup de choses, enfin… [manifeste qu'il ne veut plus en parler] c'est loin, maintenant on n'y pense plus.
Enquêteur 2 — Et celui qui est mort à 44 ans a été déporté ?
Enquêté — Oui, il est mort du cœur, il était cardiaque.
Enquêteur 2 — Oui mais enfin est-ce que… ?
Enquêté — Non, ça ne vient pas de ça.
Enquêteur 2 — [Ton apitoyé] Non mais parce qu'ils ont quand même été bien privés, les déportés…
Enquêté — Oui. Oui. Mais enfin ça ne vient pas de ça. Jeune déjà il a été malade du cœur.
Enquêteur 2 — Ah oui, d'accord. Ça n'a rien arrangé [silence].
Enquêté — Ça l'a pas arrangé.
Enquêteur 1 — Et vous avez des souvenirs d'enfance, de votre famille, de vos parents, vos parents qu'est-ce qu'ils faisaient ? Votre père était…
Enquêté — Mon père travaillait au port. Et ma mère à la maison. Je l'ai connue à la maison.
Enquêteur 1 — Au port, qu'est-ce qu'il faisait ?
Enquêté — Il était contremaître.
Enquêteur 1 — Vous aviez… euh… Ça allait financièrement… ?
Enquêté — Ah oui ! Oui… ça bien sûr, ça roulait pas sur l'or, mais il y avait tout ce qu'il fallait.
Enquêteur 1 — C'est une famille unie ?
Enquêté — Très [silence].
Enquêteur 1 — Et vos frères et sœurs vous les voyez, là ?
Enquêté — Oui. Oui.
Enquêteur 1 — Oui, régulièrement ?

Enquêté — Oui. On se voit.
Enquêteur 1 — Et vous les recevez chez vous, vous allez chez eux ou… ?
Enquêté — Je vais chez eux, je reçois plus maintenant que la maison n'est pas en état, je les reçois pas. Mais on se voit quand même.
Enquêteur 1 — Chez eux, alors ? Et, bon, vous sortez fréquemment de votre quartier ou… ?
Enquêté — Non. Disons que maintenant, on vit comme des vieux, quoi.
Enquêteur 1 — Vous sortez quoi ? Une fois par semaine ?
Enquêté — Non, on sort pas. Non, on sort pas. C'est-à-dire spectacle et compagnie ? Non… ts, ts… Jamais.
Enquêteur 2 — [Ton doucereux] Quel est votre loisir préféré ?
Enquêté — C'est la pêche. C'est la pêche et la chasse. Et puis le football aussi… Maintenant je regarde les autres.
[…]
Enquêteur 1 — Et vous n'avez jamais eu affaire aux travailleurs sociaux ?
Enquêté — Jamais.
Enquêteur 1 — Dans votre famille, personne n'a eu de problème ?
Enquêteur 2 — C'est juste quand vous avez été obligé de demander le RMI alors ?
Enquêté — Oui. Enfin je l'aurais même pas demandé, je savais pas que… ça existait.
Enquêteur 1 — C'est l'ANPE, à l'ANPE vous m'avez dit ?
Enquêté — Ça doit être à l'ANPE, oui.
Enquêteur 2 — Ce serait eux qui vous auraient conseillé ?
Enquêté — Oui.
Enquêteur 2 — [Sirupeux] Et vous remplissiez les conditions de ressources ?
Enquêté — Oui, puisque je n'ai pas de ressources.
Enquêteur 2 — Depuis combien de temps vous êtes dans cette situation ?
Enquêté — Depuis novembre de l'année dernière, 89, disons.
Enquêteur 2 — [Reprend question déjà abordée] Et pourquoi le bar que vous teniez… le bar, là c'est votre dernier métier, le bar ?
Enquêté — Oui, oui, oui.
Enquêteur 2 — Pour quelle raison ça… ?
Enquêté — Parce que je ne pouvais plus travailler.
Enquêteur 2 — Ah ! Ah d'accord, c'était pour des raisons de santé.
[L'enquêté raconte la mise en vente du bar, qui ne s'est pas très bien passée, le café étant dans un quartier populaire. Les enquêtrices compa-

rent le style du bar aux cafés chics de la ville.]
Enquêteur 1 — Et vous connaissez des gens... Le RMI, vous en n'avez pas beaucoup entendu parler, en fait ?
Enquêté — Non et puis j'en parle pas.
Enquêteur 1 — Oui, vous en parlez pas ?
Enquêté — Même pas, non.
Enquêteur 2 — Qu'est-ce que vous en pensez, vous du RMI, de la loi sur le RMI ?
Enquêté — C'est bien mais... Ça devrait pas exister.
Enquêteur 2 — C'est-à-dire ?
Enquêté — Je sais pas moi. On a l'impression, enfin moi personnellement, ça me gêne énormément.
Enquêteur 2 — Non mais c'est important ça, ce que vous me disiez... un petit peu...
Enquêté — Moi j'en ai presque honte, je vous l'ai dit déjà, avant. Il y en a, ça fait des années qu'ils en profitent, c'est... c'est bien pour les gens âgés. Qu'on les aide à les... [comme s'il se parlait à lui même]. *Mais si il manque du travail, les jeunes ne peuvent pas inventer le travail...*
Enquêteur 2 — Vous en avez un peu honte, pourquoi ? Pouvez-vous m'expliquer un petit peu...
Enquêté — Mais je sais pas ! Parce que après avoir travaillé, je devrais pas avoir besoin de ça.
Enquêteur 2 — Vous estimez qu'en ayant travaillé toute votre vie...
Enquêté — Oui, voilà, oui. Raconter sa vie et compagnie... Non, là, je suis pas d'accord.
Enquêteur 2 — [Scandalisée] *Ah non, mais là vous êtes pas obligé !*
Enquêté — Non d'accord, mais enfin on en parle...
Enquêteur 2 — Si vous voulez, on est un peu déconnectés du RMI local.
Enquêté — Au lieu que ce soit, partout, il faut étaler son curriculum.
Enquêteur 2 — [Ton épuisé] *Oui, partout, que ce soit assistantes sociales, partout, à l'ANPE...*
Enquêté — Voilà !
Enquêteur 2 — ... il faut étaler... Ça, ça vous déplaît...
Enquêté — Ah oui énormément ! Même de venir là ici...
Enquêteur 2 — Alors on va vous remercier deux fois plus alors... [Rire] *parce que ça, ça nous aide...*
Enquêteur 1 — D'autant plus, on peut lui dire, les messieurs ne viennent pratiquement pas, à notre rendez-vous.
Enquêté — Oui ? Ah bon ?
Enquêteur 1 — Les femmes viennent beaucoup mais les messieurs, ils

ont autre chose à faire ou... je sais pas.
Enquêté — *Remarquez, honnêtement, si j'avais su, je serais peut-être pas venu. C'est ma femme qui... .*
Enquêteur 1 — *Oh on n'est pas méchantes!* [Rire]
Enquêté — *Non d'accord, mais enfin... C'est un peu gênant.*
Enquêteur 2 — [Onctueux] *Vous savez, je comprends qu'effectivement vous le viviez comme un petit peu gênant...*
Enquêté — *On a une petite fierté, quand même.*
Enquêteur 2 — *Oui, tout à fait, je comprends que vous viviez comme gênant, ceci dit pour nous, on en voit beaucoup...*
Enquêté — *Pour vous, ça change rien. Oui, ça je suis d'accord, bien sûr.*
Enquêteur 1 — *Oui et puis pour nous, on fait notre travail, donc plus on a d'éléments... Et puis en même temps c'est un contact...*
Enquêté — *Oui, bien sûr. Je comprends.*
Enquêteur 2 — *Peut-être qu'on a besoin d'avoir effectivement des matériaux... comme Madame* [la première enquêtrice] *a dû vous expliquer le but de...*
Enquêté — *Oui...*
Enquêteur 2 — [Trouve enfin un argument] *Vous participez à la recherche scientifique. Vous vous rendez compte?* [Rire de gorge.]
Enquêté — *C'est très bien. J'aurai servi à quelque chose.*
Enquêteur 2 — [Rire] *Un petit maillon de la grande chaîne...*
Enquêté — *Très petit maillon alors.*
Enquêteur 2 — *Non ce sont les petits maillons qui font les grandes chaînes. (...) Autrement, est-ce que vous trouvez que c'est vraiment très gênant chaque fois, d'être obligé de redire...*
Enquêté — *Ah oui! Ça oui!*
Enquêteur 1 — *Redire sa vie, quoi?*
Enquêté — *Ah oui. Oui, oui... C'est très déplaisant*•

« Quel intérêt y a-t-il à étudier
la philosophie, si tout ce qu'elle
fait pour vous est de vous
rendre capable de vous exprimer
de façon relativement plausible
sur certaines questions de
logique abstruses, etc.,
et si cela n'améliore pas votre
façon de penser sur les
questions importantes de la
vie de tous les jours, si cela
ne vous rend pas plus conscient
qu'un quelconque journaliste
dans l'utilisation des expressions
dangereuses que les gens
de cette espèce utilisent pour
leurs propres fins ? »

Ludwig Wittgenstein, Correspondance

Pierre Bourdieu

Post-scriptum

Le monde politique s'est fermé peu à peu sur soi, sur ses rivalités internes, ses problèmes et ses enjeux propres. Comme les grands tribuns, les hommes politiques capables de comprendre et d'exprimer les attentes et les revendications de leurs électeurs se font de plus en plus rares, et ils sont loin d'être au premier plan dans leurs formations. Les futurs dirigeants se désignent dans les débats de télévision ou les conclaves d'appareil. Les gouvernants sont prisonniers d'un entourage rassurant de jeunes technocrates qui ignorent souvent à peu près tout de la vie quotidienne de leurs concitoyens et à qui rien ne vient rappeler leur ignorance. Les journalistes, soumis aux contraintes que font peser sur eux les pressions ou les censures des pouvoirs internes et externes, et surtout la concurrence, donc l'urgence, qui n'a jamais favorisé la réflexion, proposent souvent, sur les problèmes les plus brûlants, des descriptions et des analyses hâtives, et souvent imprudentes ; et l'effet qu'ils produisent, dans l'univers intellectuel autant que dans l'univers politique, est d'autant plus pernicieux, parfois, qu'ils sont en mesure de se faire valoir mutuellement et de contrôler la circulation des discours concurrents, comme ceux de la science sociale. Restent les intellectuels, dont on déplore le silence. Or il en est qui ne cessent de parler, souvent « trop tôt », sur l'immigration, sur la politique du logement, sur les relations de travail, sur la bureaucratie, sur le monde politique, mais pour dire des choses que l'on ne veut pas entendre, et dans leur langage, que l'on n'entend pas. On aime mieux, en définitive, prêter l'oreille, à tout hasard, et non sans quelque mépris, à ceux qui parlent à tort et à travers, sans s'inquiéter outre mesure des effets que peuvent produire des propos mal pensés sur des questions mal posées.

Et pourtant tous les signes sont là de tous les malaises qui, faute de trouver leur expression légitime dans le monde politique, se reconnaissent parfois dans les délires de la xénophobie et du racisme. Malaises inexprimés et souvent inexprimables, que les organisations politiques, qui ne disposent pour les penser que de la catégorie vieillotte du « social », ne peuvent ni percevoir ni, à plus forte raison, assumer. Elles ne pourraient le faire qu'à condition d'élargir la vision étriquée du « politique » qu'elles ont héritée du passé et d'y inscrire non seulement toutes les revendications insoupçonnées qui ont été portées sur la place publique par les mouvements écologiques, antiracistes ou féministes (entre autres), mais aussi toutes les attentes et les espérances diffuses qui, parce qu'elles touchent souvent à l'idée que les gens se font de leur identité et de leur dignité, semblent ressortir à l'ordre du privé, donc être légitimement exclues des débats politiques.

Une politique réellement démocratique doit se donner les moyens d'échapper à l'alternative de l'arrogance technocratique qui prétend faire le bonheur des hommes malgré eux et de la démission démagogique qui accepte telle quelle la sanction de la demande, qu'elle se manifeste à travers les enquêtes de marché, les scores de l'audimat ou les cotes de popularité. Les progrès de la « technologie sociale » sont tels en effet que l'on connaît trop bien, en un sens, la demande apparente, actuelle ou facile à actualiser. Mais si la science sociale peut rappeler les limites d'une technique qui, comme le sondage, simple moyen au service de toutes les fins possibles, risque de devenir l'instrument aveugle d'une forme rationalisée de démagogie, elle ne peut, à elle seule, combattre l'inclination des hommes politiques à donner satisfaction à la demande superficielle pour s'assurer le succès, faisant de la politique une forme à peine déguisée de marketing.

On a souvent comparé la politique à la médecine. Et il suffit de relire la « Collection hippocratique », comme l'a fait récemment Emmanuel Terray, pour découvrir que, pareil au médecin, le politique conséquent ne peut se contenter des informations fournies par l'enregistrement de déclarations qui, en plus d'un cas, sont littéralement produites par une interrogation inconsciente de ses effets : « L'enregistrement aveugle des symptômes et des confidences des malades est à la portée de tout le monde : si cela suffisait pour intervenir efficacement, il n'y aurait pas besoin de médecins [1] ». Le médecin doit s'attacher à découvrir les maladies non évidentes (*àdèl*à), c'est-à-dire celles, précisément, que le praticien ne peut « ni voir de ses yeux ni entendre de ses oreilles » : en effet, les plaintes des patients sont vagues et incertaines ; les signaux émis par le corps lui-même sont obscurs et ne livrent leur

1. E. Terray, *La politique dans la caverne*, Paris, Seuil, 1990, p. 92-93.

sens que très lentement, et souvent après coup. C'est donc au raisonnement (*logismos*) qu'il faut demander la révélation des causes structurales que les propos et les signes apparents ne dévoilent qu'en les voilant[2].

Ainsi, anticipant les leçons de l'épistémologie moderne, la médecine grecque affirmait d'emblée la nécessité de construire l'objet de la science par une rupture avec ce que Durkheim appelait les « prénotions », c'est-à-dire les représentations que les agents sociaux se font de leur état. Et, comme la médecine naissante devait compter avec la concurrence déloyale des devins, des mages, des magiciens, des charlatans ou des « fabricants d'hypothèses », la science sociale est aujourd'hui affrontée à tous ceux qui se font forts d'interpréter les signes les plus visibles du malaise social, par exemple, le port d'un fichu aussitôt désigné comme « voile islamique » ; à tous ces « demi-habiles » qui, armés de leur « bon sens » et de leur prétention, se précipitent dans les journaux et devant les caméras pour dire ce qu'il en est d'un monde social qu'ils n'ont aucun moyen efficace de connaître ou de comprendre.

La véritable médecine, toujours selon la tradition hippocratique, commence avec la connaissance des maladies invisibles, c'est-à-dire des faits dont le malade ne parle pas, qu'il n'en ait pas conscience ou qu'il oublie de les livrer. Il en va de même d'une science sociale soucieuse de connaître et de comprendre les véritables causes du malaise qui ne s'exprime au grand jour qu'au travers de signes sociaux difficiles à interpréter parce qu'en apparence trop évidents. Je pense aux déchaînements de violence gratuite, sur les stades ou ailleurs,

2. E. Terray, *ibid.*

aux crimes racistes ou aux succès électoraux des prophètes de malheur, empressés d'exploiter et d'amplifier les expressions les plus primitives de la souffrance morale qui sont engendrés, autant et plus que par la misère et la « violence inerte » des structures économiques et sociales, par toutes les petites misères et les violences douces de l'existence quotidienne.

Pour aller au-delà des manifestations apparentes, à propos desquelles s'empoignent ceux que Platon appelait les doxosophes, « techniciens-de-l'opinion-qui-se-croient-savants », savants apparents de l'apparence, il faut évidemment remonter jusqu'aux véritables déterminants économiques et sociaux des innombrables atteintes à la liberté des personnes, à leur légitime aspiration au bonheur et à l'accomplissement de soi, qu'exercent aujourd'hui, non seulement les contraintes impitoyables du marché du travail ou du logement, mais aussi les verdicts du marché scolaire, ou les sanctions ouvertes ou les agressions insidieuses de la vie professionnelle. Il faut pour cela traverser l'écran des projections souvent absurdes, parfois odieuses, derrière lesquelles le malaise ou la souffrance se masquent autant qu'ils s'expriment.

Porter à la conscience des mécanismes qui rendent la vie douloureuse, voire invivable, ce n'est pas les neutraliser; porter au jour les contradictions, ce n'est pas les résoudre. Mais, pour si sceptique que l'on puisse être sur l'efficacité sociale du message sociologique, on ne peut tenir pour nul l'effet qu'il peut exercer en permettant à ceux qui souffrent de découvrir la possibilité d'imputer leur souffrance à des causes sociales et de se sentir ainsi disculpés; et en faisant connaître largement l'origine sociale, collectivement occultée, du malheur sous toutes ses formes, y compris les plus intimes et les plus secrètes.

Constat qui, malgré les apparences, n'a rien de désespérant : ce que le monde social a fait, le monde social peut, armé de ce savoir, le défaire. Ce qui est sûr, en tout cas, c'est que rien n'est moins innocent que le laisser-faire : s'il est vrai que la plupart des mécanismes économiques et sociaux qui sont au principe des souffrances les plus cruelles, notamment ceux qui règlent le marché du travail et le marché scolaire, ne sont pas faciles à enrayer ou à modifier, il reste que toute politique qui ne tire pas pleinement parti des possibilités, si réduites soient-elles, qui sont offertes à l'action, et que la science peut aider à découvrir, peut être considérée comme coupable de non-assistance à personne en danger.

Et il en va de même, bien que leur efficacité, donc leur responsabilité, soient moins grandes et en tout cas moins directes, de toutes les philosophies, aujourd'hui triomphantes, qui, souvent au nom des usages tyranniques qui ont pu être faits de la référence à la science et à la raison, visent à invalider toute intervention de la raison scientifique en politique : la science n'a que faire de l'alternative entre la démesure totalisatrice d'un rationalisme dogmatique et la démission esthète d'un irrationalisme nihiliste ; elle se satisfait des vérités partielles et provisoires qu'elle peut conquérir contre la vision commune et contre la doxa intellectuelle et qui sont en mesure de procurer les seuls moyens rationnels d'utiliser pleinement les marges de manœuvre laissées à la liberté, c'est-à-dire à l'action politique.

INDEX

INDEX DES AUTEURS

TABLE

RÉALISATION : PAO ÉDITIONS DU SEUIL
IMPRESSION : MAURY-EUROLIVRES À MANCHECOURT
DÉPÔT LÉGAL : FÉVRIER 1998 – Nº 33416-2 (98/09/66621)

Collection Points

DERNIERS TITRES PARUS

P540. Épitaphe pour un espion, *par Eric Ambler*
P541. La Nuit de l'erreur, *par Tahar Ben Jelloun*
P542. Compagnons de voyage, *par Hubert Reeves*
P543. Les amandiers sont morts de leurs blessures *par Tahar Ben Jelloun*
P544. La Remontée des cendres *par Tahar Ben Jelloun*
P545. La Terre et le Sang, *par Mouloud Feraoun*
P546. L'Aurore des bien-aimés, *par Louis Gardel*
P547. L'Éducation féline, *par Bertrand Visage*
P548. Les Insulaires, *par Christian Giudicelli*
P549. Dans un miroir obscur, *par Jostein Gaarder*
P550. Le Jeu du roman, *par Louise L. Lambrichs*
P551. Vice-versa, *par Will Self*
P552. Je voudrais vous dire, *par Nicole Notat*
P553. François, *par Christina Forsne*
P554. Mercure rouge, *par Reggie Nadelson*
P555. Même les scélérats..., *par Lawrence Block*
P556. Monnè, Outrages et Défis *par Ahmadou Kourouma*
P557. Les Grosses Rêveuses, *par Paul Fournel*
P558. Les Athlètes dans leur tête, *par Paul Fournel*
P559. Allez les filles ! *par Christian Baudelot et Roger Establet*
P560. Quand vient le souvenir, *par Saul Friedländer*
P561. La Compagnie des spectres, *par Lydie Salvayre*
P562. La Poussière du monde, *par Jacques Lacarrière*
P563. Le Tailleur de Panama, *par John Le Carré*
P564. Che, *par Pierre Kalfon*
P565. Du fer dans les épinards, et autres idées reçues *par Jean-François Bouvet*
P566. Étonner les Dieux, *par Ben Okri*
P567. L'Obscurité du dehors, *par Cormac McCarthy*
P568. Push, *par Sapphire*
P569. La Vie et demie, *par Sony Labou Tansi*
P570. La Route de San Giovanni *par Italo Calvino*
P571. Requiem caraïbe, *par Brigitte Aubert*
P572. Mort en terre étrangère, *par Donna Leon*
P573. Complot à Genève, *par Eric Ambler*